D1071223

JOSÉ DE ESPRONCEDA
Y SU TIEMPO

SERIE MAYOR
Directores:
JOSEP FONTANA y GONZALO PONTÓN

ROBERT MARRAST

JOSÉ DE ESPRONCEDA Y SU TIEMPO

LITERATURA, SOCIEDAD Y POLÍTICA EN TIEMPOS DEL ROMANTICISMO

Traducción castellana de
LAURA ROCA

EDITORIAL CRÍTICA
(Grupo editorial Grijalbo)
BARCELONA

Título original:
JOSÉ DE ESPRONCEDA ET SON TEMPS. Littérature, société, politique au temps du romantisme

Diseño de la colección y cubierta: Enric Satué

ISBN: 84-7423-428-X
Depósito legal: B. 36.606-1989
Impreso en España
1989.—HUROPE, S.A., Recaredo, 2, 08005 Barcelona

A la memoria de
Don Manuel Núñez de Arenas de la Escosura y Espronceda
y de
Don Antonio Rodríguez-Moñino

PRÓLOGO

Cuando, unos quince años atrás, andábamos buscando tema para la tesis, el profesor Rumeau orientó nuestro interés hacia José de Espronceda. El poeta había sido ya objeto de numerosos estudios. Dejando al margen las biografías noveladas, estos libros y artículos se refieren sólo a aspectos parciales de la vida o la obra, examinadas a veces desde posiciones partidistas. Para Ferrer del Río, Espronceda era una reencarnación de don Juan Tenorio, un ser genial aunque plagado de vicios; para Rodríguez-Solís, un republicano a ultranza; para Piñeyro, un mero imitador español de Byron; y por último, para Cascales, un escritor original pero en cierto modo irresponsable, al que las circunstancias de su vida privada o pública llevaron a actos o tomas de postura desmedidos que no comprometían en modo alguno su conciencia. Menéndez Pelayo vio en el poeta a un personaje de profunda inmoralidad, cuya obra contiene gérmenes de ideas condenables. José María Salaverría escribió (el 22 de octubre de 1938) en el ABC *de Sevilla que, frente a Zorrilla quien, en julio de 1936, hubiese dado apoyo sin duda al pronunciamiento de los cuatro generales, Espronceda, por el contrario, hubiera sido un diputado del Frente popular. En 1950, en una de sus* 60 notas sobre literatura, *Félix Ros recordaba que el poeta había sido conspirador a los quince años «como nuestra antepenúltima generación de señoritos, la del heroico arrepentimiento, había pertenecido a la FUE». Del mismo talante son los juicios emitidos en 1942 por José de las Cuevas y, en 1950, por Julio Romano en sendos libros apresurados y escandalosamente mal informados. No cabe duda de que el verdadero Espronceda no se asemejaba en nada a estas caricaturas. De todas formas, Rodríguez-Solís y Cascales aportaban, cada uno a su modo, elementos muy valiosos. El primero obtuvo información a través de los descendientes, amigos y conocidos del poeta; desveló aspectos ignorados —o que se habían mantenido ocultos— de la vida y actividades de Espronceda, a la vez que exhumó algunos textos suyos olvidados, en prosa o en verso. El segundo publicó documentos procedentes de archivos públicos o privados. A pesar de sus defectos, dichas aportaciones fueron, y siguen siendo, de indiscutible importancia para el conocimiento del poeta. Habrá que esperar hasta la recopilación de trabajos publicada en 1942 por Narciso Alonso Cortés y, más adelante, la edición a cargo de Jorge Campos en la BAE, para encontrar nuevas y útiles contribuciones al estudio de Espronceda.*

El examen de los fondos de archivos y de las colecciones privadas nos ha permitido descubrir nuevos documentos en Madrid, Segovia, Simancas, Montilla,

Londres, Bruselas, La Haya, Lisboa, París y Burdeos. Los recuerdos de los contemporáneos de Espronceda (Escosura, Molins y, en especial, Fernández de Córdoba) nos han proporcionado algunos testimonios complementarios. Por último, hemos realizado un examen detenido y sistemático de los periódicos y revistas publicados en Madrid y en varias ciudades españolas entre 1820 y 1842 (a la vez que de las principales revistas parisienses de los años 1830-1832), cuando menos de aquellas publicaciones de las que existen colecciones en las bibliotecas, aunque por desgracia sean a veces incompletas o mutiladas.

Respecto a la obra, son de gran interés los libros de Churchman y de Mazzei (si bien los daña en ocasiones cierta patriotería literaria) y sobre todo, el de Brereton; también lo son los que Casalduero dedicó al poeta: el primero, en 1951, sobre El diablo mundo, *y el segundo diez años más tarde, en el momento en que nuestras propias investigaciones se hallaban ya en fase avanzada. Nos han sido de utilidad o nos han proporcionado elementos de discusión muchos otros estudios parciales, acerca de aspectos particulares de las obras de Espronceda o de temas referentes al objeto de nuestro trabajo; hacemos mención detallada de todos ellos en la bibliografía de este libro.*

En la lista de trabajos consultados, se notará, de seguro, la ausencia de determinados nombres. Por supuesto, no figuran en ella los de los autores de las inconsistentes biografías recientes anteriormente mencionadas, ni el de José María Pemán, quien publicó un libro sobre Espronceda del que preferimos pensar que fue escrito pro pane lucrando*; ni el del improvisado historiador Pedro Ortiz Armengol el cual, tras haber descubierto mucho después que otros los documentos conservados en los Archivos nacionales franceses relativos al poeta, así como a algunos compañeros suyos de emigración, los interpretó con mucha imaginación pero sin criterio científico alguno. Tampoco figuran en nuestra bibliografía las obras de Menéndez y Pelayo referentes a la época y los hombres que hemos estudiado; la razón es que no podemos considerar hoy como historiador y crítico objetivo a un polemista cuya erudición, innegable, se encuentra al servicio exclusivo de una ideología integrista superada desde largo tiempo atrás. Por último, otros no aparecen mencionados por no haber aportado nada nuevo, o bien porque sus trabajos nos fueron útiles sólo en algún punto concreto; en tal caso, el índice de nombres citados permitirá encontrar en las notas las referencias de sus publicaciones.*

Al inicio de nuestras investigaciones, proyectamos este libro como una monografía. No tardamos mucho en darnos cuenta de que una biografía, seguida por el análisis de los textos del poeta, nos obligaría inevitablemente a constantes llamadas de una parte a otra, a fastidiosas repeticiones inútiles, así como a innumerables referencias anecdóticas; pero lo peor es que no nos hubiera permitido abarcar en una misma dialéctica literatura e historia. En varias ocasiones, con anterioridad a nosotros, se ha realizado ya el estudio inmanente de los textos de Espronceda, en especial en sus aspectos formales, y no hay por qué volver sistemáticamente a ello en todos los casos. Nos anima un propósito distinto: el deseo de insertar la vida y la obra del poeta dentro del movimiento ideológico en España, y de modo más concreto en Madrid, durante los años en que se produce la transición del neoclasicismo al romanticismo. A la postre, el contenido de dichos términos se nos ha revelado muy impreciso. Mientras sabemos con bastante exactitud lo que el primero supone, en especial gracias a los trabajos de N. Glendinning, G. Demerson, A. Dérozier y R. Andioc, el segundo es una etiqueta que se aplica a manifestaciones literarias de contenido muy diferente, no sólo en los distintos países, sino en la propia España.

Así pues, antes de situar la obra y la actividad de Espronceda en su circunstancia, se planteaba una cuestión preliminar: ¿qué es el romanticismo en España? Los trabajos de A. Rumeau, de J. F. Montesinos y de Juretschke aportan valiosas rectificaciones a la teoría de Peers sobre el "romanticismo latente" del que España sería la tierra de elección. En lugar de aplicar un concepto a priori *al estudio de una realidad compleja y cambiante, hemos intentado describir el proceso de dicha realidad siguiendo los pasos de Espronceda en el curso de aquellos años en que, a los valores hasta entonces admitidos se enfrentan, en confusa y tumultuosa agitación, corrientes nuevas, no siempre fácilmente diferenciables. De este modo, nuestro horizonte se amplía a la par que el suyo, y nuestro itinerario discurre por las mismas etapas que recorrió el propio poeta, encontrando a su paso los hechos, libros, maestros, ideas y sistemas que enriquecieron su experiencia y promovieron su actuación como poeta, ciudadano y hombre. La ventaja de un método de este tipo es que permite evitar proyectar en el Espronceda adolescente la imagen del Espronceda adulto, o enjuiciar los fragmentos del* Pelayo, *por ejemplo, según los mismos criterios que* El estudiante de Salamanca, *y viceversa. Tras su contacto con el neoclasicismo, cuyos principios le son inculcados por Lista durante su infancia y primera adolescencia, Espronceda pasa luego por las diversas fases del romanticismo español, antes de convertirse en el poeta del titanismo romántico. Aprendiz de conspirador a los quince años en tiempos de Calomarde, emigra, toma parte en las actividades de los luchadores por la libertad y, de vuelta a su país, milita en la oposición "exaltada". Hemos intentado describir esta doble andadura desde una única perspectiva —la del propio Espronceda—, sin conceder mayor relieve a un aspecto que a otro. Partiendo de este doble punto de vista, hemos estudiado su obra, su actuación y sus tomas de partido. Hemos tenido que recurrir, para ello, a diversas disciplinas, tales como la historia, la historia literaria, la historia de las ideas y la sociología de la literatura, teniendo que lamentar con excesiva frecuencia la falta de trabajos concretos y científicos en el ámbito español de dichas disciplinas (en especial en lo que a las dos últimas se refiere). En este caso, hemos utilizado, siempre que nos ha sido posible, una documentación de primera mano extraída de los archivos y de la prensa, con preferencia a cualquier otra fuente.*

Espronceda muere a la edad de treinta y cuatro años, y el volumen de su obra no es considerable; por ello, puede resultar extraño que no le hayamos seguido hasta el término de su vida. No nos pareció posible hacerlo, a menos de añadir un mínimo de quinientas páginas a un libro ya muy denso cuya preparación y redacción se vieron a menudo interrumpidas por imperativos, que nada tenían que ver con una falta de interés nuestra por el tema. El método adoptado nos ha llevado a exponer de nuevo numerosos hechos literarios, sociales o políticos conocidos en gran parte, cuando menos en líneas generales, a fin de llevar a cabo su estudio según la dialéctica y bajo la perspectiva anteriormente mencionadas, y a la vez para justificar las conclusiones de nuestro análisis, conclusiones en muchos casos opuestas a las que hasta ahora se han propuesto. Hemos tenido que recordar, en concre-

to, las etapas de la campaña de prensa contra el ministerio Mendizábal en 1836, a fin de situar en este contexto, con la mayor precisión posible, el folleto que publicó Espronceda contra la política de dicho jefe de gabinete: paradójicamente, a pesar de su importancia capital en la historia de España del siglo XIX, este período no ha sido objeto de ningún estudio reciente. Por otra parte, nos parece que el año 1838 señala el término de una fase de movimiento ideológico en Madrid en todos los campos, y así intentamos demostrarlo en la última parte de este trabajo. Por último, de 1839 a 1842, son tan numerosas las diversas actividades de Espronceda y tan importantes los acontecimientos de todo tipo que tuvieron un gran peso en el destino de España y su literatura, que su examen requeriría otro libro. De ahí que hayamos creído más sensato limitar las dimensiones de éste, dejando para más adelante la continuación de este trabajo, con el análisis de los últimos poemas de Espronceda, de El diablo mundo, sus discursos en las Cortes, y su actividad y papel político en general.

Para terminar, nos queda un agradable deber que cumplir. Expresamos nuestro respetuoso agradecimiento a nuestros antiguos maestros de la Facultad de Letras de Burdeos, A. Rumeau —quien nos orientó hacia el estudio de Espronceda y no dejó de prodigarnos consejos y ánimos— y Ch.-V. Aubrun, al que debemos el haber ido en 1956 al Instituto de Estudios Hispánicos de París, y que siguió siempre con benevolente interés el desarrollo de nuestra carrera y nuestros trabajos; a P. Verdevoye, M. Darbord y B. Pottier, quienes acordaron conceder a nuestra edición crítica de las poesías y fragmentos épicos de Espronceda, presentada en 1969 como tesis de Universidad en París-Nanterre, el valor de tesis complementaria; y por último, a P.-J. Guinard, que aceptó de buen grado ser el ponente de dicha tesis, cuando a A. Rumeau se lo impidió la enfermedad. También expresamos nuestro agradecimiento a varios colegas y amigos que nos han ayudado en el curso de nuestras investigaciones, o que nos han hecho acertadas observaciones en los distintos estadios de elaboración del libro, tales como: R. Andioc, A. Bensoussan, A. Dérozier, P. Guenoun, F. López, J.-M. Massa, J. Pérez, J.-L. Picoche, V. Sephiha, M. Tuñón de Lara y V. Llorens Castillo.

No siempre resulta cómodo el examen de los archivos y bibliotecas españoles, y debemos mucho a quienes nos lo facilitaron: Doña María Brey Mariño (Cortes españolas), Don José López de Toro (Biblioteca Nacional y Real Academia de la Historia), Don Ramón Solís Llorente (Ateneo de Madrid), Don Félix del Val Latierra (Archivo de Clases pasivas), así como a los conservadores del Archivo de la Villa y de la Biblioteca Municipal de Madrid.

Con su proverbial generosidad, Don Antonio Rodríguez-Moñino nos había abierto muchas puertas y había puesto a nuestra disposición los tesoros de su biblioteca y su inagotable erudición; deploramos profundamente su desaparición, que ha privado a España y al hispanismo de uno de sus más perfectos caballeros. Sin duda alguna, hemos demostrado gran temeridad al emprender la realización de un trabajo que Don Manuel Núñez de Arenas, que era bisnieto del poeta, proyectaba llevar a cabo: su competencia y erudición, su rigor y honradez intelectual hubieran hecho de su obra el estudio definitivo sobre Espronceda. Manuel Núñez de Arenas hijo nos permitió utilizar, con una cordial generosidad que nunca le agradeceremos lo bastante, los documentos y manuscritos —por des-

gracia poco numerosos— referentes al poeta, que su padre había guardado o recuperado.

Se comprenderá que hayamos deseado rendir homenaje a estos dos grandes españoles, dedicando este libro a su memoria[1].

París, diciembre de 1971

1. Este libro, presentado en forma dactilografiada el 4 de marzo de 1972 como tesis doctoral de Estado en la Sorbona, sólo ha sufrido algunas pequeñas supresiones y correcciones con objeto de tener en cuenta las observaciones hechas por los miembros del tribunal en el curso de su lectura.

PRINCIPALES ABREVIATURAS UTILIZADAS

AGM	Archivo General Militar, Segovia.
AGP	Archivo General de Palacio, Madrid.
AGS	Archivo General de Simancas.
AHN	Archivo Histórico Nacional, Madrid.
Alonso Cortés	Alonso Cortés, Narciso. *Espronceda. Ilustraciones biográficas (en su centenario)*, 2.ª ed., Valladolid, 1945.
ANP	Archivos Nacionales, París.
AVM	Archivo de la Villa, Madrid.
BAE	Biblioteca de Autores Españoles.
BH	*Bulletin Hispanique.*
BNM	Biblioteca Nacional, Madrid.
BNP	Biblioteca Nacional, París.
Brereton	Brereton, Geoffrey. *Quelques précisions sur les sources d'Espronceda*, París, 1933.
Casalduero	Casalduero, Joaquín. *Espronceda*, Madrid, 1961.
Cascales	Cascales Muñoz, José. *D. José de Espronceda, su época, su vida y sus obras*, Madrid, 1914.
Esp., *Est./D.M.*, ed. Marrast	Espronceda, José de, *El estudiante de Salamanca. El diablo mundo.* Edición, introducción y notas de Robert Marrast, Madrid, 1978.
Esp., *Poésies*, ed. Marrast	Espronceda, José de, *Poésies lyriques et fragments épiques*, édition, chronologique et critique par Robert Marrast, París, 1969.
Juretschke	Juretschke, Hans. *Vida, obra y pensamiento de Alberto Lista*, Madrid, 1951.
Mazzei	Mazzei, Pilade. *La poesia di Espronceda*, Firenze, s. f. [1935].
Peers, HMRE	Peers, Edgar A. *Historia del movimiento romántico español*, trad. española de J. M.ª Gimeno, Madrid, (1954), 2 vols.
RAH	Real Academia de la Historia, Madrid.
RH	*Revue Hispanique.*
Rodríguez-Solís	Rodríguez-Solís, Enrique. *Espronceda, su tiempo, su vida y sus obras...*, Madrid, 1883.

Primera parte

UN “HIJO DEL SIGLO” EN LA ESPAÑA DE 1808 A 1827

Capítulo I

LA INFANCIA Y LA ADOLESCENCIA DE ESPRONCEDA. ESTUDIOS EN EL COLEGIO DE SAN MATEO

INTRODUCCIÓN

Así como el año 1789 representa, en Francia, el final del siglo XVIII, podemos afirmar que, en España, el año que señala su término en el ámbito de la política europea es el de 1808. El tratado firmado el 27 de octubre de 1807 en Fontainebleau entre los representantes de Carlos IV y Napoleón no fue más que un pacto leonino: tras haber ocupado Lisboa el 30 de noviembre siguiente, las tropas francesas se fueron apoderando poco a poco de las ciudadelas del norte de España. Y cuando Napoleón exigió la cesión de una parte del territorio o de la totalidad de Portugal, cundió el pánico en la familia real, que se replegó en Aranjuez. España se convertía en un teatro de operaciones, y veía su territorio ocupado por tropas francesas. El 20 de febrero de 1808, Murat era nombrado lugarteniente del emperador de los franceses en España: iba a empezar la conquista. El 17 de marzo, la conspiración del infante Fernando tuvo como consecuencias inmediatas la caída de Godoy y la abdicación de Carlos IV en su hijo. Por fin había caído el valido odiado por el pueblo, y la alegría era general. La ocupación de Madrid por Murat, el 23 de marzo, iba a abrir los ojos de los españoles ante la realidad: Napoleón había seguido el juego de Fernando con la única finalidad de añadir España a la lista de los países europeos que había conseguido someter. El 2 de mayo de 1808, los madrileños se levantaron en armas contra el invasor, quien daba inicio a una serie de represalias con los fusilamientos de la Moncloa, preludio de una atroz represión. Comenzaba la guerra de la Independencia.

España iba a verse desgarrada por esta conmoción. Al final del efímero reinado de José Bonaparte, Fernando VII hace su entrada en Madrid el 13 de mayo de 1814. Los partidarios de la colaboración con Francia abandonan el país. Hasta

1820, el absolutismo lleva al exilio a otros españoles que habían depositado todos sus anhelos en la constitución de 1812. Entre 1820 y 1823, renace la esperanza, y la presión liberal obliga al rey a aflojar las cadenas con el restablecimiento de la monarquía constitucional. La intervención de 1823, decidida por la Santa Alianza en el congreso de Verona, hizo del duque de Angulema y de los Cien Mil Hijos de San Luis los restauradores del despotismo.

Afrancesados de 1814 y liberales de 1823 abandonan la patria, proscritos o en exilio voluntario. Entre ellos se encuentran hombres de elite: universitarios, escritores, altos funcionarios y economistas; se dirigen a Francia o a Inglaterra, representando en estos países a la otra España. De esta suerte, algunos recibirán nuevas influencias y, a su vuelta, se esforzarán con mayor o menor fortuna en sacar provecho del fruto de su experiencia.

Durante esta época revuelta transcurren la infancia y la adolescencia de José de Espronceda. Cuando, a los veinticinco años, regresa a su patria a comienzos de 1833 tras un exilio de cinco años, habiendo sufrido ya persecución policial, cárcel, y padecido las dificultades de la emigración, se encuentra con una España presa de una guerra civil que va a dividir el país durante largo tiempo.

La ascendencia de Espronceda y la situación social de su familia

José Ignacio Javier Oriol Encarnación de Espronceda y Delgado fue bautizado el 25 de marzo de 1808 en la iglesia parroquial de Nuestra Señora de la Purificación de Almendralejo, pequeña población de Extremadura. Nacido este mismo día a las seis y media de la mañana, era hijo de Camilo de Espronceda y Fernández Pimentel, sargento mayor del regimiento de caballería de Borbón[1]. A consecuencia de los recientes sucesos, dicha unidad se desplazaba hacia Badajoz. La esposa del oficial le acompañaba durante el viaje, y los dolores del parto se le presentaron entre Villafranca de los Barros y Almendralejo; se debe pues a una circunstancia totalmente fortuita el hecho de que el futuro poeta viera la luz en una provincia del suroeste de España. Según la tradición local, su nacimiento tuvo lugar no lejos de la iglesia en que recibió el bautismo, en el palacio del marqués de Monsalud; junto a la puerta principal de esta mansión, todavía puede verse una lápida conmemorativa del acontecimiento[2].

1. Archivo del Provicariato General Castrense, Madrid, Libro de bautismos n.º 1242, f.º 14, v.º. Copias de la partida de bautismo: BNM, ms. 12971 (96) y Biblioteca de la RAE, Mss. varios, n.º 264. Cascales, pp. 37-38.

2. Según Cascales (p. 32), Espronceda vino al mundo en una cabaña de pastores situada en Pajares de la Vega, entre Villafranca y Almendralejo; en 1884, en su *Diccionario ... de ... extremeños ilustres* (Madrid, 1884, t. I, p. 139), Díaz y Pérez situaba el acontecimiento en una granja llamada La Corda y añadía que el niño había recibido las primeras atenciones en el palacio de Monsalud, en Almendralejo; diez años después afirmaría que el poeta había nacido dentro del pueblo, en casa de un tal Francisco Vélez ("La verdadera patria de Espronceda", *Unión ibero-americana*, IX [101], 6 de febrero de 1894) y publicaría por vez primera la partida de bautismo de Espronceda, cuya fecha de nacimiento se conocía hasta entonces de forma inexacta. Por último, en su artículo "Recuerdos de Espronceda" (*La Ilustración artística*, 9 de junio de 1902), Gestoso y Pérez, apoyándose en el testimonio de un descendiente del marqués de Monsalud, confirmaría que el nacimiento había tenido lugar en el palacio de éste, entonces general del ejército español, que había acogido al matrimonio Espronceda, aunque por su título y su grado quedase exento de la obligación de alojar a los oficiales de paso.

El padre de Espronceda iba a cumplir entonces los cincuenta y nueve años. Nacido el 30 de marzo de 1750 en Los Barrios, cerca de Gibraltar, había sido bautizado quince días más tarde en la iglesia de San Isidro Labrador del mismo pueblo[3]. A través de los testimonios incluidos en el expediente del informe que se abrió en 1769 sobre su filiación y pureza de sangre, cuando era soldado distinguido, nos enteramos de que los bisabuelos del poeta, Sebastián de Espronceda y Rosa Amaro, habían sido comerciantes acomodados, establecidos en la rica villa de Tafalla, no lejos de Pamplona. El mismo documento señala, aunque sin dar mayores precisiones acerca del grado de parentesco, que el interesado es de la misma familia que Ignacio y Joaquín de Espronceda, también domiciliados en Tafalla, y a quienes se ha reconocido el derecho de colocar en la fachada de su casa un escudo con sus armas[4]. En unas escrituras formalizadas ante el mismo notario entre 1769 y 1797, estas personas llevan los nombres de Martínez de Espronceda y Ripa, y aparecen como propietarios de casas y tierras situadas en el territorio de su municipio[5]. Ahora bien, en 1715 un tal Francisco Martínez de Espronceda, negociante de Tafalla, nacido el 15 de diciembre de 1655 en la misma villa, había visto impugnado en los tribunales su derecho a llevar el primer patronímico, puesto que hasta la fecha se había llamado sólo Espronceda. Ganó el pleito, al igual que en 1728, cuando se entabló contra él un segundo proceso por la misma causa, así como por haber colocado en el dintel de la puerta de su domicilio el escudo de los Martínez de Espronceda. En efecto, la investigación había demostrado que era hijo de Esteban Martínez de Espronceda (nacido en Estella) y de Catalina de Oloriz, nieto de Pedro Martínez de Espronceda y de Francisca de Arroniz (oriunda de Estella), y bisnieto de María Juan y de Martín Martínez de Espronceda, nacido en Metauten (Navarra) y legítimo heredero del apellido y del escudo objetos de litigio[6]. El escudo descrito en los autos de ambos procesos todavía figura en la fachada de una casa de Tafalla, aunque nada demuestra que los ascendientes directos del poeta hayan vivido en ella; en las partidas del registro civil referentes a ellos, se les nombra únicamente con el apellido Espronceda. En 1833 volvemos a encontrar a un tal Antonio Martínez de Espronceda, terrateniente en Mirandilla, localidad próxima a Mérida: se trata de un tío abuelo del poeta, que hipotecó tres fanegas de viñedo para garantizar los ocho reales de renta cotidiana, exigidos por el reglamento militar a su sobrino segundo, a la sazón candidato al servicio en los Guardias de Corps[7].

3. AGM, Personal, expediente Espronceda. Este legajo incluye documentos que conciernen a Juan José Camilo de Espronceda, a su padre Diego (menos abundantes) y a su hijo José Vicente (nacido de un primer matrimonio), así como los documentos de petición de ingreso del poeta en la Academia de Artillería en 1821 y a la Guardia de corps en 1833, y los de la investigación sobre sus actividades «revolucionarias» en 1829 (véase *infra*, pp. 30, 137 y 252).

4. Archivo notarial del distrito de Tafalla, Escrituras de Mateo Burgos, 1769, n.º 238. El documento no procura ninguna precisión sobre la ascendencia materna del interesado.

5. Según un sondeo de las minutas del mismo notario de Tafalla, Mateo Burgos.

6. Archivo provincial, Pamplona, sala 3 a., est. 8 izda., balda 5.ª, leg. 2988, y balda 6.ª, leg. 2997.

7. AGM, Personal, expediente Espronceda (véase *supra*, nota 3). No hemos encontrado ningún rastro de la familia Martínez de Espronceda en el registro civil de la parroquia de Mirandilla entre 1747 y 1843.

El hijo de Sebastián de Espronceda y de Rosa Amaro, Diego —abuelo del poeta— había sido bautizado en Tafalla el 15 de noviembre de 1714[8]. Bien por ser el segundón de la familia, bien porque sus padres hubiesen sufrido reveses de fortuna, se alistó con menos de dieciocho años, el 1.º de septiembre de 1732, como soldado raso en el regimiento de caballería de Flandes[9]. Su carrera no fue muy brillante: sargento en 1742, fue nombrado alférez en 1760; cuatro años más tarde, pasó al regimiento de caballería de Borbón, del cual llegó a ser teniente en 1766; en 1778, se le destinó al regimiento de caballería de la costa de Granada en el que obtuvo, en 1789, el grado de capitán. Tomó parte en la guerra de Italia en 1734-1736 y en la campaña contra Portugal en 1762; sus superiores le consideraban un soldado de buena conducta, valeroso y competente. El 20 de abril de 1745, contrajo matrimonio en Algeciras con Agustina Duarte Fernández Pimentel, bautizada en Ceuta el 20 de febrero de 1724; ésta iba a morir el 28 de mayo de 1763 en El Moral de Calatrava sin haber hecho testamento, «por no tener de qué», según reza su partida de defunción. Así pues, los abuelos del poeta no poseían ciertamente bienes ni fortuna, hecho que se ve confirmado por la excepcional duración de la carrera de Diego de Espronceda, quien todavía seguía sirviendo en el ejército en agosto de 1800. En esta fecha, solicitó y obtuvo poco después la autorización de residir en el barrio de Vélez-Málaga, cuyo clima, según decía, era apropiado para su salud y la de su hija Ramona. Pero en octubre del mismo año rehusaron encomendarle las funciones de capitán-cajero de su regimiento, debido a su avanzada edad: en efecto tenía entonces 86 años, y 68 años y 8 meses de servicio en el ejército. Su hija —de la que sólo conocemos el nombre de pila y que debía de tener a la sazón entre 37 y 54 años— había permanecido soltera, seguramente por carecer de dote.

La única carrera que Diego de Espronceda pudo ofrecer a su hijo fue la de las armas. Juan José Camilo se alistó como soldado raso el 1.º de agosto de 1768, con poco más de dieciocho años, en el regimiento de caballería de Borbón en el que su padre servía entonces como teniente. Fue ascendiendo lentamente en los escalafones iniciales de la jerarquía. La primera acción de guerra en la que tomó parte (con el grado de sargento) fue el sitio de Gibraltar en 1782 en el transcurso de la cual, como es sabido, cayó herido de muerte José Cadalso, a las órdenes del cual servía Juan de Espronceda; aquél había intercedido, unos años antes en Madrid, en favor de su subordinado, para un asunto cuya exacta naturaleza desconocemos[10]. Más adelante, en 1801, participó en la campaña de Portugal, como capitán. Su ascenso se hizo más rápido durante la guerra de la Independencia, en la que se destacó de forma especial. Su heroico comportamiento el 15 y 16 de

8. Copia de la partida de bautismo, conservada en los Archivos Nuñez de Arenas (sólo se indica el nombre de los padres y el del padrino).

9. Podemos reconstruir brevemente la carrera de Diego de Espronceda gracias a sus hojas de servicios, redactadas en 1762, 1776 (ésta firmada por José Cadalso) y 1783 (AGS, Guerra moderna, leg. 2472, c.ª 4, f.º 171; leg. 2466, libreta IX, f.º 26; leg. 2478, c.ª 10, f.º 25), a los pocos documentos que le conciernen en el ya citado expediente del AGM, y a las copias de actas de estado civil conservadas en los Archivos Núñez de Arenas.

10. Cadalso, al exponer los motivos de su viaje a Madrid en febrero de 1778, refiere entre otros: «9. Evacuar los asuntos de mi parentela. 10. Formar un equipaje decente. 11. Id. bolsillo, finalmente mirar por don Juan Espronceda»; un poco más abajo señala: «El lance de Espronceda lanzado con lucimiento suyo y mío» (Ferrari, "Las *Apuntaciones biográficas* de José de Cadalso

julio de 1808 en Villanueva de la Reina y en Bailén le valió ser nombrado coronel de su regimiento el 11 de agosto. El 20 de marzo de 1809 fue promovido a brigadier a título honorífico, por haber vuelto a recuperar, en Consuegra, el cañón Libertad, en manos del enemigo. El mes de septiembre siguiente, fue nombrado coronel del regimiento de caballería de los Voluntarios de Madrid. En 1810, estuvo en campaña en Andalucía al servicio de la Junta Suprema. Se le denegó, en julio de 1811, el grado de mariscal de campo que solicitaba alegando su eficaz participación en las batallas de Medina Sidonia y de Chiclana en enero y febrero del mismo año. En vano reiteró más tarde varias veces su demanda. Sus acciones de armas le valieron numerosas condecoraciones, entre las cuales destacan la cruz y medalla de caballero de la orden de San Hermenegildo. El 12 de marzo de 1812, hallándose en Cádiz, fue clasificado como oficial retirado y, como tal, destinado, el 1.º de abril, al ejército de Galicia. Juan de Espronceda, considerando esta decisión, motivada «por su poca actividad y talento pª servir bien», como una caída en desgracia injustificada, solicitó comparecer ante un consejo de guerra a fin de poder lavar las calumnias de las que era víctima: se le acusaba, según decía, de dedicarse al comercio de caballos pertenecientes al ejército. Sus reiteradas protestas entre marzo y julio de 1812 fueron rechazadas, y el alto mando le comunicó que su destino en La Coruña era inapelable. No obstante, no fue a tomar posesión de su cargo, sino que permaneció en Cádiz; el 27 de mayo la Junta renovó la orden, que él siguió incumpliendo; el 11 de julio, protestó por no haber cobrado su paga desde marzo de 1812. A finales de 1813, consiguió un permiso de dos meses para ir a Valencia en donde tenía algunos asuntos que resolver —más adelante veremos de cuáles se trata. Esto le permitió ganar tiempo: en efecto, la firma del tratado de Valençay y el regreso de Fernando VII a Madrid iban a originar cambios políticos de los que tal vez podría verse beneficiada su carrera. El 19 de mayo de 1814, Juan de Espronceda obtuvo en Valencia un pasaporte para trasladarse a Galicia, pero se detuvo en Madrid desde donde, el 8 de junio, dirigió una nueva solicitud al ministro de la Guerra; éste, tras posterior investigación, le respondió el 24 de octubre que las decisiones que le habían apartado del mando que ejercía en Madrid y destinado al ejército de reserva de Galicia con una paga de 20.000 reales, eran justificadas, y que no existían motivos para que el interesado fuese oído en consejo de guerra. No obstante, el ministro confirmó al oficial que estaban satisfechos de sus servicios. La tenacidad del viejo militar acabó por vencer lo que él consideraba, con cierta razón, como una muestra de ingratitud: el 20 de febrero de 1815, fue nombrado coronel del regimiento

en un manuscrito de varios", *Boletín de la RAH*, CLXI, 1967, pp. 138 y 139). Son unas indicaciones muy vagas. ¿Acaso el autor de las *Cartas marruecas* había intervenido para que se trasladara a Diego de Espronceda (a la sazón teniente en el mismo regimiento que su hijo Juan) al regimiento de caballería de la costa de Granada, a donde fue destinado el 31 de marzo de 1778? (AGS, Guerra moderna, leg. 2478, c.ª 10, f.º 25). En todo caso, no se trataba de acelerar o de obtener la promoción de Juan de Espronceda al rango de porta-estandarte, que no alcanzaría hasta el 14 de agosto de 1783 (AGS, Guerra moderna, leg. 2466, c.ª 11, libreta XI, f.º [9]). Las etapas de la vida militar del padre del poeta han sido reconstruidas según AGM, Personal, expediente citado (algunos de cuyos documentos reproduce Cascales, pp. 273-279); AGS, documento citado antes (hoja de servicios, diciembre de 1783), Archivos Nuñez de Arenas (diversos documentos militares y de estado civil).

de dragones de la Reina acantonado en Madrid. A finales del mismo año, y hasta el 20 de mayo de 1818, fue también miembro del consejo de guerra de los oficiales generales de Castilla la Nueva.

Un decreto del mismo día le nombró lugarteniente del rey en la plaza de La Coruña. Estaba ejerciendo dicha función cuando, el 21 de febrero de 1820, el capitán general de Galicia, Francisco Javier de Venegas, que acababa de tomar posesión de su cargo, fue conminado por un grupo de oficiales liberales de la guarnición a proclamar la constitución de 1812. Una junta tomó inmediatamente el poder, destituyendo a las principales autoridades locales; aquel mismo día, por la noche, Venegas y los militares de alto grado hostiles a la junta fueron encarcelados en el castillo de San Antón. Juan de Espronceda, enfermo a la sazón, se reunió con ellos dos días más tarde, siendo sustituido por el coronel Juan Manuel Ausel. El 6 de marzo, el capitán general, el gobernador de la plaza, el teniente general, así como el lugarteniente del rey Espronceda, fueron embarcados por la Junta a bordo del bergantín *Hermosa Rita* que los condujo a Gibraltar [11]. El brigadier permaneció allí poco tiempo, ya que el 7 de abril el teniente general José O'Donnell le expendió un pasaporte para ir de Sanlúcar a Sevilla en compañía de su sirviente, con objeto de reclamar el pago de su sueldo, que no había percibido desde varios meses atrás. El 4 de abril juró la constitución de 1812, según atestigua un certificado firmado por el mismo oficial. La víspera, había solicitado al ministro de la Guerra un destino en Madrid para reunirse con su familia.

Ateniéndose a una ordenanza real del 10 de abril en la cual se le pedía que comunicara el puesto que deseaba ocupar —siempre que no fuese en la capital— solicitó el 6 de mayo ser destinado a Guadalajara con una paga de 24.000 reales. Es probable que los oficiales que urdieron el complot del 21 de febrero en La Coruña mantuviesen al padre del poeta al margen de sus proyectos en razón de su avanzada edad (tenía por aquel entonces 70 años), y tal vez también debido a su indiferencia u hostilidad ante la actuación política de los militares. El nuevo régimen no le guardó rencor alguno por su actitud, puesto que su demanda fue aprobada en una ordenanza del 28 de junio de 1820, por la que se le destinaba a la plaza de Guadalajara. Cuando, a fines de 1823, se reinstauró el régimen absolutista, Juan de Espronceda dejó de cobrar su paga; protestó por dicha medida el 9 de febrero de 1824 ante el capitán general de Castilla la Nueva, quien contestó el 17 que su último nombramiento había sido declarado nulo al igual que todos los actos del período constitucional, y que debía solicitar la revalidación del mismo. Tras una nueva gestión, el 28 de abril, las autoridades accedieron a abonarle las tres cuartas partes de su paga, mientras se regularizara su situación. Tuvo que esperar hasta el 27 de enero de 1826 que la Real Junta de purificaciones examinara su expediente y emitiera una opinión favorable; finalmente, el 8 de agosto, se le confirmó su destino, así como su grado y paga. Por fin, el 9 de octubre de 1828, Juan de Espronceda era trasladado a petición suya a la plaza de Madrid, en donde acabaría su vida el 1.º de enero de 1833; tenía entonces cerca de 83 años, y 64 años y 5 meses de servicio.

11. *Relación histórica de los acontecimientos más principales ocurridos en La Coruña, y otros puntos de Galicia en Febrero y Marzo de este año...* Por el capitán D. José de Urcullu, La Coruña, 1820, pp. 21-24 y 47-48.

Fruto de un primer matrimonio con Petronila de Ramos, Juan de Espronceda tuvo un hijo llamado José Vicente Julián, bautizado en Granada el 16 de marzo de 1772, que falleció soltero en Madrid el 16 de mayo de 1793. Siguiendo la tradición iniciada por su propio padre, había hecho que este hijo de su primer matrimonio ingresara en el regimiento de caballería de Borbón, del cual era alférez por aquel entonces. Su situación económica parece haber sido mejor que la de Diego de Espronceda, tal vez gracias a la dote de Petronila de Ramos, oriunda de Granada, hija y nieta de hacendados, según consta en el expediente de filiación y limpieza de sangre fechado en 1789 y conservado en el expediente de su hijo [12]. En efecto, si bien José Vicente ingresó también muy joven en el ejército, no lo hizo en calidad de soldado raso, como su padre y su abuelo: éstos le aseguraban una renta diaria de dos y ocho reales respectivamente (o sea diez en total, según lo exigía el reglamento); pero puede que dicho reparto existiese sólo en el papel, a juzgar por lo que sabemos de la vida y carrera de Diego de Espronceda. Sea como fuere, nos hallamos ante el indicio de una promoción social modesta, pero real: a los veintiún años, José Vicente Julián era portaestandarte, grado que su padre sólo alcanzó a los treinta y tres.

Cuando María del Carmen Delgado y Lara contrajo matrimonio, el 16 de marzo de 1804 en Zaragoza, con el capitán Juan de Espronceda, era viuda del teniente primero Ignacio Álvarez que había servido en el mismo regimiento. Dos hijos de este segundo matrimonio, Francisco (nacido en Reus el 13 de mayo de 1805) y María del Carmen (nacida en Barcelona el 12 de febrero de 1807), murieron a temprana edad [13]. La madre del poeta había nacido el 27 de septiembre de 1776 en Pinos del Valle (provincia de Granada), y era hija de José Delgado y Ruiz y de Tadea de Lara y Reyes. Uno de los sacerdotes que la habían bautizado en la iglesia de su pueblo natal, Francisco Antonio de Orbe, así como su padrino Agustín de Lara, eran miembros de su familia, según consta en el expediente sobre la filiación y limpieza de sangre de la interesada abierto en junio de 1801 [14]. Los Delgado, los Lara y los Orbe vivían desde largo tiempo atrás en Pinos del Valle. Un tío de María del Carmen había fallecido en octubre de 1800 en Sevilla, víctima de la epidemia de fiebre amarilla. Se llamaba Juan de Lara y a la sazón era capitán en el regimiento de caballería de Borbón, en el que había hecho una carrera poco brillante. Se había alistado como soldado en 1759, llegando en 1783, tres meses más tarde que su amigo Juan de Espronceda, menor de unos diez años, al grado de portaestandarte [15]. Tal vez a la camaradería o amistad de estos compañeros de armas se debió el nuevo matrimonio entre el primero y la sobrina del segundo.

12. AGM, Personal, expediente Espronceda, y Archivo del Provicariato General Castrense, Madrid, Libro de defunciones n.º 1114, f.º 24 v.º (documentos reproducidos en Cascales, pp. 293-300, con numerosas negligencias en la transcripción).

13. AGM, Personal, expediente Espronceda, y expediente Ignacio Álvarez (documentos resumidos o reproducidos en Cascales, p. 46 y pp. 276-277).

14. Archivos Núñez de Arenas. Este expediente se abrió a instancias de Antonio López (tío de María del Carmen Delgado, en aquel entonces huérfana), residente en Sevilla, para así añadirlo al de su primer matrimonio con Ignacio Álvarez. Salvo si se indican otras fuentes, extraemos de este documento los detalles que siguen sobre la familia materna del poeta.

15. Hoja de servicios de Juan de Lara, diciembre de 1783 (AGS, Guerra moderna, leg. 2466, c.ª 11, libreta XI, f.º [10]. El interesado tenía entonces cuarenta y cuatro años, y llevaba

Los testigos oídos en el curso de la investigación relativa a la filiación de María del Carmen Delgado no siempre señalan con precisión el grado de parentesco existente entre la interesada y las personas mencionadas, pese a que tres de ellas como mínimo (las denominadas Reyes, Delgado y Orbe) son de la misma familia. No obstante, todos coinciden en recordar los nombres de parientes, más o menos lejanos, que desempeñaron funciones eclesiásticas, obtuvieron grados en el ejército o fueron objeto de distinciones honoríficas. Juan de Orbe, bisabuelo de María del Carmen Delgado, había sido capitán, así como dos primos de su abuelo: Juan Gerónimo de Orbe y Juan Delgado y Orbe; los dos hermanos de este último, Francisco y José, fueron sacerdotes. Otros dos primos de su abuelo, Juan Antonio y José Nicolás de Orbe, también fueron curas o vicarios; Francisco, hermano de éstos, había sido profesor de matemáticas en Sevilla, secretario del tribunal de la Inquisición de la misma ciudad y familiar del Santo Oficio. Éste tuvo cuatro hijos: Juan, monje en el convento de San Juan de Dios en Cádiz; Ignacio, caballero de la orden de Carlos III, y Hermenegildo, ambos capitanes de navío; y Manuel, capitán de fragata de la Armada real [16]. Juan de Orbe —padre de Juan Antonio, José Nicolás y Francisco— había sido nombrado, según afirma uno de los testigos interrogados que es también uno de sus descendientes, caballero de la orden de Santiago como recompensa por los servicios prestados a la Corona durante la campaña de Cataluña. Esta dignidad le fue otorgada el 12 de junio de 1689, cuando vivía en Sevilla, según sabemos por el correspondiente expediente [17], que nos informa además de la procedencia geográfica de la familia de María del Carmen Delgado. En efecto, todas las personas citadas por los testigos de la investigación relativa a la filiación de la misma son presentadas como oriundas de Pinos del Valle; pero los Orbe debieron de establecerse en Andalucía tan sólo a finales del siglo XVII o a principios del XVIII, pues el mencionado Juan de Orbe había nacido en Santa María de Gatica (Vizcaya), así como su madre, Juana de Amescaray, y sus abuelos maternos, Martín de Amescaray y María Yáñez; su padre y su abuelo paterno, Felipe y Juan, eran oriundos de Délica (Álava), y su abuela materna, Antonia de Arauco, de Bilbao.

La familia materna del poeta contaba, pues, entre sus miembros con numerosos servidores de la Iglesia y del Ejército, de entre los cuales algunos habían sido dignos de relevantes distinciones. Contará incluso con un ilustre prelado: Juan José Bonel y Orbe, nacido en 1782, obispo de Málaga en 1827, de Granada en 1831 y de Córdoba en 1833; prócer del Reino en las Cortes de 1834, vicepresidente del Senado, senador vitalicio y patriarca de las Indias en 1838, director espiri-

---

veinticuatro años, cinco meses y trece días de servicios militares. Juan de Espronceda, cuya hoja ocupa el folio anterior del mismo registro (véase *supra*, nota 10) tenía en las mismas fechas poco más de treinta y tres años, y quince años y cinco meses de servicios.

16. Ignacio de Orbe tenía veintiséis años en 1753: es todo lo que nos refiere un documento conservado en el AGS (Guerra moderna, leg. 2682, cª 1, f.º 12); se puede hallar su nombre en un registro de los archivos de la orden de Carlos III (AHN, Órdenes militares, libro 114, c.ª n.º 24), pero su expediente personal no se ha conservado. Es el autor de una memoria titulada *Proyecto de D Hermenegildo de Orbe, sobre los valores de las pastas de oro y plata de la Casa de la Moneda de Sta Fé del Nuevo Reyno de Granada en Tierra Firme*, fechado en Cartagena [de Indias] el 21 de abril de 1751 (AHN, Estado, leg. 2941, ap. 6.º).

17. AHN, Órdenes militares, Expedientillos, leg. 53, n.º 5372. Consiste en una breve genealogía del interesado, cuyo nombre aparece como Orbe, Horbe y Orue.

tual de la Reina en 1840, arzobispo de Toledo en 1847 y cardenal tres años más tarde[18]. Será él quien, el 24 de mayo de 1824, presida el duelo de su pariente lejano José de Espronceda. Uno de los dos hermanos de Juan José Bonel y Orbe, Nicolás (nacido en 1783) fue abogado, auditor militar, diputado de Granada en 1834 y caballero de la orden de Carlos III en 1838; el otro, José María (nacido en 1793), obtuvo la misma distinción en 1844, siendo gentilhombre de la Reina[19]. Junto al lecho de muerte del poeta se encontraban otros dos parientes cercanos suyos: Nazario Delgado, funcionario de la Intendencia militar, hijo de un primo hermano de su madre, Juan Antonio. Éste (nacido en Baeza en 1780) había realizado estudios de derecho en Granada; en 1808, era alcalde mayor y subdelegado de rentas en Frenegal de la Sierra (Extremadura) y, por haber ayudado a escaparse a algunos prisioneros de guerra, estuvo a punto de ser fusilado en 1811 por los franceses; magistrado en el tribunal de Mallorca en 1821, fue gobernador civil de Córdoba y posteriormente de Alicante en 1834[20].

Los documentos que arrojan alguna luz sobre la ascendencia y la familia del poeta no permiten discernir con claridad los vínculos entre las diversas ramas de un árbol genealógico difícil de reconstruir y especialmente tupido, sobre todo en la línea materna. Desde principios del siglo XVIII podemos observar —o deducir de ellos— la existencia de frecuentes matrimonios entre parientes consanguíneos o uterinos denominados Orbe, Bonel, Delgado y Lara, nacidos casi todos en Pinos del Valle; e imaginamos que las razones de interés, a la vez que los reagrupamientos de propiedades rurales, no eran ajenos a dichas uniones. Los Bonel y los Orbe, tal vez por ser más acaudalados, parecen haber alcanzado posiciones más brillantes que los Delgado y los Lara. En cuanto a las dos generaciones de Espronceda anteriores a la del poeta, están representadas, según vimos, por dos oficiales procedentes de suboficial, el abuelo Diego y su hijo Juan José Camilo, al que las circunstancias históricas brindaron la oportunidad de llegar, a una edad no muy avanzada, al elevado grado de brigadier.

Ignoramos si Petronila Ramos, primera mujer de Juan José Camilo de Espronceda, aportó una dote sustancial al matrimonio. La de María del Carmen Delgado se evaluaba en 1801 en cincuenta o sesenta mil reales antes de sus primeras nupcias[21]. Cuando el brigadier Espronceda y su mujer hicieron testamento en Madrid, el 21 de septiembre de 1822, declararon haber aportado en el momento de su unión, cuatrocientos mil reales ella y doscientos mil él, de los cuales ya no

18. Véase su biografía anónima en *La Ilustración*, (50, 14 de diciembre de 1850). En ella, se ha silenciado un detalle: en calidad de obispo de la diócesis, fue Juan José Bonel y Orbe el que autorizó al gobernador de Málaga, González Moreno, a proceder a la ejecución de Torrijos y de sus cincuenta y dos compañeros en domingo, el 11 de diciembre de 1831, derogando así el derecho canónico (Luisa Sáenz de Viniegra, *Vida del General D. José María de Torrijos y Uriarte...*, Madrid, 1860, t. I, p. 562).

19. Sobre Nicolás Bonel y Orbe, véase AHN, Órdenes militares, libro 2331, y Consejos (relaciones de méritos), leg. 13374, n.os 7 y 36; sobre su hermano Nicolás: AHN, Órdenes militares, libro 2503 (en la misma serie, libro 2402, figura el expediente de un tal Nicolás Bonel y Guzmán, nombrado caballero de la Orden de Carlos III en 1840, y probablemente miembro de la misma familia).

20. AHN, Hacienda, leg. 1556, n.º 94 (expediente personal de J. A. Delgado); Consejos (relaciones de méritos), leg. 13336, n.º 171; Estado, leg. 880, n.º 26.

21. Según el documento citado *supra*, nota 14.

disponían debido a los gastos y pérdidas ocasionados por la guerra de la Independencia. Las escrituras que atestiguaban dichas aportaciones desaparecieron, según decían, en el transcurso de la mencionada guerra[22]. Por lo tanto, resultaba imposible demostrar y comprobar si en 1804 ambos esposos poseían realmente la considerable suma de seiscientos mil reales. Pero según veremos, en 1821 eran dueños de un capital de un valor aproximado. Aunque las vicisitudes de la carrera militar del brigadier hubiesen acarreado a veces la suspensión en el pago de su sueldo, y a pesar de las reiteradas quejas de éste, los esposos Espronceda disponían, poco después de su matrimonio, de una fortuna que se dedicaron a hacer fructificar.

En 1815, el brigadier mantenía un pleito con Doña Ibáñez Ros, viuda de Barrans, de Valencia. Del sumario de este caso[23] se desprende que en diciembre de 1806 Manuel de Barrans había firmado a Juan de Espronceda un reconocimiento de deuda por 99.573 reales y 14 maravedíes, que se comprometía a devolver con un interés del 6 por 100, ofreciendo como fianza a su acreedor una hipoteca sobre una casa de su propiedad sita en la calle del Carmen, en Madrid. A la muerte de Barrans en 1813, el padre del poeta exigió el pago de los 147.617 reales y 9 maravedíes que representaban el capital prestado y los intereses acordados. La viuda de Barrans fue dando largas al asunto; el 1.º de septiembre de 1816 vendió por voluntad propia la casa de Madrid, pero entonces tuvo que abonar 78.889 reales y 16 maravedíes a Juan de Espronceda para levantar la hipoteca adquirida por éste como fianza de la deuda, a cuenta de la que ella había pagado, en julio de 1815, la cantidad de 64.863 reales y 13 maravedíes a su acreedor[24]. Con ello, éste obtenía poco más o menos la totalidad de la suma reclamada por él en 1813 por la herencia de Barrans. Pero en 1818 la señora Ibáñez se querelló con Juan de Espronceda: según alegaba ella, por orden de éste su marido entregó en Valencia, el 19 de diciembre de 1809, la cantidad de 28.461 reales y 28 maravedíes a un soldado del regimiento de caballería de los Voluntarios de Madrid, al mando del cual se encontraba por aquel entonces el padre del poeta; éste mantuvo que el recibo presentado por la demandante era falso, pues ni él ni su mujer se hallaban en Valencia en aquella fecha. No obstante, el 28 de febrero de 1819 se le condenó al pago de dicha suma; el fallo quedó confirmado en apelación el 4 de noviembre siguiente por el consejo de guerra; el brigadier envió una petición al rey y una solicitud a las Cortes que no surtieron efecto alguno. En fin, en septiembre de 1820, las autoridades militares comunicaron al padre del poeta que se le retendría cada mes un tercio de su paga a fin de resarcir a la viuda de Barrans; la deuda que tenía con ella, al correr los intereses y sumarse las costas, ascendía a 30.657 reales. El brigadier solicitó, sin éxito, que dicha retención fuese sólo de un sexto[25].

22. Archivo Histórico de Protocolos, Madrid, libro 9657, Rubio, Escrituras públicas desde 1818 a 1822, f.ᵒˢ 762-765. Copia: AVM, 4-310-3, reproducido en Cascales, pp. 338-343, con algunos errores.

23. AHN, Consejos, leg. 23160, n.º 5.

24. Archivo Histórico de Protocolos, Madrid, libro 23805, Antonio Villa, Escrituras públicas de 1816, f.º 542 ss.

25. AGM, Personal, expediente Espronceda.

Ni estos pleitos ni el embargo de retención a consecuencia del último impidieron que Juan de Espronceda siguiera con sus negocios crematísticos, hecho que prueba que su situación económica no era tan mala como pretendía. El 7 de diciembre de 1816 dio plenos poderes a dos legistas de Madrid para que defendieran sus intereses; el 9 de febrero de 1818 prestó ante notario a un comerciante de la capital la cantidad de 71.550 reales, con la fianza de una hipoteca impuesta sobre una casa propiedad de su deudor, quien se comprometía a reembolsar dicho importe en año y medio, sin lo cual correría un interés del 6 por 100[26]. Algo más tarde, el brigadier llevó a cabo una excelente operación inmobiliaria. El 17 de julio de 1821 se le adjudicó, por la suma de 560.500 reales, una casa sita en Madrid en la calle de la Cruz n.º 1, esquina con la calle Espoz y Mina; había pertenecido al convento de la cartuja del Paular y era vendida en pública subasta tras haber sido declarada patrimonio nacional. El edificio, bien situado y con una superficie de 1.218 pies, se componía de tres tiendas, un entresuelo, dos plantas, sótanos y desvanes. El brigadier satisfizo el pago el 19 de septiembre siguiente, mediante títulos de rentas del Estado[27]. En 1822, efectuó reparaciones en la casa y alquiló las tiendas y pisos a varios inquilinos[28]. Las cantidades que en 1822 declararon poseer al casarse los esposos Espronceda corresponden aproximadamente al valor del citado edificio, que les aseguraba unos ingresos muy respetables que iban a sumarse a la paga de 24.000 reales anuales percibida por el brigadier. Así pues, la infancia y adolescencia del poeta transcurren en el seno de una familia acomodada de clase media.

Espronceda, candidato a la Academia de Artillería de Segovia

Cabe preguntarse si durante el trágico período que se extiende de 1808 a 1812, en el cual Juan de Espronceda se hallaba metido en operaciones militares peligrosas y accidentadas, se dio la posibilidad de que su familia le siguiera constantemente. Así fue, a juzgar por las palabras del primer biógrafo del poeta: «Los primeros años de su infancia se pasaron en el seno del ejército. Desde que cumplió cinco o seis, y pudo montar a caballo, entró de cadete al lado de su padre[29].»

26. Archivo Histórico de Protocolos, Madrid, libro 22337, Antonio de Pineda, Escrituras públicas desde 1816 a 1818, f.º 275 de 1816 y f.ºs 3 y 13-14 de 1818.

27. Archivo Histórico de Protocolos, Madrid, libro 23699, Feliciano del Corral, Bienes nacionales, 1821-1823, 1838-1839. El contrato de venta, firmado el 20 de abril de 1823, contiene las precisiones indicadas. En 1857, la hija del poeta, Blanca, a la sazón casada con Narciso de la Escosura, vendió este inmueble, que había heredado, a la villa de Madrid. El expediente que concierne a esta operación (AVM, Secretaría, 4-310-3) recoge, entre otros documentos, copias del testamento de Juan de Espronceda y su mujer, del del poeta, de la partida de bautismo de Blanca y de la escritura de 1823. Estos papeles se han publicado en parte o resumidos en Cascales, pp. 337-345, con numerosos errores.

28. Archivo Histórico de Protocolos, Madrid, libro 9657, Rubio, Escrituras públicas desde 1818 a 1822, f.ºs 654-655, 662-663, 664-665, 666-667, 690-691, 758-759, 826-827. Las escrituras (en las que no figura el importe de los alquileres) se firmaron los días 12, 22, 25 y 27 de marzo, 20 de abril, 12 de septiembre y 1.º de diciembre de 1822. La misma minuta incluye dos poderes dados por Juan de Espronceda a Pedro Malpartida el 29 de julio y el 1.º de agosto del mismo año (f.ºs 730 y 734-735).

29. *El Labriego*, 23 de mayo de 1840, p. 221 b. No es hasta 1820 que Espronceda solicita

Dicha afirmación no se basa en ninguna prueba documental. De hecho, a partir de marzo de 1808, perdemos la pista de José de Espronceda y su madre. Ésta se encontraba en Madrid en agosto de 1815, según se demuestra en un acta del proceso de Barrans anteriormente mencionado. Pero sólo en 1820 podemos tener la certidumbre de que toda la familia se halla establecida en la capital[30].

En un capítulo de sus recuerdos de juventud, Patricio de la Escosura sitúa en este mismo año el momento en que conoció al futuro poeta, su vecino, que vivía con sus padres en el n.º 25 de la calle del Lobo[31]. Hace un retrato de la familia Espronceda en el que podemos ver cómo María del Carmen Delgado, de carácter irritable y difícil, ejercía en el matrimonio una autoridad exclusiva; prodigaba a su revoltoso hijo un afecto celoso, mostrándose desconfiada con los jóvenes compañeros que tenía y ejerciendo sobre él una vigilancia constante. El brigadier, que era un buenazo, se mostraba siempre indulgente con su hijo por quien tenía flaquezas de abuelo, y dejaba a su esposa el cuidado de gobernar la casa.

El niño que Escosura había conocido en 1820 era «un muchacho listo y travieso ... de su persona, gentil, simpático, ágil, de entendimiento claro, de temperamento sanguíneo y a la violencia propenso». Pero aunque fuese el terror del vecindario, también era «entrañable y constante en sus afectos; reverenciaba a su madre, no obstante sus asperezas y bruscas genialidades». Si bien las protestas de amor filial que encontramos en las cartas que el joven escribía a sus padres desde Lisboa, Londres o Bruselas entre 1827 y 1832 pueden parecer interesadas, ya que se anticipan a apremiantes peticiones de dinero, el afecto que manifestaba a su madre era sincero. Su primer libro, la novela histórica *Sancho Saldaña o el castellano de Cuéllar*, publicada en 1834, lleva la dedicatoria: «A mi madre.»

De su infancia, el poeta no ha dejado más que un solo recuerdo personal. En su poema *El dos de mayo*, escrito en 1840, evoca el inicio de la guerra de la Independencia, así como el relato que le hacían sus padres de los sucesos de 1808, de las intrigas de la Corte española y la heroica resistencia de los madrileños frente a las tropas francesas:

> Entonces, indignados me decían,
> cayó el cetro español pedazos hecho;
> por precio vil a extraños nos vendían
> desde el de Carlos profanado lecho.

(y después rechaza) una plaza de cadete en la Academia de Artillería de Segovia. Véase *infra*, p. 30.

30. En el padrón de Madrid del 18 de septiembre de 1836 (AVM, Quintas, leg. 1-110-2), María del Carmen Delgado declara residir en la capital desde hace catorce años; en el de principios de 1838, desde hace diecisiete años (*ibid.*, leg. 1-147-2); en el de febrero de 1839, desde hace diecinueve (*ibid.*, leg. 1-161-3). Así pues, se habría establecido en Madrid no antes de 1820. Estos padrones, que no se han conservado en su totalidad, proporcionan a menudo indicaciones fantasiosas, como tendremos oportunidad de ver. Servían para confeccionar las listas nominales, por barrios, de aquellos jóvenes susceptibles de ser llamados a filas.

31. "Cómo y de qué manera conocí a Espronceda", *La Ilustración española y americana*, n.º 5, 8 de febrero de 1876, pp. 87-90. Aunque estaba destinado en Guadalajara, el brigadier vivía en Madrid: cuando, el 21 de noviembre de 1820, hizo que se certificara como correcta una copia de la partida de nacimiento de su hijo redactada en agosto de 1812, el notario a quien encargó la tarea precisó que el original le había sido presentado por Juan de Espronceda, «residente en esta corte» (Archivos Núñez de Arenas; AGM, Personal, expediente Espronceda).

La corte del monarca disoluta,
prosternada a las plantas de un privado,
sobre el seno de impura prostituta,
al trono de los reyes ensalzado.

Sobre coronas, tronos y tïaras,
su orgullo sólo, y su capricho ley,
hordas, de sangre y de conquista avaras,
cada soldado un absoluto rey,

fijo en España el ojo centellante,
el Pirene a salvar pronto el bridón,
al rey de reyes, al audaz gigante,
ciegos ensalzan, siguen en montón.

Juan de Espronceda no era uno de aquellos oficiales turbulentos que con tanta frecuencia intervinieron en la vida política de España a principios del siglo XIX. Los cambios de régimen no tuvieron serias repercusiones en su carrera, a no ser entre 1823 y 1826, cuando tuvo que esperar su purificación. Su nombre no aparece en ninguna de las largas listas de oficiales francmasones, o miembros de las llamadas sociedades secretas formadas durante este período [32]. El brigadier había servido a su país como buen soldado, según lo demuestran sus hojas de servicios y las distinciones que se le otorgaron. Representante del rey absoluto en 1820 en La Coruña y destituido por una junta liberal, prestó juramento poco después a la constitución y siguió en servicio, manteniéndose alejado de cualquier intriga. Su letra vacilante y aplicada, tal y como podemos verla en algunos documentos de su expediente de oficial, revela un hombre zafio; al ingresar muy joven en la vida militar, no tuvo tiempo, ni tal vez afición, por conocer otra cosa fuera de su oficio. La guerra contra las tropas napoleónicas fue para él, como para la mayoría de los hombres del pueblo español, una lucha por la independencia, dictada más por un sentido instintivo del patriotismo que por una conducta política razonada. De ahí que sin duda narrara con fervor a su hijo las peripecias de los combates en los que había tomado parte. Todo ello había producido una fuerte impresión en la imaginación del niño que, ya hombre, seguía conservando el recuerdo de aquellos relatos. Por otra parte, el regreso de Fernando VII a su país, en 1814, sumió a España en el caos y oprimió la nación con el peso de medidas de lo más reaccionarias. La negación por parte del rey de la constitución de Cádiz suscitó una oleada de sublevaciones, conspiraciones y complots, que fueron objeto de cruel represión. Evidentemente, un niño de siete a nueve años no podía comprender bien las razones por las que Porlier fue condenado a la horca en 1815, o ejecutado Lacy en 1817. Pero había oído hablar de ellas, y de una forma u otra estos sucesos dolorosos marcaron su ánimo. Espronceda iba a cumplir los doce años cuando Madrid se alzó en armas el 9 de marzo de 1820, dos meses después de que Riego hubiese proclamado la constitución de 1812 en Cabezas de San Juan: hechos de tal importancia provocan una honda conmoción en las familias y, aun deformados, quedan grabados para siempre en la memoria del niño. El *Manifiesto del rey a la nación española* del 10 de marzo de 1820 supuso, en

32. AGP, Papeles reservados de Fernando VII, tomo 67, *passim*.

cierta medida, el anuncio de una liberalización: se abrieron las cárceles, las nuevas Cortes se disponían a reanudar la tarea iniciada en Cádiz, y los liberales exiliados regresaban a su país.

Por aquel entonces, Juan de Espronceda contaba con setenta años de edad; tenía que mantener una mujer de cuarenta y seis, y un hijo de doce. Era muy natural que se preocupara por el porvenir de éste. En julio de 1820, el futuro poeta solicita la gracia de ser admitido como cadete en la Academia de Artillería de Segovia. Hasta junio de 1821 no se pudo ofrecer al demandante la plaza que había quedado vacante por la renuncia de un tal José María Munarriz. El 16 de julio, Espronceda comunicó que retiraba su candidatura, arguyendo como razón la situación económica de sus padres que —según decía— no podrían hacerse cargo de su sustento en la Escuela militar[33]. Ahora bien, al día siguiente recaía en Juan de Espronceda la adjudicación, por 560.000 reales en pública subasta, de la casa de la calle de la Cruz. Con lo cual parece realmente que la razón dada a las autoridades no fue sino un pretexto puramente formal. Por lo que sabemos de la madre del poeta, tal vez podamos pensar que partió de ella el deseo de que el joven no abrazara la carrera paterna y rompiera con una tradición familiar instaurada por el abuelo Diego de Espronceda y Amaro. Tanto la compra de una casa de vecindad en 1821, como el testamento, al año siguiente, en favor del hijo único, así como el abandono por parte de éste de la carrera de las armas, son decisiones que hay que atribuir sin duda a la iniciativa de esta mujer de carácter[34]. José de Espronceda no será soldado: el 1.º de septiembre de 1821, ingresa como interno en el Colegio de San Mateo, que acaba de abrir sus puertas en Madrid. Así pues, aquel muchacho turbulento de trece años que, a juzgar por lo que cuenta Escosura, no era santo de la devoción de patrullas y alcaldes, va a recibir, sin alejarse de sus padres, una educación esmerada en el mejor centro de enseñanza de la capital; advertimos, como dato sabroso, que el hijo de un glorioso combatiente de la guerra de la Independencia se convertirá en alumno de un afrancesado convencido.

33. AGM, Personal expediente Espronceda (documentos inéditos). Sin citar las fuentes, Rodríguez-Solís (pp. 58-59) fue el primero en dar ciertos detalles sobre este episodio, que fueron reproducidos por Cascales (pp. 47-48), quien no había visto los documentos en cuestión y se sorprendía de que Escosura no hubiese dicho nada al respecto en sus recuerdos. En estos papeles, al interesado se le llama Espronceda y Lara (cuando sus apellidos legales eran Espronceda y Delgado).

34. Según Rodríguez-Solís (pp. 58-59), en 1833, tras la muerte de su esposo, ésta «había montado un gran establecimiento de coches». Cascales no recoge este detalle. Nuestras pesquisas al respecto en los archivos municipales de Madrid han resultado vanas. Cortón dedica a la madre del poeta el capítulo segundo de su libro *Espronceda* (Madrid, [1906], pp. 12-20). El retrato que traza de ella basándose en Escosura se realza con detalles imaginarios y fantasiosos. Por ejemplo: «Muy niña aún contrajo matrimonio con don Juan de Espronceda» (p. 13; en realidad tenía veintiocho años); «fue madre, cuando apenas tendría unos veinte años» (p. 15; en marzo de 1808 contaba casi treinta y dos años, y era madre por tercera vez); «Aquella singular mujer no tenía ilustración» (p. 16; de hecho, no sabemos nada acerca de su educación).

El Colegio de San Mateo: una nueva concepción de la pedagogía

En el mes de marzo de 1817, el padre Alberto Lista regresó a España tras varios años de exilio. Primero residió en Pamplona donde fue preceptor de los cuatro hijos del marqués de Vesolla; más tarde, ocupó en 1818 la cátedra de matemáticas creada por el Consulado de Bilbao. Allí, llegó a ser director de los estudios en el colegio de Santiago, fundado por Juan Manuel Calleja quien, como él, era sacerdote y antiguo partidario del rey José. En 1820, una vez restablecido el régimen constitucional, Lista vuelve a Madrid. Los afrancesados son mal vistos en los círculos oficiales, y se le niega la cátedra de humanidades en los Reales Estudios de San Isidro; en una carta, del 19 de enero de 1821, comenta con amargura a su amigo Reinoso el ostracismo de que es objeto, y le anuncia su proyecto de crear un colegio privado del que ya ha empezado a redactar el programa de estudios y el reglamento[35]. Era un momento muy propicio, ya que la enseñanza oficial se había visto mermada, desde 1814, por la sangría que la reacción absolutista había causado en el cuerpo del profesorado. Por otro lado, Lista se dio cuenta, a partir de noviembre de 1820, de que los proyectos de reestructuración de la enseñanza pública eran inviables[36], y los hechos vendrían a darle la razón: al término del trienio constitucional, tras largos debates y la elaboración de voluminosos informes, ni las Cortes ni la Dirección General de Estudios habían conseguido, pese a sus inmejorables intenciones y a los esfuerzos de Quintana, poner en marcha las reformas necesarias en este terreno[37].

Para llevar a cabo su proyecto, Lista contaba con la ayuda de José Gómez Hermosilla, al que consideraba el mejor helenista de la época[38]. Calleja, personaje oscuro y menos conocido que sus dos amigos, fue quien se encargó, a finales de 1820 o principios de 1821, de solicitar a las autoridades el permiso para abrir el Colegio de San Mateo, situado en la calle del mismo nombre[39]. Se publicó un prospecto [40] en el que se daban a los padres de los futuros alumnos todas las precisiones deseables. Recordaremos lo esencial; en primer lugar, las tarifas, bastante elevadas: para los internos, 4.400 reales en la enseñanza primaria, y 6.000

35. Carta citada por Juretschke, p. 85, y reproducida *in extenso* en pp. 562-563.

36. Carta de Lista a Reinoso del 24 de noviembre de 1820, Juretschke, p. 561.

37. Véase al respecto A. Dérozier, *Manuel Josef Quintana et la naissance du libéralisme en Espagne*, París, 1968, pp. 602-632.

38. Carta a Reinoso del 10 de marzo de 1821, en Juretschke, pp. 566-567. Sabemos que Hermosilla publicó en 1826 su célebre *Arte de hablar en prosa y verso*, y en 1831 una traducción de la *Ilíada*.

39. María del Carmen Simón Palmer ha encontrado el expediente del Colegio de San Mateo (Expediente formado con motibo de haver concedido el Exmo. Sr. Gefe político permiso a don Juan Manuel Calleja, para establecer una casa de educación, AVM, Secretaría, leg. 2-371-52) y lo ha publicado como apéndice a su artículo "El Colegio de San Mateo (1821-1825)", *Anales del Instituto de estudios madrileños*, IV, 1968. Aunque utiliza principalmente, fuera de dicho documento información de segunda mano, la autora establece los hechos, cometiendo no obstante algunos errores de apreciación. Para más precisiones sobre la historia del colegio, a la que añadimos algunos detalles inéditos, remitimos a este artículo y a Juretschke, pp. 84-104.

40. Según Juretschke (p. 87), este folleto se habría añadido al n.º 33 de la revista *El Censor* (17 de marzo de 1821), que Lista dirigía; ahora bien, Juretschke (nota 146, pp. 96-97) no lo ha encontrado en ninguna de las colecciones de esta publicación periódica conservadas en la BNM —como nos ha sucedido a nosotros. Juretschke (*op. cit.*, pp. 87-88) reproduce el anuncio que

en la secundaria; para los medio pensionistas, 2.200 o 3.000; y para los externos, 1.000 o 1.500, pagadas por anticipado y por trimestre. Había que sumar a estas cantidades un derecho de 100, 50 o 25 reales (según el régimen y el nivel de enseñanza elegidos) destinado a gastos de formación de una biblioteca, de un laboratorio de física y otro de química, así como el precio del material escolar y el importe de las clases particulares de las asignaturas optativas. Los internos tenían que proveerse además de un importante equipo que incluía dos uniformes (uno de salida y otro de trabajo), cuyo uso obligatorio se había impuesto con la loable intención de que desapareciera cualquier signo de desigualdad entre los alumnos. La duración de las vacaciones de verano quedaba fijada en un mes para la enseñanza primaria, y en dos, para la media; durante este período, con objeto de evitar la completa ociosidad, se garantizaba la continuación de algunas clases.

Las frases iniciales del prospecto hacen hincapié en el papel social y político de la enseñanza que se proponen impartir:

> Una nación gobernada por principios liberales necesita ante todas las cosas que los jóvenes adquieran ciencia y virtudes; sin estas dotes ni amarán el régimen constitucional, que sustituye la justicia a las pasiones y al favor, ni podrán ser útiles a la patria y a sí mismos; porque en los gobiernos libres el hombre sin instrucción sirve poco, y el hombre sin virtudes es peligroso.

En las clases primarias, el alumno aprenderá la lectura y la escritura, adquirirá rudimentos de aritmética, estudiará la gramática española y el catecismo (el del arzobispado y el de Fleury), así como la constitución del país. La enseñanza media se compondrá de tres partes: matemáticas y física, humanidades y ciencias filosóficas y políticas. Según reza el prospecto, las matemáticas constituyen la «base de toda buena educación literaria»; en este punto, Lista está de acuerdo con Condillac, cuyas obras pedagógicas conoce de tiempo atrás[41]. Las humanidades ocupan el segundo lugar en el programa del colegio, y se enseñan siguiendo un método progresivo en tres partes. Primero, los alumnos aprenderán a conocer «los grandes modelos de la elocuencia y la poesía» escritos en las cuatro lenguas fundamentales (latín, griego, castellano y francés); en una segunda fase, la mitología, la geografía, la cronología y la historia «les proporcionarán todas las nociones necesarias para la comprensión de los autores»; y por último, la elocuencia y la poética permitirán que se forme su buen gusto. El prospecto añade que no se obligará a los alumnos a ejercicios de redacción en prosa o en verso, ya que éstos requieren dotes especiales que sólo posee una minoría. El profesor juzgará sólo las composiciones de forma espontánea, y sólo se alentará a los jóvenes autores en los que se vea la promesa de firmes cualidades literarias. Estamos ante una de las ideas preferidas de Lista; en 1822 la desarrolla en términos todavía más precisos, en el Ateneo de Madrid:

---

indica la próxima apertura del colegio y que recoge el programa docente basándose en el número del 22 de marzo de 1821 de la *Miscelánea de comercio, política y literatura*, periódico dirigido por Javier de Burgos. Este anuncio es un resumen muy breve del folleto (podemos encontrar un ejemplar en el expediente publicado con el artículo de María del Carmen Simón Palmer citado en la nota anterior).

41. Juretschke, p. 258.

> Se cree generalmente que el estudio de la oratoria sirve para hacer oraciones y el de la poética para hacer poemas. No hay tal cosa. No hay arte de elocuencia ni de poesía... prometer enseñar a *hablar bien en verso y en prosa*, cuando directamente es imposible enseñar a escribir bien una carta familiar, es desacreditar la profesión de humanista. Los profesores que enseñan a sus alumnos a hacer declamaciones y composiciones poéticas, no formarán nunca más que pedantes [42].

Se especifica en el prospecto que se esperará a que los estudiantes posean los conocimientos suficientes, mayor madurez y cierta experiencia de la vida para iniciarles en la elocuencia y la poética, culminación de las humanidades. Finalmente, se construirá un pequeño teatro para la enseñanza de la declamación, «parte importantísima de una buena educación en los gobiernos representativos». En el párrafo dedicado a las ciencias filosóficas aparece el mismo deseo de preparar a los niños y adolescentes para su futura vida de hombres. Mediante el estudio del hombre o «filosofía racional» (estas palabras están entrecomilladas en el prospecto), los alumnos aprenderán

> el origen, deducción y expresión de nuestras ideas, o los principios de ideología lógica y gramática general, y la teoría de la voluntad, o los principios de legislación universal, a cuya clase pertenecen el estudio político de la historia y la exposición filosófica de nuestra Constitución, cuyas bases están deducidas inmediatamente de los derechos y deberes primitivos del hombre reunido en sociedad.

La enseñanza incluirá también clases de dibujo, de solfeo y de danza; se impartirán lecciones de italiano, inglés, alemán o música instrumental a los estudiantes cuyos padres lo deseen.

En el apartado de «educación moral y religiosa» del prospecto, se hace una rápida alusión al catecismo que será objeto de una clase semanal como mínimo. Se hace hincapié en «los medios de acostumbrarles [a los alumnos] a la virtud», presentados con una fraseología en la que se trasluce el espíritu del siglo XVIII francés:

> La lectura de libros escogidos de una moral sana y pura; los cuales, además de servirles de recreo, vayan sembrando en sus corazones los afectos suaves de humanidad, sin los cuales ni hay virtud verdadera, ni puede haberla. La mayor parte de estas lecturas serán históricas: porque la experiencia enseña que nada produce más efecto sobre la tierna edad que los buenos ejemplos.

Aproximadamente los dos tercios de dicho apartado están dedicados a las relaciones sociales que se pretende establecer entre el propio alumnado y entre vigilantes y alumnos. «Para evitar el ocio, padre de la corrupción», éstos estarán constantemente ocupados en tareas variadas que no engendren aburrimiento. Por parte del personal, no se tolerará el menor descarrío en el lenguaje; se ejercerá una vigilancia continua, pero «se les tratará con afabilidad y franqueza, para inspirarles un carácter amable y sincero». Se recompensará la buena conducta de

42. A. Lista, *Lecciones de literatura española para el uso de la clase de elocuencia y literatura del Ateneo español*, Introducción, *en*: Juretschke, pp. 421-422.

los estudiantes y, en caso de falta grave, los mejores de entre ellos serán quienes constituyan el consejo de disciplina. Todo esto permitirá «inspirar a los jóvenes ideas de justicia, y de acostumbrarles, ya en ejercer, ya a respetar el imperio de la ley».

Por último, el prospecto insiste en la educación social de los alumnos, a los que se enseñarán en los días festivos las reglas de urbanidad; en cuanto a los profesores, deberán ser «padres y amigos», sin por ello dar muestras de excesiva familiaridad. Y como novedad importante está el que los alumnos deberán mudarse de ropa interior dos veces por semana, y cambiar las sábanas cada quince días. Está prevista también la enseñanza de la gimnasia, e incluso la de la natación (aunque esta última no parece haber sido puesta en práctica). También en este punto se trata de formar al futuro ciudadano, cuyo «deber primordial es la defensa de la patria»: por ello, se aprovecharán las horas de recreo para enseñar a los alumnos «las evoluciones militares» y la esgrima «tan necesaria por desgracia en el estado actual de las costumbres europeas». Además de ejercer las funciones de director general de los estudios, Lista enseña matemáticas y ciencias políticas; Hermosilla, lenguas antiguas, humanidades y filosofía; y Joaquín Cabezas, física y música. Éstos son los únicos hombres que aparecen mencionados en el prospecto. Por un anuncio publicado en *El Universal* del 28 de enero de 1823, sabemos que el profesor de francés se llamaba Mariano Nicolás. Desconocemos la identidad de los demás profesores del Colegio de San Mateo.

En un artículo (anónimo, pero cuyo contenido revela claramente al autor), titulado *Reflexiones sobre la educación literaria*, publicado en *El Censor* (t. VI, 24 de marzo de 1821, pp. 278-288), Lista presentó una especie de comentario al programa del Colegio de San Mateo, del que recogió, resumiéndolas, algunas partes. Para llevar a cabo el programa previsto, serían necesarios de ocho a nueve años de escolaridad. Según decía, bajo un régimen despótico, un número reducido de conocimientos prácticos basta para ejercer un oficio. Pero según él, en el marco de un régimen liberal, el sistema educativo debe ser

> aquel en que la razón obtenga todos los derechos que naturalmente le competen; en que no se conceda nada ni a las preocupaciones, ni a las sutilezas; en que el pensamiento no esté ligado por la autoridad de los maestros ni de los libros; en que el entendimiento del hombre no goce de cierta especie de ciudadanía.

Lista añadía que la imaginación debe mantener sus derechos, y que hay que permitirle expresarse, dejarle «desahogos y recreos», aunque sujetándola de forma constante a la razón, que permite tanto juzgar y analizar la belleza de la obra de Horacio o Racine, como resolver problemas de geometría. Sean verdades de orden físico, moral o ideal, están interrelacionadas, y los profesores de San Mateo deben aprender a considerarlas dentro de una perspectiva global, siempre con el mismo propósito:

> El joven que emplee los felices años de la adolescencia en adquirir los conocimientos que hemos enumerado, podrá servir a la patria con utilidad y gloria en cualquiera de las carreras que el sistema liberal abre a la honrada ambición de los ciudadanos.

La base de la enseñanza es el estudio del latín, al que siguen luego el del francés y del griego. Esta preferencia por la lengua de Horacio es una de las ideas fundamentales del sistema pedagógico de Lista, quien la desarrollará ampliamente, en 1846, en el discurso pronunciado con motivo de la distribución de premios del Colegio de San Diego de Sevilla: allí combatirá con numerosos argumentos la afirmación de Feijoo según la cual la lengua francesa debía enseñarse antes que cualquier otra. Sin duda alguna, saber «el idioma del Sena» es necesario para quien quiere hacer carrera en el comercio, las ciencias, la diplomacia o el arte militar; pero una educación literaria esmerada sólo puede fundamentarse en el conocimiento del latín [43].

Lo cual no es óbice para que, en el programa del Colegio de San Mateo, se conceda una importancia preponderante a las ciencias. En sus *Reflexiones sobre la educación literaria*, Lista considera las humanidades como estudios «más bien de recreo que de trabajo» —a excepción de los dos primeros años de latín— que dejarán sobrado margen de tiempo a los alumnos para adquirir conocimientos profundos en matemáticas, física, química, zoología, mineralogía e higiene, así como en las ciencias filosóficas, tal y como las define el programa.

> El ideal educativo de Lista —escribe Juretschke— impresiona por su traza moderna en su aspiración a facilitar conocimientos útiles y positivos. Moderno parece también la profunda incrustación de las ciencias de la naturaleza, que refleja el viraje general de la pedagogía hacia las *Realwissenschaften* ... Lista subordina la formación de la juventud al sistema político reinante, recomienda su plan como el más apropiado para el nuevo régimen liberal y, de acuerdo con ello, establece la enseñanza de la constitución, el estudio político de la historia y de la sociedad a la luz de sus principios políticos [44].

En la última frase de su artículo publicado por *El Censor*, el propio Lista definía este ideal: «En nuestros antiguos planes de educación los discípulos eran esclavos; en éste se ha procurado convertirlos en ciudadanos sometidos a la magistratura y a la ley.»

El proyecto de Lista presenta un punto en común con las ideas de Jovellanos y Quintana en materia de educación: el deseo de paliar las carencias de la enseñanza tal y como la practicaba la universidad del Antiguo Régimen. Pero, según observó Juretschke, el fundador del Colegio de San Mateo y el pensador asturiano tienen una concepción de la cultura más minoritaria que la del Tirteo español. Éste limita las humanidades al estudio del latín para conceder una mayor importancia a las ciencias, mientras que Jovellanos preconiza una pedagogía basada en la igualdad de unas y otras; Lista todavía va más allá al dar paso en su programa a las lenguas vivas y a las muertas [45]. La creación del colegio se anticipa al proyecto de reforma de los centros de enseñanza sobre el que las Cortes debatirán durante mucho tiempo y que nunca concluirá en nada. Lista presiente este fracaso, al tiempo que desconfía de antemano de una reorganización hecha por hombres

43. A. Lista, *Discurso sobre la utilidad del estudio de la lengua latina*, Sevilla, s.f. [1846], 26 páginas.
44. Juretschke, pp. 96-97.
45. Juretschke, pp. 60-61 y 89-90.

cuyo «extremismo» le resulta sospechoso. Su plan de estudios está concebido para formar a la futura clase dirigente, necesaria para la estabilidad económica y social de la monarquía ilustrada y destinada a ocupar el puesto de una nobleza que, desde largo tiempo atrás, no está ya a la altura de dicha tarea. Debido al elevado coste de la enseñanza y de los gastos de manutención, sólo podían ingresar en el Colegio de San Mateo los hijos de familias muy acomodadas, es decir, aquellos que por su situación económica quizá se habrían abstenido de desempeñar un papel en la vida pública. Lista les propone ocupaciones constantes, a fin de prepararlos para ser hombres activos; les ofrece sólidos conocimientos positivos, pero también una cultura general muy amplia; desarrolla en ellos —el prospecto hace hincapié en estos dos puntos— el sentido de las responsabilidades cívicas y de la jerarquía social, al patriotismo bien entendido; por último, les acostumbra a aceptar una autoridad sabiamente ejercida, a fin de que ellos mismos puedan ejercerla más adelante en el respeto a la justicia. Se trata sin duda de una concepción aristocrática de la enseñanza, ya que Lista se interesa sólo por una categoría privilegiada de futuros ciudadanos, pero también es a la postre una concepción realista, dentro del espíritu del reformismo tradicionalista y la óptica del despotismo ilustrado, por el carácter utilitario y práctico de los conocimientos impartidos.

La novedad de tales concepciones pedagógicas se percibe todavía con mayor nitidez si comparamos el programa del Colegio de San Mateo con el de la Universidad de Madrid, establecido el 8 de octubre de 1822 para la enseñanza superior[46]. Incluye ocho asignaturas: lengua castellana y latín; geografía (sólo de España y Portugal) y cronología; literatura e historia (manual: *Lecciones de retórica y bellas artes* de Hugh Blair, en una traducción de Munarriz); matemáticas puras; lógica y gramática general; economía política (manual: el *Traité* de J.-B. Say); moral y derecho natural (obras: las *Instituciones philosophicae* del padre Jacquier, seguramente en la traducción de Santos Díez González, en 6 volúmenes; y los *Elementa iuris naturae et gentium* de J.-G. Heineccius); derecho público y Constitución (obras: las *Instituciones* de Reyneval y el *Cours de politique constitutionnelle* de Benjamin Constant, traducido por Marcial López). Esta enumeración demuestra por sí sola que la enseñanza que se imparte en San Isidro es teórica y libresca; cada disciplina sigue siendo autónoma y la adquisición de conocimientos ni es progresiva ni está programada desde una perspectiva a largo plazo: se sacrifica la formación general en beneficio de la especialización.

La escolaridad del alumno Espronceda; sus condiscípulos y compañeros

Los primeros meses de funcionamiento del Colegio de San Mateo estuvieron dedicados a una especie de lecciones "de recuperación" que permitió que los alumnos, ingresados en fechas distintas a partir de la apertura del centro el 1.º de abril de 1821, se encontrasen en disposición de seguir, el 1.º de octubre, las

46. *Plan de asignaturas, catedráticos y libros de la Universidad Central*, formado por orden de la Dirección General de Estudios el 8 de octubre de 1822, *en*: J. M. Sánchez de la Campa, *Historia filosófica de la instrucción pública de España...*, Burgos, 1871-1874, t. I. pp. 448-449, n.º 1.

clases previstas por el plan de enseñanza. El 14 y 15 de septiembre de 1821, Lista organizó una sesión de exámenes seguida de la proclamación de la lista de premios, que fue publicada, acompañada de un largo comentario, en *El Imparcial* del 18 de septiembre[47]. El autor —probablemente el propio Lista— pone de relieve los esfuerzos del personal docente, gracias a los cuales determinados alumnos han podido afrontar con éxito, o cuando menos de una forma digna, las pruebas de latín y álgebra, y otros asimilar en tan sólo cinco meses los conocimientos necesarios para adelantar un curso escolar. Durante este período preliminar, se seleccionó a los alumnos y se les orientó. Se pide encarecidamente a los padres que no aplacen la matrícula de los hijos para más tarde del 15 de octubre, en el interés de la buena marcha de las clases de matemáticas (la insistencia en este punto parece confirmar la identidad del autor del artículo),

> porque si encuentran al llegar a estas clases muy adelantados a sus compañeros, será muy laboriosa su incorporación en el curso, tanto para el profesor como para el alumno: y aunque en los demás ramos de enseñanza puede hacerse la misma observación en ninguno es más cierta en aquella clase en donde no es posible dar un paso adelante sin saber muy bien todas las proposiciones anteriores.

La lista de premios resulta conmovedora, pues encontramos en ella nombres que pronto serán célebres, como el de Ventura de la Vega, que ya da muestras de su afición por el teatro recitando, al finalizar los exámenes del primer día, una poesía y un fragmento de la *Numancia destruida* de López de Ayala; el de Augusto de Burgos, hijo de Javier de Burgos y futuro traductor de Ariosto en 1846; el de Manuel de Mazarredo (más tarde general, que iba a morir durante la guerra carlista); y por último, el de José de Espronceda, que obtuvo como única recompensa el primer premio de inglés.

En 1822, los exámenes finales tuvieron lugar del 1.º al 4 de agosto. La reseña y la lista de premios se publicaron en *El Universal* el 8 de agosto. Estos exámenes públicos se realizaron en presencia de una nutrida asistencia que se mostró satisfecha, según dice el autor del artículo, «no sólo de la instrucción que manifestaron los alumnos, sino también de la maestría y facilidad con que respondieron a las preguntas que el público les hizo». Al hacer balance de la actividad del Colegio de San Mateo tras año y medio de funcionamiento, el autor señala: «ha llegado la instrucción en literatura hasta propiedad griega, y la instrucción en matemáticas hasta el cálculo diferencial.» Hace hincapié en la calidad de la enseñanza impartida y de los resultados obtenidos por los alumnos, a la vez que anuncia para el 1.º de octubre de 1822 la creación de dos nuevas cátedras: la del tercer y penúltimo curso de matemáticas (cálculo diferencial, cálculo integral, trigonometría esférica y geografía astronómica), y la de mitología, geografía antigua e historia. Se daba igualmente como probable la creación de una cátedra de ideología[48].

47. Juretschke y María del Carmen Simón Palmer (art. cit) desconocen este artículo y el que citamos más adelante, publicado en *El Universal* del 8 de agosto de 1822.

48. Un aviso publicado en *El Universal* del 29 de agosto de 1822 anunciaba la creación efectiva, a partir del 1.º de octubre siguiente, de la cátedra «de ideología, gramática general, lógica y filosofía moral, desde la hora de las 11 hasta las 12 1/2, incluso los días de media fiesta».

El último día de exámenes estuvo dedicado a las pruebas de música y danza, así como a la proclamación de la lista de premios. Además de Augusto de Burgos, Manuel de Mazarredo y Ventura de la Vega, también figura en ella Gregorio Romero Larrañaga (tercer premio de escritura), que contaba a la sazón con siete años de edad, y del que no se tenía conocimiento que hubiese frecuentado el Colegio de San Mateo. Al igual que en 1821, Espronceda sólo consigue el primer premio de inglés. En relación con los años siguientes, no hemos encontrado en los periódicos ni listas de premios ni reseñas de exámenes, hecho que queda fácilmente explicado por los sucesos políticos de 1823 y sus consecuencias en la prensa madrileña.

Los partes y los recibos trimestrales que Calleja extendió a nombre del alumno Espronceda nos permiten seguir los progresos de éste en las asignaturas que estudiaba, pero también comprender mejor la organización de la enseñanza impartida en el colegio[49].

El primer recibo se extendió el 1.º de septiembre de 1821, y asciende tan sólo a 600 reales. Como el precio de la pensión se pagaba por adelantado, sabemos que fue en esta fecha cuando el futuro poeta ingresó como interno en el establecimiento[50]. Se le admite en el nivel medio, lo cual demuestra que había frecuentado con anterioridad alguna escuela primaria, o cuando menos que poseía algo más que rudimentos; de todas formas, no sabemos nada a este respecto. Recordemos además que, a mediados de septiembre de 1821, es decir muy poco tiempo después de su admisión en el colegio, consiguió el primer premio de inglés; con ello, se demuestra que había adquirido ya algunos conocimientos de dicho idioma. Durante los últimos meses de 1821, se le entregaron algunos manuales de álgebra y aritmética, un *Sueño* de Luciano en el texto original, una gramática griega, dos volúmenes de autores latinos, un *Catéchisme historique* de Fleury[51], y el primer tomo de la *Colección de clásicos españoles*. El segundo tomo de dicha antología se le facilitó en el transcurso del segundo trimestre de 1822[52]. Durante

---

Además, se advierte a los padres de que no se admitirá, en la misma fecha, más que a los internos y a los externos, excluyendo así a los mediopensionistas.

49. Estos documentos (ocho recibos y cuatro partes trimestrales) se hallan en los Archivos Núñez de Arenas; de ahí hemos sacado los detalles que mencionamos. Escosura ofrece breves extractos de éstos en su artículo "El Colegio de San Mateo. Espronceda, su alumno" (*La Ilustración española y americana*, 1876, pp. 118-119); en Cascales (pp. 309-313) aparecen los partes de enero y octubre de 1823, y los recibos de octubre de 1821 y 1823, únicos conocidos por María del Carmen Simón Palmer y reproducidos en su art. cit. en la nota 39. El primer parte conservado —y quizás el primero establecido— concierne al último trimestre de 1822; las fechas de los recibos se escalonan entre el 1.º de septiembre de 1821 y el 1.º de octubre de 1823.

50. Este hecho viene confirmado por la relación de gastos suplementarios que acompaña al segundo recibo (1.º de octubre de 1821), en que figura la cantidad de 280 reales por las lecciones de inglés del mes anterior y del trimestre siguiente a razón de 70 reales al mes. El parte de diciembre de 1822 indica que Espronceda llevaba dieciséis meses como alumno del colegio. Aunque no se detalla, la suma de 600 reales debía representar un mes de pensión (a 6.000 reales anuales) más 100 reales destinados a la creación de una biblioteca, un gabinete de física y un laboratorio de química.

51. El recibo del 1.º de enero de 1822 indica simplemente: «Un fleuri [*sic*]... 17 reales.» Creemos que se trata del *Catéchisme historique*, cuyo título se indica en el folleto del colegio.

52. Se trata de la *Colección de trozos escogidos de los mejores hablistas castellanos, en verso y prosa, hecha para el uso de la casa de educación sita en la calle de San Mateo de la Corte*, por D. Alberto Lista y Aragón, Madrid, 1821, 2 vols. El vol. I contiene fragmentos escogidos en

los meses siguientes del mismo año, Juan de Espronceda pagó un diccionario griego, un *Nuevo Testamento* en latín y en griego y, en 1823, el segundo libro de matemáticas [53] y un manual de geometría.

Las observaciones que constan en los partes trimestrales conservados demuestran que, hasta finales de 1823, Espronceda se vio obligado a seguir las clases de enseñanza primaria de lectura, escritura, catecismo, historia sagrada, lengua española y aritmética. A partir del último trimestre de 1822, también asistió a las de nivel medio y, simultáneamente, a las del primer, segundo y tercer cursos de latín, a la vez que al primero y segundo cursos de matemáticas y de griego. En el parte de diciembre de 1823 se hace constar que el alumno Espronceda ha alcanzado el nivel de cuarto de matemáticas y de segundo de francés. De las observaciones incluidas en dichos partes —que sería deseable poder cotejar con los de otros alumnos— se desprende que los estudiantes de San Mateo no estaban distribuidos por las clases de distinto nivel en función de su edad o en base a criterios cronológicos progresivos fijados de antemano. En efecto, por lo que hemos podido observar, se consideró que Espronceda, poco después del inicio de sus estudios, era capaz de asimilar el programa previsto para el tercer o cuarto curso de determinadas asignaturas. Así pues, la enseñanza impartida en el colegio de Calleja y de Lista parece haberse adaptado de modo bastante flexible a las aptitudes propias de cada alumno, con objeto de hacerles ganar el mayor tiempo posible en sus estudios.

Veamos ahora cómo era evaluado por sus profesores José de Espronceda, entre los trece y los quince años. No debe extrañarnos el no encontrar ninguna observación junto al apartado *Elocuencia y poética*; recordemos que, según había precisado Lista, dichas asignaturas sólo iban a enseñarse transcurridos unos años de escolaridad. En lectura, escritura, catecismo, historia sagrada, lengua española y aritmética, recibe siempre la calificación de *Bien*. En matemáticas no destaca especialmente; se le da mejor el latín: en el último trimestre de 1822 obtiene el primer premio de traducción en verso y buenas notas a lo largo del año siguiente. En cambio, se le juzga bastante flojo en griego; en mitología, historia y geografía parece bastante buen alumno. Durante el último trimestre de 1823, adelanta en francés aunque, según un comentario de Calleja, es porque se trata de una asignatura de fácil estudio. Recibe sucesivamente clases de canto, de danza y de esgrima. Los buenos resultados, así como los premios que consigue, no le eximen de juicios a menudo severos: sus profesores se quejan de que no estudia las lecciones de griego, y de que le falta aplicación a pesar de que posee ingenio a raudales; ésta es una crítica que se le hace reiteradamente. Espronceda tiene una inteligencia muy despierta, manifiesta elevados sentimientos, se muestra dócil y da pruebas de su nobleza de corazón, pero su asiduidad al trabajo deja que desear, y hay que incitarle constantemente para obtener los resultados que se pue-

---

prosa, y el vol. II una antología de poemas y de extractos de comedias. Su puesta a la venta se anunció en *El Imparcial* de los días 11 de diciembre de 1821 (vol. I) y 3 de marzo de 1822 (vol. II). Hemos utilizado la 6.ª edición, Sevilla, 1885, 2 vols. Véase el comentario de Juretschke (pp. 273-276) dedicado a esta obra.

53. Esta obra, escrita por Lista especialmente para sus alumnos, se titula *Elementos de matemáticas puras* (la publicación de su segundo tomo se anunció en *El Universal* del 26 de noviembre de 1822).

den esperar de él. Este abandono iba acompañado también de cierta indisciplina, con repercusiones a veces en el material del colegio[54]. Pese a ello, Calleja calificó el carácter del niño de dulce, en diciembre de 1822 y, posteriormente, de apático en 1823. Tales contradicciones nos inducen a cuestionar el valor de dichos partes. La administración de un centro privado debía tener en cuenta que los padres pagaban —y mucho— por la enseñanza impartida a sus hijos. Por lo tanto, el director no podía mostrarse excesivamente rígido, para no correr el riesgo de perder a un alumno, aunque éste fuese indisciplinado[55]. En unas pocas líneas, Escosura ha hecho un retrato del alumno José de Espronceda, cuya fidelidad se ve confirmada por las observaciones de sus profesores:

> A los quince años, no era un muchacho de esos inteligentes, aplicados y dóciles, que hacen con razón las delicias de los maestros, para quienes, no sin fundamento, las modestas dotes de la medianía sumisa y laboriosa valen más que los destellos del genio, para la pedagogía siempre incomprensibles. Así, mientras ya Lista, y acaso también el mismo Hermosilla, adivinaban en el turbulento mozuelo al futuro poeta, los inspectores del Colegio de San Mateo, en sus notas oficiales, ven más las travesuras y la desaplicación de Espronceda que su poderosa inteligencia[56].

A partir del 1.º de octubre de 1823, Espronceda deja el internado, pasando a ser externo. Tal vez Calleja exigiera este cambio a los padres debido a los malos ejemplos de indisciplina que el futuro poeta daba a los demás pensionistas; o también puede que los sucesos políticos y el terror blanco reinante en España a partir de la invasión de los Cien Mil Hijos de San Luis impulsaran a los padres del futuro poeta a tomar esta iniciativa, a fin de que, fuera de las horas de clase, su hijo permaneciese junto a ellos durante esta época revuelta. Por otra parte, en 1823, era muy incierto el porvenir del colegio y de sus fundadores. Desde los primeros meses del año, circulaba el rumor del inminente cierre del establecimiento. Calleja desmintió dicho rumor en un aviso incluido al pie del parte del 25 de marzo, en el que afirmaba con rotundidad que los profesores de San Mateo estaban decididos a proseguir su tarea y a cumplir con sus obligaciones hasta el final. En una carta a Reinoso, escrita a finales de 1823, Lista comenta los ataques de que es objeto su colegio en el periódico *El Restaurador*, y reconoce que, debido a las circunstancias, ha disminuido el número de alumnos, si bien en una proporción que todavía no es alarmante[57]. Lo cual viene a demostrar que los rumores pesimistas tenían algún fundamento: el desmentido de Calleja tenía como ob-

54. En la factura de gastos adicionales encontramos: en enero de 1822, 8 reales por la reparación de la cerradura del piano, 8 más por la llave, 1 real y 6 maravedís por el cordón de ésta; el 1.º de abril de 1823, una llave y dos bisagras; el 1.º de julio siguiente, un cristal de ventana y una pizarra (90 reales); el 1.º de octubre, dos cristales más, etc. Sobre el «delito poco decente» que le valió a Espronceda un castigo a finales de 1822, el parte no ofrece ninguna precisión.

55. Encontramos el relato de ciertas travesuras de José de la Pezuela, de Espronceda y de Vega en el Colegio de San Mateo en el elogio fúnebre de éste último, pronunciado en 1866 por el hermano del primero, el conde de Cheste (*Memorias de la Academia Española*, I [II], 1870, pp. 437-439).

56. *Discurso del Exmo. señor D. Patricio de la Escosura...*, Madrid, pp. 76-77.

57. Carta sin fecha, cuyo contenido nos permite situarla hacía los últimos meses de 1823 (Juretschke, pp. 570-571).

jetivo el tranquilizar a la clientela, conservando el mayor número posible de alumnos. En efecto, aunque sin nombrar el Colegio de San Mateo, *El Restaurador* (órgano absolutista) había publicado en septiembre de 1823 un ataque virulento contra los establecimientos privados de enseñanza, que calificaba de «depósitos de contrabando donde se burla el celo de la autoridad, y envenena la juventud al abrigo del retiro»[58]. En esta época, Lista se alejó de Madrid, víctima tal vez de alguna medida de exilio temporal, o acaso para apartarse discreta —o prudentemente— de la capital a la espera de que amainara la tormenta[59].

El último parte referente al alumno Espronceda se cumplimentó el 23 de diciembre de 1823, y abarca el último trimestre de dicho año. Su contenido es de una sorprendente sequedad: «Talento, bueno. Aplicación, corta»; acerca del carácter y la conducta, prefirieron esta vez abstenerse de emitir juicio alguno. En el apartado *Observaciones*, puede leerse lo siguiente:

> Estudia poco, hace continuas faltas y sólo ha aprovechado en este trimestre el francés porque es estudio de fácil trabajo. Está malogrando el talento más delicado que debe a la naturaleza y malogra también la ocasión de aprovecharse de los conocimientos de sus distinguidos profesores.

Cuando Patricio de la Escosura publicó más tarde dichas observaciones, quedó sorprendido por la severidad de las mismas, teniendo en cuenta la cantidad de conocimientos adquiridos por el futuro poeta a lo largo de sus dos años y cuatro meses de escolaridad en el Colegio de San Mateo[60]. Si este parte es realmente el último, puede que Calleja se decidiera a decir con claridad todo lo que pensaban de José de Espronceda en el momento en que éste dejaba el centro —bien por voluntad de sus padres o porque el colegio cerraba sus puertas—; en tal situación, ya no existía razón alguna para tratarle con miramientos.

58. Artículo citado por Juretschke, p. 98.

59. Juretschke (pp. 120-121) no ha podido aclarar totalmente este episodio de la vida de Lista. «La opinión común —escribe— le supone desde 1823 emigrado y víctima del injusto rencor de Fernando VII; tal vez no en última instancia por la poesía *El emigrado de 1823.*» S. Montoto, en su artículo "Lista y la Academia del Mirto" (*España* [Tánger], 17 de julio de 1948), cita la tercera estrofa de la oda de Ventura de la Vega dedicada a Lista el 7 de agosto de 1824, en la que ve una alusión a ciertas medidas políticas de las que había sido víctima este último:

> ¿Segunda vez, acaso, la inocencia
> de la tierra alejada
> lamenta? ¿O de nuevo el fiero trono
> que la superstición ufana erige,
> y el negro fanatismo,
> triunfante lanzas en el hondo abismo?

Esta oda se fecha en 1823 en las *Obras poéticas* de Vega (París, 1866, pp. 511-514). Pero, como indicó el marqués de Jerez de los Caballeros en su discurso de ingreso en la Academia de Sevilla (Sevilla, 1897, p. 31), el manuscrito lleva la fecha de 7 de agosto de 1824. En la correspondencia de Lista recopilada por Juretschke (apéndice VIII) se advierte una laguna de más de cuatro años (desde finales de 1823 al 1.º de enero de 1828). No consideramos descabellado suponer a Lista exiliado momentáneamente o bien retirado de Madrid a finales de 1823 y en 1824.

60. "El Colegio de San Mateo. Espronceda, su alumno", *La Ilustración española y americana*, 7, 22 de febrero de 1876. Este artículo, extensamente plagiado por Rodríguez-Solís (pp. 61-64), se reproduce en parte en Cascales, pp. 306-308.

Los antiguos alumnos del colegio que dejaron escritos sus recuerdos cuentan que el establecimiento funcionó entre 1821 y 1823, lo cual se vería confirmado por las fechas de los partes trimestrales de Espronceda. Sin embargo, persiste la duda; en efecto, Miñano escribía a Reinoso el 7 de febrero de 1825: «El Colegio de San Mateo va a cerrarse sin arbitrio. Se ha luchado hasta ahora contra la persecución, pero es preciso ceder a ella, y Alberto Lista habrá de continuar dando lecciones en su casa, mientras que no se lo prohiban[61].» Desde principios de 1824, quizá permanecía sólo semiabierto y mantenía una "vida apagada". Sea como fuere, por lo que sabemos hasta hoy, no nos resulta posible aclarar si Espronceda abandonó el colegio antes del cierre del mismo, o a causa de dicho cierre.

Allí había encontrado a gran número de jóvenes, todos aproximadamente de su misma edad, que iban a hacerse un nombre en la literatura, el teatro o la política: Juan de la Pezuela, futuro conde de Cheste, nacido en Lima en 1807 y llegado a España en 1822, quien prosiguió humanidades en San Isidro en 1825; a los diecinueve años, proyectaba escribir una tragedia, *Temístocles*, y poco después conseguía que se representara en Zaragoza un drama en prosa, *El abencerraje*. Ya oficial de caballería, fue uno de los grandes personajes de la monarquía[62]. También estaba el hermano de Luis y de Fernando de Córdoba, Ramón[63], Ventura de la Vega —nacido en 1807 en Buenos Aires, que vino a Madrid en 1818 en donde fue alumno de los jesuitas de San Isidro hasta 1821 antes de ingresar en el Colegio de San Mateo[64]— y cuya primera obra en un acto y en prosa, *Virtud y reconocimiento*, compartió los honores de la cartelera del teatro del Príncipe con *A la vejez viruelas*, primera obra de Bretón de los Herreros. En el Colegio de San Mateo encontramos también a León y Navarrete, quien iba a morir en Barbastro tras su brillante comportamiento durante la primera guerra carlista; a Mariano Roca de Togores, sobrino del duque de Frías; a Felipe Pardo, procedente de Lima a donde regresaría en 1828, poetas ambos de mediana calidad; a Manuel de Mazarredo, Augusto de Burgos, Gregorio Romero Larrañaga, Luis Usoz y Río, futuro «heterodoxo» según Menéndez y Pelayo, a Luis María Pastor que sería más tarde ministro de Hacienda y, por último, a Eugenio de Ochoa, "protegido" de Sebastián Miñano, que le llevó a proseguir sus estudios

61. Carta publicada por I. Aguilera ("Don Sebastián de Miñano y Bedoya. Bosquejo bibliográfico", *Boletín de la Biblioteca Menéndez y Pelayo*, XIII, 1931, p. 218) y citada por Juretschke, p. 97. María del Carmen Simón Palmer (art. cit.) funda en estas líneas de Miñano la posibilidad de que el Colegio de San Mateo cerrase sus puertas a principios de 1825; añade también que Lista habló más tarde (en su *Apología del Colegio de San Felipe Neri de Cádiz*..., Cádiz, 1841) de la rivalidad y los ataques que tuvo que sufrir por parte de los jesuitas reinstalados en el Colegio Imperial de Madrid.

62. Véase su biografía escrita por el marqués de Rozalejo, *Cheste o todo un siglo*, Madrid, 1935.

63. Fernando Fernández de Córdoba, *Mis memorias íntimas*, cap. II (BAE, t, CXCII, pp. 15 b-16 a).

64. Según el elogio fúnebre de Vega, ya citado, escrito por Pezuela, conde de Cheste, y reproducido como prefacio a ciertos ejemplares de las *Obras poéticas* de Vega, París, 1866. En su poema *A Don Mariano Roca de Togores*... (*ibid.*, pp. 557-561), de 1842, Vega evoca el recuerdo de sus compañeros del Colegio de San Mateo.

en París a principios de 1828[65]. A estos alumnos de Lista y de Hermosilla, hay que añadir otros jóvenes: Patricio de la Escosura, vecino de Espronceda, traba amistad con él y éste le presenta a Ventura de la Vega, quien a su vez tiene relación con Mariano José de Larra, del que parece ser que alentó la vocación literaria[66]. En 1825, Lista está de nuevo en Madrid en donde vuelve a encontrar a sus antiguos alumnos, aunque en esta ocasión las clases tienen lugar en su casa de la calle de Valverde[67]. Patricio de la Escosura nos ha dejado recuerdos detallados de estas lecciones[68]. Lista les daba clases de derecho, literatura, historia, matemáticas y lenguas antiguas y modernas, con gran paciencia y siguiendo un método pedagógico muy seguro. La calidad de esta enseñanza atrajo a otros discípulos, la mayoría de mayor edad, pero deseosos de perfeccionar conocimientos, como: Antonio María Segovia, quien se hará célebre en el periodismo con el seudónimo de "El Estudiante", Juan Bautista Alonso, que firma sus poesías «Anfriso el del Miño», por fidelidad a su maestro; tal vez también Agustín Durán; Bretón de los Herreros, autor dramático ya conocido, Larra y Mesonero Romanos[69]. «Voilà groupés autour d'un maître unanimement vénéré, presque tous les visages de la jeunesse intellectuelle de Madrid[70].»

Todos ellos confían en este hombre dulce y benévolo que no se limita a inculcarles conceptos abstractos y difíciles, sino que sabe hacerse amar por sus discípulos. De la extraordinaria veneración que estos jóvenes sentían por su maestro, dan testimonio las páginas en las que algunos evocaron más tarde esta época de su vida. En 1870, ante la Academia Española, Escosura habló con emoción del «inolvidable profesor», de quien se declaraba orgulloso de haber recibido enseñanza[71]. Pero no sólo hubo homenajes póstumos. En su revista *El Artista*, en 1836, Eugenio de Ochoa otorga un lugar en su *Galería de ingenios contemporáneos* al dulce Anfriso en el que —según dice— «el don de la enseñanza era ingénito ... naturaleza eminentemente expansiva y amorosa, nunca era más feliz que cuando en medio de su cátedra veía en torno suyo un numeroso auditorio de muchachos, pendientes de sus palabras»; evoca los largos paseos nocturnos por los alrededores de Madrid, en los que Lista acompañaba a sus discípulos para explicarles «sorprendiéndolas, por decirlo así, en la bóveda estrellada, las leyes del mecanismo celeste y las maravillas de la creación», o las discusiones sobre temas

65. Ochoa era probablemente hijo natural de Miñano. Véase al respecto nuestro artículo "Sebastián de Miñano en France", *Mélanges à la mémoire de Jean Sarrailh*, París, 1966, t, II, pp. 97-108; y *Caravelle* (Toulouse), 6, 1966, pp. 83-104.

66. A. Ferrer del Río, *Galería de la literatura española*, Madrid, 1846, pp. 179 y 224.

67. Lista fue autorizado el 4 de enero de 1827 por la Inspección general de Estudios a dar clases particulares en su casa, pero sólo a alumnos externos (según un documento reproducido por Manuel Chaves, *Don Alberto Lista*, Sevilla, 1912, p. 82). Ahora bien, Escosura afirmaba que había sido alumno de Lista en 1825-1826 (*Discurso* citado, p. 17). Si la fecha de 4 de enero de 1827 es correcta, la autorización concedida a Lista no habría hecho más que regularizar una situación ya existente.

68. *Discurso* citado, pp. 14-17.

69. Molíns, *Bretón de los Herreros...*, Madrid, 1883, pp. 38-39; Cheste, *Elogio fúnebre* citado.

70. («Reconocemos, agrupados en torno a un maestro unánimemente venerado, a casi todos los miembros de la juventud intelectual de Madrid.») A. Rumeau, *Mariano José de Larra et l'Espagne à la veille du romantisme*, París, 1949, p. 50.

71. *Discurso* citado, pp. 14-17.

literarios que los alumnos escuchaban con avidez. «En tales ocasiones —concluye Ochoa— desaparecía el maestro y quedaba el compañero, el hermano; pero revestido con la autoridad de un padre [72].» En junio de 1839, José García de Villalta pone fin al prólogo del volumen en el que están reunidas por vez primera las poesías de Espronceda, con un homenaje «al hombre cuyo profundo saber, delicado gusto y complaciente benevolencia, han contribuido tanto a cultivar el alto ingenio de nuestro amigo»; este hombre es Alberto Lista, «aquel eminente profesor, a quien la mano de la política puede separar momentáneamente del trato, pero no del corazón de los que le debemos atenciones o enseñanza [73].» Podríamos ofrecer múltiples ejemplos de las muestras de esta duradera y sincera fidelidad, que resistió los embates periodísticos a los que se dedicaron en 1834 Espronceda y sus amigos en *El Siglo* contra su antiguo maestro, que era a la sazón redactor de *La Estrella* y daba apoyo incondicional a Cea Bermúdez y, posteriormente, a Martínez de la Rosa. Ya hombres, los alumnos del Colegio de San Mateo que pertenezcan al partido "exaltado" conservarán hacia Lista una estima fundada en la gratitud, a pesar del oportunismo del que éste dio muestras en sus artículos de la *Gaceta de Madrid* y de otros periódicos, en los que defendía con igual ardor, hasta mediados de 1837, a los jefes de gabinete sucesivos —de Martínez de la Rosa a Calatrava—, sea cual fuere la tendencia de su política; éste es el sentido que hay que atribuir a la frase de García de Villalta que acabamos de citar [74].

72. *El Artista*, t. II [52, 27 de diciembre de] 1836, pp. 301-304. como portada al t. I de su antología *Apuntes para una biblioteca de escritores españoles contemporáneos...* (París, 1840), Ochoa escogió un retrato grabado de Lista.

73. *Poesías de D. José de Espronceda*, Madrid, 1840, p. IX, y en Espronceda, *Poésies*, ed. Marrast, pp. 480-481. Un redactor del bimensual madrileño *El Buen tono* escribió en el n.º 3 (15 de febrero de 1839), a propósito de la reciente fundación, por Lista, de un nuevo colegio en Cádiz que contaba ya con setenta alumnos: «siendo de esperar que atendida la ilustración e inteligencia de tan versado como instruido literato, que con este plantel de jóvenes nos presentará otro tan recomendable como los que educó en el colegio de *San Mateo* de esta Corte, y que con gloria suya y honor de su maestro tanto brillan en el día en todo género y clase de literatura, como por ejemplo el ingenioso, correcto, fluido y chistoso traductor de la *Segunda dama duende* [Vega], el castizo, severo y original autor del *Castellano de Cuéllar* [Espronceda], y el no menos recomendable, puro y apasionado del *Conde de Candespina* y de la *Corte del Buen retiro* [Escosura].»

74. Véase al respecto, Juretschke, pp. 162-172.

Capítulo II

ESPRONCEDA, APRENDIZ DE CONSPIRADOR

La reacción de 1823

«Le groupe auquel Larra s'incorpore entre 1823 et 1827 —escribe A. Rumeau— présente deux aspects essentiels qui apparaissent nettement dans les deux sociétés que forment au début de 1823 et pour une durée de deux ou trois ans, les grands élèves de San Mateo et leurs amis de l'extérieur: une société secrète, patriotique et révolutionnaire, nommée la Société des Numantins et un cénacle poétique de ton néo-classique baptisé l'Académie du Myrte. Certains de nos jeunes gens appartiennent aux deux filiales de San Mateo; d'autres s'inscrivent parmi les sombres conspirateurs ou parmi les courtisans des Muses. On voit déjà le double visage de la génération du préromantisme: les idées et la sensibilité reflètent le présent, tandis que les moyens d'expression restent ceux du passé[75].» Para llegar a entender el estado de ánimo de estos adolescentes, tendremos que seguirlos fuera de las aulas del Colegio de San Mateo o de casa de Lista.

En 1820, con el restablecimiento del régimen constitucional, se disipan las tinieblas en que se hallaba sumida España desde 1814. Pero aún no se da por vencido el partido absolutista. A partir de julio de 1820, en Cádiz, Burgos y Sevilla, algunos predicadores utilizaron el púlpito de la iglesia como tribuna para la difusión de ideas reaccionarias. El 14 de mayo, se produjeron desórdenes en Zaragoza; en noviembre, se descubrió a tiempo en Vitoria una conspiración alentada

75. («El grupo al que Larra se incorpora entre 1823 y 1827 presenta dos aspectos esenciales que aparecen con claridad en las dos sociedades que forman, a principios de 1823 y por unos dos o tres años, los alumnos mayores de San Mateo y sus amigos de fuera: una sociedad secreta, patriótica y revolucionaria, denominada la Sociedad de los Numantinos, y un cenáculo poético de corte neoclásico bautizado con el nombre de Academia del Mirto. Algunos de nuestros jóvenes pertenecen a las dos filiales de San Mateo; otros se sitúan entre los sombríos conspiradores o entre los cortesanos de las Musas. Vemos ya la doble vertiente de la generación prerromántica: mientras que las ideas y la sensibilidad son reflejo del presente, los medios de expresión siguen siendo los del pasado.») A. Rumeau, *op. cit.*, pp. 50-51.

por los absolutistas. Gozando del apoyo del clero, los adversarios de la constitución reclutaron tropas y se rebelaron abiertamente: constituyeron el llamado Ejército de la Fe. Se instauró en La Seo de Urgel una regencia facciosa, y el cura Merino aprovechó la experiencia de guerrillero que había adquirido durante la guerra de la Independencia, lanzándose al combate a la voz de «¡Viva la religión! ¡Viva el rey absoluto!». En diciembre de 1822 Espoz y Mina y sus soldados redujeron a los insurrectos de Cataluña, que se refugiaron en Francia.

El propio rey había jurado a regañadientes la constitución de 1812 y, estando mal predispuesto con los liberales, se dedicaba a fomentar intrigas más o menos secretas. El discurso que pronunció con motivo de la sesión inaugural de la legislatura de las Cortes, el 1.º de marzo de 1821, fue virulento y tuvo por consecuencia un cambio de ministerio: entre los hombres en el poder predominaron a partir de entonces los moderados, y los adversarios manifestaron con firmeza su descontento en sus sociedades patrióticas y en las columnas de sus periódicos. El 4 de mayo, se conoció el veredicto dictado contra Matías Vinuesa, antiguo párroco de Tamajón, por haber elaborado un proyecto insensato de conspiración absolutista, que demostraba que su autor no parecía estar en plena posesión de todas sus facultades mentales; un pequeño grupo de "exaltados" (instigados tal vez por agentes provocadores), considerando demasiado leve la condena a diez años de presidio, forzaron la puerta de la cárcel en donde estaba encerrado el culpable y le asesinaron. El capitán general y el gobernador de Madrid fueron destituidos y relevados por hombres dispuestos a ejercer la máxima severidad contra los promotores de disturbios. Las elecciones de 1822 resultaron favorables a los exaltados, pero fue Martínez de la Rosa el llamado a encabezar la nueva combinación. El 30 de junio de 1822, se produjeron de nuevo graves incidentes en Madrid, y la Guardia real disparó sobre la multitud; de este cuerpo tradicionalmente fiel al absolutismo, un oficial, conocido por sus ideas liberales, murió en manos de sus propios soldados mientras intentaba evitar lo peor. Este crimen provocó la indignación general y, tras varios días de disturbios, la Milicia nacional de Madrid venció finalmente, el 7 de julio, a las tropas sublevadas que se habían concentrado ante las puertas de la capital. Según se dice, esta victoria de los liberales frente a los "servilones" inspiró uno de los primeros poemas de Espronceda: una oda en la que celebraba esta gloriosa jornada[76].

Todos los que vivieron en aquella época y la evocaron en sus memorias se muestran unánimes al testimoniar la efervescencia que reinaba en Madrid entre 1820 y 1823. Tanto Alcalá Galiano como Mesonero Romanos, Fernando Fernández de Córdoba o Patricio de la Escosura[77] narran con detalle reuniones en los

76. Esta circunstancia la refieren Ferrer del Río (*Galería de la literatura española*, Madrid, 1846, p. 236) y Escosura ("Recuerdos literarios", *La Ilustración española y americana*, 1876). Pero el poema no ha llegado hasta nosotros. El conde de Cheste, en su elogio fúnebre de Vega, atribuye a éste «unas décimas en elogio del comportamiento de la Milicia Nacional de Madrid el 7 de julio de 1822» (ed. cit., p. 447).

77. A. Alcalá Galiano, *Recuerdos de un anciano*, cap. XI y XII (BAE, t. LXXXIII, pp. 148b-191a) y *Memorias*, cap. XXV a XXVII (BAE, t. LXXXIV, pp. 212a-230a); Mesonero Romanos, *Memorias de un setentón*, t. I, cap. XII a XVI (BAE, t. CCIII, pp. 95-153); F. Fernández de Córdoba, *Mis memorias íntimas*, cap. II (BAE, t. CXCII, pp. 11a-25b); Escosura, *op. cit.*, *passim*. Véase también A. Dérozier, *L'histoire de la «Sociedad del Anillo de oro»*, París, 1965,

clubs y asociaciones patrióticas; relatan los éxitos oratorios conseguidos por sus líderes, los enfrentamientos entre exaltados y moderados, así como las escaramuzas entre los periódicos de diversa tendencia que salían publicados en gran número de las prensas de Madrid[78]. El joven Escosura que, procedente de Valladolid con su familia, llega a la capital el 19 de marzo de 1820, queda sorprendido por el ambiente festivo reinante aquel día, en el que se proclama oficialmente la constitución de 1812. En el Colegio de Doña María de Aragón, en donde estudian con él Miguel Ortiz, Lorenzo Flores Calderón y Salustiano de Olózaga, los alumnos manifiestan ruidosamente su adhesión al régimen liberal y colocan en la puerta del establecimiento una placa con la inscripción: «A la Constitución, los alumnos de este colegio.» Fernández de Córdoba, que simpatizaba con el partido monárquico, reconoce que las numerosas manifestaciones liberales le atraían con frecuencia a la calle o a los cafés políticos; Escosura y sus amigos se mezclaban a veces a los grupos que interpelaban a ministros por la calle, o iban a cantar el *Trágala* al pie de las ventanas de personajes importantes, e incluso a veces bajo los balcones de Palacio. En Madrid, no hay más que desfiles, patrullas, pasquines fijados en las paredes y enfrentamientos de mayor o menor violencia entre "negros" y "servilones". Desde el momento de su creación, la Milicia nacional cuenta entre sus filas con banqueros, comerciantes, miembros de profesiones liberales y varios representantes de las familias más importantes del país quienes, en opinión de Córdoba, debieron de alistarse por oportunismo, a fin de salvaguardar su fortuna. Escosura define la España de 1820 como «realista y frailera», pero señala que en su mayoría los escritores, aristócratas, oficiales y altos funcionarios eran sinceramente liberales. A esta categoría social flotante, intermedia entre la nobleza y el proletariado urbano o rural, pertenecen precisamente Escosura y Espronceda (hijos de oficiales), Ventura de la Vega (recogido por un tío funcionario), Miguel Ortiz (cuyo padre es un importante comerciante de origen vasco) y varios de los alumnos del Colegio de San Mateo. Estaban pues inmersos en un ambiente en el que sus convicciones, todavía confusas, se formaban escuchando en casa las discusiones de sus padres acerca de los acontecimientos, u oyendo en la calle a los tenores de los clubs pronunciando discursos encendidos y a los guardias nacionales cantando himnos patrióticos.

La sociedad de los Numantinos: Miguel Ortiz, Patricio de la Escosura, Ventura de la Vega, Bernardino Núñez de Arenas y José de Espronceda

De todas formas, no cabía la posibilidad de que unos adolescentes de entre trece y quince años se afiliaran a una sociedad patriótica o se alistaran en la Milicia nacional; ésta contaba con un batallón de niños, creado el 26 de octubre de 1822, pero, según dice Escosura, enrolarse en él hubiera sido para ellos una humillación intolerable. De ahí que decidieran fundar su propio club patriótico, la

---

e Iris M. Zavala, "La prensa *exaltada* en el trienio constitucional: *El Zurriago*", *BH*, LXIX, 1967, pp. 364-388.

78. Véase A. Cullen, "El lenguaje romántico de los periódicos madrileños publicados durante la monarquía constitucional (1820-23)", *Hispania*, XLI, 1958, pp. 303-307.

sociedad de los Numantinos, durante los primeros meses de 1823[79], cuando el régimen constitucional estaba tocando a su fin.

En octubre de 1822, se reunieron en el Congreso de Verona los miembros de la Santa Alianza, quienes decidieron aplicar el principio de la intervención en España. Las tropas francesas se desplazaron entonces hacia la frontera de los Pirineos, acudiendo a reforzar el cordón sanitario establecido poco antes, con motivo de la gran epidemia de Barcelona. El 7 de abril de 1823, los Cien Mil Hijos de San Luis cruzan el Bidasoa, y no tardan en ocupar todo el país. Refugiado en Sevilla, Fernando VII firma el 23 de abril el decreto de declaración de guerra a Francia. Pero el duque de Angulema entra el 23 de mayo en Madrid e instaura, el 26, la Regencia provisional nombrada la víspera, cuyo secretario es el tristemente célebre Francisco Tadeo Calomarde. «Dès le 4 juin —escribe J. Sarrailh— on peut s'attendre à une politique de réaction, de persécution contre les libéraux; politique ténébreuse et hypocrite, comme la profession de foi de la Régence[80].» Se crea de inmediato una superintendencia de policía y, a partir de entonces, se desencadena una atroz oleada de terror. Por un decreto publicado el 24 de julio de 1823, son desterrados los diputados y ministros liberales, perseguidos los miembros de las sociedades patrióticas y de la Milicia nacional, así como denunciados y hostigados los funcionarios y oficiales francmasones. Tres días antes, otro decreto encomendaba a juntas especialmente creadas la tarea de proceder a la purificación de profesores y estudiantes. Algunos periódicos, como *El Restaurador*, defienden encarnizadamente el absolutismo: ya vimos el papel que desempeñó dicha publicación con sus ataques apenas velados contra el Colegio de San Mateo. La regencia se ve pronto superada por el ardor que los propios españoles manifiestan en denunciar, saquear y asesinar a sus compatriotas sospechosos de liberalismo, y en vano intentó Luis XVIII frenar este impulso. Por doquier hay espías que acechan la mínima palabra, el menor gesto, que controlan la correspondencia. En mayo de 1825, Recacho convertirá dicho espionaje en un deber legal, haciendo obligatoria mediante decreto la denuncia de palabras o textos sediciosos. También quedan ahogadas las ideas. Los curas de las parroquias se encargan de recoger cualquier impreso con fecha de 1820, 1821, 1822 o 1823, cualquier obra importada durante estos años o cualquier publicación prohibida anteriormente por la Inquisición. Una vez examinados, son confiscados o devueltos a su propietario, según su contenido. Se vigila estrechamente el comercio de libros, y la edición de los mismos se ve sujeta a las meticulosas y suspicaces formalidades de la comisión de censura[81].

79. En su ya citado discurso académico de 1870, Escosura sólo mencionó brevemente a los Numantinos. Dedicó a esta sociedad los artículos VIII, IX y X de sus *Recuerdos literarios*, publicados en *La Ilustración española y americana*, en 1876, y reproducidos parcialmente en Cascales, pp. 313-321.

80. («A partir del 4 de junio sólo puede esperarse una política reaccionaria, de persecución contra los liberales; una política tenebrosa e hipócrita, como la profesión de fe de la Regencia.») J. Sarrailh, *La Contre-révolution sous la régence de Madrid*..., Burdeos, 1930, p. 28. Los expedientes 12245 a 12353 de la serie Consejos del AHN, parcialmente utilizados en este excelente estudio, contienen una infinidad de notas anónimas, de denuncias, de conversaciones referidas por los auxiliares de la policía entre 1823 y 1827. No hemos encontrado en ellas —salvo omisión— nada que concierna a Espronceda y a sus amigos.

81. Véase al respecto, A. Rumeau, "Un Français à Madrid entre 1824 et 1840: Chalumeau

En esta España replegada sobre sí misma, se encuentran por doquier Voluntarios realistas, delatores; por ello, los cafés acogen a hombres resignados o aterrados, que se limitan a susurrar confidencialmente sus pensamientos, acuciados por el temor constante de un posible encarcelamiento, un juicio sumarísimo o la muerte. No obstante, en la sombra y desafiando el peligro, los liberales siguen reuniéndose en secreto.

Por lo tanto, en estas fechas de principios de 1823, era realmente peligroso crear una nueva sociedad patriótica. Sabemos de la historia de los Numantinos a través de los recuerdos de Escosura publicados en 1876; este relato suyo es el único que nos permite conocer la actividad de los jóvenes conspiradores[82]. La idea corresponde a Miguel Ortiz Amor, amigo inseparable y condiscípulo de Escosura en la universidad de Madrid:

> Miguel pasaba entre nosotros por consumado diplomático, hábil en superar obstáculos a fuerza de rodeos, en esquivar dificultades, en ocultar a los extraños sus designios, envolviéndose en un misterioso velo, y era, además, sin duda alguna, y lo fue toda su vida, tenazmente perseverante en sus propósitos. Añádanse a esas dotes una fe sincera y entusiasta en las doctrinas liberales, y una invencible propensión a la oscuridad y al misterio, y fácilmente se comprenderá cuán a propósito era aquel entonces joven, para lo que hacer se había propuesto, y realizó efectivamente, en cuanto era posible, y en algo más de lo que él mismo se prometía.

Los objetivos que perseguían eran ambiciosos: contribuir a la caída de la monarquía absoluta, devolver al pueblo la completa soberanía, combatir el régimen vigente y castigar a los autores de crímenes contra la libertad. Impulsado por su temperamento, por sus convicciones y las de su medio social, a la vez que seducido por el lado poético del asunto, Escosura redactó en una noche los estatutos y el reglamento interno de la sociedad. Los ritos de iniciación y el ceremonial se inspiraban en los de la francmasonería; también recordó lo que había leído acerca del tribunal véhmico de los jueces francos quienes, en la Alemania de los siglos XIV y XV, sustituían la justicia legal y, oculto el rostro tras una máscara, dictaban sentencias ejecutadas por iniciados igualmente enmascarados. Tanto los estatutos como el nombre (elegidos en homenaje a la resistencia opuesta por la ciudad ibera frente a Escipión) fueron adoptados con entusiasmo por los primeros miembros: Ventura de la Vega, Bernardino Núñez de Arenas (que tenía a la sazón diecisiete años y al que la entrada de Bessières en Huete había privado, el 31 de marzo de 1823, de su empleo en la administración de correos de dicha ciudad[83]), y Espronceda.

---

de Verneuil", *BH*, XXXVI, 1934, pp. 444-458, y A. González Palencia, *La censura gubernativa en España*, Madrid, 1934, 1935 y 1943, 3 vols.

82. Véase *supra*, nota 79. Escosura (que por otra parte reconoce que su memoria no siempre le es fiel) comete ciertos errores cronológicos, algunos de los cuales son fáciles de corregir. Sólo señalamos aquí los más importantes.

83. AHN, Hacienda, leg. 3313/201 (expediente personal de B. Núñez de Arenas). Éste había nacido en Huete el 23 de mayo de 1806.

PRIMERA EXPERIENCIA DE LA CÁRCEL

En un principio, los Numantinos, unos doce, se reunían en una especie de cueva del Buen Retiro, cerca del Observatorio, o en los arrabales de Madrid para discutir acerca de los sucesos políticos. Tras la invasión de las tropas del duque de Angulema en Madrid (que tuvo lugar a finales de mayo de 1823, y no en los últimos días de septiembre, como escribe Escosura), estas reuniones se suspendieron durante un tiempo, aunque pronto se reanudaron pese a la ausencia de algunos de sus miembros, retenidos en casa por sus padres o que se abstenían como medida de prudencia. Algo antes o algo después del retorno triunfal de Fernando VII en Madrid, el padre de Miguel Ortiz, viendo que su hijo ponía poco empeño en los estudios, que era mal visto por los Voluntarios realistas y que corría el riesgo de que se le denegara la purificación, decidió mandarle a la universidad de Oñate. El joven partió, prometiendo reclutar allí nuevos Numantinos entre sus condiscípulos [84].

A consecuencia de esta marcha, Escosura se convirtió, a finales de 1823, en el presidente de la sociedad; le auxiliaban en la tarea Espronceda y Ventura de la Vega, sus dos secretarios. Dado que las reuniones frecuentes atraían la atención de los guardias del Retiro, los Numantinos las hacían unas veces en casa de uno, otras en casa de otro, y también en las cercanías de Madrid. Resultó ser que uno de ellos, llamado Indalecio Galán, era empleado en una botica de la calle de Hortaleza. Gracias a él, las reuniones pudieron celebrarse en el sótano situado bajo el laboratorio. Nada faltaba en la macabra escenografía imaginada por los jóvenes: colgaduras negras, lamparillas de papel rojo adornadas con siniestros emblemas tales como tibias y calaveras; sobre la mesa de la presidencia, una escribanía, dos espadas y un par de pistolas; los conspiradores asistían a las sesiones envueltos en una capa, con el rostro oculto por un antifaz negro y un puñal en la mano [85].

El 7 de noviembre de 1823, los jóvenes Numantinos se encuentran ante la puerta del Colegio San Isidro, en la calle de Toledo; presencian el cortejo que acompaña a Rafael del Riego a la plaza de la Cebada, lugar del ajusticiamiento. «Estábamos agrupados —relata Escosura—, lívidos los semblantes, palpitantes los corazones, contraídos los nervios y sin proferir un solo acento, ni osar unos a otros mirarnos.» Unos días más tarde, en el transcurso de una sesión solemne, la sociedad secreta rindió un homenaje póstumo a la víctima de la reacción. Todos los miembros pronunciaron discursos cargados de indignación y cólera, y la

84. Hemos encontrado varios documentos, de contenido en ocasiones contradictorio, que se refieren a las actividades de Miguel Ortiz en esta época (AGM, expediente personal; AHN, Consejos, legs. 13180 y 13373, n.º 67; Estado, Carlos III, n.º 2466), pero que no aportan nada nuevo a la historia de los Numantinos.

85. En su novela histórica *El patriarca del valle* (Madrid, 1846-1847, libro IX, cap. VII, t. II, pp. 341-347), Escosura refiere detalladamente la reunión de una sociedad secreta contemporánea a los Numantinos, que tiene lugar en una cueva; el decorado recuerda al que enmarcaba las reuniones de La Numantina, tal como las describe el mismo Escosura en sus *Recuerdos literarios*, en 1876. Entre los conjurados se encuentra el poeta Eduardo de la Flor, que se parece en muchos aspectos a Espronceda, como señalaron el padre Blanco García (*La literatura española en el siglo XIX*, Madrid, 1891, t. I, p. 365) y J. Campos, este último en su introducción a las obras de Espronceda (BAE, t. LXXII, pp. X-XI).

reunión concluyó con el juramento de vengar la muerte del héroe liberal, por todos los medios a su alcance y en la persona de todos y cada uno de los responsables, incluido el rey. El acta de dicha reunión, firmada por todos los Numantinos, iba a ser utilizada más tarde como pieza de convicción por la justicia. El padre de Escosura se mostró preocupado, a su vez, por las actividades de su hijo, que consideraba peligrosas y, en septiembre de 1825, como medida de prevención, le envió a Francia, desde donde éste, en agosto de 1825, pasó a Inglaterra[86]. Entonces le correspondió a Espronceda el honor de sustituirle en las funciones de presidente de la sociedad.

Poco después, los Numantinos fueron denunciados por uno de ellos, quien entregó a la policía todos los archivos de la sociedad de los que consiguió apoderarse. Escosura no revela el nombre del traidor, y dice tan sólo que era el único adulto que habían tenido la imprudencia e ingenuidad de admitir entre ellos. Los Numantinos caían bajo el peso de la ley, al haber sido definitivamente prohibidas las sociedades secretas por el real decreto del 1.º de agosto de 1824; el 14 del mismo mes, Calomarde, ministro de Gracia y Justicia, había prescrito en una circular, favorable a sus designios, que cualquier agitador cogido con las armas en la mano o cualquier persona comprometida en un motín o una conspiración debía comparecer ante una comisión militar para ser juzgada sumariamente y condenada, haciéndose ejecutoria de inmediato la sentencia. El expediente de los Numantinos fue transmitido a la comisión militar de Madrid, presidida por el cruel Chaperón. Por fortuna, según cuenta Escosura, Ventura de la Vega tenía algún parentesco con Cea Bermúdez, a la sazón ministro de Asuntos Exteriores desde julio de 1824; merced a la intervención de este personaje, se confió la instrucción de la causa a la Sala de alcaldes de Madrid, «que no era ni tardía ni blanda para castigar liberales; pero que, como al fin y al cabo se componía de letrados, la mayor parte de ellos padres de familia, sin mostrársenos con exceso indulgente, tratónos con humanidad al menos», sigue relatando Escosura[87].

Sólo queda alguna constancia de dicho proceso en el registro de las causas expuestas ante este tribunal durante el año 1825[88]. Se abrió el sumario el 23 de enero contra Indalecio Galán, principal inculpado (sin duda por haber proporcionado el sótano en donde tenían lugar las sesiones) y trece cómplices más, unos detenidos y otros en fuga. Así pues, la denuncia y el arresto de los miembros de

86. Escosura llegó a Bayona el 27 de septiembre de 1824 y recibió un permiso provisional para ir a París, en donde se alojó en el n.º 80 de la rue Mazarine y siguió los cursos de la École de droit. En 1825 obtuvo un pasaporte para Londres, y embarcó en Calais el 2 de agosto, a bordo del *Lord Melville* (ANP, F[7] 12046, 1412 e).

87. Según E. de Lustonó ("que fueron. Patricio de la Escosura", *La Ilustración española y americana*, 15 de noviembre de 1899), el delator habría sido Ventura de la Vega; pero éste no era mucho mayor que el grueso de los Numantinos. En junio de 1853, Vega se encontró en Londres con un cantante llamado Bisteghi, que había vivido en Madrid en 1822-1825; juntos evocaron sus reuniones en una gruta del Retiro, cerca del observatorio, en compañía de Ortiz, Escosura y un tal Laplana. Pero, curiosamente, no hablaron de los motivos de estas reuniones (las asambleas de la sociedad secreta) ni mencionaron a Espronceda; al menos eso es lo que se desprende de una carta de Vega a su mujer, en la que le refiere esta conversación *(Cartas familiares inéditas...*, Madrid, [1873], p. 28. Carta de los días 25/26 de junio de 1853).

88. AHN, Consejos, leg. 9368 (Relaciones de causas). Cascales (p. 50, nota 1) reproduce el segundo de estos documentos. El último (una copia del cual se encuentra también en el AHN, Consejos, leg. 12209) aparece reproducido en parte en A. Rumeau, *op. cit.*, nota 50 del cap.

la sociedad se remontan a diciembre de 1824. El interrogatorio de los acusados tuvo lugar el 22 de abril de 1825 y el expediente se remitió al ponente el 25 de mayo. Por último, el 28 de mayo el alcalde Domingo Suárez dictó sentencia: Indalecio Galán, Cristóbal Barrera, José Espronceda, Ventura de la Vega, Feliciano Arroyal, Anacleto Texero (todos ellos detenidos) y Juan Diego Duro (retenido en su domicilio) fueron condenados a las costas y a una pena de tres meses de reclusión en distintos conventos[89]; Francisco Lerma, también detenido, fue puesto en libertad (tal vez fuese él el delator). El sumario seguía abierto para los acusados en fuga, cuyos nombres no se mencionan. Vega, escribe Escosura, purgó condena en el convento de la Trinidad de Madrid; Espronceda, en los Franciscanos de Guadalajara, pero el padre guardián dejó pronto en libertad a su prisionero, que se dedicaba a una intensa propaganda liberal entre los jóvenes monjes. Miguel Ortiz, que se había reunido en Londres con su amigo Escosura —según cuenta este último—, se presentó voluntariamente, al poco tiempo de su regreso a España, al convento de los Capuchinos del Prado para cumplir allí su condena. Al volver de Inglaterra, Escosura se alistó en el cuerpo de artillería merced a la protección del general O'Donnell, director por aquel entonces de este cuerpo, y no se le molestó más[90].

En la primera versión de su biografía de Espronceda publicada en 1843, Ferrer del Río considera como una chiquillada las actividades de los Numantinos: «Ni aquel hecho podía tener consecuencias, ni acreditaba otra cosa que los instintos y tendencias de aquellos escolares, que atendida su corta edad debemos suponer que aún no tenían convicciones.» En la segunda, tres años más tarde, suprimió, entre otras, la citada frase[91]. En 1870, Escosura evocaba en estos términos la sociedad secreta de la que había formado parte: «Jugábamos entonces a la política, pero a una política de fe y sentimiento»; y más adelante pone de relieve el peligro que entrañaba semejante ocupación entre 1823 y 1825: «en los años a que me refiero, y mucho después todavía, no era menos peligroso hablar de política, que pudo serlo en los buenos tiempos del Santo Oficio tratar de teolo-

1.º del libro II. En el registro de penas infligidas por la Sala de alcaldes entre 1825 y 1831 (AHN, libro 1175) no se habla de los Numantinos. El expediente del proceso no parece haberse conservado: quizás fue retirado de los archivos por orden de Cea Bermúdez (cuyo parentesco con Vega, por otra parte, es más bien dudoso) o quizás fue destruido más tarde, en aplicación del decreto del 31 de marzo de 1835, que ordenaba la incineración de los documentos relativos a los procesos políticos habidos hasta finales de diciembre de 1833.

89. En sus *Recuerdos literarios*, Escosura, seguido de Rodríguez-Solís, Cortón y Cascales, fija erróneamente en seis y en cinco años la duración de estas penas. García de Villalta habla de cuatro meses, pero no da, como motivo de la condena, más que un vago proyecto de conspiración ideado por Espronceda y algunos amigos (*El Labriego*, 14, 23 de mayo de 1840). El nombre de Juan Diego Duro figura en la lista de premiados, citada más arriba, del Colegio de San Mateo en 1821 y 1822; desconocemos la identidad de los demás condenados.

90. Cadete el 24 de octubre de 1828, subteniente el 15 de enero de 1829, alférez el 22 de febrero de 1831, Escosura fue destinado a la 2.ª compañía del escuadrón de la Guardia Real (AGM, Personal, expediente Escosura). Este último grado figura bajo su nombre en la portada de su novela histórica *El Conde de Candespina*, publicada en Madrid en septiembre de 1832. Ignoramos si Bernardino Núñez de Arenas fue perseguido.

91. *El laberinto*, I (2), 16 de noviembre de 1843 (primera versión); *Galería de la literatura española*, Madrid, 1846, pp. 235-251 (segunda versión).

gía[92].»Seis años más tarde, en sus *Reminiscencias*, escribía: «No se concibe, sino explicándola por nuestra insignificante inverosimilitud, la impunidad de que algún tiempo gozamos en aquella época de sistemática suspicacia en los gobernantes y en sus ministros todos[93].» No obstante, en el mismo artículo, no deja de señalar que, a pesar de haber escapado de la comisión militar, sus compañeros y él mismo corrían un serio peligro al comparecer ante la Sala de alcaldes. Si hubiesen considerado a los Numantinos como absolutamente insignificantes, nunca se hubiera realizado el juicio. Lo cierto es que aquellos intrépidos adolescentes se exponían a grandes riesgos de los que tal vez no tenían plena conciencia. Los tribunales sancionaban con veredictos de terrible severidad los delitos más leves cometidos contra el régimen absolutista, y la historia de España ha conservado un mal recuerdo de la que se dio en llamar «época de Recacho», durante la cual cantar el *Trágala* en la calle, incluso en estado de embriaguez, costaba diez años de presidio[94]. Las sociedades secretas eran especial objeto de encarnizada persecución. La edad de los acusados no les eximía de duras condenas. Los jóvenes Numantinos, madurados por una cruel experiencia, no eran chiquillos irresponsables. El 26 de septiembre de 1823, en la plaza de la Cebada, se había procedido a la solemne quema de una placa, descubierta en un convento, con la siguiente inscripción: «A la Constitución, los alumnos del Colegio de San Fernando[95]»; lo cual demuestra que los Numantinos no constituían una excepción. Si bien es cierto que el aparato melodramático y el tenebroso ceremonial de sus reuniones pueden parecer hoy desmesurados, lo que reconocemos en la actividad de los Numantinos es el prestigio del misterio de las logias, a la vez que la atracción ya "romántica" por la Alemania medieval. «Enfin —escribe A. Rumeau—, ne sommes-nous pas à l'époque des révolutionnaires convaincus et du mélodrame, et les conspirateurs n'ont-ils pas un beau rôle dans *Hernani* qui va faire triompher le romantisme au théâtre?*». Y añade:

> Mais les enthousiasmes, les conversions, les espoirs généreux ou les profonds désespoirs de l'adolescence sont souvent la clef des destinées des hommes. Les Numantins de 1825 seront les romantiques de 1835. Dans le préromantisme espagnol, des années désolées de la *ominosa década* sont comme un continent englouti dont il ne reste que quelques îlots témoins. Le groupe et l'équipée des Numantins est un de ces îlots[96].

92. *Discurso...*, Madrid, 1870, pp. 12 y 78; prólogo a las *Obras poéticas y escritos en prosa* de Espronceda, Madrid, 1884, pp. 30-31

93. *La Ilustración española y americana*, 22 de septiembre de 1876.

94. AHN, Consejos, leg. 52479 (Causas de Estado).

95. J. Sarrailh, *op.cit.*, p. 139. El autor refiere muchos otros casos de condenas por el delito, a menudo ínfimo, de opinión.

* «A fin de cuentas, ¿acaso no nos hallamos en la época del revolucionario convencido y del melodrama? ¿no tienen los conspiradores un papel importante en *Hernani*, obra que hará triunfar el romanticismo en el teatro?».

96. («Pero el entusiasmo, las conversiones, las generosas esperanzas o la honda desesperación de la adolescencia constituyen a menudo la clave del destino de los hombres. Los Numantinos de 1825 serán los románticos de 1835. Dentro del prerromanticismo español, los años desoladores de la "ominosa década" son como un continente sepultado del que sólo emergen como testigos algunos islotes. El grupo y la alocada empresa de los Numantinos constituye uno de estos islotes.») A. Rumeau, *op. cit.*, p. 54.

Juan de la Pezuela, al evocar esta época en el elogio fúnebre a Vega, su amigo de la infancia, dirá: «Yo no sé si los demás, pero yo juzgo para mí que nuestro Ventura (que, por otra parte, no fue nunca aficionado a la política) jugaba en esa ocasión a las sociedades secretas[97].» Para él, tal vez no fue más que esto. Para Espronceda, la aventura de los Numantinos da fe de convicciones políticas, ciertamente confusas todavía, pero que el tiempo hará cada vez más profundas y que las circunstancias le brindarán la oportunidad de defender con la pluma y con la espada.

97. *Memorias de la Academia Española*, I (II), 1870, p. 442.

Capítulo III

ESPRONCEDA, APRENDIZ DE POETA

La Academia del Mirto: su importancia y papel dentro del movimiento de las ideas literarias en España

Según se especificaba en el prospecto del Colegio de San Mateo, los ejercicios de creación literaria quedaban excluidos de la enseñanza obligatoria, pero los profesores del centro se comprometían a examinar la prosa o los versos que sus alumnos sometieran a su juicio. Así fue cómo a algunos de ellos que compartían la afición por la poesía —como Espronceda, Vega, Luis Usoz y Felipe Pardo— se les ocurrió la idea de fundar un cenáculo y pidieron a Lista que fuese su mentor. Se unieron a ellos otros jóvenes, un poco mayores, entre los cuales se hallaban Juan Bautista Alonso, Santos López Pelegrín, Luis María Pastor y José Cavanilles, y de este modo nació la Academia del Mirto.

Las fechas mencionadas en los manuscritos actualmente conocidos, que constituyen el archivo de la Academia, permiten, a falta del registro de las actas, fijar el 25 de abril de 1823 como fecha de la fundación de la misma[98]. Según Eugenio de Ochoa, la iniciativa partió de Telesforo de Trueba y Cosío, que había regresado al año anterior a Madrid, tras realizar sus primeros estudios en Londres y París[99]. La periodicidad de las sesiones no parece haber sido regular; fueron nume-

98. Se ha reconstituido la historia de la Academia del Mirto en el primer texto del opúsculo *Discursos leídos ante la Real Academia Sevillana de Buenas Letras el 3 de enero de 1897 por el excelentísimo Sr. D. Manuel Pérez de Guzmán y Boza, marqués de Jerez de los Caballeros, y el Sr. D. Francisco Rodríguez Marín, en la recepción del primero*, Sevilla, 1897. Este estudio se llevó a cabo siguiendo los manuscritos del cenáculo, que se citan muy por extenso, y que actualmente se encuentran reunidos en una recopilación facticia propiedad del erudito sevillano D. Santiago Montoto, quien muy amablemente ha accedido a que la consultásemos; no hemos encontrado en ella ningún detalle que nos permita completar las precisiones aportadas por el discurso citado antes. Véase la descripción de los manuscritos de Espronceda que contiene esta recopilación en Espronceda, *Poésies*, ed. Marrast, pp. 28-29.

99. E. de Ochoa, "Galería de ingenios contemporáneos. Don Telesforo de Trueba y Cossío", *El Artista*, I [22, 31 de mayo de] 1835, pp. 254-255. La recopilación de los manuscritos de la Academia no contiene ninguna poesía firmada con su nombre.

rosas (siete por lo menos) en 1823, pero mucho menos frecuentes, al parecer, los años siguientes. En el archivo se menciona una sola sesión en 1824 (el 25 de abril, siendo Gabriel Ferrer Dávila presidente, y Juan Bautista Alonso, secretario) y también una sola en 1825 (el 13 de noviembre). La última a la que se hace alusión es la del 25 de abril de 1826, bajo la presidencia de Antonio Cavanilles. Cabe pensar que el probable alejamiento de Lista a finales de 1823, así como el arresto o la marcha de algunos Numantinos, durante los últimos meses de 1824 y principios de 1825, habían comprometido la actividad del cenáculo.

Pese a que éste fue sólo un reducido grupo que no disponía de revista alguna y cuya existencia se mantuvo desconocida por el público, su importancia es grande por varias razones. En primer lugar, porque la Academia del Mirto es el único foco intelectual de Madrid en esta época agitada, y porque varios de sus miembros serán los futuros representantes de la generación literaria de 1830; luego, porque la personalidad, las ideas y las concepciones estéticas de su ideólogo dejarán honda huella en el ánimo de estos jóvenes. Para darse pronta cuenta, basta con hojear los trabajos juveniles de Espronceda, incluidos los fragmentos de la epopeya inacabada que inició por aquellas fechas.

«No hay que olvidar que Espronceda fue *siempre* un romántico (aun en los fragmentos del *Pelayo*)», escribía a comienzos de siglo Bonilla y San Martín [100]. Un punto de vista como éste no tiene en cuenta ni la evolución del poeta, ni las etapas de su obra, ni las sucesivas influencias que recibió. Los ensayos iniciales del autor de *El diablo mundo* y de sus compañeros de la Academia del Mirto pueden mostrarse bajo distintos prismas según sea lo que nos interese más buscar en ellos, recoger los vestigios del pasado o discernir las primicias del futuro; de hecho, podemos hallar ambas cosas. Pero a fin de entender las razones de dicha coexistencia, hay que situar previamente el cenáculo de los discípulos de Lista dentro de la historia de las ideas en España. Como los términos que sirven para designar escuelas o períodos son tan sólo cómodos puntos de referencia que corresponden con mayor o menor aproximación a la realidad, conviene manejarlos con precaución porque además su contenido, variable según los países y las épocas, e incluso según los autores que los emplean, origina malentendidos. El más corriente es fruto del análisis superficial y no histórico de los hechos literarios: se suele encasillarlos en totalidades independientes del movimiento ideológico, se establecen comparaciones formales o cualitativas y se clasifican después las similitudes meramente externas obtenidas de este modo bajo una etiqueta común. Aplicando de forma sistemática dicho procedimiento, Peers plantea como principio la existencia, en España, de una especie de «romanticismo latente», cuyos brotes se habrían ido manifestando en determinadas épocas desde la Edad Media hasta nuestros días, aunque sin coincidir con el «romanticismo» de los demás países [101]. Este sociologismo impreciso conduce a conclusiones de carácter forzado, lo cual viene a subrayar aún más la endeblez de las mismas. Así es, por ejemplo, cómo queda explicada la elección del tema de *Pelayo* por Espronceda:

100. En el prólogo a su edición proyectada de *Blanca de Borbón*, reproducido por Churchman, *RH*, XVII, 1907, pp. 559-561. El subrayado de *siempre* es del mismo Bonilla.

101. Esta es la tesis fundamental de su obra *A History of the Romantic Movement in Spain*, Cambridge, 1940 (trad. cast.: *Historia del movimiento romántico español*, Madrid, 1954, 2 vols.). La proyección *a posteriori* o *a priori* de tales conceptos en la literatura francesa de los siglos

> La conseja medieval le atraía, como atraía a su maestro, y hasta se dice que este maestro, que no era otro que el conservador y antirromántico Lista, no sólo examinó minuciosamente la obra fragmentaria de su ambicioso discípulo, sino que le puso algunas estancias de su propia cosecha [102].

Lista vendría a ser en cierta forma un romántico a pesar suyo, y Espronceda habría sido, desde 1825, romántico sin saberlo; nada extraño en ello teniendo en cuenta que, para Peers, España es el país-romántico-por-excelencia. Tendremos oportunidad de comprobar, en varios casos, las imprecisiones a que dio lugar la aplicación errónea de la división, introducida por Schlegel, entre literatura «clásica» y literatura «romántica»; una división cuyo uso indebido se ha perpetuado, desgraciadamente, hasta Menéndez Pelayo y Peers.

Los debates sobre temas de estética quedan reducidos a enfrentamientos personales o a discusiones acerca de términos a los que cada uno atribuye un contenido distinto, siempre y cuando no se consideran sus relaciones con la estructura e ideología de las que no constituyen más que algunos aspectos en determinado momento de la historia. Desligarlos de este contexto equivale a tener en cuenta sólo el movimiento de la superficie, despreciando las corrientes profundas que unas veces provocan, y otras interrumpen, modifican, o hacen surgir de nuevo dicho movimiento. En una palabra, para intentar captar en su realidad compleja el curso y el camino, a veces caprichoso y, en ciertos casos, subterráneo, de las ideas, no basta con encasillarlas dentro de esquemas preestablecidos y considerados universalmente utilizables.

De ahí que el término «neoclasicismo» se revele demasiado impreciso para designar el conjunto de la literatura española, de Meléndez Valdés a Lista, pasando por Cienfuegos, Moratín hijo, García de la Huerta, Jovellanos y Quintana. Colocar la misma etiqueta a todos estos escritores equivale a menospreciar aquello que los separa. A veces, algunas formas de expresión —vocabulario, métrica, géneros, temas, etc.— comunes y propias de una época pueden ser vehículo de ideas opuestas. A nuestro entender, las implicaciones políticosociales de las posturas estéticas y de las obras que las ilustran permiten discernir con mayor claridad el lugar que estos escritores ocupan dentro del movimiento en el que están inmersos, y del que sus textos revelan determinados aspectos.

A mediados del siglo XVIII —concretamente a partir del reinado de Carlos III—, se producen en España una serie de tentativas cuyo objetivo es el de reorganizar el país. Estos esfuerzos en los ámbitos político, económico y social van acompañados de un replanteamiento de la cultura en todas sus modalidades, en especial la educación —de la que escritores y pensadores denuncian el bajo ni-

---

XVIII y XIX ha arrastrado, como es sabido, a brillantes críticos a disertar sobre el «clasicismo de los románticos» y el «romanticismo de los clásicos», sin demostrar otra cosa que no sea la vacuidad de estas aparentes paradojas. J. de Entrambasaguas ha caído en el mismo error y, añadiendo a la confusión una evidente segunda intención de índole política, ha definido el movimiento romántico del siglo XIX como un «superromanticismo» a rechazar, «por semejante al efímero neoclasicismo dieciochesco» (*La determinación del romanticismo español y otras cosas*, Barcelona [1939], pp. 9-23).

102. Peers, *HMRE*, t. I, p. 254.

vel— y los productos de la creación literaria. Algunos ilustrados intentarán promover determinadas reformas en la agricultura, el comercio, la industria y los medios de producción en general, a la vez que poner fin a prácticas o comportamientos que se consideran incompatibles con estas nuevas concepciones; también se esforzarán en volver a dar a las letras españolas la brillantez perdida. Jean Sarrailh recoge los testimonios de Meléndez Valdés y Jovellanos, en relación con la pobreza del alimento intelectual de aquellos contemporáneos suyos que no pertenecen a los círculos intelectuales. Exceptuando las obras piadosas o de edificación religiosa, éstos no leen o conocen sino los almanaques, las jácaras, los romances, que narran excepcionalmente hechos históricos y, la mayoría de las veces, milagros, apariciones, hazañas de bandidos célebres, violaciones y asesinatos[103]. Cuando la plebe, que demuestra cierta afición por el auto sacramental, acude al teatro, no se siente atraída por un debate metafísico del que no entiende nada, sino por el placer del espectáculo; las comedias y en especial las obras con tramoyas complicadas ofrecen a dicho público el medio de evadirse provisionalmente de su condición en el mundo de la ilusión dramática, y de proyectar en el héroe que sale triunfador de todos los obstáculos sus sueños y aspiraciones más o menos confusos de emancipación. Desde el púlpito, los predicadores gerundianos mezclan en sus sermones lo profano y lo sacro, en perjuicio de la edificación. Conviene reaccionar frente a todo esto. Los autos y los sermones burlescos entorpecen «à l'efficacité de la religion comme moyen d'action politico-sociale[104]», de ahí su prohibición. En lugar de los espectáculos a los que se va para admirar a la heroína cuya conducta pone en peligro su propia virtud y las virtudes, o al joven galán ardiente que desafía en ocasiones la justicia, la autoridad y las leyes de la familia, a fin de lograr el triunfo de sus pasiones, no dudando en desenvainar la espada y burlarse de todas las conveniencias, en lugar de ello, la comedia moratiniana propone un discurso moral que tiende a salvaguardar la moral, el decoro y la razón[105].

En poesía, se condena a aquellos a quienes Lista califica de «miserables copleros» —como Benegasí, Montoro y Lobo— porque utilizan como medio de expresión un lenguaje alambicado o excesivamene familiar, cayendo en la vulgaridad y el prosaísmo, y confunden en sus obras de inspiración religiosa la fe auténtica y la superstición. Ven en ellos a los continuadores del conceptismo de Quevedo o del barroco exuberante de las *Soledades*, que los ilustrados consideran desmesurados por su irracionalidad. Se produce la vuelta a los grandes maestros de la Antigüedad clásica para buscar en ellos ejemplos de elocuencia y lengua culta o fuentes de inspiración. Pero asimismo, en una época en que España se preocupa por su renombre internacional —el caso Masson constituye un suceso representativo a este respecto—, los adeptos del espíritu innovador resucitan las glorias literarias del país que, imitando a los clásicos, han llegado a igualarlos y superarlos en ocasiones. Así pues, Garcilaso, Herrera, Rioja y Fray Luis de León aparecen

103. J. Sarrailh, *L'Espagne éclairée dans la seconde moitié du XVIII*e *siècle*, París, 1964, pp. 46-49.

104. («... la eficacia de la religión como medio de acción políticosocial.») R. Andioc, *Sur la querelle du théatre au temps de L. F. de Moratín*, Burdeos, 1970, p. 418.

105. *Cf.* la introducción de R. Andioc a su edición de *El sí de las niñas*, Madrid, 1969, pp. 148-150.

como modelos perfectos, como los faros de una cultura brillante que, en el siglo XVI, irradiaba su luz sobre Europa. Anteriormente a ellos, sólo había tinieblas y barbarie, y después, sólo decadencia y corrupción en las bellas letras. A partir de Meléndez Valdés, y conforme a estos principios, la poesía sigue dos direcciones básicas: se hace moral y filosófica en las odas, los discursos en verso o la sátira, desempeñando una función pedagógica ya que su objetivo es el de propagar bajo una forma agradable las verdades fundamentales del espíritu innovador; y, por otra parte, en las obras de divertimiento o anacreónticas, aspira a ofrecer un selecto entretenimiento, tanto al autor como al lector.

En las obras de Quintana y Cienfuegos, persisten estas tendencias aunque adquieren un carácter más radical bajo el reinado de Carlos IV, durante el cual se acentúa la decadencia de la monarquía. En un análisis detallado, Albert Dérozier ha elaborado una lista de las mismas: exaltación de la patria y del patriotismo, lucha contra la censura oficial, lucha por los derechos del hombre, defensa de una monarquía moderada, filantropía, utilización de la filosofía como método de conocimiento, glorificación de los héroes útiles a la humanidad y presentados como modelos a los escritores, agudeza intelectual y condena del fanatismo. Dichas tendencias son signo de una toma de conciencia del sentido de la libertad, acompañado por un espíritu de independencia, más o menos acusado según los individuos, con respecto a la Revolución francesa. Entre estos escritores, algunos, como Moratín hijo y Gómez Hermosilla, encarnarán la resistencia a esta corriente, a este «débordement humain» («desenfreno humano») en un mundo en completa transformación[106]; resulta reveladora, a este respecto, la hostilidad de éstos para con Cienfuegos y Quintana. Atemorizado por lo que considera una degradación de la literatura durante la guerra de la Independencia —es decir, la época en que Quintana se afianza como gran poeta y hombre de acción—, Lista se mantendrá más próximo a Meléndez Valdés y Moratín, y fiel siempre a sus «buenos autores» del siglo XVI.

Pero más allá de las tomas de postura y de las actitudes, un mismo impulso profundo mueve, a veces a pesar suyo, a estos hombres tan distintos, que no siempre eran enemigos y que sentían estima, respeto y, en algún caso, amistad unos por otros. Las divergencias que apreciamos en sus actos y sus textos se deben a las peculiaridades de su temperamento, a los sucesos de su vida, a la vez que a circunstancias personales o históricas que determinaron, en unos casos, el predominio de una o varias constantes del espíritu de reforma común a su época; en otros, un rechazo a sacar determinadas consecuencias de éste y, en otros todavía, la adhesión a concepciones superadas por unos, pero válidas aún para ellos. Así, desde Pamplona en donde acaba de encontrar a Quintana, Lista escribe a Reinoso en 1817: «Nos queremos bastante en el día, pero he observado que es siempre un hombre de 1790. No será mi maestro en política[107].»

Simplificando, podemos afirmar que unos son "reformistas" y otros, "revolucionarios"; sigue siendo su concepción de la historia y su visión del mundo —su ética— la que condiciona su estética. Un ejemplo lo demuestra de forma patente. Podríamos caer en la tentación de clasificar conjuntamente como "prerrománti-

106. A. Dérozier, *op. cit.*, pp. 308-309.
107. Carta del 29 de junio de 1817 (Juretschke, p. 534).

cas", en la medida en que son representativas de una tendencia a la resurrección del pasado medieval, las obras sobre el tema de Pelayo compuestas por Moratín padre *(Hormesinda)*, Jovellanos *(Pelayo)*, José Concha *(A España dieron blasón las Asturias y León y triunfos de don Pelayo)* y Quintana *(Pelayo)*; pero mientras el primero «fait de l'invasion de l'Espagne la conséquence d'une infraction au principe de l'irresponsabilité»,* el segundo exalta más las cualidades morales y las virtudes patrióticas del héroe que sus meras cualidades guerreras; el tercero escribe, sin mayores intenciones, una simple "comedia de teatro" carente de valor ejemplar, mientras que la tragedia del último es «une incitation à la révolte contre l'oppression et l'avilissement des esprits»,** una exaltación del «redressement national» (resurgimiento nacional) no ya bajo la égida del gobierno, sino en contra del mismo[108].» El significado y el alcance específico de obras que presentan caracteres externos semejantes sólo pueden ponerse de manifiesto vinculando éstas con la ideología particular que las ha creado. Pero existe un rasgo común a todos los escritores y pensadores de finales del siglo XVIII, del que dan testimonio unánime todos sus textos: «plus le siècle des Lumières avance dans sa marche, plus il devient en même temps le siècle de la sensibilité [109].» Si bien cada uno, desde su propia óptica, tiene siempre presente el objetivo moral hacia el cual debe tender la expansión o la descripción de los sentimientos, los valores individuales adquieren cada vez mayor importancia en la literatura. Tanto Meléndez Valdés como Jovellanos son personajes graves, que aspiran sinceramente a escapar de vez en cuando de las preocupaciones de su cargo y del bullicio de la ciudad, y su lirismo, aunque contenido por normas estrictas, se manifiesta en sus obras en forma de elementos afectivos, tales como filantropía, efusiones del corazón, sentimiento de la naturaleza, melancolía y anhelo de infinito. La *Sátira a Arnesto* vibra con el estremecimiento de una sincera indignación; educador y magistrado, Jovellanos es también un hombre sensible. Lo demuestra sobre todo en su *Epístola del Paular*, que es ya una *Meditation* en el sentido lamartiniano del término: el paisaje descrito, aunque real, también es interior; los sentimientos expresados —complacencia algo mórbida en el dolor, voluptuosidad del sufrimiento, hastío adormecido por la dulzura de un paisaje apacible— constituyen otros tantos elementos innovadores en la poesía española. Dicha sensibilidad se pone también de relieve, no sólo en sus *Diarios*, sino en el tono afectivo de sus textos oficiales; en la *Memoria sobre espectáculos*, en la descripción del castillo de Bellver, aparecen un sentido de lo pintoresco unido a una visión poética del pasado. Por último, en *El delincuente honrado*, para defender una concepción más humana de la justicia y la ley, Jovellanos lleva a la escena, ya no las catástrofes acaecidas a grandes personajes, sino el drama íntimo de una familia burguesa en el seno de la cual reina una sencilla armonía, fundada en el amor paterno [110].

* («hace de la invasión de España la consecuencia de una infracción al principio de la irresponsabilidad.»)

** («una incitación a la revuelta contra la opresión y el envilecimiento de las conciencias.»)

108. R. Andioc, *op. cit.*, pp. 429-438.

109. («cuanto más avanza en su andadura el siglo de las Luces, más se convierte a la vez en el siglo de la sensibilidad.») P. Van Tieghem, *Le Romantisme dans la littérature européenne*, París, 1969, p. 51

110. Huelga decir que el paternalismo de Jovellanos en su informe sobre los espectáculos y en este drama burgués no nos ha pasado por alto; pero lo que aquí nos interesa es más la sensibilidad del escritor que sus concepciones políticas y sociales.

Por otra parte, Cienfuegos, Gallego, Arriaza, Cadalso y Quintana descubren en Thomson, Young, Osián, y en el *Ensayo sobre los placeres de la imaginación* de Addison, nuevas fuentes y nuevos medios propicios para atraerse la simpatía del espectador o del lector. A fin de reflejar las fases de una pasión llevada hasta la necrofilia, Cadalso escribe sus *Noches lúgubres*, que no pertenecen a ningún género anteriormente definido; en su teatro, Cienfuegos exalta los derechos del corazón y los arrebatos del alma. Para reavivar el patriotismo de los españoles (tarea con carácter de urgencia a partir de la invasión francesa), y para defender la dignidad humana frente al oscurantismo y al fanatismo, Pelayo, Guzmán el Bueno o Juan de Padilla se convierten en héroes simbólicos, cuya pasión se da rienda suelta. A fin de conseguir la adhesión del público, Quintana adopta de Lewis los elementos terroríficos y espectaculares de *El duque de Viseo*. Las obras de Alfieri, traducidas o adaptadas por aquel entonces, proporcionan al propio Quintana y, más tarde, a Martínez de la Rosa, una fuente de inspiración particularmente fecunda para preconizar en el teatro la defensa de la libertad y la rebelión contra la tiranía. También es el autor de *El Panteón del Escorial*, que, con sus *Vidas de españoles célebres*, contribuye a difundir el conocimiento de las grandes figuras de España según un punto de vista antiabsolutista y liberal: es ésta una nueva concepción de la historia, sentida de modo apasionado en su realidad viva.

Estos aspectos característicos del movimiento de las ideas, en los cuales no podemos detenernos más aquí, constituyen los signos de una evolución irreversible que se manifiesta en el mundo occidental en torno a 1800, y que no siempre coincide cronológicamente en el interior de los distintos países. Observar que determinados recién llegados defienden la opinión contraria a la de algunos de sus mayores es un análisis superficial. Por ello, Marc Soriano, que rechaza la explicación simplista según la cual la nueva moda de los *Contes* de Perrault en el siglo anterior hubiera tenido su origen en el deseo de los escritores de aquella época de demostrar su odio hacia Boileau y sus teorías, propone buscar esta explicación a otro nivel, según un método que nos parece fecundo:

> Au XIXe siècle, s'amorce ou se précise un mouvement infiniment plus large que tel ou tel courant littéraire et qui se présente tantôt sous forme d'élan, tantôt sous forme d'éveil des nationalités, tantôt sous l'apparence d'une agitation confuse où ces deux poussées coexistent, alternent ou entrent en conflit. Le mouvement est général, certes, mais suivant les conditions économiques, les couches sociales concernées, les traditions nationales de telle province ou de tel pays, il se produit plus tôt ou plus tard, s'exprime par des prises de parti théoriques ou par des explosions sanglantes, par une orientation conservatrice, libérale ou révolutionnaire*.

* «En el siglo XIX, se inicia o perfila un movimiento infinitamente más amplio que cualquier corriente literaria y que se presenta unas veces en forma de impulso, otras en forma de despertar de las nacionalidades, y otras bajo la apariciencia de una confusa agitación en la que coexisten, alternan o entran en conflicto ambos móviles. Si bien es cierto que se trata de un movimiento general, no obstante, según las condiciones económicas, las capas sociales afectadas y las tradiciones nacionales de cada provincia o país, tiene lugar más tarde o más temprano, y se traduce en la adopción de posturas teóricas o en explosiones sangrientas, en una orientación conservadora, liberal o revolucionaria.»

En determinados países, dicho movimiento se caracteriza principalmente por una toma de conciencia nacional: «dressée contre l'occupation française, qui apporte cependant des lois plus justes ou un esprit nouveau, la Prusse se replie sur elle-même, scrute son passé héroïque, part à la recherche de ses traditions»*. En cambio, en Francia, se ha realizado ya la unidad nacional y el territorio está libre de toda ocupación extranjera; las elites no tienen que defender la independencia del país y, por ello, «la recherche des traditions nationales prend une allure plus théorique et, parce qu'elle n'est pas associée à des exigences fondamentales, devient facilement un thème littéraire» [111].

En España, la guerra de la Independencia crea en 1808 una coyuntura bastante similar a la que, según hemos observado, se había producido un poco antes en Prusia. Las elites del país están divididas: algunos piensan, a menudo de buena fe, que la invasión francesa permitirá que el país se abra a un «espíritu innovador»; otros, aunque formados en el enciclopedismo y la filosofía de la Ilustración, son partidarios de la resistencia armada. Entre estos últimos se halla Quintana, quien describe así, en 1814, su reacción ante la guerra a la que un año antes acababa de poner fin el tratado de Valençay:

> Y en esta lucha sangrienta, en este temporal espantoso, en esta convulsión cruel, era cuando los franceses y sus infames parciales nos hablaban de sabiduría, de ilustración, de progresos en las ciencias y en las artes. El estrago venía con ellos, la noche los seguía, y en sus labios atroces resonaban las voces de esperanza, de prosperidad y de luz [112].

Acto seguido, expone las consecuencias de esta situación en la literatura: según él, la momentánea exaltación de los ánimos, la violenta efervescencia ideológica, así como las tomas de postura de los partidos, han generado alteraciones en el estilo y la expresión; aunque todo ello es inevitable cuando lo primordial es hacerse oír por la multitud. Compara entonces al escritor con un capitán que, para salvar el buque de la tormenta, se ve obligado a dar las órdenes a voces a la tripulación: al volver la calma, ¿quién puede echarle en cara la violencia de sus palabras? Con ello, Quintana se retrata a sí mismo, situando implícitamente a igual nivel las proclamas que redactaba para la Junta central y las poesías patrióticas que componía bajo la presión de los acontecimientos. Pero una vez restablecida la paz y recuperada la libertad, las letras y ciencias deben recobrar su «aspecto grande y majestuoso», y de nuevo debe imperar la razón. No obstante, al igual que sucede con otras influencias, la de la "literatura de urgencia", hija de las circunstancias, perdurará por bastante tiempo. Después de seis años de absolutismo, el retorno provisional al sistema constitucional provoca el resurgir de la elocuen-

* «Levantada contra la ocupación francesa, que representa sin embargo leyes más justas o un espíritu innovador, Prusia se repliega sobre sí misma, escruta su pasado histórico y sale en busca de sus tradiciones.»

111. («la búsqueda de las tradiciones nacionales adquiere un sesgo más teórico y, al no estar asociada a exigencias fundamentales, se convierte fácilmente en tema literario.») Marc Soriano, *Les contes de Perrault. Culture savante et traditions populaires*, París, 1968, pp. 42-43.

112. "Discurso leído por Don Manuel José Quintana al ocupar su plaza de académico en marzo de 1814", *Memorias de la Academia Española*, II, Madrid, 1870, p. 635.

cia política, los periódicos abren sus páginas a violentas polémicas y, para expresarse, los adversarios recobran el estilo combativo.

La guerra de la Independencia contribuye de forma poderosa a exaltar el sentimiento nacional —o cuando menos a reforzarlo—, tanto entre los partidarios de la colaboración con Francia como entre los de la resistencia al invasor. A unos y otros les anima el deseo de reformar España, pese a estar en total desacuerdo sobre los medios a emplear para conseguirlo. Sin tener clara conciencia de ello, la época en que viven representa, como lo ha expresado Vicens Vives[113], una fase de expansión caracterizada por un incremento del potencial biológico, y tendente a garantizar al individuo y a la sociedad una mayor libertad de movimiento. La evolución de las ideas estéticas no sigue el mismo ritmo que el desarrollo de la historia, debido a la intervención de factores culturales secundarios; pero todos los hombres de esta época, y más especialmente las elites, se ven arrebatados por un mismo impulso biológico, social y económico que, según la imagen del historiador catalán, «se inyecta como un chorro de vapor en el mecanismo del Antiguo Régimen». Vicens Vives rechaza, con razón, el enfoque simplista, según el cual el proceso político de la Europa occidental tras la Revolución francesa debía de interpretarse como un mero conflicto entre dos partidos irreconciliables. A nivel local, de pueblo o de barrio, puede resultar cierto, pero «en el último pliegue de la rivalidad ideológica, cuando se averiguan los resortes íntimos de las encontradas actitudes, el historiador moderno descubre una identidad mental en los móviles respectivos. Identidad que descansa en el difuso sentimiento de reformismo social, propio de las generaciones románticas».

Una férrea censura, las prohibiciones dictadas contra textos considerados peligrosos por las autoridades eclesiásticas y subversivos por las civiles, así como las sucesivas oleadas de emigración a consecuencia de las conmociones políticas entre 1808 y 1833, constituyen otros tantos factores que han desempeñado un papel en el terreno de las ideas y, por ende, en la mentalidad de los individuos y las variaciones del gusto. Pero hay que tener en cuenta un aspecto peculiar de la realidad española: la dispersión geográfica de los núcleos intelectuales. Si bien la unidad nacional se ha realizado tiempo ha, Madrid no es más que una capital administrativa y no el polo de atracción privilegiado de la vida intelectual; las provincias conservan caracteres distintivos muy acusados, tradiciones propias y, tanto la dinámica de los grupos sociales, como el desarrollo económico o las posibilidades de penetración y aclimatación de las ideas son muy distintos de una a otra. De ahí que le corresponda a alguna ciudad periférica un papel de primer orden en el ámbito del pensamiento. Durante la segunda mitad del siglo XVIII, el Seminario de Vergara y la Sociedad Vascongada de Amigos del País acogen a personajes de espíritu curioso e inconformista, de gran influencia en su época; en Salamanca, se agrupan en torno a una universidad prestigiosa hombres de distinta procedencia que se mantienen al corriente de la producción literaria y filosófica europea, y cuyas actividades tienen una poderosa proyección en todo el país. Un poco más tarde, en Sevilla, algunos jóvenes, apasionados de poesía, siguen a estos mismos hombres, leen sus obras, se inspiran con su ejemplo y solicitan su patrocinio. Tan-

113. J. Vicens Vives, "El romanticismo en la historia", *Hispania* (Madrid), X (XLI), 1950, pp. 745-765.

to unos como otros, a quienes las circunstancias personales o nacionales obligarán a salir de su patria chica, contribuirán, en diversos puntos de una España dividida durante un tiempo por la guerra, a la propagación y enseñanza de las ideas de su grupo de origen, con los matices propios de su conciencia: entre los principales agentes de esta difusión se encuentran Quintana y Lista.

Enfocar desde una misma óptica, a fin de comparar su contenido, los debates suscitados por problemas estéticos en diversos puntos de España, equivale a considerar que las posturas adoptadas comprometen a los intelectuales del país en su totalidad. Así, suele presentarse la Academia del Mirto situándola dentro del panorama *nacional* de la actividad intelectual, sin tener en cuenta que lo que ocurre y se escribe en Cádiz, Barcelona y Madrid no goza de una difusión inmediata en el resto de España. Por razones de variada índole, en la época que estamos estudiando, las posturas adoptadas en diversos momentos y en distintos lugares no tuvieron repercusión nacional, a causa ante todo de su carácter local.

Este es el caso del episodio que se conoce con el nombre de querella calderoniana, que enfrentó a Böhl von Faber con José Joaquín de Mora, apoyado por Antonio Alcalá Galiano [114]. En sus memorias, este último definió esta mezquina polémica entre dos hombres, poco tiempo antes relacionados y posteriormente enemistados por razones poco claras, como un enfrentamiento personal, mientras que los historiadores de la literatura han tenido tendencia a considerarla, más tarde, como una discusión de principios. Tras una escaramuza a finales de 1814 en las columnas de *El Mercurio gaditano*, la controversia alcanzó su fase aguda en 1818-1819; por aquellas fechas se produjo, en el *Diario mercantil* de Cádiz y la *Crónica científica y literaria* de Madrid, un intercambio de artículos, más adelante recopilados en folletos, que contenían citas a veces truncadas o amañadas según las conveniencias, argumentos *ad hominem* y afirmaciones a menudo gratuitas. Böhl, como otros muchos alemanes de su época, era enemigo de la Revolución francesa, a la que acusaban de propagar gérmenes de incredulidad y desorden, y era adversario también del racionalismo de la *Aufklärung*, achacando a ambas las causas del hundimiento de Prusia y de su ocupación por las tropas napoleónicas. Durante el sitio de Cádiz, ciudad en la que tiene instalado su comercio, su mujer, Francisca Larrea, acoge en su casa a algunos nostálgicos de la monarquía absoluta anterior a Carlos III; pero la tertulia que frecuentan Quintana, Gallego, Arriaza, Gallardo, Ángel de Saavedra, Mariano Carnerero y Martínez de la Rosa, personajes realmente representativos de las distintas tendencias liberales y literarias, es la de Margarita López de Morla. En 1813, Böhl se encuentra arruinado por la guerra, y esta situación contribuye a exacerbar sus sentimientos francófobos y conservadores, alimentados también por la beatería de su mujer —como subraya Alcalá Galiano— [115]. Una vez restablecido en el trono Fernando VII, Böhl cree llegado el momento de demostrar a los españoles que la restaura-

114. Véase al respecto: C. Pitollet, *La querelle caldéronienne...*, París, 1909; H. Juretschke, *Origen doctrinal y génesis del romanticismo español*, Madrid, 1954; V. Llorens, *Liberales y románticos...*, 2.ª ed., Madrid, 1968, pp. 415-423.

115. A. Alcalá Galiano, *Recuerdos de un anciano*, BAE, t. LXXXIII, pp. 74-75; A. Morel-Fatio, "Fernán Caballero d'aprés sa correspondance avec Antoine de Latour", *BH*, III, 1901, pp. 252-294.

ción moral de su país, deteriorado por la influencia francesa, se cifra en la rehabilitación de un dramaturgo considerado como el intérprete más genuino del espíritu nacional. Böhl adapta a la situación española el esquema de Schlegel, según el cual el advenimiento del cristianismo originó la división de la literatura occidental en dos grupos, uno clásico (la Antigüedad griega y latina) y otro romántico (la Edad Media y los Tiempos modernos). Al igual que sus compatriotas, opone la perfección acabada de los clásicos de la Antigüedad al sentido del infinito cristiano, encontrando un equivalente de la época *altdeutsch* (rehabilitada por reacción anti-francesa) en la antigua literatura española y, en especial, en la dramaturgia de Calderón. Pero tal y como lo señala Lloréns con acierto, nadie conocía entonces en España las teorías de Schlegel y, por lo tanto, no podía existir una discusión válida sobre las mismas; por otra parte, Böhl no tiene en cuenta las ideas filosóficas sobre las que aquéllas se asientan y que, desde largo tiempo atrás, habían ido madurando allende el Rin, en el curso de una profunda evolución; por último, en un momento en que aún se mantenía vivo el espíritu liberal tras la restauración de Fernando VII —y más en Cádiz—, Böhl cometió el error de exaltar la monarquía absoluta de los Habsburgos y aprobar la dureza de la Inquisición, guardándose mucho sin embargo de seguir a Schlegel cuando condena la pérdida de las libertades tradicionales bajo el reinado de Felipe II. Para el cónsul alemán, Calderón no fue sino un pretexto que le permitió convertirse en apologista del Antiguo Régimen. Mora, personaje inconstante y versátil, replicó que era inoportuno resucitar antiguallas condenadas, desde hacía mucho, por el «buen gusto» del que se hizo el paladín. La mala fe, unida a los resentimientos de cada uno, hicieron que los adversarios acabasen intercambiando golpes bajos, llenando sus artículos de alusiones cuyo sentido —como lo atestigua Alcalá Galiano— no podía alcanzar a entender la mayoría de lectores de Madrid y Cádiz. La tentativa de Böhl era torpe, y la reacción de Mora, apasionada y equívoca; en efecto, se permitía el lujo de pasar por criptoliberal, cuando su periódico, la *Crónica científica y literaria*, era, como lo recuerda Camille Pitollet, el órgano oficioso de la monarquía y, en 1819, él mismo cumplió en Italia una misión más o menos secreta encomendada por Fernando VII.

En resumen, esta querella fue una polémica personal sin mayor resonancia, que no suscitó revuelo ni tomas de postura al margen de los adversarios; por lo demás, a quienes, en Madrid, hubiesen captado las intenciones profundas de Böhl, no les era posible combatirlas abiertamente y elevar el tono del debate. En efecto, en 1818, la censura negó a Mora y Alcalá Galiano la autorización de publicar su panfleto *Los mismos contra los propios o respuesta al Pasatiempo crítico*; así que estas respuestas a Böhl fueron editadas entonces en Barcelona, en donde sin duda muy poca gente estaba al corriente del asunto [116]: así se dispersaban to-

116. Quizás el único enterado era Próspero de Bofarull, quien, en 1809-1814, mantuvo contactos con Böhl (J. Vicens Vives, *Cataluña en el siglo XIX*, Madrid, 1961, p. 283). En 1833, A. Alcalá Galiano escribía: «Esta controversia literaria no despertó mucho interés; los nombres de quienes tomaron parte no figuraban entre los más conocidos de las letras españolas. El Sr. Boehl de Faber escribía y publicaba en Cádiz, ciudad que aun poseyendo más elementos externos de civilización que ninguna otra de España, no se distinguía por su gusto o saber literario; lo poco que allí se publicaba era escasamente conocido por sus habitantes e ignorado por completo fuera de sus murallas. Mora y su amigo, que entraron en la contienda desde la capital de España y

davía más las piezas de un proceso contenidas en dos periódicos locales, uno de Cádiz y otro de Madrid, cuya difusión apenas superaba los límites de su provincia. Durante el trienio constitucional, no se habló más del tema. Elegido miembro de la Academia Española en 1820 gracias a su amigo Vargas Ponce, que compartía sus ideas políticas, Böhl no fue a tomar posesión de su sillón, por prudencia u hostilidad al nuevo régimen; su recopilación de artículos titulada *Vindicaciones de Calderón* se publicó al año siguiente y pasó totalmente desapercibida, hasta tal punto que Böhl, desalentado, pensó en irse de España [117]. Lista expresó su punto de vista en relación con algunas de las teorías de Schlegel en un artículo publicado en abril de 1821 en *El Censor*, pero no hizo alusión alguna a la contienda entre Mora y Böhl. La actitud de Lista se explica por el hecho de que en aquel momento «el régimen liberal trata de defenderse contra la presión interior y contra la amenaza de la Santa Alianza»; y de ahí que «el espíritu de cruzada, los elementos contrarios a la Ilustración o simplemente la tendencia catolicizante de Schlegel son rechazados de antemano» [118]. En realidad, Lista admira a Calderón como poeta; lo que reprueba a los dramaturgos del Siglo de Oro, y sobre todo a Calderón, es lo que le reprobaban todos los neoclásicos: la confusión entre valores estéticos y morales, contraria a la razón, al buen gusto, a la dignidad de la religión y a los principios vigentes a la sazón en la creación literaria. En nombre de una metafísica que su adversario desconocía por completo, Böhl consideraba que la dramaturgia calderoniana ilustraba de forma patente el espíritu religioso que convenía restablecer, frente a la invasión de las ideas corruptoras venidas de Francia. Por otra parte, si alguien podía dudar de las verdaderas intenciones de Böhl en este asunto, las cartas que la futura "Fernán Caballero" escribió —en un francés algo estropeado— a Julius en 1822 no dejan dudas al respecto. La joven lamenta que «l'Espagne dans ce moment presente le plus triste spectacle a ceux qui, nourris des saines doctrines que les Bonald, La Menais, Fiévée, Villele, Chateaubriand et autres bons esprits ont répandu en France, ne peuvent voir dans le bouleversement complet de l'ouvrage des siècles que des ruines et des destructions»*; y añade: «au milieu des decombres», no hay «l'ombre d'un genie restaurateur!... Mais helas! rien que des monstres formés des vapeurs philosophiques du 18me siecle ne s'eleve sur notre horizon politique»**. Algunas frases de otra carta dirigida al mismo Julius, de noviembre de 1822, revelan el estado de ánimo de la familia Böhl y las intenciones secretas del paladín de Calderón:

---

allí escribían, se vieron obligados a publicar sus folletos en Barcelona, lejana ciudad provincial.» (*Literatura española siglo XIX*, Madrid, [1969], pp. 115-116).

117. Böhl hizo partícipe de este deseo a su amigo Julius en una carta del 16 de febrero de 1821 (C. Pitollet, *op. cit.*, p. 254).

118. Juretschke, *Origen doctrinal...*, p. 20.

* «España, en este momento, presenta el más triste de los espectáculos para aquellos que se alimentaron con las sanas doctrinas que los Bonald, La Menais, Fiévée, Villele, Chateaubriand y otros hombres de talento difundieron en Francia, y que en la total perturbación de la obra de los siglos no pueden ver sino ruinas y destrucción.»

** «En medio de los escombros, ¡ni rastro de un genio restaurador!... Por desventura, sólo se alzan en nuestro horizonte político monstruos surgidos de los vapores filosóficos del siglo XVIII.»

> Les idees revolutionnaires ne peuvent s'aclimater dans un sol impregné, depuis tant de siecles, de la semence de Jesu Christ ... ma grande et malheureuse patrie renaitra plus grande et plus pure du creuzet de la revolution ... C'est alors que nous aurons de nouveau des poetes religieux, c'est à dire des veritables poetes. C'est alors que nos anciens troubadours renaitront dans le coeur et dans l'estime des Espagnols —les Troubadours qu'il faudrait defendre dans le jour, ainsi que toute notre litterature nationale, si les fous qui nous gouvernent savoient etre consequens[119].

Por otra parte, el propio Böhl había escrito estas frases significativas: «No es Calderón a quien odian los *Mirtilos*; es el sistema espiritual que está unido y enlazado al entusiasmo poético, la importancia que da a la fe, los límites que impone al raciocinio, y el poco aprecio que infunde a las habilidades mecánicas, único timbre de sus contrarios[120].» En cuanto a Mora, su postura queda perfectamente resumida en la siguiente definición: «El liberalismo es en la escala de las opiniones políticas lo que el gusto clásico es en la de las literarias[121].»

Desde un enfoque global y superficial, se ha presentado a menudo la revista *El Europeo* (que se publicó en Barcelona desde finales de 1823 hasta abril de 1824) como una publicación que ejerció un papel decisivo en la historia de las ideas y las letras españolas. Nada permite afirmar que *El Europeo* no se leía en Madrid, pero hay que observar que los artículos de dicha revista no tuvieron la menor repercusión inmediata en la literatura castellana[122]. La metrópoli catalana reunía las condiciones que favorecieron el desarrollo de un clima cultural en el que se formaron aquellos a los que Vicens Vives denomina miembros de la «generación acumulativa de 1815». Algunos fundaron este mismo año la Sociedad filosófica, de la que formaron parte Aribau y López Soler, y en la que se debatían temas literarios, científicos y políticos. Estos jóvenes se reagrupan en el seno de la Academia de Buenas Letras, en la que encontramos a Ayguals de Izco y tal vez también al editor y helenista Bergnes de las Casas; algunos de ellos ocupan cátedras en la universidad y se encuentran entre los fundadores de tres de las más importantes publicaciones catalanas del siglo XIX: el *Periódico Universal de ciencias, literatura y artes* (1821), el *Diario constitucional* (1823) y *El Europeo*[123]

119.(«Las ideas revolucionarias no pueden aclimatarse en un suelo impregnado, desde tantos siglos atrás, de la semilla de Jesucristo ... Mi patria, grande y desdichada, renacerá más grande y pura del crisol de la revolución... Entonces tendremos de nuevo poetas religiosos, es decir verdaderos poetas. También entonces nuestros antiguos trovadores renacerán en el corazón y la estima de los españoles —los Trovadores a los que habrá que defender llegado el día, así como toda nuestra literatura nacional, si los locos que nos gobiernan saben ser consecuentes.») C. Pitollet, "Les premiers essais littéraires de Fernán Caballero. Documents inédits", *BH*, IX, 1907, pp. 67-86 y 286-302 (nuestras citas: pp. 75 y 77). En la *Crónica científica y literaria*, uno de cuyos principales redactores fue Mora, «l'influence prédominante est celle de la France catholique (Bernardin de Saint-Pierre, 45; Châteaubriand, 18; Bonald, 52)», señala G. Le Gentil (*Les Revues littéraires*..., París, 1909, p. 6). No deja de ser divertido el que Mora y Fernán Caballero adoraron a los mismos dioses con algunos años de distancia.

120. Citadas por C. Pitollet, *La querelle caldéronienne*..., París, 1909, p. 119, y por V. Llorens, *op. cit.*, p. 417.

121. *El Constitucional*, 16 de agosto de 1820.

122. V. Llorens, *op. cit.*, p. 243.

123. J. Vicens Vives, *Cataluña en el siglo XIX*, Madrid, 1961, pp. 282-288.

Estos jóvenes catalanes tuvieron la oportunidad de participar personalmente en el movimiento ideológico, poco después de la restauración de 1814. Mientras que Espronceda y sus compañeros del Colegio de San Mateo y de la Academia del Mirto reciben la enseñanza y la influencia exclusiva de un hombre del siglo XVIII, a Aribau y López Soler se les unen el inglés Charles Ernest Cook y los italianos Luigi Monteggia y Fiorenzo Galli, emigrados liberales. Éstos les transmiten el estado de las discusiones literarias en Europa, en las que había tomado parte la revista milanesa *Il Conciliatore*. Los representantes de la joven generación reunidos en la Sociedad filosófica asimilan mal las influencias que reciben: la del enciclopedismo y de la Ilustración en general, la de la cultura inglesa y francesa contemporáneas y, en especial, la del naciente espíritu regionalista que, induciéndoles a volver la mirada hacia el pasado local y las tradiciones, los conducirá al medievalismo [124].

Nacida el 18 de noviembre de 1823, cuando la entrada de las tropas francesas en Barcelona, *El Europeo* es la primera revista de la península en la que aparece la palabra *romanticismo* [125], y que intenta dar a este término una definición nacional. Pero López Soler no posee la madurez suficiente, ni Aribau la amplitud de miras necesaria. Sus ideas son imprecisas y sus afirmaciones apresuradas y a veces contradictorias. Por la misma época, de los *Annales de la littérature et des arts*, órgano de la Societé Royale des Bonnes-Lettres, hasta la *Muse française*, pasando por *Le Conservateur littéraire* y *Les Tablettes romantiques*, encontramos en París idéntica dificultad en conciliar dos tendencias distintas.

Las poesías que publican Aribau y López Soler no se diferencian, ni en los temas ni en la forma, de las de los académicos del Mirto. Así pues, en el campo de la expresión literaria, los autores de estas obras impersonales no introducen ninguna de las novedades que preconizan en sus textos teóricos. El artículo *Romanticismo* de Monteggia [126] recoge argumentos de *Il Conciliatore*, utilizados por Stendhal en *Racine et Shakespeare*; también encontramos en él una mezcla de influencias de Madame de Staël, Schlegel y Chateaubriand, tales como: el nacimiento de las costumbres caballerescas gracias al advenimiento del cristianismo; los nuevos sentimientos que se reflejan en el lema de los paladines «Dios, la patria y amor»; así como una nueva sensibilidad poética entre los trovadores quienes, cantando «los torneos, las aventuras de amor, las magias y los milagros», han relegado al olvido a los poetas antiguos. Éstos deben ser imitados, no de

124. M. T. Cattaneo, “Gli esordi del romanticismo in Ispagna e *El Europeo*”, en: *Tre studi sulla cultura spagnola*, Milán, 1967, pp. 87-100.

125. Así lo advirtió A. Rumeau en la introducción a su edición crítica de *El Duende satírico del día*, (París, 1948, p. 116). Según las citas traídas a colación por Peers (“The Term *romanticism* in Spain”, *RH*, LXXXI [II], 1933, pp. 411-418), podemos constatar que Böhl y Mora escribían «literatura romanesca (*o* romancesca)» y «literatura clásica», traducción de los términos alemanes «Romantische Litteratur» y «Klassische Litteratur». Para un estudio detallado de las ideas que contenía la revista, véase E. Caldera, *Primi manifesti del romanticismo spagnolo*, Pisa, 1962, pp. 9-44, y sobre todo M.T. Cattaneo, art. cit. Mencionamos de memoria las páginas sin consistencia dedicadas por Jean Amade a *El Europeo* en su libro *Origines et premières manifestations de la Renaissance Littéraire en Catalogne* (Toulouse), 1924. Los textos más importantes de *El Europeo* aparecen reproducidos en el índice publicado por Luis Guarner (Madrid, 1953).

126. *El Europeo*, I (2), pp. 48-56; índice citado, pp. 98a-102a. Para la comparación con *Il Conciliatore*, véase M. T. Cattaneo, *op. cit.*, p. 109.

forma servil como quieren los clasicistas, sino «filosóficamente»; a semejanza de los clásicos antiguos, hay que «servirse por elementos poéticos de las imágenes que son más análogas a las costumbres de los tiempos en que escriben». En este sentido, Homero, Píndaro, Virgilio, Dante, Camoens, Shakespeare, Calderón, Schiller y Byron fueron románticos en su época. Sin embargo, hay que evitar el empleo abusivo de ideas tristes, terribles o fantásticas (como hace Byron en *Manfred*), so pena de caer en otro formalismo. El objetivo de los partidarios del *romanticismo* es el de despertar el interés mediante la pintura de las costumbres modernas, o sea, extrayendo los temas de la historia. En el teatro es posible conseguirlo desechando las tres unidades, y sustituyéndolas por la unidad de interés, «más filosófica». Dicho programa —pasamos por alto los detalles contradictorios que contiene— se basa en los mismos principios que defendían en París los jóvenes escritores católicos y monárquicos, y está inspirado en los mismos sentimientos que habían despertado un poco antes, en los alemanes, la exaltación de su pasado nacional y de sus tradiciones, en oposición a la influencia francesa. López Soler, en su *Examen sobre el carácter superficial de nuestro siglo*[127], se enfurece ante la falta de respeto por la religión, la corrupción de las costumbres y la ausencia de «saludable orgullo» de sus compatriotas; hace responsable de ello al avance en los conocimientos, a la Revolución francesa que ha destruido estos valores y propagado en la literatura la falta de gusto, el énfasis y la inmoralidad. En conclusión: hay que restaurar la práctica de las virtudes. Estas declaraciones podrían parecer inspiradas por un arranque de patriotismo en un momento crítico de la historia nacional; pero los conservadores franceses que habían impulsado la invasión de España en 1823 utilizaban, por su parte, idéntico discurso. López Soler vuelve a plantear, con mayor serenidad, estos argumentos en dos artículos: *Análisis de la cuestión agitada entre románticos y clasicistas* y *Perjuicios que acarrea el olvido de las costumbres nacionales*[128]. En ellos repite ideas ampliamente difundidas por otros y que, por su entusiasmo de neófito, adivinamos que acaba de descubrir. Pero también ha leído el panfleto *Centinela contra franceses*, en el cual Capmany alababa en 1810 las virtudes de las tradiciones nacionales españolas, invocando su restablecimiento para cortar el paso a la perniciosa influencia de los filósofos y escritores franceses. El *romanticismo* que defiende López Soler se basa en la defensa del cristianismo, que ha dado y todavía ha de dar a la poesía «un colorido lúgubre y sentimental»; lo opone a la religión de los griegos, que ha producido obras que inspiran terror o que se limitan a describir únicamente «el hombre físico». Hace una calurosa apología del género trovadoresco y de los temas tenebrosos y terroríficos, susceptibles de conmover el corazón y la imaginación; al universo mitológico opone el de los lóbregos castillos en los que se encuentran encerradas vírgenes puras y paladines. La tarea que López Soler encomienda a los escritores de su época es la de mantener el culto al pasado nacional y a la religión cristiana, evitando imitar servilmente las costumbres de países extranjeros más florecientes; concluye diciendo: «Es mucho mejor que yazcan los pueblos en una sencilla ignorancia que no que tengan conocimientos vagos y poco

127. *El Europeo*, I (6), pp. 193-200; índice citado, pp. 71b-75b.
128. *El Europeo*, I (7) y (8) pp. 207-214 y 254-255; II (4) pp. 109-118; índice citado, pp. 75b-80b y pp. 84b-89a.

profundos. Aquélla, a lo menos, los hace dóciles, pero ésta los envanece y los hace incorregibles»; de las virtudes de la ignorancia, garantía de la pureza de las tradiciones, dan fe temibles guerreros como los espartanos y los cruzados. Sus opiniones acerca de la literatura española (de la que desea que se haga una «historia filosófica») son más matizadas[129]. Prodiga elogios a Lope, Moreto y Calderón de quienes, según dice, conviene conservar lo mejor de su obra —de cualquier forma no aclara en qué consiste lo mejor—, pero para él la auténtica comedia española es la de Moratín, «el Terencio español»; en cuanto a la tragedia, tiene sus buenos representantes en Cienfuegos y Quintana, y López Soler lamenta que este último haya abandonado el teatro. De Quintana adopta la división en períodos del *Tesoro del Parnaso español*; achaca a Góngora la corrupción del gusto que reinó de Felipe III a Carlos III, época durante la que «poco a poco fue olvidándose de la patria de los Pelayos, de los Fernandos de Aragón, de los Gonzalos y Corteses», corriendo parejas la decadencia militar con la degradación de las letras. En fin, desde Cadalso, Nicolás de Moratín, Iriarte y Meléndez Valdés, la poesía española no ha experimentado avance alguno. Se desprende de este artículo que su autor defiende una concepción aristocrática de la literatura, y de la cultura en general. La «sencilla ignorancia», salvaguarda de la docilidad del pueblo y del mantenimiento de la jerarquía social, es un principio difícilmente conciliable con el elogio de la comedia del Siglo de Oro y la ideología liberal representada por Cienfuegos y Quintana. La exposición apresurada de López Soler se caracteriza sobre todo por una incoherencia que resulta fácilmente explicable por la juventud y por el conocimiento, nulo o superficial, de los autores citados. No obstante, supone un intento de síntesis entre tendencias diversas cuya incompatibilidad, a todas luces, en ningún momento se le plantea al joven periodista. Su concepción del romanticismo es idéntica a la defendida durante los años 1820-1823 en París por «des romantiques encore imprégnés de classicisme, ultraroyalistes en politique [qui] ne conçoivent le renouvellement littéraire que comme un retour à une tradition chrétienne et anti-philosophique[130].»

Los colaboradores españoles de *El Europeo* recuperaron para sus compatriotas la imagen que de su país tienen los extranjeros. Para el resto de Europa, España es la patria de Calderón y Cervantes (Schlegel), del romancero épico o morisco y del Cid (Herder, Grimm, Depping, Southey, Abel Hugo...); la tierra de elección del heroísmo, desde la Reconquista hasta la guerra de la Independencia. Su literatura, sus costumbres, tradiciones y proezas militares la convierten en la nación ejemplar por excelencia del mundo moderno y cristiano, en oposición al mundo clásico y pagano de la Antigüedad. Este mito de la "España romántica" se fundamenta en un análisis somero y un enfoque parcial de la historia y de la literatura en España. Los numantinos, Pelayo, el Cid, los comuneros, los héroes del romancero, de la comedia, así como los guerrilleros de la guerra de la Independencia, son vistos como la encarnación de la lucha por la libertad en una Europa, también en lucha contra el imperialismo napoleónico; crisol de las virtudes

129. "Sobre la historia filosófica de la poesía española" y "Teatro", *El Europeo*, I (11), p. 342-349, y III (13), pp. 21-28; índice citado, pp. 81b-84b y pp. 91b-94b.

130. («...románticos todavía impregnados de clasicismo, ultramonárquicos en política [que] sólo conciben la renovación literaria con una vuelta a una tradición cristiana y antifilosófica.») René Bray, *Chronologie du Romantisme*, París, 1932, p. 56.

guerreras y caballerescas, España es asimismo el bastión de los valores cristianos, amenazados por la acción de disolución llevada a cabo por los enciclopedistas y la Revolución. A López Soler y Aribau les resulta tanto más fácil adoptar a su vez esta imagen, cuanto que la persistencia de la tradición religiosa no ha permitido el nacimiento y desarrollo en su país de filosofías no ortodoxas y revolucionarias; además, la autoridad de la razón dista mucho de haberse implantado allí tan profundamente como en Alemania, Francia o Inglaterra: España no ha vivido la crisis metafísica que sacudió Europa. Sin embargo, según lo ha demostrado con acierto Vicens Vives[131], a partir de finales del siglo XVIII, el Antiguo Régimen sólo se mantiene gracias a

> la fuerza del andamiaje administrativo y policíaco que le aguanta ... Ha muerto en todas las conciencias: no sólo de los ... activistas subversivos privilegiados, incluso de los más conspicuos reaccionarios, como Metternich, el conde de Artois, Fernando de Nápoles o Fernando de España. La mentalidad represiva del sistema intervencionista del canciller austríaco nos proporciona la mismísima prueba de la amplitud de las defecciones al viejo orden de cosas. La sociedad jerarquizada de los siglos XVII y XVIII, el Estado aristocrático y feudalizante, el gobierno de despotismo ministerial, han pasado a mejor vida.

Los conservadores se muestran tan partidarios de reformas como los revolucionarios; sólo difiere el camino que pretenden hacer seguir a la sociedad. La glorificación del pasado nacional idealizado sirve la causa del reformismo tradicionalista que

> habiendo de legitimar una causa que no podía ni debía apoyar en el Antiguo Régimen, halló en la resurrección de una supuesta admirable vida medieval los justos títulos que amparaban su acción y sus propósitos. Este fenómeno de legitimación, característico de movimientos similares, dio al romanticismo conservador ese gusto arcaico, gótico, caballeresco y feudalizante que aun hoy se distingue a la legua. La evasión hacia el Medievo no fue, por tanto, repugnancia hacia la realidad circundante, sino fin deliberado para justificar un anhelo de reforma social, cultural, política y literaria.

El *romanticismo* según *El Europeo* es una fórmula cuya imprecisión viene acentuada por su carácter nacionalista y su vinculación con la ideología del reformismo tradicionalista. No obstante, vemos con bastante claridad que la concepción absolutista de la jerarquía social impregna todavía con fuerza las ideas literarias de los jóvenes escritores barceloneses, quienes admiten las nuevas tendencias sólo en la medida en que no son susceptibles de dañar de modo sustancial los intereses de la clase dominante en Barcelona: la burguesía del comercio, de la industria y de los negocios[132]. En cuanto a las ideas estéticas, dicha concepción

131. J. Vicens Vives, "El romanticismo en la historia", *Hispania* (Madrid), X, 1950, pp. 753-754. Sobre las diferentes caracterizaciones del romanticismo español y los límites de éstas, véase G. Díaz Plaja, *Introducción al estudio del romanticismo español*, 2.ª ed., Madrid, 1942, pp. 32-36; A. del Río, "Present Trends in the Conceptions and Criticism of Spanish Romanticism", *Romanic Review*, XXXIX, 1948, pp. 229-248; Edmund L. King, "What is Spanish Romanticism?", *Studies in Romanticism*, II (1), 1962, pp. 1-11.

132. M. T. Cattaneo, *op. cit.*, p. 87.

de la literatura ofrece algunos puntos en común con la que defenderá Durán en 1828 y representará *El Artista* en 1835-1836 en Madrid. Si bien en algunos aspectos se asemeja también a las teorías que Lista aplica y enseña a sus alumnos, estas similitudes se deben a otras razones que a una influencia directa e inmediata de *El Europeo*, producto cultural periférico. El que no se haga mención alguna de la revista barcelonesa en la prensa contemporánea de Madrid puede explicarse por el hecho de que los únicos periódicos de la capital, la *Gaceta* y el *Diario de avisos*, no incluyen en sus columnas referencias a la literatura; pero ni en el efímero *Diario literario y mercantil* en 1825, ni más tarde en el *Correo*, en *Cartas españolas*, o en el *Discurso* de Durán o la correspondencia de Lista, se mencionan las posiciones de *El Europeo* para apoyarlas o combatirlas. Representan pues un fenómeno efímero y local, sin mayor repercusión nacional que la querella Böhl-Mora.

Lista, ideólogo y maestro en poética de los "hijos del siglo" en Madrid

Trasladémonos ahora al Madrid de la época, en torno a 1820-1826. La restauración del régimen constitucional se produce tras un período de seis años en que España ha vivido replegada sobre sí misma, y durante el cual no hallamos en la capital ninguna gran figura literaria; en efecto, ciertos escritores o pensadores se encuentran en presidio o confinados de real orden en alguna provincia alejada; otros están exiliados y otros, reducidos al silencio a consecuencia del restablecimiento de la censura y la Inquisición. Entre 1820 y 1823, sus importantes funciones al frente de la Dirección General de Estudios absorben a Quintana; tanto Martínez de la Rosa como Ángel de Saavedra se dedican a la actividad política; Moratín viaja a Francia e Italia; por lo tanto, de los supervivientes del siglo XVIII, Lista es el único que, apartado de los cargos oficiales y gozando ya de una sólida reputación de hombre de letras y pedagogo, se dedica únicamente a la educación de la juventud y a sus tareas de escritor, poeta, conferenciante y periodista. Así pues, las circunstancias favorecen el que se convierta en el ideólogo de la generación de los "hijos del siglo" en Madrid, por la calidad de la enseñanza impartida en el Colegio de San Mateo, pero también porque dispone de la tribuna del Ateneo y es el alma de *El Censor*, la revista mejor y más informada de la época. Los antiguos corifeos del «Cádiz de las Cortes», que no han olvidado nada y aprendido poco, se ven superados por los partidarios de un liberalismo más radical. Lista teme que la situación degenere y, en los artículos que escribe por aquel entonces, aparece su desconfianza hacia los extremistas. Contempla con preocupación el renacer de las divisiones de 1808-1812, aunque ahora con acrecentada violencia debido a los afanes demagógicos de "exaltados" y "absolutistas". Este hombre de orden, enemigo de cualquier exceso, condenó y siguió condenando el fanatismo, el oscurantismo, la censura, la Inquisición y la tiranía, pero no se comprometió tanto como Quintana y, menos aún, como Marchena o Blanco White. En la edad madura, continúa apegado a los mismos valores que defendía en su juventud, tanto en política como en literatura. En este terreno, se mantiene fiel a las concepciones estéticas que le parecen adecuadas para salvaguardar la pureza de las letras españolas, para protegerlas de novedades peligrosas a sus ojos. De dichas novedades, aceptará algunas, siempre y cuando pueda adaptarlas a su sistema[133]. Éste se basa en algunos principios fundamentales y constantes, como son: el papel primordial de la razón en todas las actividades del espíritu humano, ya se trate de ciencias, filosofía o artes, en especial bellas letras; la necesidad de contribuir a que los hombres sean mejores propagando verdades útiles, combatiendo el error en todas sus facetas y enseñando la práctica de la virtud; en consecuencia, el escritor, tanto si es poeta lírico o épico, autor de comedias o de tragedias, nunca debe perder de vista el valor moral de las obras que entrega al público. Para Lista, los grandes representantes de la poesía nacional del «buen siglo» siguen siendo Fray Luis de León, Herrera y Rioja; entre los escritores del XVIII, el primer puesto corresponde a Meléndez Valdés. En fin, según escribe Juretschke:

> En el centro del mundo poético de Lista se levanta Horacio. El culto por él, su continua lectura, son origen y causa de su visión de la poesía. Horacio es su prototipo de poeta ... Por consiguiente, Lista no alaba la espontaneidad, sino el arte; no la originalidad, sino el ejercicio de una sabia imitación y emulación; no un lenguaje popular y llano, es decir, naturalista, sino culto y de alto coturno[134].

Estos son los rasgos más relevantes de la estética de Lista; su lección inaugural de literatura española en el Ateneo, en 1820, contiene la exposición más clara y precisa de su teoría de la expresión poética[135]. Según "Anfriso", no es posible enseñar a todos el arte de versificar. Para ser poeta, hay que poseer ante todo «genio», talento natural, a la vez que aceptar también cierto número de normas generales que constituyen una ayuda y no una traba. Las bellas letras tienen como objetivo el «halagar y elevar nuestros ánimos con la representación de cosas bellas y sublimes, hechas por medio del lenguaje». Es conveniente que el escritor se ciña a una determinada «lógica de la poesía» cuyas leyes, tan estrictas como las de la lógica propiamente dicha, permiten el descubrimiento del mundo de la «verdad ideal». Se establece así una especie de convención entre el autor y el lector, según la cual aquél sólo conseguirá deleitar la imaginación de éste y conmover su corazón en la medida en que el universo poético, aun siendo «artificial e ideal», haya sido reconstruido mediante «cosas bellas y sublimes», tomadas de la naturaleza y presentadas según una rigurosa disposición. De no ser así, resulta imposible transmitir la belleza o las emociones. La inspiración, sujeta al control de la razón, debe apoyarse en el estudio constante de las obras de los grandes maestros, única forma de perfeccionar el gusto. Para ello existen tres medios: «la repetición de las sensaciones que lo excitan, como lo es la lectura continua de los buenos modelos; ... el conocimiento y estudio de la teórica de las bellas letras; ... el juicio de las obras.» No obstante, el empleo de dichos medios supone estar en posesión de conocimientos previos de gramática, lenguas extranjeras y cultura

133. Para un estudio detallado de las ideas estéticas y literarias de Lista en esta época, y de sus fuentes, véase Juretschke, pp. 251-290.

134. Juretschke, pp. 269-270.

135. El texto manuscrito —desgraciadamente incompleto— de las lecciones de Lista en el Ateneo de Madrid aparece reproducido en Juretschke, pp. 418-465. Las citas que siguen han sido tomadas de la lección inaugural, de la que hemos reproducido un pasaje *supra*, p. 33.

literaria; en resumidas cuentas, todo lo que el programa de enseñanza adoptado en el Colegio de San Mateo ambicionaba ofrecer, a largo plazo, a los alumnos.

Con esta idea compuso Lista su *Antología de los mejores hablistas castellanos*, cuyo segundo volumen está dedicado a los poetas [136]. Declara en el prólogo que el objetivo es que los adolescentes a los que va destinada «se habitúen a las buenas formas del estilo, a la pureza del lenguaje y a las gracias de la dicción. Esto sólo bastará para criar o perfeccionar en ellos el instinto de lo bello, y darles modelos de comparación, que les hagan conocer lo bueno y distinguirlo de lo malo, mientras llega el tiempo de estudiar filosóficamente las humanidades». Así pues, la selección de textos se efectúa no sólo en función de las necesidades pedagógicas, sino también de las preferencias del recopilador. Aparte de las fábulas de Samaniego, Iriarte y Bartolomé de Argensola, así como de breves trozos de comedias del Siglo de Oro (diálogos o fragmentos divertidos o de mero interés didáctico), los modelos de poesía, como ya era de esperar, corresponden principalmente a Herrera, Rioja, Fray Luis de León, San Juan de la Cruz y, entre los modernos, a Meléndez Valdés y Jovellanos. Gracias a esta selección de textos desarrollan Espronceda y sus compañeros de colegio su sensibilidad literaria; así aprenden a formarse siguiendo el «buen gusto» al que Lista se mantendrá fiel por largo tiempo: en 1838 todavía reaparecerá esta expresión varias veces, cuando coja la pluma para hacer la historia de la Academia particular de Letras humanas de Sevilla [137]. No podemos dejar de sorprendernos ante la similitud que se observa entre los principios que defendían y representaban, a partir de 1793, los miembros del citado cenáculo y los que Lista exponía, ante sus alumnos, unos treinta años más tarde. Durante su juventud, sus amigos Manuel Arjona, Justino Matute, Joaquín María Sotelo y él mismo intentan a partir de las obras del abate Batteux y del padre André, definir «los caracteres de la belleza, del genio, de la facultad de juzgar de las bellas artes, de lo sublime»; acogen con entusiasmo las poesías que publican Meléndez Valdés, Quintana y Cienfuegos, o la comedia de Moratín, *El café*. En las obras que componen, como es natural se esfuerzan en imitar, cuando no en igualar, a Herrera, Rioja o Jaúregui; no menosprecian el género pastoril: «¿No pertenece a un mundo ideal, a la edad de oro?» Muerto Forner, el primer juez que habían elegido para someterle sus poesías, solicitan a Meléndez Valdés que sea su guía. Lista reconoce que estas obras de juventud carecían de «la madurez de una razón perfeccionada», pero por lo menos se podían encontrar en ellas «las formas propias del arte: armonía sostenida, escogimiento de palabras, pensamientos bien elegidos, aunque no fuesen muy originales, y presentados bajo la forma de imágenes».

Lo que Lista denomina su «sistema de poetizar [138]» se mantuvo intacto durante la época de la Academia del Mirto. Dotado de una mente de formación científica, sigue escribiendo y enseñando a escribir poesía como quien resuelve un problema de matemáticas: siempre y cuando se posea el don natural —el «ge-

136. Sobre esta obra, véase *supra*, nota 52.
137. A. Lista, "De la moderna escuela sevillana de literatura", *Revista de Madrid*, I, 1838, pp. 251-276.
138. En el prólogo a la segunda edición de sus poesías (Madrid, 1837, t. I, p. V).

nio»—, basta con aplicar una serie de principios anteriormente demostrados, y por lo tanto apropiados y válidos en todo tiempo y lugar, para hallar la solución racional. De ahí que, en abril de 1821, en *El Censor*, se manifieste en desacuerdo con la afirmación de Schlegel conforme a la cual el gusto es relativo según los países. Acepta que la supremacía de la tragedia francesa sea discutible, y que se pueda amar a Calderón y a Shakespeare a pesar de sus defectos, pero no por ellos; sin embargo, pese a que reconoce que las unidades de tiempo y lugar pueden no ser observadas al pie de la letra, concluye diciendo que esta «secta de literatos alemanes», que no se digna ni siquiera nombrar, ha difundido ideas que conducirían a la anarquía. Dos frases resumen de maravilla su postura: «En el buen gusto se debe evitar lo mismo que en la política, la sumisión servil, y desenfrenada licencia. Burlémonos de las reglas minuciosas; pero obedezcamos a las leyes que dictan la naturaleza y la razón[139].» La estética aparece, una vez más, claramente definida en relación con un orden social. En sus poesías sacras, se esfuerza en seguir muy de cerca a su modelo Herrera, y en ellas la efusión de su religiosidad se manifiesta siempre de modo "razonable", incluso cuando utiliza, de forma discreta, los temas tenebrosos o las notas sombrías en las visiones terroríficas del Apocalipsis o de los castigos divinos; en sus obras amorosas, refleja con mesura las sensaciones o los sentimientos, que nunca son representados como susceptibles de arrastrar a extravíos incompatibles con la buena armonía de la sociedad. Cuando se dedica al género trovadoresco o morisco[140], el color local está ausente de sus composiciones, y el ambiente resulta tan impreciso que éstas apenas se diferencian, por el contenido, de sus poesías pastoriles; en cambio, Quintana había sabido dar con un tono menos enfático, demostrando cierta naturalidad al contar la leyenda de la Dama del lago en *La fuente de la mora encantada*. Siempre que Lista se interesa por personajes históricos, es para escribir un soneto referente a san Fernando, Sully o Gonzalo de Córdoba, o para traducir una tragedia de Marie-Joseph Chénier[141] en la que encuentra virtudes pedagógicas. Esta mentalidad racional está imbuida de una certeza tan inatacable como una verdad científicamente demostrada: la de la infalibilidad de la doctrina del neoclasicismo, que le lleva a tratar los temas literarios desde un punto de vista rigurosamente técnico, pero por ende, también en relación con sus implicaciones morales. Las ideas de los «literatos alemanes» le resultan tanto más sospechosas cuanto que las conoce mal y sólo ha retenido de ellas el carácter subversivo que tienen a sus ojos; lo cual es suficiente para que las condene pues, según él, con su influjo se cierne sobre la lengua y la poesía españolas la amenaza de «una catástrofe mucho más sensible que la de los gongoristas, gerundianos y naturalistas»; y la «malhadada división» entre literatura clásica y literatura romántica sólo

139. "Reflexiones sobre la dramática española de los siglos XVI y XVII", *El Censor*, VII (38), 24 de abril de 1821, p. 131. Estos principios se aplican rigurosamente en el estudio de las obras teatrales analizadas por Lista en el mismo periódico (véase J. M. de Cossío, *El romanticismo a la vista*, Madrid, 1942, pp. 81-168).

140. *Poesías inéditas de Don Alberto Lista*, ed. J. M. de Cossío, Madrid, 1927, pp. 206-207 (*Zoraida*), pp. 227-228 (*La Despedida del trovador*), pp. 249-250 (*El Trovador, traducción del francés*), y pp. 252-254 (*La Vuelta, imitación del francés*).

141. *Charles IX ou l'École des rois, ibid.*, pp. 325-394.

puede «echar a perder lo poco bueno que quedaba»[142]. Y eso no es todo; al mito de la "España romántica" de Schlegel, Lista opone otro, no menos falso: el de la barbarie de los pueblos del norte:

> Los pueblos bárbaros del Septentrión, acostumbrados a sacrificios humanos en la atroz religión de las selvas germánicas, feroces por naturaleza y por costumbre de conquistar adoptaron con la religión del imperio la intolerancia y el fanatismo que la continuaba[143].

No admite que los descendientes de estos germanos fanáticos se conviertan en los propagandistas de la revalorización del Medioevo, y se niega a ver en las Cruzadas la culminación de las virtudes caballerescas; a este respecto escribe un poco más adelante: «Entonces se vio desplomarse la Europa sobre el Asia para despoblarla en nombre del cielo. Los ministros de la religión, los anunciadores de la paz, encendían hogueras y levantaban cadalsos para exterminar.» Ni siquiera los vestigios de la época feudal despiertan su interés, por razones tanto estéticas como morales:

> Nuestros brillantes artesones, nuestras puertas vidrieras, nuestros salones pintados y amueblados con el gusto más exquisito, ¿no son muy preferibles a los antiguos bastiones y fosos, a las murallas góticas, a los cuartos oscuros como desnudos y a las cavernas donde se retiraban los antiguos tiranos del monarca y del pueblo, cargados de las maldiciones de la autoridad impotente y de la Humanidad ofendida[144]?

En el plan del *Pelayo* y en las estrofas que escribe para su discípulo Espronceda, Lista no dedica ni una sola línea a la descripción de costumbres y lugares, al color local[145]; sólo le interesan las virtudes patrióticas del héroe de la Reconquista, así como el valor ejemplar del hecho histórico, y en esta elección no influye ninguna complacencia estética por el pasado.

En *El Censor*, el antiguo afrancesado manifiesta su preocupación ante la moda del drama lacrimoso, del melodrama y «l'avalanche des romans dont les douceurs empoisonnées pervertissent la jeunesse[146]», géneros acogidos todos ellos con fervor en Madrid. Aunque señala que los franceses fueron los primeros en reprobar «la mezcla de lo ridículo con lo noble» en la comedia española del Siglo de Oro, y reconoce que se trata de una crítica fundada, también afirma que Francia ya no es la patria de Boileau y que, en la actualidad, ella es quien exporta estas obras contrarias a las reglas y a la moral; hoy en día, los franceses «abastecen nuestro teatro de piezas híbridas ... de aquella mezcla monstruosa ... de las

142. Así se expresaba Lista durante su cuarta lección de literatura en el primer Ateneo de Madrid (Juretschke, pp. 441-442). Los «naturalistas» son Iriarte y sus imitadores, como queda claro en la continuación del texto. Hemos corregido *gongorismos* (errata evidente) por *gongoristas*.

143. "De los católicos en Inglaterra", *El Censor*, VI, pp. 401-422.

144. "Orígenes del liberalismo", *El Censor*, VI, pp. 326-331.

145. Véase *infra*, pp. 93-94.

146. («la avalancha de novelas cuyas dulzuras envenenadas pervierten a la juventud.») A. Rumeau, *El Duende satírico del día*..., París, 1948, p. 60. Los artículos de *El Censor* (t. V y t. XV) a los que vamos a referirnos se citan en la misma obra, pp. 59-60 y pp. 63-64.

gracias truhanescas con las persecuciones, las muertes y los entierros»; constata con pesar que ello supone «burlarse de las reglas y del auditorio». En su revista elogia a Jouy, en el que la tendencia moralizante, el estilo pulido y el sentido de la observación le parecen cualidades sumamente tranquilizadoras y dignas de ser cultivadas en España. Su fe en el neoclasicismo le induce a condenar por igual, de un lado, determinados principios del romanticismo según Schlegel (del que sólo tiene en aquel momento una idea muy superficial) y, de otro, el folletín y el melodrama. Su única preocupación es la de evitar que la "anarquía" gane terreno, bajo la influencia de estos productos de importación a los que atribuye erróneamente un origen común, en las costumbres, la literatura y, en particular, la poesía. El 1.º de enero de 1828, Lista escribe a Domingo del Monte, a fin de justificar los severos juicios que le ha merecido el libro de poemas de Heredia:

> Una exaltación siempre permanente quiere violar a un mismo tiempo las reglas del mundo social y las del Parnaso. Ya es ocasión de oponer un freno saludable a esta licencia, que deslumbra los corazones incautos con el nombre de libertad [147].

Estas frases componen un fiel retrato de Lista, y definen a la perfección la intención que le anima a asumir su papel de mentor de la Academia del Mirto: la de alejar los «corazones incautos» de aquellos aprendices de poeta, que han solicitado su patrocinio y sus consejos, de los peligros de una «exaltación» que corrompería la poesía.

Con motivo del tercer aniversario del cenáculo, su presidente en ejercicio, Antonio Cavanilles, pronunció el 25 de abril de 1826 un discurso en el que, como era de suponer, se hace eco de las ideas de Lista [148]. En 1822, éste publicó un volumen de poesías cuya lectura indujo a los alumnos que sentían esta afición a buscar, como él, distraerse de los estudios serios «en el trato amable de las musas» [149]. No es de extrañar que, al final de su locución, el joven orador dedique un clamoroso homenaje a "Anfriso", ya que sin su apoyo y ejemplo la academia no habría podido vivir ni prosperar. Cavanilles declaraba al principio:

> Hoy hace tres años que, reuniendo nuestros conocimientos literarios, procuramos aprender la más noble, la más útil, la más ignorada y la más difícil de las cien-

147. Véase el texto de esta carta en Juretschke, pp. 571-574.
148. El marqués de Jerez de los Caballeros publicó extensos fragmentos de este discurso (*op. cit.*, pp. 14-18).
149. La frase es de Lista, que escribió en el prólogo a la segunda edición, aumentada, de su antología poética (Madrid, 1837, t. I, p. III): «Aplicado desde mi primera juventud a estudios sumamente serios, por la naturaleza de mis obligaciones, descansaba de mis tareas con el trato amable de las musas, que han sido constantemente mi consuelo en las adversidades y mi recreo en la feliz medianía de que he gozado gran parte de mi vida.» El 10 de diciembre de 1817 escribía a Reinoso desde Pamplona, evocando los duros tiempos de la desgracia y el exilio: «Es necesario tener toda la fuerza de mi temperamento para haber resistido durante mi égira al inmenso trabajo de enseñanza que siempre he tenido y a las penas morales que me han angustiado. Vivo persuadido que se lo debo al hábito de la poesía.» La puesta a la venta de la primera edición se anunció en *El Universal* el 5 de agosto de 1822; el día 18, este mismo periódico publicó un largo artículo, anónimo, muy favorable, sobre este libro.

> cias. Si no se tuviesen por parciales mis elogios, ... os felicitaría por haber acogido en vuestro seno a las Musas castellanas. Vosotros las amparasteis cuando temerosas huían de la revolución y de la guerra. Les ofrecisteis un asilo y tornaron a sonar sus dulcísimos cantares.

Para estos jóvenes, la poesía no es una cuestión de inspiración, sino de estudio; es una actividad intelectual cuya tradición debe mantenerse incólume cuando corre peligro de desaparecer en el torbellino de la historia o se ve, cuando menos, seriamente amenazada por profundas conmociones políticas. (Recordemos que la fundación del cenáculo tiene lugar el día en que el duque de Angulema, que había entrado en Madrid la antevíspera, nombra un Consejo de regencia.) En fin, la poesía es aristocrática por esencia, puesto que es una ciencia reservada a una minoría capaz de desvelar sus secretos. Quien quiera cultivarla —sigue diciendo Cavanilles— debe poseer el don de inspirarse en los modelos que enseñan el uso juicioso de las bellezas de la lengua, así como la forma de expresar los sentimientos, de modo que impresionen las conciencias y conformen el gusto de los lectores. Estos buenos autores son los de la «culta Roma» y los de la época que Lista denominaba «nuestro buen siglo»: Herrera y Fray Luis de León. El castellano va perdiendo cada vez más su antiguo esplendor, por lo cual es conveniente restaurarlo, sin encerrarlo en límites demasiado estrechos, y volviendo a darle «la precisión y el laconismo del idioma latino y la flexibilidad y ternura del italiano». Hay que evitar también el uso de giros arcaicos, como hacen los que alardean —ignoramos a quién se refiere, ya que Cavanilles no lo dice— de conocer bien la lengua «y se desentienden de los conocimientos posteriores. Buscad lo mejor y usadlo sea cual fuere su procedencia».

Luego, Cavanilles enumera a los personajes cuyas proezas son susceptibles de inspirar a sus colegas:

> Pelayo, levantando el grito de venganza y sacudiendo las cadenas del moro; Guzmán, sacrificando a la lealtad los sentimientos paternales, pasmando el orbe y aterrando a los de Benasín; Colón, el Cid, San Fernando, el hazañoso Vargas y otros cien héroes, orgullo de nuestro suelo, fían a los ingenios españoles la venganza de su valor y su gloria, casi olvidados por los que sucedieron.

Resulta interesante esta selección de héroes de la historia nacional. Menéndez Pidal ha observado con acierto que, a partir del siglo XVIII, el tema de la pérdida de España deja paso al de la Reconquista[150]. La imagen de la España vencida —y del rey malo, causa de la derrota— aparece sustituida por la imagen de la España regenerada —y del rey bueno, artífice de la recuperación. No es a Rodrigo a quien Cavanilles cita en primer lugar, sino a Pelayo, liberador del territorio y reformador de la monarquía, y después al Cid y a san Fernando quienes, desde determinada óptica, son los continuadores de la obra del vencedor de Covadonga. En cuanto a Guzmán el Bueno, encarna la entrega total del hombre a la buena causa, el triunfo del patriotismo por encima del amor paterno, del deber por encima del sentimiento. Por último, Cristóbal Colón y Diego de Vargas (nos pre-

150. R. Menéndez Pidal, *Floresta de leyendas heroicas españolas...*, t. I, Madrid, 1925, p. 153.

guntamos qué pinta este personaje oscuro en medio de estas celebridades) son, por distintas razones, los artífices de la obra civilizadora de España en América, al igual que Cortés en el poema de Moratín padre. En la enumeración de Cavanilles hallamos de nuevo a la mayoría de personajes —a excepción de Santiago Apóstol y san Isidoro— que Meléndez Valdés proponía para sustituir a los héroes de las jácaras y de los romances en boga, y que algunos autores neoclásicos de tragedias habían escogido como ejemplo para los españoles[151]. Todas estas grandes figuras pertenecen a un pasado lejano; no encontramos entre ellas a los defensores de Zaragoza que Espronceda incluirá en 1834 en la lista de motivos de inspiración propuestos a los poetas de su generación[152]. Otra ausencia que sorprende a primera vista es la de los Numantinos. Se debe a que en abril de 1826 no era oportuno proponer semejante ejemplo, ya que menos de un año antes algunos de los oyentes de Cavanilles habían sufrido las iras de la justicia, por haber querido rivalizar en heroísmo con los habitantes de la ciudad ibera. Si bien en 1820-1823 estos jóvenes no alcanzaban a comprender el sentido justo y el verdadero alcance de los debates que presenciaban en la calle y en su familia, realizaban manifestaciones a veces intempestivas en las que imitaban a los adultos; valgan como testimonio los recuerdos de Patricio de la Escosura. No permanecieron insensibles al drástico cambio del clima político que se produjo a consecuencia de la intervención francesa. Algunos lo demostraron tomando partido: como Espronceda y sus amigos de la Sociedad numantina naturalmente; pero también en sentido opuesto, Luis María Pastor, quien en julio de 1823 se alistó en los Voluntarios realistas en los que ostentaba, en 1826, el grado de alférez[153]. Es evidente que Lista no ignoraba el estado de ánimo de sus discípulos, ni las divergencias de opinión que los separaban, ni los actos con los que habían expresado o expresaban su compromiso. El hecho de que, por boca de Cavanilles, les propusiera cantar las virtudes morales y cívicas de héroes que habían contribuido antaño a la gloria de España, parece obedecer al deseo de apartarles de una tentación: la de expresar con crudeza en sus poesías sentimientos o convicciones que, no sólo hubieran podido costarles a sus autores persecución judicial, sino también contrariar o escandalizar a una parte del auditorio durante las sesiones de lectura de la Academia del Mirto, en perjuicio de la buena armonía de sus miembros; y por esa misma razón, atentar contra la dignidad de la poesía. Las palabras del joven orador reflejan estas preocupaciones.

Dos frases demuestran que, pese a mantenerse fieles a los principios generales que Lista les ha transmitido, los miembros del cenáculo desean renunciar a la composición de obras de divertimento para acometer obras más serias y sobre todo útiles: «Ya no se precian las composiciones aéreas: aquellas composiciones en que lucía el ingenio a costa de la razón, y que en vez de deleitarle fatigaban el entendimiento. Ya es necesario que un sentimiento, que un fin moral dirija la voz del poeta.» Sin duda no ha llegado todavía el momento de proclamar que el poeta está investido de una "misión", que es un ser inspirado que guía la huma-

151. Véase al respecto R. Andioc, *op. cit.*, pp. 421-439.
152. Véase *infra*, p. 310.
153. AHN, Consejos, leg. 13370, n.º 83 (Relaciones de méritos de L. M. Pastor, 16 de noviembre de 1826 y 6 de agosto de 1827). Sobre este personaje, véase *infra*, p. 117.

nidad. Cavanilles se limita a repetir una verdad afirmada y ejemplificada a partir de Meléndez Valdés; pero la sitúa en primer plano, relegando implícitamente a un pasado caduco (utiliza las formas «lucía», «fatigaba») la poesía de puro divertimento. Podemos ver en ello el anuncio de una nueva mentalidad o, en todo caso, el síntoma de un confuso hastío de los juegos intelectuales cuya reiteración viene a subrayar el artificio y carácter retórico de los mismos. Ello parece indicar que los discípulos de Lista se vieron más influenciados por las obras sacras y «filosóficas» de su maestro que por sus poesías de entretenimiento. No obstante, en modo alguno hay que ver en el ánimo del orador el deseo de romper de forma radical con una tradición de la que es depositaria la Academia del Mirto:

> Aspirad, amigos míos, a la gloria. El siglo XIX haga olvidar al XVI. No abandonéis la ciencia encantadora que suaviza las costumbres del hombre; no abandonéis un estudio que, según dijo el padre de la elocuencia, forma nuestro corazón en la juventud, acalora la vejez, nos adorna en la prosperidad, nos acompaña y consuela en el infortunio, peregrina con nosotros y con nosotros se hace campestre. Destruid el imperio del mal gusto y de las coplas, y compadeced a aquellos que no encuentran diferencia entre las inspiraciones del cielo y las necedades rimadas de los miserables copleros.

Tras rogar a sus compañeros que eviten «afectar ciencia» y recomendarles encarecidamente que arrojen de sus corazones «la ponzoñosa envidia» (¿acaso sería ésta una alusión a rivalidades debidas a diferencias de edad, opiniones y talento entre los miembros del cenáculo[154]?), les invita a seguir el ejemplo de Lista:

> Remedad los ecos de la lira de Anfriso, de Anfriso el cantor de la Divinidad, que tendió una mano protectora a esta Academia, que, niña y sin amparo, o hubiese muerto en su infancia o no hubiera llegado al esplendor actual.

La terminología empleada por Cavanilles es tan poco original como sus ideas: cabe preguntarse, en efecto, quiénes son en la España de 1826 esos «miserables copleros» a los que menosprecia y exhorta a menospreciar. Fuera de los autores, anónimos o no, de obras de circunstancias y de canciones patrióticas de gran difusión durante el trienio constitucional, no vemos quién puede merecer semejante calificación. Pero todo se aclara si nos remitimos a la reseña histórica de la Academia particular de Letras humanas de Sevilla[155], academia fundada —según escribe Lista— con el objetivo de reaccionar contra la poesía «prosaica» o «coplera» divulgada por Gerardo Lobo, Montoro, León Merchante, Benegasí y sus epígonos, siguiendo el ejemplo de «nuestros buenos poetas del siglo XVI», y reclutando adolescentes de talento con objeto de formarlos en dicha escuela. La intención de los dos grupos literarios es fundamentalmente la misma, y el propio "Anfriso"

154. El marqués de Jerez de los Caballeros (*op. cit.*, p. 34) destaca entre las composiciones de la Academia del Mirto un soneto en que el autor protesta contra la «tiranía» de Juan Bautista Alonso. Aunque ignoramos la fecha exacta de su nacimiento, podemos suponer que Alonso tenía cerca de veinticinco años en 1826; ¿se mostraba quizás demasiado exigente con sus jóvenes cófrades?

155. A. Lista, "De la moderna escuela sevillana de literatura", *Revista de Madrid*, I (1838) pp. 251-276.

desea que se considere el de Madrid como hijo del de Sevilla; entre sus miembros alude a sí mismo como «el que nombró para director suyo otra reunión de la misma especie fundada en esta corte en 1824[156], compuesta de individuos que se distinguen en el día así en humanidades como en otras carreras».

Así es cómo se transmite, de la última generación del XVIII a la primera del XIX, la estética del neoclasicismo. Dado que las circunstancias hicieron que uno de los adeptos más convencidos de este sistema fuera el mentor de Espronceda y de los jóvenes de su edad, así como de otros algo mayores reunidos en Madrid, el discurso de Lista constituye la base fundamental de su formación intelectual.

156. ¿Se trata acaso de un lapsus de Lista? Eso es lo que parece; de todos modos, puede explicarse por el hecho de que no fue hasta 1824 cuando la Academia del Mirto, fundada un año atrás, solicitó su patronato.

Capítulo IV

EL NACIMIENTO DE LA VOCACIÓN POÉTICA

LAS OBRAS JUVENILES DE ESPRONCEDA Y DE LOS ACADÉMICOS DEL MIRTO: FORMALISMO Y SINCERIDAD

Más que un balance de los tres años de actividad de la Academia del Mirto, el discurso de Cavanilles es un programa para el futuro. Si bien puede que el archivo de aquélla esté incompleto, ninguna de las composiciones que incluye lleva fecha posterior al mes de abril de 1826. Es decir, al momento en que algunos de los miembros del cenáculo están a punto de llegar al término de su último o penúltimo curso de estudios universitarios; Vega ha debutado ya en el teatro; otros, como Alonso y Cavanilles[157], están ejerciendo una profesión. En julio de 1825, Lista había entregado a este último el plan y algunas escenas de una tragedia titulada *Roger de Flor o los catalanes de Oriente* para que la terminase[158], pero no parece que este plan llegara a iniciarse y cuajar en absoluto; tuvo más éxito cuando animó a Espronceda a escribir una epopeya en honor de Pelayo. Por ser aquél el único poeta nato dentro de un grupo de versificadores, fue el único que siguió el consejo de Cavanilles, adelantándose incluso a él.

Durante su aprendizaje los académicos del Mirto aplican al pie de la letra, aunque con torpeza, el mismo «sistema de poetizar» que Lista, y cultivan los mismos géneros, en el registro profano y sacro: odas (inspiradas o imitadas en la mayoría de los casos de Horacio), idilios, anacreónticas, sonetos y romances. Las seis obras de Espronceda que se conservan entre los manuscritos del cenáculo no se diferencian en nada de los trabajos juveniles de sus compañeros. El marqués

157. Sobre las actividades de los compañeros de Espronceda en esta época, véase *infra*, pp. 117-119.

158. Este manuscrito autógrafo inédito de Lista se halla en la colección Cavanilles (RAH, 11-1-2, 7982/22). Consta de cuatro folios; en el borde inferior del tercero escribió Cavanilles: «El día de la Virgen del Carmen de 1825 me dio Lista estos papeles pª qᵉ continuase su tragedia.» (La fiesta indicada se celebra el 16 de julio.)

de Jerez de los Caballeros juzga las primeras composiciones del poeta con las siguientes palabras: «defectuosos, como versos de niño, pero revelando que el ingenio que los produjo había de remontarse a las cumbres del Parnaso[159].» Es mucho decir, tratándose tan sólo de los ejercicios de un escolar diestro, y sería muy difícil identificar al autor de los mismos si algunos no estuviesen firmados[160]. Resulta tan sorprendente la similitud de una de estas obras, *Vida del campo*, con las imitaciones de Horacio realizadas por poetas de finales del siglo XVIII, que un crítico competente llegó a poner en duda la atribución a Espronceda, creyendo que era obra de un poeta experimentado y no de un joven principiante[161]. Por muy halagador que pueda ser este juicio, lo que demuestra, cuando sabemos que la paternidad de la obra no admite dudas, es que su autor conocía bien al poeta latino, pero sobre todo a sus adaptadores o imitadores neoclásicos.

Espronceda escribió una traducción de la oda XV del libro I de Horacio (la profecía de Nereo), así como una imitación del *Beatus ille*. Algún que otro verso de la primera no tiene un ritmo demasiado conseguido, otro no es muy armonioso; a veces, Espronceda se ve obligado a añadir ripios para conseguir la rima, como por ejemplo en la segunda estrofa, que traduce así:

... Mala ducis aui domum
quam multo repetet Graecia milite,
coniurata tuas rumpere nuptias
et regnum Priami uetus.

llevas con mal agüero
la que la Grecia cobrará algún día
con ejército *fiero*
a romper *y acabar con saña impía*
conjurada *ya toda*
de Ilión los fuertes muros y tu boda.

Siguiendo la tradición de la lengua culta y del estilo elevado, el *nutrido* ejército de Horacio recibe aquí el calificativo de *fiero*, y el «antiguo reino de Príamo» se convierte en «de Ilión los fuertes muros». Inútil seguir cotejando: queda claro que Espronceda utiliza aquí la forma métrica (la lira regular), el vocabulario, las metáforas y las parejas de palabras utilizadas y consagradas por todos los poetas neoclásicos.

En la oda *Vida del campo*, Espronceda se aparta algo más de su modelo. A diferencia de Horacio, el elogio de la vida campestre no está puesto en boca de un personaje (el usurero Alfius), sino que corre a cargo del poeta. La relativa originalidad radica sólo en la hábil selección y disposición de los temas. Espronceda rehuye el uso de determinados motivos propiamente romanos, elimina la enumeración comparativa entre los refinados manjares y los sencillos alimentos, y modifica la caída, irónica en Horacio. Tras mostrarnos al campesino contemplando las montañas nevadas (recuerdo de la oda IX del libro I de Horacio) o el retorno de los bueyes después del trabajo, escoge un nuevo motivo que ha adaptado posiblemente de Francisco de la Torre (oda 4) o de Lupercio Leonardo de Argensola (*A la esperanza*)[162]: el del hombre que compara su vida tranquila con

159. *Op. cit.*, p. 19.
160. Sobre el texto de estos poemas, su atribución, su cronología probable y el análisis de sus fuentes, véase Espronceda, *Poésies*, ed. Marrast, pp. 83-115.
161. Alonso Cortés, pp. 111-112.
162. Estas dos poesías figuran en la colección de fragmentos escogidos preparada por Lista para los alumnos del Colegio de San Mateo (véase *supra*, nota 52).

la del insensato que desafía los mares para ir en busca de fortuna. El resultado obtenido es una variación bastante brillante, en la que reaparecen constantemente los estereotipos convencionales: «solícita abeja», «apacible sueño», «tierna Filomena», «alto cielo», «espacioso suelo» y, por supuesto, las «fieras ondas» del «piélago», ora «undoso», ora «salado».

El *Romance a la mañana* contiene algunas imitaciones de varias obras de Lista y Meléndez Valdés (de *La mañana* en especial). Volvemos a encontrar en él los mismos elementos obligados, como son: la evocación del amanecer y del carro de la aurora, los pájaros, el rocío, el riachuelo y las fuente, el zéfiro moviendo las flores olorosas, las montañas lejanas. Al igual que Meléndez, Espronceda nos presenta al pastor y su rebaño, al campesino y su yunta de bueyes. Al final, insta a su amigo Delio a que deje la ciudad para venir a disfrutar, en compañía suya, de las delicias de la vida rural y de los amores bucólicos. Este romance es una nueva variación sobre los temas del *Beatus ille* y del «menosprecio de corte y alabanza de aldea», a partir del espectáculo que ofrece el despertar de la naturaleza con los rayos del sol.

En el soneto titulado *La noche*, Espronceda imita de modo bastante fiel a Lista —en especial *La noche, traducción del Petrarca*— a la vez que recuerda a Meléndez Valdés; pero mientras éste, en su oda *De la noche*, ensalzaba finamente los encantos de la noche frente a los que no encuentran en ella sino motivo de terror, Espronceda nos ofrece un panorama de tintes sombríos, en el que hallamos un eco del espanto nocturno que sentía Jovellanos en el monasterio del Paular:

> En *lúgubre silencio* sepultados
> yacen los mares, cielo, tierra y viento;
> la luna va, con *tardo movimiento*,
> por medio de los *astros enlutados*.

Abundan las parejas convencionales de sustantivo-adjetivo, de las que el citado cuarteto ofrece tres ejemplos. La imagen que se le presenta indefectiblemente para evocar la quietud del atardecer es la del pastor de égloga, feliz en su modesto retiro. El contenido de dicho soneto es inconexo. En *La luna* de Lista, el deseo final (¡ojalá no salga el sol!) aparece como una conclusión lógica, ya que para la diosa nocturna el sol es el enemigo que interrumpe su idilio con Endimión. Aquí este deseo final parece vago y la caída es algo brusca, pues el último terceto es una breve efusión lírica inesperada después de once versos descriptivos:

> Y de Febo jamás la luz radiante,
> iluminando el espacioso suelo
> viese mi llanto triste e incesante.

Cuando Espronceda canta en un idilio *La tormenta de noche*, advertimos que ha prestado gran atención a «los ecos de la lira de Anfriso», quien había escrito dos idilios sobre el mismo tema (*La tempestad* y *La tempestad y el asilo*). En Meléndez Valdés encontramos este mismo tema bajo dos formas distintas: en *Después de una tempestad* —en donde canta la belleza de la naturaleza después de la tormenta— y en *La tempestad* —en la que invoca a Dios suplicándole que modere la violencia de los elementos. Resultan sorprendentes las similitudes entre *La tempestad* de Lista y el idilio de Espronceda. No obstante, el primero acaba compadeciendo a aquellos para los que las desgracias no tienen fin, mientras que el segundo se dirige a su «Dorila amada» para incitarla a gozar de los placeres de la juventud, ahora que todavía está a tiempo; tema que, desde Tibulo, se ha convertido en uno de los tópicos más generalizados entre los poetas de todos los países.

Entre las obras de juventud de los académicos del Mirto, encontramos una composición por así decirlo obligada: el poema-homenaje a Lista. Tenemos uno de Espronceda, del 7 de agosto de 1825. Es una oda en la que se desarrollan todos los temas del género, presentados en un orden algo distinto y con una forma más o menos idéntica en las composiciones de los demás alumnos. Como estas obras se componen con motivo de la celebración del cumpleaños o del santo de Lista, los jóvenes poetas bendicen el nuevo día declarándolo mil veces afortunado por haber visto nacer a un genio sin par, o por ser el de su santo patrón; citan las obras características de "Anfriso"; alaban su calidad o su generoso contenido, para terminar reiterando una admiración respetuosa, compartida con Apolo, Homero y Anacreonte. El río Betis (nombrado seis veces en los noventa y seis versos de Espronceda con los epítetos convencionales: *caudaloso, padre, cristalino, bienhadado*) manifiesta, en su fluir, la alegría de ser testigo de la gloria del «vate ilustre», del «cantor divino», invitándose a mortales e inmortales a saludarle. El profuso empleo del adjetivo permite eventualmente suplir la pobreza de la inspiración, como lo demuestra la primera estrofa de la oda de Espronceda:

> Levanta, ¡oh Sol!, tu *enardecida* frente
> de fuego y oro *ornada*,
> las *olorosas* flores alentando,
> y en *dulces* himnos el *aonio* coro
> con *grata* voz *sonora*
> *ufano* cante tan *feliz* aurora.

Y la proporción sigue siendo casi idéntica a lo largo de las quince estrofas siguientes. De no ser por la firma de su autor, nada permitiría atribuir esta oda a Espronceda en lugar de a cualquier otro de sus compañeros [163].

Como alumnos aplicados, a todos los discípulos de Lista les preocupa la misma idea: la perfección de la forma. Cuando les falla la inspiración, recurren a un vocabulario imitado, y sus obras se resienten de esta sujeción constante a fórmu-

163. Es posible que Espronceda colaborase en la oda colectiva dedicada por los jóvenes académicos a Lista en su cumpleaños, en 1824. No hay ningún indicio que permita al más atento lector determinar los límites de las diferentes colaboraciones. El marqués de Jerez de los Caballeros sólo reproduce (*op. cit.*, p. 33) la dedicatoria de este poema, del que encontramos una copia cuidadosamente caligrafiada en la Biblioteca Menéndez y Pelayo de Santander (Papeles de afrancesados, leg. M 542) entre los papeles de Lista, quien quizás lo recibió estando ausente —o exiliado— de Madrid. D. Antonio Rodríguez-Moñino poseía otro manuscrito de esta oda, con el sello de la Academia del Mirto y las firmas de Gabriel Ferrer y J. B. Alonso en nombre de todo el cenáculo, así como dos poesías autógrafas de Felipe Pardo (un romance y un soneto), cuya firma va seguida de las iniciales «A. del M.»

las. Sin embargo, en ocasiones intentan expresar sus sentimientos de un modo más personal. Uno de estos sentimientos es su respetuoso afecto por Lista pero, a pesar de ello, lo traducen mediante una fraseología que disimula un poco el carácter profundo del mismo. Conservarán durante largo tiempo esta costumbre, de la que A. Rumeau cita un ejemplo particularmente significativo:

> Lorsque vers 1828 Bretón, Alonso et Larra s'ingénient à consoler Miguel Ortiz qui vient de perdre sa jeune femme et qui, dans sa douleur, a songé au suicide, on ne peut pas mettre en doute leur sincérité. Or, leur amicale sollicitude ne trouve à s'exprimer que par le détour des inévitables Cintia, Delio, Anfriso, Batilo, Filena, qui évoluent parmi les bergers et les nymphes, sous les yeux attendris de tous les bergers de l'Olympe, dans le paysage des bords du Manzanarès transformé pour la circonstance en nouvelle Arcadie [164].

Este es el resultado concreto de la distinción entre «poetas» y «copleros» que Lista había enseñado a practicar a sus alumnos. A fin de evitar que los sentimientos expresados en verso parezcan indignos de la forma que revisten, los miembros de la Academia del Mirto sitúan en un primer término el respeto a dicha forma. Con lo cual, la espontaneidad se encuentra constantemente supeditada a la preocupación por el "buen decir". Véanse a continuación algunos ejemplos. Durante una reunión del cenáculo, Santos López Pelegrín leyó una oda *A la libertad*, que comienza así:

> La esclavitud detesto,
> ya dulce libertad mi pecho inflama;
> desprecio el alto puesto
> que el hombre débil arma
> y con voz miserable a sí lo llama.

Nada permite dudar de la convicción así expresada; podemos pensar que está inspirada por una reacción perfectamente comprensible ante la atmósfera sofocante de una España de nuevo sumida en el absolutismo. Pero una vez escrita la primera estrofa, toda una serie de motivos se impone al autor. Para éste, la imagen de la libertad está representada primero por los pajarillos revoloteando en el prado, por la oveja y los cabritillos retozando sin trabas ni vigilancia; y más adelante por el manzano plantado por sus propias manos y jamás podado. Luego viene lo siguiente:

> Al ver en los jardines
> tan lánguidos y tristes los manzanos
> y pobres y ruines

164. («Cuando hacia 1928 Bretón, Alonso y Larra se esfuerzan en consolar a Miguel Ortiz quien, habiendo perdido a su joven esposa, acuciado por el dolor, había pensado en el suicidio, no podemos poner en duda su sinceridad. Ahora bien, sólo consiguen expresar su amistosa solicitud recurriendo a los inevitables Cintia, Delio, Anfrisio, Batilo y Filena, que se mueven entre pastores y ninfas, ante la mirada conmovida de todos los pastores del Olimpo, a orillas del Manzanares, paisaje transformado con tal motivo en nueva Arcadia.») A. Rumeau, *M. J. de Larra et l'Espagne à la veille du Romantisme*, París, 1949, p. 65.

maldigo a los tiranos
que los cercan y oprimen inhumanos.
Mi libre diestra amada
jamás subyugará ninguna cosa;
y siempre su morada
tranquila y amorosa
en mí tendrá la libertad preciosa

Por último, las seis estrofas finales evocan sucesivamente la hormiga, la ballena, el león y el águila, que llevan una vida libre, sin trabas ni obligaciones. La obra finaliza con este verso: «Libre libre vivir también yo quiero [165].»

En 1823, Luis María Pastor lee a sus compañeros la epístola *A Silvio* [166]. El joven voluntario realista, venido a Madrid con su padre «perseguido por los revolucionarios de Cataluña [167]», experimenta hondo dolor al recordar las luchas fratricidas que asolaban su provincia natal. No podemos dudar de su sinceridad cuando dice:

¿Y posible será que aquellos mismos
que unión gritan y amistad eterna,
de *bárbaro placer* embriagados
rían al ver sus *hórridos aceros*
de *agricultora sangre* sonrosados?

Pero aparecen de inmediato los estereotipos utilizados para describir en términos elevados el saqueo de los pueblos y la matanza de sus habitantes:

Mira esa Cataluña, aquesa patria,
que a gloria tengo apellidarla mía;
véla de tanto mal *triste testigo*:
Mira esas *chozas rústicas*, taladas,
mira esos campos: llorarás conmigo.

Pastor conoce el paisaje del que habla, pero no sabe describirlo de otra forma sino recurriendo a la fraseología clásica: la «choza rústica» es la representación universal de la casa del campesino o, a veces, del lugar ideal de sosegado retiro al que aspira el sabio. Ni la tristeza del autor ni su indignación son fingidas, pero según enseñaba Lista, lo importante es expresarlas siguiendo las reglas del «buen gusto» aprendido en los «buenos autores».

En un soneto titulado *A un proscrito* (probablemente Lista, víctima en 1823 del restablecimiento del despotismo), Antonio Cavanilles lamenta la ingratitud de su patria para con un hombre que la había defendido y honrado; le reafirma su amistad en unos términos que, a pesar de dar una impresión de honda sinceridad, rezuman escuela y aplicación:

165. Marqués de Jerez de los Caballeros, *op. cit.*, pp. 34-35. Esta oda, a cuyo tema devolvía actualidad la guerra carlista, se publicó en *El Español* el 28 de marzo de 1836, y después en *Poesías de Abenámar*, Madrid, 1842, pp. 51-54.
166. Marqués de Jerez de los Caballeros, *op. cit.*, p. 28.
167. AHN, Consejos, leg. 13370, n.º 83 (Relaciones de méritos de L. M. Pastor).

Víctima ilustre: si entre los tormentos
y *el rechinar de la feroz cadena,*
la voz oír de la amistad te es dado,

escucha de mi amor los juramentos,
y ve cuál siente tu *infelice pena*
de haber nacido *íbero avergonzado*[168].

El 13 de noviembre de 1825, el mismo autor lee ante la Academia del Mirto una *Epístola a Alcino, residente en Salamanca* (sin duda, uno de los miembros del cenáculo); en ella afirma la omnipotencia de la inteligencia y la poesía frente al oscurantismo, mera contingencia temporal en relación con los valores eternos del espíritu, pero lo hace como siempre con mucha retórica:

Y en vano en vano *la maldad* intenta
al genio sojuzgar. Puede *sañuda*
lejos lanzarle de la *Patria amada*,
puede aherrojarle, y en *prisión horrible*
puede al *vate* oprimir; empero nunca
la *noble mente* del *cantor excelso*
le es dado domeñar, que libre vuela
de un mar al otro; desde *el alto cielo*
a la tierra mezquina, y *ríe ufana*
de quien la osó oprimir[169].

La escandalosa injusticia, la ciega tiranía y las luchas fratricidas indignan a estos jóvenes: han visto cómo su maestro caía víctima del absolutismo de nuevo triunfante, y cómo la enseñanza que les daba era denunciada por sospechosa y peligrosa; y también cómo los miembros de la Sociedad numantina estuvieron a punto de pagar muy caro su deseo de defender la libertad. Luis María Pastor ve el error en donde sus compañeros ven la verdad, aunque con idéntica sinceridad. No obstante, es tan fuerte la sujeción a la forma que el mismo vocabulario sirve para lamentar los estragos de la guerra y los de la tempestad, tal y como los describe, por ejemplo, Santos López Pelegrín:

Do antes placer morara, solamente
lástimas y dolor se ven ahora:
El cielo se serena y desconsuelo
doquier sembrado por el orbe deja[170].

Los académicos del Mirto manifiestan una clara predilección por el tema del *Beatus ille* y, de modo más general, por la oposición entre tempestad y calma, agitación y serenidad. Suelen mostrarse abrumados por la tristeza o las preocupaciones, y aspirando a un retiro alejado del tráfago cotidiano. Este es el caso de

168. A. Cavanilles, *Poesías inéditas*, ed. S. Montoto, Sevilla, 1934, p. 40.
169. *Id., ibid.*, pp. 50-52.
170. Conclusión de *La Tempestad* (1823), *en*: Marqués de Jerez de los Caballeros, *op. cit.*, p. 30.

bastantes obras juveniles de Espronceda. Si bien es lógico que Fray Luis de León o Meléndez Valdés expresaran el deseo de huir del «mundanal ruido», ¿cómo podía hacerlo, sin embargo, en la plenitud de sus fuerzas, un adolescente que soñaba con derrocar la tiranía y pronunciaba discursos vengadores en el sótano de los Numantinos? Puede considerarse que su *Vida del campo* no es más que un "ejercicio para certamen" en el que pone a prueba sus dotes. Pero su *Romance a la mañana* incluye todavía, al final, la siguiente invitación:

> Ven al prado, Delio amigo,
> ven a la pobre cabaña,
> y despreciando la corte
> gocemos de dichas tantas.

En el último verso del soneto *La noche*, Espronceda se declara vencido por un «llanto triste incesante»; al final de *La tormenta de noche*, encontramos una variante del tema del *Carpe diem*. Se trata naturalmente de fraseología y recuerdos literarios. El enternecimiento es algo normal en la Academia del Mirto. Cavanilles termina su discurso de abril de 1826 con la siguiente invitación, dirigida a sus compañeros: «Entonces, amigos míos, dadme el consuelo de vuestros versos, y permitid que me glorie con vuestra amistad y endulzad de este modo mi estéril y enojosa vida [171].»

No debemos encogernos de hombros o sonreír ante tales palabras; es cierto que hay en todo ello mucho énfasis y mucha literatura en el peor sentido del término. Pero esta predilección por determinados temas ¿acaso no indica también un deseo confuso, aunque sincero, en estos jóvenes, de huir del mundo en el que les ha tocado vivir? Es comprensible que en un régimen tiránico cedan a veces al abatimiento, y más cuando tantos grandes escritores cuyo ejemplo se les incita a seguir justifican dicho pesimismo, en la medida en que aparece expresado en sus obras. Los trabajos de juventud de Espronceda y sus compañeros son testimonio de un estado de ánimo que hay que buscar más allá de la terminología utilizada, como propone hacerlo precisamente A. Rumeau en relación con determinadas composiciones del maestro Lista:

> Lista, comme d'autres, écrit de longs discours en vers sur la tolérance, la bonté naturelle de l'homme, le savoir, la vertu, l'entr'aide, la fraternité, mais ces nobles, longues et un peu ennuyeuses harangues perdent en partie leur air de vains excercices sur des thèmes usés quand nous apprenons qu'elles étaient lues à des assemblées secrètes de francs-maçons et qu'ainsi elles faisaient partie de l'activité de Lista éducateur. Sous l'écorce ingrate de la rhétorique, la réalité vivante apparaît [172].

171. Marqués de Jerez de los Caballeros, *op. cit.*, p. 18.
172. («Lista, al igual que otros, escribe largos discursos en verso acerca de la tolerancia, la bondad natural del hombre, el saber, la virtud, la ayuda mutua y la fraternidad, pero estas nobles, extensas y algo aburridas arengas pierden en parte el aspecto de vanos ejercicios sobre temas trillados cuando sabemos que eran leídas en asambleas secretas de francmasones y que, como tales, formaban parte de la actividad de Lista como educador. Bajo la envoltura poco agradable de la retórica, aparece la realidad viva.») A. Rumeau, *op. cit.*, p. 66.

Durante la "ominosa década", la realidad está dominada por la atmósfera de sospecha, por la delación erigida en virtud cívica, por la bajeza y la cobardía, y la felonía del monarca; por el terror, en todo momento, de verse aplastado por el potente aparato represivo del despotismo. En 1835, un crítico madrileño, al comentar el libro de poemas que acaba de publicar Juan Bautista Alonso, explica por qué el autor ha escrito tantas poesías que, con la perspectiva del tiempo, parecen ahora inconsistentes:

> Harta desgracia han tenido los que vieron consumir lo más florido de su juventud en tan triste cautiverio; y no es justo se les acuse de un daño de que ellos han sido las primeras víctimas ... ¡Cuántos grandes hombres hemos perdido que empezaban a formarse y a quienes cortó los vuelos la reacción de 1823! Difícil era y expuesto sobre todo cantar la libertad en aquellos aciagos días, y lo más que podía hacer el poeta era abstraerse en lo posible de las tristes escenas que le rodeaban, consolándose en cuadros inocentes de los que sólo ofrecían opresión y miseria [173].

En estas condiciones, no resulta extraño ver al voluntario realista Luis María Pastor y al Numantino José de Espronceda expresarse en verso con un vocabulario y un lenguaje similares: en efecto, aplican idénticos principios y se someten a la misma disciplina en la composición poética. Habrá que esperar a más tarde para que algunos de los "hijos del siglo" lleguen a poner en tela de juicio estas formas impuestas, y a comprender el peligro que entrañaba el perpetuar su uso en detrimento de la sinceridad: descubrirán entonces nuevos medios de expresión adaptados a sus nuevas necesidades. El conde de Campo Alange escribe irónicamente en 1835 que en su infancia:

> Ya no se oía sino *Bétis* por arriba y *Bétis* por abajo, con la añadidura de *padre* (que señor de tantas barbas por fuerza ha de ser casado), pues mal pudiera *el lenguaje poético* tolerar un nombre tan bárbaro como *Guadalquivir*, un nombre que tiene demasiado sabor a africano para poder conciliarse con las dulzuras de la edad de oro, de la edad de las églogas y de los idilios [174].

Este mismo año, Espronceda se burla del "pastor Clasiquino", de su «máquina preñada», de su «sonoro tubo» y sus ovejas imaginarias [175].

El grupo de la Academia del Mirto se parece mucho al primer *Cénacle* francés de 1820. Tanto uno como otro presentan «la forme indécise des choses qui s'éveillent de l'immense bonne volonté»;* ambos constituyen "un milieu composite ... où l'avenir ne se dégage pas encore des liens du passé. Les vieilles gloires sont respectées des jeunes gens qui se regardent comme des frères»**. También los

173. *El Eco del comercio* (26 de febrero de 1835).
174. C[ampo] A[lange, Jose Negrete, conde de] "Sevilla", *El Artista*, II [15, 11 de octubre de] 1835, pp. 171-175, reproducido en E. de Ochoa, *Apuntes*..., París, 1840, t. I, pp. 347-353.
175. "El Pastor Clasiquino", *El Artista*, II [20, 17 de mayo de] 1835, pp. 251-252; BAE, t. LXXII, p. 588. Véase *infra*, p. 391.
* «la forma imprecisa de las cosas que nacen y una inmensa buena voluntad.»
** «un círculo heterogéneo... en el que el futuro no ha conseguido desprenderse todavía de los lazos del pasado. Las viejas glorias son respetadas por los jóvenes que se sienten como hermanos.»

discípulos de Lista «nourris de la moelle des œuvres classiques, et qui lisaient leurs premiers vers à un lettré du XVIIIe siècle[176].» Como escribe con gran acierto A. Rumeau,

> La poésie, genre peu bruyant qui se développe à l'écart des foules, conserve sa dignité, sa distinction, sa quasi-immobilité, dans une époque qui commence à être travaillée par le besoin de mouvement. Elle continue à fredonner des airs du XVIIIe siècle tout en daignant se faire l'écho, parfois, de quelques inquiètudes nouvelles[177].

Esta es, en efecto, la impresión que deja la lectura de las obras juveniles de los académicos del Mirto. En un Madrid cerrado al influjo de las nuevas ideas, las circunstancias hicieron de ellos los depositarios y continuadores de una tradición duramente criticada en otros climas, pero que ellos respetaban porque respetaban al maestro que se la había transmitido y que, cuando menos hasta 1830, será para ellos el poeta más importante, el único poeta de su tiempo[178].

Durante la «ominosa década», los que no emigren demostrarán que sienten estas «inquietudes nuevas» siguiendo, en la medida en que estén informados, la lucha de Grecia por la libertad y, más tarde, las expediciones de los exiliados constitucionales en las fronteras o en las costas españolas. Estas preocupaciones aparecen en sus obras. En los libros publicados después de esta tenebrosa época, aparecen muchos poemas que, por fin sacados de los cajones en donde permanecían ocultos, destilan amargura desahogada en secreto. En 1827, Joaquín Francisco Pacheco escribió un soneto en honor de los héroes de la independencia griega[179]; más tarde, Juan Bautista Alonso dedicó un soneto al general Mina y compuso una canción patriótica en su honor, cuando se produjeron los intentos de invasión de España en 1830[180]; este mismo año, Ventura de la Vega incita a sus amigos a que renuncien a la poesía amorosa para dedicarse a nuevos cantos:

> ¡Caros alumnos! a la nueva patria
> ya desligada de servil coyunda,
> himnos de gloria y libertad la corva
> cítara ensaye[181].

Lista publicará en 1837 su canto desesperado, *El emigrado de 1823,* así como el poema en el que celebraba, en 1828, el retorno de Quintana a Madrid[182]. Por último, al tiempo que Larra alaba públicamente los méritos de la industria espa-

176. («se alimentaban del meollo de las obras clásicas y leían sus primeros versos a un letrado del siglo XVIII.») H. Girard, *Le centenaire du premier Cénacle et de la «Muse française»...*, París, 1926, p. 42 y p. 32.
177. («La poesía, género poco escandaloso que se desarrolla al margen de las masas, conserva su dignidad, su distinción, su casi inmovilidad, en una época que comienza a ser trabajada por la necesidad de movimiento. Ella continúa tarareando los aires del siglo XVIII, dignándose a ser el eco, en ocasiones, de algunas nuevas inquietudes.») A. Rumeau, *op. cit.*, p. 61.
178. *Cf.* al respecto, en lo que concierne a Larra, A. Rumeau, *op. cit.*, pp. 50, 59 y 63.
179. J. F. Pacheco, *Literatura, historia y política*, Madrid, 1864, t. I, pp. 19-20.
180. J. B. Alonso, *Poesías*, Madrid, 1834, p. 200 y pp. 315-320.
181. V. de la Vega, *Obras poéticas*, París, 1866, pp. 541-543.
182. BAE, t. LXVII, p. 298 y p. 296.

ñola en su interminable y laboriosa oda a la Exposición de 1827, escribe también una oda a la libertad, inspirada por los sucesos de Grecia, así como unos versos en los que se refleja su tristeza ante la situación que atraviesa su país[183].

Si es cierto que Espronceda compuso su primera poesía para celebrar el 7 de julio de 1822, podemos afirmar que fue uno de los primeros de su generación en sentir la inspiración patriótica. Pero esta obra no ha llegado hasta nosotros, y tal vez sólo haya existido en la imaginación de algunos de sus biógrafos[184]. Ninguna de sus obras conservadas en el archivo de la Academia del Mirto contiene referencia alguna, ni siquiera implícita, a la actualidad política. Parece realmente sorprendente que no intentara transponer en forma poética sus convicciones. Puesto que Lista destruyera versos de su discípulo considerados comprometedores, o tal vez disuadiera a su autor de declamarlos durante las sesiones del cenáculo; o acaso fue Espronceda quien, por iniciativa propia, se impuso una especie de autocensura. En 1824, junto con Vega y Pezuela, tuvo la idea de traducir en octavas el *Orlando furioso* de Ariosto, bajo la dirección de Juan Bautista Alonso; pero Lista convenció a sus alumnos de que todavía no estaban capacitados para llevar a buen término esta empresa, de la que pronto desistieron[185]. Al año siguiente, "Anfriso" consideró a Espronceda lo bastante dotado para emprender uno de sus propios proyectos: una epopeya en honor del rey Pelayo[186].

Espronceda inicia una epopeya: *Pelayo*

Cuando en su discurso del 25 de abril de 1826, Antonio Cavanilles situaba este personaje entre los primeros cuyas proezas eran dignas de ser cantadas, estaba pensando sin duda en el poema épico en el que trabajaba Espronceda. Éste, durante su reclusión en el convento de Franciscanos de Guadalajara, en donde purgaba a mediados de 1825 la pena que le había infligido la Sala de alcaldes por delito de conspiración, «en vez de sucumbir al hastío de su flamante y forzado ascetismo, buscó consuelo en su aislamiento y en su mal, inclinándose al galanteo de las Musas; ... concibió la colosal idea de componer un poema épico; sin desconfiar de sus fuerzas, sin presunción, y sin ignorancia», escribe en un estilo algo

183. Se trata de los poemas "No ya los tiempos son en que abrazadas" y "¿Cuándo Delio insensato has de mirarte?", comentados por A. Rumeau, *op. cit.*, pp. 84-86, y publicados por él mismo en el *BH*, L, 1948, pp. 516-520.

184. Véase *supra*, nota 76.

185. Espronceda tradujo las tres primeras estrofas del canto II, que Pezuela, conde de Cheste, reprodujo, con algunos retoques, en su versión castellana de la epopeya de Ariosto (Madrid, 1866). Una nota en la p. 6 del t. I menciona el proyecto abandonado por los tres discípulos de Lista. Esta nota, así como los veinticuatro versos traducidos por nuestro poeta, se encuentra también en Espronceda, *Poésies*, ed. Marrast, pp. 455-456.

186. Hemos examinado anteriormente las hipótesis sobre esta colaboración entre el maestro y su discípulo, sin pronunciarnos formalmente por ninguna de ellas ("Lista et Espronceda: Fragments inédits du *Pelayo*", *Mélanges offerts à Marcel Bataillon*, Burdeos, 1962, pp. 526-537). El descubrimiento, posterior a este artículo, de un borrador y de escenas de tragedia entregados por Lista a Cavanilles (véase *supra*, nota 158) nos lleva a pensar que el primero habría asimismo confiado a Espronceda el borrador y algunas estrofas de la epopeya en cuestión, ya que carecía del tiempo libre necesario para trabajar en ella con profundidad.

rimbombante su primer biógrafo [187]. Condenado el 28 de mayo de 1825, Espronceda sólo cumple parte de la pena, tal y como lo refiere Escosura [188]; el 7 de agosto de 1825 ya había regresado a Madrid, puesto que este día leyó en la Academia del Mirto su oda a "Anfriso". Todo invita a pensar que la composición del *Pelayo* debió prolongarse por mucho más tiempo que estas pocas semanas de 1825. Los exegetas de Espronceda no suelen detenerse en esta epopeya de la que sólo conocemos algunos fragmentos, tal vez los únicos compuestos. El carácter inconexo de los mismos, así como su variada inspiración, han intrigado a algunos estudiosos; así, Peers (para quien cae de su peso que la elección del tema es reveladora del "romanticismo" de Espronceda) encuentra curioso que algunos de ellos se publicaran en *El Artista*, una revista «romántica» [189]. Menéndez Pidal [190], tras observar que el poeta «pugna entre orientaciones clásicas y tendencias románticas», llegaba a la conclusión de que el *Pelayo* debió de ser objeto de importantes retoques, por lo menos hasta 1834, fecha de publicación de la *Florinda* de Rivas, de la que Espronceda parece haberse inspirado en algunos puntos; señalaba también que, en algunas descripciones «aparece un nuevo sensualismo, decorado con novísimos seres fantásticos, antes nunca oídos; célicas hurís, sílfides lascivas, lascivos ojos inflamados por el fuego impuro del amor, etc., etc.», es decir otros tantos elementos que encontramos más tarde en el poeta.

Por nuestra parte, mediante un estudio comparativo de las fuentes, los temas y el estilo de los distintos fragmentos, hemos intentado, en la medida de lo posible, fijar las etapas de su concepción y redacción [191]. Las partes que creemos compuestas total o parcialmente entre 1825 y 1827 se encuadran a la perfección en el plan primitivo de Lista; otras son meramente descriptivas (el sueño de Rodrigo, la procesión, la descripción del serrallo, el cuadro del hambre) y contienen reminiscencias de obras de las que no hallamos rastro en los anteriores escritos de Espronceda, bien porque las conociera más tarde (Tasso, *La Henriade*), bien por tratarse de textos publicados por primera vez durante o después de su emigración o inmediatamente después de su regreso a Madrid (*Poética* de Martínez de la Rosa, *Florinda* de Rivas) [192]. En la descripción del serrallo, el poeta se ciñe a la moda del exotismo oriental, y en el sueño de Rodrigo, a la del pintoresquismo tenebroso. Se trata de tendencias que se desarrollarán mucho más tarde en Espronceda, aproximadamente a partir de finales de 1830 (en *Blanca de Borbón, Cuento* y *Canto del cruzado*) [193]. Así, entendemos por qué razón, en una nota que precedía los primeros fragmentos del poema publicados en *El Artista* en 1835, se atrajo la atención de los lectores sobre el hecho de que dichos fragmentos formaban parte de «una obra escrita según las doctrinas románticas»: porque

187. *El Labriego*, 14, 23 de mayo de 1840.
188. Véase *supra*, p. 51.
189. Peers, *HMRE*, t. I, p. 528. Véase también *supra*, pp. 56-57.
190. *Floresta de leyendas históricas españolas...*, t. III, pp. 75-124.
191. Véase la noticia del *Pelayo* en Espronceda, *Poésies*, ed. Marrast, pp. 116-121.
192. Para un estudio detallado de las fuentes posibles, véanse las notas del *Pelayo* en Espronceda, *Poésies*, ed. Marrast, pp. 165-192. Sobre el conocimiento, por parte de Espronceda, del Tasso y *La Henriade*, véase *infra*, pp. 178-185.
193. Sobre estas obras, véase *infra*, pp. 201-218, 200-201 y 411-413, respectivamente, y, sobre las dos últimas, véase también Espronceda, *Poésies*, ed. Marrast, pp. 329-334 y 337-352 respectivamente.

eran muestra del romanticismo histórico-exótico-tenebroso del que la revista era portavoz[194] y al que Espronceda se dedicó durante algún tiempo, entre 1830 y 1834. En efecto, se trata de los versos 17-48 y 129-192 (el festín en la corte de Toledo y el sueño de Rodrigo) y de los versos 754-873 (descripción del serrallo y cuadro del hambre); ninguno de estos episodios estaba incluido en el poema tal como Lista lo había concebido originariamente. Los poemas *A la patria* y *A Don Diego de Alvear*[195] demuestran con toda claridad que Espronceda sigue expresándose con el mismo lenguaje y utilizando los mismos motivos que en tiempos de la Academia del Mirto.

Lista concebió la idea de una epopeya en doce cantos cuya figura central debía ser el rey Pelayo, y cuyo plan primitivo, de haberse seguido paso a paso, habría dado origen a una obra en la que se hubiesen descrito las etapas iniciales de la Reconquista[196].

Nos han llegado sesenta y una octavas que Lista había compuesto para la epopeya. Las veinte primeras (numeradas de IX a XXVIII) iban destinadas, por su contenido, a insertarse en el canto I: tras una descripción general, de tintes sombríos, de España bajo el dominio musulmán y una rápida evocación de las circunstancias que hicieron de Pelayo la única esperanza para una futura reconquista, se presenta al héroe en el momento en que exhorta a sus compañeros a reanudar la lucha, en una de las naves en que están embarcados. Las veintisiete siguientes (designadas de la A a la Z por Escosura) han sido descritas a tenor de la inspiración del momento. Unas desarrollan en ocho versos comparaciones tradicionales de estilo épico, intercambiables y utilizables como se quiera. Algunas de ellas están agrupadas en dos o tres formando un conjunto: B, C y D parecen referirse a Adelinda, enamorada de Pelayo (¿pertenecientes al canto I o al III?); G y H incluyen las palabras poco claras de un ángel (sin duda Uriel, que tenía que entrar en escena en el canto IV); en I y J se esboza el escenario de la batalla de Guadalete; K es una escena campestre; S y T forman parte de la descripción de un combate singular. En cuanto a las demás, su contenido es tan impreciso que resulta imposible adivinar su ubicación. Las catorce octavas que hemos publicado son difíciles de situar. Entre ellas destacan: una invocación a Dios, quizá en boca de Pelayo; el comienzo de una encendida arenga guerrera; un fragmento del relato de una batalla (estrofa 9); y una descripción primaveral (10-13). Cuatro de estas octavas de Lista fueron incluidas, textualmente o con retoques, por Espronceda en los fragmentos publicados por vez primera en el volumen de sus *Poesías* editado en 1840: las nombradas con la letra I (vv. 273-280) y con la letra K (vv. 57-64), y las que llevan los números 9 y 10. Estas copias directas tienen poca

194. Véase *infra*, pp. 408-409, y Espronceda, *Poésies*, ed. Marrast, p. 118.

195. Sobre estas poesías, véase *infra*, pp. 194 y 192-193 respectivamente, y Espronceda, *Poésies*, ed. Marrast, pp. 210-227 y 240-254.

196. P. de la Escosura encontró el plan entre los papeles de Espronceda; se publicó por vez primera, seguido de cuarenta y siete estrofas compuestas por Lista para el *Pelayo*, en la ed. de Madrid, 1884, pp. 126-148. Estos manuscritos no figuran en los Archivos Núñez de Arenas y se ignora su paradero. Hemos publicado otras catorce octavas inéditas de Lista, destinadas al mismo poema (AHN, Diversos. Autógrafos, leg. 6 [*sic* por: 4], n.º 280, Colección Sanjurjo), en el artículo citado *supra*, nota 186. Véanse dicho plan y estas estrofas en Espronceda, *Poésies*, ed. Marrast, pp. 459-476.

importancia, ya que se reducen a la utilización de breves pasajes puramente descriptivos, carentes de significado propio.

En cuanto al resto, Espronceda no siguió el plan de Lista, cuando menos en los fragmentos del *Pelayo* que conocemos actualmente. A pesar de que el título bajo el que fueron publicados lleva el nombre del héroe, la mayoría de las veces éste tiene en ellos un papel secundario: como en el caso de las estrofas dedicadas a la batalla de Guadalete (vv. 192-488), al consejo celebrado tras la derrota (vv. 489-608) y a la procesión (vv. 609-656); tal vez sea él también quien describe el cuadro del hambre (vv. 810-873). El sexto y último fragmento (vv. 874-1.033) es otro relato de una batalla —probablemente la de Covadonga— y el único en el que aparece personalmente en escena. Dos fragmentos importantes se refieren al moro Aldaimón (vv. 656-753 y vv. 754-809) y otros dos (vv. 1-128 y v. 129-192), a Rodrigo. Además, en los dos primeros episodios mencionados es el hijo de este último, Sancho (su sobrino según la historia), quien tiene mayor protagonismo. A medida que iba avanzando en la composición del *Pelayo*, Espronceda se alejaba del plan estricto que le había propuesto Lista. Si bien es posible que, en el proyectado canto II, pensara dedicar unas líneas al relato de las deliberaciones mantenidas por los vencidos de Guadalete, lo cierto es que no lo indicó formalmente en el guión que elaboró. Pero ni en éste ni en las estrofas escritas para el canto I, aparece en ningún momento el nombre de Sancho. En cambio, Espronceda demuestra especial interés por este personaje [197], que le seduce por su fogosidad juvenil y el entusiasmo que pone en defender la buena causa; en el consejo, Pelayo toma la palabra tras él para apoyar su intervención, exclamando escuetamente: «¡O triunfo, o muerte!», a la vez que los jóvenes le hacen eco. Poco tiempo antes, el poeta había exhortado a sus compañeros Numantinos a vengar la memoria de Riego: son sentimientos similares los que atribuye a su personaje, proyectando en él sus propias convicciones. Aun siguiendo el camino señalado por Lista, Espronceda encuentra el modo de expresar su estado de ánimo, como había observado ya A. Rumeau:

> Les Numantins, symbole de la résistance ibérique à l'envahisseur romain, font place aux héros de la résistance aux envahisseurs musulmans, à l'aucêtre des guérilléros de 1808 à 1813. Les personnages changent, mais l'inspiration reste la même [198].

No hablemos, pues, de atracción «romántica» por un tema medieval, como Peers [199]; Brereton se hallaba más cerca de la verdad sicológica cuando escribía,

197. Se podría objetar al respecto que, dado que el poema de Espronceda es una obra inacabada, de la que sólo conocemos breves fragmentos, ciertos personajes adquieren un protagonismo y una importancia que no serían tales en la epopeya proyectada. Pero son precisamente aquellos episodios que el poeta escogió para escribir —o para publicar— los que ponen de relieve sus preferencias, más o menos conscientes.

198. («Los Numantinos, símbolo de la resistencia ibérica ante el invasor romano, dejan sitio a los héroes de la resistencia frente al invasor musulmán, al precursor de los guerrilleros de 1808 a 1813. Cambian los personajes, pero la inspiración sigue siendo la misma.») A. Rumeau, *op. cit.*, p. 55

199. Peers, *HMRE*, t. I, p. 254.

ignorando el papel que había tenido Lista en la elección de Espronceda, que «son patriotisme, son libéralisme, l'amenaient à prendre la vie de Pélage comme sujet de son poème[200]». Para ser más exactos, añadiremos que le inducían también a describir, ciñéndose al plan trazado, retratos o episodios en los que pudiera trasladar su experiencia y sus entusiasmos.

El plan de Lista sólo le sirvió a Espronceda como punto de partida, como idea general a partir de la cual el joven poeta dio rienda suelta a su inspiración e imaginación. De ahí que el personaje de Sancho adquiera una importancia que no parecía habérsele atribuido en el proyecto original; y de ahí también que el poeta se extienda ampliamente en el episodio de Florinda, anterior a la época en que Lista situaba el principio de su canto I. Al conocer, gracias a la antología de trozos selectos de que disponía en el Colegio de San Mateo, la *Profecía del Tajo* de Fray Luis de León, se ejercita a su vez en este tema que, aunque tangencial, se presta a brillantes variaciones: una de ellas es el efecto de contraste entre el ambiente festivo y la súbita intervención divina que pone fin al banquete con siniestros presagios. Cuando Menéndez Pidal estudia los fragmentos del *Pelayo*, en su obra referente al personaje del último rey godo en la literatura española, escribe: «Espronceda, al privar Rodrigo del protagonismo, le quita de paso todo carácter épico»; antes había afirmado que el poema debió de quedar inacabado «pues Pelayo es figura menos poética que Rodrigo»[201]. En todo caso, el estado fragmentario en que la obra ha llegado hasta nosotros se debe a otra razón: a la evolución poética de su autor, que se fue apartando poco a poco del plan inicial, a medida que su inspiración se veía estimulada con nuevas lecturas y nuevas influencias, e impulsada así hacia otras vías. Pero por otra parte, Menéndez Pidal basa su estudio de la leyenda de Rodrigo exclusivamente en los datos inmanentes de las obras que analiza, a fin de poner de relieve las relaciones existentes entre obras de géneros distintos en las cuales uno o varios aspectos de dicha leyenda aparecen como tema literario. Su método le permite describir la evolución de estos diversos motivos en el transcurso de los siglos, así como señalar su presencia, predominio o reaparición en determinada época o determinado escritor. Desde este punto de vista examina el *Pelayo* de Espronceda, y lo compara a la *Florinda* de Rivas, poema en el cual encontramos, en efecto, la descripción de un banquete en la corte de Toledo, una fiesta interrumpida por presagios y algunas otras coincidencias menores. Éstas eran inevitables desde el momento en que ambos escritores se inspiraban en la leyenda de Rodrigo. Pero su intención era distinta, y también eran distintas las condiciones en las que cada uno de ellos escribía. Ángel de Saavedra desarrolla con amplitud el tema de los amores de Florinda, a quien imagina enamorada del rey: ella es la que da nombre al poema, del que es efectivamente el personaje principal. En cuanto a Espronceda, presenta a la Cava como víctima de un soberano corrompido por los vicios y el afán desmesurado por los placeres; la violación de la joven no es más que uno de los elementos que justifican el castigo divino.

200. («el patriotismo y liberalismo de éste le habían llevado a escoger la vida de Pelayo como tema de poema.») Brereton, p. 33.

201. R. Menéndez Pidal, *loc. cit.*.

El punto de vista adoptado por Menéndez Pidal le impidió tener en cuenta las circunstancias peculiares del nacimiento y elaboración de las obras estudiadas. Establece los cotejos como dando por supuesto que cada autor, en el momento en que componía un poema, una obra de teatro o un relato utilizando la leyenda de Rodrigo, había tenido la posibilidad de conocer toda la literatura anterior referente al tema. El eminente crítico piensa que Espronceda sacó de la *Crónica sarracina* de Pedro del Corral (de hacia 1430 y editada en 1499) la idea de presentar a don Opas aconsejando el abandono de la lucha durante el consejo celebrado tras la batalla de Guadalete (vv. 489-608), así como los elementos del cuadro del hambre (vv. 816-873); y del drama de María Rosa Gálvez (*Florinda*, 1809) la idea de atribuir a Rodrigo los rasgos de un personaje disoluto entregado a las orgías y a los festines[202]. Resulta dudoso que el joven poeta haya podido manejar un ejemplar de la crónica del siglo XV y la aburrida tragedia de una oscura poetisa. Si bien teóricamente Espronceda pudo leer éstas y muchas otras obras, cabe preguntarse si a los diecisiete años tuvo posibilidad, ganas, afición o tan sólo oportunidad, de leerlas.

Durante el trienio constitucional, se representaban en Madrid el *Pelayo* de Quintana, *La viuda de Padilla* de Martínez de la Rosa, la *Numancia destruida* de López de Ayala y *Lanuza* de Ángel de Saavedra, por citar sólo obras que contenían temas o motivos que pudo recordar Espronceda al escribir las estrofas de su epopeya. Aunque el hecho de ser interno, unido a la severidad materna, le impedían asistir a las representaciones, su compañero Ventura de la Vega, un apasionado del teatro, podía al menos hablarle de estas obras y prestarle el texto de las mismas. Además, ¿cómo no iba a haber leído un adolescente, enamorado de la poesía, los libros de Quintana y del futuro duque de Rivas, en las reediciones de la época? Sea como fuere, nos parece lógico buscar las fuentes de información de Espronceda en los libros que había leído o podía realmente haber leído en 1825. Podemos pensar que conocía el *Tesoro del Parnaso español*, compuesto por Quintana, en el que se ofrecía una selección amplia y variada de la poesía castellana. El padre de Patricio de la Escosura era un viejo amigo del gran poeta y, sin duda alguna, tenía obras suyas en su biblioteca. En la colección de trozos selectos compuesta por Lista para sus alumnos, podía encontrar además la *Profecía del Tajo*, así como fragmentos de tragedias de Climaco Salázar y de López de Ayala que, si bien no de modelos directos, podían servirle cuando menos de ejemplos destinados a mostrar «el punto desde el cual deja de ser una *belleza* y empieza a ser una *deformidad* la osadía del estilo[203]». En la misma antología se incluyen ocho largos extractos de la obra del historiador Mariana (relatos, arengas y cuadros) entre los cuales aparecen un retrato de Rodrigo, en el que el autor describe los vicios del rey presentándolos como la causa principal de la decadencia de la monarquía, y una descripción de España bajo la ocupación árabe. Éstos constituyen otros tantos elementos susceptibles de haber servido de punto de partida o soporte para la inspiración de Espronceda, guiado por Lista, que era un

202. *Id., ibid.*, pp. 82-83 y p. 126.
203. Lección inaugural de Lista en el Ateneo de Madrid, *en*: Juretschke, p. 422.

ferviente admirador del historiador[204], y que escribió más tarde en un artículo relativo a la epopeya: «No creemos en el genio poético del que pueda leer las nobles páginas en que Mariana describe el levantamiento de Pelayo, la conquista de Toledo, la batalla de las Navas ... sin sentirse inspirado y dispuesto a embellecer con los adornos de la poesía aquellos grandes y gloriosos sucesos[205].»

Todos los elementos del retrato de Rodrigo que hallamos en el primer fragmento del *Pelayo* de Espronceda aparecen ya señalados o sugeridos por Mariana: la afición a los festines y placeres, y la desidia, vicios que se habían extendido por la corte. También se hacían alusiones concretas a estos defectos en *El Bernardo* de Balbuena y, en especial, en el *Pelayo* de Quintana, reeditado en 1822. Espronceda pudo haber leído en Mariana la descripción de la ruina de España invadida por los árabes, e inspirarse en ella para pintar a grandes rasgos la desolación en que se hallaba sumido el país en vísperas de la batalla de Guadalete. Para presentar al obispo don Opas preconizando el cese de la resistencia en contra de la opinión del príncipe Sancho, le bastaba con adaptar a la situación y al personaje que los plantea los argumentos dados por Veremundo en la escena III, acto III, del *Pelayo* de Quintana, sin necesidad de recurrir a la crónica de Pedro del Corral. En cuanto al tema del ángel enviado por Dios para castigar la indignidad de Rodrigo (vv. 81-128), Espronceda lo había encontrado varias veces en las poesías de su maestro *(El sacrificio de la esposa, La concepción de Nuestra Señora)*; quizá también en las de Saavedra *(A la victoria de Bailén, Napoleón destronado)*, así como en varios pasajes de la *Gerusalemme liberata* de Tasso y en el canto X de *La Henriade*; además podía recordar el cuadro apocalíptico bosquejado por Meléndez Valdés en su oda *El fanatismo*. Por otra parte, en su plan inicial, Lista había dejado espacio para este tema, ya que en el canto IV el ángel Uriel debía presentarse ante Pelayo a fin de apelar a su patriotismo. El uso que Espronceda hace de dicho tema se ajusta a la concepción de lo maravilloso cristiano de su maestro, en desacuerdo en este punto con Boileau; Lista escribe unos años más tarde:

> El poeta, que al describir las hazañas de Pelayo o de Fernando el Santo, hiciese intervenir en su poema los seres sobrenaturales, sería muy digno de elogio; pues aquellas empresas deben parecernos aceptas a Dios, y aborrecidas de las potestades del infierno[206].

Los fragmentos conocidos del *Pelayo* son una serie de descripciones independientes. En ellos encontramos «buen estilo y correcta versificación»; en un principio están destinados a insertarse en «un cuadro de competente extensión» que incluye «una acción grande, interesante, maravillosa»; los caracteres aparecen «bien contrastados» y las «costumbres y usos de una época determinada», rápida-

204. Lista defendió más tarde a Mariana de las críticas de Charles Romey, y dedicó dos de sus artículos a mostrar las excelencias de la obra de este historiador (*Ensayos literarios y críticos*, Sevilla, 1844, t. I, pp. 96-100).

205. A. Lista, *op.cit.*, t. II, p. 51.

206. *Id., ibid.*, t. I, 24. En el texto aparece, sin duda por error, *descubrir*, que hemos corregido en *describir*.

mente esbozados en el cuadro de la corte de Toledo y mejor estudiados —aunque de modo algo convencional— en la descripción del serrallo. El conjunto, pues, corresponde con bastante exactitud a la definición que Lista daba de la epopeya[207].

Posibles fuentes y cronología de los fragmentos conocidos; sentido y límites de la empresa

En los fragmentos que consideramos los primeros compuestos, Espronceda presenta dos figuras antitéticas: Rodrigo, encarnación de la debilidad, la cobardía y la indignidad, frente al príncipe Sancho, que encarna el patriotismo, el valor y la nobleza de alma. Estos dos personajes le atraen mucho más que Pelayo, el cual no le merece tanta atención. El poeta establece una relación subjetiva entre la situación de la España en que vive y la situación de la península Ibérica tras la conquista árabe. Traza un cuadro siniestro de las ciudades y campos gimiendo bajo el yugo musulmán; aunque sabemos hoy en día que la realidad histórica era muy diferente. Pero en la época en que Espronceda escribía, aún prevalecía la falsa imagen de un país poco antes feliz, oprimido por un ocupante que había impuesto el terror. Ahora bien, a partir de 1823, las tropas francesas se establecen en el mismo territorio, poniendo fin con su llegada al régimen liberal, restaurando el despotismo y suprimiendo la libertad. Cierto es que no se reprodujeron los sangrientos hechos de los invasores de 1808 y que la represión absolutista fue ejercida por los propios españoles; no obstante, Espronceda quedó hondamente impresionado por esta conmoción política, tanto más cuanto que su generosa actividad en el seno de una sociedad con fines utópicos hubiera podido costarle la vida. Una vez descubiertos y dispersados los Numantinos, y sin otra posibilidad alguna de acción, le seduce el proyecto que Lista le propone llevar a cabo, porque encuentra en él el medio de proclamar su amor a la libertad y transmitir una saludable lección de bravura y dignidad. En el *Pelayo*, son numerosas las referencias implícitas a la España de 1825-1827: Rodrigo ha faltado a su deber de soberano y ocasionado la pérdida de su reino, al igual que Fernando VII cuya negación acarreó consecuencias desastrosas; don Opas justifica su traición con una pretendida prudencia, del mismo modo que, desde el púlpito o en los periódicos, parte del clero predica la cruzada antiliberal en nombre del orden. La exaltación de las virtudes cívicas de Pelayo, y de Sancho sobre todo, encuentra su contrapartida natural en la descripción de los defectos de Rodrigo o la doblez de un prelado que aconseja un remedio peor que la enfermedad: la sumisión resignada al vencedor. En los fragmentos épicos de Espronceda, el último rey visigodo es un héroe "negativo". Al no existir en España, en el momento en que inicia su composición, ningún "rey bueno" digno de ser opuesto al "rey malo", la parábola del joven poeta no desemboca en ninguna perspectiva de futuro y sigue siendo esencialmente descriptiva.

207. Basada en las citas que preceden (*Id., ibid.*, t. II, p. 51).

También a partir de figuras antitéticas concebirá Espronceda su tragedia *Blanca de Borbón*. Más tarde, en 1841, en uno de sus más bellos poemas, *El Dos de mayo*, opondrá los vicios de la corte de 1808 a las cualidades profundas del pueblo, en lucha contra el invasor. En este momento, la situación política ha cambiado, y su estilo y su lenguaje también: ahora denunciará sin ambigüedad la «degradación de Europa», sin tener que recurrir a la transposición. El republicano de 1841 es consciente de todo lo que el Numantino de 1823 y el emigrado de 1830 vislumbraban sólo de modo confuso y no podían expresar sino en un marco histórico-legendario, bajo una forma convencional, ajustándose a criterios estéticos, considerados intocables por haberlos recibido de un maestro venerado. Tal y como Lista se lo ha enseñado, la idea que Espronceda tiene de la poesía es la de que sus «agradables ficciones no serían más que una vana recreación si no tuviesen por fundamento las verdades históricas y morales[208]». Tanto la descripción de la corte de Rodrigo y de la decadencia de la monarquía visigoda, como el relato de la batalla de Guadalete y de las discusiones acerca de la dirección a seguir tras la derrota, constituyen otras tantas «verdades históricas y morales». Según ha dicho y repetido Lista, también hay que

> hacer servir la literatura a la felicidad del género humano, dando a toda composición una cierta dirección hacia las verdades útiles a toda la especie, y no perdiendo ocasión alguna de combatir los errores y preocupaciones que no sólo deshonran a la razón, sino que además son causa de la mayor parte de los males que afligen a la Humanidad[209].

Denunciar los «errores» y propagar «verdades útiles» sólo puede hacerse acertadamente recurriendo a actos y personajes ejemplares.

Espronceda adoptó y asimiló a la perfección el tono y el estilo de Lista, al igual que aplicó sus principios estéticos. Sean cuales fueren los posibles defectos de los fragmentos del *Pelayo* compuestos en nuestra opinión a lo largo de los años 1825-1827, dan prueba de un talento poético excepcional en un adolescente de diecisiete a diecinueve años. En efecto, resulta imposible distinguir las estrofas escritas por su maestro, y recogidas textualmente, de las que compuso él mismo. Fraseología, estereotipos, vocabulario y movimiento son del todo similares. Advertimos, sin embargo, la tendencia de Espronceda en acumular adjetivos; pero en cambio, véase con qué habilidad y seguro instinto retoca una estrofa de Lista, escrita de primera mano, dándole color y armonía:

208. Discurso de ingreso de Alberto Lista en la Academia de la Historia, *en*: Juretschke, p. 466.

209. A. Lista, "Discurso sobre la filosofía de las artes y ciencias en general y de la literatura en particular", art. 2., *El Censor*, IV (22), 30 de diciembre de 1820, p. 315.

Lista (estrofa J)	Espronceda (vv. 49-56)
De la mansión del Aries, deliciosa,	Todo es placer: de su mansión de rosa
la bella Primavera descendía,	la primavera cándida desciende,
y en el regazo de la tierra ansiosa,	y en el regazo de la tierra ansiosa
vivificantes fuegos encendía.	el fuego animador de vida enciende;
Templaba el mar; la furia procelosa	templa del mar la furia procelosa,
al encendido viento suspendía;	el viento en calma plácida suspende,
y el alba derramaba en sus albores	y derrama la aurora en sus albores
luz regalada, y plácidos amores.	luz regalada, y regaladas flores.

En estos fragmentos de epopeya hay sin duda mucha retórica; para el gusto de hoy, estos versos parecen demasiado sonoros y cargados de oropeles. Pero las palabras vibrantes del príncipe Sancho son el eco de las que pronunciaba en un sótano de Madrid, ante sus amigos Numantinos, un joven, irritado por la villanía de un rey felón, e indignado por un orden fundado en la delación y mantenido por las bayonetas extranjeras. Aunque torpemente expresados, estos sentimientos nos conmueven porque, entre los tópicos literarios, aparece el conmovedor entusiasmo de una juvenil sinceridad.

Son escasas las composiciones de miembros de la Academia del Mirto que posean dicha cualidad. En realidad, la mayoría de ellos no eran más que versificadores con suficiente habilidad en la aplicación de determinadas fórmulas, y cuya única originalidad reside en la disposición relativamente nueva de motivos trillados. Más que beber directamente en Anacreonte, Horacio, Virgilio, Herrera, Rioja o Fray Luis de León, vuelven a las imitaciones que de dichos maestros hicieran Meléndez Valdés, Lista y sus epígonos. Utilizan una lengua estereotipada, prácticamente muerta: hacen versos en español al igual que nuestros abuelos los hacían en latín. Habiendo adquirido cierta facilidad en esta práctica, algunos seguirán cultivándola, creyéndose de buena fe poetas, como en el caso de Juan Bautista Alonso; Ventura de la Vega pondrá su facilidad para versificar al servicio del arte dramático o de intrascendentes obras de circunstancias, y se esmerará en recopilar el más insignificante cuarteto suyo en los álbumes de las damas y señoritas de la buena sociedad. Las enseñanzas de Lista resultaban peligrosas para la poesía en cuanto anteponían la técnica a la inspiración, manteniendo ésta encerrada dentro de estrechos límites, en perjuicio de la espontaneidad.

Pero también hay que reconocerle a esta enseñanza el mérito de infundir en quienes la recibieron el afán por la aplicación, por el trabajo bien hecho, y el respeto por la lengua castellana. Lista tenía razón al afirmar que la poesía, al igual que toda actividad humana, requiere un aprendizaje. En el caso de Espronceda, no será hasta 1835 cuando se afiance su originalidad en las *Canciones*. Todo lo que ha aprendido en el Colegio de San Mateo y en la Academia del Mirto deja una huella perenne e indeleble en su espíritu. Al inicio del canto IV de *El diablo mundo*, se dedicará a plagiar con significativa habilidad el lenguaje neoclásico. En las poesías que Espronceda publica en 1840, Lista se alegró de «ver sometidos los pensamientos, por más atrevidos que sean, al yugo de la lengua y de la versificación castellana, cosa sumamente rara en el día», aunque aclara con modestia: «A pesar de las muchas razones que personalmente nos asisten para no dar elogio a estas poesías...[210]». Por más que la inspiración haya podido cambiar, el maestro sabe que sus lecciones han dado fruto. En todo caso, no impidieron el pleno desarrollo del talento y la personalidad de su alumno; si bien hay que reconocer que, de todos los discípulos de Lista, era Espronceda el que más dotes de poeta tenía.

210. A. Lista, *Ensayos literarios y críticos*, Sevilla, 1844, t. II, p. 82.

Capítulo V

ESPRONCEDA EN VÍSPERAS DE LA EMIGRACIÓN

España de 1825 a 1827

Durante los últimos meses de 1825, la política interior de España aparece marcada por un fortalecimiento de las posiciones del partido absolutista. Cea Bermúdez, representante del sector moderado, se vio sustituido al frente del gabinete, el 24 de octubre, por el duque del Infantado, bien conocido por sus ideas ultra-reaccionarias. El 28 de diciembre, Fernando VII creó un nuevo Consejo de Estado destinado a tratar todos los asuntos del reino. Dicho organismo, instaurado el 17 de enero de 1826, sustituye a la Real Junta consultativa de gobierno que desaparecía poco después de su fundación, el 13 de septiembre anterior; de este modo, el rey apartaba de su círculo de allegados a determinadas personalidades consideradas excesivamente tibias, y encomendaba la dirección de los asuntos a notorios y encarnizados adversarios de los liberales, tales como el arzobispo de Toledo, el obispo de León, el padre Cirilo Alameda, el duque de San Carlos, José García de la Torre, José Aznares, Calomarde. Este órgano de gobierno reforzó las medidas adoptadas a partir de 1823, contribuyendo con ello a hacer todavía más irrespirable la atmósfera del país. El coronel Antonio Fernández Bazán quien, durante la noche del 18 al 19 de febrero de 1826, había intentado desembarcar en Alicante con su hermano Juan y un reducido grupo de emigrados liberales, fue fusilado el 4 de marzo siguiente en Orihuela, atado a unas parihuelas que sus graves heridas le impedían abandonar. Esta hazaña mereció un triunfal comunicado en la *Gaceta de Madrid*. Los voluntarios realistas disfrutaban de unos privilegios exorbitantes (dispensa de la posesión de una carta de seguridad, autorización para llevar y poner en circulación armas dentro del país) que los convirtieron en gente temible e intocable, partidarios incondicionales del régimen.

A la muerte de João VI de Portugal, en marzo de 1826, la promulgación en dicho país de una carta liberal, así como la llegada al trono de la princesa Maria da Gloria apoyada por el gabinete inglés, indujeron a Fernando VII a publicar el 15 de agosto siguiente un manifiesto en el que afirmaba su oposición a cualquier cambio de sistema en España, a cualquier forma de régimen parlamentario. El 19 de agosto, el régimen se endurecía un poco más con la sustitución del duque del Infantado por Manuel González Salmón, protegido de Calomarde. Por las mismas fechas unos cien soldados acantonados en Olivenza (Extremadura) se sublevaron y pasaron a Yelves en Portugal, demostrando así su simpatía por la libertad recién proclamada en dicho país. El 9 de septiembre, el gobierno decretó la pena de muerte para los desertores y todas las personas sospechosas de complicidad activa o pasiva con ellos; se tomaron nuevas disposiciones con objeto de disuadir cualquier intento armado, cualquier veleidad de rebelión por parte de los oponentes al régimen absoluto. El gabinete de las Tullerías, al que difícilmente se podían achacar ideas liberales, dio al rey de España algunos consejos de moderación que fueron acogidos con irritación. La situación económica del país era grave. Javier de Burgos, enviado a París en 1824 en calidad de comisario de la Real Caja de amortización, mandó a Fernando VII, en enero de 1826, un informe detallado acerca de los «males que aquejaban a España ... y medidas que debía adoptar el gobierno para remediarlos»[211]. En un tono prudente pero firme, el autor aconsejaba adoptar con toda urgencia medidas drásticas, tales como: la reactivación de los cultivos agrícolas en las comarcas del litoral mediterráneo, a fin de limitar las costosas importaciones e infundir nueva vida a los puertos de Barcelona y Cádiz, privados de los mercados de las antiguas colonias americanas; amnistía total para los proscritos del delito de opinión liberal que, emigrados a Europa, desacreditan el régimen de su país; rechazo de la legislación arcaica, y reestructuración de la administración cuyas demoras y rutina provocan el creciente recelo de los banqueros extranjeros a quienes se pide que apoyen una hacienda desequilibrada; venta de los bienes del clero para que sean productivos; completa reorganización del aparato del Estado; realización de un empréstito nacional con objeto de volver a equilibrar el presupuesto nacional. Tales medidas venían claramente dictadas por los círculos de negocios franceses con los que Burgos mantenía relaciones directas. Si bien estaban justificadas por la crisis de la economía española y el marasmo del comercio y la industria, hubieran generado inevitablemente cierta liberalización a la que se oponían el rey y los partidarios de Calomarde, apoyados por gran parte del clero y por los Voluntarios realistas. Por otra parte, no se manifiesta en Madrid ningún movimiento de oposición: en efecto, los grandes protagonistas del trienio constitucional se encuentran en el exilio, la policía controla todas las conversaciones, y la falta de actividades económicas descarta el peligro de que una posible coalición de intereses se levante contra el régimen. De ahí que en Castilla fuese pronto sofocada la revuelta de Bessières en 1825, al no conseguir reunir su jefe el número necesario de partidarios. Pero en Cataluña existen condiciones distintas. En esta provincia, a partir de 1770 aproximadamente, se crea y desarrolla una burguesía compuesta por comerciantes e industriales del textil, cuyo poder y fortuna en incremento causan preocupación entre la aristocracia; a estas categorías sociales viene a sumarse, durante la guerra de la Independencia, la de los negociantes enriquecidos gracias a los contratos de suministros al ejército y al comercio clandestino de mercancías. La depresión eco-

211. Este informe, publicado en Cádiz en 1834 en un opúsculo de 70 páginas, aparece reproducido en E. de Ochoa, *Apuntes*..., París, 1840, t. I, pp. 195-222.

nómica provoca una grave crisis, con especial incidencia en Cataluña en donde crece el descontento general, agravado por la epidemia de fiebre amarilla y la gran sequía de 1821. Los adversarios del régimen constitucional aprovecharon esta situación difundiendo una propaganda antiliberal que originó la revuelta de los campesinos del Principado. En 1822, la regencia establecida en Urgel consiguió captar a los descontentos con la promesa de una constitución que respetara los fueros, usos y privilegios tradicionales; pero las cuadrillas de insurrectos no pudieron hacer frente al ejército mandado por Espoz y Mina, que aplastó la rebelión. El 4 de noviembre del año siguiente, Barcelona caía en manos de los franceses tras una prolongada resistencia. La ocupación extranjera permitió el restablecimiento de cierto equilibrio, a la vez que evitó las represalias, ahora por parte de los Voluntarios realistas; gracias a ella, industriales, comerciantes y liberales pudieron proseguir, en cierta medida, sus actividades. Después de los movimientos locales de insurrección en 1825 y 1826, estalló en 1827 la revuelta de los *malcontents*. La Federación de Realistas puros propagó un manifiesto, con fecha del 1.º de noviembre de 1826, en el cual se calificaba a Fernando VII de calamidad pública y se pedía la sustitución del rey por su hermano Carlos, con objeto de «salvar a un tiempo la religión, la Iglesia, el trono y el Estado». Integraban dichos descontentos los Voluntarios realistas, a quienes se impedía el ejercicio de un papel importante y que, además, eran mal pagados y mal vistos por el capitán general, marqués de Campo Sagrado. En septiembre de 1827, el rey acudió a Tarragona y, luego, a Barcelona; fue muy bien acogido por la burguesía industrial que vislumbraba una próxima recuperación, gracias a los recientes decretos proteccionistas que favorecían la industria textil local. Esta burguesía vio con buenos ojos el que López Ballesteros, ministro de Hacienda a partir de 1823 (apoyado por Javier de Burgos y el banquero Aguado afincado en París), se rodeara de un equipo formado por hombres de negocios catalanes, como Gaspar Remisa, y prosiguiera en su empeño por paliar las dificultades económicas; en efecto, la situación era grave, y la caída del índice de los precios desde 1821 demostraba lo urgente de una recuperación. El viaje de Fernando VII a Cataluña selló provisionalmente la alianza entre las clases industrial y comercial y un gobierno deseoso de frenar las graves consecuencias de una política de deflación, susceptible de favorecer movimientos de oposición generadores de disturbios que —sea cual fuere su origen— podían causar un serio perjuicio a la producción. Desde ese momento, el conde de España, dotado de plenos poderes para castigar a los insurrectos (de los cuales gran número fueron ejecutados, mientras otros se refugiaron en Francia), reprimió indistintamente cualquier intento de rebelión, tanto por parte de los realistas como de los liberales. Mostró gran celo en el cumplimiento de esta tarea, pero a fuerza de tanta crueldad enfermiza se ganó la enemistad de todos los sectores de la opinión catalana, en el seno de la cual se fue gestando una corriente liberal cada vez más poderosa, aunque soterrada, que contribuiría a acentuar las tendencias provincialistas[212].

212. Sobre la situación de Cataluña en esta época, véase J. Vicens Vives, *Manual de historia económica de España*, 3.ª ed., Barcelona, 1964, cap. VI, *passim*, y *Cataluña en el siglo XIX*, Madrid, 1961, pp. 264-265 y 320-331.

Bajo la autoridad más tolerante del marqués de Campo Sagrado, anterior capitán general, y debido al espíritu de independencia de las autoridades municipales, las medidas represivas se aplicaban con menor rigor en Barcelona que en Madrid, pese a las reales órdenes y reiteradas circulares. Algunas personalidades que habían manifestado su simpatía por el régimen constitucional, llegando a servirlo o apoyarlo en ocasiones, se vieron libres de represalias en 1823. Así Aribau, que ingresó en la Junta de comercio de Barcelona y no fue molestado; López Soler recibió el encargo oficial de redactar el informe de la visita que hicieron el rey y la reina a la Lonja de mar el 18 de diciembre de 1827; los profesores de medicina no tuvieron que someterse a la purificación, pese a ser obligatoria por real orden; la Academia de Ciencias y Artes prosiguió sus actividades hasta 1827 por lo menos, y las escuelas de enseñanza general, industrial, comercial y científica que dependían de la Junta de comercio no dejaron de admitir alumnos, algunos de los cuales eran enviados al extranjero para perfeccionar sus conocimientos. Salieron a la luz publicaciones técnicas como el *Diario general de las ciencias médicas* (1826) y los *Anales de nuevos descubrimientos usuales y prácticos* (1828)[213]. Gracias a la acción de organismos oficiales o semi-oficiales, la burguesía negociante contribuyó a mantener en Cataluña, a pesar de las conmociones políticas, algunas actividades culturales necesarias para su supervivencia y posterior desarrollo.

La presencia de las tropas de ocupación en determinadas ciudades españolas, y en especial en Barcelona, desempeñó un papel positivo en el mantenimiento de la vida intelectual. Se trata de una paradoja tan sólo aparente: los oficiales del ejército del duque de Angulema tenían sus gabinetes de lectura en donde encontraban obras oficialmente prohibidas en España, pero que no obstante entraban en el país. Aunque se halla en situación de semidestierro en la capital catalana, el duque de Frías recibe con frecuencia en su casa a Juan Nicasio Gallego y a López Soler; pero cuando la guarnición francesa abandona la ciudad, también parten los tres amigos a refugiarse en Montpellier en 1827, ya que no se sienten seguros una vez privados de esta protección[214].

Estas consecuencias favorables de la intervención extranjera no eran conocidas por los madrileños quienes vivían, por su parte, bajo la atenta mirada de una policía vigilante. Desde finales de 1823, el restablecimiento del absolutismo había provocado una nueva sangría en la elite intelectual de la capital. Eminentes miembros de dicha elite se fueron al extranjero, como Antonio Alcalá Galiano, Ángel de Saavedra, Martínez de la Rosa y el conde de Toreno; otros, tales como Quintana, Gallardo, Clemencín y Gallego, fijaron su residencia en provincias, por obligación o por prudencia. Lista, que se alejó tal vez algún tiempo de la capital en 1823, es el único representante importante de su generación que permaneció en Madrid. Su colegio ha sido cerrado por decisión oficial, y ya no dispone de tribunas en el Ateneo y en la prensa, pero conserva a varios de sus alumnos a los que imparte clases en su casa y, hasta abril de 1826 por lo menos, se ocupa de las actividades de la Academia del Mirto. Aunque siguen practicando

213. J. Carrera Pujal, *Historia política de Cataluña en el siglo XIX*, Barcelona (1957-1958), t. II, pp. 196-199, 205, 363, 371 y 373-374.
214. A. Rumeau, *op. cit.*, pp. 43 y 123.

la poesía y se mantienen fieles a su maestro, Espronceda y sus amigos empiezan a emanciparse y a volar con sus propias alas; y eso sucede precisamente en la época en que la capital de España está atravesando uno de los períodos más negros de su historia.

VIDA SOCIAL Y VIDA LITERARIA EN MADRID: SALONES, TEATROS, TERTULIAS Y CAFÉS

Según Mesonero Romanos, hacia 1825-1826, la generación del poeta se componía de una «juventud alegre, descreída, frívola y danzadora», enamorada de placeres fútiles que, «por espíritu de oposición o de resistencia», leía a escondidas a Voltaire, Diderot, Dupuis, Volney, «las obscenas novelas de Pigault-Lebrun y la escandalosa de *El baroncito de Foblás*, y otras muchas de este jaez[215]». Estas obras, que estaba entonces oficialmente prohibido importar, vender, e incluso poseer y leer, tenían el doble atractivo del fruto prohibido. Cabe señalar además que las lecturas autorizadas no eran muy tentadoras: en 1826, un viajero francés sólo encuentra en las librerías de Madrid el *Traité des cinq manières de servir la messe*, el *Traité de la confession générale*, el *Apocalypse de saint Jean commentée* y *Le Renégat* del vizconde de Arlincourt[216]. A los autores citados por Mesonero, hay que añadir los nombres de Richardson, Rousseau, Bernardin de Saint-Pierre, Chateaubriand, Ann Radcliffe, Madame de Staël, y muchos otros que estaban representados en las colecciones de novelas publicadas por Cabrerizo en Valencia en 1818 y por Oliva en Barcelona entre 1816 y 1819. En 1815, Antonio Valladares había escrito las *Tertulias de invierno en Chinchón*, siguiendo el modelo de las populares *Veladas de la quinta* (traducción de las *Veillées du château*, de Madame de Genlis) y de *Las tardes de la granja* (traducción de las *Soirées de la chaumière* de Ducray-Duminil) cuya cuarta edición española se publica en 1825; en 1821, se publicó *Matilde* de Madame Cottin, en una versión de Manuel García Suelto. Todas estas obras, de muy desigual calidad, van dirigidas a un público que desde finales del siglo XVIII muestra una especial afición por las lecturas novelescas. Los moralistas condenan esta moda, que les parece peligrosa sobre todo para las doncellas y mujeres jóvenes, dado que encuentran en dichos libros ejemplos perniciosos, propios a excitar y exaltar sus pasiones. Esta es la postura adoptada por Moratín en *La mojigata* y *El sí de las niñas*, o por Clavijo en su *Pensamiento XVIII*, quienes reprueban la afición desmesurada por las *Novelas* de María de Zayas o de Juan Pérez de Montalbán; asimismo, poco tiempo antes de la guerra de la Independencia, el juez de imprentas Melón se había negado, por razones similares, a dejar imprimir las traducciones de numerosas novelas francesas, inglesas o alemanas, que algunos libreros avispados estaban deseosos de difundir en lengua española, a fin de satisfacer la demanda del público y conseguir beneficios más cuantiosos que los que pudieran obtener con la reedi-

215. *Memorias de un setentón*, BAE, t. CCIII, p. 155.
216. Artículos anónimos publicados en el *Écho du soir* de París entre septiembre y noviembre de 1826, y reimpresos por R. Foulché-Delbosc, *RH*, XXXVI, 1916, pp. 270-280; citados por A. Rumeau, *op. cit.*, p. 47.

ción de obras antiguas[217]. En 1820, se suprimieron provisionalmente las prohibiciones oficiales, con lo cual se realizó entonces sin trabas la difusión de la literatura novelesca: podemos pensar con razón que, al término del trienio constitucional, muchos libros escaparon al control prescrito por la ley. Durante la "ominosa década", la vigilancia de los aduaneros no consiguió impedir que numerosos envíos de libros llegaran hasta sus destinatarios[218]. Gracias al inventario de veintidós cajas conteniendo más de 10.500 volúmenes (en rústica, encuadernados o en pliegos) que el librero Lasserre, de Perpiñán, trató de introducir en España y que fueron devueltas al remitente por las autoridades de Barcelona, podemos tener una idea de los títulos prohibidos más solicitados a finales de 1823[219]. El envío contenía textos políticos o religiosos, tales como: *Apología católica de un proyecto de constitución religiosa...*, de Llorente (526 ejemplares); *Discurso sobre una constitución religiosa...*, del mismo autor (1.079 ejemplares); *Catecismo de la constitución española*, por D.J.C. (1.290 ejemplares); *Defensa del proyecto de una constitución religiosa...*, traducido del padre Grasset (1.380 ejemplares); *Diccionario crítico-burlesco...*, de Gallardo (375 ejemplares); *Manual de inquisidores*, de Marchena (390 ejemplares); *Catecismo político de la constitución española* (890 ejemplares); *Compendio del origen de todos los cultos*, de Dupuis, en traducción de Marchena (902 ejemplares). En el inventario, entre las obras de ficción traducidas encontramos: *La Religiosa*, de Diderot (792 ejemplares, más 600 grabados); *El compadre Mateo*, del padre Du Laurens (740 ejemplares); *El hijo del carnaval*, de Pigault-Lebrun (550 ejemplares); *Las ruinas*, de Volney (34 ejemplares); *Cornelia Bororquia o la víctima de la Inquisición* (241 ejemplares); *Julia o La nueva Heloysa*, de Rousseau (12 ejemplares). De determinadas traducciones (*El mérito de las mujeres*, de Legouvé; *Guillermo Tell*, de Florian; *Cartas de Heloysa y Abelardo; Las amistades peligrosas*, de Laclos; *Cartas persianas*, de Montesquieu; *La guerra de los dioses*, de Parny), Lasserre había enviado sólo uno o dos ejemplares de cada obra.

Si bien no se puede sacar conclusiones definitivas de este documento, observaremos que la mayoría de los autores citados por Mesonero aparece en el inventario del envío realizado por el librero perpiñanés en 1823. Aunque no figure en él ninguna obra de Voltaire, ni ejemplar alguno de las *Aventures du chevalier de Faublas*, encontramos otros libros tan "escandalosos" como este último. El deseo de evasión, mucho más sin duda que el espíritu de resistencia, explica esta afición por las novelas. Su lectura no requiere gran esfuerzo intelectual ni conocimientos

217. En lo que respecta a la posición de Moratín, Clavijo y Melón, véase R. Andioc, *op. cit.*, pp. 527-529.

218. A. Rumeau (*op. cit.*, pp. 123-124) ha citado numerosos ejemplos, extraídos de documentos de archivo.

219. Archives départementales des Pyrénées-Orientales, T 157, n.os 90 et 98 (inventario en español fechado el 12 de diciembre de 1823; traducción francesa del 27 del mismo mes). Una remesa tan considerable difícilmente podía pasar inadvertida; Laserre esperaba, pues, contar con la complacencia de los servicios aduaneros de Barcelona (en esta ciudad, como hemos visto, las decisiones de Madrid no se aplicaban siempre al pie de la letra). Ahora bien, quizás se había mostrado demasiado optimista. A causa de las numerosas lagunas presentes en esta serie de documentos relativos a las remesas de libros en el citado departamento fronterizo, se nos hace imposible determinar si otros envíos de la misma especie fueron posteriormente rechazados a su llegada.

especiales, y ofrece además la ventaja de compensar muchas pulsiones profundas y más o menos conscientes sobre las que pesan gran número de prohibiciones impuestas por la moral religiosa, social y política. De ahí que los libros de éxito sean de tan variada calidad: lo esencial es que proporcionan el medio de evadirse de la realidad. Habrá que esperar hasta 1826 para que una censura puntillosa autorice la publicación en Barcelona de la novela de Walter Scott, *El talismán*, traducida por Juan Nicasio Gallego y Eugenio de Tapia. La obra del novelista escocés penetrará poco a poco en España y se irá imponiendo, en detrimento de las obras extranjeras más antiguas. En 1827, aparece en Madrid una publicación periódica barata (a 5 reales la entrega), titulada *El té de las damas, conversaciones agradables e instructivas entre varias señoras*, a la que Larra, en el número 1 de *El Duende satírico del día*, dedica una alusión burlona.

> Avec ces "soirées", ces "veillées", ces "thés", ces "tertulias", ces "entretiens" et ces "conversations", —escribe A. Rumeau, tras referirse a la moda de las traducciones de Madame de Genlis, de Ducray Duminil y sus imitaciones españolas— nous entrevoyons le grouillement de toute une médiocre littérature où se mêlent tous les courants, clairs et troubles, issus des romans de Richardson, de *La Nouvelle-Héloïse*, de *L'Emile*, des écrits des phyilosophes et de sources moins connues et moins recommandables[220].

En el teatro, se representa en escenarios vetustos y ante espectadores instalados en salas incómodas, heladas y mal iluminadas, un anticuado repertorio consistente en refundiciones de obras de Lope, Moreto, Tirso, Calderón o Rojas Zorrilla, que son de finales del siglo XVIII; en traducciones de Destouches y de Regnard, comedias de Gorostiza y obras de Comella o de Antonio de Zamora. A partir de 1825 —fecha significativa— la ópera goza de un favor extraordinario, siendo la diversión que más agrada, y por las mismas razones, al público de los lectores de novelas. Para disfrutar de ella, no es necesario seguir todas las peripecias de la obra lírica o comprender el sentido de los diálogos cantados. La trama no tiene mayor importancia de la que tenía, para los espectadores del siglo XVIII, el debate teológico del auto sacramental: en ambos casos, lo esencial es la admiración que suscitan las tramoyas, así como la extrañeza que producen los decorados, los trajes, el canto y los golpes de teatro. En resumen, la ópera es el medio de evasión por excelencia en el tiempo y en el espacio. En septiembre de 1823, el hábil Juan María Grimaldi, comisario de guerra en el ejército del duque de Angulema, se hizo cargo de la empresa de los dos teatros de Madrid[221]. Renovó el repertorio, contrató a nuevos actores, y cuidó el decorado y el vestuario. Durante la temporada de 1825-1826, adaptó y llevó a la escena dos melodramas:

220. («A través de estas "reuniones", "veladas", "tés", "tertulias", "charlas" y "conversaciones" vislumbramos el bullir de una literatura mediocre en la que se mezclan todas las corrientes, claras o turbias, procedentes de las novelas de Richardson, de *La Nouvelle-Héloïse*, del *Émile*, de los textos de los filósofos, así como de fuentes menos conocidas y menos recomendables.») A. Rumeau, *El Duende satírico del día...*, París, 1948, pp. 306-307, notas 44 y 47; sobre la moda de la novela, véase *Id.*, *M. J. de Larra et l'Espagne à la veille du Romantisme*, París, 1949, pp. 124-127.

221. Véase el muy notable estudio de B. Desfrétières, *Jean-Marie de Grimaldi et l'Espagne*, París, 1962 (tesina dirigida por A. Rumeau y R. Marrast), ejemplar mecanografiado.

Thérèse ou l'orpheline de Genève de Ducange (con el título de: *El abate l'Épée y el asesino o la huérfana de Bruselas), seguido de Lord Davenant* de Vial, Gensoul y Milcent; estas acciones enrevesadas, que se desarrollan en una atmósfera de misterio o terror, se ganaron la adhesión del público por las mismas razones que la ópera. Estas obras alternan con las anodinas comedias de costumbres que Bretón compone o adapta de Scribe o de Dancourt, y con las tragedias de Racine, Lefranc de Pompignan y Houdard de la Motte traducidas por el mismo proveedor.

Así pues, ni las novelas ya antiguas leídas a escondidas, ni las obras que se representaban en los teatros de la capital, podían satisfacer al madrileño culto y ansioso de novedades. En la *Gaceta* oficial y en el insignificante *Diario de avisos*, únicos periódicos cuya publicación estaba autorizada, no aparecía información alguna acerca del gran debate entre clásicos y románticos que se producía allende los Pirineos. Tan sólo durante algunas semanas, del 4 de abril al 30 de junio de 1825, una nueva publicación, pronto suprimida por las autoridades, supone una apertura al exterior: se trata del *Diario literario y mercantil*, dirigido tal vez por Carnerero en colaboración con Agustín Durán[222]. En ella encontramos artículos traducidos o inspirados en los que publicaba *Le Globe* de París. Se hace una defensa ardorosa del antiguo teatro español en un comentario muy favorable de *Le Cid d'Andalousie* de Lebrun, al que se felicita por haber sabido recobrar el estilo de Lope de Vega, aunque ateniéndose a las reglas; las investigaciones que sobre el romancero llevan a cabo Bowring, Creuzé de Lesser y Abel Hugo se presentan como ejemplo a los españoles quienes, todavía sujetos a la autoridad de Boileau, ignoran su antigua poesía nacional y desconocen el carácter peculiar, cristiano y musulmán a la vez, de su Edad Media; la poesía francesa del siglo XIX es analizada en tres artículos inspirados de los de Charles de Rémusat relativos a Lamartine, Casimir Delavigne y Béranger. Si bien la existencia del *Diario literario y mercantil* coincide con el período en que Espronceda y sus amigos Numantinos se hallan en detención preventiva y, posteriormente, recluidos en distintos conventos, puede que dichos artículos llegasen hasta ellos. Pero aun así, cabe preguntarse si los miembros de la Academia del Mirto estaban lo suficientemente informados como para comprender el verdadero interés y alcance de los mismos, cuando se les hablaba de autores y obras que no conocían y ni podían conocer de forma directa. Sea como fuere, leyendo las obras de Bretón, Vega o Espronceda, no parece que las ideas nuevas aportadas por el *Diario* produjesen en ellos una evolución estética. El período de publicación de dicho diario fue demasiado breve para permitirle ejercer una influencia notable. Aunque, el esfuerzo era meritorio, habrá que esperar la aparición, en julio de 1828, del *Correo literario y mercantil*, para que Madrid cuente con una publicación que incluya una sección literaria.

Lo pobre y apagado de la vida intelectual en Madrid durante los años 1823-1827 ayuda a comprender el hecho de que los jóvenes interesados en las bellas

222. A. Rumeau (*El Duende satírico del día...*, París, 1948, pp. 117-119) ha realizado el estudio que aquí resumimos sobre el contenido literario de este periódico. La hipótesis de una posible colaboración de Durán se basa en el hecho de que «certains articles traduits du Français et en particulier du journal *Le Globe* nous semblent avoir laissé un écho assez précis dans le fameux *Discurso* de 1928» («algunos artículos traducidos del francés y en particular del periódico *Le Globe* nos parece que han dejado un eco bastante preciso en el famoso *Discurso* de 1828»).

letras se mantuvieran fieles a las enseñanzas de Lista y a los principios del neoclasicismo: en efecto, ante el escaso alimento intelectual que les proporcionaban las novelas o el repertorio dramático, prefieren —aunque para distraerse lean libros prohibidos— seguir cultivando una poesía que, a pesar de haber caído en desuso, tiene para ellos el mérito de la dignidad.

Para la mayoría de ellos, durante estos años negros, la vida social se desenvuelve en un ambiente de constante recelo y temor cotidiano. Al evocar el marqués de Molins la época en que Bretón se unió al grupo de los antiguos alumnos del Colegio de San Mateo y obtuvo sus primeros éxitos (entre 1824 y 1826), escribe: «Eran aquella sociedad y aquella época de las más serias y menos bulliciosas que registra la crónica madrileña.» La desconfianza que Fernando VII sentía hacia sus hermanos y hermanas, así como las austeras costumbres de la reina Josefa Amalia convertían la corte en «la más devota, la más ceremoniosa, la más grave de que hacía mención el almanaque de Gotha». En Palacio, no se ofrecían ni fiestas ni banquetes. Los grandes de España sospechosos de ideas liberales —de entre los cuales algunos habían sufrido destierro o servido, entre 1820 y 1823, en la Milicia nacional— procuraban pasar desapercibidos y habían eliminado toda fastuosidad de sus salones; ya no se daban representaciones en casa del duque de Frías o del duque de Híjar. Tanto los ministros como los altos funcionarios, los oficiales superiores como los funcionarios de Palacio, estaban mal pagados y vivían modestamente «calentándose en casa con brasero y esteras, y paseándose fuera de casa en simón de dos mulas y ése no costeado por el Estado». El café constituía el único refugio para aquellos que deseaban conservar alguna relación con sus semejantes, y discutir de teatro o de literatura[223]. También acudían a él los sempiternos estrategas de café; éstos, a pesar del peligro que podían correr si sus comentarios eran oídos y denunciados por alguno de los numerosos delatores al servicio del superintendente de policía, mantenían sus reuniones en el Lorencini, o en la Fontana de Oro; cafés que, siendo poco ha focos de agitación liberal, pasaron a convertirse, en torno a 1826, el primero, en «refugio de oficiales indefinidos y de ociosos indefinibles que se entretenían en comentar la *Gaceta* y en hacer sinceros votos por Ipsilanti o Maurocordato, por Colocotrini o por Canaris, los héroes del alzamiento de la Grecia moderna», y el segundo, en «punto de reunión de los hombres graves, ex-políticos, afrancesados y liberales era un establecimiento... donde se servía buen café»[224]. En el primer número de *El Duende satírico del día*, Larra presenta el gracioso retrato de una de estas víctimas de la *políticomanía*. Al evocar su primera estancia en Madrid, a finales de agosto de 1825, Fernando Fernández de Córdoba escribe en sus memorias:

> Los cafés, que se cerraban a las diez y media de la noche, no eran para la juventud sitio favorecido en donde pasarla toda. Sólo en el del Príncipe comenzaban a reunirse y a trasnochar un poco los aficionados a las letras, los cuales tomaron también cierto barniz distinguido, cuando se presentaron en su alegre tertulia los discípulos de Lista, tales como Escosura, Espronceda, Pezuela, Vega y otros que se hicieron célebres más tarde.

223. Molins, *Bretón de los Herreros*..., Madrid, 1883, pp. 36-37.
224. R. de Mesonero Romanos, *op. cit.*, p. 154b.

Luego se complace en rememorar las fiestas, bailes y recepciones a las que su condición de joven aristócrata y oficial realista le permitían asistir, en los escasos salones en que los personajes importantes favorables al régimen seguían llevando una vida relativamente brillante: en casa del duque de Osuna, del duque de San Carlos, de los embajadores de Rusia, Francia o Nápoles. Pero los jóvenes de origen modesto y de ideas liberales, como Espronceda y algunos de sus amigos, no tenían acceso a este círculo cerrado, reservado a una minoría, la única para la cual Madrid era «la corte más alegre y divertida de Europa», según escribe Córdoba, quien especifica que, en aquella época, las distintas categorías sociales de Madrid parecían «separadas ... casi por abismos, sin que con ello resultaran antagonismos ni rivalidades de trascendencia». En efecto, los habitantes de la capital se reúnen en lugares diferentes y perfectamente delimitados, según su origen social: en los altos de Recoletos y de la Castellana se encontraban las criadas, los soldados y el vulgo, que frecuentaban también las orillas del Manzanares, especialmente en los alrededores de las puertas de Toledo y Segovia, y el camino del Pardo; en San Antonio de la Florida, se reunían los gallegos y asturianos para cantar y bailar los aires del terruño; la clase media —es decir, los pequeños empleados, pequeños funcionarios, artesanos y los militares de menor graduación— prefería el Retiro (el paseo se efectuaba en torno al estanque y al parque zoológico) y el Prado, por la zona de Recoletos, de Atocha y del Jardín botánico, ya que la zona central del paseo, el Salón del Prado, quedaba reservada a los aristócratas partidarios del régimen [225]. Aún no había llegado la época de la ósmosis entre las clases, favorecida por la situación económica o, en el caso de nuestros jóvenes escritores, por la conquista de la fama. Como escribe Larra en 1834, en aquel entonces la «manía del buen tono» unirá los extremos «a la merced de un frac, nivelador universal de los hombres del siglo XIX», y la única verdadera clase media, la de la industria y del comercio, estará en Cádiz o en Barcelona, pero no en Madrid [226]. Hacia 1826-1827, funcionarios, abogados, gente de teatro, representantes de la prensa o de la pequeña nobleza imitan las costumbres de la aristocracia. Durante este período se abren salones, más modestos que los de los grandes, pero que acogen a la futura elite de las letras, las artes o la erudición, a la que Lista seguía prodigando sus enseñanzas o sus consejos. Según escribe Molins,

> la vida fraternal que los jóvenes habían comenzado de mañana en la cátedra no terminaba de noche en el Parnasillo; sino que, merced a las inmunidades poéticas, gozaban placeres en la sociedad media que estaban, como he dicho, vedados a las aristocracias de aquella corte [227].

Ventura de la Vega, Juan de la Pezuela, Gil y Zárate, Carlos O'Donnell, Larra y Bretón acuden a casa de Manuel María Cambronero, en donde tratan al gran jurisconsulto, que han podido conocer gracias al joven pasante Juan Bautista Alonso. A finales de mayo de 1826, Diego de Alvear y Ward, hijo del famoso

225. F. Fernández de Córdoba, *Mis memorias íntimas*, BAE, t. CXCII, pp. 37-46.
226. "Jardines públicos", *Revista Española*, 20 de junio de 1834; BAE, t. CXXVII, pp. 411-412.
227. Molins, *op. cit.*, p. 39.

oficial de marina y gran terrateniente de Montilla, se refugia en Madrid en casa de su padrino, después de haberse visto sancionado con cuatro meses de arresto en una fortaleza y haber sido expulsado de la Academia Militar de Segovia debido a sus ideas liberales[228]. El joven, a la sazón algo mayor de dieciocho años, pasa a ser también alumno de Lista. Quirico Aristizábal, mayordomo de Palacio, ofrece a veces representaciones en su casa; allí Vega tiene oportunidad de mostrar sus dotes de actor junto a Pezuela. Otras noches, encontramos a los discípulos de Lista en casa del arquitecto municipal Francisco Mariátegui, en donde se juega a las charadas y a diversos acertijos; también acuden a casa del célebre cirujano Rives cuyas hijas Mariana, Mariquita y Juana se convierten en Laura, Silvia y Rosaura en los ardientes versos —más o menos sinceros— que les dedican Bretón, Vega, Pezuela o Mesonero, invitados a veces a la casa de campo que la familia posee en Hortaleza[229]. En estos salones, así como en las tertulias de los cafés, encontramos a Juan María Grimaldi y José María Carnerero, dos hombres que reinan en el mundo del teatro y del periodismo. Aunque no exista un testimonio concreto que lo confirme formalmente, es muy probable que Espronceda tomara parte en estas reuniones y diversiones.

NUEVAS POESÍAS

Mientras continúa trabajando en el *Pelayo*, Espronceda compone otras obras menos ambiciosas. De entre sus poesías conocidas, proponemos situar durante los años 1826-1827 las composiciones siguientes (de éstas, las dos últimas pudieron ser retocadas antes de su publicación): tres sonetos —*A Eva*, “Bajas de la cascada, undosa fuente” y “Fresca, lozana, pura y olorosa”— y el romance titulado *A la noche*[230]. Por su factura, se las puede comparar a las obras conservadas en el archivo de la Academia del Mirto. No obstante, las dos últimas presentan cualidades dignas de ser subrayadas.

El romance *A la noche* fue considerado por Lista como «uno de los más bellos que hay en nuestra lengua», cuando lo leyó, en 1840, en el volumen en que fue publicado por vez primera. Añadía las siguientes observaciones, propias de las que un profesor suele utilizar para comentar un ejercicio escolar: «Energía y fluidez en la versificación, y el sabor melancólico de la frase y hasta del asonante, le coloca en nuestro entender, entre las obras perfectas[231].» Este juicio contrasta con las reservas formuladas por Enrique Gil, que lamentaba que se hubiese incluido el romance en el libro, «porque a excepción de cierta tinta apagada y melancólica que resalta en todo él, lo encontramos escaso de estro, número y hasta de natural y vigoroso enlace»[232]. Al confrontar estas dos opiniones, obtenemos la definición exacta de la citada poesía. Enrique Gil tiene razón en la medida en

228. AGM. Personal, expediente de Diego de Alvear y Ward.

229. Molins, *op. cit.*, cap. VI y VII, *passim*.

230. Véanse el texto, la noticia y las notas de estas poesías en Espronceda, *Poésies*, ed. Marrast, pp. 197-201.

231. A. Lista, *Ensayos literarios y críticos*, Sevilla, 1844, t. II, p. 83.

232. Reseña de la ed. de 1840, *Semanario pintoresco español*, 2.ª serie, II (28), 12 de julio de 1840, p. 222b; BAE, t. LXXIV, p. 492a.

que, pese a sus cualidades, *A la noche* no es representativa del estilo más personal de las producciones posteriores de Espronceda; por su parte, Lista considera la obra como una de las más acordes con su propio ideal estético. Casalduero, sin suscribir ninguno de estos juicios involuntariamente tachados de parcialidad, ha demostrado que el romance no está falto de belleza ni armonía; en un penetrante análisis ha puesto de relieve la simetría de las dos partes, que cuentan cada una con cuarenta y cuatro versos[233]. La primera, que es una descripción de la noche, impregnada de dulce sosiego, con el murmullo tranquilizante del agua y el de los árboles movidos por un suave viento, concluye con dos notas más graves y melancólicas: el búho que ulula en el cementerio, y la luz en lo alto de la torre sumida en las tinieblas. En la segunda parte, el paisaje cambia con la aparición de la luna. El contraste se inicia en los versos 45-46, que sirven de transición; luego sigue un juego de sombras y luces, de sonidos y colores; los reflejos del astro en las aguas del río, el canto del pescador, los trinos del ruiseñor, el humo que sale de las chimeneas de las alquerías, la brisa en las ramas de los árboles. El romance acaba con una invocación a la luna, en cuatro versos (85-88) que recuerdan los primeros, dedicados a la noche:

vv. 1-4	vv. 85-88
¡Salve, oh tú, noche serena, que el mundo velas augusta, y los pesares de un triste con tu oscuridad endulzas!	¡Oh! Salve, amiga del triste, con blando bálsamo endulza los pesares de mi pecho, que en ti consuelo buscan.

Reconocemos en ellos motivos ya utilizados por Espronceda en el soneto *La noche*. Basta cotejar ambos textos para demostrar que la técnica del poeta se ha ido afianzando de manera progresiva. La rigidez del primero viene dada por el estrecho marco del soneto, que no permite el desarrollo de los motivos del doble tema luna-noche y obliga a una conclusión demasiado brusca. En el romance, dichos motivos se enlazan en forma armoniosa y en progresión simétrica. La impresión de plenitud que da la lectura de *A la noche* resulta todavía más apreciable al no ser nada originales las imágenes, metáforas y comparaciones utilizadas. Sin mostrarnos tan categóricos como Brereton, que ve en la oda *De la noche*, de Meléndez Valdés, «l'archétype de toutes les compositions néo-classiques sur le même sujet», (el arquetipo de todas las composiciones neoclásicas sobre el mismo tema), y la considera como el modelo casi exclusivo de la de Espronceda[234], podemos afirmar que éste demuestra aquí una gran habilidad en la utilización de sus recuerdos de lectura. En efecto, los motivos que emplea son tópicos —el pastor que guía su rebaño, el campesino que conduce los bueyes, la tierna evocación del hogar rural y de sus sencillos placeres— que provienen todos ellos de Horacio, a través de "Batilo" o Lista. El tema general (invocación a la noche y a la luna consoladora de las penas), que ha servido como punto de partida para innumerables composiciones, reaparece con frecuencia en la obra posterior de Espronceda; volvemos a encontrarlo en "Salve, tranquila plateada luna" (1828), y

233. Casalduero, pp. 90-93.
234. Brereton, pp. 21-22.

mucho más tarde también en *El Estudiante de Salamanca*[235]. El soneto *A Eva* es un mero ejercicio de estilo cuya única originalidad reside en el tema que, por lo que sabemos, nadie había tratado aisladamente antes de Espronceda. En "Bajas de la cascada, undosa fuente" sólo recordaremos que pudo extraer el tema de la égloga primera de Garcilaso, y que en este soneto encontramos reminiscencias de Meléndez Valdés, Lista y Arriaza. Resulta más interesante el tercer soneto, "Fresca, lozana, pura y olorosa". Si es cierto que, según cuenta Sabina de Alvear y Ward, esta obra fue compuesta en muy poco tiempo, podemos decir que estamos ante una pequeña obra maestra, teniendo en cuenta que su autor contaba con apenas dieciocho años cuando la escribió[236]. El tema no es nuevo; se trata de la comparación tradicional entre la breve eclosión de la rosa, que sólo vive «por espacio de una mañana» y la corta duración de una esperanza frustrada. Por referirnos sólo a precedentes españoles, el paralelo entre la rosa —y a veces otra flor— pronto marchita, y la vida, la belleza o el amor, poco duraderos, se encuentra desarrollado con menor o mayor amplitud en Garcilaso, Arriaza, Francisco Pacheco, Lista y muchos otros. Aquí Espronceda lo utiliza para oponer el sufrimiento presente a la felicidad pasada. Los dos cuartetos describen la vida de la rosa y los tercetos, la vida sentimental del poeta; el punto de articulación es la palabra «así» con la que se inicia el primer terceto. De este modo se establece una relación subjetiva entre los elementos concretos y los sentimientos, gracias a la identificación de éstos con la flor y su perfume[237]. Este tema de la fugacidad de las cosas humanas será ampliamente tratado más tarde en *A una estrella*, con una forma diferente y mucho más original; aunque lo encontramos también en otras obras del poeta. Así, en *Blanca de Borbón* (acto IV, escena IV), la heroína compara la esperanza que conserva, pese a su infortunio, a una rosa en medio del desierto; en *A la patria* (vv. 19-20), la «virgen pura» cae herida por el déspota cruel

Como eclipsa la rosa su hermosura
en el sol del estío.

En la elegía a Alvear (vv. 7-9), la rosa que pierde su lozanía y «la palma del valor sombría» que se marchita son presentadas como símbolos de la fugacidad de la existencia humana. Por último, el tema reaparece en *El Estudiante de Salamanca*, en donde asistimos a su transformación sucesiva[238] y se amplía todavía más en *El diablo mundo*: ya no es una esperanza momentánea, ya no son los amores o la belleza, sino la vida entera la que se asemeja a la flor:

235. Brereton, pp. 22-24.
236. Véase Espronceda, *Poésies*, ed. Marrast, pp. 44-45 y 197.
237. Hemos resumido aquí el comentario de este soneto llevado a cabo por Casalduero, pp. 207-209, y pp. 189-190 para el tema de la rosa y las hojas marchitas. Sin embargo, contrariamente a lo que Casalduero opina, creemos que estos versos son anteriores a la poesía *A una estrella*.
238. Véase el último capítulo de este libro.

Flor que arrebata de su tallo el viento,
la roba enamorada y se la lleva,
bésala y acaríciala violento
con nuevo ardor y con locura nueva.
Bebe su aroma de su olor sediento,
y las hojas la arranca; en ella ceba
su amoroso furor, y al fin la arroja
cuando marchita y sin color le enoja.

(V, cuadro 1, vv. 244-251)
BAE, LXXII, p. 130 a

Tres sonetos y un romance, más algunos fragmentos destinados al *Pelayo*, puede parecer poca cosa para el período de 1825-1827. Es de temer que muchas obras de Espronceda no hayan llegado hasta nosotros; pero también es cierto que el poeta no tenía la fecundidad de un Vega, un Bretón o un Zorrilla, y que retocaba muy a menudo sus versos, tal y como lo demuestran las numerosas tachaduras y las sucesivas redacciones de sus manuscritos. Sea como fuere, estas cuatro poesías nos parecen características de su producción de esta época. El soneto "Fresca, lozana, pura y olorosa" posee un interés especial, no sólo por sus cualidades propias (soltura, virtuosidad, elegancia y equilibrio), sino también porque el tema reaparecerá bajo formas diversas en las obras posteriores. Además, de entre sus composiciones juveniles, será la única que Espronceda considere digna de ser publicada en 1834 en *El Siglo*, el periódico que fundó en aquel momento con sus amigos Vega, Bernardino Núñez de Arenas y Antonio Ros de Olano. Salvando esta excepción, los versos que escribe antes de irse de España no son más que ejercicios de estilo bastante logrados, en los que no obstante se confirman cada vez con mayor claridad el dominio y las dotes del joven poeta.

Espronceda y sus amigos en 1827. Espronceda se marcha de España

En 1826, Espronceda cumple dieciocho años; su fama de escritor no rebasa el círculo de sus relaciones. Ha recibido, o sigue recibiendo, una sólida formación intelectual, pero a diferencia de la mayoría de sus condiscípulos, no se prepara para ejercer un oficio o una profesión. Es entonces cuando su padre, que cuenta a la sazón con setenta y seis años, se preocupa por darle una posición. El 31 de enero de 1826, poco después de haber sido oficialmente informado de su purificación, el brigadier Juan de Espronceda solicita el ingreso de su hijo en el Colegio Real y Militar de los Caballeros Guardias Marinas[239]. Sin duda alguna, era para adjuntarlo al expediente de candidatura abierto con este fin el certificado que

239. La purificación del brigadier Espronceda, como se ha visto, va fechada en 27 de enero de 1826. Brereton (p. 7, nota 2) fue el primero en revelar este episodio de la vida del poeta, basándose en unos datos a él aportados por Manuel Núñez de Arenas. Hemos encontrado en los archivos de este último los documentos redactados en ocasión de la candidatura. Este Colegio Real Militar había sido fundado en 1825, tras la reorganización del cuerpo de los guardiamarinas, hasta entonces repartidos en tres compañías, cada una de ellas con su propia escuela de formación y acuarteladas en Cádiz, El Ferrol y Cartagena. A causa de la falta de fondos que garantizasen un funcionamiento pleno del Colegio, se decidió por decreto (22 de enero de 1828)

Lista entregó, el 24 de febrero siguiente, a su antiguo alumno; en él se atestiguaba que éste había asistido a las clases del Colegio de San Mateo y se hacían constar las asignaturas que había estudiado [240]. La decisión de la superioridad se hizo esperar hasta el 27 de octubre: los documentos fueron devueltos al brigadier Espronceda, al no estar legalizados ni presentados conforme a los reglamentos los papeles justificativos de la nobleza del candidato por línea materna. En aquel momento ya era demasiado tarde para iniciar un nuevo expediente de candidatura, ya que Espronceda había superado la edad fijada para el ingreso en los guardias marinas [241].

Su situación es excepcional dentro del grupo del que forma parte. Ventura de la Vega comenzó en 1824 una carrera de autor dramático, que tiene visos de proseguir con éxito. Al año siguiente, Antonio Gil y Zárate lleva a la escena su comedia *El entremetido*; en 1826, regresa a la capital de la que se había ido en 1823 para dirigirse a Cádiz en donde, siendo guardia nacional en la época constitucional, había permanecido para escapar de la persecución de la policía. En 1828, ocupa la cátedra de lengua francesa en el Real Consulado de Madrid, a la espera de ser readmitido en el cuerpo de funcionarios del ministerio de la Gobernación [242]; el mismo año, pone fin a una tragedia, *Rodrigo,* cuya representación es prohibida por la censura [243]. Otros antiguos alumnos o discípulos de Lista prosiguen sus estudios o, una vez acabada la carrera, ejercen una actividad profesional que les permite ganarse la vida y continuar escribiendo. Patricio de la Escosura es oficial de artillería en la Guardia real, y su hermano menor, Narciso, empleado en la administración militar a partir del 1.º de agosto de 1825 [244]. Antonio Cavanilles obtiene, el mismo año, el título de abogado e ingresa pronto en la magistratura [245]. Miguel Ortiz Amor, bachiller en derecho el 5 de agosto de 1826 por la Universidad de Alcalá, entra como pasante en el bufete de un abogado de Madrid y llega a ser miembro de la Real Academia de Jurisprudencia; a partir del 5 de enero de 1828, ejerce las funciones de intérprete de lengua francesa, inglesa e italiana en el Real Consulado de Madrid, al tiempo que sigue estudiando derecho hasta junio de 1831, en que obtiene a su vez el título de abogado. Luis María Pastor, que había sido alumno de los seminarios de Barcelona y Cuenca y, poste-

que los candidatos debían justificar en un examen de ingreso la posesión de los títulos universitarios requeridos para su admisión, antes de ser destinados a un barco de la flota.

240. Este certificado de Lista se conserva en la BNM (ms. 18633 [31], autógrafos, n.º 150) y ha sido publicado, con algunos errores de lectura, por Cascales, p. 58. Véase también la reproducción facsimilar fuera de texto que aparece en el artículo de María del Carmen Simón Palmer citado *supra*, nota 39.

241. En efecto, los candidatos debían contar entre trece años como mínimo y dieciséis cumplidos como máximo. Ahora bien, Espronceda tenía diecisiete años y diez meses cuando su padre redactó la solicitud de admisión (fechada en 31 de enero de 1826). Posiblemente fue entonces cuando se "retocó" la copia de su partida de nacimiento que acompañaba al expediente, para restarle dos años: la palabra *ocho* de la fecha había sido enmendada en *diez*. Sobre este documento, utilizado de nuevo en 1833 en expedientes oficiales, véase *infra*, p. 255.

242. E. de Ochoa, *Apuntes*..., París, 1840, t. II, p. 89.

243. Ángel Iznardi informa de este hecho a su amigo cubano Domingo del Monte en una carta de diciembre de 1828 (D. del Monte, *Centón epistolario*, t. I, La Habana, 1923, p. 39, carta XXVII).

244. Archivo de Clases pasivas, Madrid, Pensiones, leg. E 1178.

245. A. Cavanilles, *Poesías inéditas*..., Sevilla, 1934, p. 7.

riormente, estudiante en Cervera, Madrid y Alcalá, ejerce la enseñanza en la escuela de derecho de la Purísima Concepción de la capital, a partir de julio de 1823; en 1827, ya en posesión del título, se establecerá como abogado en Brihuega. Santos López Pelegrín, tras acabar sus estudios jurídicos en mayo de 1827, fue nombrado en junio del año siguiente funcionario del gobierno en las islas Filipinas, en donde iba a permanecer cerca de tres años antes de volver a Madrid[246]. Lino de Orellana, otro académico del Mirto, ingresó en el cuerpo diplomático; en marzo de 1839, cuando recibió la condecoración de la orden de Carlos III, era secretario de la Junta de apelación de créditos contra Inglaterra[247]. En cuanto a Juan Bautista Alonso, enseñó literatura en el Real Colegio de Humanidades de la calle de la Madera, que dirigía su padre o padrastro, e ingresó en 1825 como pasante en el bufete de Manuel María Cambronero; más tarde, formará parte de la Academia grecolatina[248] y será el abogado de un personaje importante, Juan María Grimaldi[249]. Por fin, durante los últimos meses de 1825, Larra prosigue en Madrid los estudios iniciados en Valladolid, al tiempo que trabaja como pequeño empleado de la Junta reservada de Estado[250]. En esta época, e incluso a partir de 1833, son muy pocos los escritores, publicistas y poetas que viven únicamente de su pluma o que, como Espronceda, poseen recursos suficientes para no depender de nadie. El paso de Larra por la administración será breve, porque su excepcional talento le abrirá las columnas de los periódicos que pagarán muy bien sus artículos en cuanto se convierta en "Fígaro". Otros, a veces cesantes a consecuencia de cambios políticos, proseguirán su carrera de hombres de letras manteniéndose al servicio del Estado: también Bretón y Vega serán funcionarios.

Así pues, en Madrid, los miembros de la generación literaria posterior a la de Lista proceden, en su gran mayoría, de este medio algo heterogéneo que la centralización administrativa ha creado en la capital; a excepción del duque de Rivas, casi todos son hijos de funcionarios, oficiales, legistas, médicos, y no pertenecen a la nobleza. Este hecho tiene su importancia, puesto que algo más tarde, en el momento en que los periódicos se multipliquen y desempeñen un papel capital en el movimiento de las ideas políticas, económicas, sociales y estéticas, los equipos de redactores estarán integrados por hombres que son letrados, en el am-

246. AHN, Consejos, Relaciones de méritos, leg. 13373, n.º 67 (Miguel Ortiz, 20 de septiembre de 1831); leg. 13370, n.º 83 (Luis María Pastor, 16 de noviembre de 1826 y 6 de agosto de 1827); leg. 13378, n.º 62 (Santos López Pelegrín, 1.º de enero de 1828 y 21 de mayo de 1833. Estos documentos permiten rectificar las inexactitudes contenidas en la breve noticia que le dedica E. de Ochoa, *op. cit.*, t. II, p. 639.)

247. AHN, Consejos, Orden de Carlos III, expediente n.º 2059.

248. A. Rumeau, *Mariano José de Larra...*, París, 1949, pp. 152-153. En enero de 1831, Alonso solicitó el cargo de censor político de los teatros (AHN, Consejos, Diversiones públicas, leg. 11391, n.º 51), que no se le concedió, pues sus méritos se juzgaron insuficientes. Un documento de este mismo expediente nos informa de que el interino del cargo en cuestión, cuyo titular estaba entonces enfermo, era Antonio Cavanilles, otro discípulo de Lista. La creación de la Academia greco-latina, cuyos consejos solicitaba a veces la censura, es situada hacia 1829-1830 por F. de la Puente y Apecechea en su *Memoria biográfica del Señor D. José Musso y Valiente*; éste último fue uno de sus miembros fundadores (E. de Ochoa, *op. cit.*, t. I, p. 32).

249. Según un documento del AVM (Secretaría, leg. 2-480-35) reproducido por B. Desfrétières, *op. cit.*, pp. 272-283.

250. A. Rumeau, *op. cit.*, pp. 36-37 y 429-430.

plio sentido de la palabra. A ellos corresponderá la misión de informar y conformar la opinión, así como el ejercer una gran influencia en la evolución del gusto. Más adelante veremos a un hombre como Ventura de la Vega doblegarse con gran facilidad ante las preferencias del público, traduciendo dramas de Hugo y de Dumas padre, escribiendo luego prudentes tragedias, y renegando en 1842, cuando la Real Academia Española le acogió en su seno, de todo lo que le había apasionado o que, cuando menos, había explotado habilmente unos diez años antes. También veremos cómo Santos López Pelegrín, entre otros dotados de mediano talento, sigue componiendo laboriosas poesías y practicando un insulso periodismo humorístico, sin grandeza, y a menudo oportunista. Patricio de la Escosura, de limitadas dotes, escribe obras de mediana calidad, artículos bien documentados sobre el teatro y novelas en las que, siendo poco imaginativo, utiliza a menudo sus recuerdos personales, y los de sus amigos. De entre los discípulos de Lista, tal vez el más original sea Luis Usoz y Río, que merecerá el honor de figurar entre los "heterodoxos" según Menéndez Pelayo; pero con él nos hallamos en el campo de la erudición.

Resulta significativo que los talentos más originales e inconformistas sean los de Larra y Espronceda. A pesar de que uno y otro provengan de la misma categoría social, se esforzarán por salvaguardar su independencia a fin de expresarse con toda libertad, rechazando cualquier compromiso con el sistema político y la moral que apoya y defiende su clase de origen. Ambicioso y hábil, Vega piensa, a partir de 1824, que la única forma de hacerse un nombre es escribir para el teatro comedias de costumbres, sin pretensiones ni audacia; en la Academia del Mirto y más adelante, no deja nunca de «remedar los ecos de la lira de Anfriso». Pero Larra no escoge el camino fácil: en 1828 y a costa de dificultades de todo tipo, emprende la publicación en solitario de una revista y consigue convertir el costumbrismo pequeñoburgués y cursi de Mesonero en un género original; crea el periodismo moderno en Madrid. En cuanto a Espronceda, todavía habrá que esperar bastante tiempo —hasta la publicación en *El Artista*, en 1835, de la *Canción del pirata*— para que su talento se manifieste en toda su originalidad. De momento, con la situación económica de su familia y la desestimación de su candidatura en el Colegio Real y Militar de los Caballeros Guardias Marinas en 1826, se da un cúmulo favorable de circunstancias que hacen que este joven, de carácter íntegro e independiente, se mantenga libre de ataduras y de cualquier obligación social; lo cual contribuye sin duda a que la vida en España le parezca todavía más asfixiante.

Los biógrafos del poeta se muestran unánimes al afirmar que en esta época fue objeto de vigilancia policial. En el archivo de la superintendencia —por lo menos en lo que de él queda y puede ser consultado hoy en día— no consta, salvo error, mención alguna de su nombre [251]. Una vez más perdemos la pista del poeta hasta 1827, en que volvemos a encontrarlo en Lisboa. Pero desconocemos las circunstancias de su salida de España. Cabe preguntarse si en el momento en

251. Hemos registrado a fondo los expedientes 12245 a 12353 de la sección Consejos del AHN, que contienen los archivos de la policía del período 1825-1827, sin encontrar nada que concierna a Espronceda. La desaparición de los documentos del depósito de Alcalá de Henares nos ha privado de una preciosa fuente de información.

que los Voluntarios realistas se muestran más audaces y arrogantes y, amparados por el uniforme, se dedican a vejar a los jóvenes de quienes les consta la enemistad, Espronceda fue víctima de los mismos y, a consecuencia de alguna riña o incidente, prefirió huir. O acaso sus padres, al conocer su carácter violento que podía acarrearle serias dificultades, le mantuvieron alejado momentáneamente de Madrid[252]. Escosura creyó recordar, en 1870, que su amigo estaba involucrado en una conspiración liberal que se preparaba en Extremadura[253]. Rodríguez-Solís piensa que el temperamento ardiente de Espronceda se adaptaba mal a la inacción forzosa y a la atmósfera de recelo en que vivían los madrileños.

En todo caso, la fecha de su partida no coincide con el inicio de ninguna oleada de emigración de españoles: se produce una entre los años 1812 y 1814 y otra, en 1823; el retorno se sitúa en 1820 y 1833 respectivamente. Sin duda hay excepciones: como la de Patricio de la Escosura, que se va al extranjero a finales de 1824, aunque en su caso obedece la orden de su padre, que desea evitarle la condena si llega a descubrirse la existencia de la sociedad de los Numantinos[254]. Por lo tanto, el sentido que hay que atribuir a la marcha de Espronceda debemos buscarlo en una circunstancia personal de su vida, antes que en la coyuntura política interior de España. Pero precisamente ignoramos cuál puede ser esta circunstancia personal. Lo único que podemos afirmar es que, a mediados de 1827, Espronceda sale de su país, al cual volverá en los primeros días de marzo de 1833.

252. Recordemos que gritar «¡Viva Riego!», «¡Viva la Constitución!» o «¡Viva la libertad!» en público, aun bajo estado de embriaguez, podía suponer entonces las galeras e incluso el patíbulo.

253. P. de la Escosura, *Discurso*..., Madrid, 1870, p. 79. El *Índice de la correspondencia oficial 1827 Extremadura-Madrid* (AHN, Consejos, leg. 12287) no incluye ninguna mención de tal complot. Se podría pensar en los incidentes de Olivenza, a finales de 1826; pero éstos fueron provocados por soldados desertores que huían a Portugal.

254. De entre esas partidas aisladas, mencionaremos también las de Luis Usoz y Río y Eugenio de Ochoa. En su camino hacia París, el primero pasa por Bayona el 10 de julio de 1824; el segundo, en compañía de Miñano, que se hace pasar por su tío, llegará a esa ciudad el 29 de marzo de 1828 (ANP, F^7 12040, 1193 e y 1207 e). Leoncio Núñez de Arenas y su hijo, el antiguo Numantino Bernardino, abandonarán España y emigrarán a Portugal a principios de 1827 (AHN, Consejos, leg. 12213).

Segunda parte

LOS TRABAJOS Y LOS DÍAS DEL EMIGRADO JOSÉ DE ESPRONCEDA (1827-1833)

Capítulo VI

LISBOA, LONDRES, PARÍS

ESPRONCEDA EN LISBOA. LOS EMIGRADOS ESPAÑOLES EN PORTUGAL

Espronceda no dejó testimonio alguno acerca de las circunstancias y causas de su exilio. En 1841, publicó un relato en prosa en el que narra, en un estilo no exento de humor ni color, la travesía que le llevó de Gibraltar a Lisboa en una balandra sarda sobrecargada[1]. En dicho texto, las peripecias se presentan como vividas por el autor, sin que podamos discernir qué parte corresponde a la ficción, y sólo encontramos una breve alusión a los motivos que le impulsaron a irse de España: «Llevado de mis instintos de ver mundo, había dejado mi casa sin dar cuenta a nadie a los diez y siete años.» En otro relato anecdótico, publicado asimismo en 1841, Espronceda evoca algunos recuerdos— aunque muy imprecisos— de su estancia en Londres[2]. En él podemos leer: «Pasó ya el tiempo de las aventuras. Yo he salido a los diez y seis años [*sic*] de mi patria como un segundo D. Quijote a buscarlas, y todavía no he hallado una que pueda llamarse tal.» No habla ni de persecuciones policiales ni de conspiraciones. Deseos de correr mundo y sed de aventuras, tales habrían sido los móviles que le impulsaron a elegir, según sus propias palabras, «la carrera de emigrado». Espronceda parece más sincero y resulta más conmovedor en el siguiente pasaje del artículo *Política general*, en el que habla de la difícil condición de exiliado:

> Menester es haber vivido lejos de los suyos, con el estigma del proscrito en la frente, y el corazón llagado de recuerdos, solo entre la multitud que desconfía del extraño, pobre y sin valimiento propio, y en medio de los que nacieron juntos y juntos viven, menester es haber despreciado la riqueza del extranjero, comparándola con la pobreza del suelo patrio, haber visto las mujeres pasar desdeñosas, y trayendo

1. "De Gibraltar a Lisboa, viaje histórico", *El Pensamiento*, 8, 31 de agosto de 1841, pp. 174-177; BAE, t. LXXII, pp. 604-608.
2. "Un recuerdo", *El Pensamiento*, 3, 15 de junio de 1841, pp. 60-64; BAE, t. cit., pp. 599-604.

a nuestra memoria las que con sus miradas halagaban nuestro deseo y derramar lágrimas de envidia y de amargura, solo infeliz, en medio de tantos felices, para comprender, para sentir la *Patria*, para no poder pronunciar jamás tan dulce palabra sin conmoverse [3].

No obstante, el relato del viaje por mar contiene multitud de pormenores que desprenden autenticidad. Espronceda dice que se marchó en compañía de un amigo, «hombre de pocas penas y aventurero atrevido», cuya identidad no especifica, y que podría ser el llamado Prady [4] al que hace alusión en la carta que escribió desde Lisboa a sus padres el 24 de agosto de 1827 [5]. Admitir que *De Gibraltar a Lisboa* se basa en un hecho real, significa que la travesía fue clandestina, ya que se efectuó desde un puerto inglés y en un barco sardo. Cabe preguntarse por qué Espronceda no se fue por tierra a Portugal. ¿Acaso tenía motivos para evitar los controles de la policía [6]? Si así fuese, la hipótesis de Escosura, según la cual su amigo tuvo que emigrar por haber sido implicado en una conspiración liberal en Extremadura, podría tener algún fundamento. El contenido de la carta del 24 de agosto de 1827 no es muy claro; en la primera frase hay una laguna evidente (sin duda imputable al secretario encargado de copiarla), que la hace poco inteligible:

> La carta de V^{s}. del 14 me llenó de dolor considerando el sentimiento que han tenido variando la intención en cuanto a hacerlo pero no en cuanto a separarme de la casa del tío, pues no sucedía en ella otra cosa que disgustos y particularmente en la de Lisboa por lo que pasaré a Santarem a vivir con Prady [?].

Espronceda tenía un tío, llamado Antonio Martínez de Espronceda, terrateniente en Mirandilla, no lejos de Mérida [7]. Tal vez fue a casa de éste adonde le mandaron los padres del joven poeta, a fin de alejarlo de Madrid como castigo por alguna calaverada, o por cualquier otra razón. A no ser que se trate de algún

3. "Política general", *El Pensamiento*, 1, 15 de mayo de 1841, pp. 12-15; BAE, t. cit., pp. 592-596.
4. E. Torres Pintueles, en su libro *La vida y la obra de José García de Villalta* (Madrid, 1959, p. 23), escribe equivocadamente que el compañero de Espronceda era Villalta (véase *infra*, nota 159).
5. Esta carta, junto con otras siete dirigidas por el poeta a sus padres durante su estancia en Londres y cuatro recibos de cantidades enviadas por éstos a su hijo, fue incautada en casa de Juan de Espronceda, en marzo de 1829, durante el registro a que nos referiremos más adelante. Conocemos estas cartas gracias a las copias redactadas durante la investigación, que se conservan en el expediente del brigadier (AGM, Personal, expediente Espronceda) junto con los demás documentos relacionados con las pesquisas. Cascales (pp. 83-84, 87-88 y 283-289) se ha encargado de publicarlas. En los Archivos Núñez de Arenas tan sólo se conservan los originales de tres recibos, de una carta de Manuel de Orense (quien recibía las cantidades destinadas a Espronceda) y de una carta inédita del poeta a sus padres, fechada en Londres el 22 de junio de 1832.
6. Un decreto del 27 de noviembre de 1826 había incrementado las medidas de control de los viajeros. La presentación del pasaporte a las autoridades de la ciudad o el pueblo donde se hacía un alto para dormir era obligatoria, bajo pena de multa. Si el viajero pernoctaba fuera de una población, debía visar su pasaporte en la localidad más próxima.
7. Véase *infra*, p. 252.

miembro de las numerosas ramas de las familias Delgado o Lara. Fuese quien fuese dicho tío —y siempre que la palabra «tío» no forme parte de algún lenguaje cifrado— tenía, al parecer, una casa en Lisboa. En cuanto al tipo de «disgustos» que debieron de producirse allí, es una de las otras tantas preguntas que quedan pendientes de respuesta para nosotros.

Sin embargo, la citada carta del 24 de agosto de 1827 permite sentar algunos hechos. En ella Espronceda acusa recibo de la que sus padres le escribieron el 14 del mismo mes; por lo tanto, habida cuenta de las demoras de correos, él mismo les había enviado por lo menos una carta durante los primeros días de agosto para comunicarles sus intenciones: había pensado marcharse de Portugal —o cuando menos así lo había dado a entender— puesto que escribe que ha cambiado de idea y que, el 25 de agosto, está a punto de irse a Santarén. Pero ya veremos más adelante que no decía toda la verdad.

En 1826 y 1827, durante los pocos meses en que Portugal vivió de nuevo en un régimen liberal, los enemigos de Fernando VII afluyeron cada vez en mayor número al país. Durante los años anteriores, el gabinete de Madrid solicitaba de vez en cuando al ministro de Asuntos Exteriores la expulsión de emigrados relevantes, tales como Milans del Bosch, Mina, Argüelles, Antonio Bernabeu o Calatrava[8]. Los archivos de la intendencia de policía de Lisboa contienen documentos que demuestran que la vigilancia ejercida sobre los constitucionales españoles se hizo cada vez más estrecha en el transcurso del año 1827, sobre todo a partir de julio, durante la regencia del infante Don Miguel[9]. En lo sucesivo, sólo excepcionalmente fueron liberados los españoles recluidos, y los desertores se vieron confinados en depósitos, de los cuales el más importante era el de Santarén. Por otra parte, numerosos militares que habían pertenecido a las plazas que capitularon en 1823, y que en Francia habían sido recluidos como prisioneros de guerra a la espera de llegar a Inglaterra, se habían embarcado en Londres a comienzos de 1827, rumbo a Portugal; desde allí, tenían la intención de preparar expediciones a fin de derrocar el régimen absolutista en España. Se les negaba el derecho de residencia en el país si no iban provistos de un pasaporte visado por las autoridades portuguesas antes de su salida, lo cual solía ocurrir a menudo. A partir de finales de marzo del mismo año, llegaron a Portugal nuevos refugiados españoles que hacían el viaje desde Gibraltar en barcos sardos, hecho que demuestra que Espronceda decía la verdad en su *Viaje histórico*; pero su nombre no consta en ninguna de las listas de pasajeros desembarcados. Fueron distribuidos por distintos puntos del país, a fin de evitar excesivas concentraciones: en Elvás, São João de Deus, Santarén y Cascais; se dictó una orden en la que no se les autorizaba a establecerse a menos de seis leguas de la frontera española. De todas formas, recién desembarcados o durante los traslados de un depósito a otro, muchos de ellos consiguieron eludir el control de las autoridades. Existía incluso una Junta de nuevos españoles que organizaba la deserción de los militares y su acogida en Portugal, órgano sobre el que se abrió una investigación que permitiera

8. AHN, Estado, legs. 4525 a 4530 (Legación en Portugal, de 1825 a 1827).

9. Arquivo Nacional da Torre do Tombo, Lisboa, Avisos e portarias, maços 56-57, *passim*. Siguiendo nuestras indicaciones, nuestro colega Jean-Michel Massa y nuestra alumna Jeanne Ledu han accedido amablemente a examinar y fotocopiar los documentos portugueses que se utilizan en este capítulo.

acabar con sus actividades. Las medidas de expulsión resultaban de difícil aplicación para los servicios de la policía, claramente desbordados por la afluencia de emigrados quienes, a fin de evitar ser expulsados, solicitaban ser conducidos a los depósitos. Estos depósitos no tenían cabida para acogerlos a todos y, en varias ocasiones, sus comandantes transmitieron su preocupación a las autoridades superiores. Según parece, dudaban en devolver a España a los que llegaban de forma clandestina, ya que su regreso al país hubiera podido acarrearles graves consecuencias. Se decidió conceder a algunos permisos de residencia válidos para seis meses o un año, o bien se les embarcaba (o reembarcaba, en el caso de que acabaran de llegar de allí) en buques rumbo a Inglaterra.

João Pinto de Carvalho ha dedicado algunas páginas a la estancia del poeta en Lisboa; destacamos en especial el siguiente párrafo (aunque por desgracia no existan pruebas documentales que lo corroboren):

> Em Lisboa, lutou con dificultades monetárias e sofreu mil privaçãoes, até que un conselheiro lhe concedou a hospitalidade da sua casa na rua dos Capelistas, onde morava. Espronceda tinha 17 anos, era muito gentil e dotado de palidez insinuante. No horizonte da sua existência, reportara o dilúculo da mocidade e o poeta procurava levantar êsse véu de Isis, que, para êle era a mulher. Houve quem supozesse que Espronceda encontrára a sua dêa numa sobrinha daquelo conselheiro [10].

Sigue el relato (¿hasta qué punto imaginario?) del encuentro con Teresa, hija del coronel Epifanio Mancha, preso en el castillo de San Jorge, así como el de la salida para Londres de la familia Mancha y, un poco más tarde, la del propio Espronceda en busca de su querida. Más adelante volveremos a hablar de la historia, bastante oscura, de estos amores.

Veamos por ahora lo que podemos saber a través de los documentos. En una carta del ministro de la Guerra portugués al intendente de policía de Lisboa, con fecha del 14 de agosto de 1827 y como respuesta a una demanda de informaciones del 8 del mismo mes, se especifica que le corresponde a la policía expulsar del reino a los dos detenidos españoles, Casimiro Cañedo y José Espronceda. En otra carta, del mismo al mismo, del 31 de agosto, se anuncia el envío de una reclamación —no adjunta— de Cañedo en relación con su expulsión, y se pregunta también qué curso debe darse a la misma; pero en una mención marginal se señala que el interesado ha sido expulsado ya a Gibraltar, al haber llegado demasiado tarde la reclamación. Estos dos documentos son los únicos que Cascales y Pinto de Carvalho llegaron a conocer [11]. Otros, si bien permiten aportar algunas preci-

10. («En Lisboa se enfrentó con dificultades monetarias y sufrió mil privaciones, hasta que un consejero le ofreció hospitalidad en su casa de la rua dos Capelistas, en la que vivía. Espronceda tenía 17 años, era muy gentil y estaba dotado de una palidez insinuante. En el horizonte de su existencia, llevaba el esplendor de la juventud y el poeta procuraba alzar esa voz de Isis, que, para él, era la mujer. Hubo quien supuso que Espronceda encontró a su diosa en una sobrina del citado consejero.» J. Pinto de Carvalho («Tynop»), *Lisboa de outrora*, Lisboa, 1939, t. 3, pp. 126-127.

11. Arquivo Nacional da Torre do Tombo, Lisboa, Avisos e portarias, maços 56-57, n.os 156 (14 de agosto de 1827) y 181 (31 de agosto de 1827). Estos documentos han sido publicados por Cascales, pp. 322-323. Casimiro Cañedo había sido edecán de Mina en 1823 (*Mémoires pour servir à l'histoire de la guerre civile d'Espagne...*, de J. M. R., traducido al francés por M. Laffon

siones sobre la suerte de Espronceda, no pueden confirmar el relato del cronista de Lisboa.

La pieza más importante es el acta, levantada el 21 de agosto de 1827 por el escribano del barrio de Belém, del interrogatorio al que éste sometió a Cañedo y Espronceda para saber por qué punto del reino deseaban salir de Portugal, de donde se había decidido su expulsión. Obedeciendo una orden de la intendencia de policía, del 18 de agosto, dicho funcionario se trasladó al castillo de São Vicente en donde se hallaban presos los dos españoles. Tras recoger las declaraciones de Cañedo, el escribano acudió a la celda de Espronceda. Éste dijo que se negaba a dejar Portugal mientras no se le notificara el motivo de su encarcelamiento, y que, si la decisión de expulsarle era irrevocable, exigía que se le entregase un certificado en el que se atestiguara que le habían obligado a irse contra su voluntad, así como un pasaporte para Londres. Espronceda dio a conocer su identidad: nacido en Almendralejo, de 19 años de edad, cadete de caballería español emigrado. Sin duda adoptó esta condición, claramente usurpada, para justificar su presencia en Portugal entre los refugiados españoles, que eran o políticos liberales, o militares que se negaban a servir al rey absoluto. El documento nos proporciona también la descripción del joven poeta en 1827: estatura mediana, rostro alargado, cabellos y cejas negras, ojos oscuros, nariz corriente, boca pequeña y barba clara.

Tres días más tarde, Espronceda escribió a sus padres anunciándoles su intención de marcharse para Santarén el 25 de agosto; pero se abstuvo de decirles que estaba encarcelado y amenazado de expulsión. Acaso pensara que las gestiones del escribano quedarían sin efecto y que podría realmente irse a Santarén. Este 25 de agosto precisamente, el comisario de policía del barrio de Belém comunicaba al intendente que había abonado el precio del pasaje de Cañedo, que iba a embarcar el 29 desde Lisboa con destino a Gibraltar, según era su deseo; añadía que había hecho lo mismo en el caso de Espronceda, quien, si así lo deseaba, sería llevado a Londres a bordo de la bricbarca inglesa *Hebe*, cuya salida estaba prevista para el 26 de agosto a las once de la mañana. El 29, el comisario informaba a la superioridad de que no podía sobreseer la expulsión de Cañedo y Espronceda, puesto que éstos se habían marchado ya cuando recibió la contraorden —las razones de la cual desconocemos[12]. El 15 de septiembre de 1827, el joven poeta desembarcaba en el puerto de Londres[13].

Saint-Marc, París, 1837, t. II, p. 219; AHN, Estado, leg. 5389, n.º 254, carta del 20 de noviembre de 1826. Legación en Lisboa). La policía portuguesa lo buscaba en junio de 1827 por su complicidad en la evasión de Barrantes y de Campillo (*ibid.*, leg. 5390, n.º 77). Llegó a Lisboa por vez primera el 20 de junio de 1823, con pasaporte falso (Arquivo Nacional da Torre do Tombo, Avisos e portarias, maço 43, n.os 261 y 262; maço 53, n.º 6). Encontraremos a Cañedo en Londres en 1830: en un despacho del 4 de junio, el embajador de España en Inglaterra da cuenta de los proyectos de algunos emigrados, entre los que se encuentran de Pablo y Cañedo (AHN, Estado, leg. 5482, n.º 560. Legación en Londres). Véase *infra*, nota 61.

12. Arquivo Nacional da Torre do Tombo, Relação dos maços da correspondência dos ministros dos bairros da capital dirigidos ao Intendente geral de Policia da Corte e Reino, Bairro de Belem, maço 34, 1826-1827, n.os 191 (21 de agosto de 1827), 192 (25 de agosto) y 195 (29 de agosto). El viaje de Espronceda le costó 4.800 reis a la policía portuguesa.

13. M. Nuñez de Arenas fue el primero en revelar que Espronceda había llegado a Londres en septiembre de 1827, sin precisar el día concreto (*BH*, LVII, 1951, p. 214). La fecha exacta

ESPRONCEDA EXPULSADO; SU PRIMERA ESTANCIA EN LONDRES

En la carta que escribió a sus padres el 27 de diciembre siguiente, explicaba que había sido expulsado de Portugal «no por ninguna necia calaverada, sino por el honor y el amor a la patria, como ha sucedido a casi todos los españoles que detestaban las intrigas y picardías». Esta misma carta ofrece algunos pormenores acerca de los primeros tiempos de la estancia de Espronceda en la capital inglesa. Desprovisto de dinero y sin relaciones, encontró a un amigo que le ayudó: Antonio Hernáiz[14]. Comparten la misma vivienda; gracias a los fondos que envía el brigadier Espronceda y a los subsidios que perciben del gobierno británico, viven con relativo desahogo[15], «a lo menos en comparación con los demás compatriotas». Espronceda agrega que ha desistido de la idea de establecerse con su compañero en Holanda en donde pensaban que la vida les resultaría más barata, y que sólo abandonará Inglaterra para regresar junto a su familia.

En efecto, con Hernáiz habían iniciado gestiones con vistas a obtener un pasaporte para irse a los Países Bajos. El 20 de noviembre, el embajador de este reino en Londres comunicó la petición de los dos españoles al ministro de Asuntos Exteriores de La Haya, indicando que los interesados parecían «pacíficos y formales». El 29 de noviembre, el ministro dio la autorización pertinente al embajador, a la vez que le pedía informes más concretos y avisaba a su colega de Justicia[16]. Pero ambos emigrados renunciaron a beneficiarse de dicho favor. En el caso del poeta, existía para ello una razón sentimental: desde el 6 de diciembre, estaba en Londres, en compañía de su familia, Teresa Mancha[17]. Los dos compañeros de infortunio viven en el n.º 23 (o en el n.º 3, según la dirección indicada en las copias de las distintas cartas) de Bridge Water Street, en el barrio de Somerstown en el que residen la mayoría de los españoles exiliados. Por aquel entonces, era éste un modesto suburbio al noroeste de Londres, en donde habían vivido antes numerosos emigrados de la Revolución francesa. Allí fueron a parar, a partir de 1823, quienes huían del absolutismo de nuevo triunfante en España. Vivían ajenos a la vida inglesa; muy pocos aprendieron la lengua del país que los

---

aparece en el registro de llegada de los viajeros a los que se les había entregado un certificado de desembarco en los puertos ingleses (Public Record Office, Home Office, 5, Indexes to Certificates, registro 8916, f.º 83).

14. Sobre Antonio Hernáiz, véase la noticia del poema *La entrada del invierno en Londres* en Espronceda, *Poésies*, ed. Marrast, p. 211.

15. El nombre de Espronceda —no así el de Hernáiz— aparece en una lista de refugiados que recibían ayudas distribuidas por el City Committee. Este documento sin fecha acompaña a un despacho del embajador de España al ministro González Salmón del 15 de noviembre de 1829 (AGS, leg. E 8197, f.º 54). Sin embargo, esa no parece ser la fecha de la lista, pues en ella figuran nombres de emigrados que en aquel momento ya habían abandonado Inglaterra; así, por ejemplo, Benito Galdós, tío del novelista, que residía en Francia desde el 23 de septiembre de 1828 (Archives du ministère des Armées, Vincennes, Réfugiés espagnols 1823, carton 65). Véase *infra*, nota 20.

16. Algemeen Rijksarchief (La Haya), Buitenlandse Zaken, n.º 6, inv. n.º 510; n.ºs. 6 y 18, inv. n.º 510 (correspondencia de la legación en Londres). Agradecemos sinceramente la colaboración de nuestro amigo y colega Haïm Vidal Séphiha, que nos ha facilitado la traducción de estos documentos, redactados en neerlandés.

17. Public Record Office, Home Office, 5, registro citado, f.º 195. Sobre la vida sentimental de Espronceda durante la emigración, véase *infra*, pp. 163-171.

había acogido y, según Alcalá Galiano, algunos incluso se vanagloriaban de ello; habían reconstruido en aquel sector londinense un pedazo de su patria. Algunos habían bautizado con el nombre de "árbol de Guernica" un árbol que se encontraba junto a una avenida y a la sombra del cual establecieron una tertulia [18]. Fuera de Somerstown vivían personajes más importantes, tales como Agustín Argüelles, Antonio Alcalá Galiano, Cayetano Valdés, Javier Istúriz y Vicente Salvá; este último abrió, en la muy aristocrática Regent Street, una librería en la que los clientes y amigos se reunían formando otra tertulia cuyos miembors eran más distinguidos.

En general, los españoles eran bien vistos por el pueblo inglés que organizó colectas para ayudarles, antes de que les fuesen concedidos subsidios por parte del Tesoro público. Si lord Wellington, aunque *tory*, hizo tanto por los emigrados, no era, según Alcalá Galiano, por simpatía por la constitución de 1812 y las ideas liberales, sino simplemente porque, como todos los de su partido, recordaba que los que venían buscando asilo en su país habían luchado poco antes a su lado contra *Buonaparte*. Los *whigs* (liberales), por su parte, pensaban que las ideas revolucionarias de los emigrados ahora vencidos no podían resultar peligrosas, ni propagarse. En cuanto a los radicales, recibían con los brazos abiertos a unos hombres víctimas de ideas que ellos mismos compartían.

En Londres, los emigrados españoles publicaron revistas y algunos colaboraron incluso en la prensa inglesa. En 1824 y 1825, Pedro Pascasio Fernández Sardino y Manuel María Acevedo sacan a la luz *El Español constitucional*. De 1824 a 1827, los hermanos Lorenzo Villanueva y José Canga Argüelles dirigen *Ocios de españoles emigrados*; y José Joaquín de Mora, las revistas *No me olvides, Museo universal de ciencias y artes*, y *Correo literario y político de Londres*, entre 1824 y 1826. Durante la estancia de Espronceda en Londres, se publica, de julio de 1828 a junio de 1829, *El Emigrado observador* de Canga Argüelles, que resulta interesante sobre todo por los detalles que en él encontramos referentes a la vida de los emigrados, en número de unos mil entre 1827 y 1829. En 1824, Salvá publicó una nueva edición del *Romancero* de Depping, y su impresor era un antiguo empleado de la fábrica de tabacos de Madrid, Marcelino Calero y Portocarrero, quien además llevó a cabo algunos inventos mecánicos. Altos funcionarios y oficiales superiores se dedicaban a labores de punto o bordado; el coronel Albéniz y su mujer hacían zapatillas; el fogoso coronel Nicolás Santiago de Rotalde se había especializado en la confección de collares de coral; el general Quiroga inventó unos polvos dentífricos. Y mientras su padre se prepara a liberar España de la tiranía, «las hijas del coronel Mancha bordan con el mayor primor brazaletes, sacando de esta industria auxilios para socorrer su indigencia honrada [19]». Una de ellas, Teresa, tiene una gran importancia en la vida de Espronceda.

Mientras que numerosos emigrados debían preocuparse por hallar medios de subsistencia y a menudo por mantener una familia, el poeta recibía el dinero que

18. Sobre la vida de los emigrados españoles en Londres, véase *Recuerdos de un anciano*, de A. Alcalá Galiano (BAE, t. LXXXIII, pp. 206-240), cuyos juicios sobre sus compatriotas no siempre son equitativos. Véase también la excelente obra de V. Llorens Castillo, *Liberales y románticos. Una emigración española en Inglaterra (1823-1834)*, 2.ª ed., Madrid, 1968, de donde hemos tomado los detalles que siguen.

19. *El Emigrado observador*, II, febrero de 1829, p. 57.

le mandaba su padre por conducto de un corresponsal en Londres. Según parece, Espronceda no disfrutó por largo tiempo de las ayudas oficiales[20]. En una carta sin fecha, pero que con toda probabilidad es de principios de 1828, se queja a sus padres de haber sido insultado por el comerciante encargado de entregarle el importe de su pensión, porque le pidió que le avalara ante un sastre[21]. El joven se muestra consciente de su dignidad: «Vs. saben que no estoy hecho a sufrir tales bochornos», escribe a sus padres como un niño mimado, y les pide que encuentren a un corresponsal con más educación. Espronceda se adapta bien a la vida en Londres o, cuando menos, procura tranquilizar a su padre y a su madre a este respecto: les asegura que el clima le sienta perfectamente y que, aunque el tiempo es un poco triste, el frío conviene a su estado de salud. Escribe las palabras siguientes, cargadas de sentido para unos destinatarios que viven en un régimen de terror policíaco: «aquí el que no roba o asesina no puede ser nunca perseguido.» Le agrada esta libertad. Se niega a hacer unas visitas que le aconsejaban sus padres, una a un tal Don Álvaro «porque es un tunante», y otra a un tal Lino, del que nunca ha oído hablar. Más adelante, se sorprende de que le animen a ir a ver al embajador, declarando con firmeza que no quiere tener relación alguna con gente de ideas opuestas a las suyas. Vemos que el antiguo Numantino se mantiene firme en sus convicciones. Pero si bien es sincero en este punto, cabe preguntarse si lo es por igual en sus protestas, algo teatrales, de amor filial; por lo general, en su correspondencia, anteceden a peticiones de dinero, y éstas suelen ser frecuentes.

Estas pocas cartas no aportan ninguna información positiva sobre la vida del poeta en Londres. Nada sabemos de sus amigos, actividades, viajes o de su conocimiento de Inglaterra. Los únicos nombres que aparecen en sus misivas son los de Hernáiz y de los corresponsales que le entregaban dinero, ya que en ellas son las preocupaciones materiales las que ocupan el mayor espacio. Aunque en una ocasión, el 11 de julio de 1828, hace una breve alusión a una temporada que acaba de pasar en el campo, es para disculparse por no haber escrito con mayor regularidad a sus padres. El 18 de noviembre de 1828, la carta de Espronceda se inicia con estas palabras: «He recibido dos cartas de vs. y en ninguna lo que yo esperaba.» ¿Se trata acaso de los manuscritos del *Pelayo* que, el 28 de marzo, había pedido que le enviaran sus padres, y no tan sólo de cuestiones de dinero? A partir de la carta del 11 de julio de 1828 cambia el tono; las palabras de afecto abundan menos y las misivas se hacen más cortas. El 18 de noviembre, el corres-

20. En lo que concierne a estas ayudas, sólo hemos encontrado en los archivos ingleses las nóminas del período comprendido entre julio de 1828 y septiembre de 1829, que parecen ser las únicas que se han conservado (Public Record Office, Treasury, Refugees Pay Lists, T 50/76). En ellas no figuran ni Espronceda ni Hernáiz. Alcalá Galiano facilita las cuotas de ayuda tal como aparecen en las listas en cuestión (*op. cit.*, pp. 236-237, nota 2). Véase *supra*, nota 15.

21. La fecha de esta carta fue omitida posiblemente por el escribano que la copió. En ella se dan algunas explicaciones sobre Hernáiz, sin duda exigidas por la familia al recibir la carta del 27 de diciembre de 1827, que contenía una postdata de éste. Los recibos de las cantidades entregadas a Espronceda entre julio de 1828 y febrero de 1829 siguen dirigiéndose al mismo intermediario, Manuel de Orense. Esta carta es, pues, posterior a la del 27 de diciembre de 1827, y anterior a la del 8 de marzo de 1828 (en la que Espronceda acusa recibo de una letra de cambio que imaginamos a nombre de Orense, pues el poeta no hace ningún comentario al respecto).

ponsal Manuel de Orense tranquiliza al brigadier y a su mujer acerca de la suerte de su hijo, del que no tienen noticias desde hace tiempo: Espronceda ha venido a verle la víspera y le ha asegurado que sus cartas han debido de extraviarse. Pero el poeta no escribe a sus padres hasta el día siguiente y, en casa de Orense, apremiado por el tiempo, ya que se acerca la hora de recogida de la correspondencia, escribe deprisa y corriendo unas pocas líneas; la primera frase es la que acabamos de citar anteriormente, y es un reproche. Añade luego que ha estado enfermo —lo cual confirma Orense—, que se ve acuciado por las deudas, pero no a causa de «gastos frívolos ni calaveradas», y que le hace falta dinero de inmediato ya que, de lo contrario, corre el riesgo de ser encarcelado.

Las cartas de Orense y de Espronceda del 18 de noviembre indican con toda claridad que, a mediados de 1828, éste había recibido de sus padres la orden de trasladarse a Francia[22]. A finales de octubre o principios de noviembre, una vez curado, se presta a obedecer, pero le hacen falta cuarenta libras para saldar sus cuentas antes de irse. La respuesta no se hace esperar; el 4 de diciembre, el brigadier envía los 4.000 reales solicitados. Además, el 27 de febrero de 1829, Orense entrega al poeta 15 libras para sus gastos de viaje *a Francia*, según se especifica en el correspondiente recibo. Al día siguiente, Espronceda sale de Londres en compañía de Hernáiz.

El 19 de febrero, obtuvieron un pasaporte del embajador de los Países Bajos quien, el 27, informaba de ello a su ministro de Asuntos Exteriores. Recordando que, con motivo de las gestiones de los dos amigos en noviembre de 1827, éste le había pedido informaciones complementarias acerca de ellos, escribió lo siguiente:

> Hasta la fecha, se han visto retenidos por la enfermedad, y en parte también porque han disfrutado de cierto apoyo por parte de un Comité de Beneficiencia. Pero la suspensión de dicha ayuda y la carestía de la vida los inducen a irse al continente, e incluso uno de ellos espera poder ganar algún dinero dando lecciones de esgrima. Además, les exigí un certificado de buena conducta, que les fue concedido en términos muy satisfactorios por el general Torrijos que se encuentra aquí[23].

Las razones que aducen no son tal vez del todo ciertas. Hernáiz, oficial emigrado, disponía sin duda de módicos recursos; en cuanto a Espronceda, ¿tenía real necesidad de hacerse maestro de esgrima para vivir? Del 31 de agosto de 1828 al 27 de febrero de 1829, recibió de sus padres la cantidad de 63 libras y 13 chelines, o sea más de 10 libras al mes (la equivalencia aproximada de 1.100 reales) y, antes de irse, percibió 15 más para sus gastos de viaje[24]. Estas mensualidades le permitían llevar una existencia bastante cómoda.

22. Cascales no se fijó en este detalle de primera importancia que aparece en los documentos que fue el primero en publicar.
23. Algemeen Rijksarchief (La Haya), Buitenlandse Zaken, n.º 3, inv. n.º 555 (archivo de la legación en Londres).
24. Estas son las cantidades (redondeadas) que aparecen en los recibos correspondientes (Cascales, pp. 290-292) y en un estado de cuentas llevado por el brigadier Espronceda (Archivos Núñez de Arenas).

Salida para Bruselas y París. Espronceda sospechoso: los fallos de la máquina policial

El 3 de marzo de 1829, Espronceda se encuentra en Bruselas, en el Hôtel de la Paix, en compañía de Hernáiz[25]. El 6, escribe una larga carta a sus padres. Según les comunica, sólo ha podido conseguir del embajador de los Países Bajos un pasaporte para Bruselas, y añade que está decidido a irse a París al día siguiente, por su cuenta y riesgo, sin papeles. Desde allí, se dirigirá a Burdeos. Para justificar su tardanza en dar noticias suyas, alude a la lentitud de las gestiones para obtener un pasaporte, pero también aduce el argumento siguiente: «creí colocarme en Londres con una bonita pensión y dejar de serles gravoso: el deseo de sorprenderles me hizo retardar el contestarles.» Así pues, no con agrado dejaba Londres, ya que sólo se había conformado a obedecer a sus padres tras haber buscado el modo de no depender más de ellos, o sea de poder permanecer en Inglaterra. Aun cuando se trate sólo de una excusa destinada a ocultar las verdaderas razones —de orden sentimental— de su desgana de irse a Francia, lo cierto es que tuvo que resignarse a partir. Esta carta desde Bruselas demuestra que está firmemente decidido —por lo menos en apariencia— a obtener el perdón de sus padres, cansados quizá del dispendio que les supone la manutención de su hijo, y temerosos de verle poner en juego su salud o su seguridad. El tono es ya más sumiso, y las frases siguientes de la carta del 6 de marzo de 1829 parecen responder a serios reproches y a una intimación, por parte materna:

> Yo, mamá mía, no soy un hijo degenerado ni desagradecido; si he tenido un momento de error les pido mil perdones y no creo será V. tan cruel que los niegue. Besar el polvo que V^{s}. pisan me parece poco cuando pienso en el cariño extraordinario que les merezco. No soy ya aquel calavera de antes, he cambiado y no deseo otra cosa que abrazarlos y mezclar mis lágrimas de ternura y reconocimiento a las de placer que V^{s}. derramarán cuando mutuamente nos estrechemos a nuestros corazones.

El hijo pródigo hace retractación pública en unos términos que pueden parecer en exceso grandilocuentes para ser del todo sinceros. Es posible que en el cambio del que habla intervinieran otras razones que las de una simple reflexión sobre su anterior ligereza: ya nos referiremos a ello más adelante; lo importante es subrayar que Espronceda acaba su carta deseando volver a ver pronto a su familia y no separarse más de ella: Burdeos no tenía que ser sino una etapa en su camino de regreso a Madrid. En tal caso, cabe la posibilidad de que, al presentar su salida de España como la cabezonada de un adolescente insensato, y su regreso como fruto del arrepentimiento, el poeta pretendiera alejar las sospechas del policía que pudiera abrir la carta antes de que ésta llegase a sus destinatarios.

En cuanto a la confianza que demostraba tener Juan de Espronceda al pensar que su hijo podía regresar a España sin temor a verse perseguido, sin duda hay

25. Archives de la Ville de Bruxelles, Registre d'inscription des étrangers logeant dans les hôtels, auberges, du 28 décembre 1828 au 2 juin 1829: n.º 2339, Hernáiz, Antonio, 25 años, militar; n.º 2340, Esproncedo Josse [*sic*], 20 años, maestro de armas; ambos procedentes de Londres; se alojan en el hôtel de la Paix.

que buscar la causa en la intervención de Fernando VII en la represión del levantamiento de Cataluña, que había señalado el inicio de una evolución muy discreta en su política; A. Rumeau considera como prueba de la misma el retorno a Madrid de algunos emigrados o de personajes alejados hasta entonces de la capital: en efecto, el duque de Frías se halla de nuevo en Madrid en mayo de 1828; Juan Nicasio Gallego, que se encontraba con él en Montpellier, se establece provisionalmente en Valencia; Quintana vuelve de Cabeza de Buey. «Ce n'est pas beaucoup», concluye A. Rumeau quien, no obstante, está en lo cierto al ver en estos indicios «un changement d'atmosphère[26]». Tal vez algunos amigos de Espronceda que permanecían en Madrid habían confirmado esta impresión en sus cartas. Y finalmente, el brigadier podía pensar que el regreso de su hijo sería la prueba de que no estaba ni había estado mezclado en ninguna intriga, ni en conspiración alguna.

El 25 de febrero de 1829, Cea Bermúdez, a la sazón embajador en Londres, informaba a su gobierno de la existencia de una junta de emigrados denominada Centro universal, de la que formaban parte, entre otros, Torrijos, Palarea, San Miguel y Flórez Estrada. Éstos, a fin de preparar un alzamiento en diversas provincias españolas, habían enviado allí emisarios provistos de pasaportes franceses u holandeses[27]. Cea agregaba que había sido informado de la marcha de «los refugiados Romí y Espontera [*sic*], este último hijo de un coronel indefinido que está en Madrid», y que estos dos hombres podrían ser quizá enviados de la junta de Torrijos. Al no poder garantizar dicha noticia, se limitaba a transmitirla por su posible utilidad. El 6 de marzo, un despacho de Cea rectificaba en parte, y venía a concretar el contenido del anterior: ciertamente Esponceda [*sic*] había salido de Londres el 28 de febrero en dirección a París, pero en compañía de un tal Arnaíz [*sic*], «con ánimo de detenerse en d[*ic*]ha capital quince días, dirigirse después a Burdeos donde tienen que avistarse con otros revolucionarios de su especie, para luego introducirse en España»[28]. Cea se limitaba a exponer las informaciones de sus confidentes. Aquel mismo día dio aviso a su colega de París —el conde de Ofalia— de la salida de los dos hombres para Francia, en el caso de que quisiera mantenerlos vigilados por la policía francesa[29]. Cualquier refugiado que efectuara un viaje de Londres a París, y con mayor motivo todavía si tenía intención de dirigirse luego a Burdeos, podía ser considerado con razón sospechoso. Los informadores, por su parte, tenían interés en ejercer una vigilancia lo más estrecha posible sobre las idas y venidas de los emigrados, sean cuales fueran

26. («No es mucho ... un cambio de clima.») A. Rumeau, *M. J. de Larra et l'Espagne à la veille du Romantisme*, París, 1949, p. 108.

27. AHN, Estado, leg. 5480, n.º 104 (Legación en Londres). En 1827, Torrijos rompió con Espoz y Mina y constituyó su propio comité. El conde de la Alcudia, predecesor de Cea en la embajada de Londres, ya conocía, gracias a una carta anónima del 2 de agosto de 1828, la existencia de una junta presidida por Torrijos y compuesta entre otros por Palarea, Plasencia y los hermanos San Miguel. Contactó con el informador, y determinó que las tentativas de Torrijos no suponían ningun peligro serio (*ibid*, leg. 5480, n.º 135).

28. AHN, Estado, leg. 5481, n.º 114 (Legación en Londres).

29. AGS, Estado, Embajada de Inglaterra, leg. E 8231. Los términos en que se expresa Cea en esta carta demuestran una vez más que no tenía la menor certidumbre sobre los motivos del viaje de Espronceda y Hernáiz.

las razones de las mismas, llegando incluso a atribuir a éstas motivos ocultos más importantes de lo que podían ser en realidad. Hernáiz —por haber servido a sus órdenes en Cartagena en 1823— había solicitado a Torrijos un certificado de moralidad para el embajador de los Países Bajos; Espronceda —quien probablemente conocía al general desde algún tiempo a través de su compañero— recurrió también a él en este caso. Pero de ello no puede deducirse la prueba irrefutable de su complicidad activa en los proyectos de la junta de Torrijos. Por lo demás, existen otras razones que nos llevan a considerar improbable el que se le encargara a Espronceda una misión confidencial. Aun admitiendo que en esta carta del 6 de marzo de 1829 no contara toda la verdad a sus padres, no tiene sentido pensar que un agente secreto, incluso ocasional o principiante, pueda anunciar en una carta enviada a Madrid, y por consiguiente con posibilidad de ser interceptada, que va a entrar en Francia sin pasaporte, dirigirse luego a Burdeos y regresar pronto a España, pidiendo además que le envíen correspondencia y dinero a su nombre, indicando sus señas con toda precisión. Equivaldría no sólo a acumular pruebas en contra suya, sino también a causar serios problemas a sus padres en el caso de que la carta cayera en manos de la policía, cosa siempre posible. Tampoco podía ser una estratagema la citada misiva, ya que contenía demasiadas precisiones relativas a las verdaderas intenciones de su remitente.

Si bien Cea Bermúdez había planteado sólo como una hipótesis a verificar el hecho de que Hernáiz y su compañero pudieran ser agentes de Torrijos, las autoridades españolas promovieron una investigación policial en París y abrieron en Madrid una información sobre Espronceda. El 11 de marzo de 1829, el conde de Ofalia, embajador en París, informó a Cea de que había entregado al conde Portalis, quien interinamente estaba al frente de Asuntos Exteriores, una nota en la que le pedía que mantuviera vigilados a nuestros dos viajeros[30]. En el caso de que Espronceda y Hernáiz hubiesen conseguido entrar en Francia, Ofalia deseaba que no les fuese concedida la autorización de residir en un departamento limítrofe de España, y proponía expulsarles o devolverlos a Inglaterra. El 15 de marzo, Portalis alertó a Martignac, su colega del Interior, y el 23 fueron enviadas órdenes de busca a las autoridades de Calais, Boulogne, Le Havre, Dieppe, Burdeos, así como al prefecto de policía de París. Éste respondió el 27 de marzo de 1829: «les Srs Arnaíz et Esponceda [*sic*]... sont arrivés, le 11, rue de Rivoli n.º 42, venant de Bruxelles; le 1.er, sous le nom de Hernaíz Antoine ex-militaire né à Burgos, âge de 25 ans; le second, sous le nom de Esproneda [*sic*] Joseph, âgé de 21 ans, maître d'escrime»[31]; el 14 de marzo, se establecen en el n.º 12 de la rue

30. Ags, *ibid*. El mismo expediente contiene una copia de una carta del 14 de marzo de 1829, en la que Portalis informa a Ofalia de que le ha pedido a Martignac que haga vigilar a los «deux individus» («dos individuos»).

31. («Los Srs Arnaíz y Esponceda [*sic*] ... han llegado el 11, procedentes de Bruselas, y se alojan en el n.º 42 de la rue de Rivoli; el primero, con el nombre de Hernaíz Antonio, ex militar nacido en Burgos, de 25 años de edad; el segundo, con el nombre de Esproneda [*sic*] José, de 21 años de edad, maestro de esgrima.») Todos los documentos citados en el presente capítulo se encuentran, salvo cuando se indique lo contrario, en el expediente siguiente: ANP, F^{7} 12070, 2657 e. En los informes de policía posteriores se le atribuye a Hernáiz el oficio de maestro de esgrima, sin duda a causa de una confusión de los informadores. Véase *infra*, nota 41.

Sainte-Anne, en donde viven de fiado, «disant qu'ils attendent de l'argent de leur pays»*. La conclusión del informe es la siguiente: «depuis leur arrivée, ils n'ont reçu personne chez eux et tout porte à croire qu'ils ne sont chargés d'aucune mission suspecte»**. El 30 de marzo, el prefecto de policía hace hincapié en la indigencia en que viven ambos emigrados; señala que Hernáiz es un antiguo soldado del ejército constitucional hecho prisionero en 1823 y que Espronceda sigue ejerciendo como maestro de esgrima. Acaba diciendo que «il paraîtrait difficile de penser qu'une mission secrète de quelque importance ait pu être confiée à des individus d'un ordre aussi inférieur»***. Informado el 3 de abril de los resultados negativos de esta vigilancia, Ofalia los comunica a Madrid el 5; estaba convencido de que Hernáiz y Espronceda eran más peligrosos de lo que se pensaba: «Yo creo más probable la opinión del señor Cea de que son emisarios enviados a España por otros revolucionarios de Londres con encargo de pasar por Bruselas, París y Burdeos», añadía en un comentario a los informes de la policía francesa que resumía en su despacho. Así pues, la información que Cea había dado *con muchas reservas*, según recordamos, se convertía poco a poco en certidumbre; la convicción iba tomando cuerpo en el ánimo del embajador de España en Francia. No obstante, en la carta que le había enviado el 16 de marzo de 1829, Cea decía muy claramente que los informes que había recibido con respecto a Espronceda y Hernáiz requerían comprobación, tal y como lo demuestra el siguiente párrafo del mencionado despacho:

> He de merecer a V.E. se sirva informarme si en efecto estos dos individuos han llegado a Francia para formarme yo idea exacta de la veracidad y grando [*sic*] de confianza que se puede tener en la persona por cuyo conducto me llegó la noticia: pues siéndome enteramente desconocida no tengo más arbitrio que atenerme a los resultados para cerciorarme de su sinceridad y buena fe y estimar en su justo valor las comunicaciones que puede hacerme en lo sucesivo[32].

No por ello dejó Ofalia de manifestar su disconformidad con las conclusiones de la policía francesa, y atrajo la atención de Portalis sobre el hecho de que «le gouvernement espagnol étant déjà informé des projets de ces deux réfugiés, et leur signalement envoyé aux frontières, ils courraient à une perte certaine en poursuivant leur voyage»****. Y contradiciéndose a sí mismo implícitamente, Ofalia añadía:

> Ces deux individus, du moins Esproneda [*sic*] n'appartient ni par sa naissance, ni par ses antécédens à la classe obscure dans laquelle on le suppose. D'un autre côté, la commission qu'ils paraissent porter en Espagne [observemos aquí, tras la afirmación perentoria de que están al corriente de sus proyectos, el empleo de la

* «... a la espera, según dicen, del dinero de su país.»

** «Desde su llegada, no han recibido a nadie en su casa, y todo hace pensar que no están encargados de ninguna misión sospechosa.»

*** «... parecería difícil pensar que una misión secreta de alguna importancia pudiera haber sido encomendada a individuos de categoría tan inferior.»

32. AGS, expediente citado.

**** «... al estar ya informado el gobierno español de los proyectos de estos dos refugiados, y sus señas enviadas a las fronteras, éstos iban a una perdición segura al proseguir su viaje.»

> expresión: «que parecen llevar»], par ordre d'une société secrète de réfugiés à Londres, n'est pas de celles que l'on confie à des personnes très distinguées et connues*.

En realidad, estos supuestos «antecedentes» se alegaban sólo para estimular el celo de la policía francesa[33]. Desde Madrid se enviaron órdenes de busca a los funcionarios de policía en las zonas limítrofes de la frontera francesa. Ha llegado hasta nosotros una de las respuestas a estas órdenes: la del subdelegado de Aínsa, en el alto Aragón, que mantuvo vigilados los pueblos y caminos de su distrito, y encargó a dos delatores de que se informaran sobre la eventual presencia en los Altos Pirineos y el Alto Garona de «el refugiado Esponceda [*sic*] y su compañero Arnaíz [*sic*], que desde Burdeos habían pasado a París, y desde esta capital después de avistarse con otros revolucionarios tratavan de introducirse en España[34]». Observaremos que aquí el itinerario de los dos compañeros aparece invertido, lo cual añade todavía mayor confusión a las informaciones referentes a los mismos.

Por su parte, el cónsul general de España en Lisboa anunciaba al ministro de Estado, en despacho reservado del 11 de marzo de 1829, la próxima salida de la capital inglesa, por orden de Mina, de Rumí y de Espronceda, cuyo padre, según decía, mantenía a su vez correspondencia continua con Mina. El cónsul se mostraba tan prudente como Cea: «Ninguna otra seguridad puedo dar a V.E. de la verdad de este relato que la de haberse visto la participación confidencial por persona de toda mi confianza[35].» Hay un detalle relevante a señalar, y es que en esta ocasión se presenta a Espronceda como enviado de Mina, y no como emisario de Torrijos. Existía pues una flagrante contradicción entre estas informaciones llegadas de Lisboa y las transmitidas por Cea. En efecto, la junta denominada "de Torrijos" había surgido de la rivalidad y total desacuerdo entre este último y Mina. Sin embargo, en su carta del 9 de marzo al mismo ministro de Estado, el cónsul había escrito: «Torrijos ha mandado últimamente a Francia a un tal *Espronceda* hijo de un brigadier indefinido que está en Madrid, y cuyo padre conserva correspondencia con Mina[36].» Todo esto resulta realmente confuso. O bien padre e hijo actúan de connivencia y trabajan por cuenta del mismo jefe (Mina

* «Estos dos individuos, por lo menos Esproneda [*sic*] no pertenecen ni por nacimiento, ni por sus antecedentes a la clase humilde en la que se le supone estar. Por otro lado, el encargo que parecen llevar a España, por orden de una sociedad secreta de refugiados en Londres, no es de los que se encomiendan a personas muy distinguidas y conocidas.»

33. Hemos consultado, en el AHN, los expedientes relativos a las actividades de los emigrados entra 1827 y 1832 y la correspondencia de los cónsules de España en Gibraltar, Lisboa, Burdeos y Bayona durante este mismo período sin encontrar mención alguna de Espronceda antes del 25 de febrero de 1829, fecha de la primera carta de Cea Bermudez.

34. Archivos Núñez de Arenas. No hemos encontrado en los archivos españoles ni los borradores de las cartas dirigidas a los subdelegados de policía de las otras regiones, ni sus respuestas.

35. Una copia de esta carta, transmitida al secretario de Estado de Guerra, fue añadida al expediente del brigadier Espronceda (AGM, Personal, expediente Espronceda).

36. AHN, Estado leg. 6197 (1), n.º 449 (Legación en Lisboa). El cónsul, que no parecía estar muy enterado de las rivalidades entre emigrados, había añadido, sin embargo, a su carta del 9 de marzo de 1829 una lista de los «revolucionarios» españoles en Londres, clasificados en facciones distintas: Mina es el líder de los francmasones; Torrijos, el de los comuneros.

o Torrijos), o bien desconocen mutuamente su actividad clandestina —si llegaron a tener alguna— al servicio de una facción distinta. Una vez puesta en marcha la máquina policial, el caso siguió su curso pese a estos informes contradictorios. El ministro del Ejército de Madrid no fue informado hasta el 17 de abril de 1829 del contenido de la correspondencia intercambiada entre Ofalia y Portalis. Así pues, el capitán general de Castilla la Nueva, puesto al corriente el 17 de marzo del contenido de la carta del cónsul en Lisboa, no estaba enterado de la rectificación de Cea del 6 de marzo (fue en compañía de Hernáiz, y no de Rumí, que Espronceda partió de Londres), ni del resultado de la vigilancia ejercida por la policía francesa sobre los dos sospechosos, cuando ordenó al gobernador militar de Madrid efectuar un registro en el domicilio de Juan de Espronceda.

Dicho registro fue realizado el 26 de marzo de 1829, a la una de la madrugada, por el teniente de rey Francisco Mallent asistido por dos oficiales, quienes actuaron en casa del interesado «con la consideración debida a su clase y avanzada edad» (tenía en efecto 79 años). El brigadier no opuso resistencia alguna para el registro de su vivienda. Pero al cabo de cinco horas de búsqueda, no se había encontrado nada comprometedor. Se procedió al inventario de los documentos incautados: algunas cartas de su hijo, papeles de familia, hojas en blanco y unos borradores del *Pelayo*. El 9 de abril, el ministro del Ejército daba orden de restituir los papeles embargados y de retirar los precintos de los demás documentos: al parecer, se daba carpetazo al asunto[37].

En el ministerio del Ejército, se abrió un expediente a nombre de José de Espronceda «revolucionario liberal emigrado en Londres»[38]. La primera pieza es un resumen de las pesquisas que dieron lugar al registro del 26 de marzo de 1829. Se le añadió luego la carta en la que, el 17 de abril, González Salmón transmitía las informaciones obtenidas de la policía francesa a través de Ofalia. Entonces, el caso recobró actualidad, a pesar del resultado negativo del registro. Sin detenerse en las contradicciones evidentes entre los primeros y los últimos informes recibidos, no obstante, el 15 de junio de 1829, el ministro del Ejército solicitó al superintendente de policía de Madrid que mandara vigilar al viejo oficial. Ahora ya no se le acusaba de estar en contacto con Mina, sino que era sospechoso simplemente por mantener correspondencia con su hijo, el único al que implicaba el informe de Ofalia. El expediente del brigadier no incluye ningún documento que demuestre que fuera molestado de nuevo; además es poco probable que mantuviera correspondencia secreta con Espoz y Mina o cualquier otro jefe emigrado. Por aquellas fechas resultaba muy peligroso para un español cartearse con un liberal exiliado, aunque fuese un miembro de su propia familia. Patricio de la Escosura cuenta[39] que en 1830 fue condenada a galeras una sexagenaria «por el crimen de estar en correspondencia con un hijo que, por liberal, tenía en Londres

37. Los documentos relacionados con este registro se encuentran en el expediente citado del AGM, y han sido reproducidos parcialmente por Cascales (pp. 279-282).

38. Servicio Histórico Militar, Madrid, leg. 4, letra E. Cascales ha reproducido (pp. 324-327), con algunos errores, los documentos que contiene este expediente.

39. En su novela en gran medida autobiográfica *Memorias de un coronel retirado*, Madrid, 1868, p. 135. En una nota comenta: «Hecho histórico; la señora que de él fue víctima era la esposa de un jefe político que había sido de cierta provincia de Galicia, emigrado en Londres con su hijo.»

emigrado». Así pues, era preciso que el carácter de los documentos incautados en el domicilio de Juan de Espronceda demostrara a las claras la inanidad de las sospechas que pesaban sobre el brigadier para que la investigación se considerase cerrada y que los tribunales no tomaran cartas en el asunto. En resumen, vemos que la coordinación de los distintos servicios encargados de vigilar las actividades de los españoles emigrados dejaba bastante que desear. En realidad, ni Cea ni Ofalia, como tampoco el cónsul en Lisboa, poseían pruebas concluyentes contra Espronceda y Hernáiz. Habían bastado dos informes de confidentes transmitidos con todas las reservas para hacer de ellos peligrosos revolucionarios. Si Espronceda hubiese dejado Londres en compañía de Rumí, como en un primer momento pensó Cea, hubieran podido considerarle sospechoso con razón. El nombre de Juan Rumí aparece a menudo en los informes elaborados por los embajadores de España en Londres y París, así como en los expedientes de la policía de Madrid[40]. Esta última se mostraba extremadamente recelosa y manifestaba un auténtico azoramiento a partir de 1829. A lo largo del citado año, desde Francia e Inglaterra, se envían a Madrid innumerables informes referentes a mensajes clandestinos interceptados, reuniones de juntas denunciadas por agentes dobles, desavenencias seguidas de reconciliaciones más o menos duraderas entre cabecillas, viajes sospechosos; son cada vez más frecuentes las solicitudes de expulsión de "revolucionarios" establecidos en Gibraltar. Los servicios gubernamentales de Madrid, con mayor o menor eficacia pero disponiendo de abundante información, multiplican las medidas de protección. A veces los informes recibidos —como en el caso de los que se refieren a Espronceda— se contradicen implícitamente. Sin duda entonces estas contradicciones no se percibían con tanta claridad como se nos manifiestan ahora: Torrijos, Mina, de Pablo, Rotalde, constituían las múltiples cabezas del peligroso monstruo que amenazaba la España absolutista, y el terror que les inspiraba impedía a los celosos funcionarios de Fernando VII darse cuenta, o ver con claridad, que las cabezas de esta hidra intentaban a veces devorarse entre sí.

A principios de abril de 1829 y a consecuencia de otra gestión de Ofalia, Portalis pidió a Martignac que siguiera manteniendo la vigilancia de Hernáiz y Espronceda. Ante la insistencia del embajador español, el ministro francés del Interior dio órdenes a este respecto al prefecto de policía de París. El informe de este último, del 4 de mayo, sigue siendo negativo: los dos amigos carecen de recursos y emplean su tiempo «quêter des secours de leurs compatriotes» («solici-

40. El 30 de marzo de 1830, el embajador de España en Londres hace saber que Rumí y Juan Florán acaban de abandonar Inglaterra como agentes de Torrijos y de Gorostiza; el 11 de mayo de 1830 se dirige una solicitud al gobierno inglés para que expulse de Gibraltar a ciertos emigrados, entre los que se encuentra Juan Rumí (AHN, leg. 5482, Estado, n.ºs 470 y 528, Legación en Londres). La presencia de ambos en Gibraltar se menciona en un informe policial del 3 de mayo (AHN, Consejos, leg. 12348). El 27 de octubre, Rumí fue capturado por un guardacostas de Algeciras cuando cruzaba en barco el estrecho de Gibraltar, a su regreso de Larache y bajo el nombre de Gabriel Alexander (*Gaceta de Madrid*, 6 de noviembre de 1830). En sus cartas de los días 11 y 15 de junio de 1831 a Henri Heine y a Madame Récamier, el marqués de Custine narra la historia de Rumí, que a su vez le había sido contada por el inglés Boyd, quien se había acercado en vano al emperador de Marruecos y al pachá de Tánger para obtener la liberación del español (Custine, *L'Espagne sous Ferdinand VII*, París, 1838, t. III, cartas XLIV y XLVI, pp. 282-283 y 337-338).

tando la ayuda de sus compatriotas»); el 2 de mayo, todavía no habían pagado el alquiler de la segunda quincena de abril. ¿Cabe imaginar a dos conspiradores abocados por así decirlo a la mendicidad y con la amenaza, según especifica el informe, de verse expulsados o llevados a la cárcel por deudas con su casero (en el registro del cual, además, habían inscrito su verdadero nombre), y demorándose dos meses en París cuando la meta de su supuesta misión es Burdeos? Los informes se suceden; por último, se sabe que el 19 de mayo han cambiado de vivienda «par motif d'économie» («por motivos económicos») y que se alojan ahora en el n.º 61 de la rue Saint-Victor. Uno de ellos recibe una pensión que su madre le hace llegar a través del banquero Aguado y en julio se va a Saint-Cloud, Versailles y Saint-Germain «où l'on croit qu'il va fréquenter les écoles d'armes des soldats de ces garnisons»*; el otro sigue en París, y ambos no suelen salir de su habitación «que pour aller chercher du pain dont se compose toute leur nourriture. Personne ne vient les voir»[41]. A partir del 15 de julio de 1829, y a falta de nuevas órdenes, el prefecto de policía no mandó recoger más informes sobre Hernáiz y Espronceda. Puede que éste, advertido por sus padres del registro efectuado en su casa, renunciara a ir hasta Burdeos y pasar luego a España. Hubiese sido peligroso desde el momento en que se le consideraba sospechoso; y tal vez entonces lo era con razón.

Espronceda, emisario de Torrijos

En una circular del 28 de septiembre de 1829, Espoz y Mina solicitó a sus agentes secretos en España que suspendieran provisionalmente su acción en pro de un levantamiento liberal, dadas las dificultades halladas para la constitución de una comisión central. El 15 de octubre siguiente, reunió en Londres a sus partidarios para anunciarles que ponía término a los preparativos destinados a restablecer el régimen constitucional en España[42]. En cambio, Torrijos y sus amigos intensifican sus actividades; su Junta superior del alzamiento de España para restablecer en ella la libertad y el imperio de las leyes mantiene reuniones cada vez más frecuentes, sobre todo en el transcurso del primer semestre de 1830[43]. Pero desde finales del año anterior existía en Londres una agrupación de conspiradores que se había atribuido el nombre de Los unidos contra los tronos y clero, o los emprendedores de la anarquía. Dicha sociedad tenía ramificaciones en Francia,

* «... en donde, según parece, acude a las academias militares de los soldados de estas guarniciones.»

41. («... más que para ir a buscar el pan que compone su único alimento. Nadie viene a verles.») El informe del 18 de junio de 1829 indica que es Hernáiz el que recibe dinero de su madre; el del 15 de julio atribuye también a éste, «qui est professeur d'escrime» («que es profesor de esgrima»), esos viajes a los alrededores de París. Sin embargo, el primer informe (27 de marzo) señalaba que el oficio declarado por Espronceda era el de maestro de esgrima. Se produjo, pues, una confusión entre Hernáiz y Espronceda, que recibía efectivamente una pensión de sus padres (véase *supra*, nota 31).

42. J. Puyol, *La Conspiración de Espoz y Mina* (*1824-1830*)..., Madrid, 1932, pp. 109-110, 167-168 y 174-175.

43. Las actas de estas reuniones aparecen recogidas en Luisa Sáenz de Viniegra, *Vida del general D. José María de Torrijos*..., Madrid, 1860, t. I, pp. 326-360.

los Países Bajos, España, Portugal e Italia; de septiembre a noviembre de 1829, se conocen sus actividades gracias a un confidente, que enviaba un informe pormenorizado de éstas al embajador de España en Londres. En uno de estos informes[44] se menciona el nombre de Espronceda. Entre los miembros de la misma residentes en Londres (entre los cuales está un reducido número de franceses e italianos) encontramos a Torrijos, Palarea, Juan Ramón Villalba, Epifanio Mancha, Antonio Oro, Manuel Núñez[45], un tal Florán (sin duda el poeta y periodista Juan Florán), así como Luis María Escovedo; existe una filial establecida en Jersey, de la que forman parte, entre otros, Plasencia y Santos San Miguel. A pesar del ceremonial complicado y algo pueril que se usaba para la admisión en dicha sociedad (descrito con todo detalle por el confidente: contraseñas, solemnes juramentos, personajes con el rostro oculto por una máscara que vendan los ojos del nuevo miembro para introducirle en la sala de reuniones, etc.) vemos que ésta se componía de personalidades importantes y muy conocidas; no se trata de una asociación de jóvenes y oscuros conspiradores como la de los Numantinos. En su informe del 3 de octubre de 1829, el agente doble confirma el nombre de la sociedad, sobre el cual su corresponsal parecía haber expresado alguna duda.

Estos emigrados liberales se proponen fomentar levantamientos contra las monarquías absolutas, en especial en España; tienen la intención de arruinar el prestigio de Mina, a quien consideran incapaz de llevar adelante esta empresa. Dos comerciantes, Antonio Bauzá —ex regidor de Madrid en la época constitucional— y Sierra Mariscal, les suministran los fondos necesarios y se encargan de efectuar colectas entre otros negociantes establecidos en Londres.

Leyendo las actas detalladas de las reuniones, vemos que a principios de octubre de 1829 los miembros de la sociedad dudaban en iniciar una acción en España y Portugal, ya que pensaban que las circunstancias no eran aún las más apropiadas para obtener el triunfo. La opinión del confidente —a quien el desarrollo de los acontecimientos dará la razón— es que la división reinante en los círculos liberales impedirá el éxito de todos los proyectos, según lo escribe en la postdata de uno de sus informes. No obstante, las cartas de varios corresponsales son optimistas. La noche del 22 de octubre, tres de ellas son leídas en el transcurso de una asamblea de la sociedad. Desde Madrid, un tal Bordallo afirma que en los dos países de la Península, la opinión pública espera «con ansia un rompimiento general, y que debe aprovecharse la más pequeña ocasión para realizarlo»; añade que al haber enviado el infante don Miguel la mayor parte de sus tropas a las islas Terceiras para luchar contra los liberales, será fácil encontrar armas en Portugal y llevar a cabo allí un pronunciamiento; que también en Italia la coyuntura es favorable, y, por último, agrega que es necesario poner término a las disensiones entre los emigrados con objeto de conseguir el triunfo de estos movimientos.

44. Se trata de doce cartas, fechadas entre el 28 de septiembre y el 9 de noviembre de 1829. Todas ellas son anónimas, exceptuando la del 4 de octubre, de letra distinta a las otras y firmada por un tal Pasqual Mazón; éste debía ser un intermediario entre el agente doble miembro de la sociedad y el destinatario, A. de Lemos (39 Devonshire Street, Portland Place), posiblemente empleado de la embajada española, a menos que se tratara de un nombre falso (AGS, Estado, Embajada de Inglaterra, leg. E 8324).

45. Este personaje era, en 1830, el emisario de Torrijos en Lisboa (L. Sáenz de Viniegra, *op. cit.*, t. I, p. 319).

El capitán italiano Casano, que se encuentra en los Países Bajos, manifiesta que el pueblo de dicho país está dispuesto a secundar cualquier movimiento que pudiera producirse en España» La tercera carta «fue de Burdeos de un tal Espronceda hijo de un brigadier español existentes sus padres en Madrid en la que dice con poca diferencia lo mismo que el Bordallo; advirtiendo ha pasado ya la última correspondencia que se le remitió». Parecen haberse disipado las dudas que tenían los miembros de la sociedad para pasar a la acción, pero su plan —si es que tienen alguno— no parece planteado con claridad. La única propuesta positiva, sometida a votación el 2 de noviembre y aprobada por 31 votos a favor y 12 en contra, fue el proyecto de salir de Londres para ir a las islas Terceiras, y tampoco llegó a realizarse. Se envían nuevos emisarios a Francia[46], Gibraltar y Portugal; a juzgar por los datos de que disponemos, en este último país es donde tienen la intención de provocar primero un alzamiento. El 26 de octubre de 1829, el agente doble informa a su corresponsal de la próxima salida de Burdeos de dos de los emisarios de la sociedad: José Fernández y Antonio María Hernáiz; el primero con dirección a Madrid y el segundo a Gibraltar, provistos de sendos pasaportes expedidos con nombres falsos franceses. Según consta en informes posteriores, Hernáiz se haría llamar Thimot de Lorrand. Estas informaciones eran comunicadas por los corresponsales en Bayona y Burdeos, cuyo nombre no aparece en los informes; puede que el segundo fuese Espronceda.

En la biografía de Torrijos escrita por su viuda, no se menciona la sociedad Los unidos contra los tronos y clero, tal vez porque sus actividades tuvieron muy poca importancia. Ésta desapareció para dar paso, a principios de enero de 1830, a la Junta superior del alzamiento de España para restablecer en ella la libertad y el imperio de las leyes, órgano al que dio su apoyo moral y financiero el inglés Robert Boyd, y que reunía a las mismas personalidades emigradas. No sería de extrañar que a partir de entonces éstos hubiesen deseado dar a su asociación un nombre mucho menos agresivamente anticlerical y antimonárquico, unos objetivos más concretos y una orientación más positiva.

Sea como fuere, los comunicados del agente doble que informaba a Cea permiten afirmar que, cuando menos en octubre de 1829, Espronceda y Hernáiz mantenían una actividad política dentro de un grupo de exiliados partidarios de Torrijos. Habíamos perdido la pista del poeta desde el 15 de julio de 1829, fecha del último informe del prefecto de policía. Sabemos que Hernáiz estuvo en París el 4 de agosto siguiente, ya que este mismo día fue detenido en los pasillos del Théâtre italien, a causa de un altercado en el que había tomado parte; al no tener documentación, se le inculpó por infringir la ley de pasaportes, pero fue liberado a los dos días[47]. El 4 de diciembre de 1829, Cea escribía a Ofalia que Hernáiz

46. El confidente ignoraba sin duda que Baiges, enviado a Francia el 26 de octubre de 1829, era también un agente doble (véase *infra*, nota 61).

47. Resumen del informe policial que refería el incidente (del 4 al 5 de agosto de 1829); solicitud de datos por parte del ministro del Interior al prefecto de policía (6 de agosto); respuesta del prefecto (8 de agosto), en ANP, F^7 12070, 2657 e. El *Bulletin de Paris* del 5 de agosto, al referirse a los sucesos de la víspera (ANP, F 3883), habla de «l'arrestation de deux individus qui ont paru être les auteurs d'une cabale contre une actrice» («el arresto de dos individuos que parecieron ser los autores de una cábala contra una actriz»), de la compañía inglesa que actuaba esa noche en el Teatro Favart (o Teatro italiano). El segundo «individuo», ¿era quizás Espronceda?

había dejado Burdeos con destino a Gibraltar el 11 o el 12 del mes anterior, con el nombre de Timant de Lorrand [*sic*], y que Esponceda [*sic*] se encontraba en Bayona, según se lo había comunicado, como ya hemos visto, el confidente de la sociedad Los unidos contra los tronos y clero[48]. En su respuesta del 11 de diciembre, Ofalia decía a Cea que haría comprobar las informaciones relativas a Hernáiz, y que solicitaba al cónsul en Bayona la inmediata reclusión de Espronceda si éste se hallaba en dicha ciudad. En una carta del 17 de diciembre, Ofalia anunciaba a Cea que, según un informe confidencial, ni Hernáiz ni Espronceda se habían movido de París desde su llegada de Bruselas, y que los mantenía vigilados; el 25, envió a su colega la copia de una carta con fecha del 19, en la que el cónsul de Burdeos aseguraba que no había sido expedido ni visado en esta ciudad pasaporte alguno a nombre de Timant de Lorrand [*sic*].

¿Cuál era la verdad, en lo que a Espronceda se refiere? El confidente de Londres daba pormenores exactos sobre la familia del poeta; lo cual indica que había intentado informarse acerca de la identidad del corresponsal en Burdeos de la sociedad cuyas actividades denunciaba. Ahora bien, el citado confidente, miembro a su vez de la sociedad en cuestión, habla de Espronceda en unos términos que demuestran que le es desconocido y se refiere a él en una única ocasión; de haberse tratado de un personaje importante, no hubiera dejado de mencionarle en sus informes. Pero por otra parte, el apellido del poeta es poco corriente y en este punto no ha lugar confusión alguna. Así pues, parece cierto que a Espronceda le encomendaron efectivamente una misión en Burdeos los partidarios de Torrijos, en septiembre u octubre de 1829, pero también que a principios de diciembre ya había regresado a París en compañía de Hernáiz, siendo entonces cuando los agentes de Ofalia hallaron de nuevo su pista allí. En cualquier caso, está en la capital francesa el 15 de febrero de 1830, fecha en la que firma un recibo de veinte duros a un tal José Amorós; en este documento figura su dirección: el hotel Favart, en la plaza des Italiens[49].

Si hasta la fecha se ha limitado a desempeñar un papel de poca importancia en las actividades políticas de los españoles emigrados, se acerca el momento en que el antiguo Numantino tendrá ocasión de defender, empuñando las armas, las ideas que le son caras. Antes de luchar por la libertad de su país, lo encontraremos, en las barricadas de julio de 1830, combatiendo al lado de los parisienses sublevados contra el gobierno de Carlos X.

48. Este documento y los que siguen: AGS, Estado, Embajada de Inglaterra, leg. E 8231. Una nota de la policía de Madrid, del 18 de marzo de 1830, confirma el mentís del cónsul de España en Burdeos a propósito de Hernáiz (AHN, Consejos, leg. 12347, n.º 19).

49. BNM, ms. 12938 (92). Este recibo ha sido publicado, omitiéndose la dirección, en Cascales, p. 92. En la place Boieldieu (antes place des Italiens), que se confunde con la rue Marivaux, se levanta todavía el hôtel Favart. Gregorio de Bayo —que más tarde se casaría con Teresa Mancha— se alojó en él el 27 de agosto de 1826, a su llegada de Bayona. La razón de su viaje era tratar unos asuntos comerciales. Pocos días después obtuvo en la prefectura de policía el visado de su pasaporte para Inglaterra (ANP, F^7 12054, 1817 e). El 23 de septiembre desembarcó en el puerto de Londres (Public Record Office, Home Office, 5, Indexes to Certificates, Ind. 8916, f.º 14). En agosto de 1830 se alojaron en el hôtel Favart, Manuel Beltrán de Lis, Mendizábal, Pedro Méndez Vigo y otros emigrados de alcurnia (AHN, Estado, leg. 5483, n.º 670, Legación en Londres). El ex diputado de Valencia Jaime Gil Orduña pernoctó también en el Favart en octubre de 1831 (ANP, F^7 12077). Goya había vivido en él durante julio y agosto

El combatiente de las Tres Gloriosas

Las elecciones del 23 de junio y del 3 de julio de 1830 habían sido catastróficas para los ultras que apoyaban a Carlos X. Éste, en virtud del artículo 14 de la Carta, firmó el 25 de julio el texto de una nueva ley electoral, anunció la disolución de la nueva Cámara y suspendió la libertad de prensa. A los dos días, empezaron las muestras de agitación; el 28, *Le Globe, Le Temps* y *Le National* se publicaron pese a la prohibición real. Espronceda pudo presenciar entonces uno de los primeros actos importantes que iban a provocar la insurrección general: «le numéro [du *National*] tiré à sept mille, avait quitté les ateliers de la rue Neuve-Saint-Marc, quand, vers neuf heures, la place des Italiens fut occupée par la gendarmerie à pied et à cheval et tout le quartier environnant *Le National* commença d'être parcouru par des patrouilles[50].» Ante los ojos del poeta, frente a su ventana del hotel Favart, un ministerio impopular intentaba amordazar al más encarnizado de sus adversarios, el periódico de Armand Carrel y de Thiers. El pueblo de París se organiza, y se alzan barricadas en las calles de la capital.

Ferrer del Río fue el primero que hizo referencia a la participación del poeta en los combates callejeros de las *Tres Gloriosas*; Patricio de la Escosura confirmó el hecho[51] y, según Rodríguez-Solís, Espronceda hubiera sido uno de los héroes del Pont-des-Arts[52]. Cascales se extrañó de que Espronceda no hubiese sido condecorado con la *Croix de Juillet* como lo fue Balbino Cortés, uno de sus compañeros de emigración[53]. Pero éste había sido herido de gravedad en las piernas, lo cual no era el caso de Espronceda. En la prensa de la época, en la que hallamos el relato de varios hechos de armas protagonizados por españoles durante estas tres jornadas, no aparece mencionado el nombre del poeta. *Le Constitutionnel* del 18 de agosto de 1830 refiere el acto de valor de Balbino Cortés. En el momento en que cayó herido, le preguntaron «quelle était sa patrie. Voici sa réponse: "Mes chers amis, dans la cause sacrée de la liberté, tous les hommes qui combattent pour elle sont du même pays; il n'y a d'étrangers que ses lâches enne-

---

de 1824 (M. Núñez de Arenas, "La suerte de Goya en Francia", *BH*, LII, 1950, pp. 234-235); Stendhal también pasó por el hôtel Favart, en 1837.

50. («El número [del *National*] con una tirada de siete mil ejemplares, había salido de los talleres de la calle Neuve-Saint-Marc, cuando, alrededor de las nueve, la plaza des Italiens fue ocupada por la gendarmería de a pie y a caballo, y todo el barrio en torno a Le National comenzó a ser recorrido por patrullas.») R.-G. Nobécourt, *La vie d'Armand Carrel*, París, 1930, p. 109.

51. *Discurso...*, Madrid, 1870, p. 80.

52. Rodríguez-Solís, p. 85. El artículo de F. Oliver Brachfeld "Un poète espagnol sur les barricades en 1830, José de Espronceda" (*Revue mondiale*, 1.º de diciembre de 1930, pp. 276-280), no aporta, pese a su prometedor título, ninguna confirmación documentada a las palabras de los biógrafos. La narración del combate del Pont des Arts hecha por Alejandro Dumas padre (*Mes mémoires*, ed. P. Josserand, t. III, París, 1966, pp. 326-329) no contiene ningún nombre de los combatientes que no sea el de su autor.

53. Cascales, p. 93, nota 1. Espronceda había conocido a Balbino Cortés en Londres (véase Espronceda, *Poésies*, ed. Marrast, pp. 21-23). Cortés había sido herido en las piernas durante el combate de la rue Saint-Honoré, el 29 de julio de 1830. Los médicos constataron, el 25 de enero de 1831, que la herida de la pierna izquierda aún no había cicatrizado; la comisión de recompensas nacionales acordó otorgarle una pensión de 700 francos. En 1832 y 1833 recibió, a título de «condecorado de julio», una ayuda extra para poder tomar las aguas (ANP, F d 50).

mis"[54]». Podemos comparar estas palabras con la frase con la que Espronceda terminaba un artículo publicado en enero de 1836: «Pueblos! todos sois hermanos, sólo los opresores son extranjeros[55].»

No existe ningún documento oficial ni testimonio alguno que atestigüe la presencia del poeta en las barricadas de París. Rodríguez-Solís pudo haberse limitado a recoger una tradición que, con el tiempo, se hubiera convertido en certeza. En su novela *El patriarca del valle*, Patricio de la Escosura dedica varias páginas a la Revolución de 1830, en las que hace referencia a la nutrida participación de emigrados españoles e italianos en las jornadas de julio[56]. Como no se encontraba en París en aquel momento, no hay que descartar la posibilidad de que utilizara el relato que de los hechos pudo hacerle Espronceda. Hay un texto del poeta —el único de sus escritos conocidos en el que se alude a este episodio de su vida— en el cual reivindica el honor de haber participado en las *Tres Gloriosas*. Cuando se presentó como candidato para la diputación en las elecciones de junio de 1836, en la provincia de Almería, el periódico *El Liberal* le pidió que explicara su plataforma política. Antes de exponer su profesión de fe, Espronceda respondió lo siguiente:

> La haré en resumen de aquellos [principios] que he sostenido con la pluma en cuanto he publicado hasta el día, y con la espada *en la gloriosa semana de julio* y en Navarra y en Aragón cuando con un puñado de libres nos arrojamos a conquistar la libertad de la patria que nos arrebatara la tiranía[57].

Espronceda no se hubiese atribuido un honor inmerecido, sobre todo durante una campaña electoral y en un momento en que buen número de sus antiguos compañeros de emigración, a los tres años escasos de su regreso al país, hubieran podido desmentirle fácilmente. Por otra parte, es posible que Espronceda estuviera entre los aproximadamente ciento cincuenta refugiados portugueses y españoles que, según *Le Constitutionnel* del 7 de agosto de 1830, ofrecieron sus servicios al gobierno provisional francés, durante los primeros días de agosto de 1830, en defensa de las libertades.

54. («... cuál era su patria. Esta fue su respuesta: Amigos míos, en la causa sagrada de la libertad, todos los hombres que luchan por ella son del mismo país; no hay más extranjeros que sus cobardes enemigos.») Este periódico le da a Cortés el nombre de José, pero precisa que vive en el passage du Saumon, n.º 6, y que el suceso tuvo lugar en la rue Saint-Honoré, detalles confirmados por el expediente citado en la nota anterior. Se trata, pues, de Balbino, sin lugar a dudas. *Le National* (17 y 19 de agosto de 1830) afirma que Cortés «a reçu la visite du général La Fayette, qui lui a témoigné le plus vif intérêt, et l'a embrassé cordialement» («Cortés ha recibido la visita del general Lafayette, quien le ha testimoniado el más vivo interés y le ha abrazado cordialmente.»)

55. "Libertad. Igualdad. Fraternidad", *El Español*, 15 de enero de 1836; también en R. Marrast, *Espronceda, articles et discours oubliés...*, París, 1966, p. 10.

56. P. de la Escosura, *El patriarca del valle*, Madrid, 1847, t. II, pp. 52-69.

57. Sobre este texto, véase *infra*, pp. 546-547.

LAS TENTATIVAS DE LOS EMIGRADOS PARA RESTABLECER EL RÉGIMEN CONSTITUCIONAL EN ESPAÑA

La accesión de Luis Felipe al trono de Francia tuvo muy pronto favorables consecuencias para los liberales españoles en el exilio. Al mostrarse Fernando VII reacio a reconocer al rey de los franceses, éste favoreció los intentos de invasión de España destinados a derrocar el gobierno absolutista. Los "revolucionarios", según los denominaba la policía española, empezaron a afluir a París desde los primeros meses de 1830. El 3 de mayo, el embajador de España en Londres anunciaba a las autoridades de Madrid la salida inminente de Leguía, López Pinto, Valdés y Gurrea; el 14, que Antonio Oro y Joaquín de Pablo se disponían a dirigirse hacia París; y que se estaban llevando a cabo preparativos para efectuar una tentativa de invasión en Ceuta, desde Gibraltar a Tánger. En julio, fracasó una primera tentativa de Torrijos y Valdés: la fragata *Mary*, que habían fletado, fue detenida en el Támesis con sesenta y siete emigrados, provistos de armas y proclamas. Algunos de ellos, en compañía de otros personajes importantes, se trasladaron sucesivamente a París, como es el caso de Manuel Beltrán de Lis, Mendizábal, Olegario de los Cuetos, Juan Palarea, Antonio Alcalá Galiano y Pedro Méndez Vigo. Las idas y vueltas entre Inglaterra y Francia son más frecuentes durante el segundo semestre: el 20 de septiembre de 1830, el embajador de España en Londres comunicaba a Madrid que treinta españoles acababan de partir de la isla de Jersey, y daba la lista de los que se habían marchado recientemente de Inglaterra con destino a París, entre los cuales figuraban Fernando Butrón, Martín Puiduelles y el coronel José Núñez de Arenas; anunciaba además que Alcalá Galiano había regresado de Londres, sin duda a fin de preparar una próxima acción[58]. El 12 de agosto de 1830, Torrijos, Robert Boyd y el coronel José Agustín Gutiérrez salían de París con dirección a Marsella, de donde embarcaron el 19, rumbo a Gibraltar, adonde llegaron el 5 de septiembre[59]. El 10 del mismo mes, al alba, Palarea, Escalante, Coba, López Pinto, Ruiz y Epifanio Mancha —padre de Teresa— iban de Marsella a Gibraltar en una goleta toscana, cuando una tormenta les obligó a regresar a puerto y aplazar su salida por algunos días[60].

No reinaba la armonía entre los emigrados españoles. Valiéndose del prestigio que le conferían los servicios prestados en el pasado y su popularidad, Espoz y Mina, tras haber renunciado, en septiembre de 1829, a fomentar un pronunciamiento en España, intentó volver a tomar la dirección de las operaciones que se preparaban con vistas a restablecer un régimen constitucional. La accesión al trono de Luis Felipe pareció brindar, con razón, una ocasión favorable, pero las divisiones no permitieron aprovecharla con éxito.

Hemos visto cómo, en la primavera de 1830, algunos emisarios de Torrijos se

58. AHN, Estado, legs. 5482 y 5483; AGS, Estado, Embajada de Inglaterra, leg. E 8234, *passim*. Sobre el episodio de la fragata *Mary*, véase L. Sáenz de Viniegra, *op. cit.*, t. I, pp. 369-370.

59. En Gibraltar encontraron a Alfonso Escalante, así como a Manuel Flores Calderón y a su hijo (L. Sáenz de Viniegra, *op. cit.*, t. I, p. 379). Cea no informó a Ofalia de la llegada de Torrijos y Flores Calderón hasta el 1.º de octubre de 1830. Ofalia le confirmó la noticia a Cea en su despacho del 8 de octubre (AGS, Estado, Embajada de Inglaterra, leg. E 8235).

60. AGP, Sección histórica, caja 302, Papeles de Regato, partes reservados, n.os 16 y 18.

habían puesto en contacto con otros emigrados en Francia, como Jáuregui y Grases; un plan de desembarco en Galicia, elaborado por Torrijos, había sido desbaratado gracias a las informaciones proporcionadas por Antonio Oro, que actuaba como agente doble[61]. En agosto de 1830, Mendizábal consiguió que el banquero Ardoin subvencionara la proyectada expedición de invasión de España. Para ofrecer garantías a su acreedor, formó una Junta directoria provisional para el levantamiento en España contra la tiranía, compuesta por Cayetano Valdés, José Manuel Vadillo, José María Calatrava, Javier Istúriz y Vicente Sancho, junta que se reunió en Bayona. Mina reconoció su autoridad, pero otros jefes se mostraron reacios y no estaban de acuerdo en que Mina se atribuyera, él solo, el mando exclusivo de la expedición[62]. Los partidarios de Torrijos, que llegó a Gibraltar el 5 de septiembre, se reagruparon a partir del 1.º de este mes bajo la autoridad de otra junta formada por Pablo, Gurrea, Jáuregui, Francisco Valdés y Pedro Méndez Vigo. Éstos, a excepción de Jaúregui, se negaron a someterse a un jefe único (papel que Mina deseaba desempeñar) y decidieron que cada uno penetraría en España al frente de sus propias tropas y por puntos diferentes[63]. Mientras tanto, Mina consiguó la adhesión de varios oficiales, entre los cuales estaban Butrón, López Baños, Plasencia, Bartolomé Amor (también agente doble) y Oro. Finalmente, tras laboriosas negociaciones, se acordó organizar tres expediciones: Mina y Valdés penetrarían en Navarra por Vera, de Pablo y Espinosa por los Aldudes, y Méndez Vigo y Plasencia, en Aragón por Olorón[64].

Tanto los partidarios de Mina como los de Torrijos están de acuerdo en los puntos principales: liberar la patria de la tiranía e instaurar un régimen duradero

61. ANP, F⁷ 12070 y F⁷ 12001. La traición de Antonio Oro se denuncia en L. Sáenz de Viniegra, *op. cit.*, t. I, p. 130, nota 1, y p. 329. Desde finales de octubre de 1829, Antonio Baiges revelaba los proyectos de sus compatriotas emigrados a Cea, embajador en Londres, a cambio de veinte libras esterlinas al mes (AGS, Estado, Embajada de Inglaterra, leg. E 8197; AHN, leg. 5481, n.º 362). Algunas cartas intercambiadas entre el prefecto de los Pirineos Orientales y sus colegas de la Haute-Garonne y los Basses-Pyrénées, el jefe de policía de Barcelona y el cónsul francés de esta ciudad confirman la traición de Baiges, quien, en 1834, entró al servicio del general Zumalacárregui y se convirtió en un agente carlista (Archives Départementales des Pyrénées-Orientales, M 1856). Según se desprende de una nota sin fecha que se encuentra entre los documentos del primer semestre de 1830 (AGS, Estado, Embajada de Inglaterra, leg. E 8234), el agente de Torrijos en Galicia era Casimiro Cañedo, que en 1827 había estado detenido en Portugal, en la misma cárcel que Espronceda.

62. Sobre estas cuestiones, véase Espoz y Mina, *Memorias*, t. I, BAE, t. CXXXXVII, pp. 142-145 y 186.

63. *Le National*, 9 de septiembre y 24 de noviembre de 1830; L. Sáenz de Viniegra, *op. cit.*, t. I, pp. 378-379.

64. Espoz y Mina, *op. cit.*, p. 155. El estudio, aunque breve, de estas expediciones a la frontera pirenaica y de las negociaciones preliminares rebasa el ámbito de nuestro trabajo. Además de las memorias de Mina y Alcalá Galiano, así como la vida de Torrijos escrita por su viuda, nos informan de estas cuestiones M. Núñez de Arenas, "La expedición de Vera en 1830", *Boletín de la RAH*, XL, 1927; J. Puyol, *La conspiración de Espoz y Mina* (*1824-1830*), Madrid, 1932; V. Llorens, *Liberales y románticos...*, 2.ª ed., Madrid, 1967, pp. 120-142, y B. Bats, *L'expédition de Vera (1830)*, tesina de licenciatura (directores, R. Marrast y A. Rumeau), ejemplar mecanografiado, París, 1964. Una Junta superior gubernativa de la provincia de Cataluña había sido constituida en septiembre de 1830, bajo la presidencia del coronel Baiges y gracias a la iniciativa de su secretario, el turbulento e intrigante Andrés Borrego (AHN, Consejos, leg. 12202. Este legajo contiene los despachos de las autoridades locales sobre las actividades de los emigrados). Pero sabemos (véase *supra*, nota 61) que Baiges era un delator.

en orden y libertad. Los primeros preconizan la reconciliación general y el olvido del pasado; su lema es «Unión, orden público y buen gobierno[65].» Los segundos se muestran menos predispuestos a perdonar a los militares y a los gobernantes que contribuyeron a restablecer el absolutismo, y a volver simple y llanamente a la constitución de 1812; su consigna es «Independencia Nacional, Libertad justa y buen gobierno». Estas son las líneas maestras del manifiesto a la nación española redactado por Torrijos y Flores Calderón[66]. Éstos representan una tendencia más radical y no parecen favorables, como Mina, a una monarquía constitucional según el modelo inglés.

La financiación de las diversas empresas demuestra que la alta burguesía negociante de París y Londres veía en las operaciones proyectadas un modo de reactivar en España una situación económica desfavorable. Un informe del embajador de Francia, del 22 de julio de 1830, describe el marasmo en el que se halla la hacienda española: a partir de 1824, el déficit de la balanza nacional se ha visto incrementado en 1.800 millones; cada año, el Erario debe deducir más de la quinta parte de sus recursos para amortizar sus deudas con el extranjero y pagar los intereses de los empréstitos contraídos en diversos países por el ministro de Hacienda, López Ballesteros; los impuestos se recaudan con dificultad; los consumos son impopulares y elevados; el contrabando hace que el monopolio del tabaco resulte deficitario, y el presupuesto para la guerra absorbe la mitad del producto nacional[67]. Entre el 1.º de febrero y el 11 de octubre de 1830, las importaciones representan cerca del 120 por 100 de las exportaciones, cifras que son elocuentes.

En anuncio de la caída de Carlos X supuso un duro golpe para las actividades de la Bolsa de Madrid, en la que ya no se cotizaban los vales reales, en tanto que subía el precio del oro; también en París bajó bruscamente la cotización de los fondos españoles. El Erario español sacó 36 de los 40 millones de reales que constituían la reserva-oro del Banco de San Fernando, el cual lanzó una emisión de cédulas —es decir, de papel-moneda— por un valor de 12 millones[68]. Por lo tanto, ya va siendo hora de poner término a esta situación que acrecienta el descontento de los inversores con el consiguiente temor de que éstos se pasen a la oposición. Es hora asimismo de restablecer el equilibrio europeo, no sólo en el terreno político, sino también en el de la economía, ya que una bancarrota del Estado español acarrearía graves consecuencias en los mercados bursátiles, en particular los de Londres y de París.

Así pues, se negocian varios préstamos por cuenta de los emigrados. El 26 de septiembre de 1830, Vicente Beltrán de Lis, rico comerciante de Cádiz en el exi-

65. Espoz y Mina, *op. cit.*, pp. 164-167.

66. Archives du ministère des Affaires étrangères, París, Mémoires et documents, vol. 310, f.º 88 y ss. La proclama de Romero Alpuente a los aragoneses (*Journal des débats*, 25 de octubre de 1830) no contiene ningún elemento adoctrinador y no es más que una llamada algo enfática a su patriotismo; del mismo estilo es la proclama de Gaspar de Jáuregui, "El Pastor", a sus compatriotas vascos (*Le Globe*, 23 de octubre de 1830), y la de Quiroga a sus tropas (*Le National*, 31 de octubre de 1830).

67. Archives du ministère des Affaires étrangères, París, Correspondance politique, Espagne, vol. 753.

68. *Le Globe*, 22 de agosto, 20 de septiembre, 28 de octubre, 4 de noviembre de 1830; y también el del 2 de diciembre, según *La Gaceta de Madrid*.

lio (actuando en su nombre y como apoderado de los generales Quiroga, Butrón, López Baños, de los ex diputados Vicente Salvá, Pedro Lillo y Manuel Beltrán de Lis, así como del coronel Baiges y de Juan Lasaña) firma un tratado con el banquero Jouanne y el "capitalista" Molineau referente a un préstamo de 110 millones de francos, del cual una parte se distribuye en suministros de equipo, otra parte en obligaciones al 1 por 100 emitidas en florines y en libras, y por lo tanto negociables en el extranjero, y otra parte en delegaciones sobre el Erario español. Según este tratado, los prestamistas franceses consideran a sus clientes como los representantes del gobierno español provisional, reunidos en una «Junta Rectora que obtendrá el título de Regencia, en cuanto entre en España». Resulta muy difícil saber si esta junta era realmente representativa y en nombre de quién actuaba[69]. En el mes de octubre siguiente, el banquero Calvo abrió un empréstito a corto plazo de un importe total de 32.400.000 francos, por obligaciones que debían venderse al 35 por 100 de su valor nominal, lo cual representaría un tipo de interés considerable. En el comité de control de las emisiones y los desembolsos figuraban, como miembros españoles, José Baiges y Juan Hernández, antiguo coronel. Dicho empréstito distó mucho de ser suscrito en su totalidad, dada la fecha avanzada en que se emitió[70]. Pero el primero lo fue, y los suscriptores pensaban sacar amplio provecho del mismo, así como el banquero Ardoin, quien pensaba que sólo el restablecimiento del régimen constitucional podía elevar la cotización en bolsa de los bonos de empréstito de las Cortes que constituían la parte más importante de su fortuna; de ahí que prestara fondos a Mendizábal que actuaba como banquero de la Junta de Bayona favorable a Mina[71]. Sus relaciones bien conocidas con los círculos financieros de Londres demuestran el interés que despertaba en éstos un cambio de régimen en España, por motivos evidentemente menos idealistas que los de los jefes emigrados.

Un comité español, en el cual se encontraban entre otros Louis Viardot, Étienne Arago, Loëve-Weimar y Garnier-Pagès, entabló negociaciones con los ministros de Luis Felipe y con el propio rey, de quien La Fayette obtuvo un crédito de 100.000 francos destinados a ser repartidos entre la junta de Bayona y la de Gibraltar. La sociedad Aide-toi, le ciel t'aidera, de la que formaban parte varios miembros de dicho comité español y algunos periodistas progresistas como Armand Carrel y Armand Marrast, cooperó en los preparativos de los emigra-

69. Archives du ministère des Affaires étrangères, París, Mémoires et documents, vol. 315. Dos artículos de este tratado determinaban que los contratantes se encargarían «d'examiner, liquider et apurer les anciens comptes du gouvernement [espagnol] avec les maisons Laffite, Ardoin, Hubbard et Cie, Guebhard, Aguado, Aldiman, Lubock, Campbell et tous autres banquiers ou capitalistes anglais el hollandais qui pourraient avoir encore des comptes à rendre au gouvernement espagnol» («de examinar, liquidar y verificar las viejas cuentas del gobierno [español] con las firmas Laffite, Ardoin, Hubbard y Cía, Guebhard, Aguado, Aldiman, Lubock, Campbell y todos los demás banqueros o capitalistas ingleses y holandeses que podían tener aún cuentas pendientes con el gobierno español.») Así pues, se trataba de una operación financiera a largo plazo, cuyo objetivo final era la liquidación progresiva de las deudas contraídas en el extranjero por el gobierno de Madrid.

70. Las modalidades de este empréstito aparecieron en *Le National* de los días 12 y 31 de octubre de 1830; en esta fecha, las expediciones de los Pirineos ya habían fracasado.

71. Espoz y Mina, *op. cit.*, p. 142.

dos[72]. Los fondos procedentes de suscripciones y del tesoro particular del rey eran administrados por el banquero Calvo[73], cuyo empréstito produjo sólo 95.000 francos en letras de cambio que fueron protestadas. Los únicos recursos financieros de los que pudo disponer Torrijos en Gibraltar fueron los 40.000 francos que le trajeron Palarea y López Pinto y que había suministrado La Fayette[74]. Calvo que, según decía, había adelantado 500.000 francos a los "torrijistas" de Bayona, fue declarado en quiebra y tuvo que refugiarse en Bélgica[75].

Poco después del fracaso de los intentos de invasión en la frontera de los Pirineos, el reconocimiento de Luis Felipe por Fernando VII trajo consigo un cambio político total[76]; gracias al empréstito Aguado negociado en julio de 1830, las finanzas españolas pueden mantenerse y se consigue evitar la catástrofe económi-

72. Ofalia envió a Cea, junto con un despacho del 13 de octubre de 1830, el resumen de un impreso difundido por la sociedad Aide-toi, le Ciel t'aidera, en que se sintetizaban sus actividades y proyectos. El punto n.º 3 preveía la formación de «une commission de l'extérieur, chargée des secours à distribuer aux réfugiés des nations étrangères et des relations politiques avec l'étranger» («una comisión del exterior encargada de repartir ayudas entre los refugiados de las naciones extranjeras y de las relaciones políticas con el extranjero.») (AGS, Estado, Embajada de Inglaterra, leg. E 8235).

73. Véase al respecto L. Blanc, *Historie de dix ans*, París, 1842, t. II, pp. 78-86, L. Viardot, "De l'Espagne et du nouveau ministère", *Revue des Deux mondes*, 15 de septiembre de 1836. Véase también *infra*, nota 76.

74. L. Sáenz de Viniegra, *op. cit.*, t. I, pp. 385-386.

75. ANP, F[7] 12101.

76. Antes de ser reconocido por el rey de España, Luis Felipe había dicho a algunos miembros del *Comité espagnol* y a refugiados liberales: «Quant à Ferdinand VII, on peut le pendre si l'on veut; c'est le plus grand coquin qui ait jamais existé!» («a Fernando VII, que le ahorquen si quieren; es el peor tunante del mundo»); el rey de los franceses había puesto a disposición de La Fayette 100.000 francos para subvencionar las expediciones (hecho que confirma Viardot en su art. cit., nota 73), y había dado órdenes al prefecto de policía de repartir itinerarios entre todos los liberales españoles deseosos de tomar parte en las expediciones en la frontera de los Pirineos. Guizot aprobó entonces esta política (A. Dumas, *Mes mémoires*, ed. P. Josserand, París, t. IV, 1967, cap. CLXXI, p. 96). Según L. Michaud (*Biographie ou vie publique de Louis-Philippe d'Orléans*..., Lagny, 1849), los españoles recibidos por el rey en dos entrevistas facilitadas por el mariscal Sébastiani en octubre de 1830 eran Evaristo San Miguel, el conde de Toreno, Mendizábal y Martínez de la Rosa, que propusieron a Luis Felipe que el duque de Nemours se casara con la infanta de Portugal Maria da Gloria; esta propuesta, según L. Blanc (*loc.cit.*) y Guizot (*Mémoires*, París, 1859, t. II, p. 96), fue rechazada, y, según Michaud, fue favorablemente acogida. Este último precisa que Luis Felipe aportó entonces los 100.000 francos de que habla Viardot (art. cit.). José García de León y Pizarro (*Memorias*, Madrid, [1953], t. II, pp. 118 y 119) anota en su diario, el día 11 de mayo de 1834 (se encuentra en París): «Mr. Weymar [*sic*], editor de *El Tiempo*, comió, y confirmó que en 1830 le hicieron proposiciones de parte de Luis Felipe para organizar la invasión de Valdés, y le ofrecieron 100.000 francos. Dijo que Mina no era querido de Valdés y demás de la trinca.» En el texto correspondiente al 17 de mayo precisa que dicho plan se abandonó tras una intervención del embajador de Inglaterra, cuyo gobierno amenazaba con retirarle si Francia ayudaba a la reinstauración del régimen liberal en España. De todos modos, Francia no podía intervenir abiertamente en el país vecino. El estado de sus fuerzas militares no se lo permitía, y el ministerio de Luis Felipe tuvo que enfrentarse, durante los cinco últimos meses de 1830, a una delicada y difícil situación; en esas fechas el paro aumentó, subió el precio del pan, las rentas del Estado bajaron en la bolsa, y la actividad portuaria de Marsella, Burdeos y Bayona se habría debilitado peligrosamente en caso de suspenderse el tráfico comercial con España (Archives du ministère des Armées, Vincennes, E[5], cartons 1-5; Archives du ministère des Affaires étrangères, Correspondance politique des consuls, Espagne, 1830). Todos estos aspectos rebasan los límites de nuestro estudio, y por ello sólo podemos traerlos a colación rápida y brevemente.

ca. Mendizábal vuelve a ocuparse de sus operaciones financieras en Londres y más tarde, en 1832 y 1833, da su apoyo a los partidarios del infante de Portugal Don Pedro, por las mismas razones y gracias a las mismas ayudas que le habían llevado a apoyar los intentos frustrados de restauración liberal en España.

Espronceda, en compañía de José García de Villalta, formaba parte de las tropas de Joaquín de Pablo "Chapalangarra"[77]. Sus nombres no aparecen mencionados en ningún documento oficial relativo a las expediciones de octubre de 1830, aunque tenemos abundantes pruebas de que tomaron parte en ellas. Existe en primer lugar un romancillo dedicado a Villalta, en el cual Espronceda evoca el combate en el que participaron, así como el poema *A la muerte de D. Joaquín de Pablo* en el que el autor se presenta como testigo ocular del hecho que canta[78]; también está la profesión de fe política, anteriormente mencionada, que Espronceda envió en junio de 1836 al periódico *El Liberal* y en la que reivindica el honor de poder contarse entre estos valerosos patriotas. Por último, todos los biógrafos confirman el hecho, el primero García de Villalta, quien escribe:

> Y grande y heroico debió de ser en aquella función su comportamiento, cuando el malogrado D. Joaquín de Cayuela [...] se llenó de admiración al contemplar las hazañas del joven Espronceda, que logró distinguirse, entre quienes era dificultoso alcanzar tal lauro[79].

En una carta dirigida a principios de 1833 a Cándido Juanicó, el poeta alude con cierta amargura a las circunstancias en las que, unos quince o dieciséis meses antes, cruzaba «arma al hombro y cantando himnos» la frontera que está a punto de cruzar ahora «pacíficamente y tan callado como un cartujo[80]». En abril de 1841, fue Espronceda quien, junto a Antonio Bernabeu, tomó la iniciativa de una campaña de protesta de los antiguos emigrados contra el nombramiento para el mando del regimiento de la Reina regente, del coronel Antonio Oro que, en 1830, había traicionado a sus compañeros de exilio[81]. Al mes siguiente, una comisión presidida por Francisco Valdés y nombrada por «los patriotas que en los años de 1830 y siguiente penetraron en la Península por la costa y por el Pirineo para restablecer el Gobierno Constitucional con las armas en la mano» fue recibida por Espartero. José de Espronceda y José García de Villalta eran miembros

77. Hernáiz era teniente en la 4.ª compañía de la división Valdés (M. Núñez de Arenas, art. cit.; ANP, F[7] 12109, État des réfugiés de Bourges, 11 de enero de 1831).
78. Véase Espronceda, *Poésies*, ed. Marrast, pp. 265-270.
79. *El Labriego*, 14, 23 de mayo de 1840.
80. Sobre esta carta y su destinatario, véase *infra*, pp. 174-175.
81. Espronceda y Bernabeu protestaron contra el nombramiento de Antonio Oro en un comunicado publicado en *La Constitución* el 3 de abril de 1841, al que respondió Oro el 11 de abril, en el mismo periódico. Ese día, Espronceda convocó en su casa a los emigrados que habían tomado parte en los combates de 1830 en la frontera de los Pirineos (*El Corresponsal*, 10 de abril de 1841). Una nueva protesta, encabezada por veintiocho firmas (entre ellas las de J. M. de Olózaga, Las Navas, Gurrea, Francisco Valdés, Pedro Méndéz Vigo y Antonio del Riego), se publicó tras esta reunión en *La Constitución* del 13 de abril de 1841. M. Núñez de Arenas escribía (art. cit.), a propósito del doble juego de Antonio Oro: «Yo he visto documentos que no dejan lugar a dudas.» Tales documentos se hallan en: ANP, F[7] 12070, 2675 e, y F[7] 12097. Bernabeu formaba parte de la Compañía sagrada, cuyo capitán era Francisco Mancha (AHN, Estado, leg. 6156 [1], n.º 94, Consulado de Bayona).

de dicha comisión[82]. El 14 de mayo de 1841, un decreto concedía una condecoración a los mismos combatientes de 1830 y 1831. Espronceda figura entre los miembros de la comisión nombrada el 3 de junio siguiente y encargada de examinar los derechos de los candidatos[83]; por lo tanto a Espronceda se le reconocía claramente la condición de combatiente de 1830. Por otra parte, en los estados de refugiados, cartas, informes y listas de auxilio elaborados por la policía francesa desde comienzos de 1831, el poeta aparece como *oficial* o *teniente español*, grado que debía de tener en la pequeña compañía de Joaquín de Pablo. Éste había salido de Londres a principios de mayo de 1830; había llegado a Burdeos por mar, y desde allí a Bayona en compañía de Jáuregui y de Gurrea; se hallaba con sus hombres en Saint-Jean-Pied-de-Port durante los últimos días del mes de agosto[84]. Por *Le National* del 22 de octubre, sabemos que las armas de sus tropas le habían sido enviadas desde Saint-Esprit el 16 por la noche. Sin duda había establecido contacto con simpatizantes de Pamplona, de los cuales, según *Le Globe* del 1.º de noviembre, algunos fueron detenidos por documentos que encontraron en su cadáver. Según *La Gazette de France* del 29 de octubre, de Pablo pensaba que algunos soldados del 6.º regimiento de infantería ligera se pasarían a su bando.

El 16 de octubre por la mañana, de Pablo y su tropa penetran en territorio español y ocupan la venta de Arnegui; el 18 por la noche se produce un tiroteo. El 20, se dirige hacia el pueblo de Valcarlos, cerca del cual han tomado posición algunos voluntarios realistas y un destacamento del 6.º regimiento de infantería ligera al mando del coronel Ceraso. De Pablo no rompe el fuego, sino que acompañado por doce hombres avanza hacia ellos e inicia una arenga; responden dis-

82. *Gaceta de Madrid* (29 de mayo de 1841). E. Torres Pintueles reproduce el artículo de *La Gaceta* en su libro *La vida y la obra de José García de Villalta* (Madrid, 1959, pp. 145-146), pero con supresiones no indicadas que deforman su sentido y lo reducen a la mitad. El decreto del 14 de mayo de 1841 había sido redactado tras la lectura de una nota dirigida a las Cortes por antiguos participantes en los intentos armados de restablecer el régimen constitucional, escrita el 15 de abril anterior y que hemos propuesto como atribuible a nuestro poeta (véase nuestro librito *Espronceda, Articles et discours oubliés*..., París, 1966, pp. 14-15).

83. *Diario de Madrid*, 14 de junio de 1841.

84. AHN, Estado, leg. 5482, n.º 534 (Legación en Londres), despacho del 14 de mayo de 1830; AGS, Estado, Embajada de Inglaterra, leg. E 8234: carta de Cea a Ofalia, del mismo día, que contiene la mención de De Pablo (con esta precisión: «Tiene modales de hombre místico.» Sobre De Pablo, véase Espronceda, *Poésies*, ed. Marrast, p. 268; cartas de Ofalia a Polignac (23 de mayo de 1830) y a Cea (18 de mayo y 8 de junio); *memorandum* (en francés, sin fecha, pero de agosto o septiembre de 1830) que señala que «plusieurs réfugiés sont arrivés à Saint-Jean-Pied-de-Port où ils s'organisent sous les ordres du nommé Chapalangarra» («varios refugiados llegaron a Saint-Jean-Pied-de-Port donde se organizan bajo las órdenes del llamado Chapalangarra»); AGP, Sección histórica, caja 302, Papeles de Regato, informe reservado n.º 9 del 23 de agosto de 1830; ANP, F^7 12070, 2675 er, carta del subprefecto de Bayona al ministro del Interior, del 25 de agosto; *Mémorial des Pyrénées*, 27 de septiembre de 1830. Según el comisario de policía de Saint-Esprit, De Pablo disponía de 400 hombres (informe al prefecto de las Landas, reproducido por M. Núñez de Arenas, art. cit.); sólo de 40, según Regato (AGP, *ibid.*, informe n.º 24 del 24 de octubre de 1830); de 60, según el *Mémorial des Pyrénées* (citado por *Le Constitutionnel*, 2 de noviembre de 1830). El cónsul de España en Bayona da, el 15 de septiembre, las siguientes cifras (aproximativas): Méndez Vigo, 25 hombres; Valdés, 119, de los cuales 40 son oficiales; "El Pastor", de 50 a 60; "Chapalangarra", 30 (AHN, Estado, leg. 6156 ^{1}, n.º 67). Espoz y Mina (*op. cit.*, t. I, p. 158) dice que De Pablo había reunido 40 españoles y 130 voluntarios de nacionalidades diversas, un tercio de los cuales era francés.

parando sobre él, que cae de su caballo, herido de muerte. Le rematan de un sablazo y posteriormente los soldados del ejército real mutilan su cuerpo «avec une férocité pareille à celle des peuplades sauvages de l'Amérique»* (*Le Globe*, 1.º de noviembre de 1830). Según dicen, su cabeza, colocada al extremo de una pica, fue expuesta en una plaza de Pamplona[85]. Una carta de uno de los hombres de "Chapalangarra", dirigida el 20 de octubre de 1830 a Francisco Valdés e interceptada por la policía española, contiene las siguientes precisiones sobre la refriega:

> Cayuela con unos 70 hombres con 50 fusiles se hallaba a legua y media, inmediatamente que oyó primeros tiros supuso que de Pablo estaba en peligro. Se puso a la cabeza de 20 hombres y fue en su socorro pero no llegó a tiempo, y él mismo atacado por las mismas fuerzas que habían caído sobre de Pablo, se vio precisado después de la resistencia que estuvo a su alcance, a abandonar el territorio español[86].

Según Rodríguez-Solís, Espronceda se portó como un valeroso combatiente:

> A pesar de los prodigios de valor que realizó Espronceda, quien con sólo un puñado de hombres detuvo el ímpetu de décuplas fuerzas, ... no pudo impedir que los realistas se apoderasen del cadáver de su ilustre jefe y amigo y ejecutaran en él las más horribles atrocidades[87].

Muerto su jefe, las tropas de "Chapalangarra" no pudieron hacer frente durante mucho tiempo a un adversario que les aventajaba en número, y se batieron en retirada hacia la frontera, constituida en este lugar por el río Petite-Nive; unos lo cruzaron mientras otros siguieron su orilla. El 26 de octubre de 1830, la *Gaceta de Madrid* publicó un relato del combate omitiendo los detalles poco gloriosos, junto con un comunicado triunfal del virrey de Navarra, el duque de Castro-Terreño. Protegidos por el jefe de batallón francés Tampoure, los supervivientes de la intentona pudieron volver a Francia sin verse hostigados por las tropas realistas, a las que éste pidió el alto el fuego[88].

* «con una ferocidad semejante a la de las tribus salvajes de América.»

85. Informes del comisario de policía de Saint-Esprit al prefecto de las Landas (M. Núñez de Arenas, art. cit.); Archives du ministére des Armées, Vicennes, E[5] 3, Espagne, correspondance de l'État Major général, informe del jefe de batallón Tampoure; *Le National*, 28 de octubre de 1830; *Le Mémorial bordelais*, 29 de octubre de 1830; *Journal des débats*, 31 de octubre de 1830, que cita al anterior.

86. Una copia sin firmar de esta carta acompaña a un informe de Regato al rey, sin fecha, pero que, según se desprende de su número de orden, debe ser de principios de noviembre de 1830 (AGP, Sección histórica, caja 302, Papeles de Regato, n.º 28).

87. Rodríguez-Solís, p. 101.

88. Archives du ministère des Armées, expediente citado, y *Le Constitutionnel* del 2 de noviembre de 1830 (que se basa en el *Mémorial des Pyrénées*). Gonzalo Guasp (*Espronceda*, Madrid, [1906], pp. 189-190) nos explica que Espronceda y Cayuela, este último herido, se salvaron gracias a la complicidad de un coronel realista, que alejó a un centinela para así permitirles que cruzasen la frontera francesa. Su fuente: «Unas memorias de la época.» En realidad, se trata de un episodio tomado de la novela de Escosura *El patriarca del valle*, (Madrid, 1847, t. II, pp. 77-79). En su despacho del 2 de octubre de 1830 a Cea, el cónsul de España en Bayona escribe: «Chapalangarra en la parte de Burguete ha sido muerto y su gente rechazada hasta Francia.» (AGS, Estado, Embajada de Inglaterra, leg. E 8324).

Todas las tentativas de invasión de España fracasaron. Valdés tomó Urdax y Zugarramurdi, y se unió a Mina para ocupar Vera. Éste pudo resistir durante varios días y consiguió ocupar Irún. Pero el viejo soldado pronto volvió a sentirse aquejado por sus antiguas heridas, y sus soldados se cansaron o bien fueron diezmados por un adversario superior en número. Vino luego la retirada por el puerto de Ibardín y a lo largo del Bidasoa, y para Mina, acorralado, el difícil regreso a Francia. El 12 de noviembre, Méndez Vigo intentó una última incursión en Sallent, pero dos días más tarde sus tropas eran desarmadas en Laruns. En Cataluña, Baiges en La Junquera, Mateo Miguel en Llivia, y Grases, San Miguel y Miranda en el valle de Arán, fueron igualmente repelidos por las tropas realistas.

Por falta de coordinación entre los distintos jefes, fracasaron estas aventuradas expediciones. Traicionados a veces por agentes dobles, y no habiendo podido ponerse de acuerdo sobre un plan de acciones militares concertadas —el único que les hubiese permitido no desperdigar esfuerzos—, también cometieron el error de iniciar las operaciones en una época del año poco favorable, ya que en octubre, la lluvia y la niebla invaden las regiones pirenaicas. Además, Navarra y Guipúzcoa eran provincias tradicionalistas en las que la población no se mostraba dispuesta a acoger a los constitucionales. A juzgar por las palabras del general al mando de la región militar de Toulouse, Mina había tenido una mala idea al escoger su provincia natal como escenario de su expedición, confiando en exceso en la repetición de sus triunfos de 1820. En un informe del 16 de enero de 1831 al ministro de la Guerra francés, el oficial escribe:

> Les Aragonais déplorent bien vivement que Mina n'ait point pénétré de leur côté .... Il est sûr qu'ils n'attendaient que la nouvelle d'un succès pour se soulever en sa faveur. Toute cette province est pour la Constitution et l'on ne compte de dissidents que les prêtres et la ... milice [los Voluntarios realistas]. Quant à l'armée, les habitants prétendent qu'elle n'eut pas tiré un seul coup de fusil sur les constitutionnels qu'ils regardent comme leurs libérateurs et dont ils eussent sur-le-champ grossi les bannières[89].

En fin, la formación de una junta de gobierno y la elaboración de un programa político concreto hubieran tenido que ser las condiciones previas anteriores a la tentativa armada. Todos creían de buena fe que les bastaría con proclamar la constitución de 1812 en algunos puntos de España para que se produjeran levantamientos en casi todas las provincias, y cada facción contaba con vencer a sus rivales.

Fernando VII, preocupado por los preparativos de los liberales en la frontera, había firmado el 1º de octubre de 1830 una orden que preveía duros castigos para

89. («Los aragoneses lamentan profundamente que Mina no penetrara por su zona ... No cabe duda de que tan sólo esperaban la noticia de un triunfo para sublevarse en su apoyo. La provincia entera está a favor de la Constitución y los únicos disidentes son los sacerdotes y la ... milicia [los Voluntarios realistas]. En cuanto al ejército, los habitantes aseguran que no hubiese disparado un solo tiro sobre los constitucionales, a quienes ven como a sus liberadores y de los que hubiesen pasado a engrosar las filas en el acto.») Archives du ministère des Armées, E^5 134, Espagne, mouvements sur les frontières 1830-1831. El cónsul de España escribía a Cea, el 26 de noviembre de 1830: «Ya estamos libres de estas gentes turbulentas, y no quiera Dios vuelvan jamás con intenciones tan depravadas como las que traían.» (AGS, expediente citado).

los autores de intentos de invasión del territorio y sus cómplices del interior. Dicha orden recogía las disposiciones del 17 de agosto de 1825, pero agravaba las penas previstas. Por otra parte, por estas mismas fechas, el rey de España decidió reconocer a Luis Felipe[90], quien, a partir de entonces, dejó de ayudar y apoyar a los emigrados españoles. *Le Constitutionnel* del 18 de octubre de 1830 anunció que el gobierno acababa de suspender la adjudicación de dietas y la expedición de pasaportes para España a los españoles que se dirigieran hacia la frontera de los Pirineos. Bajo el título *Cri d'humanité*, un redactor del *Temps* escribía ya el 16 de agosto de 1830: «Il serait pénible qu'excité[s] à la fois par le malheur de leur position et par le spectacle de notre triomphe, quelque-uns d'entre eux [les Espagnols], confians d'ailleurs dans l'intérêt qu'il nous inspirent, compromissent l'hospitalité que nous leur accordons»*; era conveniente pues conceder ayudas oficiales a estos refugiados ya que, de este modo, «le gouvernement s'assurerait une action légale sur ces individus»**. ¡Curioso «llamamiento de humanidad», por cierto! La circular que Guizot envió en octubre a los prefectos para exponerles el comportamiento a seguir en lo sucesivo con los refugiados españoles está en la misma tónica, y constituye un buen ejemplo de negación política[91]. Las grandes potencias europeas se sentían preocupadas ante una situación que, tras la conmoción de las jornadas de julio, ponía de nuevo en peligro el precario equilibrio instaurado por la Santa Alianza. Talleyrand, a la sazón embajador en Londres, escribía en un despacho del 25 de octubre: «Le duc de Wellington a particulièrement remarqué que la marche du gouvernement du Roi devait tendre à rassurer les différentes puissances contre cet état de fermentation de la France qui préoccupe l'Europe entière[92].» Tras aprovechar, en un primer momento, la oportunidad de alejar de París a los descontentos y a los extranjeros revoltosos, facilitando su marcha hacia la frontera de los Pirineos, Luis Felipe cambió súbitamente de actitud, reconociendo a Fernando VII y recluyendo a los refugiados. El levantamiento de Bélgica contra el rey de los Países Bajos hará que Francia observe estrictamente la norma de no intervención y dé garantías de ello en la conferencia de Londres, en la que Wellington, Talleyrand y los embajadores de Austria y Prusia discuten acerca del problema belga. Un poco más tarde, a fin de librarse de ellos, se propondrá a los emigrados españoles, por ini-

90. Según *Le Constitutionnel* del 22 de octubre de 1830, el gobierno de Madrid se sorprendió de que París no hubiese anunciado antes que Luis Felipe había sido reconocido por Fernando VII. Corría el rumor de que el conde de Ofalia había esperado, para informar oficialmente al rey de los franceses, a que Rusia y Austria tuviesen noticia de este reconocimiento. Ofalia presentó sus credenciales (fechadas en 25 de septiembre de 1830) a Luis Felipe el 23 de octubre de 1830 (Guizot, *op. cit.*, t. II, p. 95, nota 1). Véase también *supra*, nota 76.

* «Sería lamentable que excitados tanto por su desdichada posición como por el espectáculo de nuestro triunfo, algunos de ellos [los españoles] confiando además en el interés que suscitan entre nosotros, comprometieran la hospitalidad que les otorgamos.»

** «... el gobierno se aseguraría el posible ejercicio de una acción legal contra estos individuos.»

91. Guizot, *op. cit.*, t. II, p. 97.

92. («El duque de Wellington ha hecho especial hincapié en que la actitud del gobierno del rey debía tender a tranquilizar a las diferentes potencias respecto a este estado de agitación existente en Francia que preocupa a toda Europa.») Archives du ministère des Affaires étrangères, París, Correspondance politique Angleterre, vol. 631 bis.

ciativa de Soult, que se alistasen en la Legión extranjera para ir a combatir en Argelia.

En noviembre, se reagrupa a los refugiados en depósitos alejados de la frontera. Las tropas de Méndez Vigo son conducidas hacia Tulle; las de Gurrea, hacia Brive; las de Milans, hacia Clermont-Ferrand; las de Barrena y de Mina, hacia Bergerac; las de Grases, hacia Limoges; otras hacia Ussel, y las de Plasencia, hacia Bourges[93]. A este último depósito fue a parar Antonio Hernáiz, compañero de Espronceda. A Espoz y Mina se le asignó Burdeos como lugar de residencia. A finales de noviembre de 1830, Valdés, Méndez Vigo, López Pinto, Quiroga y Castellar regresan a París[94], en donde a algunos refugiados se les ha concedido la autorización de establecerse. Este es el caso de Espronceda que, a partir del 1.º de enero de 1831, recibe una ayuda de 1,50 francos por día en calidad de oficial soltero. García de Villalta, que tenía el grado de comisario de guerra y era casado, percibía 4,50 francos[95]. También se encuentra en París, cobrando 1,50 francos al día[96], Balbino Cortés, al que su herida de julio había impedido unirse a sus compañeros. Imaginamos que Espronceda volvió a hospedarse en el hotel Favart, en donde también se aloja Andrés Borrego. El futuro director de *El Español* y *El Correo Nacional*, a la sazón secretario de Baiges, instaló en el n.º 5 de la rue de Marivaux la redacción de su periódico bisemanal *El Precursor*, que adoptó el lema de «Libertad, Justicia»[97]. Borrego había considerado más prudente permanecer en París y no había tomado parte en los combates fronterizos, limitándose a dar cuenta de ellos en su periódico.

El decreto del 1.º de octubre de 1830 se aplicó en España con todo rigor contra los "revolucionarios" hechos prisioneros, o sus corresponsales en el país; pero no por ello abandonan los liberales su actividad clandestina. En Madrid, los miembros de la sociedad secreta Constitución con Fernando o sin él siguen manteniendo correspondencia con Mina. A principios de 1831, se descubre en Valencia la conspiración de Marcoartú, que tenía ramificaciones en toda España; Salustiano de Olózaga, comprometido en la misma, consigue huir después de ser detenido. El 27 de abril de 1831, un registro efectuado en casa de un tal José Coulet, con domicilio en Madrid, permite descubrir un plan subversivo enviado desde Francia. Durante el mismo mes, el librero Miyar y Francisco Bringas, detenidos

93. ANP, F^7 12109 y F^7 12111. En Bourges se encuentran también el coronel Albéniz y el sobrino de Riego; en Bergerac, el coronel O'Donnell, el escritor Pedro Martínez López, el hijo de Leocadia Zorrilla (la amiga de Goya), Guillermo Weiss y el teniente Benito Galdós, tío del novelista.

94. *El Precursor*, 2 de diciembre de 1830. Sobre este periódico, véase lo que sigue en el texto.

95. ANP, F^7 12077, 60 er.

96. ANP, F^7 12076, 26 er.

97. Andrés Oliva Marra-López, en su libro *Andrés Borrego y la política española del siglo XIX* (Madrid, 1959), afirma que Borrego colaboró en *Le Constitutionnel* y en *Le Temps*, pero desconoce la existencia de *El Precursor*, cuya publicación aparece anunciada en *Le Constitutionnel* del 28 de septiembre de 1830. La BNP sólo posee los números del 6 al 20 (del 17 de octubre al 5 de diciembre de 1830: el periódico aparecía tres veces por semana). ¿Acaso este n.º 20 fue el último publicado? La introducción de *El Precursor* en España fue prohibida el 22 de octubre de 1830 (AHN, Sala de gobierno, leg. 3850 y Consejos, leg. 11343). Sobre el papel desempeñado por Borrego en las negociaciones entre Mina y Torrijos, a los que deseaba sustituir por Baiges como jefe único de la expedición, véase A. Alcalá Galiano, *Recuerdos de un anciano*, BAE, t. LXXXIII, p. 243.

a la vez que Olózaga, son condenados a muerte [98]. El 26 de mayo, Mariana Pineda es ejecutada en Granada. A pesar de esta represión, se organizan nuevas tentativas de invasión: Torrijos desembarca en La Aguada en enero de 1831; Manzanares, seguido por trescientos hombres, ocupa las montañas de Ronda. El 20 de abril siguiente, la policía de Granada previene a Madrid de que

> muchos de los emisarios de los revolucionarios vienen encubiertos con el hábito de religiosos y papeles corrientes, pero suplantados, y han circulado a sus confederados, para animarlos que aunque los Polacos sean destruidos por los Rusos, rompiendo por la Alsacia entrarán en Francia para venir a hacer causa común con los Españoles liberales [99].

Entretanto, eran los españoles quienes compartían, en Francia, la causa de los polacos en lucha contra el emperador de Rusia. El primer biógrafo de Espronceda escribe lo siguiente:

> Volvieron su vista muchos emigrados a la Polonia, e intentaron ir a perecer allí entre los bravos que por tan noble causa lidiaban; también nuestro poeta fue uno de los que más contribuyeron a esta resolución, que frustrara el gobierno de Luis Felipe [100].

El 25 de enero de 1831 se constituyó en París un Comité polaco. Dirigido por el general Lamarque, Victor Hugo, Casimir Delavigne, Armand Carrel y Armand Marrast, se había impuesto como tarea la de « faire parvenir en Pologne des secours en armes et en argent, et de faciliter le passage aux nombreux officiers, aux ouvriers militaires qui demandent à aller payer de leurs services et de leur sang la dette contractée par la France envers la Pologne [101]». El Comité multiplicaba los llamamientos, abría suscripciones, produciéndose en Francia un importante movimiento de solidaridad que se tradujo en recaudación de fondos, conciertos de beneficiencia y ventas de libros, cuyo producto iba destinado a los polacos. Pero a falta de medios necesarios, tuvieron que conformarse con mandar algunos médicos y especialistas y, de hecho, ningún cuerpo de voluntarios pudo ser enviado a Polonia [102]. Espronceda debió de ser uno de estos voluntarios; tal vez participó también en las numerosas manifestaciones de solidaridad con el país oprimido que, en 1831, solían tener como escenario habitual las calles de París.

98. AHN, Consejos, legs. 12202 y 12223; AGS, Estado, Embajada de Inglaterra, leg. E 8203.

99. AHN, Consejos, leg. 12202. En *Los Apostólicos*, Galdós escribe que Esproceda fue uno de esos emisarios disfrazados, que se escondió en el convento de la Trinidad Calzada, donde Vega había cumplido su pena de reclusión tras el proceso a los Numantinos, y que, al cabo de un tiempo, salió de su escondrijo para enrolarse en los Guardias de corps del rey. Probablemente inducido al error por los recuerdos de los contemporáneos, el novelista sitúa en 1831 el regreso del poeta a España. Espronceda no volvería a España sino a principios de 1833, y no fue guardia de corps hasta entonces (véase *infra*, p. 252). Es bastante improbable que el poeta realizara un viaje clandestino a Madrid en 1831.

100. *El Labriego*, 14, 23 de mayo de 1840.

101. («... hacer llegar a Polonia ayudas en armas y en dinero, a la vez que facilitar el pasaje a los numerosos oficiales y obreros militares que solicitan ir a pagar con sus servicios y su sangre la deuda que Francia ha contraído con Polonia.») *Le Constitutionnel*, 26 de enero de 1831.

102. Véase el informe detallado de la actividad del Comité polaco en *Le Constitutionnel*, 1.° de noviembre de 1831.

La actividad de los partidarios de Torrijos en París

Pero pese a la hostilidad oficial del gobierno francés, nuestro poeta intentaba mostrarse útil a la causa de su patria. El 20 de mayo de 1831, unos cuarenta emigrados españoles residentes en París se reúnen en el hotel Jean-Jacques Rousseau, sito en la calle del mismo nombre. Nombran una comisión, cuya presidencia recae en el general Castellar, quien toma la palabra exhortando a los emigrados a que olviden las querellas que los dividen, y pidiendo a los participantes que se conviertan en los propagandistas de la unidad, como base de una eficaz solidaridad. Luego, Espronceda leyó el discurso que había preparado para esta ocasión, y cuyo texto se adjuntó al acta. Por desgracia, este discurso no ha llegado hasta nosotros: debía de estar incluido en el programa del periódico *La Verdad*, que Espronceda tenía intención de publicar al poco tiempo en París y que nunca salió a la luz. La comisión presidida por Castellar, y de la que también formaban parte López Ochoa, Pedro Méndez Vigo, Álvaro Flórez Estrada, Francisco Valdés, Juan Antonio Llinás, Ignacio López Pinto, y dos secretarios, Ramón Ceruti y Mariano Paz Gómez, redactó una circular enviada a los emigrados presentes en París, convocándoles a una reunión el 30 de mayo en el Colisée d'hiver, en el n.º 10 del boulevard Saint-Denis. Algunos de los destinatarios de dicha circular rehusaron, bajo diversos pretextos, asociarse a los trabajos de la comisión, como fue el caso de Alcalá Galiano, Ángel de Saavedra, el conde de Toreno, Evaristo San Miguel, José María Calatrava y el general López Baños. Sin embargo, acudió a la reunión un miembro de la junta "minista" de Bayona: Francisco Javier Istúriz. Éste impugnó la representatividad de la comisión, y declaró «que no sólo consideraba inútil sino también perjudicial la elección de una comisión directiva representante de los emigrados, que no era tiempo». Varios de los asistentes tomaron la palabra para oponerse a la opinión de Istúriz, como Flórez Estrada, Cayuela, Espronceda, López Ochoa y Pascual Madoz, entre otros. Istúriz pidió insistentemente la disolución de la reunión. Al ser minoría, sus partidarios abandonaron la sala con él. El 10 de junio de 1831, se envió una nueva circular a los emigrados españoles residentes en Argel, Gibraltar, Francia, Inglaterra, Suiza y Bélgica, para informarles de las intenciones de la comisión. Su objetivo era el «de entablar una cordial inteligencia, y mutua cooperación, entre los que [son] víctimas por tan justa causa, afín de adoptar los medios más oportunos, para que los intereses y derechos de toda la emigración, hasta el presente desatendidos, o por mejor decir no reclamados, puedan reclamarse del modo más enérgico y eficaz, que [les] sea posible hacerlo». Las cuestiones preliminares eran las siguientes:

> 1.ª ¿Los españoles constitucionales tienen algún derecho que reclamar contra la agresión y la violencia, con que contra todo pacto, razón y justicia han sido por las armas de Luis XVIII, ciego instrumento de la Santa Alianza, despojados de todas sus instituciones, y algunos hasta de sus bienes, y de su Patria, sometiéndoles por la fuerza, y por la intriga al yugo del despotismo? 2.ª En caso de tener los emigrados este derecho, ¿cuál será el medio de reclamarle efectivamente, y con buen resultado?

Dicha circular apareció en el n.º 4 (julio de 1831) del mensual *El Dardo*, publicado en París por el coronel Nicolás Santiago de Rotalde[103]. Éste, en el n.º 1 del mismo periódico (abril de 1831), se había atribuido la iniciativa de esta reagrupación de emigrados; y en el n.º 4, respondió a un desmentido de los miembros de la comisión a través de un alegato *pro domo sua* bastante confuso y poco convincente. En realidad, parece ser que las reuniones de mayo de 1831 habían sido organizadas por partidarios de Torrijos residentes en París y que, si bien tuvieron lugar en el hotel en donde se alojaba Santiago de Rotalde, no fueron convocadas por él. En ellas nunca se sometió a discusión el plan propuesto por este último en el n.º 2 de *El Dardo* (mayo de 1831); por otra parte, si este personaje algo excéntrico hubiese tenido realmente que ver con la creación de la comisión, lógicamente habría tenido que figurar entre los miembros de ésta.

Torrijos, que se hallaba en Gibraltar, fue puesto de inmediato al corriente de la iniciativa de sus partidarios. El 13 de junio de 1831, manifestó a López Pinto su desaprobación matizada: «La noticia de esta reunión, produzca el engendro que quiera, debilita nuestra acción y es raro que no se agiten tales cosas sino cuando vamos a ponernos en movimiento.» El 23 de junio, escribía a su mujer que, con la negativa de Saavedra, Grases, San Miguel y de los partidarios de Mina a suscribir las propuestas de la nueva junta «eso se hunde por sí mismo ... Por nuestra parte, es absolutamente imposible llevar a efecto lo que se dice, por la sencilla razón de que no puede ser». El 9 de noviembre, le repetía a su mujer, casi en los mismos términos, su opinión desfavorable acerca de «la junta general por la que fuimos nombrados»[104].

El 1.º de agosto de 1831, la comisión hizo el recuento de los 970 primeros votos recibidos. Flórez Estrada encabezaba la votación con 868 votos, seguido de Torrijos con 823. Ni Mina ni ninguno de sus partidarios habían tomado parte en la votación; pero de todas formas, Mina debía de estar bastante preocupado por su prestigio, ya que, según las informaciones recibidas de Ofalia, envió a un tal Amorós para convencer a los emigrados confinados en Périgueux y Bergerac de que le votaran, e intentar anular la iniciativa de los seguidores de su rival Torri-

103. La BNP posee los cuatro primeros números (de abril a julio) de *El Dardo*. El n.º 5, que se anuncia en la página final del número de julio como el último que aparecerá, nunca llegó a ver la luz. La circular citada (una copia de la cual se encuentra en el AHN, Consejos, leg. 12202) aparece reproducida en L. Sáenz de Viniegra, *op. cit.*, t. I, pp. 445-446. Sobre Rotalde, véase ANP, F^{7} 11985, 12102, 12103 y 12051; Archives du ministère des Armées, Vincennes, Refugiés espagnols, 1823, carton 67. Rotalde había firmado la convocatoria a la reunión del 20 de mayo, a la que asistieron cuarenta y un emigrados, según el despacho de Ofalia a González Salmón del 30 de mayo, una copia del cual fue entregada a Cea; pero la convocatoria a la reunión del 30 de mayo (fechada el 25) está firmada por Flórez Estrada, López Ochoa, Castellar, Méndez Vigo, Llinás y R. Ceruti, secretario (AGS, Estado, Embajada de Inglaterra, leg. E 8237). Se publicó en *Le Courrier français* del 29 de mayo de 1831.

104. L. Sáenz de Viniegra, *op. cit.*, pp. 452-471. Las breves noticias que sobre esta junta proporciona G. Boussagol (*Ángel de Saavedra, duc de Rivas. Sa vie, son œuvre poétique*, Toulouse, 1926, p. 49) han sido tomadas de *El Dardo*, pero se contradicen con la biografía de Torrijos, que se apoya en documentos. El artículo, por otra parte bien documentado, de Juan Uría Ríu ("Flórez Estrada en París", *Archivum* [Oviedo], V, 1955) no menciona ni estas reuniones de 1831 ni el papel que desempeñó en ellas el célebre economista asturiano.

jos[105]. En la prensa parisiense publicaron comunicados, tanto los partidarios como los adversarios de la consulta; así, el 11 de agosto, apareció en *Le National* una carta en la cual dieciséis exiliados (Espoz y Mina, Alcalá Galiano, Saavedra, Istúriz y Salvá, entre otros) reprochaban a la comisión el no haber consultado a todos los depósitos de refugiados, ni haber tenido en cuenta el hecho de que algunos diputados, oficiales superiores, ministros, y en general emigrados de alto rango, no habían considerado oportuno participar en la votación[106]. La comisión replicó a sus adversarios diciéndoles «que ellos mismos, no eran sino tan sólo unos 20 o 30 que se habían reunido para formar, bajo el nombre de Junta de Bayona, un comité que pretendía no sólo representar a la emigración, sino cumplir las funciones de un gobierno regularmente constituido[107]». Puede que el alejamiento de Torrijos, seguido de su trágica desaparición, contribuyeran al abandono del proyecto de la comisión formada por sus amigos y simpatizantes.

Si hemos estudiado con bastante detenimiento este episodio de la rivalidad entre emigrados moderados (partidarios de Mina) y comuneros (partidarios de Torrijos), es porque Espronceda intervino en el mismo, siendo uno de los primeros que dieron su apoyo a la comisión creada en mayo de 1831. La junta de Bayona deseaba dedicar todos sus esfuerzos a la preparación de nuevos intentos de invasión de España, mientras que los partidarios de Torrijos pensaban utilizar paralelamente las armas diplomáticas. Al trasladar el problema de los derechos de los liberales españoles al terreno político, pretendían que el gobierno francés hiciera frente a sus responsabilidades, denunciando los funestos efectos de la intervención de 1823. Esto permitía atraer la atención de la opinión francesa y europea sobre el profundo cambio que había experimentado la situación de los emigrados españoles a partir del reconocimiento de Luis Felipe por parte de Fernando VII. Las ideas de los partidarios de Torrijos, inspiradas con toda probabilidad por La Fayette y la izquierda francesa, podían constituir un arma para la oposición; en efecto, el rey de los franceses corría el peligro de que le acusaran de haber vuelto a la política de los ultras, unos meses después de haber llegado al

105. L. Sáenz de Viniegra, *op. cit.*, pp. 450-451. Una primera reunión, sin resultados concretos, tuvo lugar el 31 de julio de 1831. Ofalia había sostenido una breve conversación con Casimir Périer, al que entregó una nota al respecto y ante quien protestó contra la autorización de tales reuniones por parte del gobierno francés; informó a Cea mediante un despacho del 1.º de agosto (AGS, Estado, Embajada de Inglaterra, leg. E 8238). Ese tal Amorós debe ser el mismo que, en 1827, vivía en el número 17 de la rue du Four con su familia (ANP, F[7] 12060, 45 er y F[7] 12076).

106. Los otros firmantes de esta carta son J. M. de Vadillo, A. Pérez de Meca, R. Gil de la Cuadra, J. Rico, J. Gil Orduña, D. de Torres, J. Pérez de Meca, G. Aguilera, J. Clemente, J. Aldaz, M. de Inclán. El penúltimo era el secretario particular de Espoz y Mina.

107. *Le Constitutionnel,* 2 de septiembre de 1831. Este texto se inicia con una protesta contra «une lettre insérée dans un des derniers numéros ... et qui porte la signature de seize émigrés espagnols» («una carta insertada en uno de los últimos números ... y que lleva la firma de dieciséis emigrados españoles»), pero no hemos encontrado tal carta en los números anteriores de *Le Constitutionnel*. Cómo sabemos, había aparecido en *Le National* (véase la nota anterior). En el comunicado de la comisión se menciona en dos ocasiones la cantidad de 370 papeletas recibidas, mientras que L. Sáenz de Viniegra (*loc. cit.*) aporta la cifra de 970. Es esta última quien tiene razón, según se desprende del número de votos a favor de Flórez Estrada y de Torrijos (868 y 823). La comisión, tras la votación, quedó compuesta de la siguiente forma: Álvaro Flórez Estrada, presidente; José de Castellar, Francisco Valdés, J. López Ochoa, J. A. de Llinás, P. Méndez Vigo; J. M. Peón y Mier, suplente; Ramón Ceruti y M. Paz Gómez, secretarios.

trono gracias a los liberales. Las iniciativas de este grupo no tuvieron consecuencias, aunque cabe señalar que se las había considerado lo bastante preocupantes como para suscitar una gestión de Cea, embajador de España en Londres, ante el ministro británico de Asuntos Exteriores, lord Palmerston. En el despacho del 8 de junio de 1831, que Cea envía a su colega Ofalia, se especifica que el gabinete inglés ha dado instrucciones a su embajador en París, lord Granville, para que éste presione a Casimir Périer a fin de poner término a las exigencias de los emigrados españoles[108].

A finales de septiembre de 1831, se producen disturbios en el Palais Royal; se efectúan detenciones y se observa que entre los manifestantes figuran numerosos extranjeros, algunos de ellos españoles. El gobierno adopta medidas «pour éloigner de la capitale ceux qui abuseraient de l'hospitalité qu'ils y reçoivent[109]». Se entabló un debate en la Cámara de diputados con motivo de la discusión acerca de los créditos destinados a socorrer a los refugiados extranjeros. Casimir Périer consiguió para ellos una amplia mayoría de votos, pero la derecha subrayó el carácter escandaloso de la participación de españoles en manifestaciones antigubernamentales. Crecía, por entonces, el número de descontentos que veían incumplidas las esperanzas que habían depositado en su victoria de las jornadas de julio; la decepción iba en aumento en la opinión francesa. Polonia y Bélgica vivían también su revolución, y los españoles habían creído que la caída de los Borbones franceses provocaría la de los Borbones de España. Pero a los ojos de Luis Felipe, de sus ministros y de las potencias europeas, las cosas no podían ir por este camino.

En octubre de 1831, los españoles fueron objeto de nuevas medidas de alejamiento. Ahora no era sólo cerca de la frontera de los Pirineos donde se los consideraba indeseables, sino también en la capital en donde engrosaban de forma peligrosa el número de descontentos. Cuando los refugiados extranjeros acudieron, los primeros días del citado mes, a la prefectura de policía para cobrar la ayuda de septiembre, se les ofreció

> la moitié seulement de la somme, à condition qu'ils signeraient un engagement par lequel ils devraient promettre sur l'honneur de quitter Paris avant le 15 du courant. On leur a dit qu'ils toucheraient le reste à leur arrivée au dépôt qui leur était assigné, et que s'ils se refusaient à partir, ils perdraient par cela même tous leurs droits à des secours ultérieurs[110].

108. AGS, Estado, Embajada de Inglaterra, leg. E 8237. Cea invitó a Ofalia a que tratara directamente la cuestión con Casimir Périer y con el general Sebastiani, ministro de Asuntos Exteriores, lo que demuestra la importancia que se atribuyó al asunto.

109. («para alejar de la capital a aquellos que pudieran abusar de la hospitalidad que en ella reciben.») *Le Moniteur universel*, 20 de septiembre de 1831. Espronceda no figura entre «les gens de Juillet mécontents» («los descontentos de julio») de los que la policía elaboró, en esta época, fichas informativas. Encontramos en ese grupo, entre otros, a Valdés, Méndez Vigo, Beltrán de Lis, Inglada, Borrego y Baiges (ANP, F^7 12102).

110. («sólo la mitad de la suma a cobrar, siempre que firmaran una declaración en la que debían comprometerse por su honor a abandonar París antes del 15 del corriente. Se les ha dicho que cobrarían el resto a su llegada al depósito que se les hubiera asignado, y que si se negaban a marcharse, perderían con ello todos sus derechos a posteriores ayudas.») *Le Constitutionnel*, 5 de octubre de 1831.

En virtud de estas nuevas disposiciones, Espronceda recibió, el 27 de octubre de 1831, el importe del subsidio de septiembre y un pasaporte para ir a Burdeos. El prefecto de la Gironda informó al ministro del Interior de la llegada del poeta a dicha ciudad el 21 de noviembre [111]. Antes de irse, éste visitó a la condesa de Torrijos; al no encontrarla en casa, le dejó una esquela en verso, en la que se despedía de ella y le rogaba que le disculpase por no haber podido cumplir ciertos compromisos cuyo carácter desconocemos [112].

Espronceda no permaneció durante mucho tiempo en Burdeos. Debía —o había debido— de recibir dinero de sus padres, ya que no se presentó en la prefectura para cobrar los subsidios que le correspondían por los meses de octubre a diciembre de 1831; en el registro de ayudas concedidas a los extranjeros refugiados en este departamento consta, en la columna de "Observaciones" y junto a su nombre tachado, la nota: «Parti pour Londres». («Ha salido para Londres [113].») El 11 de enero de 1832, el poeta había hecho visar un pasaporte para dicha ciudad en la embajada de España en París [114]; desembarcó en Douvres el 21 de febrero siguiente [115].

Al parecer, las autoridades francesas no opusieron objeción alguna a la marcha de este refugiado: uno menos que mantener y vigilar. El conde de Ofalia, avisado por uno de sus confidentes del nuevo viaje del poeta, lo comunicó a su colega Cea, en un despacho del 2 de marzo de 1832, del que destacamos lo siguiente:

> Se me ha asegurado por uno de mis confidentes, que un cadete refugiado llamado Esponceda [*sic*], hijo de un brigadier de este nombre que existe en España y cuyo joven había solicitado en otro tiempo por conducto de esta embajada permiso para volver a España, se ha embarcado para Inglaterra con ánimo de pasar a Portugal e introducirse en Estremadura; no se sabe si con algún mal designio o simplemente por el deseo de volver a España, viendo que no llega el permiso que en otro tiempo solicitó [116].

Así pues, Espronceda debió de solicitar oficialmente la autorización de regresar a España; aunque no hayamos encontrado documento alguno referente a dicha gestión, tal vez se produjo realmente: puede que, en 1830 o 1831, los padres del poeta —al igual que lo hicieran a finales de 1828— le intimaran a volver a Madrid, amenazándole con no mandarle más dinero, y que Espronceda no tuviera más remedio que aceptar esta solución [117]. En el mismo despacho del 2 de marzo

111. ANP, F⁷ 12087, 589 er; F⁷ 12102, 1674 er.
112. Véase Espronceda, *Poésies*, ed. Marrast, pp. 23-24 y 306-308.
113. Archives départementales de la Gironde, M, registro 507 bis. Figuran también en él Aviraneta, el general Butrón, el sobrino de Riego y la amiga de Goya, Leocadia Zorrilla y Weiss, etc.
114. Brereton, p. 10, nota 5. Núñez de Arenas había aportado esta información al autor, sin precisar nada más.
115. Public Record Office, Home Office, 5, Indexes to Certificates, Reg. n.º 8918 (sin foliar). El registro indica: «Esponela, José de».
116. AGS, Estado, Embajada de Inglaterra, leg. E 8241.
117. Si es cierto que el poeta solicitó realmente esa autorización sólo pudo ser después de diciembre de 1829, pues no se menciona tal hecho en la correspondencia intercambiada entre Ofalia y Cea sobre Hernáiz y Espronceda durante los últimos meses de 1829. Véase *supra*, pp. 141-142.

de 1832, Ofalia escribe que, según su informador, un tal Martín o San Martín, procedente de España, habría dejado su pasaporte a Espronceda, que debía entrar en Portugal utilizando este documento auténtico, pero con nombre falso. El embajador añade que en este punto el confidente debe de estar equivocado, puesto que en sus oficinas ha encontrado constancia de un visado para Londres concedido a San Martín y a «un tal *Esponela*, que acaso será Espronceda[118]», en posesión ambos de un pasaporte expedido por el cónsul en Burdeos. Por último, Ofalia pide a Cea que no conceda a estos dos viajeros un nuevo pasaporte para Portugal o España.

Este asunto motivó, hasta el 23 de marzo de 1832, un intercambio de cartas entre Cea, Ofalia, el embajador en Lisboa y el cónsul en Burdeos[119]. Éste reveló que el pasaporte presuntamente expedido el 14 de enero a nombre de Martín y de Espronceda (quien se hacía pasar por sobrino del titular) era falso, ya que no se había librado ninguno que llevara estos nombres. Más tarde, Ofalia supo a través de la misma fuente (y lo comunicó a Cea el 19 de marzo) que Esponela era ciertamente Esponceda [*sic*], y que Luis Martín era en realidad Arnáiz (es decir, Antonio Hernáiz); y tambien que ambos refugiados estaban encargados de recoger en Londres fondos destinados a subvencionar una nueva expedición constitucional en la frontera de los Pirineos; expedición proyectada por el teniente coronel emigrado Fermín Leguía, y que debía iniciarse al mismo tiempo que la invasión de Portugal por parte de los partidarios de don Pedro. En su respuesta del 23 de marzo, Cea decía a Ofalia que estas últimas informaciones referentes a Martín y Espronceda coincidían con los datos que también él había recibido sobre ellos. Ahora bien, el llamado Martín o San Martín no era Hernáiz. Éste, recluido en el depósito de Bourges tras el fracaso de las expediciones de octubre de 1830, sólo estuvo fuera de dicha ciudad durante unos dos meses, de fines de julio a fines de septiembre de 1831; el 17 de diciembre, fue trasladado, al igual que otros emigrados, al depósito de Blois en donde todavía estaba en agosto de 1832. En cuanto a Fermín Leguía, se encontraba asimismo recluido en Bourges en 1831, y hay pocas probabilidades de que, privado de libertad de movimientos, pudiese preparar una nueva tentativa de invasión de España[120].

En resumen, según parece, los embajadores de España en París y Londres no intentaron hacer más averiguaciones respecto a los motivos del viaje de Espronceda. Si se le hubiese encomendado una misión política, lo más lógico es pensar que sus contactos con emigrados residentes en Inglaterra hubieran sido conocidos

118. El nombre de Espronceda aparece también deformado en «Esponela» en el registro citado *supra*, nota 115. Ese era, pues, el nombre que figuraba en el pasaporte (que era falso, como veremos más adelante) con que desembarcó en Dover.

119. Ofalia a Cea, 2 de marzo de 1832; Nicolás de Ribas y Salmón (cónsul en Burdeos) a Cea, 5 de marzo; Cea a Ofalia, 6 de marzo; Cea al conde de Montealegre de la Ribera (embajador en Lisboa), 7 de marzo; Ofalia a Cea, 12 de marzo (se adjunta una copia de la carta del 5 de marzo); Cea a Ofalia, 16 de marzo; Ofalia a Cea, 19 de marzo; Cea a Ofalia, 23 de marzo; conde de Montealegre de la Ribera a Cea, 23 de marzo. El despacho del 19 de marzo se refiere a una nueva carta del cónsul en Burdeos, que no se encuentra en el expediente (AGS, Estado, Embajada de Inglaterra, leg. E 8241, excepto las cartas del 7 y el 23 de marzo entre Cea y el embajador español en Lisboa: leg. E 8242).

120. Sobre esta época de la vida de Hernáiz: ANP, F^7 12078, 118 er y F^7 12107, 2201 er; sobre Leguía: ANP, F^7 12019.

por el confidente que informaba a Cea. Y sin duda, éste consideró inútil interesarse por más tiempo por la vida y milagros de Espronceda, después del error cometido con la identidad del compañero de este último en el viaje de Burdeos a París. Cabe la posibilidad de que el poeta consiguiera eludir toda vigilancia hasta su regreso a Francia el 2 de agosto de 1832. En cuanto a los motivos de esta nueva estancia en Inglaterra, pensamos que fueron más de orden sentimental que político.

SEGUNDO VIAJE DE ESPRONCEDA A LONDRES. ESPRONCEDA Y TERESA MANCHA: HIPOTÉTICA HISTORIA DE LOS AMORES DEL POETA

Hasta ahora, y aunque ciertos períodos del exilio siguen siendo para nosotros zonas oscuras, hemos podido describir, gracias a algunos documentos, las principales etapas de la estancia de Espronceda fuera de España. Pero de su vida sentimental, nada revelan ni sus cartas conocidas ni los archivos. Con un alarde de detalles a menudo fruto de su imaginación, todos los biógrafos de Espronceda han hablado de la mujer que le inspiró más tarde uno de sus más hermosos cantos, Teresa Mancha. Sus amores pertenecen a la leyenda, y no resulta fácil determinar lo que de cierto hay en ella.

García de Villalta, Ferrer del Río, Rodríguez-Solís y Cortón sitúan el primer encuentro entre Espronceda y Teresa en Portugal, es decir, a mediados de 1827. Según Villalta, los jóvenes debieron de conocerse a raíz de las visitas de Teresa a su padre, el coronel Epifanio Mancha, preso por aquel entonces en el castillo de São Jorge en Lisboa. Según pone de relieve Cascales, nada demuestra que Espronceda hubiese sido recluido en dicha fortaleza. De hecho, como ya hemos visto, el joven poeta se encontraba en la de São Vicente antes de ser expulsado de Portugal y embarcado rumbo a Londres, a finales de agosto de 1827[121]. No obstante, tampoco existe prueba de que esta versión tradicional sea del todo falsa: el coronel Mancha residía por la misma época que Espronceda en Belem, cuyo corregidor le autorizó el 9 de noviembre a aplazar su salida a fin de embarcar en un buque distinto del que se le había asignado[122]. Rodríguez-Solís cuenta que, como testimonio de amor a su galán, Teresa le regaló un gorro de cadete de artillería bordado por ella misma[123]. No hay ningún motivo para pensar que este detalle sea falso. En cambio, sí es falsa la leyenda, propalada por Ferrer del Río, Rodríguez-Solís y Cortón, según la cual Espronceda se hubiera marchado a Inglaterra siguiendo a Teresa; en efecto, recordemos que el poeta desembarcó por vez primera en Londres el 15 de septiembre de 1827, mientras que el coronel Epifanio Mancha, su mujer Amparo Arroyal y sus hijos Matilde, Teresa, María Salomé, Amalia y Joaquín no llegaron allí hasta el 6 de diciembre[124].

121. Cascales, p. 72, nota 5. Véase *supra*, p. 127.
122. Arqivo Nacional da Torre do Tombo, Lisboa, Relação dos maços da correspondência dos ministros dos bairros da capital, dirigidos ao Intendente geral de policia da Corte e Reino, bairro de Belem, maço 34 (1826-1827), n.º 34.
123. Rodríguez-Solís, p. 86.
124. Véase *supra*, p. 128. María Salomé y Amalia eran gemelas, y habían nacido en Sevilla el 31 de octubre de 1820; Joaquín había nacido el 28 de junio de 1818 en la misma ciudad (según

Según recordamos, en una carta a sus padres, del 27 de diciembre de 1827, Espronceda hacía referencia al proyecto, pronto abandonado, de ir a establecerse en Holanda. Puede que la llegada de Teresa a Londres —admitiendo que los jóvenes se hubieran conocido ya en Portugal— fuese una de las causas de su decisión de permanecer en Inglaterra. Resulta perfectamente comprensible la discreción de que hacen gala los primeros biógrafos en relación con los amores de Espronceda y la hija del coronel Mancha: en efecto, cuando se publicó el artículo de *El Labriego* en 1841, hacía apenas dos años que Teresa había muerto. Cuando Rodríguez-Solís editó su obra sobre el poeta en 1883, sólo reveló las iniciales del coronel Mancha (a quien confundía además con su hermano Francisco de Paula [125]) y las del marido de Teresa, y se limitó a vagas alusiones sobre la vida sentimental del poeta, sin duda en consideración a la hija de éste, Blanca, casada por entonces con Narciso de la Escosura. Sin embargo, ambos biógrafos dan a entender con bastante claridad que estos amores fueron tempestuosos:

> Los compromisos y vicisitudes de aquella pasión, de la cual todos los actores fueron víctimas, obligaron a Espronceda a trasladarse a Francia en 1829. (García de Villalta).
>
> Graves ocurrencias de la familia, escenas desagradables, sucesos, en fin, de carácter íntimo, ocurridos en Londres e imposibles de narrar dada la justa reserva que nos hemos impuesto, obligaron a Espronceda y a Teresa a marchar a París. (Rodríguez-Solís, p. 94.)

Posteriormente, este último rectificó dicha aserción, tras conocer las confidencias de Balbino Cortés, en un artículo del que trataremos más adelante. Los informes que la policía francesa elaboró en 1829 referentes al poeta no mencionan ninguna relación femenina en su vida. A principios de 1829 Teresa todavía no se había casado, según demuestra el suelto publicado por *El Emigrado observador* en su número de febrero de dicho año [126]. Así pues, antes de marzo de 1829 no pudo Teresa haber contraído matrimonio con Gregorio de Bayo [127].

---

la copia de la partida de bautismo que se encuentra en el expediente de la pensión de su madre: Archivo de Clases pasivas, Madrid, Pensiones, leg. M 349). Teresa nació posiblemente hacia 1813: su certificado de defunción, del que se conserva una copia en los Archivos Foulché-Delbosc (Institut d'Études hispaniques, París), indica que murió el 18 de septiembre de 1839, a la edad de veintiséis años. No hemos podido encontrar su partida de bautismo. M. Núñez de Arenas ya había señalado que los Mancha llegaron a Londres en diciembre de 1827 (*BH*, LIII, 1951, p. 214). Según su primer biógrafo (*El Labriego*, 14, 23 de mayo de 1840), Espronceda se paseaba a orillas del Támesis cuando vio acercarse un barco del que, con gran sorpresa por su parte, bajaron Teresa y su familia. La anécdota tiene su atractivo, pero los muelles de Londres, en diciembre, no invitan demasiado a pasear...

125. Rodríguez-Solís (p. 85, nota 1) atribuye a Epifanio Mancha hechos de armas que protagonizó su hermano; estos detalles fueron tomados al pie de la letra por Alonso Cortés, pp. 88-89. M. Núñez de Arenas (art. cit. en la nota anterior) restablece en parte la verdad.

126. Véase *supra*, p. 129. Churchman fue el primero en citar esta líneas ("Byron and Espronceda", *RH*, XX, 1909, p. 9, nota 1); luego las mencionaría Cascales (p. 81). Se trata sin duda de Matilde y de Teresa: las gemelas sólo contaban entonces ocho años y medio (véase *supra*, nota 124).

127. Nuestras indagaciones en los archivos del registro civil de Londres, de la iglesia católica de Saint Aloysius (parroquia de Somers Town), del Guildhall y de la Saint-Pancrace Library para encontar alguna noticia sobre la boda han resultado estériles.

Para conferir un carácter más "romántico" a los amores ilegítimos de Teresa, algunos biógrafos imaginaron que el yerno del coronel Mancha era un hombre ya viejo, o cuando menos de edad madura, a los brazos del cual habían arrojado a una joven a la que, evidentemente, esta unión repelía. Ahora bien, en la época probable en que se casó, Gregorio de Bayo tenía veintiocho o veintinueve años; pertenecía a una rica familia de negociantes de Bilbao, en donde había formado parte de la Milicia nacional entre 1820 y 1823; más tarde, hizo frecuentes viajes de negocios a Hamburgo y París [128]. Estamos mejor informados acerca del coronel Epifanio Mancha. Nacido y bautizado el 24 de agosto de 1784 en Utrera, había ingresado en el ejército como cadete el 12 de agosto de 1797; en 1809, era lugarteniente del regimiento de caballería del Infante. Sus superiores reconocen su valor y capacidades, aunque encuentran que su conducta deja bastante que desear hasta su matrimonio —que tuvo lugar el 18 se septiembre de 1809 en Sevilla (siendo revalidado el 17 de julio de 1810 en Badajoz)— con María del Amparo Arroyal Muñoz, natural de Torrecillas. Emigró por vez primera el 31 de mayo de 1814; en 1821, volvemos a encontrarle en calidad de capitán del resguardo militar de Sevilla, y en 1823, como gobernador del Castillo de Santa Catalina (había sido declarado inválido por una enfermedad del pecho en abril de 1813). Se dictó una orden de arresto contra él en julio de 1828, como responsable de la muerte de un prisionero de guerra en 1823; pero precisamente a partir de 1823, había vuelto a exiliarse. Como hemos visto, en 1827 fue expulsado de Portugal hacia Inglaterra. Por ser activo partidario de Torrijos, con quien estaba en Gibraltar en agosto de 1830, fue confinado en Marsella a principios de 1832, permaneciendo allí durante algunos meses y disfrutando del subsidio del gobierno francés; en agosto obtuvo un salvoconducto para Calais, y el 29, desembarcaba en Londres. El 22 de abril de 1834, la embajada de España le expidió un pasaporte para regresar a su país. Ejerció entonces en diversas provincias las funciones de comandante de carabineros, y fue nombrado más tarde superintendente de las minas de Almadén. Murió el 14 de octubre de 1844, siendo intendente de rentas en las islas Canarias [129]. La vida en la emigración no debía de ser fácil para el coronel, a cargo de una familia numerosa; sin duda el matrimonio de Teresa permitió mejorar una situación económica poco boyante [130]. En 1829, año probable de su boda con Gregorio de Bayo, la muchacha tenía dieciséis años y, a juzgar

128. ANP, F^7 12054, 1817 e. La edad que figura en el pasaporte que le visaron en Calais el 12 de mayo de 1825 es veinticuatro años; en el pasaporte enviado el 19 de agosto de 1826 al prefecto de policía de París por el subprefecto de Bayona se indica que tenía veintiséis años. Así pues, Bayo había nacido en 1800 o 1801. Se estableció en Londres, donde residía en 1837; aparece como donante de cinco libras en la lista de españoles residentes en Inglaterra que habían aportado un óbolo para ayudar a las familias damnificadas en el sitio de Bilbao (*Gacete de Madrid*, 26 de marzo de 1837.

129. AGM, Personal, expediente personal de E. Mancha; AGP, Sección histórica, caja 302, Papeles de Regato, n.º 16; AHN, Estado, leg. 5485 (Legación en Londres) y Hacienda, leg. 2053, n.º 162; ANP, F^7 3886, F^7 12180 a, F^7 12097, 1279 er; Public Record Office, Home Office, 5, Indexes to Certificates, n.º 8918; Archivo de Clases pasivas, Madrid, expediente citado.

130. En la lista de emigrados (septiembre de 1830) a los que les correspondía una ayuda del gobierno inglés aparece Epifanio Mancha, a quien se le concede una cantidad de 3 libras y 10 chelines, la tasa de los solteros y de los que no cargaban con la familia dentro de la 3.ª clase, en la que estaba incluido por su grado (Public Record Office, Treasury, Refugees Pay Lists, T 50/76. El coronel no aparece en las listas que van de julio de 1828 a agosto de 1829). Este

por los retratos que conocemos de ella, era muy hermosa [131]. ¿Qué lugar ocupaba entonces Espronceda en su corazón? Resulta muy difícil reconstruir los episodios de la pasión de los dos amantes hasta su regreso a Madrid en marzo de 1833, ya que los testimonios tardíos no siempre coinciden con la cronología ni con los documentos. No obstante, intentaremos cotejar las informaciones actualmente conocidas y proponer algunas hipótesis [132].

Cuando, obedeciendo la orden de sus padres, Espronceda se dirigió a Francia a comienzos de 1829, había buscado previamente el modo de permanecer en Inglaterra. En efecto, recordaremos que, en su carta del 6 de marzo, escribía desde Bruselas a sus padres: «Creí colocarme en Londres con una bonita pensión, y dejar de serles gravoso.» Una frase llena de vaguedad pero que, sea cual fuere la parte de verdad que hay en ella, demuestra claramente que el poeta deseaba dejar de estar a cargo de su familia, a fin de poder obrar a su antojo. Sin embargo, tuvo que trasladarse a Francia, por lo visto contra su voluntad (lo cual parece confirmar que su marcha —ya que deseaba evitarla— no estaba motivada por una misión política). ¿Por qué tenía interés en no abandonar Londres? Probablemente por permanecer junto a Teresa, cuyo matrimonio con Bayo quizá fuese inminente por entonces. Pero también cabe pensar que la salida del poeta para Francia le brindaba la oportunidad de alejarse de la mujer que amaba, precisamente cuando ésta iba a casarse con otro, de buen grado o presionada por su familia.

Tenemos pues a Espronceda en París. A principios de 1830, se hospeda en el hotel Favart. Pero el 26 de mayo de este mismo año, Gregorio de Bayo se hallaba en la capital francesa y obtenía en la prefectura de policía un visado de pasaporte para Londres, vía Calais [133]. No sabemos si estaba solo o acompañado de su mujer; y tampoco si se alojó en el mismo hotel Favart en donde había residido en 1826, aunque es probable. Por lo tanto, puede que entonces Espronceda llegara a ver a su rival, y tal vez a Teresa. Recordemos estas frases extraídas de la primera biografía del poeta:

> Allí [en París] también le persiguió el destino. Una casualidad funesta renovó los males que la buena fe y la abnegación se esforzaban en evitar, y complicáronse más que nunca aquellos sucesos, hasta que la revolución de julio ... les proporcionó su desenlace, llamando a la frontera de España a todos los emigrados [134].

Así pues, pudo haberse producido un encuentro entre Teresa y José antes de julio de 1830. Pero, ¿cuáles fueron estas nuevas complicaciones, fruto de dicha casualidad?

---

hecho nos lleva a suponer que su mujer e hijos ya no tenían derecho a más ayudas. Si Bayo se casó con Teresa antes de septiembre de 1829, probablemente tomó a su cargo la manutención de su suegra y de los otros hijos de Mancha.

131. D. Antonio Rodríguez-Moñino poseía una bellísima miniatura de Teresa, diferente del conocido retrato que aparece en frontispicio de Cascales.

132. Nos negamos a tomar en consideración las hipótesis formuladas por P. Ortiz Armengol en su libro *Espronceda y los gendarmes* (Madrid, 1969). Este libro, obra de un historiador improvisado, abunda en errores y contradicciones; carece de todo valor científico y tan sólo añade nuevas fabulaciones a la biografía de un poeta del que ya se cuentan demasiadas leyendas.

133. ANP, F[7] 12054, 1817 e.

134. *El Labriego*, 14, 23 de mayo de 1840.

El 2 de marzo de 1830, el prefecto de policía expidió un pasaporte para Londres a Hernáiz; éste, recién llegado a Calais el 26 de mayo, se embarcó al día siguiente rumbo a Douvres, a donde llegó el mismo día por la noche; el 14 de junio, estaba ya de vuelta a Calais. Si bien ignoramos cuál fue el objeto de este rápido viaje, existe una curiosa coincidencia: Hernáiz abandonó París el mismo día en que Bayo hacía visar su pasaporte para Londres, vía Calais. De regreso en dicho puerto, Hernáiz declaró que no tenía intención de proseguir su camino; deseaba sin duda volver a Inglaterra. El alcalde de Calais, en su informe del mismo día al ministerio del Interior, escribía: «Il [Hernáiz] accompagne, en ce moment, un Anglais qui est à la poursuite de sa femme, qu'il a retrouvée ici avec un autre Anglais, circonstance qui a déjà occasionné du scandale dans cette ville.»* Inmediatamente se dio desde París la orden de expulsar a Hernáiz a Inglaterra, lo cual sucedió el 18 de junio; aquella misma noche, el compañero de Espronceda se encontraba en Douvres[135]. Cabe preguntarse por qué razón Hernáiz, en posesión de un pasaporte el 2 de marzo de 1830, esperó al 26 de mayo para abandonar París ¿Sería acaso para seguir a Gregorio de Bayo, a petición de Espronceda? El inglés «à la poursuite de sa femme» («en busca de su mujer») quizá fuese el propio Bayo, sobre la nacionalidad del cual pudo haberse equivocado el alcalde de Calais. Pero ¿quien era el raptor? ¿Espronceda, que habría venido a esperar a Teresa? El que los viajes de Hernáiz tengan o no alguna relación con el posible encuentro de los dos amantes, el que dicho encuentro tuviese lugar efectivamente en el hotel Favart en 1830, o el que Espronceda coincidiera allí sólo con Gregorio de Bayo, no son más que una serie de conjeturas, un conjunto de detalles que excitan la curiosidad sin satisfacerla. Además, una vez sabido que Bayo estaba en París en mayo de 1830, parece que la frase de Villalta haga realmente alusión a una entrevista, fruto de circunstancias fortuitas entre el marido y el amante —o el enamorado.

Como hemos dicho anteriormente, cuando el coronel Epifanio Mancha regresó a Londres a fines de agosto de 1832, acababa de llegar de Marsella, en donde había residido durante algunos meses. Puede que Espronceda aprovechara la ausencia del padre de Teresa para volver junto a ella e intentar reconquistarla. La poesía titulada *A Matilde* (una de las hijas de Mancha) y fechada en «Londres, 1832», demuestra que frecuentó la familia de su amada durante su segunda estancia en Inglaterra. En esta composición, hay unos versos que llaman la atención. Primero éstos:

Nunca turben esos ojos
los enojos del amor

* «[Hernáiz] acompaña, en este momento, a un inglés que va en busca de su mujer, a la que ha encontrado aquí con otro inglés, circunstancia que ya ha provocado escándalo en esta ciudad.»

135. ANP, F^7 12070, 2657 e; Public Record Office, Home Office, 5, Indexes to Certificates, n.º 8917. Hernáiz todavía estaba en Londres el 19 de julio de 1830: ese día firmó una carta dirigida a Torrijos por 27 emigrados que se encontraban en la indigencia más absoluta (L. Sáenz de Viniegra, *op. cit.*, t. I, p. 311).

en los que Espronceda expresa su deseo de que la muchacha no tenga que soportar las preocupaciones que él mismo sobrelleva a causa de su amor; y también los últimos:

> Y venida tú del cielo
> por consuelo al infeliz
> brillarás modesta y sola
> cual la viola del abril.

en los que vemos una clara alusión al papel de consoladora, y tal vez de cómplice de su amor, que Matilde pudo ejercer junto al poeta [136]. Pero, ¿cuál es la verdad que se oculta tras estas palabras?

Las circunstancias de esta nueva estancia en Londres, que se prolongó por algo más de cinco meses, permanecen envueltas en el misterio. El único documento de la época que ha llegado hasta nosotros es una carta de Espronceda a su madre, del 19 de junio de 1832 [137]. Concluye con dos breves frases en las que el poeta se muestra preocupado por el estado de salud de su padre y reitera sus sentimientos de gratitud a sus padres; pero lo que le inquieta ante todo es la cuestión económica. En ausencia de Orense, su corresponsal, el apoderado de éste ha tenido a bien adelantarle diez libras (o sea 1.000 reales), de las que da recibo al final de su carta. Añade una posdata inesperada, en la que solicita que le escriban en una única hoja de papel, plegada, a fin de reducir los gastos de porte, recomendación que muestra a las claras que las preocupaciones económicas prevalecen sobre todas las demás.

Aun admitiendo que Espronceda volviera a Inglaterra para encontrar a Teresa, lo cual nos parece la hipótesis más verosímil, cabe preguntarse por qué no regresó más pronto a París con ella. Acaso esperara un momento favorable, por ejemplo un viaje de Gregorio de Bayo; tal vez Teresa tardara en decidirse, o su madre fuese hostil a este abandono del hogar. O bien puede que a la joven esposa le disgustara tener que dejar a sus dos hijos [138]; tal vez decidió esperar a que pudieran prescindir de los cuidados maternos. ¿Acaso fue aplazada la partida debido a la epidemia de cólera, que hacía estragos en París a principios de 1832? ¿O

136. Brereton (p. 11) cree que el idilio entre Espronceda y Teresa empezó en la época de esta segunda estancia en Londres. Basa sus argumentos en que, en 1832, el poeta «écrivit des vers à Matilde, sœur de Teresa, ce qu'il n'eût pas fait si l'enlèvement avait déjà eu lieu» («escribió unos versos a Matilde, hermana de Teresa, lo que no hubiera hecho si el rapto ya se hubiese producido.») Estas razones no nos convencen, dado que el poema en cuestión no es un madrigal. Véanse la noticia y el texto de *A Matilde* en Espronceda, *Poésies*, ed. Marrast, pp. 311-314.

137. Carta inédita (Archivos Núñez de Arenas).

138. Núñez de Arenas dijo que Teresa habría dado tres hijos a su esposo (según Brereton, p. 10, nota 6). Tras la muerte del coronel Mancha fueron reconocidos como sus herederos legítimos, el 27 de mayo de 1845, junto a sus tres hijos aún con vida (Matilde, Joaquín y Amalia), «D. Ricardo y D.ª Julia Bayo en representación de su difunta madre doña Teresa Mancha como hija primogénita de aquél, y de D.ª María del Amparo Arroyal» (Archivo de Clases pasivas, Madrid, expediente citado). Parece, pues, que Teresa sólo tuvo dos hijos de Gregorio de Bayo, Ricardo y Julia (a menos que un tercero hubiese muerto antes de 1845). Si su boda tuvo lugar a principios de 1829, la existencia de estos dos hijos bastaría para invalidar la hipótesis de que Teresa hubiera seguido a Espronceda a París en marzo de ese mismo año: el nacimiento de su segundo hijo no puede situarse antes de finales de 1830.

bien Teresa se fue a Francia antes que el poeta? Son otras tantas preguntas que permanecen sin respuesta.

Si bien no queda claro que pensaran huir juntos, lo que sí podemos admitir es que decidieron cuando menos reunirse pronto en París. En 1926, Horacio Maldonado publicó un artículo del cual destacamos lo siguiente: «Hallándose en Londres D. Cándido Juanicó, prestó él a Espronceda el frac para un sarao donde el poeta había de concertar con Teresa ... su huida a París [139].» Según una tradición referida por doña Luz de la Escosura y Núñez de Arenas, Espronceda habría sobornado a un criado para que le prestara su librea en una velada a la que asistía Teresa y, vestido así, ofrecido una bandeja de refrescos a su amada; ésta, al verle, se habría desmayado de la emoción. Ambas versiones tienen en común el préstamo del traje. Si damos crédito a Maldonado, el encuentro se situaría a los pocos días de la llegada de Espronceda a Inglaterra, de donde Juanicó se fue hacia el 10 de mayo de 1832; en efecto, el 14 llegaba a París, en la diligencia de Rouen, en compañía de dos personas [140]. ¿Acaso una de ellas fuera Teresa Mancha?

Espronceda desembarcó solo en Calais el 1.º de agosto de 1832, provisto de un simple permiso de embarco expedido por el Alien Office. Al no tener pasaporte, compareció ante el comisario de policía del puerto que le sometió a un interrogatorio. Espronceda fantasea en todas sus respuestas. Declaró: «Il y a trois ans que j'ai quitté l'Espagne pour me rendre en France. Il y a un an environ que je suis parti de Paris pour l'Angleterre avec un passeport qui m'avait été délivré à la préfecture de police ... J'ai laissé ce passeport à l'Alien Office de Londres»*. Añadió que había vivido siempre en París, que se había marchado de dicha ciudad «pour affaires personnelles» («por razones personales»), y que se había embarcado en Calais el mes de octubre del año anterior (1831). En realidad, sabemos que en esta época había tenido que ir a Burdeos, en donde el gobierno francés le había asignado residencia. El alcalde de Calais, satisfecho con estas explicaciones, le expidió un pasaporte para París, a donde llegó el 4 de agosto de 1832. Unos días más tarde, el ministro del Interior, al haber observado ciertas incongruencias en el acta de interrogatorio, instó al prefecto de policía a que mandara al refugiado al depósito de Blois. Al investigar el expediente del interesado se llegó a la conclusión de que «cet étranger en a imposé» («este extranjero no ha contado sino mentiras»). Intimado a que dejara París, Espronceda, alegando su estado de salud, solicitó al ministro del Interior, el 17 de agosto de 1832, la autorización de permanecer en la capital, o cuando menos de no ir a Blois, sino a Orléans; a cambio, renunciaba a los subsidios que percibía del gobierno francés. Como única respuesta, el 24 de agosto, el ministro del Interior rogó al prefecto de policía «à lui [Espronceda] tracer un itinéraire obligé pour Blois où il est tenu de résider»** no obstante, se le podía conceder una prórroga por razo-

139. H. Maldonado, "Del Uruguay: Espronceda y el uruguayo D. Cándido Juanicó", *El Sol*, 22 de septiembre de 1926. Más adelante volveremos a hablar de Juanicó (*infra*, pp. 174-175).

140. ANP, F[7] 12126 *A*.

* «Salí de España hace tres años para dirigirme a Francia. Hace un año aproximadamente que me fui de París para Inglaterra con un pasaporte que me fue entregado en la Prefectura de policía ... Dejé este pasaporte en el Alien Office de Londres.»

** «... que le fijara [a Espronceda] un itinerario forzoso hasta Blois en donde se le obligaba a residir.»

nes de salud[141]. En suma, Espronceda intentaba ganar tiempo. Además, su petición tenía pocas probabilidades de ser bien acogida, dado que le había mentido al comisario de policía de Calais, y por ello iban a mostrarse poco predispuestos a ser indulgentes con él. Residir en Blois significaba estar sujeto a un control más estrecho, y volver a salir de allí sin llamar la atención iba a resultar difícil. Espronceda consiguió burlar la vigilancia de la policía y no se marchó de París. El hecho de que deseara tanto quedarse en la ciudad se debía probablemente a que esperaba a Teresa. Su salida de Londres parece haber sido precipitada, ya que no le dio tiempo a avisar a sus padres. En efecto, el 12 de agosto de 1832, Orense firmaba a la madre del poeta un recibo de 600 reales por el importe de la «mesada correspondiente a este mes» que debía entregar a Espronceda[142].

Rodríguez-Solís mantuvo que Teresa había seguido al poeta cuando éste se marchó de Londres en 1829; pero poco después publicó una nueva versión de los hechos, basándose en confidencias de Balbino Cortés[143]. Este último, con sus dos hermanos, Luis y Antonio —a quienes Rodríguez-Solís designa con los nombres de Basilio, Luciano y Alfonso— regresaba el 15 de octubre de 1831 por la noche, en compañía de Espronceda, al hotel Favart en donde vivían los cuatro. Dos pares de zapatos colocados ante la puerta de una habitación llamaron su atención, y los cuatro amigos se entretuvieron intentando adivinar la nacionalidad de los dueños de los zapatos. Al consultar al mozo del hotel, éste declaró que pertenecían

> a unos viajeros llegados aquella noche de Inglaterra, que por su acento y por su idioma debían ser españoles; que el caballero mostraba un carácter muy severo y la joven, que era lindísima, parecía sufrir mucho; y por último, que, según los registros del Hotel, él se llamaba D. Gregorio y ella Teresa.

Al día siguiente, en complicidad con los hermanos Cortés, Espronceda raptaba a la joven. En 1942, Narciso Alonso Cortés trató de resolver las contradicciones existentes entre las diferentes versiones del "rapto" de Teresa. El erudito de Valladolid piensa que a Balbino Cortés le pudo fallar la memoria en lo referente a determinados pormenores, aunque no pone en duda su buena fe; y añade:

> Si el relato de don Balbino Cortés es en el fondo exacto, hay que convenir en que el encuentro de Espronceda con Teresa en el Hotel Favart no fue ni pudo ser casual, y que el poeta engañó lindamente a sus tres amigos si así se lo hizo creer. El detalle del par de botas y del par de zapatos colocados a la puerta del cuarto del hotel, es indudablemente cierto, y por él llegaría Espronceda a saber que su amada había llegado ya de Londres[144].

141. ANP, F[7] 12087, 589 er; F[7] 3886 (Bulletin de Paris, 5 de agosto de 1832).

142. Archivos Núñez de Arenas.

143. E. Rodríguez-Solís, "Una aventura de Espronceda (episodio histórico)", *La Ilustración artística* (Barcelona), II (83), 30 de julio de 1883, reproducido *in extenso* por Cascales, pp. 76-80. Nos parece del todo imposible que Teresa siguiera al poeta a Francia en 1829 (véase *supra*, nota 138).

144. Alonso Cortés, pp. 90-92. El autor rechaza la versión propuesta sin aportar pruebas por Cortón (*Espronceda*, Madrid, [1906], pp. 192-193), según la cual Teresa aprovechó un momento en que su marido estaba ocupado en su despacho, para vestirse de hombre, salir al jardín, saltar el muro de la casa y encontrarse en la calle con un amigo de Espronceda que, yendo por Plymouth y Cherbourg, la llevó a París junto a su amante.

Pero Alonso Cortés admite que el encuentro y el rapto se produjeron en octubre de 1831, inexactitud señalada por Núñez de Arenas: «El rapto de Teresa no se pudo verificar antes del verano de 1832; se equivocaba Balbino Cortés. Ahora bien, es posible que Teresa y Espronceda estuvieran ya de acuerdo en Londres [145].» En efecto, el viaje a Londres de 1832 sólo puede explicarse por el deseo de Espronceda de volver a encontrar a Teresa. Por otra parte, Balbino Cortés que, en calidad de herido de las jornadas de Julio, había recibido el 15 de junio de 1831 subsidios oficiales para ir al balneario de Bourbonne en compañía de su hermano Antonio, no volvió a París hasta el 4 de noviembre de 1831 [146]. Por consiguiente, de la fecha del 16 de octubre de 1831, habría que retener sólo el día y el mes, ya que debió de ser el 16 de octubre de 1832 cuando Teresa se decidió por fin a seguir a su amante [147]. Ni en los archivos ingleses ni en los franceses, hemos encontrado documento alguno que demuestre que el matrimonio Bayo pudiera hallarse en París aquel día.

Según Rodríguez-Solís, una vez juntos, «Teresa y Espronceda vivieron en París, primero en un piso segundo interior de la rotunda del Pasaje del Panorama, que abandonaron, ansiosos de aire y luz, trasladándose a una linda casita de Passy, llena de árboles, de pájaros y de flores» [148]. Esta vida en común no empezó en 1829, como pensaba Rodríguez-Solís cuando publicó su libro en 1883, sino, según creemos, en los últimos meses de 1832. Así pues, Espronceda tenía múltiples razones para dejar el hotel Favart: no sólo para ocultar sus amores —ya que en este barrio vivían muchos españoles—, sino también para evitar un traslado forzoso de residencia a Blois.

El regreso a Madrid

El 15 de octubre de 1832 se publicaba en Madrid una Real Orden por la que se amnistiaban los delitos políticos cometidos contra Fernando VII; sólo quedaban excluidos de este beneficio los diputados que hubieran votado la deposición del rey en Sevilla, así como los exiliados que hubieran estado al mando de tropas durante las expediciones en el litoral o en las fronteras del país. Espronceda podía acogerse pues a la clemencia real. El 4 de diciembre de 1832, envió al ministro francés del Interior, en su nombre y el de Antonio Bernabeu, una carta en la que exponía que ni él ni su compañero habían percibido subsidios desde su regreso de Inglaterra, a donde habían ido, según decía, con la esperanza de alistarse en el ejército de don Pedro de Portugal. Otra explicación, poco convincen-

145. *BH*, LIII, 1951, p. 215.
146. ANP, F^7 12076, 26 er, y F^7 3885 (Bulletins de Paris).
147. Cascales (pp. 81-82) piensa que Teresa, desatendida por su esposo siempre ocupado en sus asuntos de París, encontró en Espronceda un galán que pronto se convirtió en un amante correspondido... Pero, en ese caso, ¿cómo se explica el viaje de 1832 a Inglaterra?
148. Rodríguez-Solís, p. 95. Alonso Cortés (p. 92) escribe a propósito de esta frase: «Estas noticias son a todas luces exactas. Estas cosas no se inventan.» Al final del artículo que publicó tras conocer las confidencias de Balbino Cortés (véase *supra*, nota 143), Rodríguez-Solís escribió: «En cuanto a Teresa y a José de Espronceda, desaparecieron del hotel y quizás de París.» El autor no se acordaba de que había sido más preciso en el libro que acababa de publicar.

te, del segundo viaje a Londres: Espronceda no recibía subsidios porque no había ido a Blois, como se lo habían ordenado. Por otra parte, el ejército reclutado gracias a la ayuda financiera de diversos banqueros —con los cuales negociaba Mendizábal para restablecer a don Pedro en el trono de Portugal—estaba formado por numerosos emigrados españoles, condición que no era obstáculo para ser admitido. Espronceda y Bernabeu solicitaban además que se les abonaran los subsidios de noviembre y diciembre, a fin de poder regresar a España. Al pie de su demanda, daban sus señas: hotel Favart, plaza des Italiens. El 16 de diciembre renovaron su petición, aunque sin mencionar esta vez los motivos de su viaje a Inglaterra. El prefecto de policía les concedió una dieta de cincuenta céntimos por legua hasta la frontera, a condición de que estuvieran provistos de un pasaporte expedido por la embajada de España. El 24 de diciembre, Espronceda hizo visar su pasaporte obtenido legalmente y cobró la dieta; Bernabeu había cumplido con estas formalidades unos días antes [149]. Tal vez Espronceda no residiera en el hotel Favart como lo había comunicado, con lo cual este retraso quedaría explicado por la demora de envío de la correspondencia al domicilio en el que vivía con Teresa. Seguimos sin saber cómo obtuvo ésta un pasaporte para España.

La última etapa del regreso de los dos amantes a Madrid no estuvo exenta de vicisitudes. Las conocemos mal, y no existe más que un documento que nos permita esclarecerlas un poco: se trata de una carta de Espronceda a Cándido Juanicó, sin indicación de fecha ni lugar, pero escrita con toda probabilidad desde Bayona a finales de enero o a principios de febrero de 1833 [150]. A través de esta carta sabemos que Teresa se había reunido poco antes con Espronceda, quien da las gracias a su amigo Juanicó por sus "buenos oficios", asegurándole eterno agradecimiento. En efecto, según Maldonado, el joven uruguayo habría cuidado de Teresa tras la partida del poeta [151]. Pero ¿por qué no habían podido irse juntos de París los dos amantes? El principio de la carta demuestra que Espronceda estaba muy preocupado por la suerte que podía correr su amada, y muy impaciente por verla a su lado: «Muchas han sido mis pesadumbres», escribe. Acaso estaba cansado de esta permanencia forzosa a las puertas de España, impuesta por la obligación de la cuarentena. Es posible que Gregorio de Bayo volviera a París para intentar llevarse a su mujer a Londres, en el momento en que ésta se disponía a salir para Madrid en compañía de Espronceda; en efecto, Bayo desembarcó

149. ANP, F[7] 12087, 589 er y F[7] 12204, 1885 er. Sobre Bernabeu, véase *infra*, nota 155.

150. Esta carta, que se conserva en el museo de la Biblioteca Nacional de Montevideo, fue publicada por H. Maldonado (art. cit.), por J. Lerena Juanicó, *Crónica de un hogar montevideano* (Montevideo, 1938, pp. 220-221), y por Alonso Cortés, pp. 92-93. Aparece también, parcialmente reproducida, en R. D. Bassagoda, *Espronceda, poesías inéditas*..., Montevideo, 1940, pp. 20-21. Todos estos autores coinciden sobre su fecha probable. Espronceda escribe en ella: «Yo ya va para un mes que discurro por donde enlazan sus aguas el Adur y el Nive»; dado que obtuvo el visado de su pasaporte el 29 de diciembre de 1832, tuvo que abandonar París en los días siguientes. El lugar aparece indicado con claridad: el río Nive vierte sus aguas en el Adur al pasar por Bayona.

151. Art. cit. Basándose en los datos aportados por Núñez de Arenas, Brereton escribe (p. 11, nota 1) que Espronceda «sembla rester à Bayonne jusqu'à son rapatriement. Au début de 1833, Teresa, à Paris, reçoit de ses nouvelles, par l'intermédiaire d'un ami» («permaneció al parecer en Bayona hasta su repatriación. A principios de 1833, Teresa recibió en París noticias suyas, por mediación de un amigo»).

en Dover el 14 de enero de 1833, procedente de Francia[152]. En París, Juanicó debió de esforzarse, o bien por mantener a Teresa oculta a su marido, o bien por convencer a éste de renunciar definitivamente a ella: éstos debieron de ser los "buenos oficios" que le agradecía Espronceda.

El poeta entró en España por Irún entre el 1.º y el 3 de marzo de 1833, y Teresa, entre el 22 y el 24 de marzo[153]. En Madrid, Espronceda no encuentra más que a su madre. Su padre, fallecido el 1.º de enero de 1833, había sido enterrado al día siguiente sin ceremonia de ningún tipo, según expreso deseo consignado en su testamento, en el cementerio de la puerta de San Fernando[154].

Amistades y relaciones del emigrado

Acerca de la vida sentimental de Espronceda durante la época de la emigración, sólo podemos limitarnos a formular hipótesis; lo que de ella sabemos nos permite afirmar que, en torno a los veinte años, el poeta vivió una pasión que iba a marcar de modo profundo su vida y su obra. En cuanto a los amigos y relaciones que tuvo durante los aproximadamente cinco años y medio que pasó fuera de España, disponemos sólo de datos escasos y a veces imprecisos.

Algunos de sus compañeros son personajes oscuros o poco conocidos, cuyo nombre ha pervivido únicamente porque en algún momento de su vida formaron parte del círculo de relaciones de Espronceda. Este es el caso de Antonio Hernáiz, Antonio Bernabeu, o de Balbino Cortés[155] y sus hermanos, que son exiliados políticos, antiguos oficiales subalternos durante la época constitucional; fue

152. Public Record Office, 5, Indexes to Certificates, n.º 8919.

153. *Correo literario y mercantil*, 8 de marzo y 2 de abril de 1833; *Revista española*, 8 y 29 de marzo de 1833. Un decreto del 2 de febrero de 1833 (en la *Gaceta* del día 3) fijó en seis días de estancia en los lazaretos de Irún y de La Jonquera la duración de la cuarentena impuesta a los viajeros que querían entrar en España, excepto para los que venían de Burdeos y sus alrededores, que debían permanecer ocho días en Bayona o Perpiñán, y pasar luego los seis días de rigor en el lazareto. Estas medidas fueros abolidas por un decreto del 3 de abril de 1833 (*Gaceta* del día 4).

154. AGM, Personal, expediente Espronceda; *ibid*, Pensiones de 1833, leg. n.º 108 (expediente de María del Carmen Delgado), que contiene una copia de la partida de defunción del brigadier, cuyo original (parroquia de San Luis, libro 20 de difuntos, f.º 320 v.º) desapareció en el incendio de esta iglesia en 1935.

155. Sobre las etapas de la carrera militar de Hernáiz hasta 1833, véase Espronceda, *Poésies*, ed. Marrast, p. 211. El 15 de abril de 1834 abandonó el depósito de Blois, provisto con un pasaporte visado por el prefecto del Loir-et-Cher, y regresó a España por Perpiñán (Archives départementales Pyrénées-Orientales, M 1866). Reinició entonces su carrera y fue soldado a las órdenes de Jáuregui, combatiendo a los carlistas; ascendido a capitán en 1837, ingresó con el mismo grado en el cuerpo de los cazadores de Hacienda en 1841, y en el de carabineros en 1843; murió de una apoplejía el 11 de marzo de 1855, cuando era teniente coronel graduado, pero siempre capitán del mismo cuerpo de Zamora (AGM, Personal, expediente Juan Antonio Hernáiz). Sobre Balbino Cortés Morales, véase Espronceda, *Poésies*, ed. Marrast, pp. 22-23; Antonio Bernabeu, primero soldado y después subteniente, prisionero de guerra en Francia en 1823, encontró a sus dos hermanos Juan y Rafael en Alençon al año siguiente, y luego partió hacia Londres; volvió a París en 1829, y en 1830 formó parte de la expedición de Vera, a las órdenes del coronel Francisco Mancha, tío de Teresa. A su regreso de la emigración, reinició el servicio como soldado raso; en 1834 estaba empleado en el servicio de rentas provinciales de Alcaraz; el 15 de octubre de 1835 fue nombrado vicecónsul en Londres, cargo que abandonó en 1837,

probablemente gracias a los dos primeros o a uno de ellos que el poeta entró en contacto con los partidarios de Torrijos (a las órdenes del cual habían servido poco antes en España) y con el propio Torrijos. La breve carta en verso que Espronceda depositó en casa de la esposa del general a finales de 1831 demuestra que le unía a ella una respetuosa amistad, y parece indicar que entre los Torrijos y el poeta existían lazos más estrechos que los que puede haber entre el jefe de un partido de emigrados y uno de sus seguidores. Según hemos visto, en mayo de 1831, Espronceda se disponía a fundar un periódico en París, *La Verdad*. Para ello, necesitaba contar con apoyos, fondos, y este proyecto parecía estar entonces bastante adelantado ya que la publicación del prospecto era inminente. Puede que este periódico hubiese llegado a ser el órgano de los seguidores de Torrijos. Tal vez, gracias a este último, el poeta frecuentara la sociedad político-literaria de *The Apostles* de Cambridge, y conociera así a John Sterling, Alfred Tennyson, Richard Chenevix Trench y John Kemble[156]. Acerca de los salones de Londres en los que Espronceda era recibido o de las tertulias de las que era asiduo, nada nos ha dicho, excepto en un caso (y es imposible saber si se trata de un recuerdo verdadero): su relato en prosa *Un recuerdo* (publicado en 1841) y escrito en primera persona, se sitúa en la quinta de un lord Ruthwen, el cual, dice el poeta, «había conocido íntimamente a mi padre en la guerra de la Península».

De sus relaciones con Cándido Juanicó, sólo da testimonio la carta, anteriormente mencionada, en la que le daba las gracias, a comienzos de 1833, por haberle ayudado a reunirse con Teresa. La promesa de una amistad duradera hecha en dicha epístola no parece que se mantuviera tras el regreso del uruguayo a Montevideo en 1834. Los dos jóvenes habían tenido la oportunidad de conocerse en Londres a principios de 1828, ya que Juanicó se iniciaba entonces en la contabilidad en las oficinas de Orense, quien entregaba a Espronceda las mensualidades que le enviaban sus padres desde Madrid. En noviembre de 1830, Cándido tomó parte en la revolución de los bruselenses contra el rey de Holanda, al igual que Espronceda había combatido en París durante las Tres Gloriosas: sus simpatías comunes contribuían a acercarlos todavía más[157]. En una carta a su familia, escrita desde París, Juanicó evoca —con demasiada vaguedad para nuestro gusto—

---

tras ser acusado por el cónsul —según parece sin razón— de malversación de fondos. En 1841 fue nombrado interventor de los bienes del clero en Lérida (Archivo del Ministerio de Estado, leg. 28, n.º 1140; AHN, Consejos, leg. 6156, n.º 94, Consulado en Bayona; ANP, F^7 12015, 546 e, F^7, 12087, 589 er, y F^7 12103).

156. No se menciona el nombre de Espronceda en la revista del grupo, *The Athenaeum*, fundada en 1828. Sobre esta publicación y sobre los simpatizantes activos de los exiliados españoles en Inglaterra, véase V. Llorens, *Liberales y románticos*, 2.ª ed., Madrid, 1968, pp. 111-115.

157. Cándido Juanicó, nacido en 1812, hijo de un ex oficial de la marina mercante y negociante en Montevideo, llegó a Europa en mayo de 1825 con su hermanastro Carlos, nueve años mayor que él, para perfeccionar su educación; en agosto de este mismo año entró como alumno en un internado de Falmouth. En febrero de 1828 se fue a Lieja a seguir los cursos de la universidad y del Conservatorio real de música, y a aprender el arte del dibujo y de la esgrima; en noviembre de 1830, en los días de la revolución, se alistó en la guardia nacional belga, y luego regresó a Londres, donde estudió economía política bajo la dirección de Pedro Mendíbil, frecuentando además la casa Orense. En marzo de 1832 se fue de nuevo a Francia, y en noviembre se matriculó en la Facultad de Derecho de París; vivía entonces en la rue de l'Odéon (Julio Lerena Juanicó, *Crónica de un hogar montevideano*, Montevideo, 1938, pp. 174-224).

> la amenísima sociedad formada por cuatro o cinco jóvenes españoles del mayor mérito; los cuales, unos en razón de acontecimientos políticos y otros p[o]r sus estudios, habitan hace tiempo esta capital y q[u]e sólo esperan la amnistía de la Reina para regresar casi todos a sus hogares ... Entre nosotros, ha reinado siempre esta franqueza, esa naturalidad que sólo se hallan entre españoles y muchachos[158].

Según el biógrafo y descendiente de Juanicó, los amigos de éste eran Eugenio de Ochoa, García de Villalta, Juan Florán, Federico de Madrazo y Espronceda, y si este dato resulta cierto situaría esta carta en torno a agosto o septiembre de 1832[159]. Entre sus compañeros de esta época, Ochoa cita en 1867, en su *Miscelánea de literatura, viajes y novelas*, a «Espronceda, Florán, Villalta, inteligencias de primer orden», pero por desgracia sin entrar en pormenores sobre sus relaciones y actividades comunes en París[160]. En cuanto a Juan Florán, Espronceda no habla de él en ninguno de sus textos conocidos, y poco sabemos acerca de él: emigrado en 1823 por razones políticas, fue más tarde uno de los colaboradores de *L'Europe littéraire*, revista publicada en los años 1833-1839 por Victor Bohain y Alfonso Royer; en 1837, publicó en París una efímera revista, denominada *El Orbe literario*[161].

158. Carta sin fecha en J. Lerena Juanicó, *op.cit.*, p. 158.

159. Sobre Villalta, véase el artículo de M. Núñez de Arenas en *L'Espagne*..., París, 1964, pp. 400-405 (según el expediente ANP, F^7 12087, 580 er) y la obra de E. Torres Pintueles citada *supra*, nota 4. Su nombre aparece escrito *Villeta* en los documentos inéditos que nos informan de que había abandonado Barcelona, junto con otros oficiales de Mina, en enero de 1824; en julio, cuando se dirigía a Grecia, su barco naufragó y consiguió regresar a Marsella, desde donde fue a Gibraltar, vía Génova, y luego a Londres, donde, en enero de 1825, era miembro del comité encargado de ayudar a los compatriotas emigrados (ANP, F^7 12041, 1220 e, F^7 12059, 2082 e). En 1831 y 1832 se encontraba en París; en octubre de este último año se fue a Suiza, como profesor de la Escuela de agricultura de Hofweyl. Regresó a Madrid, y enseñaba matemáticas cuando se alistó en la Milicia Nacional (*Diario de Avisos*, 10 de abril de 1834). E. de Ochoa llegó a París en abril de 1828, con su "tío" Miñano y con una beca trienal de 12.000 reales al año para estudiar en la École Centrale. Regresó a Madrid en 1834 y se convirtió en redactor de la *Gaceta de Madrid* (ANP, F^7 12040, 1207 e; Archivo de Clases pasivas, Madrid, Pensiones, leg. M 325 [expediente de Carlota Madrazo y Kuntz, viuda de Ochoa]. Véase también *supra*, nota 254 de la primera parte). Su futuro cuñado, el pintor F. de Madrazo, llegó a París en 1832 ("Necrología. El barón de Grós", *El Artista*, II [31, 2 de agosto de] 1835, pp. 53-55; artículo sobre Federico de Madrazo en *Galería de españoles célebres*, editada por N. Pastor Díaz, Madrid, 1845; E. de Ochoa, *París, Londres y Madrid*, París 1861, y *Miscelánea de literatura, viajes y novelas*, Madrid, 1867, *passim*).

160. Ed. cit., pp. 269-270. El autor cita seis versos de Villalta que se encuentran en uno de los manuscritos de Espronceda que habían pertenecido a Juanicó (véase Espronceda, *Poésies*, ed. Marrast, p. 25).

161. Sobre Florán, véase A. Alcalá Galiano, *Recuerdos de un anciano*, cap. XI, BAE, t. LXXXIII, p. 163 b; E. de Ochoa, *Apuntes*..., París, 1840, t. I, pp. 512-517; T. R. Palfrey, "*L'Europe littéraire" (1833-1834). Un essai de périodique cosmopolite*, París, 1927, y V. Lloréns, *op. cit.*, pp. 38-39 y 223-224. El folleto y el n.º 1 (¿acaso el único que apareció?) de *El Orbe literario* se encuentran en la BNP (Z 57071). J. Lerena (*op. cit.*, pp. 222-223) cita dos cartas (una de octubre de 1833, sin firma; la otra de Ochoa, sin fecha) cuyo contenido nos demuestra que una estrecha camaradería unía a Ochoa, Florán y Juanicó; se habla en ellas de libros que hay que leer, de pequeñas deudas que saldar, de pañuelos extraviados, de una duquesa en cuyo salón parece ser que los jóvenes se aburrían mucho... Estas cartas se encuentran en la Biblioteca Nacional de Montevideo (Colección Lerena, Escritos de varios, t. XXI, que contiene también los manuscritos de Espronceda publicados por Bassagoda en 1940 y descritos en Espronceda, *Poésies*, ed. Marrast, pp. 25-27).

La amistad que unía a Villalta y Espronceda queda reflejada en los dos romancillos que éste le envió; en ellos están evocadas su participación común en los intentos de los constitucionales en la frontera de los Pirineos en 1830, así como su amargura tras la derrota; encontramos también alusiones a las actividades literarias y a los trabajos científicos del destinatario [162]. Por último, entre las relaciones de Espronceda durante la emigración, cabe citar a Diego de Alvear y Ward, antiguo alumno de Lista en 1826, quien residió luego en Londres y en París en donde, al parecer, asistió durante dos años a las clases de l'École centrale; a comienzos de 1830, el poeta le envió una epístola en verso con motivo de la muerte de su padre [163]. Al igual que Balbino Cortés y Cándido Juanicó, Alvear conservó varias poesías de su amigo escritas en esta época, cuya desaparición pudo así evitarse [164].

Así pues, poco sabemos de la vida y relaciones de Espronceda entre 1827 y principios de 1833. Durante el tiempo que residió en Francia, nunca aparece mencionado su nombre en la prensa o en los recuerdos o memorias de los contemporáneos, tales como Antoine Fontaney, Juste Ollivier o Dumas padre. Los informes de la policía y los despachos de los embajadores de España en Londres y París son los textos que mayor información nos proporcionan acerca de él, aunque no con toda la claridad que desearíamos. Lejos de su país, y sin duda gracias a las mensualidades que recibe de sus padres, Espronceda lleva una existencia más desahogada que la de sus amigos Hernáiz, Cortés y Bernabeu. Tampoco comparte todas las preocupaciones y ocupaciones del grupo del que forma parte. Ochoa, Alvear, Juanicó y Madrazo estaban estudiando; Villalta perfeccionaba sus conocimientos científicos gracias a los cuales consiguió, en 1832, un medio de sustento; Florán, además de poesías, escribía artículos. La única actividad a la que con certeza sabemos —gracias a los esbirros de la prefectura de policía— que se dedicaba Espronceda, aparte de la poesía, es la esgrima.

Lo que unía a estos españoles y este uruguayo era el amor por la literatura, así como el entusiasmo compartido por la causa de la libertad —que algunos de ellos habían defendido empuñando las armas— y sin duda también algunas diversiones comunes, cuando menos para aquellos que tenían la bolsa repleta. Aparte Villalta durante un tiempo, ninguno parece haber tenido apuros económicos duraderos: Ochoa disfrutaba de una beca otorgada por el rey de España; Espronceda, Alvear, Juanicó, y seguramente también Madrazo, eran mantenidos por sus padres.

Varias de estas amistades resistirán al paso del tiempo. Así, en determinados momentos de la vida del poeta, volveremos a encontrar los nombres de Villalta, Bernabeu, Balbino Cortés, Ochoa o Madrazo, unidos al suyo en circunstancias

162. Sobre la fijación del texto y la fecha probable de composición de estos poemas, véase Espronceda, *Poésies*, ed. Marrast, pp. 271-275.

163. Véase *infra*, pp. 192-193, y Espronceda, *Poésies*, ed. Marrast, pp. 27-28, 44-45 y 316. En los archivos de la École Centrale no hay —o no se ha conservado— ningún documento concerniente a Alvear y Ochoa. Este último habla de su amigo en los siguientes términos: «Diego Alvear, modelo de caballeros y de ciudadanos útiles sin vano ruido, tan cariñoso para mí que nuestros comunes amigos le llamaban *mi madre*.» (E. de Ochoa, *op. cit.*, p. 275).

164. Véase en Espronceda, *Poésies*, ed. Marrast, pp. 20-23 y 25-28, la descripción de los manuscritos del poeta conservados por estos tres amigos.

diversas, en empresas políticas o literarias. Uno de los más leales y adictos fue Villalta, quien en 1839 recopiló con Enrique Gil los textos de la primera edición de las poesías de Espronceda y escribió el prólogo. También por sus convicciones políticas será el que se mantendrá siempre más cercano al poeta.

Capítulo VII

LA OBRA POÉTICA Y DRAMÁTICA DE ESPRONCEDA DURANTE LA EMIGRACIÓN

LAS LECTURAS DE ESPRONCEDA: LA *GERUSALEMME LIBERATA* DE TASSO, *LA HENRIADE* DE VOLTAIRE Y LA *POÉTICA* DE MARTÍNEZ DE LA ROSA

Podemos imaginar la excepcional experiencia que Londres y París suponían, entre 1827 y 1832, para un joven poeta que ya había dado pruebas de su temperamento y personalidad de escritor, en el perfeccionamiento de su formación intelectual.

Espronceda había estudiado el francés y conocía bien el inglés, como lo demuestran las listas de premios del Colegio de San Mateo; podía leer pues los textos originales de los escritores contemporáneos, como los hermanos Tennyson, Walter Scott, Carlyle, Bulwer Lytton, Wordsworth, Coleridge y Byron. Sin embargo, entre los libros que poseía a su muerte, sólo encontramos las *Fables* de John Gay, *The Antiquary* de Scott, *The Corsair* y *Lara* de Byron, estas dos últimas obras probablemente en una edición publicada en París en 1830. Nos sorprende no hallar una más amplia representación de la literatura inglesa. De todo modos, sólo disponemos de un inventario incompleto, y la composición inconexa de este conjunto de libros demuestra que Espronceda no era un bibliófilo[165]. Su amigo García de Villalta, traductor de Washington Irving y más tarde de Shakespeare, contribuyó sin duda a su cultura inglesa, dándole a conocer otras obras y otros autores. Tal vez las preocupaciones políticas, económicas y sentimentales impidieron que Espronceda siguiera de cerca la evolución discreta —no marcada por escaramuzas violentas o apasionadas como en Francia— de la literatura en Londres. Aunque puede gozar allí de una libertad que aprecia en lo que vale

165. Véase nuestro estudio *Espronceda, textes et discours oubliés. La bibliothèque d'Espronceda...*, París, 1966, pp. 43-62. Sobre la edición de Byron citada más arriba, *ibid.*, p. 48.

cuando piensa en la penosa opresión que ahoga la España que ha dejado, tiene que acostumbrarse no obstante a un ambiente y un clima nuevos. En el ámbito de la poesía, las obras que puede leer entonces dan muestra de una evolución que él todavía no ha iniciado, ya que se ha mantenido en el neoclasicismo que Wordsworth y Coleridge han superado desde largo tiempo atrás. La poesía cósmica e idealista de Shelley o el estetismo exuberante de John Keats están bastante alejados del ideal que Lista enseñaba e imponía a sus alumnos. Byron, con quien más adelante iban a comparar a Espronceda tan a menudo, pudo atraerle por sus piruetas irónicas, su amargura, y quizás todavía más por las aventuras de su vida tormentosa, por su lucha y muerte por la libertad de un pueblo oprimido. Sin embargo, la influencia de Byron se apreciará sólo en obras más tardías.

En marzo de 1829, Espronceda llega a París en el momento en que la nueva escuela libra el postrer combate, y se dispone a triunfar con estrépito. Víctor Hugo acaba de publicar *Les Orientales* y *Le Dernier jour d'un condamné*, y compone *Marion Delorme* y *Hernani*; Vigny publica la tercera edición de sus poesías y lleva a las tablas su traducción de *Othello*; Alejandro Dumas ha tenido un gran éxito con *Henri III et sa cour*. El año 1830 es el de *Hernani*, de las *Harmonies* de Lamartine, de los *Contes d'Espagne et d'Italie* de Musset y de las *Poésies* de Théophile Gautier; también es el año en que se representa *Aben Humeya* de Martínez de la Rosa, en el teatro de la Porte-Saint-Martin. Por último, en 1831 aparecerán *Notre-Dame de París* y *Les Feuilles d'automne* de Hugo, *Antony* de Dumas, los *Iambes* de Barbier, *La Maréchale d'Ancre* de Vigny y *La Peau de chagrin* de Balzac. La lista de libros que Espronceda poseía en 1842 no incluye ninguno de estos títulos, pero en cambio encontramos en ella obras del todo —y justamente— olvidadas hoy en día, como son: una novela de costumbres del polígrafo anticlerical La Mothe-Langon, *Le Ventru* (1829), una tragedia de Soumet et Belmontet, *Une Fête de Néron* (1830) y una comedia con coplas de Ancelot, *Le Régent* (1832). Nada prueba que fueran estas las únicas lecturas francesas de Espronceda, y resultaría extraño que no se hubiese interesado por obras, libros de poesía o novelas que estaban suscitando fuerte conmoción en el mundo literario; aun cuando no tuviera acceso a dicho mundo, la prensa podía informarle de las reacciones de las dos escuelas enfrentadas. No obstante, falsearíamos la que podía ser sin duda la óptica de un joven emigrado español, a la sazón oscuro, imaginándole, por el solo hecho de que sería más tarde un célebre poeta, preocupado ante todo por mantenerse al corriente, día a día, de los acontecimientos literarios. Por otra parte, en la actualidad se concede a éstos una importancia a menudo excesiva en el movimiento de las ideas y la evolución del gusto, dada la perspectiva histórica y las reducciones esquemáticas utilizadas por los historiadores de la literatura. Por lo general, dichos acontecimientos sólo afectan a un círculo restringido y sus ecos rara vez llegan al gran público; además, hacia 1830, los medios de información sólo permitían una difusión limitada y muy lenta de las noticias, y en especial de las noticias referentes al mundo de las letras. Por todas estas razones, parece arbitrario considerar que la presencia del joven poeta en Londres y París en determinada época le hiciera inmediata y totalmente permeable a nuevas influencias.

Acerca de este punto, sus textos nos dan una información que, aunque tal vez incompleta, por lo menos es cierta. El artículo titulado *Poesía*, publicado en *El*

Siglo del 24 de enero de 1834, contiene una breve exposición de teorías literarias, sobre el teatro en particular, en la que hallamos lejanos ecos del prefacio de *Cromwell* de Hugo y de *Racine et Shakespeare* de Stendhal[166]. En la carta que Espronceda escribió el 26 de abril de 1834 a Ros de Olano, para contarle la acogida dada a su comedia *Ni el tío ni el sobrino*, escribe refiriéndose a la segunda representación: «ahora el "*public [du] lendemain*" como dice Víctor Hugo nos ha dado algún consuelo con sus aplausos.» Así pues, Espronceda había leído la defensa de *Le Roi s'amuse* (30 de noviembre de 1832) en la que el autor se quejaba del daño causado por la prohibición de la obra tras su estreno, y en donde se encuentra la misma expresión: «¿Qui lui rendra [al autor] le public du lendemain, ce public, ordinairement impartial, ce public sans amis ni ennemis, ce public qui enseigne le poète et que le poète enseigne?»*. Puede que Espronceda asistiera a la única representación del drama en 1832, o cuando menos sintiera curiosidad por leerlo; sin embargo, no hallamos reminiscencia alguna en su obra.

Un manuscrito autógrafo conocido desde tiempo atrás, pero que nunca se había intentado fechar con precisión, incluye el paralelismo establecido por Espronceda entre la *Gerusalemme liberata* de Tasso y *La Henriade* de Voltaire. Diversas razones nos inducen a pensar que dicho texto fue escrito en torno a 1828-1830, y más concretamente después de su llegada a París en marzo de 1829, ya que el papel del manuscrito lleva la filigrana HOLLANDE, siendo pues de fabricación francesa[167]. Se trata del borrador de una reseña de lectura que el poeta tiene la intención de enviar a uno de sus amigos a quien tutea, lo cual significa que le conoce bien, aunque ignoramos su identidad. En él hallamos un valioso testimonio acerca de las ideas literarias de Espronceda durante el destierro. Las obras de las que habla, las tiene ante los ojos y acaba de leerlas con detenimiento: «Tengo el Taso a la vista y voy a darte mi parecer sobre su poema. Mil veces lo he leído y con mucho despacio [*sic*].» Más adelante, dice acerca de *La Henriade*:

> Acabo de leerla y a la verdad con más cachaza que lo que hubiera querido porque ya sea la lengua francesa la que nada tiene de épica, sea la cansada conformidad y el pesado filosofismo de que está llena, me ha causado hastío su lectura y aun sueño.

Por primera vez, tiene en las manos el texto original, y no una traducción española. Así pues, todo nos lleva a pensar que, antes de salir de España, no conocía ninguna de las dos epopeyas mencionadas.

La *Gerusalemme liberata* produjo en Espronceda una fortísima y muy favora-

166. Sobre este artículo, véase *infra*, pp. 311-314.

* «¿Quién le devolverá [al autor] el "público del día siguiente", ese público por lo general imparcial, ese público sin amigos ni enemigos, un público que enseña al poeta y al que el poeta enseña?»

167. Se trata de uno de los manuscritos donados por Balbino Cortés a la BNM (Ms. 18633 [29]), cuyo texto ha sido publicado por Rodríguez-Solís (pp. 88-90, con algunas inexactitudes) y más tarde por Churchman (*RH*, XVII, 1907, pp. 707-710). Podemos encontrar un breve comentario del texto en E. Segura Covarsí, "Espronceda y el Tasso", *Revista de literatura* (Madrid), IV, 1953, pp. 399-412, y en Casalduero, *Forma y visión de "El diablo mundo"* de Espronceda, Madrid, 1961, pp. 13-15 y 24-25. Para la descripción del manuscrito y la determinación de su fecha probable, véase Espronceda, *Poésies*, ed. Marrast, pp. 20-23.

ble impresión: ningún poeta moderno le parece igualar a Tasso. El único que se le pueda comparar —según escribe— es Ariosto, del que conocía el *Orlando furioso* por lo menos desde 1824[168]. Lo que más aprecia en el poeta de Sorrento es la agilidad en la expresión, así como la habilidad y soltura en variar de tono y estilo:

> Sus versos llenos de fuerza y armonía se pliegan a los asuntos que trata con tanta facilidad como la música de Ros[s]ini a los afectos que intenta conmover en el alma; ya se les ve correr fluidos y vigorosos, ya suavemente deslizarse, ya detener su carrera lentos y delicados.

Los pasajes que más le impresionaron fueron el del infierno («en el discurso que pronuncia el monarca de las dominaciones rebeldes, su cadencia es tan opaca y pavorosa como las horrorosas y lúgubres mansiones que pinta»); las descripciones de batallas (en las que los versos «van tan rápidos como la lanza arrojada por el brazo de su Reinaldo»); el episodio en el cual Herminia se hace pastora a orillas del Jordán; la muerte de Clorinda y la descripción del palacio de Armida. Esta diversidad permite mantener en vilo la atención del lector, quien ve constantemente renovado su interés. En cambio, *La Henriade* le aburrió soberanamente, debido a su retórica glacial y su pesada carga moral:

> Me parecía estar leyendo un libro de moral algunas veces y estoy creído en que no tiene de poema épico otra cosa más que ser la relación de un hecho grande e interesante.

Los únicos pasajes de su gusto son la muerte de Coligny y la de Enrique III, el retrato de Jacques Clément, así como el discurso de Enrique IV a los suyos. A Voltaire le reprocha el haber recurrido demasiado poco al diálogo, el haber introducido en su epopeya personajes alegóricos «a quienes no ha dado crédito hasta ahora ninguna superstición popular», y sobre todo la falta de variedad. Según Espronceda, esta obra no podía ser sino una tentativa condenada al fracaso: por un lado, debido a la lengua en la que está escrita «que nada tiene de épica» (encontramos ahí el eco deformado de una célebre frase de Voltaire); y por otro, debido al hecho de que «el asunto era demasiado reciente y conocido de todos para poderlo diversificarlo [*sic*] con ficciones y he aquí de donde proceden la mayor parte de sus defectos».

En esta comparación entre las dos epopeyas, Espronceda dedica un extenso párrafo a defender el empleo de lo maravilloso en la *Gerusalemme liberata*:

> Se la ha criticado y a mi parecer con demasiada severidad el abuso que comete de las máquinas que ha empleado mezclando hechicerías ridículas con los misterios más sublimes de la religión cristiana y reservando todo el valor de su héroe Reinaldo para emplearlo en derribar los árboles del bosque encantado ... Conviniendo, como todo el mundo, conviene, que la época a que se refiere Taso en su epopeya y al tiempo que la compuso era general creencia que tales mágicos existían, paréceme

168. Véase *supra*, p. 92.

> tan absurdo el cri[ti]carle haberse valido de hechizos como lo sería a Virgilio tacharle de haber usado de la mitología en su *Eneida* porque ahora no creemos en Júpiter.

El joven poeta hace alusión aquí al siguiente pasaje del *Essai sur la poésie épique*:

> Il y a dans l'épisode d'Armide, qui d'ailleurs est un chef d'œuvre, des excès d'imagination qui assurément ne seraient point admis en France ni en Angleterre... Les enchantements ne réussiraient pas aujourd'hui avec des Français ou des Anglais; mais du temps du Tasse, ils étaient reçus dans toute l'Europe, et regardés presque comme un point de foi par le peuple superstitieux d'Italie ... Mais quel était ce grand exploit qui était réservé à Renaud? Conduit par enchantement depuis le pic de Ténerriffe jusqu'à Jérusalem, la Providence l'avait destiné pour abattre quelques vieux arbres dans une forêt: cette forêt est le grand merveilleux du poème[169].

Pero con ánimo de rebatirla, Espronceda parece haber recordado sólo la ocurrencia final; claro que Voltaire no condena ni el empleo de los elementos sobrenaturales, ni la mezcla de lo maravilloso cristiano y lo maravilloso pagano por Tasso. Por lo demás, reconoce en el mismo ensayo que, si bien no está lograda su descripción del diablo, Tasso ha sabido otorgar un carácter majestuoso a todo cuanto tiene que ver con la religión católica. Lo que reprueba el autor de *La Henriade* es la utilización de tales procedimientos en una época moderna, puesto que ya no se "admiten" en la época en que compone la suya. Esta es la razón por la que él, por su parte, prefiere dar paso a la alegoría. En efecto, en un poema destinado a denunciar los estragos del fanatismo, no podía recurrir a ficciones relacionadas con creencias religiosas o con la superstición popular. Con razón encuentra Espronceda aburrida la epopeya de Voltaire, ya que su carácter pedagógico unido a la constante preocupación del autor por mantenerse dentro de los límites de lo "razonable" no dejan al lector posibilidad alguna de exaltar la imaginación. Pero Tasso le conmueve y suscita en él sentimientos nobles y elevados mediante la utilización de aquellos mismos medios que rechazaba el filósofo francés:

> Y volviendo a la introducción de los espíritus celestes e infernales y a los encantos, te aseguro de buena fe que la majestad de los primeros y la grandeza de los segundos me inspiran un religioso recogimiento y un temor involuntario que apenas puedo explicar; así como cuando me conduce el poeta a la mansión de Armida, creo ver con mis ojos y tocar con mis manos los objetos del mundo ideal que con tanta magia describe.

Estas reacciones revelan a un joven dotado de sensatez y de gran sensibilidad literaria ante las epopeyas de Tasso y Voltaire. Aunque la clara preferencia que

169. («En el episodio de Armida, que de hecho es una obra de arte, hay excesos de imaginación que seguramente no serían admitidos en Francia ni en Inglaterra ... Los encantamientos no tendrían éxito hoy con los franceses o los ingleses; pero, en el tiempo de Tasso, eran admitidos en Europa entera, y vistos casi como dogma de fe por el pueblo supersticioso de Italia ... Pero ¿cúal era esa gran hazaña reservada a Renaud? Conducido por encanto desde el pico de Tenerife hasta Jerusalén, la providencia había destinado varios árboles de un bosque para ser abatidos; este bosque es la gran maravilla del poema.») Œuvres complètes de Voltaire, t. X, París, 1823, pp. 430-431.

demuestra por el primero podría interpretarse como prueba de un espíritu "romántico", hay que tener en cuenta que aquí su juicio todavía está mediatizado por las lecciones de Lista. Éste había insistido siempre en la indispensable armonía que debe existir entre el fondo y la forma, en la elección de una expresión poética adaptada a las ideas, a los sentimientos y a las descripciones, así como en la necesidad de variar los registros con arreglo a las diversas partes de una composición de larga duración, o al género en las obras más cortas. El profesor del Colegio de San Mateo se negaba también a otorgar el menor elogio a *La Henriade*: si los propios franceses no le reconocen cualidad alguna, «no es culpa de ellos, sino de la obra misma, en la cual se quedó muy inferior a su talento el célebre autor de la *Jaïra*[170]». También defendía el empleo de lo maravilloso, definiéndolo en términos perfectamente aplicables a las diversas formas en que aparece en la *Gerusalemme liberata*:

> no sólo la intervención de los seres sobrenaturales, como los dioses de la antigua mitología, o los magos y hechiceros de la edad media, sino también las coincidencias extraordinarias, las aventuras no comunes, los lances apurados, los grandes peligros evitados por felices circunstancias, en fin, todos los incidentes que sin necesidad de recurrir a la acción del cielo, son, aunque naturales, muy raros[171].

El «religioso recogimiento y el temor involuntario» que Espronceda experimentaba al leer los pasajes en que Tasso recurría a la intervención de espíritus celestes o infernales y de hechizos son fruto del carácter sublime que el talento del autor italiano supo atribuirles. Éste alcanzó pues el objetivo más noble al cual, según Lista, debe aspirar el poeta épico, que es el de provocar el entusiasmo a fin de que nazcan sentimientos elevados:

> El gozo que producen los objetos sublimes va acompañado de cierta agitación o inquietud ... Las bellezas sublimes se caracterizan por la idea asociada de un gran poder puesto en ejercicio, idea que comunica al placer del gusto cierta conmoción inquieta que eleva el alma[172].

Según hemos visto, Lista, en contra de la opinión de Boileau, pensaba que lo maravilloso cristiano podía incluirse en la poesía y, para apoyar su idea, citaba el ejemplo de Tasso, impulsando a los poetas españoles a seguirlo, tal y como lo había seguido él mismo[173]. En el mencionado paralelismo establecido en la *Gerusalemme liberata* y *La Henriade*, Espronceda no expresa ninguna idea que ponga en duda los principios fundamentales de la estética que le habían enseñado sus maestros del Colegio de San Mateo. Antes al contrario, dichos principios condicionan los juicios que emite; recordemos, en efecto, que el propio Hermosilla, tan rígido, consideraba a Tasso como el tercero entre los poetas épicos, tras Homero y Virgilio[174].

Alejado de Lista y privado de su consejo, Espronceda halló un nuevo guía en Martínez de la Rosa. Aunque nada permita afirmarlo, no hay que descartar la

170. A. Lista, *Ensayos literarios y críticos*, Sevilla, 1844, t. II, p. 50.
171. *Id., ibid.*, t. I, p. 155.
172. *Id., ibid.*, t. I, pp. 20 y 22.
173. Véase *supra*, p. 98.
174. J. Gómez Hermosilla, *Arte de hablar en prosa y verso*, Madrid, 1826, t. I, p. 15.

posibilidad de que existieran relaciones personales entre el joven poeta y el ya célebre escritor (ambos se encontraban en París por la misma época). La única prueba que tenemos es que el autor del *Pelayo* conoció y practicó la *Poética* que el antiguo ministro en el exilio había publicado en París en 1827: se trata de un manuscrito —tal vez sólo en parte autógrafo y que, a nuestro parecer, es de 1828-1830— que incluye cinco obras en verso copiadas en las *Anotaciones al canto IV* de la mencionada obra: una anacreóntica de Cristóbal de Castillejo titulada *El amor preso*, una letrilla de Encina ("Ay triste que vengo!"), y tres poemas anónimos (el cantarcillo "En la peña, y sobre la peña", el villancico "Pastores, herido vengo" y el cantarcillo "De los tus amores/Carrillo, no fíes")[175]. Esta selección revela cierta curiosidad por formas poéticas consideradas despreciables por Lista, pero que no dejaron honda huella en la obra de Espronceda. Puede que las tuviese en mente cuando escribió más tarde el capítulo XVII de su novela *Sancho Saldaña*, en el cual Leonor canta un romance de construcción algo híbrida y que, como los cantarcillos, se inicia con un estribillo cuyos últimos tres versos se repiten luego dos veces[176]. Esta corta poesía es una especie de plagio cuya inclusión en la novela queda justificada por el deseo de mantener un tono "de época". Pero hay que evitar sacar conclusiones apresuradas, ya que esta única hoja suelta que ha llegado hasta nosotros tal vez no represente sino una pequeña parte de lo que Espronceda retuvo de la lectura —o lecturas— de la *Poética* de Martínez de la Rosa. Cabe señalar, no obstante, que las cuatro últimas poesías reproducidas en dicho manuscrito tratan con frescura y espontaneidad el tema de la melancolía amorosa. El autor del *Pelayo* debió de apreciar estas cualidades, ese tono y vocabulario tan sencillos y alejados de la fraseología convencional y enfática. Lo curioso es que hiciera este descubrimiento en un tratado de poética sin audacias.

En efecto, nada tiene de revolucionaria la *Poética* de Martínez de la Rosa, cuyas *Anotaciones* incluyen fragmentos comentados de poesía española (muchos textos están reproducidos con el único objetivo de condenarlos en nombre de un "buen gusto" que sigue siendo el mismo de Luzán y de Boileau). Obra destinada a guiar a los jóvenes que sienten en su interior la vocación de escribir versos, les propone un código de escritura, un manual de estilo, conformes en conjunto a las teorías expuestas por Hermosilla en su *Arte de hablar en prosa y verso* (aunque menos pedante) y a las enseñanzas de Lista.

En las anotaciones al canto IV[177] que trata de la epopeya, hallamos ideas semejantes a las expresadas por Espronceda acerca de la *Gerusalemme liberata* y *La Henriade*. Martínez de la Rosa censura a Sirio Itálico, Lucano y Voltaire por haber escogido temas demasiado recientes que les obligaron a guardar una fidelidad histórica incompatible con la libertad del poeta; de ahí la frialdad de sus obras; añade también: «¡con cuánta más libertad pudo campear el cantor de la *Jerusalén libertada* que no el autor de la *Henriada*!» Condena la utilización de la mi-

175. La *Poética* constituye el primer tomo de las *Obras literarias*, de Martínez de la Rosa (París: Imprenta de J. Didot, 1827-1830, 5 vols.); se reimprimió en el t. CLI de la BAE; en él, las poesías reproducidas en el manuscrito en cuestión ocupan las pp. 313a, 315, 316a, 316b y 316a respectivamente. Sobre este manuscrito (que, al igual que el anterior, perteneció a Balbino Cortés), véase Espronceda, *Poésies*, ed. Marrast, pp. 21-23.

176. BAE, t. LXXII, pp. 430b-431a.

177. BAE, t. CLI, pp. 385-395.

tología por parte de quien trata o pudiese tratar temas pertenecientes a la historia moderna, así como el empleo de las alegorías, en razón de «lo insulsa y fría que aparece la intervención en los acontecimientos humanos de unos personajes fingidos (que se sabe no ser en realidad sino los nombres dados a unas ideas abstractas)». Reconociendo que pese a los progresos en la instrucción, sigue quedando «un fondo de superstición en el común de los hombres», aconseja recurrir a los presagios, los presentimientos, las visiones que se tienen en sueños, a la aparición de un muerto que reaviva el delirio de la imaginación, así como a las profecías de algún personaje presuntamente inspirado, o a las palabras fatídicas pronunciadas antes de morir. Empleados con habilidad, dichos recursos pueden dar a la obra «realce sobrenatural y maravilloso». Martínez de la Rosa defiende también a Tasso ante la condena, demasiado tajante según él, hecha por Boileau respecto al uso de lo maravilloso cristiano. A pesar de manifestar alguna reserva sobre ciertos pormenores («como que un hechicero haga un talismán de un cuadro de la Virgen, o que uno de los compañeros de Satanás se llame Plutón»), afirma que el tema del poema italiano es uno de los más bellos y apropiados para la epopeya: la liberación del sepulcro de un dios. Concluye diciendo:

> Lejos, pues, de presentar la acción seca y descarnada, debió el poeta presentarla con color religioso, igualmente conforme a la verdad histórica que favorable a la imaginación.

Por último, la impresión que *The Paradise lost* produce en el autor de la *Poética* —quien, haciendo gala de su habitual prudencia, específica: «a pesar de los absurdos condenados justamente por la sana crítica»— nos recuerda la que hizo en Espronceda la lectura de Tasso: «ofrece cuadros tan magníficos y sublimes, que no puede contemplarlos la imaginación del hombre sin pasmo y maravilla.»

NUEVOS FRAGMENTOS DEL *PELAYO*

En la carta que Espronceda escribió a sus padres el 28 de marzo de 1828 desde Londres, les pedía que le enviasen los manuscritos del *Pelayo*, que deseaba dar a leer a sus amigos y cuya composición pensaba proseguir. Es probable que no se cumpliera su deseo, ya que los mencionados manuscritos figuran en el inventario de papeles intervenidos tras el registro que se llevó a cabo, un año más tarde, en el domicilio del brigadier en Madrid. Ello no impidió que el joven poeta continuara escribiendo nuevos fragmentos destinados a su epopeya, tal como lo atestigua su primer biógrafo.[178] No podemos determinar con exactitud la importancia cuantitativa de los mismos; en efecto, la cronología de la composición del *Pelayo* es incierta —lo repetimos—, e ignoramos la naturaleza, importancia y fecha de las modificaciones que Espronceda pudo introducir en las estrofas que conocemos actualmente. De todos modos, si admitimos que la comparación entre la *Gerusalemme liberata* y *La Henriade* fue escrita en torno a 1828-1830, tras una detenida

178. Véase Espronceda, *Poésies*, ed. Marrast, pp. 116-117.

lectura de ambas obras, podemos decir que los fragmentos del *Pelayo* en los que aparecen reminiscencias de Tasso o de la epopeya de Voltaire se remontan al mismo período.

Gracias a cotejos precisos, establecidos por Brereton, reanudados por Mazzei y proseguidos por nosotros mismos, podemos concluir que la influencia del poeta italiano es evidente en determinados pasajes (vv. 1-48; *La procesión*, vv. 609-656; *Descripción de un serrallo*, vv. 754-809; descripción de una batalla, vv. 874-1.033); añadiremos que el *Cuadro del hambre* (vv. 810-873) contiene temas procedentes del canto X de *La Henriade* y, por último, que al inicio del primer fragmento, algunos motivos parecen sacados de la *Poética* de Martínez de la Rosa[179]. Así pues, en el transcurso de las etapas de la composición del *Pelayo*, la descripción pintoresca adquiere cada vez mayor importancia en los fragmentos de la epopeya proyectada. Espronceda parece perder de vista el conjunto en el cual están destinados en principio a insertarse, hasta tal punto que se aprecia cierto desequilibrio en el poema inacabado que conocemos. Tanto la procesión, como el cuadro del hambre, la descripción del serrallo o los relatos de batallas, son escenas de género en las cuales ha quedado olvidado el propósito inicial: la glorificación del héroe de la Reconquista. Este cambio de interés se manifiesta en la elección más o menos consciente de los temas y fuentes de inspiración. Cuando describe los estragos del hambre en alguna ciudad española, el poeta tiene en mente los motivos más terribles que Voltaire había utilizado en el canto X de *La Henriade*, y los mezcla a los que recuerda de la *Destrucción de Numancia* de Cervantes o de la *Numancia destruida* de López de Ayala. De Tasso, adopta comparaciones épicas para los relatos de combates; visiones fantásticas, sobrenaturales o infernales; de él toma también la idea de describir una procesión y algunas pinceladas para realzar su propio cuadro, así como algunos detalles de color local para retratar a Aldaimón, su corte y su serrallo. Tanto la sonoridad de los versos como la fuerza, y en ocasiones la violencia, de la expresión dan prueba de un dominio cada vez mayor y de una inspiración poética mucho más amplia que en tiempos de la Academia del Mirto. Pero el simple hecho de que Espronceda siga pensando en llevar a término un poema épico en doce cantos demuestra que las nuevas tendencias de la literatura en Inglaterra y Francia no le habían impulsado al abandono de las teorías de Lista o de las de Martínez de la Rosa en la *Poética*. Para Lamartine y Byron, Tasso, más que el autor de la *Gerusalemme liberata*, era ante todo un símbolo: el del poeta víctima del despotismo, acorralado, encarcelado e incomprendido. Hacia 1828-1830, Espronceda se siente atraído por esta obra maestra, por las mismas razones por las que ha leído *La Henriade*: va en busca de modelos y, con ánimo de inspirarse, está deseoso de conocer el estilo que utilizaron los dos escritores extranjeros para cantar las hazañas de un héroe, así como los medios y recursos de que se valieron para conseguirlo. El poema de Voltaire le interesa por el tema: el triunfo de un "rey bueno" que saca a su país de la situación catastrófica en la que lo había sumido un "mal rey", tema fundamental del *Pelayo*. La epopeya de Tasso canta las proezas de un personaje que emprende una acción (la liberación de la ciudad santa) que presenta un punto en común con la

179. Brereton, pp. 33-50; Mazzei, pp. 30-34. Para un cotejo detallado de las similitudes, véase Espronceda, *Poésies*, ed. Marrast, pp. 116-192.

de Pelayo (la liberación de una tierra cristiana de la ocupación musulmana). En el momento en que compone, o por lo menos comienza a componer, las descripciones escritas durante la época de la emigración, Espronceda no tiene a la vista el plan general trazado por Lista, plan en el que difícilmente podrían tener cabida tales descripciones. Aun cuando se mantiene fiel a los principios fundamentales del neoclasicismo, el joven poeta se siente atraído por obras o partes de obras que hablan al corazón y a la imaginación, más que a la razón. De ahí que los nuevos fragmentos del *Pelayo* traten temas que permiten dar mayor campo a la sensibilidad que a la retórica, y en los que la expresión poética puede desplegarse en toda su riqueza, con una exuberancia de imágenes de vivos colores. Aun permitiéndose alguna licencia con respecto a la tradición histórica o seudo-histórica, las hazañas de Pelayo no se prestaban a la utilización de elementos fabulosos, sobrenaturales o pintorescos, como en el caso de Reinaldo. Sólo podían usarse con moderación en las apariciones, sueños y presagios. Seducido por la epopeya de Tasso, Espronceda busca temas que le permitan seguir su ejemplo, aunque para ello deba apartarse necesariamente del tema principal de su poema. De ahí que nos traslade a la corte de Rodrigo, a la de Aldaimón, que nos lleve a presenciar el desfile de una procesión, el espectáculo de una ciudad hambrienta, el fragor de la batalla para mostrarnos un combate singular, o nos introduzca en la propia habitación del último rey visigodo, con lo cual nos hallamos a veces muy lejos del héroe que da nombre al proyectado poema. Esta tendencia se irá acentuando con el tiempo. En *Blanca de Borbón*, presentará a una temible maga y a su hijo Abenfaráx, monstruo estúpido y sanguinario, en un ambiente siniestro y tenebroso. La desarrollará al máximo en el *Cuento* en prosa y en verso, en el *Canto del cruzado* y en *Sancho Saldaña o el castellano de Cuéllar*, novela escrita en 1833-1834 bajo la influencia de Walter Scott. Gracias a la obra de este último, verá que lo pintoresco, el exotismo histórico y geográfico, así como lo fabuloso y lo mágico pueden tener cabida en un género como la novela, que viene a ser el sustituto moderno de la epopeya.

Las consideraciones sobre la *Gerusalemme liberata* no le inducen a plantearse la renovación de la forma poética. Si bien cambia el contenido de las estrofas, éstas siguen siendo octavas reales, vehículo obligado del tema épico según los teóricos, incluido Martínez de la Rosa. No obstante, cada fragmento constituye un todo, y posee una estructura propia y un ritmo particular que lo diferencian del anterior o del siguiente por un efecto de contraste, confiriéndole total autonomía en relación con el conjunto, y también con el plan original; hasta tal punto, que luego pudieron ser publicados y leídos por separado. Así pues, Espronceda no pretende ya alcanzar la armonía a nivel del verso o de la estrofa, mediante la combinación de palabras y el empleo atinado de atributos épicos, sino a nivel del movimiento, en el sentido musical de la palabra, tal y como revela la referencia a Rossini. Con ello, todavía preso en su educación neoclásica, no hace sino entrever las posibilidades de «ese plegar el ritmo al sentimiento[180]» que desarrollará más tarde en *El diablo mundo*.

180. J. Casalduero, *Forma y visión de "El diablo mundo" de Espronceda*, Madrid, 1951, p. 24.

Las poesías osiánicas de Espronceda

Nos resulta más fácil entender que, durante la emigración, los poetas ingleses y franceses contemporáneos no tuvieran una influencia pronta y decisiva en la obra de Espronceda, cuando comprobamos que no es sino hasta entonces cuando éste descubre a Osián, con unos cuarenta años de retraso. Espronceda compuso una obra —el himno *Al sol*— en la que es evidente la inspiración del seudo-bardo, y otra de influencia reconocida, *Óscar y Malvina*, con el subtítulo de "Imitación del estilo de Osián". Aunque fueron publicadas por vez primera en enero de 1834 y junio de 1837 respectivamente, existen razones para pensar que fueron escritas en 1830-1831[181].

La importancia —cuando menos cuantitativa— de la influencia de Osián nos da la medida del interés que Espronceda demostró por esta poesía. ¿Qué atractivos podían justificar tal inclinación? Hoy en día, el mundo tenebroso y siniestro de Macpherson puede parecernos del todo artificial y, hacia 1830, había decaído mucho la boga que había suscitado; pero según subrayó Casalduero, para Espronceda tenía el mérito de lo novedoso:

> Había que sustituir el sentimiento rococó y neoclásico de la naturaleza; era necesario dar con una épica que no se sostuviera en la armazón de dioses y figuras mitológicas del paganismo mediterráneo; la sociabilidad debía ser reemplazada por la soledad del genio, por la melancolía. Los héroes ossiánicos armonizaban los arroyos impetuosos, las cumbres ocultas en la niebla, el mar tempestuoso, la tierra árida y despoblada con su propio dolor, con sus deseos sin límites, con su energía[182].

Determinados temas osiánicos son comunes a la poesía europea de finales del siglo XVIII: los temas de la luna, la tormenta, o el de la noche elegida como marco de sentimientos melancólicos inspirados por la soledad, el temor o el pavor. Espronceda había utilizado algunos de estos motivos en composiciones anteriores, tales como *La noche* y *La tormenta de noche*. Pero no se trataba de imitaciones directas, puesto que todo ello lo había encontrado ya en Lista, Meléndez Valdés y Jovellanos. En los poemas del falso bardo, el poeta descubre una combinación —nueva para él— de dichos temas: clima brumoso, atmósfera legendaria, descripción de costumbres duras y primitivas, es decir, un conjunto de elementos que sirven para reconstruir un mundo exótico que, durante un tiempo, Espronceda encuentra más apropiado como escenario que las orillas del Tormes o del Manzanares y el cielo castellano. A las razones generales de orden literario o estético que le llevan a adoptar entonces este ambiente, se suma una razón personal: la necesidad de dar a la expresión de los sentimientos un marco más próximo a la realidad vivida durante su estancia en Inglaterra.

181. Véase la noticia de ambos poemas en Espronceda, *Poésies*, ed. Marrast, pp. 276 y 288-289. La pieza más osiánica de Ochoa, *A Olimpia*, fue compuesta en París en junio de 1830 (*Ecos del alma*, París, 1841, pp. 219-224). En el himno *Al Sol*, en *Óscar y Malvina*, *¡Guerra!*, *A Jarifa en una orgía* y en el *Canto a Teresa*, C. Consiglio señala posibles reminiscencias de Leopardi, pero admite que son vagas y poco convincentes (véase su artículo "Espronceda y Leopardi", *Escorial*, 40, 1943, pp. 347-363).

182. Casalduero, pp. 124-125.

En *Óscar y Malvina*, recrea dicho universo y dicho clima en un episodio del que imagina el desarrollo, pero para el que recurre en los pormenores a varios poemas de Osián (*Cath-Loda, Temora, Fingal, Carthon*), tal como hiciera Byron en *Oscar of Alva*, *The Death of Calmar and Orla* o *Lachiny Gair*. Desde finales del siglo XVIII, la boga de Osián, que experimenta una amplia y duradera penetración en Francia, se hace sensible en España, a pesar de que aquí sus obras se traducen sólo fragmentariamente. En 1788, Joseph Alonso Ortiz había publicado en Valladolid una versión castellana de *Carthon* y de *Cathmon*; en 1800, Pedro Montengón editó en Madrid la de *Fingal*; en 1804, Quintana publicó en la revista *Variedades de ciencias, literatura y artes*, la traducción por José Marchena de la invocación al sol, con la que concluye *Carthon*; en 1818, Juan Nicasio Gallego hace una adaptación de la tragedia de Arnault, *Oscar, fils d'Ossian*, y en su libro de poesías editado en 1829 en Filadelfia por mediación de Domingo del Monte, están incluidas dos obras osiánicas, *Minona* y *Temora*. De todas formas, no tenemos la seguridad de que Espronceda estuviese al corriente de estas traducciones o adaptaciones[183]. Por otra parte, la lectura de *Óscar y Malvina* y los cotejos entre dicha obra y los poemas de Osián prueban que el poeta había leído gran número de éstos, de entre los cuales muchos no habían tenido difusión en español; además, durante la emigración, pudo llegar a conocer versiones francesas más completas, en concreto las de Letourneur.

La primera parte de *Óscar y Malvina*, titulada *La despedida*, es una rapsodia de motivos osiánicos. En ella aparece, no obstante, la preocupación por una construcción equilibrada. Al principio (vv. 1-54), Espronceda fija el decorado y evoca los tiempos heroicos en los que Óscar se hallaba en la plenitud de la gloria: al pie del Morven, el poeta cree oír los acordes de la lira del protagonista, sus gritos de guerra, y contempla el castillo de Fingal con los muros recubiertos ahora de musgo e invadidos por la hierba, mientras el eco repite con tristeza los nombres de Óscar y de Malvina, que llora la muerte de aquél. El segundo movimiento (vv. 55-107) presenta a los amantes en el momento de su separación, que con la muerte del héroe será definitiva, y acaba con la imagen de Óscar, cuyas armas relucen a la luz de la luna, saliendo en busca del temible Cairvar. La segunda parte —*El combate*— es más corta; en ella Óscar incita a Cairvar al combate. La escena transcurre en la oscuridad de la noche. Se entabla un diálogo entre ambos personajes, pero Espronceda parece estar más interesado en la descripción del ambiente que en las palabras intercambiadas, ya que el apóstrofe de Óscar a su adversario aparece incompleto, reduciéndose a lo siguiente (vv. 23-26):

183. Sobre estas versiones castellanas, véase, además de las páginas citadas de Casalduero, el artículo de I. Montiel "La primera traducción de Ossián en España", (*BH*, LXX, 1968, pp. 476-485), en cuyas notas se encuentra una abundante bibliografía. Por el contrario, el artículo del mismo autor "El abate Marchena, traductor de Ossián" (*Hispanófila*, X (30), mayo de 1967, pp. 15-19), no presenta ningún interés. A. Dérozier (*M. J. Quintana et la naissance du libéralisme en Espagne*, París, 1968, p. 259) atribuye a José Munárriz las traducciones del seudo bardo firmadas «J.M.» y publicadas en las *Variedades*... en 1804, pero sin argumentar motivos ni pruebas. Estas traducciones se encuentran en el t. I de las *Obras literarias* de Marchena, Sevilla, 1892.

Vigoroso es tu brazo en la pelea,
rey de la mar de aurirolladas olas,
Óscar de negros ojos le responde
....
....
hará ceder tu indómita pujanza.

Sólo caben dos explicaciones: o bien el poeta renunció a escribir este pasaje, o bien pura y simplemente lo truncó, descontento por la forma que le había dado. Lo que sigue no es la descripción de un combate en sentido estricto: se trata sólo de algunas pinceladas de sonido y color (vv. 27-41), intercaladas entre dos comparaciones tradicionales (los dos guerreros se asemejan a dos olas que chocan entre sí, impulsadas por un viento furioso; Cairvar cae como el árbol, derribado por los hachazos del leñador). Para concluir, Espronceda se dirige a la «triste Malvina», condenada al llanto, a la soledad y al recuerdo de Óscar por la muerte del cual gemirá el viento eternamente. Hay mayor originalidad en la elección del tema del segundo fragmento, *La despedida*; el tema de la separación de los amantes reaparece a menudo en su obra [184] y confiere un sesgo personal a esta composición que, sin ello, no sería más que un "pastiche" logrado. Al igual que había sabido imitar a la perfección el tono de las poesías aéreas, gratas a Lista y a Meléndez, o adoptar el estilo elevado de la epopeya, el poeta transpone aquí con sorprendente maestría, con soltura y facilidad, los temas y el vocabulario de Osián.

El himno *Al sol* representa el punto de confluencia característico de la inspiración osiánica y del neoclasicismo. En efecto, en él encontramos, tanto elementos procedentes de la obra del bardo escocés, como de Meléndez Valdés y de Lista principalmente [185]. El tema no era nuevo; ya Jovellanos había escrito un romance titulado *Al sol*, en el cual invocaba el astro del día, fuente de luz y de vida, y lo veía sobre todo como el consuelo del hombre a quien trae la alegría. Para Meléndez Valdés, en *La presencia de Dios*, es Dios quien brilla en el ardor del sol: según Brereton, se trasluce aquí un espíritu panteísta; en *La tempestad*, del mismo autor, reaparece prácticamente la misma idea: el sol simboliza el castigo de Dios que ve todos nuestros actos y castigará a los malvados; en *Al sol*, "Batilo" recurre a un vocabulario mitológico, y muestra gran interés por la descripción de la naturaleza, deteniéndose en especial en la pintura de la puesta de sol. El himno de Espronceda contiene en algunos pormenores reminiscencias de la poesía *El mediodía*, de Lista: pero el tema general de esta última es muy distinto, ya que su autor describe sólo de modo superficial el sol y la naturaleza a la que alumbra con su luz, y finaliza su poema solicitando la llegada del sueño reparador. También hallamos una invocación al sol en la composición de Cienfuegos, *Al señor de Fuertehíjar, en los días de su esposa*; en ella se califica al astro de «vencedor glorioso de la muerte, del caos y de la noche», y de «brillante imagen de verdad, de virtud y de hermosura». Por lo general, estos epítetos que se atribuyen al sol provienen de una imagen tradicional difundida desde largo tiem-

184. Brereton, pp. 52-53.
185. Brereton, pp. 58-62. Para un análisis más detallado de las influencias propuestas y de las referencias a los textos citados, véase Espronceda, *Poésies*, ed. Marrast, pp. 293-298.

po atrás, y que encontramos ya en el *Carmen saeculare* de Horacio. Quintana, en *Despedida de la juventud*, utiliza este motivo dándole un sesgo distinto: se compara a sí mismo, envejeciendo, con el sol eternamente joven y cuyo resplandor nada puede empañar.

Se mantiene esta tradición en el himno de Espronceda. La primera parte (vv. 1-78) recoge las secuencias típicas del tema. En primer lugar, el apóstrofe propiamente dicho (vv. 1-23): el poeta se dirige al sol, expresando su deseo de que éste le escuche y de que pueda contemplarlo sin ser deslumbrado, él que siempre soñó con seguir su curso. Sigue luego la descripción de la naturaleza alumbrada por el astro, desde su salida hasta que se pone (vv. 26-46), y el desarrollo del tema de la eternidad del sol en contraste con la brevedad de la vida del hombre (vv. 47-78). En la última parte (vv. 79-106), Espronceda imagina la posibilidad de la muerte del astro, sepultado a su vez en el fin del mundo para la eternidad, y le invita a gozar de su juventud y hermosura. Reaparece aquí un motivo —la predicción del apocalipsis— frecuente en Lista (en *A Eutimio en la muerte de su madre*, en *La inocencia perdida*) y en Meléndez (*Mis combates*). Pero en el caso de dichos poetas, esta completa destrucción de la naturaleza y la humanidad tiene una contrapartida consoladora, y es que la eternidad de Dios y la del alma sobrevivirán al cataclismo. No es así en el himno de Espronceda, quien aconseja al astro personificado: «Goza de tu juventud y tu hermosura», en espera de su posible destrucción, el día en que

> ... el orbe estalle y se desprenda
> de la potente mano
> del Padre Soberano.

Esto es lo que proviene directamente del *Carthon* de Osián —quien sólo concibe el fin del mundo bajo este enfoque material y negativo, sin ver en ello razón alguna para que el hombre persiga el bien a fin de evitar este supremo castigo del Creador—, y es lo que nos parece dar pleno sentido al himno de Espronceda:

> Exult then, O sun! in the strenght of the youth:
> age is dark and unlovely.*

Aunque no resulte muy convincente el paralelismo entre el misticismo panteísta de san Francisco de Asís y la «conciencia cósmica» que cree discernir al principio de *Al Sol*, Václav Černý escribe acertadamente, refiriéndose a la última parte del poema:

> La mort lointaine, mais nécessaire, du soleil, de la nature, empêche donc Espronceda de les diviniser. La mort et le mal en général l'empêchent de tomber dans la panthéisme. Le poète s'obstine à voir dans le mal l'effet d'une volition, d'un acte réfléchi, d'une volonté personnelle ... Pour les *joculatores Dei* la douleur, la maladie, la mort sont d'origine divine, elles sont messagères de sa grâce, garanties de la vie éternelle, occasions que nous donne Dieu de mériter cette vie par une patien-

* «Regocijarse entonces, Oh Sol, en el vigor de la juventud: la edad es oscuridad y desamor.»

> ce joyeuse et une acceptation courageuse. Or l'attitude-réflexe qu'Espronceda présente en face de la douleur, est celle d'une bonté et d'un sens de la justice blessé à mort[186].

En efecto, de forma implícita, Espronceda desecha la concepción franciscana. Se limita a comprobar la existencia del mal, que puede manifestarse de un momento a otro en el cataclismo del apocalipsis, el día en que, según dice, el mundo se verá abandonado por Dios. Sólo da una respuesta al desasosiego del hombre: hay que gozar de la juventud y la belleza, aprovechar el tiempo que pasa. No plantea solución metafísica para este problema que, unos años más tarde, constituirá el tema fundamental de *El diablo mundo*. Según escribe Casalduero en la conclusión de su penetrante análisis del himno *Al Sol*: «La ingenua inocencia de sus años escolares se ha convertido, gracias a la experiencia política del destierro, en la voz de un hombre que ya tiene el acento de la desesperanza de la vida.[187]»

Volvemos a hallar la misma actitud en la elegía que Espronceda dedicó a Diego de Alvear, para consolarle y testimoniarle de nuevo su amistad con motivo de la muerte de su padre, a comienzos de 1830. Esta poesía debe mucho a otras del mismo género compuestas por los poetas de finales del siglo XVIII, en especial por Lista. Pero éste —escribe Brereton— «rappelle à ses amis, comme la plus grande consolation, l'idée de la résurrection*»;en cambio, «la seule immortalité qu'il [Espronceda] conçoit est celle de la célébrité»**. El hombre célebre seguirá viviendo en la tierra mientras perdure la memoria de sus actos:

> ¡Ay! Para siempre ya la losa adusta
> ¡Oh caro Albino! la escondió a tus ojos;
> mas no el bueno murió; la parca injusta
>
> roba tan sólo efímeros despojos,
> y alta y triunfante la alcanzada gloria
> guarda en eternos mármoles la historia.

El poeta rechaza pues el optimismo de una solución espiritualista, sea cual fuere, al problema de la muerte: «Entre la conception chrétienne et une autre, moins réconfortante, Espronceda opte pour la dernière.[188]» En el canto I de *El diablo mundo*, la única inmortalidad imaginada por el protagonista es la inmortalidad terrenal:

186. («La muerte lejana, pero necesaria, del sol, de la naturaleza, impide pues a Espronceda, divinizarlos. La muerte y el mal en general le impiden caer en el panteísmo. El poeta se obstina en ver en el mal el efecto de un deseo, de un acto reflejo, de una voluntad personal. Para los *joculatores Dei* el dolor, la enfermedad, la muerte son de origen divino, son mensajeros de su gracia, garantías de la vida eterna, ocasiones que nos da Dios de apreciar esta vida con una paciencia alegre y una aceptación animosa. Ahora bien, la actitud que Espronceda presenta frente al dolor es la de una bondad y un sentido de la justicia herido de muerte.») V. Černý, art. cit., y *Essai sur le titanisme...*, Praga, 1935, p. 351, nota 121.

187. Casalduero, p. 144.

* «... les recuerda a sus amigos, como el mayor consuelo, la idea de la resurrección.»

** «... la única inmortalidad que [Espronceda] concibe es la de la gloria.»

188. («Entre la concepción cristiana y otra, menos alentadora, Espronceda opta por la última.») Brereton, pp. 27-28.

¿Qué es el hombre? Un misterio. ¿Qué es la vida?
¡Un misterio también!...

Y la breve meditación sobre este tema concluye con las siguientes palabras:

¡Y es la historia del mundo y su locura
una estrecha y hedionda sepultura[189]!

Espronceda planteaba ya la pregunta: «¿Qué es la vida?» en el primer verso de la elegía a Alvear, y la contestaba ya implícitamente en los últimos, tal como hará más adelante Adán.

SUS POESÍAS PATRIÓTICAS

Durante su destierro, Espronceda compuso varias poesías patrióticas. La primera de ellas, *La entrada del invierno en Londres*, hay que situarla al inicio de su estancia en Inglaterra, con toda probabilidad a finales de diciembre de 1827[190]. Esta composición, exenta de originalidad en los temas y el vocabulario, presenta sin embargo el interés de haber sido inspirada por una experiencia vivida personalmente. La primera parte (vv. 1-48) evoca la felicidad de que gozan, a pesar del mal tiempo, el pastor, el labrador, el sabio retirado del mundo, el amante colmado y el marino que se ha librado de la tempestad. Sigue luego (vv. 49-84) un largo lamento del exiliado sobre su condición, ya que el triste invierno londinense acrecienta su nostalgia; estas consideraciones le llevan (vv. 85-132) a la evocación de su infancia feliz, de su adolescencia durante la cual conoció el amor, sintió nacer dentro de sí el ardor patriótico, condenó y deploró la decadencia de España; y por último, rememora el momento en que dejó su tierra natal. Finalmente (vv. 133-156), el poeta expresa su dolor: sólo le quedan las lágrimas, que derrama al contemplar el mar que le separa de su patria, y el consuelo de confiar al bajel que parte hacia ella el saludo del desterrado.

Las reminiscencias de Herrera, Meléndez Valdés y Lista abundan en esta poesía de tono lacrimógeno. Formas, giros y términos tradicionales en este tipo de obras aparecen utilizados por Espronceda, y observamos que esta fraseología se impone a él de modo permanente, aun cuando quiere expresar sentimientos sinceros y realmente vividos, al igual que sucedía en la época de la Academia del Mirto. En efecto, el manuscrito de la poesía, caligrafiado por Antonio Hernáiz, contiene retoques del propio Espronceda hechos algo más tarde, aunque todavía durante la emigración. En un principio, había escrito así la segunda estrofa:

189. BAE, t. LXXII, p. 90b.
190. Sobre la fecha de este poema, la identificación de la letra del copista y las fuentes posibles, véase Espronceda, *Poésies*, ed. Marrast, pp. 210-222. La hipótesis de reminiscencias petrarquistas propuesta por E. Segura Covarsí ("Una canción petrarquista en el siglo XIX", *Cuadernos de literatura*, 1, febrero de 1947, pp. 101-106) no nos parece convincente.

Oye el pastor tranquilo en su cabaña
sentado al margen de su dulce hoguera
despeñarse las aguas a torrentes;
oye en los robles de Aquilón la saña
y al lado de su amable compañera
mira jugar sus niños inocentes;
al cenagoso prado
sus tardos bueyes cuidadoso guía
arrastrando el arado
el labrador al despuntar el día
y en la noche horrorosa
se estrecha al seno de su casta esposa.

Al reeler el texto, advierte lo banal y artificial de este cuadro de género, raya algunas palabras que luego restituye (las vemos, seguidamente, en cursiva), y tras algunas vacilaciones, evidentes por los borrones, llega al siguiente resultado:

Oye el pastor *tranquilo en su cabaña*
a la margen sentado de su hoguera
despeñarse las aguas a torrentes;
oye el viento rugir con brava saña
y al lado de su dulce compañera
mira jugar sus niños inocentes;
en su hogar regalado
hasta volver de nuevo a su faena
el labrador cansado
libre de odio, de esperanza y pena
en la noche horrorosa
se estrecha al seno de su casta esposa.

Suprime el adjetivo «dulce», no muy apropiado para «hoguera», llama al viento por su nombre, y no Aquilón, mas le atribuye la «brava saña» tradicional; la noche sigue siendo «horrorosa», pero han desaparecido los «tardos bueyes» y el «cenagoso prado». Aunque sin duda es poca cosa, demuestra cierta reflexión sobre el lenguaje, que de momento no puede ir mucho más allá. Habiendo escrito: «Adiós, choza paterna, choza mía», Espronceda sustituye «choza paterna», por «amada patria», expresión que finalmente tacha para dejar: «Adiós, lares queridos, patria mía.» El estudio sistemático de las variantes vendría a confirmar que, tras haber sido desechada la imagen neoclásica, ésta, más o menos metamorfoseada, vuelve a galope.

La elegía *A la patria* supone un paso adelante con respecto a *La entrada del invierno en Londres*; fue compuesta probablemente en varias etapas, entre 1829 y 1831[191]. El tema de los lamentos sobre las desgracias de España había sido tratado de forma amplia desde principios del siglo XIX. Las vicisitudes políticas habían brindado la oportunidad de tratarlo a muchos poetas, ya fuesen afrancesados o liberales, según la óptica y las convicciones personales de cada uno de ellos. Meléndez Valdés (*Consejos y esperanzas de mi patria..., A mi amigo D.M. M.ª*

191. Véase Espronceda, *Poésies*, ed. Marrast, pp. 240-246.

Cambronero..., *A mi patria, en sus discordias civiles*) concluía por lo general con la visión optimista de un futuro mejor, al igual que Rivas en su *Epístola a Noroña*. Quintana (*A España después de la revolución de marzo*) comparaba detenidamente la pasada grandeza de su país con su postración en 1808, y llamaba a sus compatriotas a luchar por la libertad, con una retórica compensada por el hálito de la sinceridad (*El panteón del Escorial*). Lista —*en El emigrado de 1823*— describía el retorno a un absolutismo fundado en la delación y la corrupción, con acentos indignados y una gravedad poco habitual en él, hija de la desesperanza que le impulsaba a exiliarse de nuevo. El tono es diferente en el caso de Espronceda, por ser más amplia su perspectiva: es un exiliado que habla desde la tierra que le ha acogido. De ahí que las alusiones a la política represiva de Fernando VII a partir de 1823 sean generales. Ahora la patria ya no es ni un concepto abstracto, ni una alegoría; aparece como una madre desgarrada por el dolor de ver cómo se matan sus hijos unos a otros (vv. 5-8, 29-30, 33-36).

Se aprecia en estos versos «el melancólico dolor de un sentimiento filial casi infantil[192]» que confiere todo su valor a dicha poesía. Llega a conmovernos, a pesar del estricto corte de sus cuartetos regulares de endecasílabos y heptasílabos alternos, en los cuales insertó Espronceda fuertes imágenes bíblicas tomadas de Herrera. La penúltima estrofa (vv. 61-64) da prueba de una inspiración a la vez osiánica y neoclásica; la exhortación a las muchachas a quienes se pide que canten el lamento sobre España se hallaba también en Arriaza (*El dos de mayo en 1808. A la muerte de la reina D.ª Isabel de Braganza*) y en Cienfuegos (*Canto fúnebre*).

Reaparece el mismo procedimiento, explotado con mayor amplitud, en el poema *A la muerte de D. Joaquín de Pablo* (octubre de 1831)[193], que incluye un coro de vírgenes y un coro de mancebos. De esta obra cabe destacar ante todo la métrica —romance octosilábico, octavas agudas alternando con cuartetos de decasílabos asonantados— que refleja un deseo de variedad y una búsqueda en la composición. Pero hay que señalar que cuando ve caer a su lado a "Chapalangarra" bajo las balas de los soldados del absolutismo, Espronceda recurre a Osián del que extrae los motivos mediante los cuales expresa su desesperación; en una cima de los Pirineos, muy similar al Morven, se presenta a sí mismo como un guerrero vencido, en medio de un paisaje lúgubre y tenebroso. A pesar de la indudable sinceridad que anima al poeta cuando rememora la dolorosa realidad que le tocó vivir, sigue preso en los mismos estereotipos. Encontramos en esta composición «el Pirene» (vv. 2 y 11), «la elevada cumbre» (v. 1), las «tristes lágrimas» (v. 6), la «rápida carrera» de los «torrentes de sangre» (vv. 21 y 10); el «fúnebre lloro» (v. 30), el «lóbrego manto» (v. 37), el «fuerte varón» (v. 52), la «fúnebre losa» (v. 55), las «negras tormentas» (v. 60). Vemos que, contrariamente a lo que escribe Casalduero, los motivos osiánicos no le permitieron del todo a Espronceda «escapar del mundo agotado del siglo XVIII[194]». Aunque el elemento decorativo se renueva en parte, se mantiene idéntico el lenguaje: para transponer a Osián se sigue utilizando el de los poetas de postrimerías del siglo XVIII, el mismo lenguaje que, unos años antes, había servido para traducir o adaptar a Horacio.

192. Casalduero, p. 109. Remitimos al excelente análisis de este poema, *ibid.*, pp. 108-110.
193. Véase Espronceda, *Poésies*, ed. Marrast, pp. 265-270.
194. Casalduero, p. 130.

La muerte de Torrijos inspiró al poeta un soneto que es la más bella de sus composiciones patrióticas[195]. En catorce versos sonoros y armoniosos, expresa con sencillez y sin excesiva retórica su indignación y su cólera. Sin preámbulo inútil, el primer cuarteto atrae abruptamente nuestra mirada sobre los héroes fusilados:

> Helos allí: junto a la mar bravía
> cadáveres están ¡ay! los que fueron
> honra del libre, y con su muerte dieron
> almas al Cielo, a España nombradía.

En una sobria exhortación, el poeta incita a todos los españoles —y no sólo ya a las vírgenes y a los mancebos, como en *A la muerte de D. Joaquín de Pablo*— a llorar por estos hombres, muertos por la patria y la libertad. Pero ahora va más allá; no basta con esta simpatía pasiva:

> Españoles, llorad; mas vuestro llanto
> lágrimas de dolor y sangre sean,
> sangre que ahogue a siervos y opresores.

Entonces los tiranos verán con temor alzarse las almas de estos héroes como espectros vengadores; acaso se trate de una reminiscencia de las obras de Osián, en las que los espíritus de los guerreros muertos aparecen con frecuencia para reavivar el valor de los combatientes o cubrir de oprobio a los cobardes. Aunque sin duda es así, Espronceda ha sabido adaptar admirablemente este motivo: con la forma que le da, concluye el soneto con una visión esperanzada, una llamada a la conciencia de los hombres.

La personalidad de Espronceda se afianza a través de un estilo cada vez más sincero; recorre sus versos una especie de estremecimiento, que convence al lector de estas poesías patrióticas. Así lo ha demostrado Casalduero en su análisis del romancillo a García de Villalta, en el cual se evoca de forma muy sobria la expedición de los Pirineos en 1830. Según una acertada apreciación del crítico, en estas composiciones «sentimos ya un contacto directo con la naturaleza y con la vida, en un momento, además, del cual estará siempre orgulloso: su intervención armada al lado de Chapalangarra. No hay retórica o casi no la hay. La lucha política le hace expresar la realidad[196]».

195. No vamos a detenernos en la *Canción patriótica* (Espronceda, *Poésies*, ed. Marrast, pp. 260-264), que fechamos en 1830, y que pudo servir como canción de marcha para las tropas de Chapalangarra. Se sitúa dentro de la tradición de un género profusamente cultivado desde 1808; la llamada a las armas en nombre de la libertad y en defensa de la patria volverá a ponerse de moda en 1833, al iniciarse la guerra carlista.

196. Casalduero, p. 100. Véanse los dos romancillos dedicados a Villalta en Espronceda, *Poésies*, ed. Marrast, pp. 271-275.

Poesías líricas

Similar evolución se observa en las demás poesías compuestas o comenzadas en la misma época. Hay algunas que no son sino brillantes ejercicios de versificación, de los que cabe destacar el virtuosismo técnico y la habilidad en disponer algunos motivos trillados; no vamos a detenernos en ellas[197]. Otras, a pesar de su valor desigual, permiten observar que, aun cuando no rechaza el academicismo, Espronceda es sensible a nuevas tendencias que se manifiestan de forma muy progresiva.

En *A la luna* que, a nuestro parecer, hay que fechar a principios de 1828[198], hallamos casi todos los motivos trillados de *A la noche*, ya utilizados principalmente por Jovellanos (en especial, en *Himno a la luna* y en el romance *A la luna*), Meléndez Valdés y Lista. Dichos motivos y tema general estuvieron en boga en España durante largo tiempo:

> Zorrilla, Pastor Díaz, Pedro de Madrazo, Sazatornil, Salas y Quiroga, García Gutiérrez, *Abenámar*, Romea, la Avellaneda, la Coronado... todos cantaron a la luna, ... Todos habían de apostrofar a la «pálida luna», al «astro de amores», contándole cosas lúgubres y haciéndole partícipe de su dolor. Todos la veían como nuncia de tristeza, como cariñoso confidente de sus penas[199].

Podríamos añadir más nombres a esta lista: Rivas, con su *Lamento nocturno*; Angel Iznardi quien, en el *Correo literario y mercantil* del 1.º de mayo de 1833, publicó bajo el seudónimo de "Darsino" una obra en sáficos-adónicos dedicada al astro de la noche[200]; y naturalmente, Espronceda. Éste no descuida ni un solo detalle: ni el céfiro que susurra entre las ramas, ni los reflejos en el río, la evocación de los amores de Selene y Endimión, la dulce Filomena, el búho encaramado en una tumba, o la imagen del carro de la reina de la noche. Esta poesía no tiene la armonía de *A la noche*; además, se quedó como borrador y no se publicó en vida del autor. Si, como pensamos, Espronceda escribió estos versos poco después de su llegada a Londres, en un momento en que estaba separado de Teresa que se había quedado en Portugal, la situación sentimental que los inspiró es auténtica. Así nos induce a creerlo el siguiente verso (v. 5): «Triste te admiro, desdichado amante»; y más adelante, la evocación de la felicidad pasada (vv. 13-16):

197. Así, *Las quejas de su amor, Serenata* ("Delio a las rejas de Elisa"), *A la señora de Torrijos* y los romances *A Anfriso* y "Goza, Balbino mío" (dedicado a Balbino Cortés) no nos parecen merecedores de un estudio detallado. Sobre estos textos y sus fechas, véase Espronceda, *Poésies*, ed. Marrast, pp. 228-230, 231-235, 306-308, 255-259 y 335-336 respectivamente.

198. Véase Espronceda, *Poésies*, ed. Marrast, pp. 223-227.

199. N. Alonso Cortés, *Zorrilla...*, 2.ª ed., Valladolid, 1943, p. 179.

200. El autor de esta poesía desvela su identidad en una carta del 26 de abril de 1833 a un amigo cubano (Domingo del Monte, *Centón espistolario...*, t. 2, X, pp. 20-21). Juan Florán compuso también un poema en sáficos-adónicos a la luna, fechado en París, 1831 (Ochoa, *Apuntes*, París, 1840, t. I, p. 516).

Tú me recuerdas, amorosa luna
la dulce noche en que en mis tiernos brazos
cayó mi bien enajenada, dando
lánguidos besos.

así como la última estrofa (vv. 45-48):

Dile a mi vida que su amado ausente
mísero muere si en desdicha tanta,
a este repuesto sosegado bosque
dulce no vuelve.

Sean ciertas o no las circunstancias evocadas y los sentimientos expresados, sigue imperando la retórica. Lo mismo sucede en *El pescador*, «juego de amor dentro de un marco de oscuridad y luna[201]». El tema procede de Lista (*El convite del pescador*) quien, a su vez, lo había tomado de Metastasio: el pescador Anfriso invita a su amante Elisa a dar un paseo en barca, de noche, bajo la luz de la luna. También los nombres de los personajes provienen del maestro del Colegio de San Mateo, que los había presentado en una serie de diez romances titulados *El pescador Anfriso*. La poesía de Espronceda, escrita en octavillas italianas, es un cuadro encantador, aunque sin acento personal alguno.

El soneto *A un ruiseñor*, que proponemos fechar durante la segunda estancia en Londres (1832), desarrolla el tema tan traído y llevado de la invocación al pájaro que canta en la noche sus penas de amor, y mueve al desdichado amante a expresarle su compasión[202]. En Espronceda, hallamos la misma inspiración: el punto de partida sigue siendo el «amor triste» y la «esperanza vana» como en el soneto "Fresca, lozana, pura y olorosa". Pero la construcción es distinta: los dos cuartetos y el primer terceto están dedicados al canto del pájaro y al marco en el cual se le puede oír, desde el crepúsculo hasta el alba; el poeta sólo aparece en los tres últimos versos. Destaca en este poema una sobriedad en la adjetivación, nada habitual en Espronceda: tan sólo nueve adjetivos frente a los diecisiete del soneto a la rosa. De él emana una melancolía matizada, que contrasta con la rotunda sonoridad del soneto a Torrijos. En la poesía *A Matilde* (comienzos de 1832)[203], es particularmente notable el equilibrio de la composición: veinte versos para la descripción de la «aromosa blanca viola», y veinte versos para la comparación con Matilde, introducida (v. 21) por la palabra «Tal». Espronceda da prueba de un gran virtuosismo técnico; emplea la cuarteta aguda de octosílabos, con asonancia y rimas internas. Esta poesía amable demuestra que el poeta sabe dar un sesgo sutilmente personal a motivos extraídos, en su mayoría, de otras obras.

Hemos propuesto situar en el momento en que Espronceda encuentra a Tere-

201. Casalduero, p. 94. Véase Espronceda, *Poésies*, ed. Marrast, pp. 236-239. Ochoa publicó un poema titulado *El pescador* (muy parecido al de Espronceda, pero con un final distinto) en *El Artista*, I [1, 4 de enero de] 1835, pp. 5-6, y más adelante en su antología *Ecos del alma*, París, 1841, pp. 124-130. Un poema anónimo con el mismo título aparece en *Cartas españolas*, II (28), 1.º de octubre de 1831, p. 223.

202. Véase Espronceda, *Poésies*, ed. Marrast, pp. 315-317.

203. Véase Espronceda, *Poésies*, ed. Marrast, pp. 311-314.

sa la fecha de dos composiciones sin título ("Suave es tu sonrisa, amada mía" y "Y a la luz del crepúsculo sereno"), en las que resplandece el júbilo del amante colmado de felicidad[204]. En la primera, todavía está presente el tema de la luna, pero se han invertido los términos de la comparación, pasando la mujer amada al primer plano; luego se la identifica con una divinidad, cuya adoración excluye cualquier otro culto y cuya presencia borra el recuerdo de los sufrimientos anteriores. La escena se termina con un beso. El poeta ve por fin convertido en realidad un sueño largo tiempo acariciado; recobra la esperanza, y la tristeza deja paso a la dicha: estos son los sentimientos que inspiraron "Y a la luz del crepúsculo sereno". Nada hay melancólico en este paisaje junto al mar a la luz de la luna, que ya no es aquí consuelo del corazón afligido sino cómplice de los amantes reunidos. Se ha cumplido el deseo de la estrofa final de "Salve, tranquila plateada luna". Todo es dulzura en torno a los amantes: la serena luz del crepúsculo, el canto de amor del marinero, las olas que vienen a romperse en la arena de la orilla, la suave brisa cargada de fragancias. Los últimos versos están impregnados de una sensualidad que, a buen seguro, no es meramente literaria:

> Y respirar su perfumado aliento
> y al tacto palpitar de sus vestidos,
> penetrar su amoroso pensamiento
> y contar de sus pechos los latidos,
> exhalar de molicie y sentimiento
> tiernos suspiros, lánguidos gemidos,
> mientras al beso y al placer provoca
> con dulce anhelo la entreabierta boca.

No le hacía falta a Espronceda ir a buscar en el último canto del *Don Juan* de Byron ciertos rasgos, comunes por otro lado a todas las escenas de amor. Churchman ha establecido algunos paralelismos que se reducen de hecho al empleo, por parte de ambos poetas, de palabras similares[205]. ¿Cabe hablar seriamente de imitación cuando comparamos, por ejemplo, los dos últimos versos anteriormente mencionados con el siguiente: «*Their lips drew near, and clung into a kiss*»?*

Cuando leíamos las poesías compuestas por Espronceda en la Academia del Mirto, nos parecía sorprendente el desfase, particularmente sensible, que se apreciaba entre la vida de aquel adolescente impetuoso, conspirador en cierne, y los sentimientos que expresaba en sus versos (aspiración al sosiego campestre, hastío, desengaño, deseo de una tranquila vida retirada). Si bien estos sentimientos correspondían a un estado de ánimo auténtico, su expresión aparecía formulada a través de un repertorio forzado, ya que el lenguaje y las formas que les servían de vehículo eran de imitación. Aunque, durante el período del exilio, dicho lenguaje y dichas formas experimentan sólo una tímida evolución, el contenido cambia; ahora, y cada vez con más fuerza, la experiencia vivida se refleja en los versos de Espronceda.

204. Véase Espronceda, *Poésies*, ed. Marrast, pp. 326-328 y 318-321. Creemos que es de la misma época el soneto *A una mariposa*, sobre el que ya hemos dicho lo esencial *ibid.*, pp. 322-325.

205. "Byron y Espronceda", *RH*, XX, 1909, pp. 166-167.

* «Sus labios se aproximaron y se unieron en un beso.»

El virtuosismo en el estilo aparece acompañado por el humor en un texto, despreciado en general por los comentadores, un relato mitad en verso mitad en prosa titulado *Cuento*, que situamos durante los últimos meses del destierro[206]. En él encontramos confusamente mezcladas reminiscencias de Pedro de Espinosa, de *El paso honroso* de Rivas (del primero, tal vez, a través del segundo), de Tasso y de Ariosto. Se trata del principio de una historia fabulosa, cuya primera parte presenta rasgos comunes con el párrafo inicial de *Sancho Saldaña*: una ninfa se aparece ante un caballero que está descansando a orillas de un río; el relato de dicha aparición queda bruscamente interrumpido por capricho del autor que pretende haber sacado la historia, tal como está, de un viejo manuscrito truncado. Resulta evidente que el poeta se entretiene contando lo que se le ocurre, deteniéndose cuando está cansado del juego o cuando no sabe qué decir; pero lo que dice está bien contado, con una soltura desenvuelta que nos recuerda al Musset de los *Contes d'Espagne et d'Italie*. En síntesis pasmosa, están utilizados un cúmulo de procedimientos que Espronceda explotará en abundancia en *Sancho Saldaña*. Deja al lector picado de curiosidad: ya ha aparecido la ninfa «de formas sílficas»; «viola segunda vez el guerrero, siguió sus pasos presurosamente cuando...». Así termina la historia, el "manuscrito hallado" se interrumpe en este punto. Resulta significativo este relato porque nos muestra a un poeta que ha sabido asimilar admirablemente sus recuerdos de lecturas y utilizarlos sin tomarse en serio; a la vez, porque vemos a Espronceda dando rienda suelta a su inspiración momentánea, para concluir con una pirueta. También es interesante esta pirueta desde el punto de vista sicológico, ya que nos revela la alegría de vivir que embarga al poeta. ¿Conseguirá el guerrero libertar a la graciosa ninfa de las garras del monstruoso dragón? Jamás lo sabremos, como tampoco jamás sabremos cómo vivían, a finales de 1832, Teresa y José de Espronceda en su casa de Passy.

En varias poesías de la época del destierro, nos sorprende la presencia de un tema recurrente: el de la separación de los amantes. Brereton advirtió que aparecía en *El estudiante de Salamanca* (Elvira y Montemar) y en *El diablo mundo* (episodio de la Salada y Adán, *Canto a Teresa*), aunque lo podíamos encontrar ya en la segunda parte de *Óscar y Malvina* y en *Despedida del patriota griego de la hija del apóstata*[207]. Según demostró Vicente Llorens, esta poesía no es original, sino traducida de un poema inglés anónimo, publicado en 1824 en el *New Monthly Magazine and Literary Journal* con el título de: *The Patriot and the Apostate's Daugther, or the Greek Lover's Farewell*[208]. Espronceda es bastante fiel al texto, excepto en los ocho primeros versos de su versión, que corresponden a cuatro en el original; desarrolla el v. 1: «Twas on a lonely spot they met» en sus vv. 5-8:

> Allí en la triste soledad se hallaron
> su amante y ella con mortal angustia,
> y su voz en amarga despedida
> por vez postrera la infeliz escucha.

206. Véase Espronceda, *Poésies*, ed. Marrast, pp. 329-334.
207. Brereton, pp. 52-53 y 56-57.
208. V. Llorens, "El original inglés de una poesía de Espronceda", *Nueva revista de filología hispánica*, V, 1951, pp. 418-422. Véase Espronceda, *Poésies*, ed. Marrast, pp. 299-305.

Al simple y directo comienzo del poeta inglés se suma un elemento sicológico, el dolor de la separación. En los versos iniciales del poema (vv. 1-33) se dedica a evocar la infancia y la adolescencia felices de los jóvenes, concluyendo así dicha parte:

> Voló ya la ilusión de la esperanza,
> y es vano amar sin esperanza alguna.
> ¿Qué puede el infeliz contra el destino?

Luego, sólo nos presenta el motivo patriótico de la separación, la apostasía del padre de la muchacha, inadmisible para el griego fiel a su país. Según señalamos anteriormente, este poema es el único conocido en el que Espronceda hable de Grecia y de su lucha por la independencia. El hecho de que eligiera traducir este texto supone que era sensible a la condena de la tiranía y a la exaltación de la lucha por la libertad que el autor inglés había puesto en boca de su protagonista. Pero Espronceda también se sintió impresionado por el desgarramiento de esta despedida de dos seres que se aman y que el destino aparta uno de otro, ya que es una situación que había vivido en carne propia. Separación, esperanza perdida, melancolía del recuerdo, tristeza de la soledad, son un conjunto de motivos derivados del tema de la ausencia del ser amado, que reaparecen con frecuencia en varias composiciones de 1827-1832.

PRIMER INTENTO DRAMÁTICO: *BLANCA DE BORBÓN*, TRAGEDIA NEOCLÁSICA Y PARÁBOLA DEL MAL REY

En el mencionado poema inglés, que retuvo la atención de Espronceda hasta el punto de que tuvo ganas de traducirlo, se presenta un problema político a partir de un caso particular que ilustra las consecuencias del mismo, y está tratado desde un punto de vista subjetivo, lo cual hace más agudo y sensible para el lector el conflicto expuesto. Lo mismo sucede en la obra de mayor envergadura que el poeta compuso durante la emigración: su tragedia *Blanca de Borbón*.

El estudio de los tres manuscritos conocidos de dicha obra en cinco actos y en endecasílabos asonantados pone de manifiesto que la composición se remonta cuando menos a 1831, y que los cambios efectuados en el texto en el transcurso de los dos o tres años siguientes no introducen en él ninguna ruptura de estilo ni modificación alguna fundamental del proyecto inicial. Nada permite pensar —como mantuvo Escosura, seguido por la mayoría de comentadores— que fuera escrita en dos etapas: los dos primeros actos según las reglas neoclásicas, y los tres últimos, algo más tarde, bajo la influencia de Shakespeare, lo cual habría hecho desviar la tragedia hacia el drama[209]. El lector puede observar (como lo había hecho por otra parte Bonilla y San Martín[210], sin por ello dejar de suscribir

209. Véase P. de la Escosura, *Discurso...*, Madrid, 1870, pp. 108-113 y 123-144. Sobre la fecha de composición de la tragedia, véase nuestro artículo "Contribution à la bibliographie d'Espronceda...", *BH*, LXXXIII, 1971, pp. 125-132.

210. Bonilla había escrito un breve prólogo a modo de presentación de la obra de Espronceda, que se proponía reimprimir; abandonó el proyecto cuando supo que Churchman preparaba una edición crítica de esta tragedia, en cuya introducción se reproduce el prólogo en cuestión, cedido por su autor ("Espronceda's *Blanca de Borbón*", ed. Philip H. Churchman, *RH*, XVII, 1907, pp. 549-703; el texto de Bonilla: pp. 559-561).

la hipótesis de Escosura) que el diálogo está enteramente escrito en una forma métrica constante, y que la unidad de estilo se mantiene del principio al final.

Cuando se levanta el telón, aparece el calabozo en el que Blanca de Borbón ha sido encerrada por orden de su marido, el rey Pedro I, que ha ascendido a la categoría de reina a su concubina María de Padilla. La cautiva está custodiada por don Tello. La hija de éste, Leonor, que siente un sincero afecto por la prisionera, viene a anunciar a Blanca que un joven que merodea en torno a la fortaleza le ha pedido que le dejara entrar en ella. Gracias a Leonor, el desconocido penetra en el calabozo de la reina y, tal como ésta imaginaba, se trata de Enrique de Trastamara, hermano bastardo del rey, que odia tanto a éste como ama a la prisionera; pero ésta rechaza al pretendiente, ya que se mantiene fiel a su esposo a pesar del cruel trato que le inflige. Enrique anuncia que volverá al día siguiente para ayudar a Blanca a evadirse. Se retira precipitadamente cuando ve entrar a Diego García, hermano de María de Padilla. Éste le ofrece a la reina la libertad y el trono si ella consiente en ser suya, a lo cual Blanca se niega. García previene a don Tello que, si la reina lograra escapar, él lo pagaría con su cabeza. Este es el contenido del primer acto (por lo menos en la primera versión manuscrita, ya que en las dos siguientes, Espronceda ha suprimido la escena entre Diego García y Blanca).

En el acto II, el decorado representa una sala del Alcázar de Sevilla. Diego García dice a su hermana que Blanca la odia y que Enrique conspira en complicidad con la reina: todo ello a fin de que María induzca al rey a dar muerte a su esposa y a su hermanastro. La Padilla duda, pero finalmente se deja convencer. Entra Pedro, quien se encoleriza pronto violentamente al enterarse de que Enrique se halla en la ciudad y se dispone a actuar contra él; pide a Diego García que le traiga a Abenfarax, el esclavo moro hijo de una hechicera, que vigila a Enrique y ya ha matado a uno de sus cómplices. El rey ordena al asesino que le espere cerca de la cueva de su madre aquella misma noche, para conducirlo al lugar en donde se esconde su hermanastro. Luego, María de Padilla viene a ver a Pedro, acompañada por Leonor, quien entrega a este último una carta en la que Blanca solicita una entrevista a su marido. Éste acepta recibirla al día siguiente. Pero según anuncia a Diego García y a su manceba, es para mostrarle el cadáver de Enrique, al que tiene intención de matar con sus propias manos. Aparece Fernando de Castro —hermano de Juana, otra de las esposas abandonadas por el rey— pidiendo justicia a Pedro contra el propio Pedro; furioso, el soberano hubiera matado a su interlocutor de no haberse interpuesto Diego García y la Padilla. Una vez solo, Castro pronto ve llegar a un grupo de nobles entre los cuales está Hernando; han recibido del rey la orden de detener a Castro, pero dejan que se vaya libremente, puesto que están todos implicados en la conspiración de la que Enrique es el jefe y que tiene como objetivo dar muerte a Pedro y vengar a Blanca. Cae el telón con el juramento de venganza de Castro.

Al inicio del acto III, la maga explica a su hijo las razones de su odio contra los cristianos, y se alegra de la idea de la matanza que va a tener lugar. La Padilla, impelida por el remordimiento y el temor de una venganza de Blanca en el caso de que ésta recuperara el favor del monarca, viene a consultar a la maga, que se burla de ella y le dice que sólo la muerte de la reina le permitirá conservar el trono y el amor del rey. Se oye una canción, y las dos mujeres se ocultan en la penumbra. Aparecen Leonor y Blanca, y más tarde Enrique, que viene a anunciar a la reina que todo está dispuesto para su evasión, que tendrá lugar al día siguiente. Blanca está dudosa, y vuelve luego a su celda. Enrique, sin saber que sus palabras han sido descubiertas, se esconde a su vez, y oye cómo las dos mujeres tienen la intención de matar a la reina. Se abalanza sobre la hechicera; se presenta Abenfarax que se dispone a apuñalar a Enrique, pero María se opone a ello. Entran entonces Pedro y Diego García. Enrique se niega a batirse con el rey, que le provoca, y se aleja; Pedro le amenaza con la ejecución en el cadalso si al día siguiente no ha abandonado Sevilla. La maga le predice al rey que morirá a manos de Enrique.

En las dos primeras escenas del acto IV, Hernando y algunos nobles hablan del inicio inminente de la conspiración que han urdido contra Pedro. A Diego García, sorprendido de verlos armados, declaran que vienen a ofrecer sus servicios al rey para una expedición contra Granada; Diego García finge creerlos. Pedro hace sentar a la Padilla en un trono situado junto al suyo, para humillar a Blanca a quien ha concedido una entrevista. La reina cautiva pide a su marido que no crea las calumnias de las que es víctima, le reitera su amor fiel y le suplica que la mate para poner fin a sus desgracias. Pedro manda conducir de nuevo a Blanca a la prisión. Los lamentos de su mujer han conmovido al rey, pero las palabras de la Padilla y el tumulto de la sublevación que se oye ante el palacio acaban pronto con sus dudas. Entra Castro, que viene a matar a Pedro, pero yerra el golpe y cae traspasado por la espada del rey; éste arroja por una ventana el cadáver del jefe de los conjurados, que huyen con sus seguidores. García y su hermana presionan al rey para que ordene la ejecución de Blanca; al principio, el rey los escucha distraídamente, y deja luego en manos de su concubina la suerte de la reina. En la escena VIII, cambia el decorado: ahora nos hallamos de nuevo en el calabozo de Blanca, que manifiesta su desesperación a Leonor. Las dos mujeres salen y entra Diego García, que anuncia a don Tello que la prisionera debe morir aquella misma noche, apuñalada por Abenfarax, porque así lo ha decidido Pedro.

Acto V: ante la cueva de la maga. Es de noche y ésta invoca los espíritus infernales, saboreando de antemano su venganza que verá cumplida con la próxima masacre. El autor nos traslada de nuevo a la mazmorra de la reina. Ésta sabe que va a morir y está resignada; consuela a Leonor, desesperada por la suerte que espera a su amiga. Una vez sola, Blanca reza una última plegaria. Entra un ermitaño que viene a confesarla: es Enrique, que le propone huir, vistiendo su hábito de religioso. La reina se niega; Abenfarax viene a apuñalarla y se abalanza luego sobre Enrique que acaba de entrar, pero su arma resbala en la armadura del hermanastro del rey, que atraviesa a Abenfarax con su espada. Cae el telón después de pronunciada esta réplica por Enrique:

> ¡Qué horror! ¡Tan pura, tan hermosa y joven,
> y perderse en su flor! ¡Ah! ¡Dios confunda
> sus enemigos todos, y maldiga
> al que manchado esté de sangre suya!
> ¡Yo lo juro ante Dios: mi espada, juro
> que hasta vengarla brillará desnuda!

A partir del tercer acto, la aparición en escena de la hechicera, presentada en el marco de su tenebrosa morada, contribuye a dar a la tragedia un tinte que se ha podido calificar de "romántico". En las escenas en que interviene este personaje, el ritmo se vuelve frenético, a la vez que los elementos espectaculares del decorado y la acción crean una atmósfera de horror: cueva lóbrega, invocación de los espíritus infernales, noche tempestuosa, muertes violentas. Todo ello nos lleva a pensar de inmediato en el drama de estilo 1830, y nos sentimos más inclinados a comparar *Blanca de Borbón* con *Don Álvaro* que con las tragedias que precedieron a la de Espronceda. Pero sería olvidar que, desde 1801, Quintana había utilizado motivos terroríficos como éstos, sacados de Lewis, para escribir *El Duque de Viseo*, y a nivel más general supondría desconocer la profunda influencia, evidente en los últimos decenios del siglo XVIII, de corrientes extranjeras —en particular inglesas— en la literatura española[211], haciendo caso omiso de la boga de la novela negra y del melodrama durante la adolescencia de Espronceda. Resulta bastante difícil afirmar que la lectura de Shakespeare pudo inducir súbitamente al poeta a conferir un estilo "elizabetiano" a los tres últimos actos de su obra. Según Escosura, la maga de *Blanca de Borbón* tendría como modelo a Sicorax, la madre de Calibán en *The Tempest*. Pero también podríamos encontrar similitudes entre Pedro el Cruel y Ricardo III, entre María de Padilla y lady Macbeth, entre Diego García y Yago... Que Espronceda leyera en Londres y en París algunas obras del dramaturgo inglés, es una hipótesis verosímil. Sin embargo, no hay en *Blanca de Borbón* ninguna reminiscencia shakespeariana indiscutible. Nos parece más acertado Escosura cuando establece una semejanza entre la madre de Abenfarax y la maga Ulrica de *Ivanhoe*. Con ello quedaría demostrado que Espronceda conocía a Walter Scott unos años antes de escribir *Sancho Saldaña o el castellano de Cuéllar*: en efecto, en los capítulos III y IV de dicha novela aparece una maga que presenta muchos rasgos similares a la de la tragedia y que, como ella, vive en una cueva lóbrega, frecuentada por los espíritus infernales[212]. En algunos fragmentos del *Pelayo* se apreciaba el gusto por lo pintoresco negro; en la misma corriente se sitúan dos personajes y algunas peripecias de *Blanca de Borbón*, tendencia que se ve reforzada por la influencia todavía difusa del novelista inglés.

Según Pilade Mazzei, *Blanca de Borbón* no es más que un plagio más o menos hábil de tres tragedias de Alfieri, *Ottavia*, *Virginia* y *Nerone*, más algunas escenas inspiradas en el *Don Carlos* y la *Maria Stuart* de Schiller[213]. Efectivamente, al igual que María Estuardo, Blanca se encuentra encerrada en una mazmorra, bajo la custodia de un severo carcelero, y tanto una como otra hallan consuelo a su infortunio en el afecto de una joven, Leonor en la obra de Espronceda, Ana en la de Schiller; por supuesto, la malvada María de Padilla puede más que la pura Blanca, al igual que la reina Elizabeth con la princesa María; por supuesto también, tanto en el caso de Schiller como en el de Espronceda, este conflicto moral

211. Sobre la influencia de Lewis en Quintana y la presencia de la literatura "terrorífica" a principios del siglo XIX en España —presencia que hemos evocado *supra*, p. 61—, véase A. Dérozier, *op. cit.*, pp. 77-97.

212. BAE, t. LXXII, pp. 320-322 y 336-337. Mazzei, p. 64, nota 1, señala esta semejanza sin hacer ningún comentario.

213. Mazzei, pp. 57-77.

y sentimental sin duda no sea más que uno de los motores de una situación histórica fielmente reconstruida; y, por último, sin duda García de Padilla, al igual que Burleigh, vea en el asesinato de la reina presa el único medio de evitar una guerra civil. A pesar de estas coincidencias, inevitables porque aparecen ya entre los datos que nos proporciona la historia de ambas reinas, en ningún momento los episodios evocados o descritos por Espronceda dan la impresión de constituir una rapsodia de temas tomados del dramaturgo alemán. Pero Mazzei todavía va más allá: María de Padilla sería la Popea de la *Ottavia* de Alfieri; Pedro sería Nerón, que aparecería tal como se le presenta en la misma tragedia, dividido entre dos mujeres y cruel con una de ellas. La única escena en la que Espronceda demostraría alguna originalidad sería el diálogo entre la maga y su hijo, al principio del acto III, y aun así, Mazzei, siguiendo a Escosura, dice que está sacada de Shakespeare. A nuestro parecer, tales confrontaciones sólo conducen, a lo sumo, a satisfacer un lamentable chauvinismo literario.

No se trata de negar, en el poeta, la influencia directa o indirecta de Alfieri, cuyas tragedias obtuvieron un gran éxito en Madrid durante el primer cuarto del siglo XIX. Se puso en escena su *Roma libre* para celebrar la Constitución de 1812; durante la guerra de la Independencia y posteriormente, entre 1821 y 1823, su teatro conoció la popularidad porque glorificaba la lucha contra la tiranía y la opresión, pero también porque la exaltación de los sentimientos y la violencia de los conflictos interiores seducían al público. En *Myrrha*, por ejemplo, se describe la pasión como un arrebato fatal de terribles consecuencias, tal como aparecerá más tarde en *Don Álvaro*, *El trovador* o *Los amantes de Teruel*. Ya sabemos todo lo que Quintana debe al dramaturgo italiano[214]. En cuanto a Martínez de la Rosa, confiesa de entrada, desde las primeras líneas del prólogo de *La viuda de Padilla*, que se propuso tomar como modelos las tragedias de Alfieri. Extrae el tema —el final de las Comunidades de Castilla— de la historia nacional, y anuncia que era su intención tratarlo desde el punto de vista subjetivo de los personajes a fin de centrar mejor el interés del espectador, introduciendo en el diálogo alusiones a la situación política de España en 1812, año durante el cual fue compuesta la obra y representada en Cádiz, sitiada por los franceses[215]. Con la misma intención se propone Espronceda escribir *Blanca de Borbón*. Según lo recuerda Mazzei, el poeta dice, al inicio del canto II de *El diablo mundo*, que en su juventud admiraba a Catón, Bruto, Sócrates y Mucio Scévola, por su valor o su constancia; a Demóstenes, que exhorta a los atenienses a alzarse contra el tirano de Macedonia; añade que el amor por la libertad le exaltaba hasta el punto de verse a sí mismo en sueños como un héroe arengando a la plebe subyugada. El crítico italiano señala que una identidad de ideal entre Alfieri y Espronceda no implica necesariamente que sus obras respectivas presenten igual valor. En el momento en que Espronceda inicia su tragedia, en torno a 1830, tiene algo más de veinte años y se trata de su primer ensayo dramático; es evidente pues que no tiene la experiencia ni el oficio de su maestro. Además, ignorando o pretendiendo ignorar que Alfieri todavía se mantenía en boga en España entre 1820 y 1823, es decir

214. Véase A. Dérozier, *op. cit.*, pp. 67-72, y sobre la influencia de Alfieri, véase Peers, *HMRE*, t. I, pp. 397-398.
215. BAE, t. CXLVIII, pp. 27-28.

durante la adolescencia de Espronceda, a la edad en que el espíritu es más sensible a las influencias de lecturas y espectáculos, Mazzei llega a la siguiente conclusión, algo apresurada: «Muover guerra ai tiranni! Ma ció significara ormai attacare molini a vento. Con questo intento anacronistico Espronceda scrisse la sua *Blanca de Borbón.**»

Esta tragedia no es, por cierto una obra maestra. Pero estamos ante un joven que, teniendo menos de veinticinco años, compone cinco actos en verso, no menos malos en conjunto que los de sus predecesores. Podemos ver en ello un anacronismo; y en efecto lo es, si consideramos lo que escribían a la misma edad los poetas ingleses o franceses de la misma generación, para establecer una constatación comparatista sin interés en sí; no lo es, si recordamos que la formación intelectual de Espronceda es ante todo fruto de la enseñanza de Lista. Gracias a las lecciones del maestro, se transmite en Madrid cierta concepción del "buen gusto" y una estética en vías de desaparición, o que en todo caso habían perdido actualidad en París en el momento en que se inicia la composición de *Blanca de Borbón*. No más anacrónico resulta, en estas condiciones, ver a Espronceda componiendo en la Academia del Mirto poesías como las escribía Meléndez Valdés, que verlo componiendo en 1830 una tragedia como las que todavía se escribían en España a finales del siglo XVIII y principios del XIX. Con ello, lo único que se demuestra, una vez más, es que nunca dejó de imponérsele a Espronceda todo cuanto aprendió en su infancia y adolescencia.

En efecto, en su plan general y sus líneas maestras *Blanca de Borbón* se ajusta a las ideas de Lista sobre el teatro. Según éste, las obras dramáticas deben propagar sentimientos nobles y generosos, conformes a los verdaderos principios de la moral pública, a fin de instruir a los ciudadanos en sus deberes y hacérselos amar. Los escenarios son una tribuna del liberalismo moderado del que, entre 1821 y 1823, se hace portavoz en *El Censor* el profesor del Colegio de San Mateo. Un buen autor dramático debe preocuparse por la verosimilitud y tener, por tanto, un conocimiento lo bastante hondo del corazón humano para hacer hablar y actuar a los personajes en función de sus sentimientos; su objetivo ha de ser el de poner el arte al servicio de la felicidad del hombre, desterrando de su obra los errores que puedan obstaculizar dicho propósito; por último y en consecuencia, provocar el aborrecimiento de las pasiones que llevan a excesos incompatibles con la necesaria armonía de la sociedad. Siendo así, no se puede acusar al teatro de corromper las costumbres, antes al contrario. Si la tragedia trata un tema digno de interés, si de los hechos expuestos depende la suerte de un personaje importante, la obra seducirá al espectador, fomentando su compasión a través de la descripción de los peligros que amenazan al o a la protagonista. En la epopeya, éstos aparecen presentados de tal forma que despierten la admiración, es decir, en lo que tienen de sobrehumano, sobrenatural o divino; la tragedia debe mostrarlos enfrentados a los infortunios y desdichas y, por lo tanto, en su aspecto más humano, el que los hace más próximos a nosotros. De ahí que nos conmuevan, pues nos identificamos con ellos, quienes, por su parte, nos infunden terror y compasión. Por consiguiente, la tragedia sólo puede tener un desenlace desgra-

* «¡Declarar la guerra a los tiranos! Pero ello significará atacar molinos de viento. Con este intento anacrónico Espronceda escribe su *Blanca de Borbón.*»

ciado. Por supuesto, no siempre es así, como en el caso de *Cinna*, *Athalie* o *Esther*; pero no obstante, estas excepciones a la regla alcanzan el objetivo último del género, que es el de mostrar el triunfo de la verdad. En resumen, el autor trágico nunca debe perder de vista los tres efectos principales que hay que provocar en el espectador: la expiación de las pasiones; la aceptación de los designios de la Providencia, aunque sean adversos, ya que nadie puede alzarse contra ellos; y el temor por los sentimientos desmedidos y sus funestas consecuencias. De ahí que Lista rechace el drama moderno en el cual, en aras del gusto, según él depravado, del público, los protagonistas se convierten en simples mequetrefes que aceptan rendirse a las exigencias de la pasión (en especial amorosa), perdiendo así todo valor ejemplar[216].

Aun manteniéndose fiel a estas ideas fundamentales, Lista admitirá que a veces es necesaria la mezcla de géneros, y que las reglas de unidad, lugar y tiempo pueden infringirse con moderación siempre que se respete la unidad de acción, cuando haya que describir «el hombre interior». En 1829, escribe a Reinoso:

> Es preciso confesar que Hamlet, Macbeth, Otelo, García del Castañar, Inés de Castro y Pedro el Cruel no pueden describirse debidamente si no se da más latitud a las reglas clásicas[217].

Estos puntos de vista son los mismos que Martínez de la Rosa desarrolla en el texto y sobre todo en las notas de su *Poética*; según hemos visto, Espronceda conocía esta obra, en cuyas "Anotaciones" el autor ofrece un panorama del teatro español. *Aben Humeya* y *La conjuración de Venecia* suponen, por parte del ministro-poeta, no una conversión, sino tan sólo algunas moderadas concesiones a las nuevas tendencias estéticas. Martínez de la Rosa comenta esta evolución en los *Apuntes sobre el drama histórico*[218] incluidos en el volumen V y último de sus obras, publicado en París en 1830. Pensando siempre en guiar a los jóvenes escritores, y a fin de mostrarles en esta ocasión la vía del justo medio en la querella entre antiguos y modernos, defiende una concepción "razonable" del drama. Este —según escribe— constituye un género apropiado a la sociedad de la época; por lo tanto, no podemos condenarlo terminantemente en nombre de Aristóteles y Horacio. Los temas históricos inspiraron a menudo a los grandes autores del Siglo de Oro, pero carecían de la ilustración necesaria para «corregir y hermosear» los datos que hallaban en las Crónicas. Siempre que se respete la unidad de acción, se puede ser más flexible con las exigencias de las unidades de tiempo y lugar; lo esencial es salvaguardar la verosimilitud, evitando por ejemplo el exceso de cambios de lugar. Martínez de la Rosa admite que el relato de los hechos se haga de forma más detallada que en la tragedia, y que cambie el decorado en cada acto, pero no más a menudo. Por último, el estilo debe adecuarse a la condición de los personajes, que no necesariamente son reyes y grandes. Lo importante es que en conjunto se respete la verdad histórica y que la reconstrucción de los diversos episodios dé al espectador la impresión de que asiste al desarrollo de la realidad vivida.

216. A. Lista, "Del objeto moral de la tragedia", *El Censor*, IX (53), 4 de agosto de 1821, pp. 356-387. Véase también J. M. de Cossío, "Don Alberto Lista, crítico teatral de *El Censor*"» *en: El Romanticismo a la vista*, Madrid, 1942, pp. 81-168.

217. Carta reproducida por Juretschke, pp. 581-583, y citada *ibid.*, p. 299.

218. BAE, t. CXLVIII, pp. 289-291.

Estas teorías "razonables" fueron aplicadas al drama *Aben Humeya*. Puede que a su estreno, el 19 de julio de 1830 en el teatro de la Porte-Saint-Martin, asistiera Espronceda, en compañía de Ochoa y otros emigrados españoles[219]. En efecto, algunos detalles llaman la atención: en esta obra, como en *Blanca de Borbón*, un personaje —histórico en el primer caso, imaginario en el segundo— lleva el mismo nombre, Abenfarax, y sin duda no se trata de una mera coincidencia. La escena VII del acto I de *Aben Humeya* transcurre en un decorado (la cueva del alfaquí situada en un lugar agreste) parecido al que nos presenta Espronceda cuando aparece la maga; en la escena V del acto III, Martínez de la Rosa hace salir al esclavo negro Aliatar, asesino a sueldo e instrumento del destino, como era el Abenfarax de *Blanca de Borbón*. Aunque por la forma y el estilo, ésta recordaría más *La viuda de Padilla* que *Aben Humeya* y *La conjuración de Venecia*. Cabe señalar además que en esta última obra (acto II, escena II), Rugiero acude en barca a reunirse con Laura y anuncia su llegada cantando una romanza del género trovadoresco, al igual que Enrique en la escena III del acto III en la obra de Espronceda. Todavía podemos hallar otra semejanza: el poeta poseía en su biblioteca un ejemplar de la obra de Soumet et Belmontet, *Une fête de Néron*[220], cuyo protagonista es también un soberano cruel, dividido entre dos mujeres, Popea y Octavia (como Pedro entre Blanca y María de Padilla). Es posible que Espronceda asistiera a la representación de esta obra —estrenada en el teatro del Odeón el 28 de diciembre de 1829—, y que se sintiera interesado por un personaje que presentaba un punto en común con el rey de la tragedia que proyectaba escribir, o que tal vez había iniciado ya. Pero tampoco en este caso se trata de un drama romántico propiamente dicho.

Blanca de Borbón se ajusta al patrón tradicional de la tragedia neoclásica española. El autor se ciñe con bastante fidelidad a la historia. Las únicas libertades que se permite consisten en suponer a Enrique enamorado de Blanca, y en hacer que ésta muera apuñalada por Abenfarax, y no envenenada. La acción transcurre en unas cuarenta y ocho horas, con lo cual la unidad de tiempo sólo se infringe dentro de límites tolerables. El acto I tiene lugar en la mazmorra de Blanca, el acto II y el IV, en una sala del palacio real; el acto III y el V, unas veces en el calabozo de la reina, y otras delante y dentro de la cueva de la maga; pero la acción discurre en un espacio reducido, el Alcázar de Sevilla y sus alrededores más cercanos. El respeto por la unidad de lugar hace que Espronceda se vea obligado a llevar a Enrique hasta la celda de Blanca, a fin de permitirle exponer sus proyectos y comunicárselos a la reina. En un drama, se nos hubiera presentado a buen seguro una asamblea de conjurados, que hubiera concluido con el envío de un mensaje a Blanca. Al verse limitado por las exigencias de la tragedia, que no autorizan una excesiva dispersión de las escenas en el espacio, el joven dramaturgo recurre a un procedimiento poco verosímil: en efecto, ¿cómo es posible que Leonor consiga introducir a Enrique hasta la propia celda de la reina? Y en el acto III, resulta difícil admitir que Blanca y su confidente salgan sin difi-

219. Ochoa recuerda en su biografía de Martínez de la Rosa que fue «testigo ocular, entre otros muchos españoles», del éxito de este estreno (*El Artista*, I [14, 5 de abril de] 1835, p. 157).

220. Véase nuestro opúsculo *Espronceda, articles et discours oubliés. La bibliothèque d'Espronceda*, París, 1966, pp. 59-60.

cultad de la fortaleza para acercarse a la cueva de la maga, cuando se supone que don Tello, a quien el rey ha recordado que respondía con su cabeza de la prisionera, ha debido sin duda tomar nuevas medidas de seguridad. En cuanto a la unidad de acción, también se respeta. El hecho de que a partir del acto III el conflicto político adquiera mayor importancia se debe a que Espronceda, al igual que Martínez de la Rosa en *La viuda de Padilla*, ha expuesto primero la tragedia personal, íntima y sentimental de la protagonista, antes de desarrollar las consecuencias de la misma en el plano histórico. Los proyectos de los personajes que representan los partidos enfrentados —el de don Pedro y María de Padilla por un lado, y el de Enrique y Blanca, por otro— se ven favorecidos o contrarrestados por la maga, en la medida en que ésta pretende aprovechar los designios de unos y otros para saciar su odio contra los cristianos. Así lo requiere la lógica del desarrollo de la intriga. A partir del acto III, la madre de Abenfarax desempeña un papel capital en la acción porque, de ahora en adelante, será de ella y de su hijo de quienes dependerá la suerte de la protagonista. Sin embargo, no irrumpe bruscamente en la obra; Abenfarax hace una alusión concreta a su madre en la escena V del acto II en el transcurso de su entrevista con el rey y Diego García. Cuando este último le pregunta si ha reconocido a Enrique en el hombre que merodea al pie de las ventanas del calabozo de la reina, Abenfarax responde:

> No; mas mi madre, la potente maga
> de la caverna del espectro, dijo
> que el hombre aquel que pareció ocultarse
> era hermano del rey.

Así pues, desde ese momento, Espronceda tiene una idea exacta del personaje y del marco en el cual va a presentarlo; en efecto, esta réplica aparece ya en el primer borrador de la obra, y se mantiene intacta en las sucesivas puestas a limpio. No hace intervenir personalmente a la maga en la acción hasta el acto III, simplemente porque antes no queda justificada su presencia, y acaso también con el afán de excitar la curiosidad al retrasar su aparición, después de haber indicado, aunque de forma algo escueta, que desempeña un importante papel en las intrigas palaciegas. En el acto II, basta con hacer saber que Abenfarax vigila las idas y venidas de Enrique, y que está dispuesto a matarle para obtener la recompensa prometida. Espronceda hace hincapié en la estupidez y crueldad de este asesino, que no considera un crimen el matar a un hombre para obedecer al rey: es una manera de demostrar que Pedro el Cruel merece su apodo y está dispuesto a usar de todos los medios para deshacerse de su hermanastro. En el acto III, por razones históricas evidentes, el poeta se ve en la necesidad de hacer fracasar el asesinato de Enrique. De ahí que dé paso a la intervención de la maga, que ha concebido un plan diabólico: dejar que los dos hombres se maten uno a otro; pero este plan se frustra, porque Enrique se niega en un principio a batirse con un desconocido y, una vez ha revelado éste su identidad, rehúsa desenvainar la espada contra un miembro de su familia, que además es rey. Se retira, insultado por Pedro, que piensa que la verdadera razón de su huida es el miedo.

Pese a la ambientación tenebrosa y al diálogo frenético, la primera escena del acto III dista mucho de constituir un simple cuadro de horror sin relación con el tema. En la forma en que esta escena fue publicada por Churchman, y luego en las ediciones posteriores, no aparecen con claridad las causas del furor sanguinario de la maga. Pero si restituimos el fragmento de diálogo que Escosura creía, erróneamente, que había sido suprimido por Espronceda en la segunda redacción, queda del todo explicado el rencor de esta mujer contra los cristianos[221]. Antaño «reina feliz del africano suelo», vio cómo los cruzados destruían su palacio y asesinaban a su familia, antes de ser violada por su jefe sobre el mismísimo cadáver de su amante. Juró vengarse invocando la ayuda de los seres infernales, e hizo de su hijo el instrumento de su venganza. El asombroso realce que el autor da a estas dos encarnaciones del odio hace palidecer un poco a los demás personajes: «Con ellos, Espronceda ha alumbrado las fuerzas elementales del mal. Hay una ferocidad, una crueldad, un odio, un sentido de la destrucción que superan a la pasión adúltera o la ambición criminal[222].»

Cuanto más avanza Espronceda en la composición de *Blanca de Borbón*, tanto más abundan las peripecias y los efectos teatrales; de ahí cierto desequilibrio entre los dos primeros actos y los tres últimos. En los fragmentos del *Pelayo* escritos durante el destierro, también observamos una inclinación de la inspiración hacia los motivos espectaculares y una gran afición por los elementos pintorescos y los fuertes contrastes. Se manifiesta la misma tendencia en la tragedia, aunque de manera menos acusada, ya que el poeta no puede dejar desplegar su imaginación en direcciones divergentes. Se ve obligado a respetar no sólo una forma de expresión y las leyes propias del género, sino también una intriga de la que debe desenredar el hilo. Un conjunto de estrofas épicas, siempre que formen un cuadro completo, conserva su valor aun cuando no tenga una finalidad concreta en el plan primitivo; pero un conjunto de escenas dramáticas no tiene interés en sí mismo. Por último, también la verdad histórica y la verosimilitud sicológica tienen su exigencias. Sólo los personajes inventados y los episodios en que aparecen en primer plano permiten ser tratados con libertad, como el caso de la maga y de Abenfarax y de las escenas en que intervienen. Con ellos, Espronceda puede dar rienda suelta a su imaginación; y lo hace de tal modo que los colores que emplea parecen excesivamente violentos para la buena armonía del cuadro. No obstante, hay que recalcar que *Blanca de Borbón* es, desde el principio hasta el final, una tragedia en endecasílabos. La romanza de Enrique, la maga, la gruta y su ambientación terrorífica, son indicios de que de los dramas españoles o franceses que Espronceda pudo leer o ver representados en París, retuvo ante todo algunos aspectos externos. Tal vez no distinguiera muy bien la diferencia existente entre Ducange y Víctor Hugo. De las lecciones de Lista hasta el prólogo de *Cromwell* hay una distancia considerable, excesiva para que pueda franquearla

221. Hecho que reconoce Escosura, que escribe: «¿Por qué el poeta suprimió entero este pasaje, que explica el odio de la Maga a los cristianos?» (*Discurso*..., Madrid, 1870, p. 144). Este fragmento dialogado se encuentra en el primer manuscrito del British Museum, pero no en el segundo, porque la hoja que lo contiene no está incluida en este último, sino que se encuentra en los Archivos Núñez de Arenas, en donde lo hemos consultado. Churchman, creyendo que Espronceda había suprimido estos versos en el segundo manuscrito, los reprodujo en una nota de su edición crítica (citada *supra*, nota 210). Véase al respecto nuestro artículo citado *supra*, nota 209.

222. Casalduero, p. 264.

de un salto un joven extranjero, venido de un país en el que una retórica puntillosa y exclusiva regía en la inspiración.

Antes que Espronceda, varios dramaturgos se habían interesado por la figura del rey don Pedro, al que habían introducido en sus obras como personaje principal o secundario. Lo encontramos en *El infanzón de Illescas*, comedia atribuida a Lope y refundida por Moreto, y posteriormente por Dionisio Solís, obra en la que el monarca aparece con un carácter autoritario pero generoso; lo vemos asimismo en *El rey don Pedro en Madrid*, atribuida a Tirso, que hace de él la figura del "rey caballero"; en *El médico de su honra* de Calderón, en donde se le muestra como justiciero; en *Yo me entiendo y Dios me entiende* de Cañizares, en donde se da de él una imagen desfavorable en el conflicto con su hermano bastardo Enrique de Trastamara; en *Blanca de Borbón* de Dionisio Solís, en *Doña Blanca* (1806) del oscuro José María Iñíguez, y en *Blanca de Borbón* de Gil y Zárate. Estos tres últimos autores hacen del rey un retrato poco halagador. Cierto es que el episodio de su vida que sirve de tema a dichas obras es uno de los menos indicados para inspirar simpatía: el abandono de la princesa francesa a la que encierra en un calabozo y manda ejecutar, para colocar en el trono a su manceba, María de Padilla, el mismo episodio que inspiró a Espronceda. Tan sólo más tarde, algunos poetas, Zorrilla en particular, rehabilitarán en sus composiciones la memoria de don Pedro, mostrándole más justiciero que cruel[223].

Mazzei atribuye a la falta de madurez de Espronceda el hecho de que éste se vea incapaz «di transformare l'antipatia spiritoale in simpatia estetica, per cui il tiranno gli resta odioso e lo tratta con ripugnanza*», así como el hecho de que vacile torpemente entre el estilo de Alfieri y el de Schiller, entre don Pedro según López de Ayala o según la comedia atribuida a Lope[224]. La crónica compuesta por el canciller de Castilla en el siglo XV se había reeditado a finales del XVIII, y cabe la posibilidad de que Espronceda la conociera. Pero podía hallar fuentes de información más asequibles en Mariana quien, como vimos, le había proporcionado elementos para el *Pelayo*. En los capítulos XVIII y XX del libro XVI, así como en el capítulo IV del libro XXX de su *Historia general de España*, Mariana relata con detalle los infortunios de Blanca de Borbón. Abandonada por el rey inmediatamente después de su matrimonio, éste la sustituye por María de Padilla y, en adelante, sólo actúa al dictado de los parientes de su concubina; la reina es encerrada en una mazmorra del castillo de Medina Sidonia. Algunos nobles, indignados por este comportamiento, enviaron ante el rey una delegación encabezada por Fernando de Ayala, para hablar en favor de Blanca y prevenir al sobe-

223. Sobre la caracterización dramática de este personaje, véase Lomba y Pedraja, "El rey D. Pedro en el teatro", *Homenaje a Menéndez y Pelayo*, Madrid, 1899, t. II, pp. 257-339. Aunque no se representó hasta 1835, la tragedia de Gil y Zárate había sido escrita unos diez años antes. Quintana había compuesto una obra sobre el mismo tema, pero perdió el manuscrito durante la guerra de la Independencia. En 1829, Telesforo de Trueba y Cosío publicó su novela *The Castilian*, uno de cuyos personajes es Pedro el Cruel; proyectaba escribir otra sobre las intrigas de María de Padilla y la muerte de Blanca de Borbón (M. Menéndez y Pelayo, *Telesforo de Trueba y Cosío, en: Obras completas*, ed. nacional, *Estudios y discursos de crítica histórica y literaria*, VI, pp. 110, 124 y 156).

* «... de transformar la antipatía espiritual en simpatía estética, por la cual el tirano le parece odioso y lo trata con repugnancia.»

224. Mazzei, pp. 62-63.

rano de sus lamentables errores, pero todo fue en vano; entonces, reclutaron tropas para libertar a la reina, lo cual irritó todavía más a Pedro quien, por medio de un médico, hizo envenenar a Blanca en su calabozo. Mariana censura duramente la conducta del rey, y le califica de «rey atroz»[225].

Los romances antiguos —que provienen en su mayor parte de la crónica de López de Ayala— también son desfavorables a Pedro I. En la colección de Depping reeditada por Salvá, Espronceda podía haber leído dos referidos a la muerte de la reina[226]. El primero contiene dos elementos en los que pudo inspirarse: la reina, en su prisión, cuenta sus desdichas a una dueña (Espronceda le da una confidente compasiva, Leonor, la hija de su cancerbero); luego, con la intención de recobrar el amor de don Pedro, le hizo llevar «una cinta de mil diamantes sembrada», pero María de Padilla la arrebató y

> entrególa a un hechicero
> de la hebrea sangre ingrata:
> hizo parecer culebras
> las que eran prendas del alma;
> y en este punto acabaron
> la fortuna y la esperanza.

En la tragedia de Espronceda, la rival de Blanca también recurre a los servicios de una hechicera. En este romance, la reina cautiva habla de su esposo en los siguientes términos:

> El semblante tiene hermoso,
> los hechos de tigre hircana:
> diome el sí, no el corazón;
> alevosa es su palabra:
> rey que en la palabra miente
> ¿qué mal habrá que no haga?

Dicho retrato se asemeja al que hace Mariana; de éste recoge Espronceda las palabras que pone en boca de Enrique durante su primera entrevista con Blanca (acto I, escena IV):

> Este déspota atroz, ese inhumano
> tigre, que en ti furioso se encarniza,
> salva de su furor, libre he de verte
> cuando más en sus garras te imagina.

¿Por qué eligió Espronceda el tema de *Blanca de Borbón*? Es una pregunta que Escosura se planteó y a la que contestó a su modo, en 1870, en su discurso académico. Según él, el personaje de Pedro el Cruel es esencialmente dramático; de

225. BAE, t. XXX, p. 487a-489a, 492b y 502. Nuestra cita, p. 502b.

226. *Colección de los más célebres romances antiguos españoles...*, Londres, 1825, t. II, pp. 160-165, n.os 147 y 148: *Doña Blanca en su prisión refiere su historia a una dueña* y *El Rey Don Pedro hace quitar la vida en su prisión a la reina Doña Blanca. Últimas lamentaciones de la misma* (n.os 967 y 972 de Durán, BAE, t. XVI, pp. 37 y 39b-40a).

Lope a Cañizares, hallamos por lo menos diez comedias de las que es protagonista; además,

> el pueblo español, sea buena o mala prenda, simpatiza siempre con el valor, aunque raye en la ferocidad; ... los árabes algo, y aún algos, nos han dejado de su afición a esa justicia violenta y sin forma de proceso ... y acaso, acaso ... nuestros grandes dramáticos, viviendo bajo monarcas tan apocados y débiles como los tres últimos que nos dio la casa de Austria, instintivamente buscaban el contraste en el recuerdo de un rey que vivió y murió resistiendo y luchando [227].

Estos argumentos no son convincentes. Escosura quiera dar a entender a su ilustre auditorio que Espronceda habría admirado al rey Pedro I pese a sus abominables fechorías, mientras que la tragedia está destinada precisamente a denunciar la crueldad de éste y sus funestas consecuencias. Más próxima a la verdad parece la explicación incluida en el prólogo a la edición de *Blanca de Borbón*, publicada aquel mismo año, prólogo que sin duda es obra del mismo Escosura:

> Odiaba Espronceda desde niño el absolutismo y, nacido y perseguido en el reinado del inolvidable Fernando VII, execrando en él a todos sus semejantes, halló en D. Pedro sujeto en quien desahogar su odio a la tiranía y medio de proclamar, una vez más, como en cuantas composiciones había escrito, su nunca desmentido liberalismo [228].

Pero no era oportuno proclamar esto ante la Academia Española, a la que sin duda agradó oír cómo Escosura reprochaba a Espronceda el haber exagerado los sentimientos antimonárquicos expresados en presencia del rey por Fernando de Castro, en las escenas VIII y IX del acto II. Este personaje episódico concluye su monólogo vengador con estos dos versos:

> Yo he de hacer ver al asombrado mundo
> otro nuevo Julián y otro Rodrigo.

Julián es él en persona (con cuya hermana había contraído matrimonio el rey, repudiándola posteriormente), y Rodrigo es Pedro. Si bien la comparación tal vez no sea muy acertada en el primer caso, resulta reveladora de las intenciones del autor. En la tragedia, Pedro el Cruel desempeña el mismo papel que el último rey godo en la epopeya proyectada en honor de Pelayo: el del héroe "negativo". En ambas obras, Espronceda pretende condenar el ejercicio del poder absoluto por un mal rey, a la vez que exaltar la lucha contra la opresión, consecuencia del mismo.

Este doble tema está desarrollado en el acto primero, en el que se expone, en primer lugar, la ley de encaje de la que ha sido víctima Blanca. Ésta despierta tanto más interés y compasión cuanto que está limpia de cualquier falta. En varias ocasiones declara incluso que sigue amando a su marido; con lo cual, la crueldad que éste demuestra para con ella es condenable sin reserva. Luego, Espron-

227. P. de la Escosura, *Discurso*..., Madrid, 1870, pp. 108-109.
228. *Blanca de Borbón*..., Madrid, 1870, p. 5.

ceda presenta al paladín de la inocencia oprimida, Enrique, que aparece como el héroe "positivo". En efecto, la liberación de la reina cautiva es un acto que no tiene sólo un significado individual, sino que adquiere todo su valor en el marco de una acción concertada contra el tirano. A partir de este momento, el destino de la reina aparece ligado al destino de la libertad. La situación de ambos personajes se hace más patética debido a los sentimientos que los unen a cada uno de ellos entre sí, y con el rey. Enrique odia a su hermanastro y ama a Blanca que sólo puede darle su amistad y que, si bien rechaza el amor de Enrique, no puede decidirse a formar parte de un complot contra Pedro. La actuación del hermano de María ante Blanca —suprimida en la última versión de la obra— es paralela a la de Enrique: acusa a Blanca de ser el alma de la rebelión instigada por el hermano del rey y de haber cometido adulterio con éste; de ahí que se vea ella doblemente comprometida. Sólo se librará del castigo si acepta entregarse a don Diego García que también promete restablecerla en el trono, pero junto a él. Así pues, la reina cautiva aparece como el envite de rivalidades políticas superpuestas a rivalidades sentimentales.

En el caso de Diego García, el trato que propone a Blanca demuestra claramente que no es amor lo que siente por la reina, sino tan sólo deseo. La negativa que recibe no tiene consecuencias decisivas sobre su actitud posterior, y la ambición basta para explicar la conducta que sigue con su hermana y el rey, cuando provoca los celos de ésta y la cólera de aquél. No hace falta que Enrique sea su rival ante Blanca para que desee su muerte, condición primordial para el mantenimiento de un orden cuya desaparición supondría su propia pérdida. La supresión de su entrevista con la reina en el acto I confiere mayor coherencia al personaje. En cambio, Enrique pierde fuerza en determinadas escenas: canta la romanza bajo las ventanas de la cárcel, se disfraza de ermitaño para conseguir entrar en el calabozo de Blanca; y sobre todo, por el hecho de que su papel de paladín de la libertad se encuentre motivado en parte por razones sentimentales, aun cuando proclama que éstas no son determinantes y que renunciar al amor de la reina no significa renunciar a la lucha contra el tirano. Para justificar esta lucha y demostrar que la acción de Enrique no es aislada, Espronceda introduce en las tres últimas escenas del acto II a un nuevo personaje, Castro. Éste viene a pedir justicia al rey por el ultraje hecho a su familia. Las razones de su odio hacia Pedro no aparecen pormenorizadas en el diálogo; el poeta da por supuesto que el espectador las conoce[229]. Castro no vuelve a salir hasta la escena V del acto IV, cuando viene a matar al rey mientras la tropa de sublevados grita ante las murallas de Palacio; pero Pedro le atraviesa con su espada, y la vista del cadáver de su jefe provoca la huida inmediata de sus seguidores. Estos dos episodios están tratados con cierta torpeza. En lo que al primero se refiere, resulta inverosímil que el rey no haga detener en el acto a un hombre que lo insulta y desafía en su propio palacio, y asimismo que le deje marcharse cuando ha estado a punto de matarle. Todo ello queda justificado en un aparte de García:

229. Como bien señala Escosura (*op. cit.*, p. 129, nota 1), que explica detalladamente la historia de la boda entre Juana de Castro y Pedro I.

...Yo necesito
que tú vivas aún, necio; no es éste
el precipicio adonde yo te guío.

Hay que interpretar que el hermano de la Padilla desea dar tiempo a Castro para reunir sus tropas, con objeto de acabar de una vez por todas con la revuelta que se está tramando; pero sus palabras no son lo bastante explícitas y pueden pasar desapercibidas para el espectador. La segunda escena es demasiado corta, y la retirada de los partidarios de Castro parece muy apresurada. Esperábamos más bien una reacción de cólera y no de derrota por el asesinato de Castro, y la actitud de éstos siembra dudas, tanto sobre la sinceridad de sus convicciones, como sobre el futuro desenlace, a largo plazo, de la lucha contra el tirano. Al querer mostrar hasta qué punto el rey es temido, Espronceda demuestra al mismo tiempo, y sin pretenderlo, que el temor puede más que el sentido de la libertad. En general, el dramaturgo novel parece más preocupado por denunciar el carácter monstruoso del despotismo que ejerce el monarca, que por cuidar la estructura general de la tragedia. Sin embargo, evita dar a sus personajes una sicología esquemática. A García, por lo menos en un principio, no le mueve sólo la ambición, y también él es sensible a la belleza de Blanca; María de Padilla retrocede varias veces ante el asesinato; llega a temer (acto III, escena II) un brusco cambio del rey en favor de su esposa repudiada, siendo ella entonces la que ocuparía el lugar de ésta en la cárcel; quisiera evitar que Pedro matara a su hermano (acto III, escena VII), y duda en llevar a cabo los monstruosos proyectos que ha urdido con Diego García. En cuanto a Pedro, a pesar de su crueldad, consiente en recibir a Blanca y, tras su entrevista con ella, expresa algunas dudas acerca de la culpabilidad de la reina (acto IV, principio de la escena V); más adelante, tras el asesinato de Castro, se muestra hastiado e incluso indiferente, como si por un momento aborreciera su propia crueldad. La maga, a su vez, tiene motivos para estar sedienta de sangre y venganza; expone ampliamente las razones de su odio contra los cristianos que, sin estar justificado, queda cuando menos explicado; también ella ha sido en cierto sentido víctima del despotismo, pues tuvo que padecer duramente la crueldad de los vencedores de su pueblo[230]. En cuanto a Blanca, repite en varias ocasiones que mantiene intacto su amor por Pedro; es lo que hace más doloroso su drama, aunque también es la condición indispensable para la tragedia: en efecto, si ella odiara al que la ha repudiado y metido en un calabozo, no dudaría en escapar cuando Enrique viene a ofrecerle la libertad. Estos matices sicológicos no siempre aparecen con la debida claridad en una obra destinada al teatro. Los advertimos con una lectura atenta, pero en la representación el espectador no hubiera podido apreciar todo su valor, ya que Espronceda no puso especial empeño en hacerlos expresar por sus personajes. Es comprensible que no haya querido detenerse en mostrarlos enfrentados a dudas, escrúpulos o remordimientos pasajeros, por temor a caer en la incoherencia de los caracteres. También sabe, y se da perfecta cuenta de ello, que estilización dramática no significa esquematismo, so pena de restar toda verosimilitud a las peripecias del con-

230. La evocación subjetiva que hace la maga de la guerra santa recuerda, en términos más violentos, a las opiniones que expresa Lista sobre las cruzadas en *El Censor* (citado *supra*, p. 76).

flicto. Por otra parte, las grandes ideas que *Blanca de Borbón* pretende ilustrar no se avienen fácilmente con matices, y el mismo Espronceda no es sino un autor novel; ¿cómo no iba a traslucirse en su tragedia?

Más que los sentimientos de sus personajes, son los sentimientos de Espronceda los que nos conmueven. El joven emigrado que ha abandonado un país en el que reinaba un régimen policíaco se complace en exaltar la libertad y denunciar la tiranía. Hay que volver de nuevo al canto II de *El diablo mundo* para hallar una estrofa en la que el poeta describe su estado de ánimo en aquella época:

> Yo amaba todo: un noble sentimiento
> exaltaba mi ánimo, y sentía
> en mi pecho un secreto movimiento,
> de grandes hechos generoso guía:
> La libertad, con su inmortal aliento,
> santa diosa, mi espíritu encendía,
> contino imaginando en mi fe pura
> sueños de gloria al mundo y de ventura[231].

Este sentimiento, aunque confuso, no es únicamente literario. La presencia del poeta en las barricadas parisienses de julio de 1830, y luego entre los voluntarios de la expedición de Vera, demuestra que no eludió la defensa de las buenas causas, y que dio la cara, cuando lo requirieron las circunstancias. Su imaginación poética se manifiesta de modo paralelo en temas que le permiten expresar, en cierta medida, este «secreto movimiento». Justicia, libertad y rectitud por un lado; injusticia, opresión y despotismo, por otro: así de simplista es su visión del mundo. Pero también es optimista pues, a pesar de la derrota, Sancho y Pelayo, al igual que Enrique, reanudan la lucha y la prosiguen sin descanso. Espronceda cree en el triunfo de sus ideas, que todavía no son sino un «noble sentimiento»; más tarde, cuando escriba *El diablo mundo*, cuyo título plantea una ecuación desencantada, aún seguirá creyendo en ellas puesto que emprende la denuncia sistemática de las taras de una sociedad y de sus medios para alienar al hombre. Por entonces, se habrá liberado ya de las trabas que, hacia 1830, mantenían todavía su inspiración dentro de los estrechísimos límites de formas impuestas.

En su obra, los personajes que asumen el papel de víctima son siempre mujeres: Florinda en *Pelayo*, Blanca de Borbón, Zoraida y Leonor en *Sancho Saldaña*, Elvira en *El estudiante de Salamanca*, así como todas las figuras femeninas de *El diablo mundo*. Su condición hace de ellas seres predestinados a sufrir o a morir, y símbolos fáciles de identificar. En *A la patria*, España no es una alegoría, sino una madre dolorosamente apenada. Esta es la opción de un hombre que, entre 1828 y 1832, vivió una pasión contrariada, antes de alcanzar la plena felicidad que, por lo demás, fue poco duradera. Aunque seguramente Teresa Mancha debió de casarse a disgusto con Gregorio Bayo en 1829, tampoco hizo gala de muchos escrúpulos; ello no impidió que Espronceda proyectara la figura de esta mujer, un tiempo inaccesible, en sus criaturas femeninas. A través de su amor la veía, a ella también, como a una víctima del orden social cuyas leyes había tenido

231. BAE, t. LXXII, p. 99b.

que acatar. En el *Canto a Teresa*, incluso después del doloroso final de esta pasión, aquélla no es objeto de desprecio sino de real compasión por la infamia en la que poco a poco fue cayendo y de la que era en parte responsable la sociedad. La continuidad del pensamiento de Espronceda queda reflejada en estas sucesivas parábolas en las que un ser débil y oprimido, bajo los diversos aspectos de un personaje femenino, representa los distintos aspectos de la libertad —libertad de vivir, libertad de amar, libertad de permitir que se desarrollen las aspiraciones profundas del ser humano— en lucha constante contra todo lo que intenta aniquilarla o amordazarla.

El trabajo de elaboración del texto del que dan cuenta los retoques de los tres manuscritos de *Blanca de Borbón* demuestra el interés duradero que Espronceda puso en esta obra. Según el prólogo de la edición de 1870, la habría abandonado porque la censura no había autorizado su representación. No obstante, Gil y Zárate, en 1835, pudo llevar a las tablas su tragedia de igual título, en la cual la monarquía, en la persona de Pedro I, aparecía tan maltratada como en la obra de Espronceda. Existen sin duda otras razones que impulsaron a éste a guardar su obra en un cajón tras su regreso a Madrid. En primer lugar, la situación política de España había cambiado desde la muerte de Fernando VII; ocupaba el trono una regente en quien los liberales depositaban todas sus esperanzas, y ya no un monarca absoluto: la "ominosa década" había llegado a su fin. En estas condiciones, se le hacía imposible a Espronceda presentar al jefe de una rebelión política como un héroe adornado de todas las virtudes, y al rey de España como un monstruo cruel. Recordemos que cuando establece la versión definitiva del primer acto de *Blanca de Borbón*, el poeta suprime las escenas referidas a la entrevista entre Diego García y Blanca, según creemos, por una razón muy sencilla: en ellas, el hermano de la Padilla acusa a la reina cautiva de ser la primera cómplice del jefe rebelde, el vivo símbolo de la revuelta. Ahora bien, en la España de María Cristina, el hecho de presentar la rebelión contra el trono como una lucha legítima suponía justificar, de algún modo, la causa del carlismo. En el momento en que los liberales —y Espronceda era uno de los más "exaltados"— exigían la movilización de las energías para luchar contra los facciosos, la parábola de *Blanca de Borbón* adquiría un sentido exactamente opuesto a las intenciones iniciales del autor. A pesar del importante corte en el acto I (los demás retoques no modifican la estructura general de la obra, y sólo tienen como objetivo aligerar el diálogo o mejorar su forma), la tragedia había dejado de tener actualidad, ya que, desde finales de 1832, la justicia y la libertad habían cambiado de campo. Espronceda se dio perfecta cuenta de esta situación; prueba de ello es que, a mediados de 1833, apremiado por la necesidad de dinero, hubiera podido dar algún rápido retoque a *Blanca de Borbón* para obtener un anticipo de algún editor; pero prefirió componer deprisa y corriendo, en colaboración con Antonio Ros de Olano, una comedia en tres actos, *Ni el tío ni el sobrino*[232].

Otras razones hicieron que Espronceda dejara de interesarse por *Blanca de Borbón*. A finales de 1833 y comienzos de 1834, está ocupado en escribir los seis volúmenes de *Sancho Saldaña*; funda con algunos amigos el periódico *El Siglo*, y estas tareas le absorben mucho; también inicia un largo poema, el *Canto del*

232. Véase *infra*, pp. 323-329.

cruzado, que abandona después de haber compuesto unos trescientos versos aproximadamente. Esta época está marcada por una toma de conciencia que poco a poco va llevando a Espronceda a liberarse del neoclasicismo, primero, y, más tarde, del estilo trovadoresco, hasta encontrar temas y formas de expresión mediante los cuales se afianzará su personalidad. Se inicia una nueva etapa en su evolución poética; el autor de las *Canciones* que salen a luz en 1835 no cree ya en las virtudes de la tragedia en cinco actos y en verso.

Los límites de la evolución de Espronceda

Las obras que Espronceda escribió durante los años de su emigración demuestran que, en esta época, el poeta fue sensible a determinadas influencias nuevas, y en la mayoría de los casos, nuevas para él, si bien no fueron lo bastante hondas para que abandonara el neoclasicismo de su primera juventud. Walter T. Pattison está en lo cierto al refutar, tanto la opinión de Ferrer del Río, para quien la brusca revelación de Byron hubiera hecho de Espronceda, a partir de 1828, un epígono del poeta inglés, como la de Fitzmaurice-Kelly, para quien la lectura de André Chénier en 1825, a la vuelta de su reclusión en Guadalajara, le hubiera conducido al romanticismo; el crítico concluye acertadamente:

> Espronceda was still neo-classic in all the poems we can definitely fix during the period of his residence in England and France. Even after his return to Spain, he was to pass through more than a year of the mildest form of the romantic revival before plunging into the vortex of revolutionary romanticism[233].

No era posible pensar que la nueva estética pudiera irrumpir bruscamente, como un maremoto, en un espíritu todavía tan influenciado por las ideas de su maestro Lista. Hay otros factores que explican la lentitud de la evolución literaria de Espronceda, tales como: el obstáculo que constituían las lenguas extranjeras, pese al conocimiento que podía tener del inglés, del francés o del italiano; el desarraigo que suponía el estar en países en donde todo era tan distinto de lo que había dejado —clima, medio social, situación política e intelectual—; en suma, lo que implica la condición de emigrado. No obstante, nos parece excesivo afirmar, como lo hace Pattison:

> Undoubtedly Espronceda was then much more occupied with political schemes, revolutionary movements, and especially with his affair with Teresa than with the new literature[234].

233. («Espronceda era todavía neoclásico en todos los poemas que podemos fijar definitivamente durante su período de residencia en Inglaterra y España. Incluso después de su regreso a España pasó más de un año con las formas más atemperadas del recuerdo romántico antes de lanzarse de lleno al torbellino del romanticismo revolucionario.») W. T. Pattison, "On Espronceda's Personnality", *PMLA*, LXI, diciembre de 1946, p. 1134.

234. («Indudablemente, Espronceda estaba mucho más ocupado en los esquemas políticos, en los movimientos revolucionarios y, especialmente, en sus amores con Teresa que en la nueva literatura.») *Id., ibid*, p. 1135.

La obra y la vida —pública o privada— están en constante relación; se explican y aclaran una a otra. Sus composiciones de este período no son revolucionarias en la forma; su interés reside ante todo en los sentimientos o convicciones de distinto tipo que expresan. Las poesías líricas reflejan la experiencia real del Espronceda amante o patriota; en los fragmentos del *Pelayo* y en *Blanca de Borbón* aparecen personajes en los cuales el autor proyecta los elementos de su propia ética, fundada en un sentido auténtico y profundo de la libertad y la justicia. Su visión del mundo está falta todavía de precisión, porque prevalece en ella lo subjetivo («noble sentimiento», «secreto movimiento»); es incompleta porque aún no ha encontrado Espronceda el modo de expresión apropiado; de ahí que se produzca un desfase, mayor o menor según las obras, entre forma y contenido. Sólo con lentitud logrará Espronceda la creación de un nuevo lenguaje capaz de permitirle superar la descripción subjetiva o la parábola simplista. Por ahora, los autores extranjeros cuya impronta es más apreciable en los textos de los años 1828-1832 no son ni Byron, ni Hugo, sino Tasso y Osián. Aún no ha llegado el momento de hablar de romanticismo, al referirnos a Espronceda. La obra de los años de emigración contiene muchos versos antiguos, pero todavía pocos pensamientos nuevos[235].

235. Lo mismo le sucede a Ángel de Saavedra, como demuestran varias poesías suyas escritas entre 1823 y 1833, en la época de su exilio. Peers se asombra de que *A mi hijo Gonzalo, de edad de cinco meses* (París, 1832) pueda haber sido escrito mientras el poeta trabajaba en *El moro expósito*, y constata que *El desterrado* o *El sueño del proscrito* contienen numerosas metáforas caras a Meléndez Valdés y a Lista. Todavía aquí es la sinceridad del sentimiento expresado lo que dota de valor a sus obras, y no su forma, nada revolucionaria. Por otra parte, *La sombra del trovador* (1830) contiene imágenes tenebrosas y tópicos del género trovadoresco utilizados sistemáticamente. El futuro duque de Rivas, de todas formas, es más sensible que Espronceda a ciertas corrientes literarias de los países en que vivió durante su exilio, y encuentra antes que su compañero más joven un camino original. Véase E. Allison Peers, "Rivas: a Critical Study", *RH*, LVIII, 1923, pp. 146-156.

Tercera parte

LA INTEGRACIÓN DE JOSÉ DE ESPRONCEDA EN LA VIDA LITERARIA Y POLÍTICA (marzo de 1833–septiembre de 1835)

Capítulo VIII

EL MADRID CON EL QUE SE ENCUENTRA ESPRONCEDA A SU REGRESO

ESPAÑA Y MADRID, DE 1827 A 1833; EL GRUPO DEL PARNASILLO

Cuando Espronceda se marchó de España, a mediados de 1827, todavía quedaban estacionadas tropas francesas en el país; el restablecimiento del absolutismo en 1823 había provocado la instauración de medios de gobierno fundados en el despotismo y la delación. Pero poco después de la salida del poeta, se produjeron dos acontecimientos que contribuyeron a aportar cierta distensión al clima asfixiante en el que se desenvolvía la vida de los madrileños. El primero fue la victoria obtenida sobre los insurrectos de Cataluña. Para celebrar, a principios de 1828, el retorno triunfal de Fernando VII, el Ayuntamiento de la capital organizó festejos, e invitó a algunos poetas, para que ensalzaran al monarca; entre éstos se hallaban Bretón, Alonso, Vega, todos ellos amigos de Espronceda. Al evocar más tarde las circunstancias en las que escribió el *Canto épico* que se le encargó para la ocasión, Vega dirá:

> El partido liberal miró este triunfo como suyo; y ya nos figurábamos tener conquistado al Monarca, y divisar un horizonte color de rosa; así es que la entrada de Fernando en Madrid, de vuelta de su expedición, fue celebrada con verdadero entusiasmo[1].

Algunos hechos vienen a confirmar esta opinión: en 1828, regresan a España unos cuantos emigrados, entre ellos el duque de Frías y Juan Nicasio Gallego; a Quintana se le autoriza a volver a Madrid; y una real orden del 8 de marzo permite que ciertos liberales, hasta entonces caídos en desgracia, recuperen su empleo en la administración pública o puedan solicitar uno. A partir de octubre,

1. V. de la Vega, *Obras poéticas*, París, 1866, p. 515.

Miñano y Lista publican la *Gaceta de Bayona*, órgano oficioso que asume ante los franceses y los emigrados la defensa de una política que se ha hecho algo más flexible, pero que traza a la vez los límites, impensables de franquear, de las leves concesiones hechas por el régimen absoluto[2].

El segundo acontecimiento fue el cuarto matrimonio de Fernando VII. Éste, que había enviudado en mayo de 1829, se desposó en diciembre con María Cristina de Nápoles. Si ésta le daba un hijo al rey y si este hijo era varón, sería el futuro heredero del trono. Pero en el caso de que se tratara de una hembra, se plantearía la disyuntiva de seguir el uso español, que permitía la transmisión del título a las mujeres, o adoptar el uso francés importado por Felipe V, en cuyo caso el hermano del rey, don Carlos, podría hacer valer sus derechos. Según escribe A. Rumeau:

> Au fond, l'importance du moment est due beaucoup moins au personnes de la jeune reine et de don Carlos qu'aux passions qui se mobilisaient autour de leurs noms pour les transformer en symboles. La question de la succession elle-même ne fut qu'un de ces points de cristallisation que le hasard fournit périodiquement aux deux Espagnes. Dès lors, deux partis se formaient: Carlistes et Cristinos. La première guerre civile se dessinait[3].

Los acontecimientos se precipitaron en 1830. A finales de marzo, Fernando VII promulgó la pragmática sanción instaurada en 1789 por Carlos IV: así quedaba revocado el auto acordado de Felipe V; en junio, redactó un testamento en el cual nombraba a María Cristina regente del reino, en caso de que él muriera antes de que el heredero o la heredera hubiese nacido. A principios de agosto, la noticia de la revolución de Julio en Francia infundió en los liberales españoles la certeza de que su triunfo estaba asegurado a corto plazo. Pero la represión de las tentativas de invasión hechas por los constitucionales emigrados, así como el cierre de las universidades y el endurecimiento de las medidas policiales, demostraron que si bien Fernando VII había despojado de antemano a don Carlos de la sucesión, ello no significaba que estuviera dispuesto a ceder a las presiones de los adversarios del absolutismo. El 10 de octubre, la noticia del nacimiento de la princesa Isabel suscitó una oleada de entusiasmo, mayor si cabe que el anuncio oficial del embarazo de la reina cinco meses antes: las columnas de los periódicos aparecieron repletas de poesías de circunstancias que celebraban el feliz acontecimiento.

En 1831, la ejecución del librero Miyar, de Mariana Pineda y de Torrijos demostraron que el clima no había cambiado tan rápida y tan profundamente como se había podido esperar. Una vez reconocido por España, Luis Felipe concentró a los emigrados lejos de la frontera de los Pirineos. Pero en Madrid persistía el

2. Sobre este periódico, véase nuestro artículo "Sebastián de Miñano en France (II: 1828-1845) d'après des documents inédits", *Caravelle*, 6, 1966, pp. 83-104.

3. («En el fondo, la importancia del momento se debe mucho menos a las personas de la joven reina y de don Carlos que a las pasiones que movilizan en torno a sus nombres para transformarlos en símbolos. La cuestión de la sucesión no fue más que uno de los puntos de cristalización que el azar provocaba en las dos Españas. Desde entonces, se formaron dos partidos: carlistas y cristianos. La primera guerra civil se dibujaba.») *M. J. de Larra et l'Espagne à la veille du Romantisme*, París, 1949, p. 109.

mismo temor ante la propagación de las ideas revolucionarias, y los franceses eran mal vistos. El joven secretario de embajada, Antoine Fontaney, escribe el 31 de enero a Marie Ménessier-Nodier:

> On s'est imaginé que nous étions venus faire une révolution à Madrid, et cette idée est assez accréditée pour rendre notre position peu gracieuse. Ainsi la plupart des salons des grands d'Espagne nous sont fermés[4].

En un clima semejante, cualquier hecho insignificante adquiere gran relevancia; durante el carnaval de 1831, «la Reine a dansé beaucoup et en premier avec notre ambassadeur, ce qui était à Madrid une espèce de révolution[5]». Según escribe A. Rumeau, «ce n'était peut-être qu'une espièglerie de la part de la reine, à l'égard d'une politique officielle qu'au fond elle ne désapprouvait pas; c'était, tout au plus, une habile espièglerie[6]».

El 4 de abril, Fontaney escribe así a Charles Nodier:

> Notre position politique devient ici de plus en plus difficile et délicate. Le gouvernement qui veut à toute force voir en nous des entrepreneurs de révolution nous parque et nous entoure d'un cordon sanitaire. Il y a danger à nous voir et l'on s'en abstient ... Après les fêtes de Pâques, on se propose de couper un libraire en morceaux[7].

El 7 de abril, Custine escribe:

> La France est regardée en ce moment par le gouvernement espagnol comme un pays infecté d'un maladie pestilentielle ... La société de Madrid a tiré un cordon sanitaire autour du palais de France. Ceux qui habitent ce séjour maudit sont condamnés à une quarantaine sans terme; ils ne peuvent communiquer qu'entre eux ou avec les membres du corps diplomatique ... Cet état de choses ne peut durer; mais en attendant que l'Europe juge notre procès, nous somme traités en pestiférés[8].

4. («Se han imaginado que hemos venido a Madrid a hacer la revolución, y esta idea está lo suficientemente acreditada como para hacer nuestra postura poco afortunada. Así, la mayoría de los salones de los grandes de España nos han sido cerrados.») Citado por R. Jasinski, *Une amitié amoureuse: Marie Nodier et Fontaney*, París, 1925, p. 56.
5. («... la reina ha bailado mucho y sobre todo con nuestro embajador, lo que era en Madrid una especie de revolución.») *Ibid.*, p. 62. Carta del 17 de febrero de 1831.
6. («... posiblemente no haya sido más que una travesura por parte de la reina, ante una política oficial, que ella en el fondo no desaprobaba; ha sido, en suma, una hábil travesura.») *Op. cit.*, p. 113.
7. («Nuestra posición política se vuelve aquí cada vez más difícil y delicada. El gobierno, que quiere ver en nosotros a unos cabecillas de la revolución, nos acorrala y nos rodea con un cordón sanitario. Existe peligro al vernos y se abstienen ... Después de las fiestas de Pascua se proponen cortar un librero en trozos.») R. Jasinski, *op. cit.*, pp. 73-74. El librero en cuestión era Miyar.
8. («Francia es vista en este momento por el gobierno español como un país infectado por una enfermedad pestilente ... La sociedad de Madrid ha rodeado el palacio de Francia con un cordón sanitario. Los que habitan en esa estancia maldita son condenados a una cuarentena sin término; no pueden comunicarse más que entre ellos o con los miembros del cuerpo diplomático ... Este estado de cosas no puede durar, pero en espera de que Europa juzgue nuestro proceso, somos tratados de apestados.») *L'Espagne sous Ferdinand VII*, París, 1838, t. I, pp. 193-195, carta VI a Miss Bowles del 7 de abril de 1831.

El 30 de enero de 1832, nació el segundo hijo de Fernando VII y María Cristina, la infanta María Luisa Fernanda. Este acontecimiento fue acogido también con numerosas poesías de circunstancias. España seguía estando dividida y los exiliados no podían regresar a su país. En septiembre de 1832, Fernando VII cayó gravemente enfermo; pero a pesar de las intrigas de los absolutistas, el 6 de octubre, la reina fue proclamada regente para el tiempo que durara la enfermedad del rey: había triunfado el partido de los Cristinos. Cea Bermúdez sustituyó a Calomarde, las universidades pudieron reanudar sus actividades, y el decreto de amnistía, publicado el 15 de octubre, abrió las fronteras españolas a la mayoría de los emigrados. Los graves incidentes de La Granja habían llevado a efectuar una elección política que, si bien anunciaba el final próximo de la ominosa década, acentuaba no obstante la ruptura entre los seguidores de don Carlos y los de María Cristina. A la muerte del rey, en septiembre de 1833, unos y otros iban a enfrentarse en una larga guerra civil.

Al irse, Espronceda había dejado una capital en la que las actividades intelectuales eran casi inexistentes. Había frecuentado algunos salones, asistido a las tertulias de café con sus compañeros del Colegio de San Mateo o de la calle de Valverde, pero estas reuniones carecían de brillantez. También en este ámbito, cambian las cosas: «En descendant de la notation des faits saillants de l'histoire politique pour se porter au niveau de la vie sociale et du mouvement des idées —escribe A. Rumeau— on perçoit mieux les signes d'une renaissance prochaine[9]». A casa de Fernández Varela, comisario de Cruzada, acuden Fernández de Navarrete y Cipriano Clemencín y, más adelante, Mesonero Romanos, a quien el prelado deseaba conocer. A este persoanje es al que Larra había dedicado en 1829 su oda *Al terremoto*. Hasta su salida para México, en 1832, el conde José Gómez de la Cortina recibe a Mesonero, Bretón, Gil y Zárate, Escosura, Larra y Estebánez Calderón, venido de Málaga a principios de 1830. En casa de Cortina, hay interés por los documentos antiguos y los libros viejos.

Dos hombres ya conocidos adquieren un papel de primer orden en el mundo literario de Madrid. Uno de ellos es José María Carnerero, fundador en 1828 de *El Correo literario y mercantil*, que «comprend une partie commerciale, économique ... accorde une place prepondérante aux nouvelles de l'étranger, se tient au courant de ce qu'on joue sur toutes les scènes de l'Europe, de ce que publient les revues américaines[10]». Entre los colaboradores de este periódico, encontramos a Bretón de los Herreros, quien rompe lanzas contra «el furor filarmónico» y los malos traductores; y a Estébanez Calderón que, a partir del 16 de junio de 1830 y bajo el seudónimo de "El Solitario", se ocupa de la sección teatral. El otro personaje importante es Jean-Marie Grimaldi, que había formado parte de

9. («Descendiendo de la notación de los hechos salientes de la historia política para colocarse al nivel de la vida social y del movimiento de las ideas, se perciben mejor los signos de un renacimiento cercano.») *Op. cit.*, p. 114. Tomamos del libro III, cap. 1, de esta obra algunos elementos de este cuadro de la vida social e intelectual de Madrid entre 1830 y 1832.

10. («...incluye una sección comercial, económica ... reserva un lugar preponderante a las noticias del extranjero, se tiene al corriente de lo que se trama en todas las escenas de Europa, de lo que publican las revistas americanas.») G. Le Gentil, *Les revues littéraires...*, París, 1909, p. 17.

los Cien Mil Hijos de San Luis y se había establecido en Madrid, llevando la dirección de los teatros en 1823 y 1824 y, posteriormente, a partir de 1828. En 1832, colaboró en la *Revista española* de Carnerero, después de haber sido su rival durante un tiempo. Este diario sucedió, el 7 de noviembre de 1832, a la revista *Cartas españolas*, dirigida también por Carnerero; se publicó del 26 de marzo de 1831 al 1.º de noviembre de 1832, y era «trés supérieure, au point de vue matériel, á toutes les publications qui l'ont précédée: format commode, impression plus nette, gravures soignées, quelques-unes en couleur[11]». Allí publica Estébanez Calderón sus primeras escenas andaluzas y algunas poesías; Carnerero mantiene a los lectores al corriente de la actualidad literaria en España y también en París; Agustín Durán da a la revista algunas obras en verso. Recordemos que en *Cartas españolas* fue donde apareció publicada por vez primera, en mayo de 1832, una poesía de Espronceda, *Serenata*. Por entonces el poeta estaba en Londres, pero esta publicación demuestra, por un lado, que durante su exilio éste había mantenido el contacto con sus amigos españoles y, por otro, que en aquella fecha era posible insertar en la única revista literaria de la capital versos firmados por un emigrado. Poco a poco van regresando a Madrid otros liberales importantes, algunos de ellos hombres de letras: el conde de Teba, padre de la futura emperatriz Eugenia, vuelve en 1829; Juan Donoso Cortés y Juan Nicasio Gallego, al año siguiente; Mariano Roca de Togores, que conoce ya a Bretón y ha entrado en relación con sus amigos. Por último, en 1831, Martínez de la Rosa, a quien se autoriza a volver a España, se establece en Granada a la espera de que se le permita residir en Madrid. Según señala A. Rumeau

> Ce fait particulier a la valeur d'un symbole: il est le discret prélude des prochaines amnisties et du retour des exilées; l'isolement farouche de l'Espagne de Ferdinand VII s'atténue; la capitale, naguère quasi-déserte, se remet à vivre, une nouvelle époque s'annonce[12].

En ausencia de Espronceda, los alumnos o discípulos de Lista permanecen agrupados. A ellos se han unido otros, como Mesonero, Fernando Fernández de Córdoba, Mariano Roca de Togores y Gil y Zárate. Cuenta Pezuela que, hacia 1824, se reunía con sus amigos en el café de Venecia, abandonado más tarde por el café del Príncipe[13]. Según Mesonero, en 1826 era cuando este último café «comenzaba ... a tomar inclinaciones de Parnasillo, con que fue conocido después». «Después», es decir, según escribe unas páginas más adelante, «cierta noche de invierno (no sabré fijar si fue el de 1830 o 31)[14]». Sea cual fuere su lugar de

11. («... muy superior, desde el punto de vista material, a todas las publicaciones que la han precedido: formato cómodo, impresión más neta, grabados cuidados, algunos de ellos en color.») *Id.*, *ibid.*, p. 26. Sobre Grimaldi, véase *supra*, p. 109.
12. («Este hecho particular tiene el valor de un símbolo: es el discreto preludio de próximas amnistías y del retorno de los exiliados; el alzamiento feroz de la España de Fernando VII se atenúa; la capital, hace poco casi desierta, vuelve a la vida, una nueva época se anuncia.») *Op. cit.*, p. 121.
13. "Elogio fúnebre del Excmo. Señor Don Ventura de la Vega...", *Memorias de la Academia Española*, I, (II), 1870, p. 444.
14. *Memorias de un setentón,* BAE, t. CCIII, pp. 173-176.

reunión, este grupo existe y constituye, hasta 1829-1830, «ce que nous pourrions appeler le Pré-Parnasillo» («lo que podríamos llamar el Pre-Parnasillo»), según escribe A. Rumeau quien, a partir de la confrontación de los testimonios de Pezuela, Molins y Fernández de Córdoba, deduce

> que le Parnasillo a été constitué du jour où le groupe des disciples de Lista a quitté le café de Venecia pour le Príncipe. Or, nous savons par *El Duende satírico del día* qu'en 1828 Larra et ses amis avaient encore le café de Venecia pour quartier général. Leur émigration vers le Príncipe peut se situer vers 1829-1830, au moment où Lista quitte l'Espagne pour la troisième fois et ses disciples se trouvent définitivement affranchis de sa tutelle.

Y concluye: «Il semble que le moment le plus probable de l'inauguration du Parnasillo soit l'hiver 1830-1831 [15].» Por otra parte, en 1831 se celebra con regularidad una tertulia en casa del marqués de Molins, en la calle de Alcalá, de la que los más asiduos son Vega, Bretón, Larra y Gil y Zárate [16].

Al confrontar los recuerdos —de redacción más tardía— de los testigos de los años 1827-1832, observamos que se nombra en ellos a Espronceda entre los miembros del Parnasillo, en una época en la que todavía se encontraba en el exilio. Al referirse a las poesías escritas para celebrar el cuarto matrimonio de Fernando VII en 1829, Mesonero cita a Espronceda en la lista de representantes de la nueva generación que unieron sus voces a las de Gallego, Arriaza y Quintana. El mismo autor hace figurar a Espronceda entre los asiduos del Parnasillo y los miembros de la Partida del trueno en 1830-1831, y añade que por las mismas fechas el poeta ingresó en los Guardias de Corps del rey [17], lo cual no hizo hasta marzo de 1833, a su regreso de Francia. Molins recuerda perfectamente que en 1830 Espronceda, «emigrado por la libertad, acompañaba a Chapalangarra en sus tentativas frustradas», pero unas páginas antes, evocando el período de 1827-1828, escribía:

> Espronceda y Vega no habían creado aún las Sociedades secretas de los *numantinos*, contentábase el primero con las calaveradas de Guardia de Corps ..., no había aún tomado por modelo a Byron, y consultaba en el Parnasillo las magníficas octavas de su *Pelayo* [18].

15. («...que el Parnasillo ha sido constituido desde el día en que el grupo de los discípulos de Lista ha dejado el café de Venecia por el Príncipe. Ahora bien, sabemos por *El Duende satírico del día* que en 1828 Larra y sus amigos tenían aún el café de Venecia como cuartel general. Su emigración hacia el Príncipe puede situarse hacia 1820-1830, en el momento en que Lista deja España por tercera vez y sus discípulos se encuentran definitivamente liberados de su tutela. Parece que el momento más probable de la inauguración del Parnasillo sea el invierno 1830-1831.») *Op. cit.*, pp. 118 y 140-141; Molíns (*Bretón de los Herreros...*, Madrid, 1883, p. 38) cree recordar que fue Juan Nicasio Gallego quien dio al grupo del Príncipe el nombre «o burlesco o encomiástico de *El Parnasillo*». Sin embargo, como indica A. Rumeau (*loc. cit.*), Gallego no llegó a Madrid hasta 1830.

16. Molins, *op. cit.*, pp. 79 y 83.

17. *Memorias de un setentón*, ed. cit., p. 180 b. La Partida del Trueno no dio que hablar hasta finales de 1835 (véase *infra*, pp. 448-451).

18. *Op. cit.*, pp. 78 y 43-44.

El editor de la *Corona poética* de la reina María Cristina, en 1871, fecha en el 1.º de octubre de 1831 la octava de Espronceda "El estandarte ved que en Ceriñola", y la presenta como escrita con motivo de una entrega de estandartes por la reina a distintos regimientos de Madrid, ceremonia a la que Espronceda no pudo haber asistido. Pero resulta que este editor era Eugenio de Ochoa, quien se encontraba en París en la misma época que Espronceda, y todavía estaba allí cuando éste volvió a España [19]. Por último, recordemos que en *Los apostólicos*, Pérez Galdós sitúa en 1831 el regreso de Espronceda a Madrid, confiando sin duda en la fidelidad de las informaciones proporcionadas por estos mismos contemporáneos.

Tales confusiones y contradicciones entre los distintos testigos de la época 1827-1832 pueden quedar fácilmente explicadas por la fecha tardía de los textos citados. Pero si los hemos confrontado, no es con la intención de reprochar a sus autores fallos de memoria, sino a fin de tener la prueba de que para estos hombres, Espronceda, a pesar de su ausencia, nunca dejó de formar parte del grupo que había empezado a formarse en torno a Lista hacia 1823 y que constituyó la Academia del Mirto, antes de llegar a ser el Parnasillo. Con el paso del tiempo, los amigos o compañeros del poeta acabarán olvidando la duración exacta de una separación que no había sido una ruptura total. En el café del Príncipe, Espronceda vuelve a encontrar, en marzo de 1833, el lugar que había dejado en 1827.

La evolución de las ideas estéticas: el discurso de ingreso de Lista en la Real Academia de la Historia y el *Discurso* de Durán en 1828. Definiciones, límites e implicaciones éticas del "romanticismo" nacionalista y conservador; Larra, escritor inconformista

La vida literaria en Madrid, considerablemente disminuida y casi inexistente durante los tres primeros años de la ominosa década, no vuelve a reanudarse sino con lentitud. Si bien el *Diario literario y mercantil* había concedido gran importancia a los artículos sobre la poesía, el teatro y los temas de estética, esta publicación sólo se mantuvo de abril a junio de 1825; demasiado poco tiempo para proporcionar los elementos de una amplia información. Mientras melodramas, vodeviles, comedias burguesas, refundiciones, comedias de magia, novelas de desigual calidad y óperas se repartían los favores del público, se observaba en algunos escritores y eruditos un interés creciente por la comedia del Siglo de Oro y el romancero: en 1825, se publica una reimpresión de las *Poesías escogidas de nuestros cancioneros y romanceros antiguos* que componen los tomos XVI y XVII de la *Colección de D. Ramón Fernández* (Pedro Estala) con un prólogo de Quintana; a partir de 1826, García Suelto y Gorostiza publicaron una *Colección general de comedias escogidas del teatro antiguo español, con el examen crítico de cada una de ellas;* Agustín Durán prepara la edición de sus *Romanceros*, cuyo primer volumen, que incluye los romances moriscos, sale a la luz en 1828. Lista y Durán mantienen largas discusiones durante las cuales confrontan sus puntos de vista acerca del antiguo teatro español y la historia de la literatura nacional; estas con-

19. Véase Espronceda, *Poésies*, ed. Marrast, pp. 359-360.

versaciones llevan al primero a mostrarse menos intransigente, y al segundo más moderado en sus ideas[20]. A mediados de 1828, ambos dan a conocer su postura. El 2 de mayo, Lista pronuncia su discurso de ingreso en la Real Academia de la Historia, en torno al tema: importancia de nuestra historia literaria[21]; a principios de junio, Durán publica su *Discurso sobre el influjo que ha tenido la crítica moderna en la decadencia del teatro antiguo español y del modo con que debe ser considerado para juzgar convenientemente de su mérito peculiar*[22].

El discurso de Lista es capital para comprender la evolución de sus ideas y el sentido de dicha evolución. El orador señala que los escritores extranjeros han bebido en el tesoro literario de España y que, de este modo, ésta ha ejercido una influencia decisiva en la civilización occidental. Ahora bien, esta nación

> que dos siglos antes dictaba su literatura a la Europa dócil, se halló a principios del siglo XVIII sin un poeta, sin un historiador, sin un filósofo, sin un hablista, expuesta a los insultos de los extranjeros o a su olvido, más insultante todavía que las injurias.

A fin de determinar las razones de esta decadencia de las bellas letras y la lengua nacionales, Lista propone emprender la investigación, publicación y estudio sistemático de los textos sepultados bajo el polvo de los archivos. Dicho trabajo permitirá dilucidar lo que Europa debe realmente a España, borrar «la triste mancha que desde el siglo de Luis XIV echó Boileau sobre nuestra literatura dramática, sin entenderla ni tener las luces suficientes para apreciarla», y evitar que se renueve el escándalo provocado en el siglo XVIII por las calumnias de Masson de Morvilliers. Los juicios desfavorables emitidos por algunos extranjeros no fueron dictados por la malevolencia o la malignidad, sino que son fruto de una información incompleta. Es conveniente pues que los españoles consideren la realización de la historia de su literatura como un deber nacional, ya que el momento es particularmente favorable; en efecto, según Lista, la guerra de la Independencia ha permitido a ingleses y franceses conocer mejor «nuestro suelo, nuestro carácter, nuestros libros y nuestra historia». Es vergonzoso que España no posea el equivalente del *Lycée* de La Harpe o de *The Lives of the Poets* de Samuel Johnson. Los trabajos de Schlegel, Bouterwek y lord Holland deben incitar a los españoles a proseguir las investigaciones, pues tienen más posibilidades de éxito que los citados predecesores: «Así la empresa de una historia de nuestra literatura no sólo es española, sino también europea.» Semejante programa refleja el deseo de liberar la historia literaria del dogmatismo crítico. Pero el panorama cultural de España que Lista esboza a grandes rasgos dista mucho de responder a este deseo. Si bien admite que la poesía primitiva ha sido desdeñada en exceso en el siglo

20. Sobre esta polémica, véanse las dos notas de Durán, una de ellas reproducida por P. Sáinz y Rodríguez ("Don Bartolomé José Gallardo y la crítica literaria de su tiempo", *RH*, LI, 1921, p. 379, nota 119), y la otra reproducida en términos casi idénticos por E. Caldera, *Primi manifesti del romanticismo spagnolo*, Pisa, 1962, pp. 52-53.

21. El texto de este discurso ha sido publicado por Juretschke, pp. 466-478.

22. Madrid, Ortega y Cía, 1828 (se designa al autor por sus iniciales: «D.A.D.»), reimpreso en *Memorias de la Academia Española*, 1870 (II) pp. 280-336 (citamos el texto siguiendo esta reimpresión). Una lisonjera nota sobre este opúsculo se publicó en la *Gaceta de Madrid* el 12 de junio de 1828.

XVIII, es para añadir acto seguido que es «apreciada y aplaudida, quizá con exageración en el siglo XIX», y ni siquiera menciona el romance. Se niega acertadamente a incluir —como lo harán algunos más tarde— a Séneca, Marcial y Lucano en la literatura española; subraya el papel capital de la civilización árabe en la Península; alaba con razón a Alfonso el Sabio por haber llevado la prosa castellana a un alto grado de perfección, y sobre todo por haber dotado al mundo cristiano de las primeras obras de astronomía, álgebra y derecho en lengua vulgar. Pero la «barbarie» de los «siglos góticos» repele a sus gustos; de ahí que dedique un rápido comentario al *Poema de Mío Cid*, al *Libro de Alexandre* y a la obra de Berceo —aun reconociéndoles cierta belleza— y desdeñe las «indigestas crónicas»; por el contrario, hace una alusión elogiosa a Juan de Mena, «el Ennio español», y en «la novela del conde Lucanor» ve un antecedente del *Don Quijote*. A medida que avanza en su exposición, Lista abandona el punto de vista que había adoptado en un principio, con lo cual queda desvirtuada su demostración. Su perspectiva histórica sigue siendo limitada; pese a un evidente esfuerzo de comprensión, continúa inspirándose en principios abstractos para la explicación de los fenómenos literarios y desconoce la noción de la relatividad en el arte. Cuando llega al siglo XVI, el de sus escritores preferidos, presenta a España «en su mayor gloria y esplendor», modelo y ejemplo para los otros países ignorantes e incultos —a excepción de Italia—, gracias a sus grandes capitanes, sus conquistadores, a Mariana, Cervantes, y a sus dramaturgos que fueron imitados «por la riqueza de la invención, por el interés de las situaciones, por las bellezas de los versos y por las sales de los diálogos». Reconoce el genio de Shakespeare, aunque añade que fue «un meteoro brillante y aterrador, que apareció para admirar las naciones en medio de las tinieblas de la ignorancia», y que, siendo inimitable, no suscitó imitadores ni émulos de su «elocución semibárbara». En cuanto a la literatura francesa, no existe para Lista sino hasta el reinado de Luis XIII; ignorando o queriendo ignorar la *Pléiade*, a Montaigne, Garnier y Amyot, establece una oposición entre los españoles, que se deleitan con la lectura de Garcilaso, Herrera, Rioja, Fray Luis de Granada y Lope, y los franceses quienes, si nos atenemos al juicio que le merecen, no hallaban entonces mejor entretenimiento para el espíritu que «las groseras inmundicias de Rabelais». Si bien cita a Corneille y a san Francisco de Sales, sólo es para poner de relieve en la obra del primero la importancia de la influencia española, y destacar en el segundo la admiración por la *Guía de pecadores*.

Se evocan las obras dentro del marco de sus circunstancias históricas, aunque de una forma imprecisa e incompleta. Lista se ve condicionado por unos límites que reducen de modo considerable el alcance de su demostración. Si sólo habla de los poetas, es «porque sus composiciones son las que más contribuyen a la formación de la lengua y las que más sobresalen entre las producciones de la inteligencia», y porque la poesía es madre de la elocuencia, de la historia y la moral. Afirma, frente a toda evidencia, que es esta una regla observada por la mayoría de los que se ocupan de la literatura española. Lo cierto es que eso le permite interrumpir bruscamente su panorama de la cultura nacional tras la complaciente evocación del glorioso siglo XVI, que considera como «la culminación de la historia de España en el aspecto político, espiritual y cultural[23]», y no pronun-

23. Juretschke, *Origen doctrinal y génesis del romanticismo español*, Madrid, 1954, p. 24.

ciarse sobre el caso de Calderón. Así evita a la vez sondear y definir con precisión «el abismo» en el cual Paravicino y Góngora hubieran sumido a la literatura española: se limita tan sólo a una alusión fugaz a esta época. No obstante, había denunciado en 1821, en *El Censor*, los efectos del fanatismo respaldado por la Inquisición, que habían provocado la corrupción del gusto. Escribía entonces:

> El genio nacional no conoció entonces más gloria que la militar y la literaria. Los laureles se marchitaron y nuestras musas se corrompieron, porque en España bajo el poder absoluto todos los infortunios se miraban como preferibles a la más ligera reforma. He aquí nuestra historia desde Felipe II.

Luego, hablaba de la proyección intelectual de Francia bajo Luis XIV y en el siglo XVIII, en contraste con la decadencia de su país[24]. Resultaba a todas luces inoportuno, en mayo de 1828 y ante la Real Academia de la Historia, mantener que el absolutismo es desfavorable al pleno desarrollo de los estudios filosóficos y de las bellas letras. Lista da a entender que quedan «otros muchos puntos de nuestra literatura aún no bien aclarados todavía» que «entran en el plano de la historia de la literatura española». Declara que esta historia no debe ser una «narración estéril y descarnada de los sucesos, fechas y nombres propios, sino debe extenderse a la explicación de los fenómenos más notables y constantes y de las causas que los produjeron». Uno de estos temas importantes sobre los que Lista no se pronuncia es precisamente el del teatro del siglo XVII, que A. W. Schlegel había estudiado en su *Curso de literatura dramática* desde una perspectiva que, a pesar de algunos errores de apreciación, respondía a la definición que acabamos de mencionar. La prudencia de la que hace gala Lista en su discurso académico no viene dictada únicamente por motivos políticos; refleja preocupaciones de orden intelectual: en efecto, todavía no está lo suficientemente informado para zanjar algunas de las cuestiones que plantea. Tanto las cartas que manda a Reinoso en 1829, como la que envía a Durán el 10 de mayo de 1831, así como algunos de sus artículos publicados, en el intervalo, en la *Gaceta de Bayona* y la *Estafeta de San Sebastián*, demuestran que por aquellas fechas la lectura atenta de Calderón, Shakespeare y de los *Orígenes del teatro español* de Moratín hijo le llevaron a algunas concesiones[25]. Lista admite que las reglas de la tragedia no se adaptan al drama moderno (es decir, a las obras del XVII), que basta con la unidad de interés para conseguir la verosimilitud de dicho género, y que tan sólo éste permite pintar «el hombre interior», mientras que los griegos y romanos pintaban «el hombre del foro». Lista acepta la división de la literatura en dos épocas: clásica en la Antigüedad y romántica a partir del advenimiento del cristianismo. Sabemos que esta idea de la honda influencia del cristianismo en el alma humana,

24. "De la influencia de las revoluciones en los progresos del saber", *El Censor,* XII (71), 8 de diciembre de 1821, pp. 321-330. En 1819, en su *Discurso sobre la literatura española*, Marchena había adoptado un punto de vista más bien radical sobre el ahogamiento de las actividades del espíritu por el fanatismo religioso desde la época de los Reyes Católicos; pero este texto, publicado en Francia un año después, no parece haber sido muy conocido ni divulgado en España (véase *Obras literarias de D. José Marchena*, Sevilla, 1896, t. II, pp. 307-408).

25. Juretschke, pp. 295-296, y, para el texto de las cartas en cuestión, pp. 574-583 (a Reinoso) y 593-595 (a Durán).

expresada por Chateaubriand, había sido recogida por Goethe, Madame de Staël y Schlegel. Hugo, al resumir a su vez la teoría de la «vaguedad de las pasiones», la utilizará en el prefacio de *Cromwell* a fin de evidenciar la presencia de un sentimiento nuevo en los pueblos modernos, el de la melancolía. Lista emprende una vía que le llevará a adoptar pronto puntos de vista próximos a los que defendía seis años antes, en Barcelona, *El Europeo*.

¿Cómo explicar esta evolución? Juretschke señala que durante el trienio constitucional Lista no podía adoptar una filosofía de la historia de signo conservador inspirada por Schlegel, cuando en aquel momento se situaba entre los reformadores moderados, opuestos por una parte a los "exaltados", y, por otra, a los absolutistas cuyo lema era «Altar y Trono»; una vez convertido o a punto de convertirse en 1828 en el propagandista del régimen de Fernando VII, adopta su programa, «Monarquía y Religión». Pero el crítico alemán se niega a «adscribir la evolución historiográfica de Lista a su nueva postura política» y concluye que «la revalorización del cristianismo se opera por vía literaria, forma parte de una filosofía de la historia que entra de contrabando con los argumentos literarios»[26]. Semejante análisis nos parece disociar de modo arbitrario las tomas de postura de Lista, en lugar de abarcarlas en una misma dialéctica. Este reformista moderado es enemigo, tanto del fanatismo religioso como del liberalismo exaltado, de todo cuanto no sea conforme a la razón. Afrancesado durante la guerra de la Independencia, portavoz del justo medio en 1820-1823, llega a ser, en 1828, debido a las circunstancias, uno de esos partidarios del despotismo ilustrado que apoyan el régimen de Fernando VII e impiden que éste haga demasiadas concesiones a los absolutistas; forma parte del grupo de López Ballesteros, González Salmón, Ofalia, Miñano, Reinoso y Javier de Burgos. Una vez más, está en el partido del orden. La intervención francesa de 1823, aun cuando pudo hacer de él temporalmente una víctima del cambio político, permitió sin embargo a España poner fin a una experiencia de régimen constitucional cuyos excesos le parecían a Lista, como a muchos otros, peligrosos. Pero excluye toda posibilidad de retorno a la monarquía absoluta de tipo borbónico, y su ideología reformista se funda ahora, y cada vez más, en la glorificación de la tradición nacional, en la que él, al igual que los que comparten su punto de vista, encuentra la justificación de su pensamiento político. Por lo demás, según ha señalado Vicens Vives, se trata de un fenómeno general[27].

Las preocupaciones que inspiraron a Lista el discurso del 2 de mayo de 1828 y el prospecto de la *Gaceta de Bayona* del 15 de septiembre siguiente son las mismas. La historia literaria que aconseja crear en el primero está definida a partir de los mismos criterios que presidirán la orientación del periódico. Ambas son empresas patrióticas. Tienen como objetivo defender al país frente a interpretaciones erróneas, parciales o apasionadas de su literatura o su política; pretenden demostrar asimismo que España posee títulos de gloria no sólo en el pasado sino también en el presente, puesto que sus tradiciones se mantienen intactas: tanto la de la religión, fundamento de la moral, como la de la monarquía, garantía del orden y la seguridad de los ciudadanos frente a la «corrupción de las costumbres

26. Juretschke, p. 296.
27. Véase *supra*, p. 63.

modernas» y al «liberalismo democrático y revolucionario. [28]» En el momento en que en Francia el romanticismo tiende cada vez más a identificarse con ese mismo liberalismo revolucionario, Lista adopta las teorías del romanticismo primitivo y nacionalista. Ya no las considera subversivas; sus conversaciones con Durán, así como la adquisición de un conocimiento más concreto y profundo de Calderón, Shakespeare y Lope de Rueda, le inducen a reconocer el carácter contingente de las teorías y las reglas estéticas, que deben adecuarse a las «necesidades morales» de cada país en un momento concreto de su historia. A partir de los años 1827-1828, la monarquía de Fernando VII evoluciona hacia el reformismo que, para hacer frente al impulso democrático, debe apoyarse en valores tradicionales. Así pues, ya no es posible rechazar en nombre de los conceptos del neoclasicismo a los escritores que encarnaron estos mismo valores. Lista se dio perfecta cuenta de ello y estaba totalmente convencido cuando escribía a Durán en 1831:

> El defecto de Moratín en sus *Orígenes* y de Martínez de la Rosa en su *Apéndice* sobre la comedia y de otros muchos, es, ha sido y será haber estudiado su asunto con preocupaciones y ojos clásicos y querido por fuerza violentar a una nación a recibir una literatura que estaba en pugna con su creencia, espíritu y costumbres [29].

Pero Lista no asume todas las consecuencias de esta observación. Recupera a su vez la imagen de la "España romántica" según Schlegel, porque ésta es la imagen que los reformistas tradicionalistas —de quienes forma parte y que orientan a la sazón la política del país— se proponen dar a Europa e imponer a los españoles, a fin de salvarguardarlos de tentaciones revolucionarias.

Las tomas de postura de Böhl y posteriormente las de los redactores de *El Europeo*, aun cuando sus implicaciones morales y políticas fueran diferentes, apuntaban ya en la misma dirección de la revalorización del patrimonio literario de España, de sus glorias históricas y su tradición religiosa. Por diversas razones anteriormente mencionadas, no hallaron una resonancia inmediata en Madrid [30]. El discurso pronunciado por Lista con motivo de su ingreso en la Real Academia de la Historia en 1828 tampoco tuvo trascendencia como tal, ya que iba dirigido a un reducido círculo y permaneció inédito hasta 1951. No obstante, las ideas que contiene, ni son expresión de un punto de vista aislado, ni van destinadas a insertarse en una polémica personal, sino a sentar las bases de una crítica nueva. Comparten estas preocupaciones los escritores agrupados en torno al antiguo profesor del Colegio de San Mateo, que componen una parte de la nueva generación literaria de España, una generación que mira cada vez más hacia el pasado nacional.

Uno de estos escritores es Agustín Durán, que tiene más vocación de erudito que de escritor. No es muy joven (nació en 1792), y posee una magnífica biblioteca de autores españoles. Quintana le honra con su amistad y le prodiga sus consejos, como se demuestra en la correspondencia que mantuvieron [31]; también

28. Prospecto de la *Gaceta de Bayona, en:* Juretschke, pp. 480 y 481.
29. Juretschke, p. 296.
30. Véase *supra*, pp. 65-66 y 71.
31. Sobre la relación entre Quintana y Durán, véase A. Dérozier, *op. cit.*, pp. 238-239 y 262.

mantiene contacto epistolar con Gallardo y Böhl de Faber. El homenaje que dedica a Lista en uno de los primeros párrafos de su *Discurso* prueba que es de éste de quien se siente más deudor. En efecto, en el texto de Durán aparecen recogidas, y desarrolladas con mayor amplitud, varias de las ideas centrales del discurso académico de Lista, tales como: la importancia de la proyección de la civilización árabe en la Península, la concepción del siglo XVI como la edad de oro de la cultura y la hegemonía política de España, la deuda que los dramaturgos clásicos franceses tienen contraída con los dramaturgos castellanos del siglo XVII. Durán repite a su vez diversos argumentos tomados de Chateaubriand, Manzoni y Madame de Staël, de cuyas obras parece tener directo conocimiento[32]. Al igual que López Soler unos años antes y Lista algo más tarde, Durán demuestra, siguiendo a Chateaubriand, que el advenimiento del cristianismo dio origen a la caballería y modificó profundamente los sentimientos del honor y del amor. Llega a la conclusión de que, al ser la comedia del Siglo de Oro la cabal expresión de esta mentalidad, tradicional además en España, no se la puede enjuiciar según los cánones clásicos, aplicables tan sólo a las tragedias antiguas o a sus imitaciones. A partir de ahí, hace suya la distinción entre literatura clásica y literatura romántica; la primera categoría incluye las obras imitadas de los griegos, y la segunda, las del antiguo teatro español. Por razones de comodidad, Hugo había utilizado esta terminología en el prefacio de *Cromwell*, y es posible que Durán leyera este texto cuando concebió su *Discurso*; pero «tandis que Hugo élève la voix au nom de l'art et semble s'adresser a l'univers plus qu'à la France, Durán adopte le ton d'une sage dissertation et s'efforce de tourner les idées nouvelles à la réhabilitation de la littérature nationale[33]».

Ahí reside una de las diferencias fundamentales entre ambos textos, entre los cuales se tiende a menudo a establecer una comparación demasiado estrecha. Hugo es un creador que, tras escribir *Cromwell*, compone acto seguido un prefacio destinado a justificar la estética de su drama, a exponer una concepción del teatro establecida a partir de la síntesis —tal vez discutible, pero en todo caso genial— de ideas de diversa procedencia, en las que injerta una teoría nueva, la de la mezcla de lo grotesco y lo sublime. Se trata pues de un manifiesto literario, que responde a la necesidad de dar una dirección clara a la corriente —todavía mal definida— denominada romanticismo, que buscaba entonces su camino; esta dirección era la del liberalismo y de la libertad en el arte. No encontramos nada similar en Durán, quien rehabilita el teatro del Siglo de Oro porque, según él,

> procede de las costumbres caballerosas adoptadas en las nuevas civilizaciones de los siglos medios, de sus tradiciones históricas o fabulosas, y de la espiritualidad del

32. E. Caldera (*op. cit.*, p. 63) ha señalado una serie de elementos concretos tomados por Durán de *De l'Allemagne* (utilización de un marco muy limitado, constreñido por la unidad de tiempo, desinterés de los franceses por la tragedia y la comedia, entusiasmo definido como «el amor de lo bello» y «la elevación del alma»). Para un estudio detallado del *Discurso*..., remitimos a esta obra, pp. 45-90. También es posible que Durán se haya inspirado en la teoría formulada por Chateaubriand del «vague des passions».

33. («... mientras Hugo habla en nombre del arte y parece dirigirse más al universo que a Francia, Durán adopta el tono de una prudente disertación y se esfuerza por poner las nuevas ideas al servicio de la rehabilitación de la literatura nacional.») A. Rumeau, *op. cit.*, p. 123.

cristianismo ... se alimenta y sostiene en los inmensos espacios de la eternidad, en la sumisión del entendimiento humano a la fe divina, y en la noble galantería de los siglos medios; de suerte que el mayor o menor entusiasmo religioso o caballeresco que pretende inspirar, o de que se halla inspirado el poeta, es el único límite que éste impone a sus audaces metáforas y a sus grandes y sublimes pensamientos[34].

Como señala muy bien Juretschke, Durán, en 1828, considera el romanticismo como un movimiento único, uniforme, vinculado políticamente a la Restauración. Para él, la intolerancia de la época de los Habsburgo queda compensada por el mantenimiento de la unidad religiosa; el siglo XVIII es el de la incomprensión; la Revolución francesa, una terrible catástrofe de la que Napoleón prolongó los efectos; Francia, una nación cuyo teatro nunca fue —hablando en sentido schlegeliano— romántico

porque nació en épocas y circunstancias en que ya la nación no lo era tampoco, y había perdido el carácter religioso y caballeresco que tuvo, cuando entusiasmada oía los cantos de sus trovadores, y leía ansiosamente las crónicas de los Amadises, Esplandianes y caballeros de Febo[35].

Y Juretschke concluye con acierto: «Durán puede ser considerado como el primer representante del mito nacionalista, en el cual los conceptos de alma del pueblo y carácter del pueblo traspasan ya los límites de la realidad histórica[36].» Hubiese sido interesante conocer el segundo discurso, que quedó siempre en proyecto, en el cual Durán se proponía demostrar —según anuncia en una nota del primero— cómo Shakespeare, Byron, Walter Scott y Schiller habían «llevado aún más allá el sistema romántico, poniendo en él más verdad y filosofía, pero acaso menos belleza y cultura».

La revalorización del pasado literario e histórico de España, en la época en que ésta ejercía su hegemonía en Europa, se basa para Durán en una ética conservadora claramente afirmada:

Estamos los españoles con la imaginación muy cercanos a la conquista de Granada, para haber olvidado los nobles recuerdos de los caballeros árabes y los cristianos, que peleando en el campo del honor, se disputaban el premio en generosidad, cortesía y amores ... Por mi Dios, por mi rey y por mi dama, es aún la divisa del noble castellano, y sobre ella han girado todas las creaciones poéticas donde brilla el genio nacional, desde principios a fines del siglo XVII. Si los extranjeros nos llevan algunas ventajas en industria, podemos gloriarnos, a lo menos, de conservar todo el entusiasmo patriótico y religioso, que no pudo hollar impunemente el que dominó a la Europa entera, y envanecernos de conservar ileso y lleno de honor el lema que nos distingue: *Por mi Dios, por mi Rey y por mi dama*[37].

34. *Discurso...*, ed. cit., pp. 314-315.
35. *Ibid.*, p. 327.
36. Juretschke, *Origen doctrinal...*, Madrid, 1954, pp. 25-26.
37. A. Durán, *Discurso...*, ed. cit., p. 328.

Para encontrar puntos de vista semejantes, hay que remontarse a las doctrinas de la antiliberal y antirrevolucionaria *Société des Bonnes-Lettres* francesa de 1821-1822, del programa de la cual destacamos el siguiente pasaje:

> Il est nécessaire d'apprendre à ceux qui ne l'ont jamais su, et à ceux qui l'ont oublié, les rapports qu'il y a entre les institutions présentes et les institutions anciennes. Il faut leur apprendre que la patrie, ou d'après le sens littéral du mot, le pays des aïeux, n'existe pas seulement dans le sol, mais dans les souvenirs; que la gloire d'un peuple ne se trouve que dans ses annales, et que l'expérience, si nécessaire aujourd'hui, est dans la mémoire des temps passés.*

Citemos también la siguiente frase, extraída de un discurso pronunciado en 1822 por Roger, vicepresidente de la sociedad; «Soutenons enfin, Messieurs, par tout notre pouvoir, par nos actions et par notre langage cette devise de nos pères, cette devise vraiment française: *Dieu, le Roi et les Dames*[38].»

En marzo de 1824, Hugo escribía además, en el prólogo de sus *Nouvelles odes*, que la literatura de su tiempo tenía que ser expresión de la nueva sociedad, religiosa y monárquica. En 1828, Durán se muestra partidario de esta misma concepción, cuando ya la había ampliamente superado el autor de *Cromwell*.

Las ideas del *Discurso* reaparecen en el prólogo del *Romancero de romances moriscos*, publicado unos meses más tarde por Durán. Considera esta publicación como un deber patriótico, y presenta los romances como «una historia de las tradiciones y fábulas populares»; aun cuando reconoce que carecen a veces de calidad literaria, añade que su principal mérito es el de «recordar nuestras glorias, pintar nuestras costumbres antiguas, y el de prestar materiales y asuntos, para que los modernos se ejerciten en esta clase de literatura[39]». Al comienzo del prólogo a la reedición de sus romanceros, que salió a la luz en 1849, Durán expone las razones que le habían llevado a publicarlos en 1828-1832 y a escribir su *Discurso*[40]. En su juventud, siguió en un principio la moda que exigía menospreciar «la patria literatura», pero después dejó de «despreciar en público lo que en secreto admiraba». Deseoso de romper el círculo demasiado estrecho del neoclasicismo, al observar «que la tierra ansiaba recibir en su seno la semilla de buenas y liberales doctrinas para que brotase briosa y fecunda», se propuso mostrar el camino para la «emancipación literaria»; buenos o malos, sus escritos de entonces apartaron la crítica «del camino empírico y estrecho que tomó al mediar el siglo XVII». Durán especifica que su empresa tenía implicaciones políticas, en un pasaje que hay que citar por entero:

* «Es necesario enseñar a los que nunca lo han sabido, y a los que lo han olvidado, las conexiones que hay entre las instituciones presentes y las instituciones ancianas. Hay que enseñarles que la patria, o, según el sentido literal de la palabra la tierra de los antepasados, no existe sólo en el cielo sino en los recuerdos; que la gloria de un pueblo no se encuentra más que en los anales, y que la experiencia, tan necesaria hoy, está en la memoria de tiempos pasados.»

38. («Sostengamos en fin, Señor, para todo nuestro poder, nuestras acciones y para nuestro lenguaje esta divisa verdaderamente francesa: Dios, el Rey y las Damas.») Textos citados por R. Bray, *Chronologie du romantisme*, París (1932), pp. 58 y 60.

39. *Romancero de romances moriscos*, Madrid, 1828, pp. 1-2.

40. BAE, t. X, pp. V-VI.

> Aunque el espíritu de reacción haya provocado el estudio de la historia de la edad media para oponerse a los novadores que, rompiendo contra todo lo pasado, han querido reconstruir *a priori* las sociedades; aunque este espíritu, digo, no haya en modo alguno presidido a mis planes, es preciso convenir que la antorcha de la buena crítica emanada de él me guió en las tareas comenzadas, y que el aprecio de los extranjeros a nuestra literatura me la ha hecho más interesante. Emprendí estas tareas cuando un poder arbitrario dominaba nuestra patria, y por ello me fue imposible manifestar libremente las ideas filosóficas que abrigaba; pero arrostré la dificultad bordeándola, deseoso de que la juventud amiga de las letras comenzase su emancipación omnímoda, rompiendo primero los estrechos límites que al ingenio y la inteligencia había impuesto una crítica empírica y exclusiva, que la obligaba a imitar modelos indirectos de la naturaleza representada bajo formas ya muertas, o cercanas a expirar, aún en el mismo sitio de su cuna.

Por más que escudriñemos detenidamente el texto del *Discurso* y que intentemos leer entre líneas, no hallamos segunda intención alguna, ni reserva, siquiera implícita, que permita pensar que su autor no expresaba todo su pensamiento. Esta llamada al renacer del espíritu nacional da paso a una crítica histórica liberada del dogmatismo, y en ello radica su aspecto positivo. Su mérito mayor está en haber demostrado la originalidad del teatro del Siglo de Oro, y señalado la necesidad de enjuiciarlo en relación con la época que lo originó, y no en virtud de criterios apriorísticos: eso es lo que Larra puso de relieve en el artículo que escribió más tarde acerca del *Discurso*[41]. Hay sin duda buena fe en Durán cuando declara que era su intención abrir una ventana a la libertad, al incitar a los jóvenes escritores a derribar las barreras del neoclasicismo que los forzaba —utilizando la expresión de Hugo— a «imiter des imitations». Pero ¿acaso los modelos que les proponía no era también «modelos indirectos de la naturaleza bajo formas ya muertas»? ¿Acaso no era inducirlos a otro formalismo el proponerles que se inspiraran en Lope, Calderón o el romancero, en lugar de hacerlo en Meléndez Valdés o Lista? ¿Había que seguir su consejo al pie de la letra —como lo hizo el propio Durán, en especial en 1829 y 1830— y componer «trovas en lengua antigua» o «en antigua parla» para renovar la poesía española?

Por más que Durán niegue haber actuado por «espíritu de reacción», su definición del romanticismo sigue siendo tan conservadora y estrictamente tradicionalista como la de Schlegel. En julio de 1832, observaba con pesar:

> Ya no somos clásicos a la griega ni románticos a la española. El esplín inglés y la morosa metafísica alemana han llegado a triunfar del sublime Calderón y del culto Moratín.

Escribe eso en su reseña de la comedia de Eugenio de Tapia, *Amar desconfiando o la soltera suspicaz*; alaba de ésta la factura moratiniana dentro de la buena tradición del siglo XVIII, pero reprocha a los actores el haber actuado de una forma demasiado «externa», acostumbrados como están —según dice— a los efectos del melodrama, con «una afectación insoportable que algunos confunden con el bello

41. *Revista española*, 2 de abril de 1833; BAE, t. CXXVII, pp. 206-207.

y sublime romanticismo.[42]» Este «bello y sublime romanticismo» es el que anhelaba en 1828: un romanticismo histórico, nacional, católico y caballeresco, que se opone a lo que llamará más adelante el "romanticismo malo", es decir, el romanticismo francés posterior a 1830. Durán condenará en 1839 el «falso camino de los delirantes y frenéticos románticos de una nación vecina[43]», y dos años más tarde, en términos todavía más enérgicos

> el exagerado y delirante sistema que mancha y oscurece con salvajes e inmorales creaciones las glorias literarias de la nación que en mejores tiempos produjo un Corneille, un Molière y un Racine ... el asqueroso, repugnante y atroz monstruo hijo del desenfreno revolucionario que se pasea por toda Europa, y que no falta tampoco en nuestras ciudades[44].

Estos son los límites del liberalismo de Durán, a quien Böhl de Faber podía escribir con conocimiento de causa, el 13 de enero de 1829: «Leí el Discurso de Vmd. con mucho gusto, por fundarse en los mismos principios que durante cinco años he defendido[45].»

El *Discurso* fue atacado por el *Correo literario y mercantil*, que le dedicó sendos artículos, el 26 y el 29 de diciembre de 1828. El principal reproche del anónimo colaborador del periódico era que Durán defendía «la mezcla de la tragedia y de la comedia, sin sujeción a otras reglas que las que a cada autor indique su voluntad o fantasía», lo cual, en un extremo, era susceptible de conducir a la justificación de todos los excesos. Se invitaba a Durán a que citara una sola comedia tan perfecta como una obra de Moratín. Estamos ante el punto de vista limitado de un neoclásico convencido, que sitúa el debate en el terreno de unos principios que, según se demostraba precisamente en el *Discurso*, no podían aplicarse a un sistema dramático distinto del de los clásicos. Las publicaciones de Durán no fueron objeto de un juicio tan severo en los demás periódicos. Las ideas que desarrolla en su *Discurso*, así como en el prólogo de su *Romancero morisco*, respecto a la revisión de los criterios de la historia literaria y a las relaciones entre estética y sociedad tan sólo fueron rechazadas sistemáticamente por el *Correo*. No obstante, en todas las críticas reaparecen ciertas reticencias en relación con los romances y las obras del Siglo de Oro (incorrección, monotonía, carácter artificial del género morisco o pastoril, excesiva irregularidad); lo cual demuestra

42. A. Durán, "Literatura dramática", *Correo literario y mercantil*, 9 de julio de 1832. El primer fragmento que hemos citado de este artículo ya había sido citado por A. Rumeau (*op. cit.*, p. 134), que lo había confrontado a las siguientes palabras de Larra en *El pobrecito hablador* de diciembre de 1832: «El famoso spleen ... es de moda en un tiempo en que es de buen tono la melancolía y la displicencia.»

43. A. Durán, "Poesía popular. Drama novelesco. Lope de Vega", *Revista de Madrid*, 2.ª serie, II, 1839, reproducido en Lope de Vega, *Obras*, publicado por la RAE, t. I, Madrid, 1890, p. 16.

44. A. Durán, "Examen de *El condenado por desconfiado*", *Revista de Madrid*, 3.ª serie, II, 1841, reproducido en Tirso de Molina, *Comedias escogidas*, BAE, t. V, pp. 720-724 (nuestra cita: p. 724a).

45. Carta reproducida por P. Sáinz y Rodríguez, "Documentos para la historia de la crítica literaria en España. Un epistolario del siglo XIX", *Boletín de la Biblioteca Menéndez y Pelayo*, III, 1921, p. 36.

que, a pesar del mayor o menor esfuerzo de imparcialidad, estos juicios se emiten todavía con arreglo a principios que siguen condicionando, de modo permanente, las apreciaciones[46]. El *Discurso* representa un momento importante en la evolución de las ideas en España, en la medida en que constituye una exposición de tendencias afianzadas en mayor o menor grado; y también en la medida en que da un contenido claramente definido a los términos clasicismo y romanticismo, y sobre todo fija los límites de su aplicación en España. Se sitúa al inicio de aquel período final de la ominosa década, marcado por el anhelo de un cambio de orientación política, período de indecisión y esperanza. La rehabilitación del romancero y la comedia conlleva inevitables concesiones en el terreno estético. Sin embargo, se trata ante todo —como lo especifican sin ambigüedades Lista y Durán— de evitar que los valores morales tradicionales de España se vean puestos en tela de juicio, o incluso rechazados, por la influencia de un romanticismo que en Francia se identifica, a partir de 1825, con el liberalismo. Si bien se concede mayor libertad al escritor, dicha libertad se ve singularmente limitada: consiste, en suma, en la posibilidad de liberarse de algunas normas contingentes y restrictivas. En cambio, se le niega la posibilidad de manifestar una inquietud moral o metafísica no conforme a una tradición —la de la ortodoxia del cristianismo—, considerada como intangible e impuesta como un valor absoluto. En junio de 1836, en sus conferencias en el Ateneo, Lista reafirmará estos principios, que Larra resume perfectamente en los siguientes términos:

> Siendo la religión la diferencia esencial que así había variado la política como la literatura, era forzoso que sucediese realmente al fatalismo nocivo de la literatura antigua, la moral pura del cristianismo, objeto primordial de toda producción, sentada la base de que nada puede haber indiferente, nada que no sea trascendental para el lector que ojea un libro[47].

La poesía se va desprendiendo sólo muy lentamente del academicismo neoclásico, hecho que podemos comprobar al hojear la *Corona fúnebre* en honor de la duquesa de Frías, publicada en 1830; en ella se recogen las composiciones de catorce autores que representan la última generación del siglo XVIII y la primera del XIX[48]. El romance lacrimógeno de Lista es un himno a la virtud; en la elegía de Martínez de la Rosa se refleja un sincero afecto, aunque predomina el tono discursivo y el poeta se apiada tanto de sí mismo como de la difunta. Hay menos retórica en las obras de Juan Nicasio Gallego y de Quintana, quienes utilizan los temas fúnebres y terroríficos con una vehemencia que confiere ardor y autentici-

46. Véanse por ejemplo los artículos sobre la *Colección de comedias* en el *Correo literario y mercantil* del 28 de octubre de 1928 y en la *Gaceta de Bayona* de los días 3 de octubre de 1828, 4 de diciembre de 1829 y 26 de julio de 1830, y el *Boletín de comercio* del 15 de febrero de 1833.

47. "Ateneo científico y literario", artículo II, *El Español*, 16 de junio de 1836; BAE, t. CXXVIII, p. 230b.

48. *Corona fúnebre en honor de la Exma. Sra. doña María de la Piedad Roca de Togores...*, Madrid, 1830. Esta recopilación ha sido estudiada detalladamente por A. Rumeau (*op. cit.*, pp. 186-192), cuyo análisis ofrecemos aquí resumido. A. Dérozier (*op. cit.*, p. 289) ha destacado la presencia, común a todos los autores, de temas macabros y sepulcrales.

dad a la expresión de su pesadumbre. Saavedra emplea los motivos del género trovadoresco; Vega recurre a la «destemplada lira de Young» para componer una lamentación en tono menor de estilo algo trasnochado. En la fraseología de la elegía de Larra, aparecen sentimientos nuevos en la poesía, tales como: compasión por la pequeña huérfana, voluptuosidad del sufrimiento, dolor presentado como el tributo del talento —tema éste apenas tratado en la obra de Donoso Cortés—, dulzura del recuerdo. Larra es el único en quien hablamos acentos originales, aunque expresados bajo una forma tradicional y en un género en el que se siente incomparablemente menos cómodo que en el teatro o la prosa satírica.

Por lo general, los poetas de Madrid no vuelven resueltamente los ojos a la Edad Media o al Siglo de Oro para buscar allí su inspiración, como les inducía a ello Durán. En muchos casos, la poesía sigue siendo un ejercicio retórico y marginal de divertimiento o de circunstancias, exento de auténtica originalidad. Las composiciones publicadas en la prensa entre 1830 y 1833 o en los libros de Estébanez Calderón, Bretón y Martínez de la Rosa «ne font que mettre le point final à un siècle sans en ouvrir un autre[49]».

A partir de 1828, la novela histórica o seudohistórica está muy en boga entre el público que encuentra en ella una nueva forma de evasión en el tiempo y el espacio. Este entusiasmo se traduce, en el carnaval de 1833, en una abundancia de disfraces «de Abencerraje»[50]. Pese a la resistencia de la censura a autorizar la difusión de las obras de Walter Scott, éstas se conocen allende los Pirineos, no sólo a través de imitaciones, sino también gracias a traducciones editadas en Francia. A partir de octubre de 1824, el librero perpiñanés Jean Alzine imprimió el prospecto de una edición en ochenta y dos volúmenes de las obras completas del novelista inglés en traducción castellana; en el transcurso de los años siguientes sólo publicó algunos de estos títulos, ya que por entonces los censores españoles se mostraban menos intransigentes[51]. En 1829, Ángel Iznardi escribe al cubano Domingo del Monte, diciéndole que acaba de leer treinta y dos volúmenes de Scott, y su carta da idea de la imprecisión de los puntos de referencia y de la confusión de ideas literarias de la juventud madrileña. Según dice aquél a su amigo, no aprueba «estos horrores ingleses en las novelas», y añade luego:

49. («... no hacen más que poner el punto final a un siglo sin abrir otro.») A. Rumeau, *op. cit.*, p. 128. El mismo autor trae a colación un hecho significativo (*ibid.*, pp. 120-121 y nota 51): el 6 de julio de 1831, el *Correo literario y mercantil* publicó un artículo, firmado por "El catedrático de Alcalá", que atribuía a Meléndez ciertos poemas que acababa de publicar Estébanez Calderón. Éste, el día 18 —después de Durán, que lo había hecho el 13—, respondió en el periódico, chanceándose del corresponsal anónimo, que los poemas de "El Solitario" eran sin duda alguna —si así puede decirse— originales.

50. *Correo literario y mercantil*, 22 de febrero de 1833, citado por A. Rumeau, op. cit., pp. 127-128.

51. Un ejemplar de este prospecto redactado en castellano y fechado en octubre de 1824 se encuentra bajo el n.º 93 del legajo T 157 de los Archives départementales des Pyrénées-Orientales. El prospecto incluye también el anuncio de publicación de las *Memorias para servir a la historia del jacobismo*, por Strauch y Vidal, antiguo obispo de Vic, y de la traducción del *Génie du christianisme*. El texto dedicado a las obras de Walter Scott recoge en parte, y a veces textualmente, fragmentos del artículo publicado sobre el novelista en *El Europeo*, I (11), pp. 349-355, y firmado «A.» (Aribau).

> En fin, todo es admirable en este escritor extraordinario [Scott]: sus obras, en mi sentir tienen la perfección, en el diálogo de las comedias de Moratín, en el plan e interés son iguales, quizás superiores al *Quijote,* y en la perfección y sostener los caracteres no tiene igual que yo conozca.

Por último, aclara que para formar su gusto, estudia asimismo el *Arte de hablar en prosa y verso* de Hermosilla...[52]

Entre las actividades intelectuales que se desarrollan de 1828 a 1833, la erudición ocupa un lugar importante. J. Gómez de la Cortina y N. Hugalde y Mollinedo emprenden la traducción —publicada en Madrid en 1831— de la *Historia de la literatura española* de Bouterwek. Gallardo, Clemencín, Durán, Quintana y Estébanez Calderón recurren o siguen recurriendo, con distintas preocupaciones, al pasado de su país en una especie de reacción, tal vez no siempre consciente, frente a la hegemonía de la cultura y las modas francesas. En su *Duende satírico del día*, el joven Larra los emula en este punto, en el momento en que hace sus primeras armas en el periodismo[53]. Por la misma época, asistimos al nacimiento y desarrollo de un género nuevo en España, aunque ya agotado en Francia desde 1825 aproximadamente, en el que van a brillar Estébanez Calderón, Mesonero Romanos y, posteriormente, Larra: nos referimos al cuadro de costumbres. Aparece primero en el *Correo literario y mercantil* en 1828, llega a su plenitud en 1831 en *Cartas españolas*, y adquiere una forma original el año siguiente en *El Pobrecito hablador*. En la pluma de Mesonero, que plagia a Jouy, Mercier, Addison, y aprovecha los numerosos testimonios referentes a España, publicados a partir de 1823 por algunos franceses,

> Cette chronique vivante et pittoresque glisse tout naturellement vers l'histoire. On consulte le passé à propos de tout: des cafés, des journaux, des étriers, des veilleurs de nuit ... On voit même l'attention se tourner vers une forme toute nouvelle de l'histoire: celle des mots ... Nous sommes sur une ligne familière à Jouy et soutenue par le romantisme historique. On trouve même des anecdotes historiques, des fragments d'histoire de Madrid à propos des monuments, qui font penser à Mesonero Romanos préparant son *Manual de Madrid* et, de plus loin, son *Antiguo Madrid* ... Nous sommes en présence d'une modeste littérature d'employés et de petits bourgeois rétifs à la mode de la poésie anacréontique, du roman sentimental et du mélodrame[54].

52. D. del Monte, *Centón epistolario...*, La Habana, 1923, t. I, pp. 54-55, carta n.º XXXIX del 11 de noviembre de 1829. Sobre la moda y difusión de las obras de Scott, véase A. Rumeau, *op. cit.*, p. 131 (y la nota 107), que contiene la bibliografía al respecto). Véanse en G. Le Gentil, *Les revues littéraires...*, París, 1909, p. 31, las obras de Scott, Arlincourt, Ann Radcliffe o sus imitadores anunciadas en la revista *Cartas Españolas* en 1832.

53. A. Rumeau, *op. cit.*, pp. 132-133, y la introducción a su edición de *El Duende satírico del día...*, París, 1948, *passim*.

54. («Esta crónica viva y pintoresca se desliza con naturalidad hacia la historia. Se consulta el pasado a propósito de todo: cafés, periódicos, estribos, serenos ... Se ve como la atención se inclina hacia una forma nueva de historia: la de las palabras ... Estamos en una línea familiar a Jouy y sostenida por el romanticismo histórico. Se encuentran anécdotas históricas, fragmentos de historia de Madrid sobre monumentos que recuerdan a Mesonero Romanos cuando preparaba *Manual de Madrid* y su *Antiguo Madrid* ... Estamos ante una modesta literatura de emplea-

Estébanez Calderón, que reprocha a los franceses el que den una imagen falsa de su país, cae sin embargo a menudo en la españolada cuando, para presentarla a los madrileños, pinta una Andalucía superficial y facticia. Si "El Solitario", acude

> au théâtre, ce n'est pas pour la pièce du jour, mais pour le *sainete* de Ramón de la Cruz ou pour l'intermède de danse nationale ... il aurait voulu voir la littérature espagnole de 1830 s'engager dans la voie des restaurations et des résurrections ... Son Espagne est celle du passé dont les provinces reculées conservent des lambeaux. Il est un des représentants du romantisme tourné vers l'arrière[55].

Estas tendencias se manifiestan, por una parte, en las investigaciones de los eruditos que suministran útiles materiales para la futura historia literaria; y, por otra, en el cuadro de costumbres al estilo de Mesonero Romanos y Estébanez Calderón, expresión de un romanticismo «figé dans la contemplation d'un passé idéalisé[56]» subyacente a la pintura también idealizada de las costumbres del presente en sus aspectos más "típicos". Montesinos ha demostrado que el carácter superficial del costumbrismo de Mesonero se debía al hecho de que en él la realidad no está considerada en sí misma o por sí misma, sino por el valor ejemplar, según un código moral abstracto y *a priori*, de los tipos o personajes presentados. Así pues, habrá que esperar hasta Galdós y "Clarín" para encontrar a escritores que sepan «estudiar el estado moral y los resortes morales de la sociedad presente». El crítico pone de manifiesto la razón profunda de los vicios redhibitorios de la literatura de costumbres así entendida:

> Ello es que según parece el español no ha sido nunca capaz de concebir otros estudios de moral que los normativos y perentorios. Por tanto, si un *roman de mœurs* se interpretaba como una novela moral, ya estaba el lío armado; el lector español había de pensar que esa novela iba a ser una especie de propaganda del Decálogo, y al no hallarlo así, se llamaba a engaño y tronaba, como Mesonero, contra los "falsos moralistas" derrocadores del Altar, del Trono, de la Sociedad y de otra porción de cosas que no derrocaron en efecto. Lo único que hicieron fue crear la novela moderna[57].

---

dos y de pequeños burgueses reacios a la moda de la poesía anacreóntica, de la novela sentimental y del melodrama.») A. Rumeau, *Mariano José de Larra...*, París, 1949, pp. 288-290. Remitimos a los capítulos II y III, libro IV, de esta obra, que contienen un magistral estudio del costumbrismo entre 1828 y 1833; así como a los capítulos III y IV de la introducción a la edición crítica, citada en la nota anterior, de *El Duende satírico del día*, donde se estudian minuciosamente las fuentes y las etapas del cuadro de costumbres español; A. Rumeau sitúa en su justa medida la importancia de Mesonero Romanos en el nacimiento y la expansión del género, demostrando cómo, mediante sucesivos golpes de pluma, "El Curioso parlante" dejó para la posteridad una imagen de sí mismo muy ventajosa, que no tiene nada que ver con la realidad.

55. («... al teatro, no es por la hora del día sino por el sainete de Ramón de La Cruz o por el intermedio de baile nacional ... habría querido ver la literatura española de 1830 encaminarse en la vía de las restauraciones y de las resurrecciones... Su España es la del pasado, donde las provincias atrasadas conservan despojos. Es uno de los representantes del romanticismo que mira hacia atrás.») A. Rumeau, *op. cit.*, pp. 300-303.

56. («... anclado en la contemplación de un pasado idealizado.») *Id.*, *ibid.*, p. 135.

57. J. F. Montesinos, *Costumbrismo y novela...*, 2.ª ed., Madrid, 1965, pp. 62-63 y 136-137.

Semejante costumbrismo contribuye a crear una imagen convencional de España, que poco a poco será la de un país que se resiste a la invasión de las ideas venidas de fuera, gracias a sus "valores eternos": espíritu caballeresco, frugalidad, sentido del honor, temperamento ardiente, estoica austeridad, resignación cristiana, orgullo de raza, individualismo, etc... Dicha imagen irá adquiriendo proporciones de mito, que algunas ideologías reaccionarias explotarán con mayor o menor éxito desde el siglo XIX hasta nuestros días.

Tan sólo un escritor, que es también por aquel entonces el único gran escritor dentro de España, rechaza esta concepción conformista y retrógrada. Se trata de Mariano José de Larra. En lugar de convertir este género en pretexto para evocaciones complacientes o cuadros idílicos, más o menos teñidos de nostalgia, le da una orientación satírica y progresista. Crea un lenguaje vigoroso, un estilo incisivo, en el que la elipsis, la alusión y el rasgo mordaz se ponen al servicio de una descripción crítica de la sociedad española, de sus defectos y sus taras. Si bien es una faceta conocida de su talento, no es esta su única aportación a la literatura española. En su acertada adaptación del melodrama de Ducange, *Calas*, representado con el título de *Roberto Dillón* en octubre de 1832, concilia el gusto del público con la demostración de los excesos del fanatismo religioso. Inspirándose en *Les Adieux au comptoir*, obrita en un acto de Scribe, escribe una verdadera comedia de costumbres en tres actos, *No más mostrador,* en la cual ofrece sus puntos de vista sobre «le duel, le jeu, l'éducation des garçons et des filles, les militaires, l'engouement pour l'opéra», y que es «un échantillon isolé, en Espagne, de la comédie nourrie d'idées agressives, de traits hardis puisés dans la realité contemporaine et immédiate. [58]» El mismo año, Larra compone su drama *Fernán González*; respeta las unidades, pero al igual que los dramaturgos del Siglo de Oro, utiliza hábilmente la polimetría; introduce cuadros históricos en la narración y conjuga con mesura el estilo de 1830 con el estilo trovadoresco. En suma, «bien qu'il ait pris pour thème une vieille légende, son œuvre est toute pénétrée de sensibilité et de préoccupations modernes»; en ella «s'unissent l'amour de l'histoire et de la littérature nationale», pero «elle reste imprégnée de classicisme français» [59]. Estas primeras tentativas dramáticas de Larra se sitúan en la corriente general de la que el *Discurso* de Durán recoge y sistematiza algunas tendencias en beneficio de una ideología conservadora. Muy lejos de considerar la tradición nacional como un sistema inmutable de referencias, Larra demuestra por el contrario que sabe conciliar de forma armónica tradición y progreso. En *El Pobrecito hablador*, defiende con ardor la causa de los autores del Siglo de Oro, pero añadiendo a los dioses reverenciados por Lista y Durán algunos otros, como Quevedo; solicita la creación de una literatura digna de estos ilustres antepasados, pero

58. («... el duelo, el juego, la educación de chicos y chicas, los militares, el gusto excesivo de la ópera ... es un marco aislado, en España, de la comedia nutrida de ideas agresivas, de rasgos atrevidos tomados de la realidad contemporánea e inmediata.») A. Rumeau, *op. cit.*, p. 208.

59. («... aunque toma como tema una antigua leyenda, su obra está impregnada de sensibilidad y de preocupaciones modernas ... se unen el amor por la historia y la literatura nacionales... queda impregnada por el clasicismo francés.») *Id.*, *ibid.*, pp. 230-231. Sólo tomamos algunas conclusiones esenciales del estudio de *Roberto Dillón*, *No más mostrador y Fernán González* llevado a cabo por A. Rumeau (*ibid.*, pp. 193-231).

hecha por y para los españoles de su tiempo. Aunque formado en Cervantes, no le considera como un modelo a imitar servilmente; lo que desea, y es el único en la España de 1827-1833, es «écrire non pas avec des mots et des phrases mortes, eussent-ils le prestige de figurer dans des chefs-d'œuvre, écrire non pas exactement comme écrivait Cervantès, mais comme aurait écrit un Cervantès de 1830.[60]» "Fígaro" pronto cumplirá las promesas del "Pobrecito hablador".

DEBATES Y MALENTENDIDOS, ENTRE 1828 Y 1833, EN TORNO AL CONTENIDO DE DOS TÉRMINOS: "ROMANTICISMO" Y "ROMÁNTICO"

Al examinar la situación del teatro en Madrid durante el período que precede el regreso de Espronceda a su país, observamos que también en este ámbito las cosas evolucionan sólo con lentitud, y no exactamente como lo deseaban los teóricos de la literatura. A. Rumeau ha presentado un panorama detallado de la actividad dramática en esta época, de la que sólo recordaremos aquí los rasgos generales[61]. En la cartelera de los dos teatros de la capital se van sucediendo todavía: las comedias de costumbres, en ocasiones originales, pero la mayoría de las veces traducidas de Scribe por Bretón, Vega y Larra; los grandes éxitos que se remontan a principios de siglo, como la traducción de *Othello* por Ducis, vertida al español por Teodoro de la Calle; las refundiciones (en especial de Lope, Tirso y Calderón); las comedias de figurón de Cañizares; las comedias de magia o de gran espectáculo; la inevitable comedia de magia *La pata de cabra*; y por último, los melodramas importados. En 1832-1833, abundan menos las refundiciones, y los títulos originales aparecen con frecuencia en los anuncios del *Diario de avisos*, seguidos de la mención: «del antiguo teatro español» o «antigua comedia del teatro español». La definición de teatro romántico propuesta por Durán, siguiendo a Schlegel, no siempre coincide con esta otra, mucho más flexible y amplia, que encontramos en los anuncios de los espectáculos de 1831 insertados en el *Diario de avisos* y citados por A. Rumeau. El melodrama francés *El bandido incógnito o la caverna invisible* aparece presentado como «comedia romántica de grande espectáculo»; *Jocó o el orangután* (traducido por Bretón), «melodrama de grande espectáculo»; *Clarisa* (traducido del francés), «drama nuevo de gran espectáculo. Este drama, que pertenece al género de los románticos, no ofrece la regularidad y verosimilitud de las producciones clásicas, y sólo aspira por medio de situaciones interesantes y fuertes emociones a cautivar la atención ... el éxito de esta clase de funciones depende en gran parte del aparato teatral». *Las ruinas de Babilonia* (de Pixérécourt) se anuncia como «comedia de grande espectáculo, adornada de bailes, música y de todo el aparato teatral que exige su argumento»; *La expiación* (traducción de Vega) «no se presenta ... como una comedia del género clásico, y sí sólo, como un drama de espectáculo; pero que tal vez está dotado de mayor interés, caracteres más verdaderos y situaciones más dra-

60. («... no escribir con palabras y frases muertas, que tienen el prestigio de figurar en obras maestras, no escribir exactamente como escribía Cervantes, sino como hubiera escrito un Cervantes de 1830.») *Id., ibid.*, pp. 370-371.

61. A. Rumeau, "Le théatre à Madrid à la veille du romantisme, 1831-1834", *Hommage à Ernest Martinenche*, París, [1939], pp. 330-346.

máticas». Al año siguiente, la publicidad para el *Edipo* de Martínez de la Rosa hace hincapié en la riqueza de la escenografía (música, coros, nuevos decorados).

Siendo la finalidad de estos anuncios atraer a los espectadores, estaban redactados con vistas a presentarles la obra que iban a ofrecerles en los términos más seductores. Ahora bien, estos términos van evolucionando con el tiempo, y no tienen el mismo valor para el público que para los autores de escritos teóricos. En noviembre de 1827, para poner de relieve los méritos de *Los tres iguales* de Javier de Burgos, el *Diario de avisos* anunció esta obra como una

> comedia nueva, original. Con ella se ha tratado de probar que puede conciliarse la observancia rigurosa de las reglas del arte con el arte y movimiento de la acción y hasta cierto punto con la elegancia y brillantez de la versificación[62].

Dos meses antes, para justificar el reestreno después de doce años de la comedia de magia de Valladares *El mágico de Astracán*, se la califica como «una de las más famosas» del género, y se llama la atención de los espectadores sobre el hecho de que «está adornada de música y baile y de cuantas decoraciones y transformaciones nuevamente inventadas pide la calidad de su argumento»[63]. Entre el 6 y el 16 de febrero de 1828, apareció publicado cinco veces en el *Diario de avisos* el anuncio de la creación de *Treinta años o la vida de un jugador*, de Ducange y Dinaux[64], «drama nuevo de grande espectáculo», dividido en tres jornadas «como lo practicaban nuestros antiguos» constando cada una de ellas de dos actos debido a los cambios de decorado. La empresa del Príncipe hace hincapié en el hecho de que dicha obra acaba de obtener un gran éxito en París, a la vez que resalta su elevado contenido moral, puesto que muestra y denuncia los estragos de la pasión del juego. El anuncio también especifica:

> Es bien sabido que en Europa hay un nuevo sistema literario llamado romanticismo, cuyos partidarios defienden contra la opinión de los clásicos, que no hay más que una regla que observar en los dramas, y se reduce a conmover el ánimo y la imaginación de los lectores y espectadores, excitando su interés en términos que, arrebatados y embebidos hasta el fin de la composición, se consigue de un modo vivo e indeleble el efecto moral que el autor se ha propuesto producir en ella.

Se invita al espectador a que juzgue por sí mismo, sin tomar partido en la querella; hábil forma de mover su curiosidad manteniendo, empero, una prudente reserva sobre el veredicto que emita. El veredicto fue muy honorable, no pudiendo ser de otro modo, ya que el «drama de grande espectáculo» era uno de los géneros preferidos del público. Aparece un nuevo anuncio para el reestreno de julio de 1828; pero en esta ocasión el drama está dividido en tres jornadas como en el original, y ya no en seis actos, ya que los intermedios necesarios para los cambios

62. *Diario de avisos*, 15, 16, 17, 18 y 19 de noviembre de 1827; citado por A. Rumeau, *El Duende satírico del día...*, París, 1948, p. 305, nota 36, *in fine*.

63. *Ibid.*, 16 de septiembre de 1827; citado por A. Rumeau, *op. cit.*, p. 351, nota 60.

64. *Ibid.*, 6, 10, 14, 15 y 16 de febrero de 1828; reproducido por A. Rumeau, *op. cit.*, p. 366. El traductor de este melodrama fue Juan Nicasio Gallego. Sobre esta obra y las reacciones que suscitó en *El Duende satírico del día*, véase A. Rumeau, *op. cit.*, pp. 121-124 y 311-323.

de decorado alargaban excesivamente la duración de la función. La razón principal de esta nueva puesta en escena está en respetar la intención inicial del autor, que no era la de desarrollar una intriga que discurriera a lo largo de treinta años, sino por el contrario la de reunir tres obras en un acto, «guardando cada una de ellas la unidad de tiempo y en lo posible la de lugar ... de forma que puede considerarse la primera, la segunda y tercera parte de un mismo argumento a imitación de nuestros dramaturgos antiguos». A. Rumeau[65] piensa que el *Discurso* de Durán, publicado en junio de 1828, no es ajeno a estos cambios de presentación de *Treinta años o la vida de un jugador*. De ello no cabe la menor duda. Por otra parte, vincular el melodrama francés al teatro de gran tradición española que acababa de defender e ilustrar Durán suponía un hábil cálculo. Al mismo tiempo, se halagaba el nacionalismo literario de los eruditos al aplicar uno de sus principios. Ciertamente, en julio ya no se dice que el melodrama de Ducange es una obra «romántica» moderna; pero —lo cual es mucho mejor— se la equipara a una sucesión de tres comedias. Es una forma de adelantarse a la objeción de que semejante equiparación es abusiva. Para atraer al público, se le promete «grande espectáculo», es decir, una tramoya complicada, una intriga rica en efectos teatrales, que lo tengan en vilo aun a costa de la verdad sicológica o de la verosimilitud de las situaciones. El espectador queda seducido por el despliegue del aparato escenográfico; y si la obra que va a ver le complace, no intenta saber si ésta es producto del «bello y sublime romanticismo» o del «romanticismo malo», según las palabras de Durán. Estas fórmulas sólo tienen sentido para una minoría de iniciados que, si bien informados en mayor o menor grado del movimiento de las ideas, están en todo caso firmemente decididos a canalizarlo dentro de los límites del justo medio. Pero no tienen sentido alguno para los miembros de la clase media que acuden al teatro en busca de emociones fuertes y de evasión en la ópera, la comedia de magia, el espectáculo maravilloso o el melodrama, y a veces la comedia antigua. Este público no siente la menor preocupación por saber si los medios con que se le cautiva son conformes o no a la "razón" y al "buen gusto"; las implicaciones estéticas o morales no intervienen en el juicio subjetivo que le merecen los espectáculos, cuyo éxito es por consiguiente proporcional a la capacidad emotiva que tienen. Ahora bien, para dicho público, esta capacidad se mide por el despliegue cada vez mayor del aparato teatral y por el poder de suscitar reacciones elementales de terror, entusiasmo o asombro, ante situaciones o sentimientos sin matices. Eso se lo proporciona el repertorio francés de teatro *de Boulevard*, que se le ofrece con la etiqueta de "romántico", y que él acepta como tal, al no tener interés ni posibilidades de saber que dicha etiqueta no corresponde al contenido de la mercancía. Partidarios del romanticismo histórico y nacional, paladines del neoclasicismo y defensores del justo medio, están influenciados en mayor o menor grado por el sentido que la palabra "romanticismo" —o el adjetivo "romántico"— ha ido adquiriendo equivocadamente en la terminología publicitaria de los teatros, es decir, en el ánimo del gran público. De estas interpretaciones equívocas o divergentes se deriva una extrema confusión, dado que los críticos incluyen en una misma reprobación, por inmoralidad y monstruosidad, todas las obras modernas importadas de Francia.

65. *Op. cit.*, p. 122.

En 1832-1833, las posturas adoptadas en la prensa reflejan esta tendencia común. Por diversas razones, sus autores se muestran preocupados por la moda de estas obras destinadas a impresionar a un público ávido de novedades, que no hacen sino ocultar la pobreza de las intrigas y la insignificancia de los personajes. Un ejemplo de esta actitud —que pone de relieve el desfase entre el "buen gusto" defendido por una minoría y las tendencias del público en general —nos lo proporcionan una serie de artículos publicados en 1832 en *Cartas españolas*. Primero tenemos "El literato rancio" —cuyo seudónimo delata a las claras sus convicciones— que desarrolla la idea de que el escritor no puede imitar directamente la naturaleza, y que ésta debe buscarse «en un tipo ideal donde se halla retratada en toda su perfección», y no en «un mundo lleno de fantasmas, visiones, endriagos y cuantos monstruos puede imaginar una fantasía ardiente y delirante. [66]» Luego entra en liza "El Consabido", situándose, de entrada, del lado de Durán:

> Estoy pasmado de que haya en el mundo un sistema de literatura que llaman Romanticismo, cuyo fundamento estriba en el desprecio absoluto de todo arte y toda clase de reglas. Yo hasta ahora no tenía noticia de otro Romanticismo que aquel de que hablaron y defendieron Schiller, Schlegel y otros sabios alemanes, muy eruditos además en el sistema clásico, así llamado por ellos, no para contraponerlo, mas para distinguirlo del que dijeron Romántico, facilitando así su mutuo examen, y su completo análisis.

Volviendo a la demostración del *Discurso*, concluye que

> ni Schiller, ni Schlegel, ni yo, ni hombre alguno racional hemos sostenido nunca que las reglas deben despreciarse, aunque sí creemos que es cohartar al talento y al ingenio creador el someterlo a aquéllas que sólo son esenciales en ciertos casos, y no generales como se las supone[67].

Ambos autores defienden puntos de vista irreconciliables, ya que "El Consabido" pretende demostrar que si bien Homero y Ariosto, así como Shakespeare y Calderón por un lado, y Corneille, Racine y Molière por otro, han obedecido a reglas distintas, no existe ningún sistema válido para todo tiempo y lugar, hecho que se niega a admitir "El literato rancio". Luego, interviene a su vez Nicolás Pardo Pimentel, con una carta al editor de *Cartas españolas*, para protestar contra «el romanticismo, monstruo nacido en Francia de la impotencia de los autores después de los bellos días del siglo de Luis XIV» y que encuentra en España «traductores imbéciles, y ridículos imitadores». Feroz defensor de las unidades, piensa que las obras que las infringen sólo pueden agradar «a un populacho ignorante, que solamente va con placer al teatro cuando se anuncia *La vida de un*

66. "Sobre clásicos y románticos", *Cartas españolas*, IV (39) y (45), 16 de febrero y 29 de marzo de 1832, pp. 197-201 y 373-376 (nuestra cita: p. 376).

67. "Sobre clásicos y románticos", *Cartas españolas*, V (47), 12 de abril de 1832. Quizás el mismo Durán se escondía tras ese seudónimo: señalemos al respecto, en los pasajes citados, el «*Yo* hasta ahora» y el «ni Schiller ni Schlegel ni *yo*»; por otra parte, una nota incluye una referencia al *Discurso*... (del que se recuerda que se sigue vendiendo en la imprenta de Cuesta) a propósito del sentido de las palabras *clásico y romántico*, y propone una etimología de la segunda «que el autor del Discurso tuvo el descuido de omitir».

jugador, o *La pata de cabra*; por último, a los franceses, que antaño plagiaron el teatro español mientras calificaban de bárbaros a sus maestros, los censura por olvidar los principios del buen gusto y acudir «a la representación de esos dramas monstruosos, indignos aun del carro de Tespis, y mengua de los siglos de barbarie»[68].

Volvemos à encontrar esta tendencia galófoba en los artículos que Bretón dedicó a las recientes creaciones parisienses, en el *Correo literario y mercantil* en 1832. Se enfurece, el 13 de agosto, ante *Chabert*, obra sacada de la primera versión del relato de Balzac, y exclama:

> *¡Molière, Racine!* Si resucitarais como el susodicho coronel, y asistierais a la representación de éste otro de los monstruos dramáticos que profanan en nuestra patria el templo de las musas, ¿qué haríais? Volveros a enterrar de enojo o pesadumbre.

¡Y esto se representa en el Vaudeville! «Sin duda su autor no lo juzgó bastante romántico y espantoso para titularlo *melodrama*.» En conclusión: que los franceses se cuiden de sus propios asuntos, en lugar de reprochar a los españoles el tener un repertorio detestable. El drama de Dumas y Anicet Bourgeois, *Le fils de l'émigré*, no es más que un «tejido insoportable de crímenes asquerosos, bárbaros, inauditos» (19 de septiembre). Refiriéndose a *Clotilde* de Ancelot y a *La jolie fille de Parme*, leemos que «en uno y otro hay grandes intereses y graves inverosimilitudes, grandes situaciones y mayores atrocidades... todo es grande en los dramas románticos», cuyos autores no son sino «energúmenos» (10 de octubre). Ello no impide a Bretón alabar entretanto *Quince años ha*, melodrama de Ducange anunciado como «drama nuevo romántico» (12 de septiembre), y alegrarse por el reestreno de *La pata de cabra* con una nueva puesta en escena (19 de noviembre). Estas posturas no son contradictorias. Bretón se dio perfecta cuenta de que el melodrama era «la plus subtile des armes contre-révolutionnaires ... l'école de la soumission à l'ordre moral[69]». Ataca el drama porque lo considera portador de una ideología subversiva; en efecto, no podemos pensar que Bretón, que está bien informado y al corriente de las novedades parisienses, apli-

68. "Literatura crítica", *Cartas españolas*, V (53), 24 de mayo de 1832. El autor era un furibundo realista; el 15 de febrero de 1832, en el *Correo literario y mercantil*, publicó una poesía titulada *La Discordia*, en la que condenaba las insurrecciones de Bruselas, de Varsovia y de México, para cantar a continuación la gloria de Fernando VII.

69. («... la más sutil de las armas contrarrevolucionarias ... la escuela de la sumisión al orden moral.») J. Gaudon, *Victor Hugo dramaturge*, París, 1955, p. 29. El autor (*ibid.*, p. 28) cita este significativo fragmento del *Essai sur le mélodrame*, publicado al frente de los *Chefs d'œuvre du Répertoire des Mélodrames joués à différents théâtres* (1825): «Le mélodrame étant un genre de spectacle comme un autre, quand il est bien dirigé, quand la saine morale est sa boussole, surtout quand rien se s'y passe qui ne soit à la portée de l'intelligence ouvrière et manufacturière, ne peut être qu'utile, politique même; et contribuer de plus à maintenir cette même classe dans le bon chemin des qualités morales, si nécessaires au repos de chaque famille et de la sociéte tout entière» («el melodrama, siendo un género del espectáculo como otro cualquiera, cuando está bien dirigido, cuando el mensaje moral es su brújula y sobre todo cuando nada de lo que ocurre se escapa a la comprensión obrera y artesanal, no puede ser más que algo útil, incluso algo político, y contribuir además a mantener a esa misma clase en el buen camino de las cualidades morales, tan necesarias en el seno de cada familia y de la sociedad entera.»)

que por confusión involuntaria el calificativo de "romántico" a obras tan distintas. Sus preocupaciones no son sólo de orden moral o estético; no hay que descartar la idea de que el epígono de Scribe y el traductor de melodramas franceses se empeña en estos artículos de 1832 en desacreditar de antemano un género que le parece susceptible de mermar su prestigio entre el público. ¿Cómo explicar si no este encarnizamiento contra un repertorio que sus lectores todavía no conocen más que por las crónicas que le dedica? Bretón defiende con habilidad su propia causa, a la vez que se presenta como el paladín del buen gusto y de una sana moral.

Larra fue —una vez más— el primero en proponer soluciones positivas en lugar de limitarse a posturas teóricas. En *El Duende satírico del día* del 31 de marzo de 1828, había procedido a un vapuleo en toda regla de *Treinta años o la vida de un jugador*. Pero en *El Pobrecito hablador* del 20 de diciembre de 1832[70], supera la querella verbal, personal o de escuela y, negándose a asimilar melodrama y drama, demuestra que la renovación del teatro español sólo es posible a costa de profundas reformas: educación del público, rechazo de la facilidad por parte de los autores, disminución de las cargas fiscales impuestas a los empresarios de espectáculos, creación de una escuela de actores. Después de haber compuesto su *Fernán González*, se prepara a principios de 1833 a dar un nuevo ejemplo del teatro con el que sueña; se trata de *Macías*, cuyo estreno se verá demorado por la censura hasta septiembre de 1834[71]. En ambos dramas se veía que Larra había sacado fruto del *Discurso* de Durán, aunque sin adherirse incondicionalmente al estrecho nacionalismo de éste, tal como lo demuestran sus demás escritos de la misma época, en los que las costumbres y hábitos españoles pasan por el tamiz de una crítica perspicaz y despiadada. A comienzos de 1833, otros se esforzaron en infundir un carácter positivo a los debates sobre temas de estética; la prueba la tenemos en un artículo anónimo titulado *Estado actual y esperanzas de la literatura española*, publicado en el *Boletín de comercio* del 8 de febrero de 1833. El autor recuerda que los escritores españoles ejercieron antaño una influencia considerable en los de otros países y que la literatura nacional «fundó su imperio en la imaginación», aunque los autores carecieron del «gusto», privilegio de los franceses. Así se explica la brillantez del siglo de Luis XIV y la decadencia de España, a pesar de los esfuerzos de algunos hombres de elite en el siglo XVIII, «ilustrados y amantes de su patria». Éstos no triunfaron en sus intentos porque «nuestro ingenio naturalmente suelto, y amigo de divagar por los campos imaginarios, se encontraba comprimido y torpe con el extraño yugo de las trabas que se le imponían». La invasión de las tropas napoleónicas truncó estos esfuerzos, pero hoy en día la nueva generación, formada en medio de las conmociones de esta época revuelta, ha rechazado la autoridad de Aristóteles y los preceptistas, devolviendo sus prerrogativas a la imaginación, como lo habían hecho «los escritores audaces que en España, Inglaterra y Alemania no reconocieron nunca las trabas del clasicismo». El colaborador del *Boletín de comercio* ve con confianza el futuro cercano:

70. Véanse ambos artículos en BAE, t. CXXVI, pp. 16-22 y 122-128.

71. *Macías* fue enviado a la censura el 30 de julio de 1833; el 16 de diciembre, Larra reclamó el manuscrito y la lista de las eventuales modificaciones exigidas; su demanda no fue atendida hasta el 20 de enero de 1834 (AVM, Corregimiento, 1-78-11 y 1-87-47). La obra se estrenó el 24 de septiembre de 1834 en el teatro de la Cruz.

> Creemos que en tal contienda podrán brillar nuestros ingenios, previendo que acaso se colocarán la mayor parte en las filas de los partidarios de las nuevas doctrinas literarias, por ser más análogas a nuestra índole, e inclinarnos a ellas la lectura de nuestros autores antiguos.

Así pues, aun cuando adopta la concepción de Durán, saca de ella nuevas consecuencias; estamos cansados —según dice— de las «bellezas clásicas, pedimos otros goces», y añade:

> complacíase un tiempo el hombre en pasearse por amenos pensiles en medio de flores olorosas y bosquecillos risueños y graciosos: ahora no bastan tan agradables sensaciones a sus sentidos embotados; y su alma se mueve sólo al ver las selvas espaciosas, los precipicios horrendos, y destructores torrentes.

Esta condena del neoclasicismo va acompañada de una reserva importante: la de que los escritores deben saber mantenerse en un justo medio, y el crítico debe rechazar las obras que «extravagantes y monstruosas a fuer de románticas, quebranten las leyes eternas de la razón, y choquen abiertamente con los preceptos del gusto». Probablemente se deba al mismo autor un artículo igualmente anónimo, publicado en el *Boletín de comercio* tres meses más tarde, el 10 de mayo de 1833, con el título de "*Sobre la literatura y las artes de la edad media*". La escuela moderna «que se quiere dar a conocer con el nombre de romántica» desea resucitar la literatura medieval e inspirarse en ella; a la pregunta que se formula el autor de si es posible conciliar ésta con «el romanticismo de estos días», responde que no, puesto que los temas de inspiración no son ya los mismos hoy que en la época en que el cristianismo penetraba en los corazones, suscitaba la caballería e instauraba la primacía de los valores espirituales. El único punto en común entre los poetas de aquel tiempo y los del siglo XIX es su desprecio de las reglas, explicable en los primeros, todavía incultos y medio bárbaros; pero el espíritu y los sentimientos han alcanzado tal grado de refinamiento que en buena lógica resulta imposible volver atrás. El impulso que estimula a los jóvenes escritores producirá buenos frutos «cuando trabajando sobre nuevas ideas y nuevos materiales suministrados por el espíritu del siglo, se sujeten los artistas a las formas aprobadas siempre por la razón y el buen gusto».

El autor de estos artículos tiene el gran mérito de exponer con claridad los puntos importantes del debate, evitando adoptar un tono polémico. Siguiendo a Madame de Staël (en la 2.ª parte, cap. XII, de su libro *De la littérature*), establece la diferencia entre las «bases principales sur lesquelles les vérités universelles sont fondées» («las principales bases en que se fundan las verdades universales») y las «modifications causées par les circonstances locales» («modificaciones causadas por las circunstancias locales»). Admite el carácter contingente de las reglas e incluso hace de éste la condición necesaria para una literatura que pretenda ser reflejo del espíritu y de los sentimientos de su tiempo. Larra pronto formulará esta exigencia en términos más concretos. No obstante, es interesante la exposición del colaborador del *Boletín de comercio* porque revela un profundo deseo de serenidad y objetividad y presenta los signos de una evolución todavía incierta, pero evidente.

Pero si bien el romanticismo aparece definido como la literatura que expresa «l'esprit du siècle» («el espíritu del siglo»), no están concretados los caracteres específicos de dicho espíritu. Poner como condición previa el que dichos caracteres sólo pueden incluirse en la obra literaria siempre que se ajusten a principios absolutos dictados por la razón equivale a imponer al escritor límites éticos y espirituales aún más rígidos que las reglas formales. De hecho, la que se propone no es sino una solución de compromiso. A lo sumo, tan sólo puede conducir a una ampliación, y no a una revolución del gusto como la que había conocido, en Francia, su triunfo definitivo en el año 1830. Tres años más tarde, en Madrid, el romanticismo todavía va en busca de su camino e intenta conciliar dos exigencias contradictorias: el fortalecimiento de la tradición y la expresión de una mentalidad moderna.

Este es, a grandes rasgos, el estado de la literatura y de las discusiones literarias en Madrid, en el momento en que Espronceda regresa a España. Las cosas han cambiado desde su salida, pero no de una forma tan rotunda, en el campo de las letras, como en Francia de 1825 a 1830. Bretón, Vega, Estébanez Calderón, Mesonero, Gil y Zárate, Juan Bautista Alonso, Patricio de la Escosura no son sino escritores de mediano talento, y de entre los asiduos al Parnasillo tan sólo Larra posee una personalidad original. La generación que va a tomar el relevo de la de Lista, Quintana y Arriaza no cuenta con todos sus miembros, ya que faltan en la capital Ángel de Saavedra, Salas y Quiroga, y García de Villalta; otros, más jóvenes —Ochoa, Zorrilla, los hermanos Madrazo— no se darán a conocer sino unos años más tarde. En marzo de 1833, Espronceda vuelve, trayendo unos fragmentos de epopeya, una tragedia sin audacias y algunas poesías líricas y patrióticas, en las que hallamos indicios de un talento prometedor que aún no ha encontrado su camino, pero no las primicias de una nueva literatura. Según hemos visto, fuera de España ha olvidado poco y aprendido no mucho más.

La breve carrera militar de Espronceda y su destierro a Cuéllar

A partir de su llegada a Madrid, Espronceda debe hacer frente a sus responsabilidades de hombre. Pero a diferencia de sus compañeros, no tiene todavía oficio ni profesión alguna. A los pocos días de su regreso, el 12 de marzo de 1833, solicita el ingreso en el cuerpo de los Guardias de Corps del rey. Según decía en su carta de candidatura, deseaba ingresar en la carrera militar para seguir el ejemplo de su padre, y de su hermanastro, que había formado parte de las tropas de la Casa Real. Uno de sus tíos, Antonio Martínez de Espronceda, propietario en Mirandilla, cerca de Mérida, se comprometió con el aval de sus tierras a asegurarle la renta teórica de ocho reales al día, exigida a todo candidato. El 13 de mayo de 1833, Espronceda está oficialmente admitido en los Guardias de Corps. Eso es lo único que podemos saber a partir del expediente militar del interesado[72].

Son varias las explicaciones que los biógrafos del poeta han dado acerca de la elección de dicha carrera. Según el primero de ellos, desde su regreso a Madrid, Espronceda hubiera sido objeto de permanente vigilancia por parte de la policía; algunos amigos hubieran facilitado entonces su ingreso en la Guardia

72. AGM, Personal, expediente Espronceda.

Real, «más con ánimo de que hallase en él seguridad más que carrera [73].» Rodríguez-Solís adoptó esta versión, aunque añadió en una nota:

> Uno de sus antiguos compañeros nos ha manifestado, sin garantizar por completo la noticia, que si Espronceda aceptó la entrada en los Guardias fue con el principal objeto de vengarse, amparado con el uniforme, de los insultos que cierto realista dirigió a mansalva a sus ancianos padres durante su emigración [74].

Ferrer del Río escribió en 1843 que Espronceda debió de gozar de la protección de Cea Bermúdez para lograr ser admitido entre los Guardias de Corps [75]. El hecho de vestir el uniforme para saciar impunemente una venganza es algo que no casa en absoluto con el carácter generoso y recto de Espronceda. Si fue para evitar las molestias de la policía, debemos reconocer que entre la fecha en que cruzó la frontera —uno de los tres primeros días de marzo de 1833— y la de su candidatura —el 12 del mismo mes—, no hubo tiempo material para que éstas se llevaran a la práctica. En cuanto al presunto apoyo de Cea Bermúdez, en las versiones sucesivas de su biografía Ferrer del Río suprimió este detalle, por la razón que expondremos más adelante. Intentemos pues, esclarecer algo más este punto.

En la carta que Espronceda escribió a Cándido Juanicó poco después de que Teresa se hubiese reunido con él en Bayona, leemos la frase siguiente: «Yo en otro tiempo entré con intención de dictar leyes, y hoy vuelvo muy satisfecho de recibirlas y que me dejen en paz.» Palabras realmente descorazonadas, viniendo de un emigrado que está a punto de regresar por fin a su país, y de un hombre al que nada parece poder separar ya de la mujer a la que ama. Pero la necesidad de mantener a Teresa le crea al poeta imperiosas obligaciones; tiene que ganarse la vida, pues con veinticinco años, Espronceda no puede —o no quiere— seguir dependiendo de su madre. Ésta intervino además personalmente en la constitución del expediente, de candidatura para el empleo de Guardia de Corps; en efecto, fue ella quien mandó hacer la copia de la partida de nacimiento que figura entre los documentos de que consta el expediente [76], y parece probable que fuera ella la que impulsara a su hijo a elegir prontamente un oficio, por razones tanto materiales como morales.

La viuda del brigadier —quien, a juzgar por lo que dice Rodríguez-Solís en 1833 «había montado un gran establecimiento de coches [77]»— poseía a la sazón la casa de la calle Espoz y Mina, adquirida unos diez años antes, y que le proporcionaba una buena renta; algunos documentos conservados en el Archivo de protocolos de Madrid demuestran que tenía además otros ingresos. Así, el 28 de agosto de 1837, dio poder a cuatro abogados para que defendieran sus intereses en un pleito, a propósito de títulos de rentas pagadas por el Estado, que le habían sido arrebatados y en los que se había imitado —según ella— la firma de su difun-

73. *El Labriego*, 14, 23 de mayo de 1840.
74. Rodríguez-Solís, p. 117, nota 1.
75. *El Laberinto*, I (2), 16 de noviembre de 1843. Véase *infra*, nota 86.
76. Expediente citado *supra*, nota 72. Realizó la copia el 15 de abril de 1833 el notario de Madrid Luis Vicén, quien precisa que el original le fue entregado por D.ª María del Carmen Delgado.
77. Véase *supra*, nota 34 de la primera parte.

to marido [78]. Destaquemos el siguiente detalle en este poder: ella declaraba actuar en nombre propio y en calidad de tutora y curadora *ad bona* de su hijo, cargos que le habían sido asignados en una sentencia del 22 de enero de 1833, según consta en un acta levantada ante el notario Antonio Villa el 18 de marzo del año siguiente [79]. Otro hecho interesante a señalar es que la madre del poeta no se dio excesiva prisa en solicitar su pensión de viuda. En efecto, el primer borrador de la demanda está escrito de puño y letra por José de Espronceda, y es posterior por lo tanto al retorno de éste, más de tres meses después de la muerte de su padre [80]. Así pues, doña María del Carmen Delgado demostró mayor afán por conseguir la tutela y la curaduría *ad bona* de su hijo, que por solicitar la pensión que le correspondía, y cuyo importe quedó fijado en octubre de 1833 en 6.600 reales anuales, efectivos a partir del 2 de enero anterior. La copia de la partida de nacimiento del poeta incluida en el expediente de pensión [81] fue realizada a partir de un documento expedido el 12 de agosto de 1812 en Alcántara por el capellán del regimiento de caballería de Borbón, siendo legalizada en 1833 por un notario de Madrid; en ella se da como fecha de nacimiento de Espronceda la del 25 de marzo de 1808. Ahora bien, no fue este el original presentado ante el notario que redactó la copia adjunta en el expediente de candidatura para la Guardia Real, sino la copia anterior, autentificada el 18 de febrero de 1826 por el comisario ordenador Manuel de Vetacarros (documento que debió de acompañar la solicitud de ingreso de Espronceda en el Colegio de los Guardias Marinas en 1826), copia en la que la palabra «ocho» de la fecha de nacimiento

78. Archivo Histórico de Protocolos, Madrid, Escrituras de Isidro Ortega Salomón, 1831-1838, libro 24644, f.os 710-711. En el mismo libro de minutas figuran dos poderes otorgados por la madre del poeta, uno el 22 de enero (f. º 515) y el otro el 5 de junio de 1836 (f.º 563), para que se la representase en un proceso entablado a raíz de unas reparaciones efectuadas en la casa de la calle Espoz y Mina.

79. Este documento, que nos hubiera permitido conocer la composición de la herencia del brigadier Espronceda, parece haberse extraviado. No aparece ni entre las minutas de Antonio Villa conservadas en el Archivo Histórico de Protocolos de Madrid (libros 23822 y 23823, años 1833 y 1834), ni entre las de la Escribanía de guerra (libros 24921 y 24922, años 1829-1833 y 1834-1836), ni en los Archivos Núñez de Arenas. Contrariamente a la práctica común, los padres del poeta firmaron actas ante varios notarios, lo que dificulta aún más la localización de tales documentos.

80. Archivos Núñez de Arenas. Este borrador (redactado en una hoja de papel sellado que caducaba en 1831) ha sido retocado por otra mano: quizás por Juan Antonio Delgado, primo de la madre del poeta, en aquel entonces alcalde mayor de Écija, pero que se encontraba en Madrid a principios de 1833; en enero firmó dos escrituras ante el notario Jacinto Gaona y Loeches (Archivo Histórico de Protocolos, Madrid, libro 23305). Sobre Delgado, véase *supra*, p. 25.

81. AGM, Pensiones de 1833, n.º 108. El expediente contiene la copia de la partida de nacimiento de José de Espronceda, un resumen del testamento del brigadier y de su mujer (21 de septiembre de 1822; véase *supra*, p.25), una copia de su partida de casamiento y las cartas intercambiadas entre varios despachos de abogados encargados de liquidar la pensión; en la última de ellas, del 17 de octubre de 1833, la junta del Montepío militar informa al capitán general de Castilla la Nueva de que el importe de la pensión se ha fijado en 6.000 reales al año. Según un documento de 18 de junio de 1833, esta cantidad se había calculado atendiendo a la suma total (un 10 por 100 del sueldo) que Juan de Espronceda había depositado hasta su muerte en el Montepío militar, de acuerdo con el decreto del 31 de mayo de 1828. La carpeta de este expediente lleva, curiosamente, la mención «No tiene hijos».

había sido rectificada por la de «diez»[82]. Se trata pues de un documento falsificado que fue legalizado el 15 de abril de 1833 y enviado luego a las autoridades militares[83]. Al preguntarnos sobre cuál fue el motivo por el que se cometió de nuevo esta irregularidad, no vemos más que uno: la necesidad de respetar las disposiciones reglamentarias referentes al límite de edad del candidato. La madre del poeta no ignoraba que el documento de estado civil en cuestión era distinto del que acababa de ser utilizado para su expediente de pensión, con lo cual actuaba con pleno conocimiento de causa.

Si bien son detalles inquietantes, resulta difícil sacar de ellos una conclusión positiva. No obstante, hay un hecho evidente: si José de Espronceda era en efecto menor de veinticinco años cuando su madre logró que le confiaran su tutela y curaduría *ad bona* el 22 de enero de 1833, ya no lo era cuando se le comunicó el atestado a la interesada el 18 de marzo de 1834, y menos aún en agosto de 1837, fecha en la que ésta mandó efectuar un poder en su nombre y en condición de tutora y curadora de su hijo. Todo ello parece demostrar que María del Carmen Delgado tenía la intención de conservar la gestión del patrimonio familiar el mayor tiempo posible, mientras el poeta se encontrara en una situación social irregular.

La elección de la carrera de Guardia de Corps del rey puede considerarse como una concesión más o menos espontánea de Espronceda al decoro, elección en la que tuvo bastante que ver la autoridad materna. En efecto, sus relaciones podían parecer escandalosas en la respetable familia de la que formaba parte. Aunque su padre distara mucho de ser uno de aquellos oficiales cuyo nombre se recuerda en los anales de la historia, había acabado su carrera como brigadier destinado al Estado mayor de la plaza de Madrid; varios de los parientes del poeta eran funcionarios o eclesiásticos de alto rango, y él mismo tenía relaciones en los círculos de la alta burguesía, del periodismo, de la literatura y del ejército. Y no debía de constituir un secreto para nadie, en especial entre los antiguos compañeros de emigración, que Teresa Mancha había dejado a su marido e hijos en Londres para seguir a su amante. Semejante situación fue aceptada probablemente con reticencias por parte de algunos allegados al poeta. El único que evocó esta época de la vida del poeta —y aún en forma breve— fue Antonio Ros de Olano, en una especie de meditación lírica de estilo confuso y expresión oscura. El párrafo que sigue es el único claro en este texto (se dirige a Teresa y a Espronceda), que se sitúa en 1833:

> Recuerdo, amigos míos, ... recuerdo todos los detalles, el sitio y la hora en que os vi juntos por primera vez. Teresa llevaba un muy sencillo vestido morado, y un velo blanco: los hombres se paraban a admirarla, los niños la enseñaban a sus madres, y las madres los reprendían con desdén. Tú, mi buen amigo, tropezabas o dabas con el codo a todo el mundo, y la osadía de tu aspecto parecía retar a los transeúntes, las mujeres no tenían a insulto tu mirada[84].

82. Véase *supra*, p. 117, nota 241 de la primera parte.

83. La copia de este documento (AGM, Personal, expediente Espronceda) lleva la fecha de 1810. Ello demuestra que el destinatario no se percató de la patente y ostensible “rectificación”.

84. A. Ros de Olano, “José de Espronceda. Teresa”, *Revista de España y del extranjero*, I, 1845, pp. 514-515; reproducido en *El Bardo*, 2, [abril de] 1850, pp. 9-11. Sobre Ros de Olano, véase *infra*, nota 96.

De este testimonio se deduce, no sólo que Teresa era de una gran belleza, sino también que Espronceda, lejos de disimular su relación, alardeaba de ella con orgullo a plena luz. Según Cascales, a su regreso a Madrid el poeta se alojó en casa de su madre, en el n.º 3 de la calle San Miguel, y Teresa, en el n.º 1 de la misma calle; pero nada permite afirmar que los amantes no vivían bajo el mismo techo, dada la imprecisión de los documentos en los que figura la dirección de los interesados [85].

Ignoramos durante cuánto tiempo duró la carrera militar de Espronceda. Hay un punto en el que sus biógrafos se muestran unánimes: fue excluido del ejército por una decisión arbitraria; si bien cada uno de ellos da de esta expulsión una explicación sensiblemente distinta. Según García de Villalta, Espronceda acababa de ser propuesto para el grado de «Garzón o Porta», cuando, al ser convocado de urgencia al cuartel, encontró allí a un comisario de policía que venía a notificarle que había sido expulsado del cuerpo, y que se le había asignado residencia en Cuéllar. Villalta añade:

> El motivo, según se susurró, fue el siguiente. Habían llegado a manos de S.M. ... algunos versos de Espronceda, suponemos que con la recomendación de ser unas *décimas muy bonitas compuestas por un guardia*; lo cual les dio boga en el palacio; y tanta, que el mismo señor Zea Bermúdez los hubo de celebrar y quiso conocer al autor, tal vez por premiar su estro. Mas apenas oyó el nombre del poeta, apenas supo que era aquel Espronceda, el emigrado de Londres, en donde el señor Zea fue ministro, y que se hallaba en el nobilísimo cuerpo de guardias aquel joven de los desafíos y de los amores, convirtió la noticia en cuestión de gabinete, pasó a ver a S. M., y le pidió la orden cuyos efectos hemos descrito [86].

Al parecer, el duque de Alagón, comandante de los Guardias de Corps, hubiera amenazado con dimitir si se mantenía la orden, aunque luego acabara cediendo. En las actas de los consejos de ministros de 1833, no aparece referencia alguna a este asunto [87].

85. Cascales (pp. 99 y 331) justifica su afirmación basándose en que la partida de nacimiento de Blanca, hija de Teresa y de Espronceda, nacida el 11 de mayo de 1834, indica que los padres de la niña vivían en la calle San Miguel, n.º 1, *cuarto principal*. Pero la partida de defunción del brigadier (1.º de enero de 1833) y el certificado de residencia remitido por el párroco de San Luis para ser añadido al expediente de admisión del poeta en la Guardia de corps indican: calle San Miguel, *casa sin número, cuarto principal* (AGM, Personal, expediente Espronceda, y Pensiones de 1833, expediente citado *supra*, nota 81); el recibo firmado por el poeta a José Amorós el 15 de febrero de 1830 en París va dirigido a su padre, calle San Miguel n.º 3 (BNM, ms. 12938 [92]; Cascales, p. 92); Zorrilla, al referir su primera entrevista con Espronceda, en 1837, escribió que éste vivía en el n.º 4 de la mencionada calle (*Recuerdos del tiempo viejo*, Madrid, 1882, t. I, p. 47); una lista de jóvenes susceptibles de ser llamados a filas a finales de 1835 señala que el poeta vivía en el n.º 7 (AVM, Quintas, leg. 1-36-3); en un padrón del 18 de septiembre de 1836, su dirección es : misma calle, *n.º 7 nuevo, sin n.º antiguo* (*ibid.*, legs. 1-89-2 y 1-110-2); en el padrón de 1838, la calle es la misma, y el número es el 5 (*ibid.*, leg. 1-147-3). Ninguno de estos padrones incluye el nombre de Teresa Mancha.

86. *El Labriego*, 14, 23 de mayo de 1840. Sin duda después de conocer esta versión de los hechos fue cuando Ferrer del Río suprimió, en las versiones de su biografía de Espronceda posteriores a 1843, la frase en que afirmaba que el poeta había ingresado en los Guardias de corps gracias a la protección de Cea Bermúdez.

87. Archivo de la Presidencia del Gobierno, Madrid, Actas del Consejo de ministros, libros 8/3075 y 8/3076 (1834-1835).

Rodríguez-Solís reproduce casi palabra por palabra —sin citar la fuente— lo que dice Villalta, aunque silenciando el papel del duque de Alagón. Añade que en las décimas de que se trata, recitadas en el transcurso de un banquete, Espronceda criticaba duramente la situación política y exaltaba la libertad[88]. Dichos versos, anodinos según Villalta —el cual dice transmitir una versión contemporánea de los hechos—, satíricos y subversivos, según otros, no han llegado hasta nosotros. Lo cierto es que, poco después de su retorno de Francia, Espronceda fue desterrado a Cuéllar[89]. Allí encontró a su antiguo condiscípulo del Colegio de San Mateo, y fundador de la sociedad de los Numantinos, Miguel Ortiz Amor, quien ejercía las funciones de alcalde mayor desde marzo de 1833[90].

La versión de los hechos presentada por Villalta no es del todo convincente. Resulta dudoso que Cea hubiese retenido el nombre de Espronceda, que además aparecía a menudo desfigurado en los despachos referidos a él que firmó el primer ministro, en la época en que era embajador en Londres y en que el poeta se encontraba emigrado en Inglaterra y Francia. Por otra parte, la expresión «aquel joven de los desafíos y de los amores» parece dar a entender que Espronceda se había visto involucrado en lances de honor y que su vida sentimental había provocado algunos escándalos. Por último, no hay que descartar la posibilidad de que el joven Guardia expresara públicamente, en prosa o en verso, una opinión desfavorable acerca de la política del gabinete en ejercicio, y que sus palabras acarrearan su expulsión del ejército y su destierro.

García de Villalta comete un error de perspectiva al presentar implícitamente estas medidas como tomadas en contra de un personaje que, si bien se hizo célebre algo más tarde, todavía era poco conocido a mediados de 1833. Ello supone atribuir un carácter excepcional al despotismo del que fue víctima Espronceda entre otros muchos, y del que Cea Bermúdez hacía entonces un medio de gobierno. En efecto, desde los acontecimientos de La Granja en 1832, la situación interna de España era gravísima, y el primer ministro, partidario acérrimo de una impracticable política del «justo medio», era atacado y criticado por todos los frentes. En enero de 1833, los absolutistas de León, alentados por el obispo Joaquín Abarca, se habían sublevado contra el rey, y su eminencia sembraba valerosamente la discordia resguardado en un retiro seguro, tras haber encabezado una junta rebelde. Ante la amenaza de los seguidores de don Carlos, los liberales habían reaccionado. El 19 y el 24 de marzo, Madrid estaba en efervescencia. Unos

88. Rodríguez-Solís, p. 117. Escosura era de la misma opinión: «su estro poético por una ardiente pasión política inspirado, hízole cometer en cierto banquete una generosa imprudencia, que le costó su bandolera y un nuevo destierro a Castilla la Vieja.» (*Discurso*..., Madrid, 1870, p. 81). También compartían este punto de vista Cascales (pp. 105-107) y Núñez de Arenas, según Brereton, p. 12.

89. La nota que introdujo en el capítulo XVI de *Sancho Saldaña* así lo confirma: «El autor de esta novela ha recorrido detenidamente las salas del castillo de Cuéllar, pueblo de su destierro.» (BAE, t. LXXII, p. 482b , nota 1).

90. El libro de acuerdos del ayuntamiento de Cuéllar (Archivo municipal) de 1833 indica, en las páginas del 16 de marzo: «Miguel de Ortiz, alcalde mayor electo por S.M. para este villa de Cuéllar y su partido, su fecha en Madrid á Catorce de marzo del Cor[riente] año.» El 2 de febrero de 1833, Ortiz había sido nombrado comandante militar de los distritos 5.º y 6.º de la provincia de Segovia, y así se encargó de reforzar las fortificaciones del castillo de Cuéllar, en previsión de los posibles ataques de las facciones carlistas.

manifestantes reunidos en el café Lorencini y en La Fontana de Oro se enfrentaron a unos voluntarios realistas y fueron brutalmente dispersados por el ejército. García de León y Pizarro relata que, durante el mismo mes y el siguiente, se vieron alejados de la capital gran número de emigrados recién llegados a Madrid tras la amnistía de octubre de 1832, entre los cuales estaban el duque de San Fernando y el duque de San Lorenzo[91]. Los recuerdos de este personaje, que está bien informado y anota día a día hechos y pensamientos, permiten hacerse una idea bastante clara de la atmósfera reinante en Madrid, tanto en la calle como en los círculos allegados al rey. Cea practica ampliamente el nepotismo, y el que los miembros de su familia ocupen cargos oficiales es visto con malos ojos; se le sospecha de connivencia con don Carlos; está influenciado por los antiguos afrancesados, en particular por Miñano y Reinoso, quienes le respaldan en su lucha contra los liberales. Se producen disturbios cada vez con mayor frecuencia, aparecen pasquines en las paredes y el 24 de mayo de 1833 hay tantos en la Plaza Mayor que se prohibe a los transeúntes el acceso a la misma. El 26 de junio Pizarro apunta en su diario: «Es espantoso el volcán que está a nuestros pies: todo lo que se ve parece una comedia; peor, una farsa, una engañifa. Dios nos salve de tanto peligro.»; y el 8 de agosto: «Siguen las patrullas; la policía de espionaje en su fuerza; ésta, la apertura de cartas, con extravío de muchas; los chismes son la ocupación y delicia del señor Cea, que por sí mismo se ocupa de los pormenores.»; el 18 de agosto: «Se han cerrado los gabinetes de lectura y prohibido los papeles públicos.» Con fecha del 31 de julio, encontramos estas palabras, que permiten pensar que Espronceda no había sido el único Guardia de Corps expulsado: «Anoche estuvo la tropa sobre las armas: nada se movía; acaso la vocería de días pasados de los licenciados de la Guardia Real; en fin no se sabe.» El testimonio de García de León y Pizarro se ve ampliamente corroborado por otras fuentes. Pirala cita detenidamente un documento anónimo procedente de «hombres razonables, de moderados de todos los partidos», que circuló en España durante los últimos días de marzo de 1833, y que contiene abrumadoras acusaciones contra el primer ministro, cuyos actos políticos corren peligro de desencadenar una explosión de descontento[92]. La expulsión de don Carlos no aplacó los ánimos; en efecto, en un libelo timbrado con el lema «Patria y libertad», y fechado del 1.º de junio de 1833, leemos entre otras cosas:

> El déspota ministro que preside el Consejo, como agente del autócrata de la Rusia y director del bando carlista, está gobernando la nave del estado con un timón de freno, que al paso que desacredita con sus violencias el AUGUSTO MONARCA, desatiende el clamor de los pueblos, destierra a los leales y persigue encarnizadamente a la desgracia, proscribiendo a los infelices que la generosidad de la INMORTAL CRISTINA restituyó a sus familias y hogares[93].

El texto, redactado por entero en el mismo tono, concluye con amenazas muy concretas de muerte dirigidas a Cea «y todos los traidores de la Nación». La

91. José García de León y Pizarro, *Memorias*, Madrid, 1953, t. II, pp. 12-14 y 19; sobre los detalles que siguen, pp. 4-41 *passim*.

92. A. Pirala, *Historia de la guerra civil...*, Madrid, s.f. [1854], t. I, pp. 89-91.

93. Archives du ministère des Affaires étrangères, París, Mémoires et documents, Espagne, vol. 310, f.º 242. No hemos encontrado en la obra de ningún historiador referencias a este libelo.

vehemencia de la protesta en oposición a las medidas adoptadas por el primer ministro en contra de los antiguos emigrados —a quienes su conducta pasada podía autorizar con razón a proclamarse leales a la corona— se ve justificada por lo arbitrario de dichas medidas. Aun cuando los documentos que confiman esta realidad son poco numerosos, prueban, empero, que los textos que acabamos de citar son fiables: el 17 de mayo de 1833, el consejo de ministros decidió alejar de Madrid a los antiguos emigrados tenidos por peligrosos; el 16 de agosto, acordó establecer una lista de «personas sospechosas por su conducta y sus opiniones, cuya expulsión de la capital se consideraba necesaria para garantizar el orden público», el 20 de agosto, se aprobó una primera lista de sospechosos, elaborada por el superintendente de policía, y que encabeza el nombre de Bartolomé José Gallardo; y el 27, se asignó residencia en provincias a las personas afectadas[94]. Es probable que por aquel entonces Espronceda no fuese tan peligroso como lo creyó la policía de Cea, ni estuviese directamente involucrado en ningún complot; pero era un antiguo emigrado y bastaba con que hubiera manifestado sus opiniones liberales para que, sin pararse en barras, se juzgara oportuno expulsarle del ejército y alejarle de Madrid.

Tanto la fecha de su expulsión, como la duración del destierro y el momento de su regreso a la capital, son difíciles de determinar. No obstante, existen dos elementos que permiten esclarecer en algo estos puntos. El primero es la octava real "El estandarte ved que en Ceriñola...", recitada por Espronceda el 30 de mayo de 1833 con motivo de la entrega, por parte de la reina, al duque de Alagón de un estandarte destinado a los Guardias de Corps.[95] El *Correo literario y mercantil* del 17 de junio, así como la *Revista española* del 18, publicaron informaciones acerca de esta ceremonia y de la de la jura de bandera que tuvo lugar el 15. La *Revista* incluyó unas obras en verso recitadas en esta ocasión por algunos guardias, pero no la octava de Espronceda, quien contaba sin embargo con algunos amigos en la redacción del citado periódico. ¿Se debió acaso a que, en aquel momento, era mejor callar su nombre, ya que, el 18 de junio, ya había sido expulsado del ejército? La ausencia de documentos referentes al tiempo de servicio del poeta en su expediente militar quedaría explicada por la corta duración de su carrera de Guardia de Corps, y sin duda también porque prefirieron evitar conservar la prueba de un acto arbitrario.

El segundo elemento que nos ayuda a aclarar el período de mayo-agosto de 1833 es la historia de la composición de la comedia *Ni el tío ni el sobrino*. Espronceda había trabado amistad con un oficial de su edad, Antonio Ros de Olano —de quien hemos citado anteriormente la evocación de su primer encuentro con Teresa y su amante—, el cual frecuentaba el Parnasillo y daba entonces sus primeros pasos en la literatura[96]. La amistad entre Espronceda y Ros de Olano fue duradera y, desde el comienzo, muy estrecha. En 1833, escribe este último:

94. Archivo de la Presidencia de Gobierno, Madrid, Actas del Consejo de ministros, libro 8/3075 (1833).

95. Sobre esta ceremonia y la fecha del poema, véase Espronceda, *Poésies*, ed. Marrast, pp. 359-360.

96. Antonio Ros de Olano, nacido en Caracas en 1808, llegó a España en 1816. Cuando conoció a Espronceda era alférez de infantería en la Guardia Real (grado que ostentaba desde

> nuestro peculio era común: no sobrado, y sí harto escaso para la mucha voluntad en emplearlo. De aquí que los apuros se nos tropezaran, al extremo de encontrarnos varias veces Espronceda y yo de frente con los brazos cruzados, cada uno en un apuro igual o parecido ... Espronceda dio en uno, muy grave, de sus frecuentes atolladeros; (si cuando se escriba su biografía se compulsan las fechas se deducirá cuál fuese) acudió a mí[97].

Los dos amigos fueron a solicitar un anticipo a un editor que deseaba publicar obras de Espronceda y que, con la promesa de que éste iba a traerle cuatro días más tarde un manuscrito de bastante importancia, les entregó trescientos medios duros. Aquella misma noche, hallaron un tema para la comedia, trazaron el plan de la misma y esbozaron algunas escenas. Al día siguiente, al estar Ros de Olano de guardia en el Palacio Real, los dos amigos trabajaron cada uno por su lado, enlazando luego las escenas escritas con nuevos diálogos. Al cabo de unas cuarenta horas, la obra estuvo acabada; la sometieron al juicio de Bretón, que se mostró evasivo, y la llevaron al editor.

Entre estos pormenores, no figura ninguna indicación de fecha. La obra, que salió a las tablas el 29 de abril de 1834, había sido presentada a la censura el 28 de agosto de 1833[98]. Habida cuenta del tiempo necesario para la elaboración de copias y el cumplimiento de las formalidades reglamentarias, la composición de la obra puede situarse con toda probabilidad en junio o julio de 1833. Por lo tanto, el «atolladero» en el que se encontraba Espronceda por aquellas fechas debía de ser la situación creada por su expulsión de los Guardias de Corps y la necesidad de abandonar Madrid en breve plazo. Así se explican la apremiante necesidad de dinero y la prisa con que fue escrita la obra.

En Cuéllar, Espronceda da inicio a su novela *Sancho Saldaña*, cuya acción discurre en gran parte en el castillo de dicha villa y los alrededores. Algo más tarde, dejó su residencia forzosa por su propia autoridad. En su biografía publicada en 1840 en *El Labriego*, se dice que Espronceda había regresado a Madrid

---

el 2 de septiembre de 1826); destinado al ejército del Norte durante la primera guerra carlista, fue ascendido a teniente el 29 de abril de 1834, y a teniente coronel el 12 de marzo de 1835; en 1839 era comandante de Estado Mayor (AGM, Personal, expediente Ros de Olano). Su participación en la guerra de Marruecos (1859-1861) le valió el título de marqués de Guad-el-Jelú. Fue también senador, ministro de Comercio y de Instruccion pública, y murió en 1887. Por lo que sabemos, su primer poema fue *Satisfacción de Tarfe a Abenámar*, que se publicó en el *Correo literario y mercantil* del 12 de enero de 1833; el 12 de julio siguiente aparecieron en el mismo periódico las nueve octavas en que celebraba la proclamación de la princesa Isabel como heredera del trono. En 1834 formó parte de la redacción de *El Siglo*; fue uno de los fundadores de la revista *El Pensamiento*, en 1841. Autor de varias obras en verso y prosa, escribió, en 1840, el prólogo a *El diablo mundo*.

97. Las citas y los detalles que siguen han sido tomados de una carta del 29 de octubre de 1871, dirigida por Ros de Olano a un editor de Barcelona que deseaba publicar las obras completas de Espronceda, e incluir en ellas *Ni el tío ni el sobrino*. Ros relata las circunstancias en que se compuso esta pieza para disuadir al editor que la reimprimiera, dados sus defectos. Esta carta se encuentra en A. Elías de Molins, *Diccionario biográfico y bibliográfico de escritores y artistas catalanes...*, Barcelona, s.f., t. II, art. Ros de Olano.

98. AVM, Corregimiento, 1-78-25. El mismo día, en la rúbrica "Variedades teatrales" (que firmaba Bretón) del *Correo literario y mercantil* se cita esta comedia junto a todas aquellas que habían tenido que esperar más de lo previsto la decisión de la censura.

«ya por no haber cometido delito alguno, ya confiado en la protección del señor Martínez de la Rosa, recién elevado a la presidencia del consejo de ministros». Pero éste no podía haber concedido su protección en calidad de primer ministro, ya que no accedió a dicho cargo hasta el 15 de enero de 1834; ahora bien, sabemos positivamente que en esta fecha el poeta había vuelto ya a la capital[99]. Dos semanas después de la publicación de su biografía, Espronceda envió a El *Labriego* una carta de rectificación en la cual escribía entre otras cosas: «Yo vine sólo confiado en mí mismo, como he ido y voy a todas partes, y nunca bajo la protección de ningún ministro ni potentado[100].»

Así pues, de nuevo se encuentra Espronceda en Madrid, «otra vez libre de todo yugo oficial —yugo de que, a mi juicio, escribe Patricio de la Escosura, era Espronceda absolutamente incapaz todavía en aquella época;— desde entonces, sin más ley que su albedrío»[101]. Nos hallamos no antes de agosto de 1833[102].

ÚLTIMOS MESES DEL MINISTERIO DE CEA BERMÚDEZ Y FIN DEL "DESPOTISMO ILUSTRADO"

Durante los últimos meses del citado año, España atraviesa una difícil situación. El cólera causa cada día mayores estragos en el sur del país, y Cea Bermúdez, cada vez más impopular, se dedica a urdir complicadas intrigas. El 29 de septiembre, muere Fernando VII; su testamento, abierto el 2 de octubre, nombra heredera del trono a la princesa Isabel y regente del reino a la reina María Cristina. El 4 de octubre, ésta se dirige a la nación en un manifiesto en el que declara sin ambages su intención de no variar sustancialmente la dirección de los asuntos públicos, que seguirá presidida por la concepción del despotismo ilustrado, tan grata a Cea Bermúdez. El espíritu rector de este texto está muy bien definido por Lafuente:

> No podía desconocerse en este documento el retrato político de Cea, es decir de su logogrífico sistema de gobierno: «Yo trasladaré el cetro de las Españas a manos de la reina, íntegro, sin menoscabo ni detrimento ... sin innovaciones peligrosas, por desgracia ya probadas.» He aquí el despotismo. «Mas no dejaré estadiza y sin cultivo esta preciosa posesión que le espera ... Las reformas administrativas serán materia permanente de mi desvelo.» He aquí lo ilustrado[103].

99. Véase *infra*, p. 274.
100. *El Labriego*, 14, 23 de mayo de 1840, y 16, 3 de junio de 1840.
101. *Discurso...*, Madrid, 1870, p. 81.
102. Se barajan dos hipótesis al respecto: o bien Espronceda partió solo a Cuéllar, o bien llevó consigo a Teresa. Si adoptamos la primera, y teniendo en cuenta que su hija Blanca nació el 11 de mayo de 1834, un rápido cálculo nos confirma que los dos amantes se habrían reunido (al regresar el poeta a Madrid) a principios de agosto de 1833 (eso si admitimos, y no hay nada que nos haga suponer lo contrario, que Espronceda era efectivamente el padre de Blanca). Si, por el contrario, adoptamos la segunda hipótesis, resulta imposible fijar, ni siquiera de forma aproximada, la fecha de su regreso a la capital. ¿Acaso sólo pudo volver tras la muerte de Fernando VII?
103. Lafuente, *Historia general de España*, Barcelona, 1885, t. V, p. 562a.

Este sistema no satisfacía a ninguna de las dos familias políticas españolas. Como dirá más tarde Larra, traduciendo a Charles Didier: «Para los absolutistas, sobrará el *ilustrado*, para los liberales sobra el *despotismo*[104].» García de León y Pizarro[105] escribía, el 15 de octubre, en su diario:

> Los liberales, disgustadísimos con la reina, y casi se unirán a Don Carlos, a causa del manifiesto en que anuncia no mudará el gobierno ... Los carlistas detestan a Cea lo mismo por su lado. La gente honrada está ocupada de su propia seguridad ... El argumento de Cea para con la reina es que si afloja en lo más mínimo con los liberables, está perdida. Quien pierde es la reina de todos modos.

A pesar del grave peligro que su política de justo medio entraña para el país, Cea Bermúdez sigue empeñado en no cambiarla, y entretanto se extienden a varias provincias los focos de insurrección carlista. Atacado en dos frentes y con el temor de verse desbordado por los elementos avanzados que anhelan el establecimiento de un gobierno representativo, el ministro se niega obstinadamente en confiar en los liberales. Cuando, el 27 de octubre de 1833, la reina sale al balcón de Palacio, es —según escribe Pizarro— para oír a la muchedumbre gritar: «Señora, quite V.M. a Bermúdez (con instancia)»; y el mismo testigo señala que el 30 del mismo mes el grito de «¡Abajo Cea!» resonó por doquier en Madrid, a lo que el ministro ha respondido ordenando disparar sobre la multitud. Según advierte, por su parte, el muy conservador Ramón de Santillán, alto funcionario de Hacienda, a la muerte de Fernando VII «se vio que la sucesión legítima no contaba con más fuerza verdadera que la del partido liberal[106]». Este «partido liberal» estaba apoyado por la burguesía mercante de los grandes puertos y los industriales de Cataluña, que habían sido los beneficiarios de la recuperación económica de la que López Ballesteros había tomado la iniciativa en torno a 1825. La política de dicho ministro favoreció a las clases pudientes al asegurar una reactivación lenta, pero segura, de la economía, por medio de la industrialización. Desde que, el 21 de octubre de 1833, la cartera de Fomento quedó encomendada en el gabinete Cea a Javier de Burgos, éste acometió la puesta en práctica de las reformas que había preconizado en su informe al rey del 24 de enero de 1826, es decir, se dedicó a proseguir la realización del programa de su amigo Ballesteros. Su objetivo prioritario fue el de granjearse mayor simpatía entre los descontentos de distintos horizontes y distinta procedencia social, captándolos con los siguientes medios: «interesar las masas, excitar su reconocimiento con beneficios materiales e inmediatos.[107]» En un decreto de finales de 1833, Javier de Burgos hizo extensiva la amnistía a los antiguos diputados de las Cortes que permanecían

104. *La España de 1830 a 1836...*, BAE, t. CXXVIII, p. 332b.

105. Salvo si se indica lo contrario, extraemos los detalles que siguen de J. García de León y Pizarrro, *op. cit.*, t. II, pp. 48-83, *passim*.

106. R. de Santillán, *Memorias*, Pamplona, 1960, t. I, p. 159. Larra, al traducir a Charles Didier, constata la misma evidencia (*op. cit.*., p. 333a). Véase un correcto y detallado estudio de la época comprendida entre octubre de 1833 y enero de 1834 en J. Tomás Villaroya, *El sistema político del Estatuto Real*, Madrid, 1968, pp. 19-50.

107. J. de Burgos, *Anales del reinado de D.ª Isabel II*, Madrid, 1850-1851, t. I, p. 170.

en el exilio [108]; decretó también la abrogación de las disposiciones del 11 de marzo de 1824 que habían anulado los contratos de venta de bienes de mayorazgos firmados entre 1820 y 1823; así como la supresión del impuesto denominado «arbitrios de realistas». Estas medidas —según escribió más tarde su propio autor— no bastaron para hacer olvidar la decepción causada por el manifiesto del 4 de octubre de 1833, «porque estos [beneficios] interesasen poco en general a aquellos hombres que, no poseyendo bienes ni ejerciendo industria los más, poca o ninguna participación tenían en las ventajas que a ésta y a aquéllos se dispensaban» [109].

En realidad, las medidas económicas sólo favorecían a un sector de la gran y mediana burguesía de propietarios. La clase media o pequeña burguesía, formada por pequeños funcionarios, oficiales subalternos, escritores, periodistas, miembros de profesiones liberales y artesanos, no veía mejorada en nada su condición y, como muy bien dice Vicens Vives, tendía hacia una proletarización progresiva [110]. Javier de Burgos se había interesado sólo por los que poseían ya una mayor o menor fortuna.

El nuevo reglamento de la imprenta, incluido en el decreto del 4 de enero de 1834, tenía como objetivo primordial el limitar la competencia de los editores ingleses y franceses, según pone de relieve el comentario publicado en el n.º 7 del muy oficial *Diario de la administración*, el día 7 de enero:

> Acaso esos cinco millones de francos en que se regula el movimiento de librería española que se ejecuta anualmente en Inglaterra y Francia, vendrán en mucha parte a fertilizar los establecimientos tipográficos de Madrid, Valencia, Barcelona y otras partes, dando una nueva vida a tantas artes y oficios, industrias y trabajadores como hoy día se alimentan con la imprenta.

Pero con ello, no experimentaban mejora alguna las condiciones de trabajo de los obreros del sector. Y, si bien los escritores ven sus derechos de autor protegidos durante su vida y, a su muerte, se hacen extensivos por diez años a sus herederos (artículo 30), no obstante, la publicación de las obras de imaginación y de historia, así como la de las narraciones de viaje e incluso de los tratados de geología, continúa —según el artículo 9 del decreto— sometida a la aprobación de los censores. En cuanto a los periodistas, no se les concede en modo alguno mayor libertad de expresión, ya que en el mismo artículo quedan incluidos dentro de los escritos sujetos a la censura previa «los periódicos que no sean puramente técnicos, o traten únicamente de arte, o de ciencias naturales, o de literatura». Así pues, para la prensa, nada ha cambiado realmente con respecto a las disposiciones del decreto del 12 de julio de 1830. Para obtener la autorización de ser publicado, un artículo no podía contener crítica alguna de la monarquía, la religión católica, las autoridades constituidas o el gobierno, en resumen, no debía

108. Al menos de forma oficial, ya que se trataba, según Pizarro (*op. cit.*, t. II, p. 55, 24 de octubre de 1833), de una maniobra política del primer ministro :«Los afrancesados están muy ufanos, y atribuyen a la generosidad de Burgos la amnistía (todo el mundo sabe que era cosa de Cea para aplacar a los liberales y a los ingleses y franceses, y engañar).»

109. J. de Burgos, *op. cit.*, t. I, p. 175.

110. Véase al respecto su *Historia de España y América*, Barcelona, 1961, t. V, pp. 168-172.

criticar nada del orden establecido. Se requería el genio de un Larra para burlar una censura siempre tan puntillosa, y conseguir, pese a este obstáculo, la proeza de crear el periodismo moderno. El 3 de noviembre de 1833, el *Correo literario y mercantil* fue suspendido por haber publicado un artículo en el cual Gallardo, bajo el seudónimo de "Nuño Vero", criticaba la política de Cea Bermúdez[111]. El decreto de enero de 1834 no impidió al ministro de Fomento valerse en reiteradas ocasiones del mismo medio en contra de los periódicos acusados de inconformismo. Atento a satisfacer las aspiraciones de las clases dominantes, Burgos estaba ligado a un reformismo moderado que permitía salvaguardar el orden al que estaban vinculadas la gran burguesía y la nobleza. Cuando extendió la amnistía a los ex diputados de las Cortes de 1812, cometió el error de pensar que las ideas de aquellos hombres no habían evolucionado más que las suyas propias. Era no tener en cuenta para nada la experiencia que algunos de ellos habían sacado de su estancia en Inglaterra, y sobre todo en Francia, en donde habían comprobado que una revolución hecha por el pueblo —las jornadas de julio de 1830— había redundado en provecho exclusivo de la burguesía. Los oradores de éxito de La Fontana de oro, del café Lorencini y de las sociedades patrióticas entre 1820 y 1823 se ven respaldados en la oposición por compañeros de exilio más jóvenes y más exaltados. Durante el último trimestre de 1833, Javier de Burgos veía con temor la creciente radicalización de las ideas liberales que atraían a los jóvenes «en cuyos cerebros bullían ideas de libertad», pero también a otros que calificaba entonces de «díscolos», «perdidos», «ociosos» y «ambiciosos», e incluso a gente honrada engañada, según él, por una propaganda que les hacía alimentar vanas ilusiones[112]. En realidad, ocurría que el pueblo y la clase media iban tomando confusamente conciencia de su difícil posición social y económica, sin que todavía pudiera hablarse de conciencia de clase. Así se explican la mayor parte de los motines y conmociones que agitarán al país a partir de entonces.

En reiteradas ocasiones, el superintendente de policía Manuel de Latre llamó la atención del gobierno sobre la propaganda de los liberales exaltados. Escribía en su informe del 3 de diciembre de 1833:

> Es ya preciso velar sobre los pasos de los revolucionarios llamados liberales: no son temibles sino por su espíritu de proselitismo sobre una juventud ociosa, e ignorante. Animados del mejor espíritu todos los individuos del R[ea]l Cuerpo de guardias de las R[eale]s Personas, veo con sentimiento que están espuestos a ser el juguete de esos viejos revolucionarios.

Según prosigue en su informe, el problema de la "contaminación" de los Guardias de Corps puede resolverse extremando la disciplina y ocupando los ratos de ocio de estos militares con el estudio de las ciencias y las artes de adorno. Pero difícilmente se podrá impedir que la juventud de Madrid sea seducida por las ideas de los «revolucionarios». El informe del 22 de diciembre llama la aten-

111. Gallardo se desquitó publicando el 12 de noviembre en el *Boletín oficial de Toledo* una fábula contra Cea y Lista, titulada *El delito del dátil*. Ambos textos se hallan en A. Rodríguez-Moñino, *Don Bartolomé José Gallardo*..., Madrid, 1955, pp. 137-139.
112. J. de Burgos, *op. cit.*, t. I, pp. 176-177.

ción acerca de la intensa actividad que éstos despliegan en sus clubs y asociaciones clandestinas «con nombres y ceremonias tan ridículos como es detestable su objeto[113]». Aunque todavía desordenada y sin objetivos claramente definidos, la oposición se manifiesta de día en día con una violencia tanto mayor cuanto que, en un régimen de monarquía absoluta como es el español, no dispone de medio legal alguno para hacer oír su voz.

113. AGP, Sección histórica, caja 294. Los términos utilizados por Manuel de Latre en estos informes denotan que se hallaba lejos de favorecer la formación de clubes y sociedades secretas, contrariamente a lo que piensa J. de Burgos (*op. cit.*, t. I, pp. 177-178), que afirma que esta pretendida actitud del superintendente de policía derivaba de su anterior afiliación a la francmasonería.

Capítulo IX

ESPRONCEDA, PERIODISTA Y MILITANTE DE LA OPOSICIÓN

LA PRENSA MADRILEÑA A COMIENZOS DE 1834. *EL SIGLO* Y SUS REDACTORES. LA POLÉMICA ENTRE *EL SIGLO* Y *LA ESTRELLA*.

A fines de 1833 y comienzos de 1834, el signo más claro del cambio político tras la muerte de Fernando VII lo constituye el nacimiento de numerosos periódicos. Javier de Burgos, presintiendo el peligro que podía representar la difusión de las ideas liberales por la prensa, había logrado atraerse con habilidad a algunos jóvenes escritores de talento. Según dice con énfasis Ferrer del Río, «supo apartar de la senda revolucionaria a la juventud estudiosa, empleando su actividad en las diferentes carreras del Estado [114]». Así fue cómo recayó en Estébanez Calderón, por decreto del 17 de noviembre de 1833, el cargo de redactor jefe del *Diario de la administración*; éste empezó a publicarse el 1.º de enero de 1834 y contenía comentarios lisonjeros acerca de las leyes y decretos firmados por el ministro de Fomento; el 26 del mismo mes, "El Solitario" —nombrado auditor general del ejército del Norte— fue sustituido en este cargo por Joaquín Francisco Pacheco [115]. Lista, por su parte, aprovechó las aptitudes de varios de sus jóvenes protegidos. En marzo de 1834, Eugenio de Ochoa entró en la redacción de la *Gaceta de Madrid*, viéndose favorecido por un rapidísimo ascenso[116]. Poco tiempo antes,

114. *Galería de la literatura española*, Madrid, 1846, p. 53.

115. *Ibid.*, p. 118; Cánovas del Castillo, *"El Solitario" y su tiempo*, Madrid, 1853, pp. 212-214: E. de Ochoa, *Apuntes...*, París, 1840, t. II, p. 615.

116. Ochoa fue nombrado oficial segundo el 21 de febrero de 1834; oficial primero el 27 de marzo; redactor segundo el 15 de marzo de 1835; redactor primero el 5 de septiembre (Archivo de clases pasivas, Madrid, Pensiones, leg. M 259, expediente de la viuda de Ochoa). Componían la redacción de la *Gaceta de Madrid* cuando Lista asumió su dirección (a principios de 1833): Pérez de Anaya, Cándido Nocedal, Mariano Rementería y Fica, y entre los taquígrafos,

en agosto de 1833, el discípulo y futuro biógrafo de "Anfriso", Francisco Pérez de Anaya, había solicitado la autorización de publicar *La Estrella, periódico de política, literatura e industria*, cuyo primer número salió el 22 de octubre siguiente; en realidad, el joven abogado no hacía sino actuar como testaferro en una empresa financiada por Cea Bermúdez a fin de defender su política; de ello se encargó Lista que redactaba los editoriales del periódico, el cual sucumbió al fin el 26 de febrero de 1834, ante el júbilo de la prensa liberal. Este hecho[117] en apariencia poco relevante significaba que, en la sorda lucha de influencias que tenía lugar en el interior del gabinete y en los círculos próximos al poder, Cea y sus seguidores tenían perdida la partida.

El 20 de diciembre de 1833, *La Aurora de España* (periódico de tendencia liberal nacido un mes antes, y tan insignificante como la personalidad de su redactor jefe, el polígrafo Antonio de Iza Zamácola[118]) publicó en su número 30, el suelto siguiente:

> Se habla de siete periódicos nuevos más que han de ver la luz pública a principios del próximo mes, y los que se creen enterados en el negocio dicen que han de llamarse: *El Diario de la administración, El Cínife, El Siglo, El Ateneo, El Redactor, La Gaceta de los tribunales y El Ladrón*. Con ellos serán 18, si no contamos mal, los periódicos que verá Madrid en el año próximo. Dios los saque a todos a puerto, y les deje ver con vida la venidera Navidad de 1834.

Que sepamos, con excepción del quinto y del último citado[119], todas estas publicaciones salieron a la luz a principios de 1834, pero su vida fue efímera. Entre ellos figura *El Siglo*, del que Espronceda fue uno de los principales redactores.

Hartzenbusch y Francisco de Paula Madrazo (Pérez de Guzmán, *Bosquejo histórico-documental de la "Gaceta de Madrid"*, Madrid, 1902, pp. 161-162.

117. Péréz de Anaya (AHN, Consejos, leg. 11344) se encargó de elevar la solicitud del permiso de publicación para *La Estrella* (agosto de 1833). Todo el mundo sabía que su principal redactor era Lista y que Cea lo financiaba. *Cf.* García de León y Pizarro, *op. cit.*, t. II, p. 51 (12 de septiembre de 1833): «Cea asalaría un diario en su defensa llamado *La Estrella*. Lista, Miñano y compañía son los redactores»; *ibid.*, p. 72 (1.º de diciembre de 1833): «... La Estrella, infame folleto de Lista.» En el margen de un ejemplar de su panfleto *Las letras, letras de cambio*, Gallardo anotó a la altura de la palabra *Estrella*: «Periódico redactado por Lista, i pagado por Cea, Embajador que había sido en Rusia.» (A. Rodríguez-Moñino, *op. cit.*, p. 142).

118. Cuando se alistó en la Milicia Nacional, Iza Zamácola declaró ser «celador de policía de la puerta de Segovia» (*Diario de avisos*, 2 de mayo de 1834). Era hijo de un literato olvidado, Juan Antonio de Iza Zamácola, cuya biografía publicó en el *Correo literario y mercantil* del 13 de febrero de 1832 (era uno de sus redactores). Según Carnerero, *La Aurora de España* cerró por orden de J. de Burgos porque uno de sus redactores había criticado el empréstito Aguado (García de León y Pizarro, *op. cit.*, t. II, p. 82, en el texto correspondiente al 30 de diciembre de 1833).

119. En el acto I de *La Redacción de un periódico* (1836), Bretón enumera los diarios nacidos y desaparecidos en 1834 y 1835. La alusión a *El Ladrón* parece darnos a entender que lo único que llegó a publicarse de este periódico fue su prospecto: «El efímero *Ladrón* / dijo al morir en la cuna: / No os hago falta ninguna. / ¡Hay tantos en la nación!» (citado por G. Le Gentil, *Les revues littéraires...*, París, 1909, p. IV).

Según Ferrer del Río, el periódico tenía como director a Bernardino Núñez de Arenas y como propietario a un tal Faura; a juzgar por Rodríguez-Solís, *El Siglo* habría tenido como «inspiradores y maestros» a Quintana, Lista y al duque de Frías [120]. Los biógrafos de Espronceda han repetido estos datos, aunque no todos parecen dignos de crédito. A través de los documentos oficiales, sabemos que fue un tal José Baez —personaje desconocido para nosotros— quien solicitó la autorización de publicar el periódico; la demanda iba acompañada por un ejemplar del folleto y fue aprobada el 11 de diciembre de 1833 por el subdelegado general de imprenta y librería, José Hevia y Noriega. Informado el 30 de diciembre de que había sido nombrado censor del futuro periódico, según expreso deseo de José Baez, el duque de Frías confirmó el 2 de enero siguiente que aceptaba dicho cargo; renunció a él el 24 de febrero, cuando fue nombrado embajador en París, siendo sustituido al día siguiente por Manuel González Allende, secretario del Banco de San Fernando [121]. Que Quintana fuera uno de los mentores de esta publicación es algo que parece realmente improbable; por otra parte, las escaramuzas entre *El Siglo* y *La Estrella* —de las que hablaremos más adelante— demuestran que Lista distaba mucho de compartir las ideas de Espronceda y sus amigos. Precisamente al pie de una respuesta a *La Estrella* publicada en el n.º 3 de *El Siglo* (del 28 de enero de 1834), aparecen los nombres de los cuatro redactores de este último periódico: Espronceda, Ros de Olano, Bernardino Núñez de Arenas y Ventura de la Vega; el tercero no menciona la condición de director que le atribuye Ferrer del Río. En cuanto al duque de Frías, no se limita sólo a ejercer las funciones de censor del periódico; publicó, en el n.º 1, el soneto cuyo último verso —«Porque el siglo es más grande que los hombres»— se recogió como epígrafe del periódico a partir del n.º 2 [122]. Es posible asimismo que contribuyera a la financiación de la empresa. José García de Villalta, Joaquín Francisco Pacheco y Nicomedes Pastor Díaz colaboraron también en los primeros números de *El Siglo* [123]. Pero la ausencia de firma al pie de los artículos publicados hace imposible, en la mayoría de los casos, atribuirlos con certeza a un determinado redactor.

El prospecto del periódico se compone de dos partes, de las cuales la primera contiene la exposición de las intenciones de los redactores, presentada en un es-

120. A. Ferrer del Río, *op. cit.*, p. 241; Rodríguez-Solís, p. 119. La redacción del periódico se hallaba en el domicilio de Bernardino Núñez de Arenas (véase *infra*, nota 142).

121. La solicitud de José Báez no figura en el expediente de autorización para publicar *El Siglo* (AHN, Consejos, leg. 11344), pero podemos situarla, a partir de la fecha de los documentos citados, hacia finales de noviembre de 1833.

122. Este soneto no aparece firmado en *El Siglo*. Se encuentra en las *Obras poéticas* del duque de Frías, Madrid, 1857, p. 227. Sabemos que Vega frecuentaba el salón de este personaje, pues colaboró en 1830 en la *Corona fúnebre* publicada en homenaje póstumo a la duquesa.

123. Villalta dejó de colaborar en el periódico por su desacuerdo con el contenido de un artículo aparecido en el n.º 5 (4 de febrero de 1834). J. F. Pacheco fue uno de los fundadores de *El Siglo*, y abandonó su redacción tras la publicación del n.º 4 para pasarse a la del *Diario de la administración* (según E. de Ochoa, *Apuntes...*, París, 1840, t. II, p. 615). N. P. Díaz figuraba también entre los fundadores del periódico, y así se hizo amigo de Pacheco (según F. de la Puente y Apecechea, en su prólogo a las *Obras* de Díaz, Madrid, 1866-1868, t. I, pp. XXXV-XXXVI; pero no precisa ni la naturaleza ni el tiempo de su colaboración); Hartzenbusch añade a estos nombres el de Pablo Avecilla (*Apuntes para un catálogo...*, Madrid, 1894, p. 247).

tilo desenvueltamente irónico y juvenil[124]. A pesar de su falta de experiencia y notoriedad, afirman haber sucumbido al capricho de convertirse en periodistas, pues también ellos quieren contribuir a «ilustrar al respetable público». Adoptarán el punto de vista del lector común: «Veremos las cosas como las ve el común de las gentes. Si no podemos dogmatizar como sabios, manifestaremos nuestras opiniones como hombres de bien.» Sus principios políticos aparecen presentados en términos bastante imprecisos y generales, por evidentes razones de prudencia; se fundan en «los sentimientos más puros de lealtad y adhesión a nuestra legítima reina Doña Isabel II y a su Augusta Madre». Los redactores no retrocederán ante el comentario de las decisiones oficiales y se esforzarán por «conciliar la verdad con la sumisión». Si bien afirman que «No hablaremos como gobernantes, sino como gobernados», hacen hincapié en la moderación de sus juicios: «Nuestras observaciones serán francas sin ser audaces ni peligrosas, y nuestras aplicaciones prácticas, ni innovadoras ni retrógradas.» Resulta comprensible que los servicios de Javier de Burgos no pusieran traba alguna para conceder la autorización de publicación a un periódico cuyos redactores proclamaban, tan claramente, no sólo su fidelidad a la «justa causa» de la reina, sino también su deseo de sensatez en sus comentarios políticos.

Los miembros del equipo de *El Siglo* eran conocidos en los círculos literarios de Madrid, y su empresa fue anunciada en términos halagüeños por varios de sus colegas. El 11 de enero de 1834, la *Revista española* publicó un artículo dedicado a los periódicos cuya publicación era inminente, y *El Siglo* es el que aparece citado en primer lugar. En su editorial del 16 de enero, *El Tiempo* escribía:

> Muy pronto va a salir a luz en Madrid un nuevo periódico titulado *El Siglo*: el buen concepto que en todos sentidos nos deben algunas de las personas que se dice están encargadas de su redacción, nos hace esperar que este periódico merecerá el aprecio general, y será digno del *siglo* en que se publica.

El primer número, que salió a luz el 21 de enero de 1834, incluye un artículo anónimo titulado "*Introducción*". El autor, que habla en nombre de todo el equipo, declara que los redactores no se conformarán sólo con dar cuenta de los acontecimientos, sino que también desean escribir «con arreglo al espíritu que parece dominar en nuestros días, tan célebres en sucesos extraordinarios como fecundos en esperanzas para la generación venidera». Gracias al desarrollo de la industria y del comercio, la «clase media» ha alcanzado un nivel de vida elevado; «por cuya razón, a pesar de que en las últimas revueltas que ha habido se hayan visto puestas en acción las ideas populares, la tendencia ha sido y es monárquico-aristocrática». Así pues, por ardiente que sea el deseo de disfrutar de los bienes que proporcionan los gobiernos justos,

> la antigua aristocracia y la clase media forman una barrera que puede y debe contener a los ambiciosos de todas clases que, apoyados en la muchedumbre holgazana

124. Véase el texto de este folleto en el artículo de Leonardo Romero Tobar "*El Siglo*, revista de los años románticos (1834)", *Revista de Literatura*, XXXIV, 1968, p. 15-29. En el capítulo siguiente estudiamos la parte dedicada al análisis de las ideas literarias.

y vagabunda, intentaren trastornar el orden público y las garantías sociales que un soberano benéfico proporciona a sus súbditos.

Estos son los principios que constituyen la plataforma política y social del periódico. Vemos que su objetivo no es el de propagar doctrinas democráticas, y menos aún revolucionarias, susceptibles de hacer peligrar el equilibrio de la sociedad. Según el periodista de *El Siglo*, la monarquía constitucional —de la que la opinión liberal esperaba entonces que Martínez de la Rosa sentara las bases— debía evitar a España los disturbios internos apoyándose en las clases influyentes. En efecto, el autor del artículo parece considerar el proletariado como una categoría cuyas aspiraciones son desdeñables y sus veleidades de emancipación se ven condenadas de antemano en su totalidad, en nombre del orden. Una postura de tal naturaleza no podía resultar preocupante para las autoridades, ni para el «respetable público» al cual iba dirigido el prospecto.

El texto de este primer número, que suscitó innumerables reacciones en la prensa madrileña, es una corta comedia en un acto (probablemente escrita por Ventura de la Vega, autor dramático del equipo); el título de la misma, *La visita de los periódicos*, recuerda el de *La visita de los chistes* de Quevedo. Los personajes son los siguientes:

La Gaceta, ama de casa; *Diario de avisos*, vejete, antiguo amigo de *La Gaceta*; *Revista española*, dama muy elegante y siempre puesta a la última moda; *Boletín de comercio*, primer galán; *El Tiempo*, joven corto de vista; *Estrella*, vieja ridícula; *Siglo*, galán joven; *Ateneo*, hombre maduro, tardo en comprender; *Diario de la administración*, sujeto formal y rico en su porte; *Correo de las damas*, joven educado en Francia, vacío de conceptos; *Boletín oficial*, niño; *Calendario y Guía de forasteros*, dependientes de la casa.

Esta forma poco habitual de expresar la opinión sobre los colegas no dejó de suscitar diversos comentarios. De ahí que *El Siglo* diera de inmediato que hablar, que era probablemente lo que deseaban sus redactores. A pesar del papel poco halagador que le habían atribuido, *El Tiempo* demostró ser buen perdedor, y en su número del 22 de enero recomendó a sus lectores *La visita de los periódicos*: «La originalidad de la idea, lo bien desempeñada que está y las gracias en que abunda, le dan un lugar distinguido entre los artículos de esta clase.» El mismo periódico publicó el 3 de febrero de 1834 un diálogo titulado —en recuerdo de la obra de Quevedo, *El mundo por dentro*— *La redacción por dentro*, cuyo autor especificaba que se había inspirado en el texto publicado en *El Siglo*. El *Boletín oficial* del 23 de enero reprendió al autor de *La visita de los periódicos*, que le había calificado de «niño», diciendo que era

sin duda porque ... compara las dimensiones del papel con las grandes hojas del suyo. El articulista debió tener presente que el principal objeto del *Boletín oficial* es comunicar a los pueblos las órdenes de las autoridades provinciales, y para esto le sobra con su tamaño: todo lo demás que contiene es accesorio.

El *Boletín de comercio* había sido bien tratado; de ahí que en sus columnas se pudiera leer, el 24 de enero, que «el éxito de este periódico [*El Siglo*] no puede ser dudoso», siempre que los números siguientes sean dignos del primero y, por otra parte, uno y otro «no desmentirán ambos la amistad que según parece se profesan». *El Ateneo* del 25 de enero reacciona con cierta hosquedad: «El primer número no ofrece gran variedad»; si bien hay algunos artículos interesantes, «en ellos reconocemos la misma pluma del prospecto, pero a decir verdad, hallamos más elegancia en las frases, que no vigor en los conceptos». En una palabra, sus redactores se sintieron molestos por haber sido tratados de «machuchos, sordos y dormilones». Quien tuvo como respuesta una violenta reacción fue *El Correo de las damas* —en el que Larra había dejado de colaborar desde el 4 de diciembre de 1833—, asegurando (en el n.º 32, del 25 de enero de 1834) que, contrariamente a las afirmaciones de *El Siglo*, había combatido siempre los galicismos y nunca había comulgado con las ideas defendidas por *La Estrella*.

La polémica con este último periódico se prolongó durante más tiempo. Presentado como una «vieja ridícula» en *La visita de los periódicos*, se vio maltratado de nuevo en el n.º 2 de *El Siglo* (del 24 de enero): en un breve texto satírico titulado *Ficción planetaria*, se describía los planetas del sistema solar dando caza a una estrella intrusa —*La Estrella*— y expulsándola del firmamento por «facciosa». Cuatro días más tarde (en el n.º 57, del 28 de enero), el diario de Lista contraatacaba:

> Prescindiendo de otras pruebas que daremos a su tiempo, baste decir y protestar que en la delicadeza, trato fino, y exquisitos modales de los sujetos que se designaban como colaboradores del *Siglo*, no cabe la grosería de tirar un par de coces a los que han hablado favorablemente de su proyecto y celebrado sus nombres. Esta idea, suficiente en nuestro entender para persuadirse de que no son redactores de este periódico los estimables jóvenes que le daban los rumores públicos, nos facilita entregarnos más a nuestro salvo con este carísimo hermano, sin tener que guardar ceremonias, ni consideraciones personales.

Y además, sólo encuentran en este recién llegado

> flujo de palabras sin sentido, ... torpe, ruda y extravagante fraseología, ... gracias que hacen bostezar, y en que se *pretende* ridiculizar a un periódico porque habla a la razón, porque tiene una opinión política, que si bien es la de la nación española, podrá no ser la del café o tertulia donde concurren los redactores del *Siglo*.

Heridos en lo más hondo, éstos replicaron en su número del mismo día con un comunicado firmado en el cual aclaraban su postura; especificaban que si, desde el comienzo, habían declarado la guerra a *La Estrella*, era para que nadie fuera a pensar que compartían las opiniones de ésta, «cuando tanto trabajo y tantos padecimientos [les] ha costado sostener la [suya] sin tacha». Pero como Lista, el viejo maestro de San Mateo, escribe en este periódico execrable, introducen una frase que, aunque bastante insolente, da a entender que no es a él a quien se ataca personalmente, sino las ideas políticas que defiende:

> Por último cuando nosotros personificamos *La Estrella* no hablábamos de sus redactores, hablábamos sólo del periódico y no de los que en él escriben, y ahora hablando con ellos les aconsejamos que no se metan personalmente con nosotros porque es laberinto de muy *dificultosa salida*.

El comunicado terminaba con las siguientes palabras: «No sabemos si somos los jóvenes de *sobresaliente mérito* que creían; pero sin mérito o con él, somos: — J. de Espronceda.— A. de Ros.— B. Núñez de Arenas.— V. de la Vega.» El 30 de enero, *La Estrella* respondió en un tono irónico y condescendiente. A pesar del gran respeto que le merecen las cuatro firmas de los redactores de *El Siglo*, los desafían a que especifiquen cuáles son estos padecimientos que, según ellos, han sobrellevado para mantener una reputación intachable, así como las acciones de guerra en las cuales nunca dieron la espalda al enemigo: buen tema para un poema épico. *El Siglo* replicó el día siguiente en su número 4: *La Estrella* cree sin razón que las ideas que defiende son las de toda la nación; si sus redactores son realmente los que el público imagina, hacen mal en buscar querellas personales. Esa hoja no es sino «una vieja decrépita y viciosa, que sube de su guardilla a predicar moralidades en las calles», y sus opiniones son las de «un partido retrógrado, desorganizador y tan odioso como impotente». Aquel mismo día —el 31 de enero— se produjo un incidente que García de León y Pizarro relata en los siguientes términos: «Contrapunteados los de *La Estrella* y *El Siglo*, aquéllos han venido con cuatro o cinco guardias de corps a desafiar a *El Siglo*; no sé las resultas [125].» Aun cuando el asunto no parece haber tenido serias consecuencias, demuestra que la polémica se enconaba peligrosamente. El 3 de febrero, *La Estrella* declaró que ya no iba a contestar más a los ataques de *El Siglo*; deseosa de no responder más que en el terreno de la razón, se negaba a proseguir el debate con el apasionamiento al que lo habían llevado cuatro jóvenes atolondrados.

Esta polémica, marcada por un intercambio de comunicados violentos y cargada de sobrentendidos, fue el combate más duro de los que *La Estrella* tuvo que mantener contra sus colegas, casi unánimes. Pero éstos preferían utilizar en sus ataques las armas de la ironía, como lo hacía el *Boletín de comercio*, y también Gallardo quien, en su panfleto *Las letras, letras de cambio* [126], definía así el periódico de Lista:

> esa negra *Estrella* (errando por todos caminos) que al móvil y reflejo del Astro de Noruega que la arrastra, difunde por nuestro suelo las pestilentes influencias del autocratismo y otras tales plagas (¡como si las del cólera y la cólera no bastasen para la desolación nuestra!).

La Estrella publicó su último número el 26 de febrero de 1834; al día siguiente, podía leerse en *El Cínife* su oración fúnebre, que empezaba con estas palabras: «Murió al fin *La Estrella* de un ataque fulminante de opinión pública.» Este diagnóstico humorístico expresaba la verdad. Por sus posturas inmovilistas o retrógadas, dicho periódico se habia granjeado la animadversión, tanto de los liberales extremistas, partidarios de reformas radicales, como de los liberales conservadores «que se agrupan poco después en torno a *La Abeja*, en su deseo de no

125. J. García de León y Pizarro, *op. cit.*, t. II, p. 95.

126. Reproducido *in extenso* en *Obras escogidas de Bartolomé José Gallardo*, ed. y notas de P. Sáinz y Rodríguez, Madrid, 1928, t. I, pp. 115-139. El fragmento citado se encuentra en la p. 126. Véase también P. Sáinz y Rodríguez, "Gallardo y la crítica de su tiempo", *RH*, LI, 1921, pp. 327-328.

verse confundidos con quienes abogan contra la libertad de la imprenta, contra la libertad política y contra un sistema representativo»[127]. Desde finales de 1833, el despotismo ilustrado de Cea había caído en un total desprestigio. Los generales Llauder (el 24 de diciembre) y Quesada (el 8 de enero siguiente), el primero desde Barcelona y el segundo desde Valladolid, habían dirigido a la reina representaciones amenazadoras en las cuales exigían en términos enérgicos la destitución del primer ministro. Zarco del Valle y Javier de Burgos, preocupados por este descontento general que los exaltados podían explotar peligrosamente en su favor, aconsejaron mal de su grado a María Cristina que sustituyera a Cea por Martínez de la Rosa.

Cuando éste tomó las riendas del gobierno a mediados de enero de 1834, heredaba una situación, si no desastrosa, cuando menos gravísima. En efecto, en aquel momento, la economía, el ejército y la administración se hallaban en una situación lamentable; la facción carlista se hacía cada día más amenazadora. En lugar de cortar por lo sano, como deseaba la opinión liberal, el primer ministro se limitó a efectuar reformas de poca monta en el interior, y en el exterior se esforzó ante todo por obtener el apoyo de Francia e Inglaterra. Perfectamente informado de las intrigas que precedieron y siguieron a la caída de Cea, García de León y Pizarro escribía el 9 de enero de 1834:

> Parece que, apretada la reina a quitar a Cea por todas partes, y en especial por Cataluña, se trata de poner a Martínez de la Rosa; a los afrancesados les conviene, y a los anilleros más, a los extranjeros también, y a Cea mucho por sus espaldas; cada uno por razones diferentes que no hacen mucho honor al candidato.

El 10 y el 14 de febrero, apuntaba que los verdaderos jefes del nuevo gabinete eran Burgos y Zarco del Valle, que no dejaban ninguna libertad de acción al primer ministro, a quien calificaba el 20 de «aislado, flojo e inexperto, y acaso dirigido por [Mariano] Carnerero, que no está mal con Cea»[128]. En resumen, Martínez de la Rosa no tenía las manos libres, y los partidarios de su antecesor seguían desempeñando un papel importante en la dirección de los asuntos políticos. Podemos suponer que los redactores de *El Siglo* estaban más o menos enterados de esta situación, y así entendemos mejor sus requerimientos al primer ministro: aunque no podían manifestarlo por escrito, esperaban convencer a éste de que se librara —lo cual era imposible— de hombres de mentalidad retrógrada —lo cual era demasiado pedir a un hombre que carecía de autoridad. Para escapar a las presiones de signo opuesto de que era objeto, Martínez de la Rosa se vio

127. Juretschke, p. 161. Sobre las ideas políticas de Lista, véanse también las pp. 353-371. Al evocar la campaña desatada contra el periódico financiado por Cea, Larra escribió: «Diez y nueve siglos, llenos de reconvenciones, se alzaron a una contra la pandilla blanca; y ¿quién les pudiera resistir? Tampoco se descuidaban los acometidos; volaban *Estrellas* por todas partes, pero daban en el aire con los *Siglos*, y los *Boletines*...», ("Los tres no son más que dos", *Revista española*, 18 de febrero de 1834; BAE, t. CXXVII, pp. 349b-350a).

128. García de León y Pizarro, *op. cit.*, t. II, pp. 85, 97-98 y 100. Sobre la situación en enero de 1834 y la política del nuevo ministerio hasta junio, véase J. Sarraihl, *Un homme d'État espagnol, Martínez de la Rosa*, Burdeos, 1930, pp. 185-204, y J. Tomás Villaroya, *op. cit.*, pp. 41-86.

abocado a una política de compromisos sucesivos, que provocó la decepción, la posterior desconfianza y, por último, la abierta hostilidad de los que exigían rápidas reformas, como las de un gobierno representativo, la convocatoria de las Cortes y la ampliación de las libertades.

LAS IDEAS POLÍTICAS DE *EL SIGLO*; SUS DIFICULTADES CON LA CENSURA

Según escribía más tarde Larra traduciendo a Charles Didier, el nuevo jefe del gabinete era ante la opinión «un ministro de la Constitución, un antiguo diputado de las Cortes de 1812, un hombre que había expiado el doble crimen en los presidios de África y en la emigración» [129]. El retorno de Martínez de la Rosa al poder fue considerado por los liberales como una victoria, como el presagio de un cambio total de política, y como el signo de la pronta y definitiva desaparición de los vestigios del Antiguo Régimen: entusiasmo que justificaba su pasado como estadista. Con cierto despecho retrospectivo, Javier de Burgos escribirá más tarde que, a partir de la toma de posesión del nuevo jefe de gabinete «todas las trompetas de la fama preconizaban el triunfo de las doctrinas liberales ... La prensa periódica de Madrid no tenía bastante incienso que quemar en honor de Martínez de la Rosa y Garelly, sus ídolos entonces[130]». Pronto comprendieron los liberales "exaltados" que el sucesor de Cea no era ya, como habían pensado, aquel hombre de 1812 y 1820.

Al parecer, Espronceda, Vega y uno de sus amigos fueron los primeros en difundir la noticia de la caída de Cea en el baile de máscaras del palacio de Villahermosa. Cada uno de ellos había cosido en su dominó negro una gran letra blanca, una C, una E y una A; recorrieron el salón, cambiando cada vez de sitio, de modo que pudiera leerse CEA, y luego CAE. Se presentaron después ante Martínez de la Rosa que asistía al baile, y tras felicitarle, añadieron: «Pero cuidado con los pasteles [131].» La anécdota demuestra que los redactores de *El Siglo* se alegraban del cambio de ministerio, pero que sólo estaban dispuestos a respaldar al nuevo jefe de gabinete a condición de que éste evitara cualquier compromiso, cualquier término medio. Un artículo publicado en el n.º 1 del periódico —del 21 de enero de 1834— reflejaba esta postura; el autor del mismo daba por seguro que la política de Martínez de la Rosa se traduciría muy pronto en los hechos en una considerable ampliación de las libertades públicas, condición indispensable

129. *De 1831 à 1836...*, BAE, t. CXXVIII, p. 333b.

130. J. de Burgos, *op. cit.*, t. I, p. 224. Sobre esta reacción favorable de la prensa, véase J. Tomás Villaroya, *op. cit.*, pp. 46-48 (el autor no habla de *El Siglo*).

131. Esta anécdota la recogen Ramírez de Villaurrutia, *La reina gobernadora D.ª M.ª Cristina de Borbón*, Madrid, 1925, p. 83; L. de Sosa, *Don F.co Martínez de la Rosa poeta y político*, Madrid, 1930, p. 143; R. Eggers y E. Feune de Colombí, *Francisco de Zea Bermúdez y su época...*, Madrid, 1958, p. 136. Pero el tercer personaje no podía ser Miguel de los Santos Álvarez, nacido el 5 de julio de 1818, pues no llegó a Madrid hasta mediados de 1836 (N. Alonso Cortés, *Zorrilla, su vida y sus obras*, 2.ª ed., Valladolid, 1943, pp. 64 y 90). Más bien debía tratarse de Pedro Álvarez, que se alistó en la Milicia Nacional el mismo día que Espronceda, y declaró entonces que ejercía la profesión de escritor público (AVM, Milicia nacional, leg. 2-84-5; véase *infra*, p. 289).

para una renovación económica y social de España. La conclusión del editorial es reveladora del estado de ánimo de estos jóvenes liberales:

> La opinión se forma de una multitud de juicios, del debate, de las controversias; y nosotros procuraremos ser colaboradores de esta grande obra, ya que afortunadamente llegó para España el tiempo de que esta grande obra sea factible, ya que el bien no es una quimera, ya que los sanos principios de la razón y de la filosofía no son teorías impracticables, ya que a merced de una Reina sabia y generosa, el gobierno que ella elige está ligado a los intereses generales de la nación que manda, y ya que a merced de este gobierno el trono cesará de ser un poder fundado en el acaso y en la fuerza para fundarse en la ley y en el amor, y la España dejará de ser una multitud para ser una sociedad.

En el n.º 2 —del 24 de enero de 1834—, un artículo titulado *Poesía*, y atribuido por lo general a Espronceda, evoca las medidas tomadas con vistas a la reorganización de los teatros madrileños, y termina con estas palabras lisonjeras:

> La hora de las reformas ha sonado para España. El hombre a quien nuestra Reina fió el encargo de romper las trabas del teatro ha sido llamado a romper las de la nación ... Nosotros, pues, creemos estar obligados a cooperar con tan ilustre guía a la grande obra de nuestra regeneración política y literaria [132].

Pero el editorial del mismo número —*Observaciones sobre el real decreto de 4 del actual relativo a la impresión y publicación de libros*— contiene reservas, cautas pero serias, acerca de las medidas recién adoptadas por Javier de Burgos, así como una protesta contra el mantenimiento de la censura y los funcionarios que la ejercen; escribe con audacia el autor: «Contemplamos la amargura que habría angustiado a los grandes ingenios, sujetándolos a la supervisión de las inteligencias comunes»; y finaliza con la idea de que, puesto que la nación entera se muestra unánime en apoyar el partido de la reina, no habría peligro alguno en dejar publicar todos los escritos sin control previo.

El texto más importante del n.º 3 (del 28 de enero) lleva el título: *Sobre los derechos de propiedad, libertad individual, etc.* En él el autor demuestra «que no puede haber riqueza sin industria, ni industria sin derecho de propiedad». Conviene pues que este derecho sea garantizado por el Estado, a fin de que los ciudadanos trabajen para hacer fructificar sus bienes, único medio de asegurar la prosperidad de la nación; así sucede en los Estados Unidos, en Francia e Inglaterra, mientras que en España la ignorancia y la incuria administrativa hacen que no se exploten las riquezas naturales y que el país siga en la pobreza. Ahora bien, este estado de cosas sólo puede cambiar si los españoles tienen aseguradas sus

132. Rodríguez-Solís atribuyó este artículo a Espronceda (p. 121), así como el titulado *Influencia del gobierno sobre la poesía* (*El Siglo*, 12, 28 de febrero de 1834), basándose en el testimonio de contemporáneos del poeta. En principio, no hay nada que se oponga a esta atribución. Ambos textos aparecen en BAE, t. LXXII, pp. 579-582. Véase al respecto *infra*, pp. 308-323. La medida mencionada en nuestra cita es la creación, por decreto del 20 de noviembre de 1833, de una comisión para la reforma de los teatros, compuesta por Quintana, Martínez de la Rosa y Lista (véase A. Rumeau, "Le théâtre à Madrid à la veille du romantisme", *Hommage à E. Martinenche*, París, s.f. [1939], p. 340).

libertades y si los gobernados pueden ejercer un control sobre los gobernantes. En unas cuantas frases prudentemente escritas en condicional, el periodista sugiere el remedio, que se apresura en mostrar conforme a la tradición nacional, por lo menos tal como él la concibe:

> ... pudiera haber llegado el caso que el Gobierno, para consolidar el bien general, y dar nuevo brillo al Trono de nuestra augusta Reina, tuviese que convocar las cortes del reino, según uso y costumbre de nuestros mayores. Prescindiendo de lo que las leyes de España pudiesen prevenir sobre el particular, ya en el fallecimiento de los reyes, ya cuando lo exijan asuntos en que se interese el pro común al del reino, hay circunstancias extraordinarias que pueden obligar imperiosamente al remedio de males que se hallarían evitados en el cumplimiento mismo de las leyes.

Más adelante, tras presentar el cuadro idílico de una España próspera y previamente a la evocación exclamativa de este feliz día, dedica las siguientes palabras a Martínez de la Rosa: «Grave y alta es la misión del ministro que ha de dictar medidas de tanta trascendencia; ilustre y pura será la gloria que dé esplendor a su nombre en los fastos de la patria.» Son unas felicitaciones anticipadas, acompañadas no obstante de una discreta advertencia.

Hay que esperar al n.º 5 (del 4 de febrero de 1834) para que aparezca una definición más concreta de la postura de *El Siglo* en el artículo titulado *Sobre los partidos políticos de España*. Se inicia con un violento ataque a la monarquía absoluta: ésta constituye un absurdo, puesto que el monarca, como cualquier otro ser humano, es falible; los partidarios de esta doctrina —actualmente, los carlistas— son «intrigantes, de poca moralidad y patriotismo, y enemigos abiertos de las luces que nunca los malvados aman»; su causa, que pretenden legítima, ¿acaso no está en contradicción formal con la voluntad del difunto rey? Sigue luego una feroz diatriba anticlerical, de la que extraemos el siguiente pasaje:

> Sabe España, que antes querría este partido convertirla en un tenebroso campo de cadáveres y hogueras, y mandar él, que verla florecer si otros mandaban; sabe que no tienen los eclesiásticos, únicas personas que han seguido a D. Carlos, ni virtudes, ni talento, ni moralidad, ni influencia, ni cualidad alguna distintiva, excepto un frío y refinado egoísmo.

El otro partido se distingue «por su maldad y bajeza», es el del inmovilismo —entiéndase: el de los seguidores rezagados de Cea—, que aconseja «que no retrogremos para no empeorar; que no progresemos para no estar mejor». Huelga entretenerse por más tiempo en calificar a esa gente «cuyo reino ha pasado para siempre». En cuanto a la tercera familia política, la de los liberales, de los «amantes de la libertad», está compuesta por

> toda la juventud y todos los ingenios esclarecidos y puros de la nación; la inmensa mayoría de la nobleza; el comercio en masa, con las ramificaciones de todos los tráficos; la inmensa mayoría de los propietarios, de los artesanos y de los labradores; todo el ejército en masa, y de él, con más ahínco los más distinguidos oficiales; todos los abogados de distinción, los médicos de conocimiento, los literatos, los artistas, la parte *viva* y *sana* de la nación.

A decir verdad —agrega el autor— no se trata de un partido en el sentido estricto de la palabra, sino de la «concurrencia unánime invencible de la nación». Los liberales desean la libertad para todos, incluyendo aquellos «que aún gimen ausentes y desterrados de su amada patria» (se trasluce aquí una discreta invitación a suprimir las restricciones de los recientes decretos de amnistía). Por último, el artículo finaliza con la visión imaginaria de España, tal como sería en caso de triunfo carlista; un cuadro que se asemeja mucho al del país durante la ominosa década:

> Una inspección de estudios, encargada en el exterminio de la razón; violentas contribuciones, cegando por todas partes las fuentes de la industria; una policía sutil y perversa espiando palabras y pensamientos; gavillas de soeces vagabundos insultando a gentes honradas y pacíficas. ¿Quién podría permanecer en España? ¿Quién que tuviera en sí la sospechosa cualidad de conocer las letras no huiría si acaso lograba escapar del patíbulo?

Esta profecía recoge, a fin de ilustrarla de forma más precisa, la idea expresada en un artículo del n.º 1 (*Sobre el nuevo ministerio*): «creemos que el abandono y el olvido de los grandes intereses públicos ha traído por consecuencia necesaria los abusos y los males de la administración», artículo cuyo redactor solicitaba «independencia, orden, libertad justa y legítima».

Adivinamos que estas aspiraciones no se vieron satisfechas con toda la rapidez que deseaban los redactores de *El Siglo*, en cuyos artículos se refleja una impaciencia creciente. Al referirse en el n.º 6 (del 7 de febrero) a la «homogeneidad de la administración», uno de ellos ataca a los hombres que han conservado su puesto en las oficinas del Estado, culpándoles de dedicarse a demorar el efecto de las medidas adoptadas por el nuevo equipo ministerial. Este mismo tema se recoge y desarrolla en el editorial del n.º 9 (del 18 de febrero), titulado *Vindicación de algunos males que afligen a España*. Las acusaciones son más concretas; aunque ninguna de las personas acusadas sea citada por su nombre, el recuerdo de las intrigas en torno al lecho del rey enfermo en La Granja en 1832 permite saber quiénes son el «traidor ministro» y los «pérfidos consejeros» cuyas maniobras estuvieron a punto de sumir el país en el caos. Estos hombres no han recibido castigo alguno: «¿Y quién los iba a juzgar?... Autoridades de entre ellos mismos, jueces de su misma opinión, y tal vez, como se ha visto en algunas partes, complicados en las mismas causas y partícipes de sus mismos proyectos.» Y todavía hoy, sigue habiendo funcionarios que poco ha proclamaban claramente su simpatía por los facciosos. ¿Acaso el cura Merino y la junta de Vitoria no fueron informados hace poco de decisiones importantes antes que las autoridades interesadas? Algunos de estos funcionarios del Estado pronto se sumarán a los carlistas «si el brazo vigoroso del actual ministerio, en quien la nación toda tiene una ilimitada confianza, no los imposibilita con una medida fuerte». Aun cuando el autor del artículo afirma luego que está muy lejos de «querer precipitar su decidida marcha», se trata realmente de un requerimiento a actuar en contra de esos peligrosos defensores del absolutismo, que encontramos «en los pueblos, en los conventos, en las autoridades». El gobierno puede contar con el apoyo de «la mayor y más sana parte de la nación» que «unida al valiente ejército, ofrece sus robustos brazos, contra quien inútiles serán todos los esfuerzos del fanatismo». En resumen, es conveniente que el ministerio defina con claridad la política que se propone seguir. Y el autor acaba con las frases siguientes: «A la inteligencia y patriotismo de los gobernantes queda juzgar de nuestro dictamen, y hacer la aplicación más oportuna para el triunfo de la causa nacional.» No podemos afirmar que dicho artículo sea obra de Espronceda; aunque la impresión de honda sinceridad que emana de este texto, trémulo de indignación y de juvenil intransigencia, fácilmente nos induciría a atribuírselo.

El editorial del n.º 7 (del 11 de febrero) titulado *Sobre Cortes* —y firmado con las iniciales S.C.C. (¿acaso Saturnino Calderón Collantes?)— insiste, como casi todos los demás periódicos de Madrid, en la necesidad de convocar prontamente una asamblea representativa, e incluye un panegírico de las Cortes del Antiguo Régimen en una evocación histórica algo escueta y bastante mal documentada. Curiosamente, este artículo termina con un juicio halagador sobre Fernando VII, inesperado en un periódico que se declaraba opuesto a la monarquía absoluta; nota falsa que se debe probablemente al hecho de que los colaboradores de *El Siglo* no tenían todos idéntica concepción del liberalismo. A causa de esas divergencias de opinión, varios de ellos dejaron la redacción del periódico tras la publicación de los primeros números; sólo se hizo pública la dimisión de García de Villalta, en un comunicado del interesado que apareció inserto en el *Boletín de comercio* y *El Cínife* del 11 de febrero. Villalta manifestaba su disconformidad con el contenido de un artículo del n.º 5 de *El siglo* —lamentamos que no especificara el título del mismo— respecto al cual los redactores, bastante embarazados, dieron la siguiente explicación en el n.º 10 (del 21 de febrero): «Nosotros no tenemos nada que contestar sino que aquel artículo se nos había remitido y que nuestras opiniones son demasiado conocidas, y nadie las sabe mejor que el señor Villalta.»

Éste respondió muy atentamente en una carta, publicada en el n.º 13 de *El Siglo* (del 4 de marzo de 1834), en la cual explicaba que le parecía que el artículo incriminado podía perjudicar la unidad doctrinal del periódico.

El artículo de fondo del 21 de febrero de 1834 (n.º 10), titulado *Política interior*, comenta las tres palabras «libertad, orden, justicia» que constituyen la divisa del gobierno en ejercicio. El editorialista garantiza su apoyo al gobierno, pero manifiesta ciertas reservas y objeciones que acompaña de ejemplos. No basta con buenas intenciones cuando hay que enfrentarse a enemigos que asestan golpes bajos y que utilizan como armas la perfidia y la hipocresía: así es cómo actúan los carlistas, igual que actuaron durante la ominosa década los Voluntarios realistas, y como lo hizo poco ha González Moreno para hacer caer en una trampa al infortunado Torrijos, y también Chaperón, secundado por su «policía inquisitorial». Si bien es bueno y justo correr un velo sobre esa triste época, así como perdonar y olvidar, resulta malo y peligroso en cambio ceder a las presiones de los absolutistas opuestos a las reformas. Precisamente acababa de hacerse una lamentable concesión al partido retrógrado al limitar el reclutamiento de la Milicia urbana mediante claúsulas restrictivas: «por un cálculo aproximado sólo podrán tenerla unos 600 pueblos de los veinte y tantos mil de que se compone España.» Ello supone un grave error, una falta de confianza injustificada en los sentimientos de fidelidad de los españoles a la causa de la legitimidad. El artículo finaliza con las siguientes palabras, en las que se traslucen el resentimiento y la decepción de los antiguos emigrados:

fíe la defensa del trono de su inocente Hija a unos hombres de quienes sólo debe esperar amor y fidelidad, pues a su alma generosa deben su restitución a los hogares patrios, y bien pronto le deberán más todavía: le deberán la libertad que merecen tener, porque siempre han sido *leales*.

En el n.º 13 (del 4 de marzo de 1834), la *Revista española* es maltratada por la indulgencia que ha demostrado y sigue demostrando para con los hombres en el poder; la declaran aquejada de «*adulitis crónica*, *adulitis inveterada*, y de aquéllas de último grado; adulitis, en fin, ministerial», siendo pues acusada sin contemplaciones de adulación servil. El mismo número incluye un artículo de fondo titulado *Sobre la responsabilidad de los ministros*. Con el pretexto de defender el principio según el cual sería justo y razonable que los ministros tuviesen que responder de su gestión, puesto que no son más infalibles que el común de los mortales, el editorialista arremete con fuerza contra el despotismo. No hace falta saber leer entre líneas frases como las que siguen —la última de las cuales pone punto final al artículo— para advertir que se trata de un ataque directo contra determinados miembros del gabinete:

> Un momento de inconsiderada precipitación, un enojo particular, un resentimiento de que no está libre el corazón más noble cuando sólo se gobierna por su voluntad, un acto de debilidad o condescendencia puede hacerle cometer un extravío imperdonable ... ¿Pero quién será tan prudente y tan filósofo que no abuse nunca de su poder? ¿A quién no le aficionará el mando, ya por codicia vil, ya por noble deseo de gloria, ya por efímera vanidad? ... Cuando la debilidad, la falta de talento y ánimo mezquino de un ministro se hagan públicos a la faz de la nación entera, seguro es que el hombre de más descaro temería ser ministro ... no habrá nunca seguridad individual, paz, probidad ni justicia, mientras el temor de la responsabilidad no cargue sobre el alma de los ministros.

No puede ser una coincidencia que el número de *El Siglo* que contiene dicho artículo se publicara justo el día después de que su colega *El Cínife* acabara de ser suprimido por decreto. De ahí que Javier de Burgos, que había tomado esta medida, fuese objeto de una acusación, intencionada o no. No era esta la primera vez que los redactores de *El Siglo* se metían con la censura. En una recensión sobre el reestreno de *El sí de las niñas*, Ventura de la Vega [133] protestaba, en el número 6 (del 7 de febrero), contra las mutilaciones impuestas al texto de Moratín:

> ¿A qué vienen esas correcciones tan ridículas, tan pueriles, tan sin gracia, que se han hecho en una comedia que todo el público sabe de memoria? Los murmullos y chicheos de indignación que sonaron en el teatro al echar de menos lo suprimido, prueban lo inútil de tan impertinente cavilosidad.

133. Aunque no están firmadas, podemos atribuir las crónicas teatrales a Ventura de la Vega. En la reseña anónima de *El colegio de Tonnington* publicada el 28 de mayo de 1834 en el n.º 24 de la *Gaceta de los tribunales* se puede leer: «En cuanto al Sr. Romea, recordamos con placer haber dicho en *El Siglo* [etc.]»; y, en el mismo número, una noticia breve señala, a propósito de un artículo anterior sobre *Ana Bolena*, que Vega se ocupaba de la crónica de teatros.

Unos días más tarde, Javier de Burgos ordenó efectuar un registro en casa del antiguo emigrado Calero, impresor del panfleto de Gallardo, *Las letras, letras de cambio*. El 21 de febrero de 1834, en su n.º 10, *El Siglo* solicitó la apertura de una investigación, así como la inculpación del interesado a fin de que éste pudiese beneficiarse de todas las garantías judiciales, y protestó contra el hecho de que Calero hubiera sufrido arresto domiciliario, medida arbitraria e ilegal.

Estos ataques a una institución oficial, que tienen como blanco al ministro del que ésta depende, no serán tolerados por mucho tiempo. El censor de *El Siglo*, el duque de Frías, está a punto de dejar Madrid para ir a ocupar su puesto de embajador en París; el 25 de febrero, Javier de Burgos lo sustituye por Manuel González Allende. El 28 de febrero, sale el número 12 con el siguiente aviso a los lectores:

> Por causas que no ha estado en nuestra mano evitar, hemos tenido que sustituir, a última hora, los materiales que van en el presente número, a los que teníamos preparados: esto ocasiona la tardanza con que se reparte hoy, y que esperamos disimularán nuestros lectores.

Así pues, el nuevo censor se había mostrado menos indulgente; los textos publicados en los números 12 y 13 son anodinos, exceptuando el artículo referente a la responsabilidad de los ministros, publicado tal vez a pesar de la oposición de aquél. El 7 de marzo de 1834, sale a luz el número 14; de los artículos censurados, sólo se han imprimido los titulares —*De la amnistía*, *Política interior*, *Carta de Don Miguel y Don Manuel María Hazaña en defensa de su honor y patriotismo*, *Sobre Cortes*, *Canción a la muerte de don Joaquín de Pablo Chapalangarra*— seguidos de dos líneas y media de puntos suspensivos, al haberse dejado en blanco el espacio que debían ocupar los textos. El resto del número contiene informaciones y textos oficiales. Según la mayoría de los biógrafos, fue Espronceda quien propuso publicar el periódico de este modo. En primera plana, apareció este aviso:

> El Sr. D. Manuel González Allende, diputado que fue a cortes y actualmente secretario del Banco Español de San Fernando y censor recién nombrado de nuestro periódico, nos priva hoy de cumplir con el público como debiéramos, habiéndonos prohibido la mayor parte de los materiales dispuestos para este número. Nosotros esperábamos, por una palabra dada por el Escmo. Sr. ministro del Fomento, que este inexorable censor dejaría de desempeñar su cargo; pero como para el cumplimiento de esta palabra se aguardaba su dimisión, que dijo tenía hecha, y tal dimisión no se ha visto ni ha parecido, reside todavía en él la absoluta facultad de prohibir.
>
> ¡Si querrá el Sr. de Allende acabar con los periódicos...!!

El mismo día en que salía a la venta este número, Javier de Burgos prohibía la publicación de *El Siglo*. El ministro justificaba esta medida por una protesta que le había dirigido la diputación general de la provincia de Álava, en relación con un artículo publicado el 14 de febrero en el número 8 del periódico [134]. Se

134. Se trataba de una carta dirigida al periódico por un corresponsal de Vitoria y firmada «ZZ», en la que se decía, entre otras cosas: «Pero yo alavés, diré que nuestros fueros y privile-

trataba de un simple pretexto, ya que era efectivamente la nota referente al censor la que se había considerado injuriosa, como demuestra el siguiente pasaje del decreto de cierre de *El Siglo*:

> la censura de los periódicos sería inútil, si no tuviesen facultad los que la ejercen para prohibir lo que no estimasen conveniente; ... si porque el censor suprimiese un artículo impertinente o sedicioso pudieran los diaristas publicar sus papeles con las columnas en blanco, sería apelar del juicio legal del Censor a las pasiones y al espíritu de partido. Que tal ha debido ser necesariamente la intención de los Redactores del *Siglo*, pues cualquiera que fuese la falta de materiales, habrían podido llenar con otros artículos el hueco de los reusados por la censura; lejos de hacerlo así se han explicado indecente e injuriosamente contra el Censor, como si quisieran comprometerlo en la opinión, que por dicha no está en favor de las doctrinas imprudentes y desordenadas.

¿Cómo saber lo que piensa la opinión pública del punto de vista del ministro, si éste prohibe la difusión de las doctrinas que él considera susceptibles de perturbar el orden público? *El Siglo* había sido condenado por contribuir a «atizar el espíritu revolucionario, que en el interés del orden es tan urgente reprimir[135]». El cierre del diario fue comentado por Larra en la *Revista española* del 9 de marzo de 1834, en un artículo titulado *El Siglo en blanco*, que es una obra maestra de ironía[136].

Así acabó la primera experiencia periodística de Espronceda, «descabellada empresa que duró y debió durar muy poco», según escribió de forma un tanto injusta, en 1840, Eugenio de Ochoa[137]. De forma algo injusta, puesto que *El Siglo* fue un periódico de una franqueza que resultaba lo bastante molesta como para llegar a ser suprimido por orden del gobierno; además, el artículo de Larra demuestra la repercusión que tuvo esta medida arbitraria en los círculos de la prensa madrileña. El reto que suponía la publicación del número 14 en blanco fue de una audacia sin precedentes, y a la vez sin porvenir. El 16 de marzo de 1834, la *Revista española* comentaba, en un suelto dentro de la rúbrica "Variedades críticas", la brutal desaparición, en unas pocas semanas, «unos de muerte natural, y otros de mano airada», de siete periódicos, entre los cuales estaba *El Siglo*:

> No puede negarse que es numerosa esta defunción periodística; huele a cólera morbo. Con este motivo hay quien cree que el *Semanario de Agricultura* no supo sembrar; el *Correo* no supo correr; la *Aurora* no supo alumbrar; la *Estrella* no supo

---

gios, además de ser absurdos, sólo son fueros y privilegios para una docena de familias, que lloran su pérdida, *ya* sabemos por qué. Los privilegios y fueros que proclamaron Verástegui y consortes fueron la Inquisición, el esterminio, y el robo ... La policía cuyo carácter principal es la vigilancia, no se ocupa aquí de los malvados.»

135. AHN, Consejos, leg. 11347 (minuta); *Diario de la administración*, 8 de marzo de 1834, y *Gaceta de Madrid*, 11 de marzo de 1834. Las decisiones del ministro se sometían a la aprobación de una comisión creada por decreto el 4 de enero de 1834, que inició sus actividades en febrero. La componían Hevia y Noriega, Reinoso y Agustín Durán.

136. BAE, t. CXXVII, p. 354. Véase nuestro artículo "Fígaro y *El Siglo*", *Ínsula* (Madrid), 188-189, julio-agosto de 1962.

137. E. de Ochoa, *Apuntes*..., París, 1840, t. II, p. 615 (noticia de J. F. Pacheco).

lucir; el *Cínife* no supo picar, o se picó a sí mismo; y *El Siglo* no supo vivir. Erradas así las vocaciones de todos estos papeles, ¿habrá quien crea que el *periodiquear* es cosa fácil?

Todas estas publicaciones de tendencia liberal, nacidas casi al mismo tiempo que *El Siglo* y desaparecidas casi a la vez, presentan determinados rasgos comunes: su total y violenta oposición, tanto a los carlistas como a los conservadores retrógrados; su adhesión claramente proclamada a la reina regente y a la legitimidad que encarna; su confianza en una política de reformas. Pero no podemos afirmar que cada uno de ellos sea el órgano de una tendencia concreta. Ciertamente, tanto si hojeamos *El Siglo*, como *El Eco de la opinión*, *El Nacional*, *El Eco de la justicia* o *El Cínife*[138], hallamos en ellos ideas generosas, pero la exposición de las mismas carece de rigor. El tono de los artículos y de los editoriales está más próximo al del panfleto o del discurso ante una sociedad patriótica; en ellos la generosidad suple con frecuencia la profundiad, y adivinamos que su redacción debe más al fervor de una convicción ardiente que a una reflexión detenidamente meditada. Los redactores de *El Siglo* se atienen a la afirmación reiterada de grandes principios, en especial los de la ibertad y de los derechos del ciudadano; reclaman con vehemencia su pronta aplicación en España, aunque sin detenerse en el examen de las modalidades prácticas de dicha aplicación que en ningún momento desean ver extendida al conjunto de los ciudadanos. La inexperiencia de estos jóvenes, que hacen sus primeras armas en el periodismo, es una de las causas a las que se puede achacar la forma algo desordenada de sus exposiciones y la falta de coherencia que se observa en ellas. *El Siglo* refleja las tendencias de una parte de la opinión madrileña a principios de 1834, y en especial aquel inmenso anhelo de cambio que pronto iba a verse frustrado con la política indecisa de Martínez de la Rosa en quien, desde su ascenso al cargo de primer ministro, habían depositado los liberales una confianza desmesurada: esperaban de él una constitución, y se limitó a otorgarles una especie de carta.

Espronceda y sus amigos de *El Siglo* no son los únicos que pasan del entusiasmo al desengaño, durante este período. Larra, más experimentado y perspicaz, ha dejado, en los artículos que escribió por aquel entonces, el testimonio de una evolución similar. En la *Revista española*, a principios de 1833, "Fígaro" empieza entonando las alabanzas de Martínez de la Rosa: el 1.º de febrero, en su recensión sobre la representación de *Los celos infundados*, o el 3 de septiembre, en su artículo acerca del libro de poesías que acaba de publicar el estadista. Más tarde, en *Los tres no son más que dos* (del 18 de febrero de 1834), advertimos que este entusiasmo empieza a decaer; entre los «blancos» y los «negros», el partido moderado aparece de color «atornasolado claro». Por primera vez se pone de manifiesto lo que Carlos Seco Serrano define como «el desafío de una juven-

138. *El Eco de la opinión* se publicó del 2 al 18 de mayo (8 n.os); *El Nacional*, del 4 al 18 de mayo (8 n.os); *El Eco de la justicia*, del 8 al 27 de junio (9 n.os); *El Cínife*, del 6 de febrero al 1.º de marzo (11 n.os). Las colecciones de estos cuatro periódicos, por lo que sabemos las únicas que existen, y la de *El Siglo* se encuentran en la BNM, encuadernadas conjuntamente y bastante mutiladas. Así, faltan los folletines de los n.os 2 y 4, el suplemento del n.º 3 y las pp. 3 y 4 del n.º 7 de *El Siglo*.

tud revolucionaria a la madurez que funda sus razones en la experiencia[139]». Aún más enérgicamente condena Larra la política de «justo medio» practicada por Martínez de la Rosa —atento a combatir la facción carlista sin hacer tampoco demasiadas concesiones a los liberales—, cuando publica *Ventajas de las cosas a medio hacer* (16 de marzo de 1834), después de haber escrito en *El Siglo en blanco* (9 de marzo): «o es el siglo más chico de lo que habíamos pensado, o no es este siglo que alcanzamos el que habíamos menester.» En los dos artículos que escribe sobre dos obras de Martínez de la Rosa —*Hernán Pérez del Pulgar* (30 de marzo) y *La niña en casa y la madre en la máscara* (14 de abril)— "Fígaro" se esfuerza en diferenciar al escritor del ministro, y hace hincapié en la indispensable imparcialidad del crítico, con el deseo de dejar claro que los elogios merecidos por el primero, no lo son necesariamente por el segundo. El 15 de abril, en su crónica sobre *La conjuración de Venecia*, Larra —que comparte la esperanza de una orientación liberal del gabinete tras la reciente extensión de la amnistía concedida a los emigrados y la creación de la Milicia Nacional— felicita a Martínez de la Rosa por haber dado al público, en la misma semana, dos grandes obras: su drama y el Estatuto real. El 9 de junio, en la recensión de una representación de *Numancia*, "Fígaro" concluye con estas líneas irónicas:

> El telón al caer se detuvo a la mitad del camino a tomar un ligero descanso, no parecía sino que caminaba por la senda de los progresos, según lo despacio que iba y los tropiezos que encontraba. Tardó más en bajar que han tardado las patrias libertades en levantarse.

A juzgar por lo que nos dice Rodríguez-Solís, los redactores de *El Siglo* tuvieron que ocultarse durante algún tiempo para escapar de las persecuciones de la policía[140]. Lo cierto es que, poco después del cierre del periódico, corrió por Madrid el rumor de que determinadas personas sospechosas de propagar ideas subversivas pronto iban a ser expulsadas, y de que en breve se cerraría un café —sin duda el café Nuevo[141]— que les servía de lugar de reunión. *El Tiempo* se hizo eco de este rumor en su número del 28 de marzo de 1834:

> Se han esparcido estos días pasados voces de ciertas órdenes dirigidas a varias autoridades con el fin de lanzar de la capital, bajo diversos pretextos, a cierto número de individuos en quienes se supone haberse notado ideas peligrosas de exaltación política. Se ha dicho también que las numerosas reuniones de las tardes en uno de los cafés de Madrid habían llamado la atención de la Policía y que se había tratado de cerrar dicho café. Creemos estos rumores infundados. No cabe en nuestra imagi-

139. Prólogo a las obras de Larra, BAE, t. CXXVII, p. LI (véase al respecto el capítulo *Fígaro y Martínez de la Rosa, ibid.*, pp. XLIX-LIV). Los tres artículos ya citados y los que siguen se encuentran en el mismo vol., pp. 179-182, 273-274, 347-351, 355-357, 352-354, 358-359, 371-374, 383-387 y 409-410 respectivamente.

140. Rodríguez-Solís, p. 127.

141. J. García de León y Pizarro (*op. cit.*, t. II, pp. 100 y 105) anota, el 20 de febrero de 1834: «Aquí en el Café Nuevo hubo bulla; la policía movida toda; descontento general.»; y el 4 de marzo, a propósito de los incidentes acaecidos el día antes y ese mismo día en Madrid: «De los movimientos procuraron echar la culpa a los liberales y al Café Nuevo, pero es evidente que son carlistas.»

nación que en vísperas, por decirlo así, de la reunión de las Cortes, el Gobierno se valga de medios arbitrarios teniendo a mano los de mantener la tranquilidad sin salir de las formas legales.

Tal vez dicha información tuviese como objetivo el evitar que tales medidas se llevaran a la práctica. Ignoramos si Espronceda fue objeto de especial vigilancia; en cualquier caso, al día siguiente de la publicación de *El Siglo* "en blanco", se alistaba en la Milicia Urbana, entre los primeros voluntarios, junto a Vega y Núñez de Arenas.

En el domicilio de este último, «en la calle de Jardines, en la misma casa donde estuvo la del *Siglo*, números 16 y 17, cuarto 3.º[142]» es donde se encuentran los despachos de la *Gaceta de los tribunales*, cuyo primer número se publica el 1.º de mayo de 1834. Ventura de la Vega se ocupa de la sección teatral; imaginamos que, con su consabida flexibilidad, supo hacerse perdonar el haber colaborado en un periódico subversivo, ya que formó parte de la delegación de oficiales de la Milicia Urbana que tomaron parte en la ceremonia del besamanos a la reina regente, que tuvo lugar en Aranjuez el 29 de abril; en aquella ocasión, recitó una décima publicada el 4 de mayo en *El Universal*. En la *Gaceta de los tribunales* publicó Espronceda anónimamente su poema en memoria de Joaquín de Pablo, con el prudente título de *A la muerte de un Patriota, defensor de la libertad* (n.º 6, del 7 de mayo de 1834), así como una *Canción patriótica* inédita (en el n.º 37, del 12 de junio), compuesta con toda probabilidad en 1830 y de la que una parte aparecerá recogida, en octubre de 1835, en la obra titulada *¡Guerra!*[143]. Aparte de informes judiciales y relatos de causas célebres, el periódico tenía la intención de publicar artículos políticos. En el prospecto, los redactores se declaran «amantes decididos de la libertad, patriotas puros», y afirman que el Estatuto real es «el primer destello de libertad que después de once años ha reflejado por último en nuestra patria». Así pues, este periódico es más moderado que *El Siglo*, cuya supresión había llevado sin duda a los antiguos Numantinos Vega y Núñez de Arenas a defender opiniones menos perentorias.

El momento no es demasiado propicio para semejantes empresas. Seis días antes de la publicación de la real orden que fijaba para el 24 de julio la apertura de las Cortes, el ministro de Fomento ordenó, el 19 de mayo, el cierre de *El Universal*, *El Nacional*, *El Eco de la opinión* y *El Tiempo* que,

lejos de corresponder al loable objeto con que les concedió [la reina gobernadora] el permiso de su publicación, para que ilustrando la opinión pública allanaren el

142. Esa es la dirección que da Núñez de Arenas el 8 de marzo de 1834, al alistarse en la Milicia Nacional (AVM, Milicia Nacional, 2-84-5, libro de alistamiento 8 marzo-29 abril 1834, n.º 1. Véase *infra*, p. 289). El permiso de publicación de la *Gaceta de los tribunales*, solicitado por Santiago de Gálvez Padilla, había sido concedido el 17 de febrero de 1834 (AHN, Consejos, leg. 11344). Entre sus redactores se encontraba Luis González Bravo, que era también el contable. Se le acusó de no haber mantenido su compromiso con los abonados, de lo que se defendió con vigor. Véase al respecto *El Eco del comercio* de los días 26 y 31 de julio y 3 de agosto de 1834.

143. Véase, sobre ambos poemas, Espronceda, *Poésies*, ed. Marrast, pp. 265-270 y 369-400. Sobre la colaboración de Vega, véase *supra*, nota 133.

camino a las saludables reformas que su majestad está planteando, han empezado a difundir doctrinas diametralmente opuestas a los principios conservadores sancionados en el Estatuto real.

El sucesor de Javier de Burgos no se molesta siquiera en justificar su decisión a través de razones concretas, aun cuando fuesen meros pretextos, como en el caso de *El Siglo*. Basta con que un periódico manifieste algunas reservas respecto a la política del ministerio para que, de un plumazo, sea pura y simplemente prohibido. El 1.º de junio de 1834, se promulgó un reglamento de aplicación del decreto sobre la imprenta, fechado del 1.º de enero; el artículo 16 prohibía a los redactores de periódicos que publicaran artículos en los que los textos censurados o suprimidos hubieran sido sustituidos por espacios en blanco o líneas de puntos. Pero los artículos 4 y 6 de dicho reglamento contenían disposiciones más graves: a partir de ahora, el editor de una publicación debía reunir las condiciones exigidas a los grandes electores de los diputados a Cortes, que aparecían definidas en el decreto del 20 de mayo de 1834, es decir: formar parte de los más ricos contribuyentes, del cuerpo de abogados, notarios, profesores de universidad, de las sociedades de Amigos del país y de las Academias; además, el editor tenía que depositar en Madrid una fianza de 20.000 reales en efectivo o de 40.000 reales en títulos de renta consolidada (las cifras quedaban reducidas a la mitad en provincias), como garantía de las fuertes multas a que quedaban expuestos los contraventores a las decisiones de la censura. Los editores de periódicos en vías de publicación disponían de un plazo de un mes para adaptarse a las nuevas disposiciones.

Algunos de los periódicos que habían escapado a la suspensión de oficio desaparecieron poco después de su nacimiento, sin duda por no reunir las condiciones exigidas en el reglamento del 1.º de junio de 1834. Nacido el 15 de mayo, el *Diario del comercio* dejó de salir el 31; *El Eco de la justicia* se mantuvo tan sólo del 8 al 27 de junio; la *Gaceta de los tribunales* publicó su último número el 18 del mismo mes. Entre los periódicos de reciente creación, sólo subsistió *El eco del comercio*, fundado el 1.º de mayo de 1834 por Ángel Iznardi, y sucesor del desaparecido *Boletín de comercio*. Es el órgano de los liberales "exaltados" —que algo más tarde recibirán el nombre de "progresistas"— y sus principales colaboradores son Fermín Caballero, Fernando Corradi y Joaquín María López. El 10 de junio de 1834 sale a la luz el primer número de *La Abeja* (que sucede a *El Universal*), portavoz de los moderados, dirigido por Joaquín Francisco Pacheco y, posteriormente, en noviembre de 1835, por Eugenio de Ochoa. En él, Bretón se ocupa de la sección teatral y publica innumerables letrillas sobre temas de actualidad política o literaria; en agosto de 1834, Juan Bautista Alonso deja *La Abeja* por *El Eco del comercio*, cuyas ideas están más próximas a las suyas, y vuelve a utilizar su seudónimo de "Anfriso"[144]. La *Revista española*, que se sitúa entre sus dos colegas, sigue publicándose. Hasta la fundación, a fines de 1835, de *El Español* por Andrés Borrego, *El Eco*, *La Abeja* y la *Revista española* son

144. E. Hartzenbusch, *Apuntes para un catálogo de periódicos madrileños...*, Madrid, 1894. J. B. Alonso explica las razones de su paso de *La Abeja* a *El Eco* en los números de los días 11 y 14 de agosto de 1834.

los únicos representantes de las distintas tendencias de la prensa política de Madrid. Puede considerarse totalmente acabada la época del "periodismo salvaje", cuyo representante más característico fue *El Siglo*.

Un tal Eduardo Foncillas, que se había asignado el cometido de profetizar la próxima muerte de los periódicos madrileños, dedicó a *El Siglo* la tercera entrega de su *Sepulturero de los periódicos*[145]. Desarrollando una imagen musical, escribía:

> Escribe ... en un tono de *sí* sobreagudo, que no hay filarmónicos entre nosotros que resistan los solos de violín de sus conciertos, porque ni los oídos están acostumbrados, ni las cuerdas pueden resistir en nuestro clima de tensión. Escribe contra viento y marea, y contra el dictamen de los más prácticos y acreditados pilotos. Escribe como si no viera lo que escribe, dónde escribe, para quién escribe y entre quiénes escribe. Seguro le tengo en mi camposanto, o yo no entiendo jota de sepulturero. Si continúa con sus corcheas y semifusas morirá de mano airada, y si cambia de clave, agur mi dinero ... El lenguaje es romántico como los pensamientos; se descubre más magín que solidez; sus chistes yeren [*sic*] punzando o magullan contundiendo, sin que nada digan de nuevo en cuanto a doctrinas y principios, que ya no esté dicho con menos punzadas y coscorrones ... Todo él es de circunstancias, y de circunstancias críticas; de suerte que si no hubiese facciosos, ni grandes mejoras que esperar, ni abusos notables que censurar, ni peligros que temer, *El Siglo* de ahora parecería a los Siglos medios, y no habría hombre de letras que se ocupase en leer sus columnas ... La falta de homogeneidad entre los colaboradores ha producido cierta excisión antes de llegar al sexto; mas este accidente ¿será causa de algún cambio en la marcha? ¿Influirá también la mudanza de censor?

Es una semblanza bastante fiel a la realidad. De ella se desprende sobre todo que, para el lector contemporáneo, el interés de los artículos de *El Siglo* residía mucho más en el tono que en el contenido. Lo que puede originar el cierre del periódico no es tanto lo que escriben los redactores, como el tono directo que utilizan al escribir. Dicho estilo consiste en expresarse sin rodeos, en hablar directa y claramente de lo que sus colegas sólo se atreven a decir con palabras encubiertas o con reservas. Como lo da a entender Eduardo Foncillas, el cambio de censor contribuyó a precipitar el final de *El Siglo*; a partir de entonces, sus redactores se enfrentan a un personaje con el que sólo les unen relaciones oficiales, mientras que el duque de Frías era a la vez su mentor y amigo. Esto fue más que suficiente para que, a partir del n.º 12, estuviesen en completo desacuerdo los jóvenes periodistas y González Allende. La autoridad no les perdonó a éstos la desfachatez de haber hecho público este desacuerdo en términos considerados ultrajantes. Así pues, *El Siglo* fue suprimido porque daba un mal ejemplo de impertinencia, que pareció subversivo, en un momento en que el gobierno se sentía progresivamente desbordado por una oposición cada vez más vehemente.

145. Las entregas de esta publicación no llevaban fecha. El n.º 3 (uno de cuyos fragmentos aparece en la *Revista española* del 21 de marzo de 1834) es, en todo caso, y según se desprende de una alusión al cambio del censor que aparece en sus páginas, posterior al n.º 12 de *El Siglo* (28 de febrero de 1834).

Los ministerios de Martínez de la Rosa y Toreno; el Estatuto real; la Milicia Urbana; el fracaso de la política del "justo medio". Conspiraciones y agitación callejera en Madrid: la matanza de frailes y La Isabelina en julio de 1834; las insurrecciones del 18 de enero y del 15 de agosto de 1835

De abril a julio de 1834, la vida política española aparece marcada por una serie de acontecimientos de primer orden, como son: la promulgación del Estatuto real, la convocatoria de Cortes, y el caso de la sociedad secreta La Isabelina que dio lugar a numerosas detenciones, entre ellas la de Espronceda. Este último, tras el cierre de *El Siglo*, prosiguió por otros medios su actividad como militante de la oposición, tomando parte activa en la defensa de las ideas liberales.

Un informe anónimo dirigido al ministro francés de Asuntos Exteriores en mayo o junio de 1834 incluye un análisis pertinente de las causas profundas del descontento, provocado por el sistema de gobierno de un hombre considerado unos meses antes providencial:

> Le premier ministre Martínez de la Rosa jouit à juste titre d'une réputation d'intégrité et de loyauté que personne ne conteste, mais on ne peut nier qu'il ne soit à la fois faible et entêté. Dominé par l'idée fixe que le système qu'il veut établir d'après ses opinions est le seul qui convienne à l'Espagne, et qu'en l'appliquant avec toutes ses conséquences, il évitera les deux extrêmes, il repousse obstinément tout conseil, même toute insinuation qui contrarie son illusion[146].

Martínez de la Rosa cometió varios errores que iban a serle funestos. Conservó a su lado durante demasiado tiempo —en parte a pesar suyo— a Zarco del Valle y a Javier de Burgos, impopulares a causa de su pertenencia al anterior gobierno; demoró excesivamente el nombramiento en éste del conde de Toreno, con quien le enfrentaba una rivalidad personal; además, quiso reservarse en exclusiva la gloria del Estatuto real, que elaboró con el mayor secreto. La publicación de dicho documento era esperada con impaciencia; el 15 de abril de 1834, primer día de su puesta a la venta, se apiñaba una multitud ante la puerta de la Imprenta real para adquirir un ejemplar. Pero incluso antes de que el texto se hiciera público, varios periódicos —el *Boletín de comercio*, *El Tiempo*, la *Revista española*— manifestaron algunas reservas. En efecto, los liberales se sentían defraudados al no hallar en esta carta otorgada disposición alguna referente a las libertades individuales, al derecho de propiedad, a la seguridad de las personas y la igualdad ante

146. («El primer ministro Martínez de la Rosa goza con justicia de una reputación de hombre íntegro y leal que nadie niega, pero no se puede negar que es a la vez débil y testarudo. Dominado por la idea fija de que el sistema que quiere establecer según sus opiniones es el único que conviene a España, y que aplicándolo con todas sus consecuencias evitará los dos extremos, rechaza obstinadamente cualquier consejo e incluso cualquier insinuación que contraríe su ilusión.») Archives du ministère des Affaires étrangères, París, Mémoires et documents, vol. 312, f.º 8 v.º. Según se deduce de su contenido, este informe fue redactado tras la sustitución de Burgos por Moscoso (finales de abril de 1834), pero antes de la apertura de las Cortes (23 de julio).

la ley, y al advertir que, en contra de las sugerencias del Consejo de gobierno, el Estatuto real no sería objeto de discusión en las Cortes, las cuales, por otra parte, tenían limitados poderes. Quienes demostraron entusiasmo por la nueva constitución fueron sobre todo los moderados, numerosos entre las clases acomodadas de Madrid y en especial de Barcelona; a ellas pertenecían los que quitaron de las manos de impresores y libreros los folletos con el texto del Estatuto. De ahí que en un principio su promulgación no suscitara disturbio alguno: el pueblo, al que no aportaba nada, no se enteró de las lagunas existentes sino algo más tarde, tras la progresiva difusión de los comentarios hostiles de la prensa [147].

En general, las capas modestas se interesan poco por la política exterior, que no las atañe directamente y a la que la prensa dedica poca atención. Tanto las gestiones a fin de contraer un empréstito con la casa Rothschild para sacar a flote la economía española, como las negociaciones que concluyeron con la formación de la Cuádruple Alianza, son algo demasiado complejo para el hombre de la calle. Éste tiene preocupaciones más inmediatas; sigue vivo el entusiasmo por la libertad recobrada y se manifiesta todavía, al margen de las tomas de partido, en un comportamiento optimista y una fe ciega y algo cándida en un liberalismo sin matices. El doctor Larra, padre de "Fígaro", escribe el 28 de agosto de 1834:

> Una de las cosas que me hacen más agradable la estancia de Navalcarnero ... es el haber conocido el buen sentido político en que se halla todo el pueblo, pues aquí no hay carlistas ni serviles: todos, todos son liberales; y es un gusto vivir en un pueblo donde no se oyen más que canciones patrióticas y en que todo el mundo discurre racionalmente y con amor a la ilustración y a la igualdad ante la ley sin más sujeción que ésta [148].

Es opinión general que el restablecimiento de un régimen representativo exige elecciones previas, que permitan designar a hombres encargados de ejercer un control permanente en la política del país. Esta idea aparece difundida en la prensa liberal, que no tiene ninguna dificultad en demostrar, en términos a veces irritados o violentos, que las disposiciones del Estatuto real dejan al futuro Estamento de procuradores sin ninguna iniciativa en el campo legislativo, y que los requisitos de elección y elegibilidad de los diputados son tales que el derecho de voto es monopolio *de facto* de veinte grandes electores por provincia, es decir, de menos de mil personas para toda España [149]. En cuanto al Estamento de próceres, por su reclutamiento en la aristocracia del nombre o de la fortuna, sólo podía constituir un obstáculo para cualquier reforma radical. Más o menos calcada del modelo inglés, la nueva carta «salvaguardaba el principio de la autoridad real y permitía la intervención en los asuntos públicos de las clases adineradas (nobleza, capitalistas, industriales). Este era, precisamente, el ideal burgués [150]».

El Estatuto real aleja definitivamente del gobierno a quienes, como Espronceda y Larra, esperaban una constitución realmente liberal y están cansados de las

147. J. Tomás Villaroya, *op. cit.*, pp. 70-91.
148. Carta inédita citada por A. Rumeau, *Mariano José de Larra...*, París, 1949, p. 30.
149. M. Marliani, *Histoire politique de l' Espagne moderne*, Bruselas, 1842, t. I, p. 204.
150. J. Vicens Vives, *Historia económica de España y América*, Barcelona, 1961, t. V, p. 354.

«cosas a medio hacer», que caracterizan la actitud vacilante del gobierno. En su *Carta a un bachiller su corresponsal*, "Fígaro" expresa este sentimiento: «Estamos ahora los periodistas tratando de tomar color, para lo cual tenemos que esperar a que lo tome primero el gobierno con el objeto de tomar otro distinto.» En efecto, a juzgar por el silencio oficial, todo va a pedir de boca a pesar de la guerra civil y del cólera: «Tres cosas sin embargo van mejor todos los días sin que se eche de ver: la libertad, la salud, y la guerra de Vizcaya. ¡Tal es la reserva con que se hacen estas cosas![151]». Según escribe tres años más tarde Fermín Caballero:

> el carácter predominante de aquella administración fue la lenidad con los enemigos, el miedo por la exaltación, el recelo de armar el pueblo y de reconocerle derechos, y la utopía de fundir en un partido nacional a los que peleaban por distintos principios y por opuestos intereses[152].

No obstante, Martínez de la Rosa tuvo que acceder a la concesión de algunas garantías a los liberales: en marzo y en mayo de 1834, se amplió todavía más el beneficio de la amnistía y todos los exiliados políticos pudieron por fin regresar al país; el 15 de julio de 1834, un decreto abolió definitivamente la Inquisición (cuyos miembros seguían percibiendo empero su salario). Pero una de las medidas más populares fue la creación de una guardia nacional denominada Milicia Urbana. Un primer decreto, adoptado el 16 de febrero de 1834, sometía el reclutamiento de sus miembros voluntarios a tales condiciones restrictivas —tasa de contribuciones directas pagadas por los aspirantes, porcentaje limitado a 1 guardia por cada 100 habitantes— que pronto tuvieron que ser flexibilizadas. Se introdujeron las disposiciones modificatorias de los días 20 de febrero y 1.º de marzo, a consecuencia de las numerosas críticas por parte de la prensa liberal, en especial de *El Eco del comercio*[153]. En lo sucesivo, cualquier ciudadano pudo alistarse y, como escribe Lafuente,

> contrariamente a lo que el gobierno se había propuesto, la creación de la milicia urbana, en vez de haber sido, a imitación de la planteada en Francia por Luis Felipe, un elemento conservador, había engrosado sus filas con lo más ardiente de las agrupaciones liberales y constituía para el gabinete, no ya un apoyo, sino un embarazo que no tardó en degenerar en peligro[154].

El 8 de marzo de 1834, una comisión municipal abrió en Madrid el registro de alistamiento en la Milicia Urbana. Entre los primeros voluntarios se presentaron los redactores de *El Siglo*, Bernardino Núñez de Arenas (n.º 14), José de Espronceda (n.º 17) y Ventura de la Vega (n.º 18). Su candidatura fue aceptada, previo examen, el 10 de marzo y, el día siguiente, figuraban en la lista de los

151. *Revista española*, 31 de julio de 1834; BAE, t. CXXVII, pp. 422-424.
152. [Anónimo], *El Gobierno y las cortes del Estatuto. Materiales para su historia*, Madrid, 1837, p. XXI. Esta obra suele atribuirse a Fermín Caballero.
153. Véase J. Sarrailh, *Un homme d'État espagnol...*, pp. 189-190, nota 2. *Cf.* García de León y Pizarro, *op. cit.*, t. II, p. 87, 11 de enero de 1834: «El reglamento para la Milicia Urbana de Madrid es para regla general de las provincias, y calculado para apagar el entusiasmo público, y que no haya tal milicia.»
154. *Historia general de España*, Barcelona, 1885, t. VI, p. 47.

destinados al 1.er batallón del 1.er regimiento de infantería, con los números 11, 12 y 13, lista publicada en el *Diario de avisos*; el 24 de marzo, recibieron el certificado de miliciano urbano [155].

Esta guardia nacional va a desempeñar un papel importante en la política interior de España. Servirá sobre todo en las provincias como fuerza de apoyo al ejército regular para combatir la facción carlista, cumpliendo así el cometido que se le había asignado en su creación. Pero con frecuencia tomará parte en manifestaciones callejeras, y en ocasiones las provocará, constituyendo un poderoso medio de presión sobre el gobierno, al cual a menudo impondrá su voluntad. Al impedirles la ley electoral, con su sistema censatario, la participación en la vida política, las clases medias y el pueblo se agruparon en esta milicia nacional cuyo reclutamiento era democrático. Si hojeamos las listas de alistados publicadas cada día en el *Diario de avisos* a partir del 11 de marzo de 1834, advertimos que las profesiones más frecuentes son las de empleado, artesano y pequeño comerciante, militar retirado y modesto funcionario. También encontramos en número bastante elevado entre los voluntarios a miembros de profesiones liberales (el 15 de marzo: Vicente Collantes, farmaceútico; el 19: Antonio Escosura, abogado); algunos artistas (el 18 de marzo: Antonio Esquivel; el 12 de abril: Genaro Pérez de Villamil; el 1.º de junio: Francisco de Paula Van Halen, todos ellos pintores; el 20 de junio: Ramón Carnicer y Pedro Albéniz, músicos; el 3 de junio: los actores Antonio Guzmán, Juan Latorre y Julián Romea); a hombres de letras y periodistas, además de nuestros tres amigos de *El Siglo*: el 23 de marzo, Mariano José de Larra; el 9 de abril, García de Villalta; el 2 de mayo, Antonio de Iza Zamácola; el 13, Basilio Sebastián Castellanos; el 27 de junio, Jacinto de Salas y Quiroga. Entre el 11 de marzo y el 15 de mayo de 1834, se llegó en la capital a la cifra de 3.299 alistamientos; el 11 de junio, habían sido aprobadas por la comisión municipal 4.191 candidaturas [156].

A finales de junio de 1834, el cólera hace numerosos estragos en Madrid. La reina, Martínez de la Rosa y Garelly dejan la capital para instalarse en La Granja, lo cual provoca la indignación de los madrileños que ven en ello una escapatoria de la que acusan a la soberana y a su primer ministro, sin saber exactamente en quien recae la responsabilidad de este error político [157]. Se convocan las Cortes para el 24 de julio, pero unos días antes se produce un hecho muy grave. La propagación de la epidemia, unido al azoramiento de la población y al calor asfixiante sobrexcitan los ánimos. Al igual que poco tiempo antes en Francia, el 16 de julio empieza a correr por Madrid un rumor que, si bien absurdo, en el desconcierto general es aceptado y difundido como cierto: según dicen, el agua de

155. AVM, Milicia Nacional, 2-84-5 (Libro de alistamiento 8 marzo-29 abril 1834, n.º 1); 2-121-4 (Registro g.al de los que se allan [*sic*] aprobados para urbanos, 1); 2-2-18 (Números, nombres, apellidos, talla de los Milicianos Urbanos aprobados [registro]; 3-455-3 [actas de la comisión de alistamiento]. El tercer documento citado nos indica que Espronceda medía «5 pies, 2 pulgadas, 4 líneas.»

156. [F. Caballero], *op. cit.*, p. LV, para la primeraa cifra indicada; *Eco de la justicia* (15 de junio de 1834) para la segunda, calculada a partir de las listas de voluntarios admitidos publicadas del 11 de marzo al 11 de junio en el *Diario de avisos*.

157. Es lo que más destaca en el despacho enviado el 4 de julio por Rayneval, embajador de Francia, al ministro de Asuntos Exteriores de su país (J. Sarrailh, *op. cit.*, p. 206).

las fuentes públicas ha sido envenenada por los frailes. El día siguiente, a consecuencia de un incidente entre un antiguo voluntario realista y unos milicianos, la muchedumbre penetra en varios conventos y mata a los monjes. La jornada concluye con sangrientos desórdenes: el capitán general y superintendente de policía Martínez de San Martín había demorado en demasía la intervención de la tropa y la milicia. Tuvo que dimitir y fue sustituido por el duque de Castroterreño[158]. El 18, había cesado la agitación y, el 19, Martínez de la Rosa regresaba apresuradamente de La Granja.

Cabe preguntarse cuáles fueron las causas reales de esta matanza. En primer lugar, observamos que los disturbios se desarrollaron en los barrios populares. Los viejos rencores suscitados por la miseria, el analfabetismo y las humillaciones de todas clases, soportadas desde largo tiempo atrás por el proletariado de la capital, se encuentran exacerbados por la extensión de la guerra civil y las derrotas sufridas por el ejército liberal[159]. Los religiosos asesinados fueron víctimas de esta explosión de rabia. Se desató contra ellos esa furia, porque gran parte del clero secular había apoyado el absolutismo y se mostraba hostil a las ideas liberales, «puesto que veían desaparecer su instituto triunfando la libertad[160]». En cuanto al clero regular, no ocultaba su simpatía activa por la causa carlista; en efecto, los franciscanos se habían pronunciado en favor del pretendiente en Hornachos en enero de 1834, y en Salamanca el mes siguiente; en mayo, armas y municiones destinadas a los rebeldes habían sido descubiertas en la colegiata de Salamanca. El gobierno, por su parte, no había tomado ninguna medida preventiva a fin de proteger en Madrid los edificios religiosos y sus ocupantes. No puede descartarse del todo la hipótesis de una provocación. En una carta escrita ocho días después de dichos acontecimientos, Eugenio de Ochoa comunicó a su amigo el conde de Campo Alange algunos detalles curiosos, que parecen dignos de crédito:

> Sobre si ha habido o no ha habido envenenamiento, lo único se sabe de positivo es que están presas algunas (creo que tres) de las mujeres que trabajan en la fábrica de tabacos por haber echado alguna materia extraña en el rapé y en los cigarros. Esto es indudable; item más, me ha asegurado un oficial de coraceros, hombre juicioso al parecer, que ha visto, *lo que se llama visto*, paquetes de veneno que ha llevado a casa del corregidor como cuerpo del delito, y que ha encontrado en un convento. Si ese veneno lo pusieron allí los conspiradores o si lo compraron los frailes, eso es lo que no me atañe averiguar, pero me inclino a lo primero[161].

158. Estos sucesos han dado lugar a interpretaciones diferentes. Sobre el papel desempeñado por el capitán general, véanse los documentos de los archivos municipales de Madrid publicados (sin indicar su signatura) por C. Cambronero, "La matanza de frailes el año 1834", *Revista contemporánea*, 1897, pp. 98-103. Balbino Cortés, entonces sargento de la Milicia Nacional, fue arrestado, así como otro urbano, por haberse visto involucrados en un incidente no muy claro el 17 de julio de 1834 (AVM, Corregimiento, 1-26-64).

159. J. Vicens Vives, *op. cit.*, t. V, p. 354.

160. [F. Caballero], *op. cit.*, pp. XLIV-XLV.

161. Condesa de Campo Alange, "Carta de Don Eugenio Ochoa con noticias literarias y políticas", *Correo Erudito*, IV (29), [1946], p. 20. Esta carta no tiene fecha, pero, como indica su autor, fue escrita el día del arresto de Espronceda, es decir, el 25 de julio de 1834 (véase *infra*, p. 293).

Sea como fuere, los trágicos hechos del 17 de julio de 1834 constituyen la primera manifestación violenta del divorcio entre el pueblo y el clero, cuyo prestigio y autoridad se veían cada vez más mermados por la difusión de las ideologías liberales. Al no poseer una conciencia de clase, el pueblo humilde de Madrid expresó así su odio con el único medio a su alcance, el que Vicens Vives llama acertadamente «el infantilismo subversivo[162]». La matanza de frailes provocó espanto entre la clase media acomodada y la burguesía; según escribe Javier de Burgos: «Se conmovió la policía y se consternaron las clases acomodadas y naturalmente pacíficas del vecindario de la capital[163].»

En los círculos liberales "exaltados", la acción se organiza en el seno de lo que la policía denomina sociedades secretas. Sus miembros, presentados por los confidentes, delatores o agentes dobles, unas veces como peligrosos revolucionarios, y otras como conspiradores vocacionales ingenuamente empeñados en ridículos intentos de perturbación del orden público, son vigilados de cerca. Según las circunstancias o según la necesidad en que se encuentre de demostrar su celo, la superintendencia extremará o minimizará la importancia de la actividad de estas asociaciones que se forman o vuelven a formar desde finales de 1835. Emigrados de 1823, antiguos comuneros, carbonarios y francmasones reanudan su propaganda y reclutan a nuevos simpatizantes. Al igual que sucedía en Francia durante la monarquía de Julio, en España el único medio de oposición activa era la asociación, secreta respecto a la ley, en ausencia de partidos políticos organizados y que pudieran manifestarse a plena luz. Así quedaba compensado en cierta medida el carácter selectivo del sistema electoral. En la mayoría de los casos, estas "sociedades secretas" no eran sino grupos de hombres a quienes unía una identidad de convicciones, y que se reunían en algún café de Madrid. En tales ocasiones, el gobierno, preocupado, agita el fantasma de la "anarquía" para tranquilizar a las «clases acomodadas y naturalmente pacíficas» de las que habla Javier de Burgos, y justificar las operaciones policíacas o los cierres de periódicos. Por su torpeza, semejantes medidas no podían sino contribuir a envenenar la atmósfera en la cual iba pronto a inaugurarse la nueva legislatura.

El 23 de julio de 1834, gracias a la denuncia del capitán Civat, agente doble o provocador, fue desmantelada una conspiración urdida por una asociación denominada Confederación general de los guardadores de la Inocencia o Isabelinos, cuyo jefe era Aviraneta. Éste fue detenido y sus papeles incautados, a excepción de la lista de los demás miembros, que se tragó[164]. En opinión de Fermín Caballero, la citada sociedad estaba compuesta en realidad por un puñado de jóvenes de temperamento fogoso que jugaban a conspiradores, no gozaban de auditorio ni influencia, y cuyos proyectos no tenían la menor posibilidad de realización. Pero los servicios de la policía presentaron a propósito este peligro imaginario como un peligro real, a fin de desviar la atención pública y demostrar la firmeza del gobierno. Esta clásica maniobra de diversión —siempre según Fermín Caba-

162. J. Vicens Vives, *op. cit.*, t. V, p. 215. Véase también la p. 143.
163. J. de Burgos, *op. cit.*, t. I, p. 273.
164. Ese fue, a grandes rasgos, el desarrollo del asunto, según Pirala, *Historia de la guerra civil...*, Madrid, s.f. [1854], t. I, p. 286, y M. Lafuente, *op. cit.*, t. VI, p. 28.

llero— sólo sirvió para desacreditar a los liberales sinceros y serios, que desde entonces fueron considerados en España y en el extranjero como jacobinos sedientos de sangre[165]. Para Javier de Burgos, los Isabelinos eran simples agitadores de las más diversas tendencias que enarbolaban el estandarte de la reina con la única finalidad de provocar conmociones políticas, merced a las cuales podrían satisfacer sus ambiciones personales[166].

Las personalidad que fueron detenidas en la noche del 23 al 24 de julio —el general Palafox, Calvo de Rozas, Juan Romero Alpuente y Juan Olavarría— no respondían objetivamente a ninguna de estas dos definiciones. Al día siguiente, les tocó el turno a García de Villalta y Espronceda. A partir del 24, el ministro de Fomento envío una circular a los capitanes generales de todas las provincias; ésta no fue publicada en Madrid hasta el 2 de agosto siguiente en la *Revista española* y el día siguiente en *La Abeja*, acompañada de un comentario en el que sobresalía la extrañeza por el hecho de que dicho texto no se hubiese difundido simultáneamente en la capital. Según este documento, desde hacía algún tiempo el gabinete estaba al corriente de los proyectos de los conjurados, cuyo objetivo era derribar al gobierno y conseguir la anulación del Estatuto real, lo cual sólo podía favorecer los intereses de la causa carlista. No obstante, para detenerlos se esperó a la víspera del día fijado para la ejecución de su plan (el de la apertura de la sesión de las Cortes), del cual se tenían pruebas formales. Ante la Cámara, Martínez de la Rosa reveló, el 22 de enero de 1835, que con dicho plan se pretendía obtener una reforma del Estatuto real y, en caso de imposibilidad, el restablecimiento de la Constitución de 1812 efectuando en ella algunas modificaciones[167]. Así pues, la circular del 24 de julio de 1834 había exagerado el peligro con el objetivo de que extremaran el celo los servicios de policía de la capital, pero sobre todo con objeto de tranquilizar a la población de las provincias y desalentar eventuales grupos de simpatizantes de los conspiradores madrileños que pudieran existir en otras ciudades.

Los estatutos de La Isabelina —cuyo preámbulo lleva la fecha del 1.º de marzo de 1834 y está firmado por el secretario designado únicamente por su cargo, en nombre del directorio general— nos informan acerca de los objetivos de la citada sociedad: sus miembros deben procurar por todos los medios defender el trono de Isabel II y las libertades nacionales e individuales, promover la educación del ciudadano en materia política, económica y administrativa; poner todo su empeño en inducir a la opinión pública a exigir la reunión de una Constituyente representativa; en combatir el carlismo y oponerse a cualquier forma de despotismo, en elegir a los oficiales de la Milicia Urbana a fin de que sean auténticos liberales; y, por último, la sociedad tiene prohibido intervenir en temas religiosos[168].

El 20 de julio, Calvo de Rozas, Calvo Mateo y Olavarría aprobaron una peti-

165. [F. Caballero], *op. cit.*, p. LXXVII.
166. J. de Burgos, *op. cit.*, t. I, pp. 201-202.
167. *Diario de sesiones*, 1835, p. 1306, citado por J. Tomás Villaroya, *op. cit.*, p. 87, nota 49.
168. *Estatutos de la confederación general de los guardadores de la Inocencia o Isabelinos*, 1834, s.l. y s.f., 1 folleto in-8.º de 16 pp. (RAH, Papeles de Pirala, 9-31-3, 6798). Baroja tuvo en sus manos un ejemplar de la edición de Burdeos, impresa por F. Laconte, 1834 (*Aviraneta o la vida de un conspirador*, 3.ª ed., Madrid, [1957], p. 10).

ción, redactada por Álvaro Flórez Estrada, que debía ser enviada a la reina para comunicarle los peligros que supondría la aplicación del Estatuto real, e invitarla a someter a las Cortes el proyecto de constitución preparado por Juan Olavarría. El citado texto declaraba las libertades fundamentales de los ciudadanos; establecía como principio la separación de poderes; conservaba el sistema bicameral, pero reducía el censo de electores y elegibles; y, por último, preveía la disolución de las órdenes religiosas y la reducción de las dotaciones civiles y eclesiásticas[169]. Según vemos, no había en ello nada realmente revolucionario ni democrático. En caso de negativa de la regente, se pasaría a la insurrección el 24 de julio, en el mismo local en el que debían reunirse las Cortes; Palafox tomaría el mando de las tropas; se constituiría un nuevo ministerio —que incluiría entre otros al duque de Rivas, a Flórez Estrada, Calvo de Rozas y Olavarría—, y Evaristo San Miguel sería nombrado gobernador de Madrid; por fin, se expulsaría de la capital a Reinoso, Burgos, Lista, Hermosilla y algunos otros afrancesados. Parece fuera de duda que esta conspiración no tenía nada que ver con las matanzas del 17 de julio, pese a que ciertos historiadores se hayan empeñado en dar a entender o afirmar lo contrario[170]. En la prensa contemporánea, tanto cuando se trata de periódicos moderados y favorables a Martínez de la Rosa, como liberales, no se establece relación alguna, ni siquiera de forma implícita, entre ambos asuntos.

El 25 de julio, *El Observador* se contentó con referir que la víspera, a las cinco de la tarde, había sido detenido, en la calle de Cedaceros, «un sujeto llamado Abiránita [*sic*], que se titulaba secretario de la Sociedad de Isabelinos»; que entre los papeles que se le habían incautado había sido hallada una lista de nombre en la que figuraban Calvo de Rozas, Palafox, Berreras [?], Juan Van Halen, Romero Alfuente [*sic*], Olabarría y Alejandro O'Donnell. En los demás periódicos, el descubrimiento de la conspiración suscitó primero comentarios escépticos. Un redactor anónimo escribió en *El Eco del comercio* del 25 de julio que, por lo que había oído contar, el plan de los conjurados era «tan disparatado que apenas puede creerse que haya cabezas tan desorganizadas que hubieran podido concebirle». Añadía que el asunto parecía del todo inverosímil, y que tales proyectos sólo podían ser obra de un puñado de pescadores en río revuelto, cuyo éxito hu-

169. Véase el texto de este proyecto en Pirala, *op. cit.*, t. I, pp. 354-356.

170. De un despacho del embajador de Francia citado por Sarrailh (*op. cit.*, p. 207) se deduce que éste creía que el motín del 17 de julio y el complot del 24 formaban parte de un plan global. Pero en una memoria anónima titulada *Situation politique de l'Espagne en octobre de 1834* (Archives du ministère des Affaires étrangères, Mémoires et documents, vol. 312, f.os 45-55) esta hipótesis no es tenida en cuenta. J. Tomás Villaroya (*op. cit.*, p. 87) presenta brevemente ambos acontecimientos sin establecer ningún vínculo entre ellos. No se puede dar ningún crédito a las palabras de V. de la Fuente, quien en su *Historia de las sociedades secretas...*, (Lugo, 1884, t. II, pp. 19-26) reproduce la versión de los hechos defendida por Pirala, adornándola con notas tan grotescas como ingenuas. A la preguntaa de su amigo Campo-Alange «si ha habido o no conspiración para los horrores del día 17», Ochoa contesta, en la carta citada más arriba (p. 291): «¿Pues cómo puede Vm. dudarlo, santo varón? ¿Ignora que en estos últimos días se han hecho más de treinta prisiones? ¿Ignora Vm. que se intentaba hacer jurar a la Reina la Constitución del año 20, o quitarle la regencia y dársela al Infante Don Francisco, y en caso de que rehusara, a Palafox? Había, además, una larga lista de 500 personas destinadas a morir a manos de los asesinos. ¡*Le bel avenir!*» Estos argumentos no son demasiado convincentes, pues se refieren tan sólo al programa de los conjurados, y nada de lo que aquí se expone permite afirmar que fueron ellos los que provocaron los alborotos del 17 de julio.

biese sido desastroso; en resumen, había que confiar en la justicia, que aportaría toda la claridad deseable durante la instrucción del sumario y el jucio, y se encargaría de castigar a los culpables. La *Revista española* publicó aquel mismo día un breve comentario en la misma línea. En su número del 27 de julio, se dieron a conocer los nombres de algunas de las personas detenidas: Palafox, el general Llanos, Alejandro O'Donnell, García de Villalta, Juan Van Halen, Romero Alpuente, Olavarría, Avilaneta [*sic*] y Calvo de Rozas, y se añadía que el general Palarea había logrado escapar de la policía [171]. Esta lista había sido publicada la víspera por *La Abeja*; iba acompañada de un comentario indignado en el que se condenaban las intenciones de estos hombres, miembros todos ellos de La Isabelina cuya fundación había sido considerada poco antes con indignación, según las palabras del redactor quien, antes de solicitar el castigo ejemplar para los culpables, escribía:

> Por fortuna, no son muchos los necios o malvados que la componen [La Isabelina], ni menos pueden contar con que sus proyectos hallen apoyo ni aprobación en la inmensa mayoría de la Nación.

Pero así, los personajes en su mayoría respetables y conocidos que acababan de ser detenidos, ¿eran también «necios o malvados»? *El Eco* del 27 de julio pensaba que se habían exagerado las cosas, y que las sospechas que pesaban sobre los inculpados no tenían ningún fundamento real. Al día siguiente, el mismo periódico publicaba —si bien con suma prudencia— una especie de advertencia dirigida al gobierno; en ella se decía que si no se daba al caso toda la publicidad deseable, no iban a faltar enemigos del trono y la nación que se alzarían para aprovecharse de la situación y llevar a cabo proyectos mucho más peligrosos. *El Eco* acogía con reserva el anuncio de nuevas detenciones; decididamente —agregaba— es imposible que tal complot haya podido existir: en efecto, la guarnición y la Milicia Urbana estaban armadas el 24 de julio; entonces ¿cómo hubieran podido unos conjurados, desprovistos de dinero y armados con puñales, hacerles frente y arrastrar al pueblo consigo? La «célebre conjuración» era pura imaginación. El mismo 28 de julio, la *Revista española* habló de la «célebre conspiración», y anunció la inminente puesta en libertad de Calvo de Rozas, Olavarría y otros inculpados, a quienes la justicia no había podido imputar cargo alguno. La *Revista española* del 29 de julio y *La Abeja* del 5 de agosto anunciaron que García de Villalta y Espronceda, hasta entonces incomunicados, acababan de ser trasladados a una celda más confortable. También el 5 de agosto, *El Eco del comercio* escribió que se confirmaba «que nada existió y que, por consiguiente, nada resulta contra ellos [los detenidos]. Si así fuera, mucho habría que hablar sobre esto de prender a las personas sin motivo en tiempo de libertad».

El 8 de agosto, la *Revista española* publicaba un extenso editorial titulado *Sobre los destierros de real orden*. El autor revelaba que Villalta y Espronceda acababan de ser desterrados de Madrid y declarados inocentes del cargo de conspiración, todo ello sin que se hubiese instruido regularmente su causa; condenaba

171. Palarea remitió inmediatamente un mentís a varios periódicos; parece ser que, en efecto, no fue detenido ni perseguido.

severamente la arbitrariedad de la que habían sido víctimas estos dos hombres y prevenía al gobierno ante semejantes violaciones de los derechos civiles. A continuación de este artículo, el periódico insertaba una carta de Espronceda, escrita el día antes de su ingreso en la cárcel, y recibida una vez realizada la compaginación del editorial[172]. En dicha carta, el poeta —calificado por el periódico de «joven tan conocido por su talento»— explicaba que el 25 de julio, a las seis de la mañana, se habían presentado en su casa dos policías y que, tras haberse incautado de sus papeles, lo habían conducido a la Cárcel de Corte en donde había permanecido en régimen de incomunicación. Villalta había sido víctima del mismo procedimiento. Ocho días más tarde, ambos detenidos fueron puestos en régimen normal, y se les devolvieron sus papeles. Al día siguiente, se les comunicó verbalmente la orden de dejar Madrid en un plazo de ocho días a partir de su salida de prisión, Villalta para Zaragoza y Espronceda para Badajoz, con la prohibición de regresar a Madrid. El 11 de agosto, la *Revista española* publicaba una representación dirigida el 7 a la reina por Villalta; tras relatar brevemente que el domingo 3 se le había comunicado su destierro a Zaragoza, protestaba de su inocencia y solicitaba, o ser juzgado, o ser puesto de nuevo en libertad, ya que él era el único sostén de una familia numerosa a la que, después de diez años de emigración, conseguía mantener sólo gracias a los escasos ingresos que le proporcionaban sus trabajos literarios[173]. El 12 de agosto, el mismo periódico incluía una representación dirigida la víspera a la reina por Espronceda. Este apelaba también a los sentimientos: «hijo único de una madre viuda y enferma, se ve forzado a separarse de ella, cuando apenas vuelto de siete años de emigración había tenido tiempo de estrecharla en sus brazos y consolarla» (exagera, ya que en julio de 1834 hace sólo dieciséis meses que ha regresado a Madrid). Declara su indignación, al principio con cierta ironía: «persuadido estaba que, habiendo recobrado nuevamente la ley su imperio, se disfrutaba ya en fin en España, la seguridad personal», y luego, en términos más tajantes (no olvidemos que se dirige a la reina): «Los Españoles están en el ejercicio de sus antiguos fueros: la ley que V.M. ha restaurado debe garantir a todos sus súbditos de vejaciones de esta naturaleza.»

El resultado de esta protesta no se hizo esperar: el 14 de agosto, Espronceda salía de la cárcel[174]. Su encarcelamiento le valió, por ausencia prolongada, el ser

172. Esta carta apareció también en *El Eco del comercio*, que había recibido una copia, el 10 de agosto. La ha publicado Cascales, pp. 115-116, con numerosos errores.

173. Este documento aparece en E. Torres Pintueles, *La vida y la obra de José García Villalta*, Madrid, 1950, p. 147, con varios errores. El capítulo de esta obra titulado *La causa del 24 de Julio* (pp. 40-50) abunda en confusiones. El autor, en un estudio de idéntico título, ha recompuesto y rectificado este capítulo, pero sin aportar nada nuevo (*Id.*, *Tres estudios en torno a García de Villalta*, Madrid, 1965, pp. 15-98).

174. Las listas diarias de reclusos de la Cárcel de Corte en agosto de 1834 (AVM, Corregimiento, 1-91-50) indican que Romero Alpuente y Olavarría fueron puestos en libertad «por mandamiento» el 5 de agosto; Villalta, el 9 de agosto, «por tránsito», por orden del subdelegado de policía; Espronceda, el 14 de agosto, por orden del mismo. Estas listas aparecen repartidas al azar en carpetas distintas. No hemos podido encontrar las de julio de 1834. En la del 30 de octubre (*ibid.*, 1-188-7) aparece un tal José García Esponceda [?], trasladado a la prisión del Saladero. Se trata de documentos poco explícitos, en los que la ortografía de los nombres es solamente aproximativa.

dado de baja de la Milicia Urbana por el consejo de disciplina de la compañía del 1.er batallón de línea al cual había sido destinado[175]. A Villalta se le concedió que se marchara para Sevilla en lugar de Zaragoza, en donde se le había asignado residencia; todavía permanecía allí el 28 de diciembre, fecha en la que envió una nueva demanda a la reina, petición que fue examinada en consejo de ministros el 8 de julio de 1835, y pura y simplemente archivada en el expediente de la "conspiración"[176]. En cuanto a Espronceda, sabemos por una carta que escribió a Balbino Cortés[177] que se encontraba en Guadarrama en septiembre de 1834, al no haber podido —o querido— ir a Badajoz. En esta carta, se declara «lleno de desesperación y fastidio»; sufre, está desesperado y sin ningún recurso. Hace la siguiente observación desengañada:

> Si hubiera verdaderos patriotas en España, ¿cómo no habían de interesarse por un hombre tan injustamente atropellado y que tantas pruebas ha dado de liberal? Pero nosotros nos las hemos siempre prometido felices, juzgando por nuestro corazón de el ajeno, y si no escarmentamos nos hemos de llevar buen chasco siempre.

Termina suplicando a su amigo que le mande algún dinero, y que para ello recurra a todos aquellos que tengan a bien ayudarle.

En Madrid, el caso siguió su curso, sin que el público estuviese informado de la marcha de la instrucción del sumario. Al parecer, el gobierno se sentía molesto por el cariz que habían tomado los acontecimientos. Durante la sesión del 14 de agosto de 1834 en el Estamento de procuradores, el conde de Las Navas interpeló al primer ministro acerca de la famosa "conjuración", y Martínez de la Rosa respondió brevemente que todavía no podía dar explicaciones sobre este tema. Durante la sesión del 6 de septiembre siguiente, el mismo diputado insistió para obtener aclaraciones acerca del asunto; el jefe del gabinete no pronunció nombre alguno —ni siquiera el de La Isabelina, a la que se refirió no obstante con palabras encubiertas— y de hecho en su respuesta se limitó a repetir, ampliándolos, los términos de la circular del 24 de julio a los capitanes generales.

Al haber desaparecido, según parece, el expediente de la causa, resulta muy difícil esclarecer la verdad. Aviraneta, que era el alma de La Isabelina o se consideraba como tal, enredó tanto las cosas que los jueces no pudieron mantener en firme ninguna de las inculpaciones. Después de una extensa demanda enviada a la reina el 16 de octubre de 1834, Romero Alpuente se vio libre de toda sospecha, siéndole restituidos sus derechos y prerrogativas diez días más tarde. Olavarría y Calvo de Rozas fueron beneficiados por un sobreseimiento; Palafox fue juzgado y liberado el 22 de junio de 1835, al cabo de un proceso largo y confuso. El único que permaneció en prisión fue Aviraneta, de donde salió gracias a la

175. AVM, Milicia nacional, 1-5-2 (Estado de fuerzas y armamento del 1.er Batallón de línea, 30 de agosto de 1834).

176. Archivo de la Presidencia del Gobierno, Madrid, Actas del consejo de ministros, libro 8/3076, sesión de 8 de julio de 1835. La petición se publicó en *El Eco del comercio* el 2 de enero de 1835. Véase el texto, con algunos errores de transcripción, en E. Torres Pintueles, *La vida y la obra de José García de Villalta*, Madrid, 1959, pp. 151-158, y el comentario de este documento por él mismo (*Tres estudios*..., Madrid, 1965, pp. 91-95).

177. BNM, ms. 18633[29]. Cascales, pp. 117-118.

insurrección del 16 de agosto de 1835. Entretanto, desde su celda, había enviado a *El Eco del comercio* un comunicado, que fue publicado el 29 de julio de 1835; en él argumentaba que si el fiscal le reconocía como único culpable, no podía hablarse pues de conspiración ni de cómplices; en buena lógica concluía «que conspiración reducida a un solo individuo, no es conspiración, porque es implicatorio conspirar un solo hombre». A la oposición le resultó fácil alzarse contra el gobierno que, merced a la habilidad de Aviraneta, había quedado en ridículo[178].

¿Formó parte Espronceda de la conspiración? ¿Era miembro de La Isabelina? El caso es que, al igual que García de Villalta, se vio afectado por una medida de destierro y podemos afirmar que, con razón o sin ella, fueron los únicos inculpados que se vieron castigados con una pena; puede que de forma injusta. En su carta a la *Revista española*, en la exposición que hace a la reina, insiste en el hecho de que es víctima de un atentado sin fundamento a su libertad: emplea las palabras de «atropello» y «atropellado». Como tales escritos iban destinados a ser públicos, podríamos pensar que protesta con vehemencia de su buena fe, incluso si ésta no es tan íntegra como afirma. Pero cuando escribe a Balbino Cortés, sigue utilizando la expresión «injustamente atropellado» para hablar de la medida de la que acaba de ser víctima. Al dirigirse a un amigo para pedirle ayuda en su infortunio, no tenía necesidad alguna de proclamar así su inocencia, más aún si tenemos en cuenta que este amigo estaba sin duda alguna enterado de la verdad. Por otra parte, la víspera de su detención, Espronceda había afirmado solemnemente a Ochoa que no tenía nada que ver en este asunto, y no vemos por qué razón podría haber mentido[179].

Por último, cabe destacar que Espronceda y Villalta fueron detenidos el 25 de julio, es decir entre los últimos, e inmediatamente después de la sesión inaugural de las Cortes durante la cual tenía que llevarse a cabo el plan de La Isabelina. Su encarcelamiento podía atribuirse tal vez a un exceso de celo por parte de algunos policías que habían decidido mantener bajo vigilancia a dos hombres, reputados por ser liberales "exaltados" pero contra quienes no se tenía ninguna prueba formal. En resumen, los habrían sumado al "carro" del 24 de julio, aprovechando así la oportunidad de mantenerlos durante un tiempo alejados de Madrid. Es esta una hipótesis perfectamente plausible, dada la atmósfera cargada de malestar que reinaba por entonces en la capital, y de la que Larra nos da una idea en la última frase de su recensión de *La Sonnambula* de Bellini, publicada en la *Revista española* del 24 de julio de 1834:

178. Sobre los detalles de este asunto, que no podemos reseguir aquí, véase en particular el *Eco del comercio* de los días 28 de diciembre de 1834, 1.º de enero, 4 de mayo, 2 y 7 de junio, 21 y 29 de julio de 1835, y la *Revista española* de los días 4 de agosto de 1834, y 21, 22 y 26 de julio de 1835 (en este último número se reproduce el texto del juicio de excarcelación de Palafox); véase también la *Esposición dirigida a S.M. la Reina Gobernadora por D. Juan Romero Alpuente*..., Madrid, 1834. Según Baroja (*op. cit.*, p. 142), el infante Francisco de Paula y la infanta Luisa Carlota eran miembros de la Isabelina.

179. Ochoa escribió a Campo Alange (carta citada *supra*, p. 291): «Acabo de saber que esta mañana ha sido sacado de la cama, para ir a la cárcel, nuestro buen amigo Espronceda. El día antes me aseguró que no se había metido con nadie: está incomunicado.»

¡Plegue al cielo que tornemos pronto con franca y no forzada alegría a las públicas diversiones, que tan malhadadamente ha interrumpido esa atmósfera pérfida y abrumadora en que nos hallamos envueltos! (BAE, t. CXXVII, p. 419).

Durante la representación de *Malvina*, el público se abstuvo de silbar, y Larra escribe en el mismo periódico, el 10 de agosto: «¿Es porque estamos en tiempos de paciencia y de resignación?» (*Ed. cit.*, p. 425). En su *Segunda y última carta al bachiller* (*Revista española*, 13 de agosto), "Fígaro" se queja irónicamente de que se haya advertido malicia en la primera carta suya al supuesto corresponsal; hoy en día —le dice a éste— «las cosas todas se vuelven nombres», y sobre todo una de ellas: «Cosa hay que se llama *seguridad individual*, y *ley*...»; con lo cual, en lo sucesivo, no se permitirá la menor broma sobre los asuntos de Estado, ya que si no «préndanme bonitamente, y quédense con el *por qué* por allá, y ...». Más adelante, con fingida ingenuidad, da las últimas noticias:

Ya sabe vuesa merced cómo estaban presos dos individuos sobre lo de aquella grandísima conspiración que dicen que ha habido; como no les han encontrado delito, los han desterrado uno a Badajoz y otro a Zaragoza; parece que han representado, pero sus representaciones son como las de Cataluña, que nadie las oye ... Perdone vuesa merced, porque he oído llamar a mi puerta. Acaso vengan a prenderme o a llevarme a Zaragoza. Así como así, no debo de estar muy cuerdo. (*Ed. cit.*, pp. 428-430.)

Las alusiones de Larra eran lo bastante transparentes como para no tener que citar nombres. Él se consideraba también expuesto al mismo peligro que Villalta y Espronceda, si iba demasiado lejos en la crítica política. Resulta dudoso pensar que Larra, bien informado, hubiera ironizado sobre la medida que afectaba a su amigo si ésta hubiese sido justificada. En la *Primera contestación de un liberal de allá a un liberal de acá* (*El Observador*, 15 de octubre de 1834), Larra sigue hablando de «los muchos que han andado de cárcel en cárcel y de destierro en destierro por conspiración», y llega a la conclusión de que «los excesos de esos pobres liberales de Castilla» son imaginarios (BAE, t. CXXVIII, p. 20). Aunque probablemente inocente de cualquier delito caracterizado, en julio de 1834, Espronceda era considerado como un elemento peligroso por un gobierno moderado.

ESPRONCEDA, MIEMBRO DE LA OPOSICIÓN "REPUBLICANA" SEGÚN LA POLICÍA DE MADRID

Ignoramos cuánto tiempo permaneció el poeta lejos de Madrid. Es probable que volviera durante los últimos meses de 1834. En un artículo publicado el 24 de febrero de 1836 por la *Revista española*, Dionisio Alcalá Galiano da a entender claramente que las medidas de destierro adoptadas por Martínez de la Rosa eran a menudo papel mojado. En respuesta a *La Abeja*, que había escrito la víspera que durante el gobierno del estadista-poeta no se habían dictado arrestos arbitrarios ni destinos forzosos, el autor recuerda el ejemplo de Palafox y Villalta, así como el de otros «que desterrados varias veces, si permanecían en Madrid era para dar otra prueba de la debilidad del gobierno». No sabemos si Espronceda era uno de ellos; lo que sí podemos afirmar con certeza, como veremos, es que el 3 de noviembre de 1834 se anunció la puesta a la venta del tomo VI y último de su novela *Sancho Saldaña*, cuyo editor había declarado en julio que la publicación quedaba interrumpida por circunstancias ajenas a la voluntad del autor.

Cuando Espronceda regresa a la capital, la encuentra más que nunca presa de agitación política. La situación del gabinete de Martínez de la Rosa se hace, día a día, cada vez más precaria. La oposición no deja de hostigar al primer ministro y de multiplicar las críticas en la prensa. La situación económica es poco boyante: el déficit de la Hacienda pública alcanza los 300 millones de reales, y se verá incrementado a raíz de un empréstito contraído en julio de 1834 por el conde de Toreno con el banquero Ardoin por cuenta del Estado. En un largo informe, el ministro de la Guerra, Zarco del Valle, expone ante las Cortes la situación desastrosa y la suma miseria en que se encuentra el ejército. Los liberales piden con insistencia a Martínez de la Rosa que promulgue una ley sobre la prensa y que adopte las medidas de fuerza necesarias para asegurar las libertades y la seguridad de los ciudadanos. Obtienen de las Cortes la votación de un código de derechos fundamentales en doce puntos, en el que se proclama la igualdad ante la ley y el impuesto, así como la inviolabilidad de la propiedad, y en el que se prevé la reorganización de la Milicia Urbana. Una de las disposiciones más importantes del Estatuto real, según el cual ningún asunto podía ser sometido a deliberación en las Cortes sin que la reina se lo hubiese propuesto previamente, se ve así severamente criticada. Queda reducido en 12 millones de reales el presupuesto de la Casa real. El 28 de septiembre se sanciona el decreto, votado por unanimidad —victoria fácil del gabinete— en el que se excluye a don Carlos del trono de España. El reconocimiento de las deudas contraídas, de 1823 a 1833, da lugar a enconadas discusiones. La guerra civil se extiende cada vez más: ante la noticia de la derrota de los "cristinos" en Alegría el 27 de octubre de 1834, un motín es evitado por los pelos en Madrid; la población reprocha a la reina su ausencia de la capital. Zarco del Valle y Moscoso de Altamira dimiten del gabinete; algunos diputados de la mayoría se esfuerzan en convencer a Martínez de la Rosa para que solicite claramente la intervención de Francia e Inglaterra a fin de acabar con los facciosos. El primer ministro, atacado por todos lados, se encuentra en una posición insostenible. El General Llauder, ministro de la Guerra desde noviembre de 1834 y bien visto por la reina, intriga con la secreta esperanza que le sea encomendada la dirección de un "gobierno fuerte"; *La Abeja*, que apoya a Martínez de la Rosa, publica entonces algunos artículos contra el general y, por otra parte, en el Estamento de Próceres, el duque de Rivas y el marqués de Moncayo solicitan la dimisión del mismo. A fines de 1834, no era un secreto para nadie que reinaba la desunión entre los miembros del gabinete. Y Larra se disponía para ver «en el próximo y naciente 1835 una segunda edición de los errores de 1834 [180]».

180. "Revista del año 1834", BAE, t. CXXVIII, p. 51; este artículo, escrito sin duda en los primeros días de 1835, fue prohibido por la censura.

Se preparaba a la sazón un doble complot, que acabó en la insurrección del 18 de enero de 1835. Por un lado, los liberales encomendaron al teniente Cardero la misión de alzarse con su regimiento y apoderarse del edificio de Correos, tras lo cual debía procederse a la detención de los ministros y de las autoridades civiles y militares. Por otra lado, a los moderados se les ocurrió la idea de desviar el proyecto en provecho propio: el conde de Toreno, el general Quesada y Diego Martínez de la Rosa, hermano del primer ministro, intrigaron para que el pronunciamiento fuese dirigido contra Llauder, a fin de eliminarlo del ministerio. Cardero convenció a sus partidarios que llevasen a cabo el plan previsto, fingiendo seguir el juego de los moderados. Llauder ordenó rodear el edificio de Correos en poder de Cardero, y abrir fuego; el capitán general murió de un disparo —sin que se llegara a saber con exactitud quién fue el autor del mismo— en el preciso momento en que parlamentaba con Cardero. Éste puso condiciones para rendirse, los ministros las aceptaron, y el regimiento insurrecto dejó Madrid, con la bayoneta calada, para ir a unirse al ejército del Norte que luchaba contra la facción carlista. La insurrección había fracasado, en parte, porque la Milicia Urbana le había concedido sólo un tibio apoyo, pero el gobierno había dado una vez más muestras de su debilidad y salía vencido de la prueba [181]. Llauder dimitió y fue sustituido por el general Valdés.

Algo más tarde, mientras se debate en las Cortes el tema de la intervención extranjera, los carlistas mantienen a raya a las tropas leales en San Sebastián, Bilbao y Pamplona. El 30 de marzo de 1835, la policía previene a la reina de que «anarquistas y alborotadores» están perpetrando un motín «con el objeto de hacer caer al Ministerio, apellidando lo que ellos llaman libertad (que es una insolentísima licencia)». El 11 de mayo, Martínez de la Rosa es interpelado en las Cortes a propósito de contactos más o menos secretos entre los generales Valdés y Zumalacárregui; la sesión es tempestuosa, y se profieren gritos hostiles contra el primer ministro, al que algunos exaltados proyectaban asesinar [182]. El conde de Las Navas y Dionisio Alcalá Galiano intervienen para evitar lo peor, lo cual no impedirá que el segundo sea encarcelado del 14 de mayo al 12 de junio [183]. El 15, Martínez de la Rosa cede la dirección del ministerio al conde de Toreno. El restablecimiento de la situación militar a fines de junio y principios de julio (levantamiento del sitio de Bilbao, muerte de Zumalacárregui, victoria de Mendigorría) suscita entusiasmo en Madrid, si bien los rumores de un alzamiento liberal se hacen cada vez más insistentes. Se reúne una logia masónica en casa del conde de Donadío; en ella encontramos al duque de Rivas, a Argüelles, a Antonio Alcalá Galiano, al conde de Las Navas, a Istúriz y Fermín Caballero, quienes, aun perteneciendo a familias políticas distintas, trabajan en «la revolución más horrorosa y sanguinaria de la que sólo la idea estremece», según el vocabulario policial.

181. Véase la relación detallada, y en ocasiones divergente, de este confuso asunto en Pirala (*op. cit.*, t. II, pp. 117-128), y en Lafuente (*op. cit.*, t. VI, pp. 47-50), P. de Azcárate ha publicado dos manuscritos en los que Cardero refiere el desarrollo de la insurrección, pero sin aportar ninguna precisión sobre los antecedentes políticos de la misma ("Pronunciamiento del teniente don Cayetano Cardero [18 de enero de 1835]", *Boletín de la RAH*, CIX, 1966, pp. 117-133).

182. RAH, Papeles de la regencia de María Cristina, 9-36-1, 6940 (informes del marqués de Viluma a la reina del 30 de marzo y 11 de mayo de 1835).

183. [F. Caballero], *op. cit.*, pp. 104-109.

Se trata de instituir al infante don Francisco como regente de España, encarcelar y hacer comparecer ante la justicia a los ministros en ejercicio, y nombrar un gobierno provisional en el que participen los duques de San Lorenzo, de Rivas y de San Carlos, Espoz y Mina, Flórez Estrada, San Miguel, Mendizábal y Argüelles[184]. Toreno intenta conciliarse la opinión liberal. La cuestión se plantea en términos sencillos:

> En todo caso, la línea que separaba a los realistas de los liberales pasaba por la Iglesia y la Realeza; había quien acataba sus privilegios y quien intentaba reducirlos. Tal era el problema[185].

El 4 de julio de 1835, queda suprimida por decreto la Compañía de Jesús, y el 25 se cierran los novecientos conventos que cuenten con menos de doce frailes (de esta forma se matan dos pájaros de un tiro, ya que los miembros del clero regular se encuentran así relativamente a cubierto de los atentados colectivos). Pero como había sucedido un poco antes en Zaragoza, Reus, Málaga y Murcia, también en Barcelona se producen disturbios durante el mismo mes. El general Bassa, enviado para restablecer el orden, es asesinado; una junta toma el poder; son incendiados unos monasterios, al igual que la fábrica Bonaplata en la que los obreros protestan contra los bajos salarios: otra manifestación de «infantilismo subversivo», que demuestra no obstante el nacimiento de una incipiente conciencia de clase entre el proletariado industrial[186]. A comienzos de agosto, se produce un levantamiento carlista en las Baleares.

El gobierno está amedrentado ante la agitación que invade el país y que le combate en dos frentes. Ha fracasado sin duda la política del «justo medio». El 5 de agosto, al saber que se prepara el incendio de varios conventos de Madrid y que la Milicia Nacional ha nombrado una junta provisional de gobierno (en la que hallamos, entre otras, a las mismas personas que en los informes policiales anteriormente mencionados), la reina nombra una comisión militar y exige que se adopten medidas enérgicas. El 6, hay focos de agitación en la capital, y vemos a Alcalá Galiano alentando a los grupos que recorren las calles a la voz de «Viva la Constitución![187]». La ceguera de Toreno se trasluce en una carta que escribe el 3 de agosto desde La Granja, conjuntamente con el duque de Ahumada, a sus colegas García Herreros y Álvarez Guerra, ministros de Justicia y de Interior respectivamente, quienes se han quedado en Madrid y desean transigir con los que protestan: «VVEE son hombres experimentados en el arte de gobernar para saber atinadamente lo que vale la voz pública en crisis violentas. Sin despreciarla, no hay que arredrarse ni dejarse arrastrar por ella[188].»

El primer ministro, que no es consciente de la fuerza que representa la Mili-

184. RAH, Papeles de la regencia de María Cristina, 9-31-6, 6941 (informes de los días 9 y 15 de julio de 1835).

185. J. Vicens Vives, *op. cit.*, t. V, p. 346.

186. Para una descripción detallada de estos disturbios, véase J. Carrera Pujal, *Historia política de Cataluña en el siglo XIX*, t. III, Barcelona, 1957, pp. 32-67.

187. RAH, Papeles de la regencia de María Cristina, 9-31-6, 6939 (instrucciones de la regente del 5 de agosto, e informe policial del 6).

188. AGP, Sección histórica, caja 294.

cia, la considera despreciable; éste caerá ya que la burguesía, irritada por la duración de la guerra que tiene visos de proseguir todavía por largo tiempo, deja de apoyarle, o cuando menos se encierra en una hostil indiferencia, dejando que el pueblo se encargue de derribar un gobierno que ha decepcionado a todos. El 10 de agosto, en las calles Carretas y de la Montera, en pleno corazón de Madrid, hacen su aparición carteles subversivos como éste: «Urbanos, a las armas; levantaos que ya es tiempo de sacudir el yugo que nos oprime; muera el Estatuto Real y viva la Constitución[189].» El 14, bajo la presidencia de la reina tuvo lugar en Palacio una reunión extraordinaria de los ministros y las altas autoridades del Estado, después de que Argüelles se hubiese negado a suceder a Toreno. Se toma la decisión de resistir ante las exigencias de la oposición. El 15 de agosto, estalla la insurrección en Madrid. En ella toma parte activa la Milicia Nacional, a la que pertenece de nuevo Espronceda[190]. Desde algún tiempo corrían rumores alarmantes, a veces sin fundamento, de los que hallamos indicios en los papeles de las altas esferas de la policía. Por ejemplo, el 6 de agosto, una carta anónima anunciaba que la reina y su marido morganático Muñoz estaban amenazados de atentado; el autor de la misma escribía que los disturbios de Zaragoza, Reus, Barcelona y Murcia formaban parte de un plan concertado, y que pronto iba a estallar en Madrid un motín a la voz de «¡Viva la libertad, abajo Muñoz y Amarillas!» Añadía también el siguiente detalle rocambolesco:

> Se está esperando un extrangero portador de unos juguetes preciosos con el fin de regalar algunos á S.M.: vienen contaminados en tal disposición q^e^ por el tacto han de ocasionar la muerte. Esta trama se ha fragado [*sic*] en Burdeos[191].

No resulta fácil esclarecer la verdad entre las versiones sensiblemente distintas de la insurrección del 15 de agosto propuestas por Pirala, de una parte, y por Andrés Borrego en la *Historia* de Lafuente, por otra[192]. ¿Qué pudo llegar a saber de ella el hombre de la calle? El 15 de agosto al caer la tarde, a la salida de la plaza de toros de Madrid, la Milicia Nacional ocupó la Plaza Mayor, después de tocar general en las calles de la ciudad; al mismo tiempo, en la guarnición el capitán general ordenó tomar las armas. Se precipitaron unos curiosos y algunos de ellos, como los diputados Chacón y Caballero, propusieron la formación de una junta de gobierno, a lo cual se opusieron los oficiales de la Milicia. Una representación a la reina, redactada por Olózaga y Borrego, fue aprobada por unanimidad por la multitud y por los milicianos nacionales, y una delegación estuvo encargada de llevarla a La Granja. La guarnición de Madrid regresó a sus cuarteles. A primeras horas de la noche, un pequeño grupo de milicianos vino a leer a sus compañeros, que seguían concentrados en la Plaza Mayor, una proclama que acaba-

189. RAH, Papeles de la regencia de María Cristina, 9-31-6, 6940 (informe policial del 10 de agosto de 1835).
190. Una factura de sastrería fechada en abril de 1835 (Archivos Núñez de Arenas) indica que Espronceda se hizo confeccionar un uniforme de miliciano nacional, un pantalón azul pálido y unas charreteras de cazador, todo ello por 514 reales. Los archivos de la Milicia Nacional —muy incompletos— no aportan ninguna precisión sobre la fecha de su reingreso en el cuerpo.
191. AGP, Sección histórica, caja 302.
192. Pirala, *op. cit.*, t. II, pp. 155-159a; Lafuente, *op. cit.*, t. VI, pp. 91-94.

ban de imprimir en la Imprenta real en donde habían penetrado por la fuerza. Al día siguiente, el general Quesada se presentó ante los milicianos y fue acogido con gritos hostiles y voces de «¡Viva la constitución de 1812!» Se produjo un altercado; Sanz, Ventura de la Vega, Borrego y González Bravo, miembros de la Milicia, protegieron al general el cual, furioso, mandó dispersar la manifestación. Orden que se ejecutó con serenidad, gracias a la intervención moderadora del superintendente de policía. El día siguiente, estallaba una revuelta popular en los barrios bajos de Madrid, instigada, según Pirala, por los carlistas, deseosos de aprovechar en favor suyo la sumisión de la Milicia. Pirala y Borrego mencionan el nombre de Espronceda en el comentario final de los hechos:

> Espronceda, V[entura] de [la] V[ega] y otros vieron la diferencia que hay de escribir tranquilos a obrar agitados, de la literatura a la política, a la guerra. (Pirala)
>
> Deja de ser sostenible la versión de los que han afirmado que Ventura de la Vega, Espronceda y Borrego, fueron sino los directores, los que echaron a perder [el] movimiento (Lafuente.)

¿A quién creer?

Analicemos las interioridades de este asunto. Borrego dice que desde hacía algún tiempo estaba en contacto con Quesada, y que éste, deseando sacar provecho de la hostilidad del pueblo hacia Toreno y el marqués de las Amarillas, ministro de la Guerra, estaba dispuesto a permitir que se produjera una revuelta en Madrid, a condición de que no se extendiera la subversión y que no concluyera con la proclamación de la Constitución de 1812, a la cual era opuesto el general. Contando con esta promesa, Borrego comunicó el asunto a Olózaga, José Esteban de Izaga y José Sanz, oficiales de la Milicia Nacional. Quesada dejaría que ésta ocupara la Plaza Mayor, pero daría orden a la guarnición de no abrir el fuego; se enviaría una exposición a la reina (fue preparada de antemano por Olózaga y Borrego, y aprobada por Quesada). En efecto, las cosas se desarrollaron según el plan previsto, cuando menos en un primer momento. Pero los incidentes de la noche del 15 al 16 de agosto y de la mañana del 16 indujeron a Quesada a exigir la dispersión de los milicianos estacionados en la Plaza Mayor, al no haber respetado éstos los acuerdos. El reducido grupo que había ocupado la Imprenta real y se disponía a llamar a la Milicia Nacional a la insurrección general había sido incitado a la acción por Aviraneta quien, desde la cárcel, había dado órdenes en este sentido. Para tranquilizar a Quesada, en estas condiciones no quedaba sino conseguir la dispersión de los milicianos que corrían ahora el riesgo de verse atacados por las tropas de la guarnición.

Según Pirala, fue Aviraneta quien concibió primero el plan de insurrección. Al enterarse de que se estaba tramando en la cárcel una conspiración carlista, el gobierno envió allí, simulando haberle detenido, al coronel Andrés Robledo, que se abocó con Aviraneta. Éste trazó un plan según el cual la Milicia Nacional debía de ocupar la Plaza Mayor, el 15 de agosto por la tarde. Posteriormente, Aviraneta sería liberado y se encargaría de todo. Pero la liberación se demoró: sólo se produjo al día siguiente, cuando era ya demasiado tarde; el gobierno se había serenado y, a fin de evitar un combate entre las tropas de la guarnición y las de la Milicia Nacional, Aviraneta intentó convencer a los oficiales de ésta para que proclamaran una junta de gobierno y condujeran a sus hombres a Guadalajara desde donde irían a unirse a los insurrectos de Zaragoza. Todo ello, de acuerdo con Palafox y algunas otras personalidades. Pero un elevado número de milicianos eran empleados, y se les dio a entender que perderían su puesto si no acudían al trabajo. La guarnición se preparó para dispersar a los milicianos nacionales, y ahí acabó todo.

Según Pezuela, Ventura de la Vega formaba parte a pesar suyo del reducido grupo que ocupó la Imprenta real y fue él quien redactó la proclama cuya lectura provocó los gritos hostiles a Quesada por parte de algunos milicianos, lo cual desbarató todo el proyecto [193]. Cuando Borrego escribe la historia de la jornada, no alude al papel que pudo desempeñar Espronceda en estos acontecimientos. Tenemos una carta de éste a Bernardino Núñez de Arenas [194], que dice así:

> Querido Núñez: Tu eres segun dicen necesarisimo en Madrid. Ya entenderás. Nosotros no hemos podido ir á verte al Cafe por una circunstancia imprevista y que Borrego te explicará.
>
> Es preciso que te veas con Vega y contengas á los imprudentes.
>
> Tuyo
> Espronceda
>
> [Dirección:]
>
> Sr. D. Bernardino Nuñez Arenas.
> En casa del Sr de Vega plazuela
> del Angel frente á la imprenta
> de Repullés n.º 9
>
> Luego, luego.

Si bien es cierto que no está fechada, no vemos a qué otro hecho podría hacer alusión y, además, por un lado es muy urgente, y por otro reaparecen en ella los nombres de Borrego y Vega [195]. La intervención que se solicita a Núñez de Arenas es de la mayor importancia, y el destinatario debía de estar al corriente de lo que se esperaba de él. Oficial de la Milicia Nacional, desde el 15 de junio de 1835 trabajaba en la comisión de organización de Correos en el ministerio de Hacienda [196]. Puede que quisieran pedirle que interviniera durante la mañana del 16 de agosto, para apaciguar los ánimos de quienes pretendían desviar la insurrección hacia fines demasiado radicales, y hacer comprender a los milicianos funcionarios la necesidad de acudir a su trabajo. En tal caso, la frase «Es preciso que

193. "Elogio fúnebre" del Excmo. Sr. Don Ventura de la Vega", *Memorias de la Academia Española*, II, 1870, p. 458. Pezuela —que sitúa la insurrección en julio de 1835, y no en agosto— escribe que Vega, en este asunto, fue «arrastrado a todo por los que eran entonces amigos suyos»; reparemos en que el último párrafo de la proclama era más bien tranquilizador: «Habitantes de Madrid: no receléis que se turbe la tranquilidad de vuestros hogares: también hemos jurado que pague con la vida el malévolo que interpretando mal nuestro noble pensamiento, se atreva a cometer el más mínimo exceso.»

194. Documento inédito (Archivos Núñez de Arenas).

195. La dirección de Vega era la misma que había indicado el 8 de marzo de 1834 cuando se alistó en la Milicia Nacional (AVM, Milicia nacional, 2-84-5), y la misma a la que Larra le escribe desde Lisboa el 3 de mayo de 1835 (P. Lozano Guirao, "El epistolario de Ventura de la Vega", *Revista de Literatura*, XII, 1958, pp. 121-172).

196. AHN, Hacienda, leg. 3313/201 (expediente personal de B. Núñez de Arenas).

te veas con Vega y contengas a los imprudentes» indicaría que había que convencer con toda rapidez a Vega de la imprudencia cometida por el grupo que había sembrado el desconcierto en el plan establecido con la aprobación de Quesada. Así pues, si nuestra hipótesis es acertada, Espronceda hubiera estado en este caso del lado de los "moderados", que pensaban que una revolución así encaminada sólo tenía posibilidades de concluir con la matanza de la Milicia Nacional a manos de la guarnición de Madrid. Ésta, por supuesto, no es la opinión de Pirala, siempre favorable a Aviraneta. Sin embargo, la exposición a la reina contenía una serie de reivindicaciones concretas, del todo preferibles a la aventura a la cual la insurrección general, preconizada por el conspirador vasco, hubiera abocado sin duda alguna al país. Los insurrectos pedían entre otras cosas la secularización de las comunidades religiosas, el despido de los funcionarios simpatizantes de los carlistas, un reclutamiento más amplio de la Milicia Nacional, una leva de 200.000 hombres, una nueva ley electoral, la libertad de prensa, la reunión inmediata de las Cortes y un nuevo ministerio. Todo quedó en papel mojado. Se efectuó una simple remodelación del gabinete Toreno el 24 de agosto de 1835: el marqués de las Amarillas cedió la cartera de la Guerra al duque de Castroterreño, y Álvarez Guerra, la del Interior a Riva Herrera. No obstante, los ministros tuvieron que dimitir el 14 de septiembre. Mendizábal tomó entonces en sus manos el destino de España y consiguió apaciguar provisionalmente, y no sin dificultades, la agitación.

En un manifiesto a la nación, la reina condenó el 2 de septiembre a los «perversos» e «impacientes» que, con la insurrección que habían instigado, habían perturbado la buena marcha de las reformas emprendidas por el gobierno, y prometió un castigo ejemplar. En sus editoriales escritos por Lista, la *Gaceta de Madrid* atacaba a los promotores de disturbios: según ésta, no eran más que un puñado de anarquistas, cuyo triunfo hubiera conducido a la guerra civil (19 de agosto); o incluso (29 de agosto) de partidarios disfrazados de don Carlos (¡!),

> hombres violentos, ignorantes, sin moralidad ni mérito alguno, cobardes, que nunca han querido ni merecido cumplir con sus obligaciones; pero ambiciosos en sumo grado, y turbulentos y agitadores por hábito; porque ninguna esperanza les queda de elevación sino en el trastorno de la sociedad.

Ahora bien, estos hombres contra quienes se dictaron órdenes de detención, se llamaban Antonio Alcalá Galiano, Chacón, Istúriz, el conde de Las Navas, Fermín Caballero...

No siempre es fácil definir, por falta de documentos[197], el papel que tuvo Espronceda en estas peripecias madrileñas de la vida política española durante los ministerios Cea, Martínez de la Rosa y Toreno. De todas formas, no hay duda de que a veces tomó parte activa en ellas, y de que fue considerado sospechoso por sus ideas. En una lista restringida de personajes conocidos, clasificados por

197. Así, por ejemplo, faltan en el AVM los expedientes de expulsión, a raíz de los sucesos del 15 de agosto de 1835, de los milicianos de los batallones 3.º y 4.º, aunque su número de registro (Secretaría, 4-373-7) figura en el catálogo manuscrito.

sus opiniones, encontramos su nombre bajo la etiqueta «republicanos», entre otros veinticuatro, de entre los cuales se mencionan los de Cayuela, Flórez Estrada, Ramón Ceruti, Méndez Vigo, Palarea, Francisco Valdés, Minuisir, el del sobrino de Riego y Balbino Cortés; en una nota al margen se especifica que los tres primeros citados son los verdaderos jefes del partido [198]. Espronceda es pues uno de los hombres destacados del sector más radical de la oposición, sector calificado, tal vez algo apresuradamente en aquella época, de republicano. Así se explica que, después de los acontecimientos del 15 de agosto de 1835, tuviera que esconderse para escapar de una posible detención. En aquellas circunstancias, su amigo Rafael del Bosque le procuró alojamiento en el domicilio de un comisario de policía que residía en la calle de la Flora, y posteriormente, en casa de un tal G.E. (es decir, Gerónimo de la Escosura), en la plaza de Matute. En su primer refugio, compuso —o quizá tan sólo acabara de poner en limpio— las dos poesías *El mendigo* y *El verdugo*; Del Bosque fue a llevarlas a la *Revista española*, que las publicó el 6 y el 19 de septiembre respectivamente [199].

Espronceda no permaneció largo tiempo en estos retiros clandestinos. En los últimos días de este mismo mes, poco después de la llegada de Mendizábal al poder, se le encomendó una misión oficiosa ante la junta insurreccional de Andalucía, establecida en Manzanares bajo la dirección del conde de Las Navas. Este episodio marca el inicio de una nueva etapa en la actividad política del poeta, cuya simpatía por el nuevo jefe del gabinete no tardará en transformarse en abierta hostilidad. En el seno de la opinión liberal, primero entusiasta, irá naciendo paulatinamente la desilusión; es el mismo proceso que hemos podido observar durante los primeros meses del ministerio de Martínez de la Rosa.

Pero desde la experiencia de *El Siglo*, las opiniones de Espronceda han evolucionado mucho. Contrariamente a algunos que, entre 1834 y 1835, templan su liberalismo y se convierten en prudentes moderados, el poeta se hace cada vez más "exaltado", y sus convicciones, lejos de verse mermadas por las vicisitudes que sus acciones le obligan a sufrir, se afianzan claramente como las de un hombre de progreso. No harán sino fortalecerse con el tiempo.

198. AGP, Sección histórica, caja 297, leg. 5.º, n.º 19. Este documento lleva por toda fecha «1835», pero, dado que incluye el nombre de Mendizábal y éste no regresó a España hasta septiembre del mismo año, no debe de ser anterior a este mes. Ofrece un resumen bastante correcto de las diferentes tendencias políticas en Madrid, pese a ciertas ausencias curiosas: en él no encontramos, por ejemplo, los nombres del conde de Las Navas o de Fermín Caballero.

199. Rodríguez-Solís, pp. 154-156. El autor sitúa por equivocación este episodio en agosto de 1836, y sólo da las iniciales de Rafael del Bosque, cuyo nombre y apellido aparecen en la lista de personas a las que agradece su ayuda en la redacción del libro. Sobre este personaje y las poesías que aquí se citan, véase Espronceda, *Poésies*, ed. Marrast, pp. 380-381 y 387. Las iniciales G.E. designan, según creemos, a Gerónimo de la Escosura, cuyo hijo Patricio, en una carta del 13 de marzo de 1835 enviada desde Pamplona a Ventura de la Vega, escribe que su familia vive en la plaza de Matute (P. Lozano Guirao, art. cit., y A. Iniesta, *Don Patricio de la Escosura*, Madrid, 1958, p. 108). Esta plaza se encontraba entonces a caballo entre el cuartel de San Gerónimo y el de Avapiés. En una lista de benefactores de los pobres de San Bernardino (*Diario de avisos*, 25 de abril de 1835) encontramos los nombres de Gerónimo de la Escosura, de su mujer Ana Morrogh y de sus hijos Narciso, Mario, Luis y Juan, bajo la rúbrica del barrio de la Cruz, zona del cuartel de San Gerónimo, Parece, pues, que fue en casa de los Escosura donde Espronceda encontró asilo tras abandonar la casa del comisario de policía.

Capítulo X

LOS PRIMEROS PASOS DE ESPRONCEDA ESCRITOR: TEORÍA Y PRÁCTICA DE LA LITERATURA

Los principios estéticos de Espronceda a comienzos de 1834; Lista y Espronceda ante el "romanticismo"; su concepción de las relaciones entre literatura y política

En el prospecto de *El Siglo*, los redactores del periódico señalan su intención de reservar un espacio importante a la literatura, y exponen sucintamente las ideas que se proponen desarrollar. Se presentan en primer lugar como «hijos del siglo», un siglo del que reciben «las inspiraciones y las luces», y que se declaran dispuestos a estudiar y defender. Según ellos, el espíritu de su tiempo no es incompatible ni con el entusiasmo, ni con la originalidad o el progreso de las bellas letras. Al dominio de la razón, oponen los derechos de la sensibilidad y la imaginación:

> Opuesto a las heladas doctrinas del siglo XVIII, que reduciendo al hombre moral a una máquina regida por leyes positivas y matemáticas, tienden a degradar la imaginación, y a ridiculizar las pasiones nobles del corazón humano, creemos que los sentimientos son superiores a sus intereses, sus deseos a sus necesidades, su imaginación a la realidad.

Afirman que el progreso material y el refinamiento de las costumbres no conllevan necesariamente la decadencia de la poesía, que puede hallar fecundas fuentes de inspiración en el mundo moderno. Pero la renovación de los temas presupone el rechazo de las reglas:

> Contrarios por último a la opinión de aquellos encaprichados preceptistas, que fijaron ya para siempre los límites del talento y las formas de la belleza, nosotros nos atrevemos a creer y nos esforzaremos a demostrar con ejemplos y raciocinios que hay en nuestro siglo producciones originales, nuevas fuentes de belleza y de

verdades, una nueva y abundante copia de laureles literarios, y genios fecundos y admirables que, traspasando las antiguas columnas, saben hallar un mundo nuevo y filosófico.

En estas líneas, Espronceda y sus amigos se definen ante todo por su oposición —afirmada con fuerza aunque en términos generales— a los principios estéticos de los que se alimentaron en el transcurso de su adolescencia. Se rebelan contra aquellos que Hugo denominaba en el prefacio de *Cromwell*, «pédants étourdis» y «douaniers de la pensée». En algunas frases rápidas y perentorias, condenan el espíritu del siglo XVIII porque no otorga la debida importancia a los impulsos del corazón, así como a los teóricos que, en nombre de la razón, han establecido un sistema inmutable que fija los límites de la afirmación del yo y de la expresión de los sentimientos; según estos «encaprichados preceptistas», las formas, el lenguaje y los temas están determinados de una vez para siempre. Espronceda y sus amigos consideran caduca semejante concepción, y reivindican el derecho de aplicar su sensibilidad al mundo que les rodea y de expresarse de otra forma que por medio de estereotipos, fórmulas y motivos autorizados por los «buenos autores». Para ellos, la poesía no puede ser ya un ejercicio ingenioso consistente en disfrazar los sentimientos bajo los ornatos anticuados de la pastoral o la anacreóntica. Esta refutación global de las doctrinas del siglo XVIII es apresurada y está formulada en términos generales. No va seguida de un programa, sino de una serie de afirmaciones imprecisas, entre las que sobresale la idea de que los paladines de la nueva literatura desean derribar todas las barreras que se oponen al libre desarrollo del talento y la imaginación.

Era lógico esperar hallar, en las columnas de *El Siglo*, algunos artículos que desarrollaran de manera más explícita y bajo una forma más clara las ideas literarias someramente expuestas en el prospecto. Pero la promesa contenida en éste no se mantuvo. En efecto, sólo un texto —publicado en el n.º 2, del 24 de enero de 1834— trata temas de estética; es el que se titula *Poesía* y que, según hemos visto, se atribuye a Espronceda. El artículo se compone de dos partes, de las que la primera —la más corta— está dedicada a la teoría de la imitación y a la elección de los temas; la segunda analiza el problema de las unidades en el teatro.

El autor se presenta como portavoz de los «románticos» —debemos señalar que ni este término ni el término "romanticismo" aparecen en el prospecto—, y acto seguido se disculpa por disponer de un espacio demasiado reducido para poder desarrollar su punto de vista con todos los argumentos deseables. Es un mero pretexto, que le permite desgranar una serie de afirmaciones sin basarlas en la menor prueba. Dirigiéndose a sus contrarios, afirma «que la *moderna escuela* es la suya, la nacida en el siglo XVII, la que prescribe la *imitación* de los antiguos, que no imitaron a nadie, la *clásica*, en fin, pues *clásica* hay que llamarla para podernos entender». Su deseo de dar una forma paradójica a la definición prevalece sobre el de la claridad: así pues, los "clásicos" son los "modernos", ya que sus teorías se remontan al siglo XVII —entiéndase el de Boileau, y no el de Calderón—. Lejos de menospreciar a los Antiguos, los jóvenes escritores se proponen seguir su ejemplo, aunque «no en el sentido absoluto, sino en otro, racional y filosófico». Los poetas de la Antigüedad abrieron los ojos de sus contemporáneos ante el mundo que los rodeaba; hoy en día, hay que hacer como ellos, es decir, para crear una obra personal, no hay que limitarse a adaptar sus temas, motivos y formas a fin de disponerlos en un orden más o menos original. La escuela moderna es en realidad

> *la antigua*, *la única*, la naturaleza, sí, pero no con el manto, el casco y el politeísmo, sino con la modificación, más diremos, con la total mutación que la han hecho sufrir los nuevos usos, costumbres, ideas, sensaciones, en fin, el triunfo y establecimiento del Cristianismo.

Homero y Virgilio, que cantaron el sitio de Troya y la fundación de Roma —prosigue el artículo—, nos reprocharían con razón el ceñirnos a los mismos temas de inspiración, y podrían decirnos: «*Cantad como nosotros... Cantad vuestras Troyas*, *vuestras Romas*, *vuestros héroes y vuestros dioses*. ¿Tan estéril ha sido vuestra naturaleza que para presentar ejemplos de valor y virtud tenéis que retroceder veinte siglos?»

Para «seguir más atinada y filosóficamente que los clásicos el verdadero espíritu de los modelos de la antigüedad», hay que cantar al Cid, a Gonzalo de Córdoba, a Hernán Cortés, a los héroes de Zaragoza, describir las hazañas de nuestra historia moderna, pero «con su fisonomía propia, no vestidas a la griega o a la romana».

Lo que tienen de original tales ideas es la forma en que están expresadas, pero en ningún caso su contenido. El tono perentorio, unas veces irónico y otras agresivo del artículo, hace pensar en el del prefacio de *Cromwell*[200]. La similitud de algunos de los puntos de vista presentados nos inducen a comparar ambos textos. Hugo había proclamado también su intención de liberarse de los dogmas clásicos y de practicar el estudio directo de la naturaleza como lo habían hecho los Antiguos:

> Il y a ... deux espèces de modèles, ceux qui se sont faits d'après les règles, et, avant eux, ceux d'après lesquels on a fait les règles [...Imiter] les modernes? Ah! Imiter des imitations! Grâce! ... Qu'on ne s'y méprenne pas, si quelques-uns de nos poètes ont pu être grands, même en imitant, c'est que, tout en se modelant sur la forme antique, ils ont souvent encore écouté la nature et leur génie, c'est qu'ils ont été eux-mêmes, par un côté ... La nature donc! La nature et la vérité![201]

200. Compárense en particular estos dos pasajes: «Estamos seguros de que algunos de nuestros lectores, con cuyas opiniones literarias chocaron abiertamente las que ... manifestamos en nuestro prospecto ... ¡*Ya están aquí*! exclamarán. ¡*Ya están aquí esos románticos con su moderna escuela! ...*, *oigámoslos desatinar*.» (BAE, t. LXXII, p. 579 a); «Enfin! vont dire ici les gens qui, depuis quelque temps, nous *voient venir*, nous vous tenons! vous voilà pris sur le fait.» (« ¡Por fin! dirán aquí las gentes que, después de cierto tiempo, nos *ven venir*, ¡os tenemos!, ¡os hemos cogido con las manos en la masa!») (*La Prèface de Cromwell*, ed. M. Sourian, París, s.f., pp. 192-193.)

201. («Hay ... dos especies de modelos, los que se han hecho según las reglas y, antes de estos, aquéllos según los cuales se han hecho las reglas...[Imitar] ¿a los modernos? ¡Ah! ¡Imitar las imitaciones! ¡Por favor! ... No se equivocan, si algunos de nuestros poetas han podido ser grandes, incluso imitando, es que, modelándose en la forma antigua, han escuchado a menudo a la naturaleza y a su genio, es lo que ellos han sido, por un lado ... ¡La naturaleza pues! ¡La naturaleza y la verdad!») V. Hugo, *op. cit.*, pp. 248-249 y 258-260.

La teoría de la nueva literatura presentada a grandes rasgos en el artículo de *El Siglo* recuerda la definición del "romanticismo" propuesta por Stendhal en *Racine et Shakespeare*: «l'art de présenter aux peuples des œuvres littéraires qui, dans l'état actuel de leurs habitudes et de leurs croyances, sont susceptibles de leur donner le plus de plaisir possible.*» El autor de *Armance* agregaba que Sófocles y Eurípides habían interesado a los griegos de su época porque sus tragedias se adaptaban a los «habitudes morales de ce peuple, sa religion, ses préjugés sur ce qui fut la dignité de l'homme»**; imitarlos servilmente en nuestros días «c'est du classicisme, c'est ennuyer les spectateurs de notre temps»***. La teoría de la imitación expuesta en *Poesía* hace eco a la de Stendhal:

> À le bien prendre, tous les grands écrivains ont été romantiques en leur temps. C'est, un siècle après leur mort, les gens qui les copient au lieu d'ouvrir les yeux et d'imiter directement les drames de Shakespeare. Ce qu'il faut imiter la nature, qui sont classiques ... Les romantiques ne conseillent à personne d'imiter directement les drames de Shakespeare. Ce qu'il faut imiter de ce grand homme, c'est la manière d'étudier le monde au milieu duquel nous vivons[202].

Resultaría fácil proseguir el cotejo con otros textos teóricos extranjeros. Remontándonos en el tiempo, observaríamos que, a partir de 1793, en su *Essai sur les fictions*, Madame de Staël incitaba a los escritores a la práctica del estudio directo de la naturaleza, a fin de liberar las obras de los motivos mitológicos ya obsoletos. Es tal la complejidad de la red de ideas nuevas, cuyos hilos se extienden de uno a otro país de Europa desde las postrimerías del siglo XVIII, que no es posible determinar el alcance exacto de la influencia de cada teórico. Ciertamente, el artículo *Poesía* presenta algunos puntos en común con *Racine et Shakespeare* y con el prefacio de *Cromwell*. Espronceda pudo haber leído dichos textos durante su estancia en Francia; no obstante, todavía no se habían modificado sensiblemente sus concepciones estéticas, como demuestran las obras que compuso entre 1828 y 1832.

A pesar del tono decididamente provocador adoptado al comienzo del artículo, éste no contiene nada realmente nuevo para los lectores madrileños de 1834 más o menos informados. Unos años antes, Durán había demostrado —apropiándose ideas ampliamente extendidas en otros lugares— que el teatro tenía que ser «en cada país la expresión poética e ideal de sus necesidades morales, y de los

* «... el arte de presentar a los pueblos obras literarias que, en el estado actual de sus costumbres y sus creencias, son susceptibles de darles el máximo de placer posible.»

** «... costumbres morales de ese pueblo, su religión, sus prejuicios sobre lo que fue la dignidad del hombre.»

*** «... es el clasicismo, es aburrir a los espectadores de nuestro tiempo.»

202. («Mirándolo bien, todos los grandes escritores han sido románticos en su época. Es un siglo después de su muerte, cuando la gente les copia en vez de abrir los ojos e imitar la naturaleza, que se vuelven clásicos ... Los románticos no aconsejan a nadie imitar directamente los dramas de Shakespeare. Lo que sí hay que imitar de ese gran hombre es la manera de estudiar el mundo en el medio en el que vivimos.») Stendhal, *Racine et Shakespeare*, ed. P. Martino, París, 1927, pp. 50, 56 y 102. En el prólogo a los *Études françaises et étrangères* (1828), Émile Deschamps desarrolla la idea de que, en cada época, es romántico lo que es nuevo. En *El Europeo*, Luigi Monteggia había expresado, en 1823, opiniones casi idénticas, tomadas sin duda de las mismas fuentes que Stendhal.

goces adecuados a la manera de existir de sus habitantes». Concidía en esto con el punto de vista de Stendhal. Para Durán, el poeta no debe estar prisionero de «las cadenas de la servil e indirecta imitación de la naturaleza», como en la época en que «el genio, lleno de trabas, empleaba todo su vigor y energía, no en concebir o pintar los grandes y sublimes pensamientos, sino en reducirlos prolija y penosamente a formas y reglas en que no cabían». Pero hoy en día, «el objeto que el poeta se propone describir ... no es ciertamente al hombre abstracto y exterior; es, sí, al individual e interior»[203]. Según vimos, el propio Lista había adaptado estas ideas, y en sus cartas a Reinoso, utilizaba en 1829 los mismos argumentos y la misma terminología. La intención de Espronceda es la de justificar la nueva orientación de la literatura a través de la idea de que el arte evoluciona al tiempo que la sociedad; reivindica la libertad, a fin de llegar a una auténtica verdad. Aparentemente, atribuye al término «naturaleza» el mismo sentido amplio que Hugo da al término «*nature*» en el prefacio de *Cromwell*, y que le había dado Madame de Staël en el *Essai sur les fictions*. Por «naturaleza», entiéndase el mundo en el cual se desenvuelve la existencia del hombre en un momento dado de la historia. Para el autor del prefacio de *Cromwell*, la humanidad se divide en tres edades, la épica, la lírica y la dramática, de las que presenta las características fundamentales. El poeta español se limita a definir brevemente los caracteres de la naturaleza moderna, es decir, del mundo tal como lo ha modelado el cristianismo. Hugo acababa diciendo que «la poésie née du christianisme, la poésie de notre temps» era el drama, y añadía: «le caractère du drame est le réel; le réel résulte de la combinaison toute naturelle de deux types, le sublime et le grotesque, qui se croisent dans le drame, comme ils se croisent dans la vie et dans la création[204].» No hallamos estas conclusiones en el artículo de *El Siglo*, como tampoco se menciona en él la teoría del «vers naturel» («tendencia natural»), destinado a renovar el lenguaje trágio; así pues, no aparecen recogidos los puntos de vista más innovadores y fecundos del prefacio de *Cromwell*.

Si bien Espronceda hace un llamamiento para luchar contra el formalismo neoclásico, no obstante en la segunda parte —la más extensa— del artículo *Poesía* se limita a rechazar la regla de las tres unidades en el teatro; la argumentación sigue siendo pobre:

> En primer lugar, las tales *tres unidades* no son más que *una*, que es la de *acción*, pues debiendo la acción del drama ser una sola, claro está que no puede suceder sino en veinticuatro horas lo más y en un solo sitio. Pero suponiendo que las dichas reglas han sido y debido ser desentrañadas de las producciones anteriores del genio, ¿quién será el sandio preceptista que se atreva a fijar límites al genio verdadero? ¿Quién el que se aventure a asegurar que no nacerá un poeta que logre interesar y conmover por otros medios no conocidos, y de cuyas obras desentrañen a su vez nuevas reglas futuros preceptistas?

203. A. Durán, *Discurso...*, ed. cit., pp. 290, 305 y 312.
204. («... la poesía nace del cristianismo, la poesía de nuestro tiempo ... el carácter del drama es el real, el real resulta de la combinación natural de dos tipos, el sublime y el grotesco, que se cruzan en el drama, como se cruzan en la vida y en la creación.») V. Hugo, *op. cit.*, p. 223.

Puede objetarse que las reglas sólo constituyen un obstáculo para los autores mediocres, pero no para el genio, a quien sirven de «saludable freno». Para refutar dicho argumento, Espronceda se basa en el testimonio de Corneille el cual, en el *Examen du Cid*, reconoce que tuvo que efectuar algunas alteraciones en las unidades para introducir en su tragicomedia todos los lances de la historia de Rodrigo. Así pues, la única unidad que es conveniente respetar en el drama es la unidad de interés:

> Y no entendemos por esto que sea precisamente un solo personaje quien lo excite; pueden muy bien ser varios, siempre que estos intereses parciales, ligados entre sí con un lazo más o menos visible, conspiren a un centro de interés común, que es lo que constituye su unidad.

Estamos de nuevo ante una idea que Hugo había presentado y desarrollado en el prefacio de *Cromwell*:

> L'unité de temps n'est pas plus solide que l'unité de lieu ... l'unité d'action, la seule admise de tous parce qu'elle résulte d'un fait: l'œil ni l'esprit humain ne sauraient choisir plus d'un ensemble à la fois. Celle-là est aussi nécessaire que les deux autres sont inutiles. C'est elle qui marque le point de vue du drame; or, par cela même, elle exclut les deux autres ... L'unité d'ensemble ne répudie en aucune façon les actions secondaires sur lesquelles doit s'appuyer l'action principale. Il faut seulement que ces parties, savamment subordonnées au tout, gravitent sans cesse vers l'action centrale et se groupent autour d'elle aux différents étages ou sur les divers plans du drame. L'unité d'ensemble est la loi de perspective du théâtre[205].

Las definiciones de la unidad de interés y de la unidad de conjunto son cuasi idénticas, y parece muy probable que en este punto Espronceda se inspirara de la argumentación de Hugo. Para ilustrar su demostración, tanto uno como otro recurren al testimonio de Corneille, difiriendo sólo en los textos citados. Advertimos asimismo que, en esta parte del artículo *Poesía* dedicada al teatro, la palabra «drama» aparece empleada dos veces con exclusión de cualquier otra, tanto cuando se trata, en el primer caso, de enunciar —para combatirla acto seguido— la traba que supone la unidad de tiempo, o en el segundo, de definir la unidad de interés. Parece pues que el autor del artículo admita implícitamente que el drama es el único género dramático capaz de responder —como había dado por sentado Hugo— a las necesidades de la sociedad contemporánea.

A decir verdad, ya no quedaba en España más que un «sandio preceptista» que se empeñara en defender las famosas reglas: nos referimos a Hermosilla, au-

205. («La unidad de tiempo no es más sólida que la de lugar ... La unidad de acción es la única que todo el mundo admite porque es el resultado de un hecho: ni el ojo ni el espíritu humano sabrían escoger más de una acción a la vez. Esta unidad es tan necesaria que las otras dos son inútiles. Ella es la marca el punto de vista del drama; luego, por eso mismo, excluye a los demás ... La unidad de acción no rechaza en ningún caso las acciones secundarias sobre las que debe apoyarse la principal. Sólo hace falta que esas acciones secundarias, sabiamente subordinadas al conjunto, graviten sin cesar hacia la acción central y se agrupen en torno a ella en diferentes niveles o sobre los diversos planos del drama. La unidad de acción es la ley de la perspectiva del teatro.») *Id.*, *ibid.*, pp. 236-238.

tor del *Arte de hablar en prosa y verso*. En su *Poética* de 1827, Martínez de la Rosa se había declarado a favor de una tolerancia bastante amplia en lo que se refiere a las unidades. La única que cabía observar estrictamente —escribía— era la unidad de acción; en cuanto a las demás, lo importante era no alejarse demasiado de lo verosímil. Tres años más tarde, hacía la apología del drama histórico, y demostraba que no se podía condenar este nuevo género invocando la autoridad de Aristóteles y Horacio; luego definía la estética del mismo, a la vez que la aplicaba en *Aben Humeya* y *La conjuración de Venecia*. Las lisonjeras alusiones al nuevo primer ministro con las que concluye el artículo *Poesía* parecen indicar que este último drama, cuyo estreno triunfal iba a producirse cuatro meses más tarde en Madrid, respondía a los deseos de los redactores de *El Siglo*. Martínez de la Rosa encarnaba entonces, tanto para Espronceda como para los demás jóvenes liberales, las esperanzas de un cambio político a la vez que de una renovación literaria; lo cual se confirma cuando leemos esta frase incluida en el último párrafo de *Poesía*: «En política como en poesía, la perfección está en conciliar el mayor grado de libertad con el mayor grado de orden posible.» Prudente máxima que no habría desaprobado el paladín del «justo medio», y bastante inesperada al final de un artículo cuyo comienzo hacía prever una conclusión menos conformista.

A lo largo de la polémica que enfrentó *El Siglo* y *La Estrella*, no encontramos en este último periódico ningún comentario, ninguna réplica en contradicción con las ideas literarias expuestas en el artículo *Poesía*. El desacuerdo entre ambos periódicos se sitúa exclusivamente al nivel de las concepciones políticas. Lista no hubiera dejado de combatir las opiniones de su antiguo alumno acerca de la poesía y del teatro, si éstas le hubiesen parecido subversivas. En 1834, ya ha concluido la conversión al romanticismo histórico-nacional del antiguo director de *El Censor*; la primera etapa de ésta la constituye su discurso de ingreso en la Real Academia de la Historia en 1828, y hemos podido seguir la evolución de la misma a través de sus cartas a Reinoso. Al hacer, en *La Estrella*, un balance de la literatura francesa contemporánea, se alza con fuerza contra el romanticismo «malo» ejemplificado por Hugo y Dumas, a quienes acusa de haber desvirtuado el movimiento representado por Chateaubriand, Lammenais, Nodier y Ballanche[206]. Una semana más tarde y a la mañana siguiente del día en que Espronceda publicaba *Poesía* en *El Siglo*, Lista sacaba en la primera plana de *La Estrella* un artículo titulado *Del Romanticismo*; semejante coincidencia da la impresión de que el maestro está respondiendo a su antiguo alumno[207]. Impulsado por un legítimo

206. "Sobre el estado de la literatura en Francia", *La Estrella*, 52, 18 de enero de 1834. Artículo citado en Juretschke, p. 325.

207. "Del Romanticismo", *La Estrella*, 56, 28 de enero de 1834. Juretschke comenta este artículo (pp. 323-325) y es el primero en destacar su verdadera importancia, demostrando así que Menéndez Pelayo y Peers habían cometido un grave error al enjuiciar la actitud de Lista. El primero creyó ver una contradicción en el hecho de que Lista elogiase a Calderón y condenase a Hugo (*Estudios de crítica histórica y literaria*, Editora Nacional, 1940, t. V, p. 226); el segundo considera a "Anfriso" como a «una de las figuras literarias más enigmáticas de su época y antirromántico violento» (Peers, *HMRE*, t. II, p. 56). El error tiene su origen en una interpretación superficial o tendenciosa, ya sea por no conocer los artículos que Lista publicó en *La Estrella* (Menéndez y Pelayo), ya sea por una reconstrucción de los acontecimientos literarios arbitraria y al margen de la cronología (Peers). J. C. J. Metford, (en su artículo "Alberto Lista

deseo de claridad, Lista propone en primer lugar una serie de definiciones. Para él «es *clásico* todo lo bueno»; aunque hoy en día se atribuye a este término un sentido más restringido, aplicándose «a los modelos que nos ha dejado la antigüedad griega y romana, y a los que ha producido en la edad moderna en imitación de aquéllos». En todas las escuelas deben regir una serie de principios esenciales e invariables: «la unidad, la decencia y el estilo a propósito para conmover el corazón o la fantasía ... el desorden lírico, la sencillez bucólica, el interés en el drama, la amenidad en la poesía didáctica.» Aristóteles formuló las reglas que Horacio, Boileau y Blair perfeccionaron, y a las que denominamos clásicas; clásica es la literatura que se sujeta a dichas reglas, romántica la que «desechándolas o prescindiendo de ellas busca nuevos caminos para agradar. Esta es la acepción vulgar de esta palabra, y nosotros creemos que entendida así no puede menos de ser una literatura monstruosa y sólo digna de los pueblos cuyo gusto se ha pervertido». En efecto, ¿qué hallamos en esta literatura? «Los espectáculos dramáticos reducidos a cuadros inconexos; la decencia y la moral holladas en las descripciones de amores adúlteros y de malvados que se esfuerza el autor en hacer interesantes; el lenguaje furibundo; la naturaleza en fin sacada de su quicio.» Semejantes producciones constituyen el indicio «no sólo de la perversidad del gusto sino también de los sentimientos morales». En conclusión: «Si hay pues alguna poesía *romántica* buena, no es la que en el día se entiende por tal.»

Una vez delimitados estos caracteres, Lista, recogiendo la argumentación de Madame de Staël, hace hincapié en la indispensable distinción entre las reglas inviolables —anteriormente definidas— que vienen impuestas por la razón universal, y aquellas otras, deducidas de los modelos, que se han mantenido por «el gusto particular o las circunstancias en que se ha hallado cada nación, y la moda las ha consagrado». Entre estas últimas hallamos: la división de la acción dramática en cinco actos, las tres unidades «entendidas en todo su rigor», el final feliz del héroe en la epopeya y las imperfecciones del héroe trágico entre los griegos. Tales reglas, que califica de «locales», pueden infringirse sin dificultades

> cuando cesa la razón que les introdujo, y cuando nuevas circunstancias, nuevo gusto particular, nuevo giro de ideas permiten hacerlo, y aún obligan a ello. Y ésta es la única latitud que puede darse al *romanticismo*, si esta palabra ha de significar algo bueno.

Hasta aquí, Lista se limita a especificar las ideas expuestas unos meses antes por un colaborador del *Boletín de comercio*. Seguidamente, analiza los orígenes de la palabra “romanticismo” que hace derivar de “*roman*”, sobre la cual se formó el adjetivo “romántico”. La mentalidad romántica es

> una nueva manera de existencia distinta de la común y vulgar; el hombre vive, digámoslo así, exclusivamente consigo mismo; se habitúa a reflexionar sobre los actos de su espíritu; sus sentimientos son exaltados; pero esta exaltación está sometida al

and the Romantic Movement in Spain”, *Bulletin of Spanish Studies*, XVI, 1939, pp. 84-103, y en *Liverpool Studies in Spanish Literature*, I, 1940, pp. 19-43), utiliza el mismo método que su maestro Peers, y se ve abocado hacia las mismas conclusiones inaceptables.

raciocinio, y tiene por decirlo así su lógica particular; en fin la fantasía se lanza continuamente en un mundo desconocido por el cual ansía, pero cuyos seres y relaciones tienen para él cierta vaguedad e inexactitud incapaz de fijarse, y muy semejante a los movimientos indefinibles que excita en nuestros ánimos la vista de un hermoso campo en un día sereno, el espectáculo del mar embravecido o el silencio de las tinieblas de la noche.

Este estado de ánimo y la literatura que suscitó nacieron en la Edad Media, bajo la influencia de la sociedad y la moral cristianas. En los párrafos que siguen en su artículo, Lista desarrolla de nuevo la idea, tomada de Madame de Staël y ya expuesta en sus cartas a Reinoso en 1829, de que la poesía romántica, para ser «verdadera y genuina», debe pintar «el hombre interior luchando con los afectos que le inclinan al mal y aspirando siempre a la perfección de su ser», y presentar «el contraste casi desconocido en la literatura antigua entre el deber y la pasión ... y las luchas del ánimo consigo mismo». Lista llega a la conclusión de que esta literatura es «eminentemente moral» y que distan mucho de haber captado su verdadera esencia

> Los que a fuer de románticos se creen con derecho de romper todos los velos del pudor, todas las leyes de la virtud, presentando como amables los monstruos que aborta su delirante fantasía, y procurando disculpar los más horrendos crímenes, ya con la energía de los sentimientos que impelen a cometerlos, ya con el fatalismo de las circunstancias. Nada es menos *romántico* que esta depravación.

Como ejemplo de estas obras que juzga inmorales y monstruosas, cita el «inmundo drama de *Antony*» y reprocha a su autor el haber llegado al colmo del «desprecio del honor y de la honestidad» al escribir como epígrafe a su drama: «Se dirá que el que escribió esto es capaz de hacerlo: no me importa[208].»

Si Lista rechaza la orientación tomada por el romanticismo francés a partir de 1830, está claro que se debe ante todo a razones de índole moral. Esto se hace aún más evidente si tenemos en cuenta que estos autores a quienes condena, Hugo y Dumas, todavía no habían sido traducidos al español en el momento en que escribe. Así pues, el artículo *Del Romanticismo* es una advertencia ante los eventuales peligros que entrañaría para España la importación o la imitación de determinados textos literarios franceses contemporáneos, en particular obras de teatro. Lista no hace alusión alguna al melodrama, ya que no le parece advertir nada en éste que pueda corromper las costumbres (los malvados siempre reciben su merecido castigo); además, sabe que el público se siente atraído por lo que constituye su aspecto más inverosímil (patetismo y lenguaje desmedidos, compleja escenografía, efectos teatrales). En el drama moderno, que en ocasiones recurre a los mismos efectos, viene a sumarse a ellos la ilusión de la verdad. *Trente*

208. En realidad, el epígrafe de *Antony* es la siguiente frase, tomada de Byron: «Ills ont dit que Childe Harold c'était moi... Peu m'importe» («Dijeron que Childe Harold era yo... Bien poco me importa.») Encontraremos de nuevo los argumentos empleados aquí por Lista en el artículo de Jay publicado en *Le Constitutionnel* del 28 de abril de 1834, para protestar contra la reposición del drama en el Teatro Francés (este artículo ocasionó la decisión desfavorable de Thiers).

ans ou la vie d'un joueur contiene una saludable lección, pero *Antony* y *Adèle* pueden justificar los excesos de la pasión y llevar al olvido progresivo de los valores morales de la sociedad católica; *Hernani*, *Marion Delorme*, *Le Roi s'amuse* o *Marie Tudor* incluyen escenas susceptibles de dar de los poderosos una imagen desfavorable que no es conveniente propagar, so pena de ver puestas en tela de juicio la monarquía y sus instituciones. En otro plano, Lista defiende el sistema político de Cea porque éste le parece el único capaz de salvaguardar a España de las conmociones de las que fueron ejemplo la revolución de julio y sus consecuencias. En resumen, según Lista, en 1834, el despotismo ilustrado y el romanticismo histórico-nacional de ascendencia schlegeliana señalan los límites del liberalismo aceptable en su país. No hará mayores avances en sus concesiones a las nuevas ideas.

Las posturas de los jóvenes románticos de *El Siglo* no planteaban nada preocupante para el redactor de *La Estrella*. Espronceda reclama para el escritor el derecho de liberarse de reglas contingentes, cuyo carácter coercitivo no duda en reconocer Lista; el primero define el romanticismo como la expresión literaria del mundo moderno tal como lo modeló el cristianismo, y el segundo está convencido de que ésta es la única definición que se le pueda atribuir. La única diferencia existente entre discípulo y maestro es que, mientras uno se limita a generalidades pertenecientes exclusivamente al campo de la estética y solicita para el artista una relativa libertad, el otro apela a consideraciones morales para restringir dicha libertad. A pesar de que no se evoca en *El Siglo* este aspecto capital de la cuestión, la conclusión del artículo *Poesía* indica a las claras que Espronceda y sus amigos no tienen de momento la menor intención de sumir la literatura española en la subversión y la anarquía, según la terminología de "Anfriso".

Como hemos visto, se atribuye por lo general a Espronceda un artículo publicado en el n.º 12 de *El Siglo*, el 28 de febrero de 1834, con el título *Influencia del gobierno sobre la poesía*; trata de las relaciones entre las obras literarias y las condiciones políticas en las que nacen. Por «gobierno» el autor entiende «organización social»; ésta «modifica a la larga el carácter de las razas, combate los efectos de la naturaleza y del clima, renueva las lenguas, reforma o destruye las religiones, corrompe o regenera las artes». Formula entonces la pregunta siguiente: «y siendo tan vasto su poder, ¿no se extendería también a la poesía?» En un país determinado, al sistema de gobierno, emanación de las estructuras sociales en un momento dado de la historia, corresponden determinadas tendencias generales del arte, y en especial de la poesía. Hay en ello —dice Espronceda— tema para «un estudio útil y curioso»; pero según añade, «no se debe ir más lejos, y sería imposible calcular qué forma de gobierno excluye o produce el desarrollo poético de un pueblo». Observa simplemente que la poesía se ha desarrollado en todas las épocas y bajo todos los regímenes, ya sean despóticos, teocráticos, republicanos, monárquicos o feudales. Y sin intentar dar otra explicación de este fenómeno, llega a la siguiente conclusión:

> Sin duda las formas políticas influyen sobre la poesía; pero esto es por una razón misteriosa que no se puede formar ni prever. En esto deben reconocer los gobiernos su impotencia; ni les es dado suscitar el genio poético ni ahogarlo.

La demostración toma otro rumbo después de estas generalidades; nos esperábamos que el autor diera algunos ejemplos de la influencia de los tipos de gobierno en las bellas letras, y que sacara conclusiones acerca de las implicaciones éticas de los sucesivos sistemas estéticos en relación con los tipos de régimen. Pero su intención es otra; la parte que sigue en el artículo está dedicada a tratar uno de los aspectos del tema: las relaciones materiales entre los escritores y el poder. Según dice, se ha alabado excesivamente a algunos soberanos atribuyéndoles el mérito de las producciones intelectuales nacidas durante su reinado. Pero no se debe a ellos la aparición de los genios. La protección concedida a los escritores no es más que una ventaja material cuyo beneficio ha tenido a menudo como contrapartida el exilio o la caída en desgracia, como en el caso de Virgilio, Ovidio, Ariosto o Tasso. El llamado siglo de Luis XIV debe su brillantez, no a este rey, sino a los grandes escritores que lo ilustraron. Si bien hay que reconocer que dicho monarca permitió la representación de *Tartufe*, no obstante la gloria de su reinado corresponde ante todo a La Fontaine, que no fue un cortesano, a Molière, que sólo recibió protección cuando se encontró realmente amenazado, y a Racine. Acerca de este último, escribe Espronceda que la frecuentación de la corte contribuyó a perfeccionar en él «la elegancia y delicadeza del lenguaje; pero también debilitó su numen, le hizo a menudo ser inferior a sí mismo. Para la corte hizo a Hipólito galante y a Aquiles fanfarrón; para la corte compuso *Bérénice*, la menos trágica de sus tragedias; para Dios hizo y para sí mismo *Atalía* la más sublime de todas». No vamos a detenernos en señalar las imprecisiones de estos juicios bastante someros. En el último ejemplo elegido, parece que hallamos un eco de las siguientes observaciones de Stendhal, en especial de la última citada, si bien aquí tengan un sentido algo distinto:

> Rien ne ressemble moins que nous aux marquis couverts d'habits brodés et de grandes perruques noires, coûtant mille écus, qui jugèrent, vers 1670, les pièces de Racine et de Molière.
>
> Ces grand hommes cherchèrent à flatter le goût de ces marquis et travaillèrent pour eux[209].

También pudo recordar Espronceda los dos pasajes del prefacio de *Cromwell*, en los cuales Hugo expresa su admiración por *Athalie* y advierte que esta tragedia fue incomprendida en su tiempo porque en ella su autor no se supeditó al gusto de la época:

> Il y a surtout du génie épique dans cette prodigieuse *Athalie*, si haute et si simplement sublime que le siècle royal ne l'a pu comprendre ... Racine éprouva les mêmes dégoûts [que Corneille] sans faire d'ailleurs la même résistance ... Il plia en silence, et abandonna aux dédains de son temps sa ravissante élégie d'*Esther*, sa magnifique épopée d'*Athalie*[210].

209. («Nada se parece menos que nosotros a los marqueses cubiertos de vestidos bordados y con voluminosas pelucas negras, que valían mil escudos, que enjuiciaron, hacia 1670, las obras de Racine y Molière. Esos grandes hombres halagaban el gusto de esos marqueses y trabajaban para ellos.») Stendhal, *Racine et Shakespeare*, ed. cit., p. 15.

210. («Hay sobre todo genio épico en esta prodigiosa *Athalie*, tan grande y tan simplemente sublime que el siglo real no ha podido comprenderla ... Racine experimentó la misma repugnan-

Pero cabe recordar también que esta tragedia era una de las más apreciadas de Lista. En una nota de su *Poética*, Martínez de la Rosa la llamaba «el drama más sublime de que tengo idea[211]», y Moratín hijo escribía ya en 1763: «Ningún Auto dará mejor idea de la Religión que la *Esther* y la *Athalía* de Racine[212].» Evidentemente son distintas las razones por las que la obra era alabada por los neoclásicos españoles y los románticos franceses; mientras los primeros veían en ella la tragedia más moralmente ejemplar y más rigurosamente clásica, los segundos la consideraban como la menos sujeta a las reglas y, por consiguiente, la más audaz y original. Parece obvio que Espronceda comparte esta última opinión, puesto que le sirve aquí para apoyar su tesis, si bien no saca de ella ningún argumento estético.

Para preparar la conclusión de su artículo, Espronceda recuerda un episodio de la vida de Racine: aquel en el que Luis XIV rechaza, con un desprecio que afectó hondamente al dramaturgo, un memorial que éste presentaba al monarca para llamar su atención sobre la miseria del pueblo. Y el autor termina con esta frase:

> Esto es lo que ha hecho por las letras el Soberano que más les ha honrado. En nuestras nuevas costumbres todavía pueden menos por ellas los gobiernos; no pueden favorecerlas sino por la independencia; la independencia es mejor musa que la protección.

Con ello, queda al descubierto el propósito del poeta: una reivindicación, en términos velados, de la independencia del artista con respecto al poder establecido. Lo cual equivale a poner indirectamente en tela de juicio la existencia de la censura previa y, en general, las medidas que limitan la libertad de expresión. Significa, por otra parte, que el escritor tiene el deber de no someterse a ninguna consigna reglamentaria, como también el de rechazar cualquier ventaja material cuya aceptación suponga por parte del que la disfrute inevitables concesiones al sistema en vigor. Este artículo salió a la luz en el momento en que se producía una grave crisis en el *Boletín de comercio*. Éste publicó, en su número del 1.º de marzo de 1834, un remitido en el que los colaboradores habituales anunciaban su dimisión a los lectores, para protestar contra el nombramiento de un redactor jefe por el ministerio de Fomento. Aquel mismo día, en su n.º 11, *El Cínife* publicó un artículo titulado *La razonable libertad de imprenta*, que revelaba la identidad del citado redactor jefe, y le censuraba duramente por haber aceptado dicho empleo:

> El señor Bretón, con la aceptación de un destino que no le favorece, es quien disuelve la Junta de Comercio, haciendo que sus vocales dimitan los suyos por no tolerar este desaire. El señor Bretón es quien coopera con la aceptación de su destino a fomentar el descontento de los escritores. El señor Bretón con su destino es

---

cia [que Corneille] sin poner la misma resistencia ... Él se conformó en silencio, y abandonó a los desdenes de su tiempo su encantadora elegía de *Esther*, su magnífica epopeya de *Athalie*.») V. Hugo, *La préface de Cromwell*, ed. cit., pp. 218 y 246.

211. *Anotaciones al canto VI*, nota 17, BAE, t. CXLIX, p. 392b.

212. *Desengaño II al theatro español*, citado por R. Andioc, *op. cit.*, p. 414.

quien da pábulo a la chismografía literaria, y quien hace que sea un beneficio literario la tan decantada razonable libertad de imprenta.

Fue la publicación de este artículo la que provocó el cierre inmediato, por real orden, de *El Cínife*.

La conclusión de *Influencia del gobierno sobre la poesía* podía aplicarse tan bien a la situación creada en el *Boletín de comercio* que no podía tratarse de una coincidencia meramente fortuita. Pero aun así, la velada alusión de Espronceda a la injerencia del poder en un órgano de prensa hasta entonces independiente debió de quedar muy clara para todos[213]. Con ello resulta más comprensible la prohibición dictada por el censor de *El Siglo* contra el conjunto de los artículos de la redacción que debía incluir el número 14. Dicha medida y la reacción que suscitó —la publicación del periódico "en blanco"— demuestran que el conflicto entre *El Siglo* y su segundo censor era demasiado serio para que pudiera hallarse una solución de compromiso. Conocemos uno de estos textos prohibidos: la *Canción a la muerte de don Joaquín de Pablo*, en la que no hay un solo verso que justifique la decisión de Manuel González Allende, y que además pudo ser publicada dos meses más tarde en la *Gaceta de los tribunales* con un simple cambio de título. Ahora bien, este último periódico estaba dirigido por Bernardino Núñez de Arenas y Ventura de la Vega, antiguos redactores de *El Siglo*. Parece probable pues que fuera Espronceda quien se opuso con mayor violencia al censor, ya que éste se negó a dejar imprimir unos versos desprovistos de toda carga subversiva de los que era autor el poeta. A este último habría que atribuir más bien la creciente agresividad del periódico. Si recordamos las líneas finales de *Poesía*, observaremos que el confiado optimismo del que hacía gala el 24 de enero de 1834 ha desaparecido un mes más tarde, en *Influencia del gobierno sobre la poesía*. Este último artículo es un nuevo testimonio del desencanto y la decepción que experimenta Espronceda al comprobar que la acción del nuevo ministerio no responde a sus previsiones; las intenciones de dicho escrito son mucho más sociales y políticas que literarias.

Unos años más tarde, Lista escribirá un artículo sobre el mismo tema, con un título prácticamente idéntico al de su antiguo alumno: *De la influencia del gobierno en la literatura*[214]. En él, el tema está enfocado de una manera muy distinta:

213. Le Gentil escribió, a propósito de este episodio, que Bretón fue nombrado redactor del *Boletín de comercio* el 18 de febrero de 1834 «sans qu'il l'eût sollicité ni prévu» («sin que lo haya solicitado ni previsto») (*Le poète Manuel Bretón de los Herreros...*, París, 1909, p. 33). En *Les revues littéraires...* (París, 1909, p. 40) insiste, como ya había hecho Hartzenbusch, en que los tres colaboradores habituales del periódico eran Estébanez Calderón, Bretón y Gil y Zárate. Sin embargo, el primero era auditor de guerra en el ejército del Norte desde finales de enero de 1834. En cuanto al segundo, se nos hace difícil comprender cómo pudo ser nombrado para una función que ya desempeñaba. Molins dice que el redactor jefe del *Boletín de comercio* era Fermín Caballero, y que en este periódico «insertó pocos artículos Bretón, que ni fue recibido con gusto por la redacción, ni lo tenía él en un diario de opiniones contrarias a la suya» (*Bretón de los Herreros...*, Madrid, 1883, p. 148). Parece ser que el autor de *Elena* desempeñó un papel poco brillante en este asunto.

214. A. Lista, *Ensayos literarios y críticos*, Sevilla, 1844, t. I, pp. 29-31. Este artículo fue reproducido por la *Gaceta de Madrid* el 20 de agosto de 1840, según *El Tiempo* de Cádiz.

El influjo del gobierno político en los placeres de la imaginación y de la inteligencia no puede ser sino *indirecto*; y lo hemos probado con la sencilla reflexión de que el poder público no puede tener otro objeto que el bien *material* de la sociedad.

Tanto para Espronceda como para Lista, el mecenazgo no es más que un beneficio provisional, del que el escritor no tiene absoluta necesidad para realizar su obra, cuya gloria le corresponde exclusivamente a él. Además —precisa Lista—, «cuando el gobierno premia las artes, sigue en la distribución de los beneficios y en la elección de los agraciados el gusto dominante de la época». Durante el reinado de Felipe IV, el único gran genio fue Calderón, pero «este genio estaba ya formado cuando se presentó en la corte», mientras que «la poesía se precipitó en los abismos que le habían abierto Góngora, Quevedo y aun el mismo Lope. Más influencia tuvieron Paravicino y Gracián para corromper nuestra literatura, que auxilio pudo prestarles la liberalidad del gobierno». En cuanto a Virgilio y Horacio, deben su gloria más a la influencia de los modelos griegos que a la protección de Augusto. Lista añade todavía: «ya que las recompensas de los gobiernos no pueden tener ni han tenido una influencia directa en la perfección del gusto ni en las producciones del genio, sí por lo menos la forma del gobierno puede tenerla en algunos ramos de la literatura.» Por ejemplo, la elocuencia que, durante las monarquías absolutas, pudo desarrollarse en el foro o en la Iglesia, al no poder ejercitarse en las Cortes. Y acaba diciendo:

Este don de la naturaleza [el genio] se manifiesta espontáneamente en virtud de su carácter expansivo; mas no lo crean los premios, ni las calamidades y persecuciones le oprimen; y si la forma de gobierno le cierra algunos caminos del templo de la gloria, él sabrá abrirse otros nuevos y desconocidos.

El impulso indirecto más útil que puede dar en esta materia la autoridad pública es la multiplicación de los museos y bibliotecas, en que la juventud pueda estudiar los grandes modelos de belleza. Ellos son los que despiertan y estimulan el genio.

En cuanto a las recompensas, son un deber en toda nación civilizada y las creemos más gloriosas al gobierno que las da, que al artista que las recibe.

Para Espronceda, el escritor debe poder expresarse sin traba ninguna, con total independencia frente al poder establecido, a fin de conservar su originalidad y mostrar toda la capacidad de su talento. De ahí que rechace la idea de cualquier protección oficial y denuncie el reverso a veces cruel del mecenazgo y su contrapartida negativa. Lista da por sentado que el sistema de gobierno no tiene ninguna influencia represiva en el talento del escritor, pero no especifica cuáles son los caminos «nuevos y desconocidos» que éste puede encontrar si algunos otros le están vedados. Para él, la sumisión al orden establecido es un postulado, una condición necesaria que no puede ser puesta en duda por quienquiera; para Espronceda, semejante postulado es inaceptable. Se pone de manifiesto, entre ambas concepciones, la diferencia fundamental que separa la mentalidad de dos generaciones. Sin embargo, ni *Poesía* ni *Influencia del gobierno sobre la poesía* contienen la exposición coherente de una doctrina; fijan a lo sumo algunos jalones, partiendo de consideraciones inmediatas, sin elevar realmente el debate.

El Siglo dedicó poco espacio a la literatura de imaginación. El único texto de ficción en prosa es un *Cuento árabe* de Ros de Olano (n.º 2, 24 de enero de 1834), breve cuadrito exótico de escaso interés[215]. La poesía está mejor representada. El n.º 1 (del 24 de enero) incluye el soneto del duque de Frías, *El Siglo XIX*[216], cuyo tema queda recogido en parte en *Influencia del gobierno sobre la poesía*: a fin de rendir homenaje a los varones ilustres de la Antigüedad, se designa con su nombre la época en la que algunos de ellos vivieron, y todavía hoy

repetimos cual propia vanagloria,
siglo de Periclés, siglo de Augusto.

También España tiene sus héroes,

pero nunca jamás sus claros nombres
a nuestro siglo celebrado dimos,
porque el siglo es más grande que los hombres.

En el n.º 2 aparece otro soneto, anónimo y sin título; es una obra trivial de circunstancias, que se dedica a ensalzar el «trono de ISABEL» y a reprobar el «necio empeño y criminal desbarro» de la facción carlista. Hace unos años, esta composición fue atribuida, sin pruebas decisivas, a Espronceda[217]. Las otras tres poesías publicadas en *El Siglo* son realmente suyas; se trata del *Himno al sol* (n.º 3, 28 de enero), de la *Despedida del patriota griego de la hija del apóstata* (n.º 12, 28 de febrero) y de la *Canción a la muerte de D. Joaquín de Pablo Chapalangarra*. Según vimos, esta última, que debía ser publicada en el n.º 14 (del 7 de marzo), apareció sólo con el título seguido de puntos suspensivos, encabezando una columna en blanco. Puede que estas obras sufrieran retoques antes de ser ofrecidas al público, pero ninguna de ellas era de concepción reciente[218]. En cierta medida, responden al deseo, expresado en el artículo *Poesía*, de liberar la poesía de ornatos mitológicos o antiguos. Pero el *Himno al sol*, inspirado de Osián, así como la *Canción*... prohibida, demuestran que Espronceda no ha encontrado todavía medios de expresión realmente nuevos. Sin embargo, cabe pensar que los versos que publica en *El Siglo* son, de entre los que compuso durante su estancia fuera de España, los mejores a sus ojos, y tal vez también a juicio de sus amigos. No obstante, observamos que las dos últimas poesías tratan temas patrióticos: la *Despedida*... evoca la lucha de Grecia por la libertad, y la *Canción*..., algo torpe en la forma, honra la memoria de un patriota, víctima de la lucha contra el absolutismo. Ninguna de estas obras supone una aportación innovadora a la literatura

215. Este texto no lleva firma en *El Siglo*, pero sí en *El Pensamiento* (10, [30 de septiembre de] 1841, pp. 234a-235a), donde lo publicó Ros de Olano por segunda vez. Recordemos que la colección de *El Siglo* conservada en la BNM está mutilada: quizás algunas prosas y poesías se encuentran en las páginas o fragmentos de páginas que han desaparecido.

216. Sobre este soneto, véase *supra*, p. 268.

217. Esta posibilidad, anticipada prudentemente por J. Campos (BAE, t. LXXII, p. XX), ha sido considerada por L. Romero Tobar ("Textos desconocidos de Espronceda", *Revista de literatura*, XXXII, 1967, pp. 137-146).

218. Véase Espronceda, *Poésies*, ed. Marrast, pp. 288-298, 197-200, 299-305 y 265-270.

española en 1834, como ninguna revela tampoco una personalidad excepcional. No hallamos en ellas la «profunda inspiración» de Lamartine, la «desconsoladora filosofía» de Byron, o alguna de aquellas sensaciones fuertes, necesarias a las «sociedades gastadas», de las que Larra, en septiembre de 1833, deseaba que se hiciera intérprete la poesía nacional[219].

Así pues, no es posible afirmar que a comienzos de 1834 Espronceda pueda ser considerado como un teórico o un creador revolucionario. Aun cuando conocía con toda probabilidad *Racine et Shakespeare* y el prefacio de *Cromwell*, ni en sus artículos ni en las poesías que publica entonces se refleja la influencia profunda de dichos manifiestos literarios. El poeta no asimiló todo lo nuevo y fecundo que había en ellos; sus artículos repiten o resumen cosas que han sido dichas y repetidas varias veces antes, e incluso en España. Su única originalidad reside en el tono desenvuelto o tajante que adopta, tal vez para disimular el esquematismo y el carácter apresurado de su argumentación. Ni las opiniones teóricas ni las poesías publicadas en *El Siglo* plantean nada capaz de hacer tambalear la esencia «eminentemente moral» del "romanticismo" definido por Lista en *La Estrella*.

ESPRONCEDA Y LA COMEDIA POSTMORATINIANA: *NI EL TÍO NI EL SOBRINO*

La primera obra de Espronceda representada en Madrid en abril de 1834 no suponía peligro alguno para la moral. Tampoco puede decirse que echara abajo las barreras de la estética tradicional en la comedia de costumbres. El hecho de que el poeta llegara a creer en el éxito de la misma —ya que se esforzó por llevarla a las tablas y retocarla tras un estreno desastroso— demuestra a todas luces que no consideraba que dicha obra perteneciera a un género caduco o que fuese contraria a sus convicciones literarias. Acometida *pro pane lucrando*, concebida y escrita apresuradamente en las condiciones que ya conocemos, en colaboración con Ros de Olano, hubiera resultado muy extraño que *Ni el tío ni el sobrino* fuese una obra maestra. Enviada a la comisión de censura el 29 de agosto de 1833, no obtuvo el visto bueno definitivo del juez protector de los teatros hasta el 23 de noviembre siguiente. El censor eclesiástico había exigido una única modificación: en una réplica de la escena VII del acto I, don Martín debía decir «con más barbas que un zamarro» en lugar de «con más barbas que un capuchino»[220]. Si bien aprobada, la obra no se estrenó hasta el 25 de abril de 1834. En una carta dirigida a Ros de Olano —que se encontraba entonces en campaña por Sigüenza— después de la segunda representación, Espronceda expone las razones de este retraso: al parecer, los actores del Príncipe, Concepción Rodríguez y Antonio de Guzmán, se habían negado a interpretar la obra, y no hubo más remedio que conformarse con representarla en el teatro de la Cruz; además, pese a la intervención de Grimaldi, la empresa de espectáculos había fijado el estreno unos días antes del de *La conjuración de Venecia* de Martínez de la Rosa, obra esperada por el

219. En su comentario de las *Poesías* de Martínez de la Rosa (*Revista española*, 3 de septiembre de 1833; BAE, t. CXXVII, pp. 273-274).

220. AVM, Corregimiento, 1-78-75. La frase citada: BAE, t. LXXII, p. 162b. Sobre las circunstancias que rodearon a esta poesía y su fecha de composición, véase *supra*, p. 260.

público; pero los actores pusieron tan poco entusiasmo en aprenderse los papeles, que la obra del ministro-poeta se estrenó finalmente el 23 de abril, o sea apenas dos días antes que *Ni el tío ni el sobrino*[221].

La comedia disfrutó sólo de una publicidad tardía; en efecto, el primer anuncio del estreno se publicó el sábado 19 de abril en el periódico *El Tiempo*, y en él se aludía a los autores como a «dos ingenios de esta corte»; pero el jueves 24 de abril, salía publicado el aviso de que la primera representación, prevista para aquella misma tarde a las siete y media, se aplazaba hasta el día siguiente. La obra aparecía presentada en los siguientes términos en *El Tiempo*, del 19 al 23 de abril, y luego en *El Universal*, el 25:

> A los que juzgan las obras dramáticas por el código de los antiguos preceptistas bastará decirles que la comedia anunciada participa de los tres géneros, de *carácter, de intriga y de costumbres*. A los que juzgan por sus propias sensaciones acaso no será arriesgado asegurarles que hallarán en ella originalidad, ingenio, situaciones cómicas y un diálogo lleno de viveza y sembrado de sales epigramáticas. El público la juzgará.

El argumento de esta comedia en tres actos y en verso recuerda en algo el de *El sí de las niñas* y *El viejo y la niña* de Moratín. Doña Paca, que dice ser viuda del coronel Juan Renzuelo, muerto, según cuenta, en América, desea que don Martín Barandilla, viejo rico y vanidoso, y amigo del presunto difunto, se case con su hija Luisa. Pero Eugenio, sobrino de don Martín y joven sin malicia, está enamorado de ésta. A pesar de los prudentes consejos de su amigo don Carlos, que está al corriente de la situación, don Martín persiste en su intención. Doña Paca promete una buena recompensa a Ambrosio, criado de don Martín, si sale adelante el matrimonio que proyecta para su hija. Don Carlos sorprende esta conversación; llega de improviso don Martín quien, tras una tempestuosa discusión, reta a su amigo en duelo. Aparece entonces Renzuelo, realmente vivo, y viejo amigo de don Martín; éste le cuenta su lance de honor, sin entrar en pormenores, y el coronel logra reconciliar a los dos adversarios. A través de Ambrosio, doña Paca se entera del regreso del que ella hacía pasar por su difunto marido, que llevaba los mismos nombres y apellidos que el verdadero padre de Luisa, ya fallecido. La madre arroja a su hija a los brazos de Eugenio, de lo cual se declara Luisa muy satisfecha, y los dos jóvenes se fugan juntos. Don Martín viene a anunciar a doña Paca la llegada de Renzuelo, y cuando éste se presenta, intenta convencerle para que se muestre indulgente a fin de obtener la mano de Luisa. El coronel comprende al fin que se han aprovechado de su apellido para engañar a don Martín; entonces don Carlos hace volver a Eugenio y Luisa, a los que ha encontrado por la calle. Finalmente, se descubre la astucia de doña Paca. Cae el telón con una réplica de Renzuelo, que saca la siguiente moraleja de la obra:

> Barandilla, ten presente
> esta lección, aunque amarga:
> «Viejo que casa con niña
> o lleva víctima, o maula.»

221. Esta carta ha sido publicada por N. Rivas Santiago en *Curiosidades históricas contemporáneas* (Barcelona, 1942, pp. 71-81) y en *Anecdotario histórico* (Madrid, 1946, pp. 183-200).

No había en ello nada realmente original, aunque lo mismo podía decirse de la mayoría de las numerosas obras cómicas representadas en Madrid desde la aparición de Bretón y Ventura de la Vega. El público se mostró muy frío y la crítica, en general, fue desfavorable. Un cronista anónimo escribía, entre otras cosas, en *El Tiempo* del 26 de abril:

> Los versos nos han parecido buenos casi en general, y sentimos que algunos defectos, no muy difíciles de remediar, hayan sido causa de que la comedia tuviese un fin desastroso ... Puede ser que cualquiera de los *ingenios* por sí hubiese regularizado más el plan y le hubiese dado otra dirección que produjese mejor efecto ... Nos ha parecido ridículo e impropio que Luisa se declare enamorada de Eugenio, y aún más el que se eche a sus pies para suplicarle que se la lleve; pues si bien esto lo puede disculpar la situación en que se hallan, produce muy mal efecto siempre como el mismo público dio bien a entender.

En la *Revista española*, apareció el 27 de abril una breve nota escrita por Larra en la que se refería a la mala acogida dada por el público a *Ni el tío ni el sobrino*; su recensión se publicó al día siguiente[222]. El preámbulo del artículo demuestra que el crítico estaba enterado de las circunstancias en las que se había compuesto la comedia:

> Esta representación nos ha probado que no basta el talento por grande que sea para hacer una buena comedia; cuando la más detenida meditación no preside al plan, cuando la demasiada confianza tal vez, o la precipitación hacen correr irreflexivamente la pluma del poeta, es muy de temer que el ingenio comprimido en límites harto estrechos produzca una obra descolorida y falta de vida y movimiento.

Tras estas apreciaciones indulgentes dictadas por la amistad, y la convicción de que el talento de los autores encontrará fácilmente otra forma mejor de ejercitarse, Larra señala que la acción languidece en ocasiones, que los caracteres de los personajes femeninos carecen de matices, y que la reaparición de Renzuelo es «un medio trillado y un tanto novelesco»; sin embargo, al concluir, lamenta que la intriga no haya sido mejor desarrollada, ya que el diálogo es vivo, los versos buenos y la vena cómica a menudo lograda. Pero hay un pasaje de la recensión de Larra que llama más especialmente la atención:

> El protagonista es un D. Martín Varandilla, viejo verde y ridículo, rico y avaro, fastuoso a la par que ruin, un verdadero carácter de capricho, cuyo tipo no existe precisamente en la naturaleza; con respecto a él no sucede lo que suele suceder con algunos retratos, de los cuales dice uno aun sin conocer su original: «ese retrato debe ser parecido» porque hay cosas que no se inventan.

No obstante, gracias a las precisiones aportadas más tarde por Ros de Olano[223], sabemos que Espronceda había querido hacer de don Martín la caricatura de un personaje real, al que el primero presenta así:

222. BAE, t. CXXVII, p. 386.
223. En su carta del 29 de octubre de 1871 a un editor barcelonés citada *supra*, p. 260.

Recién venido del extranjero, se había establecido en Madrid un señor D... que bien pudo servir de original para dar la norma del fantástico Paturot ... Aquel sr. acababa de abrir sus salones a la sociedad de *buen tono*; y la misma gente que aceptaban obsequios en su casa, se burlaban en público del improvisado personaje, no tanto por lo que dispendiaba en fausto, como por lo que de ridículo tenía. De un solo rasgo lo retrató: Decía en alabanza de sí propio, ser tal su importancia en Europa que, puesto en competencia con el príncipe Leopoldo había obtenido un voto para rey de los Belgas.

¿Quién era pues este personaje cuyo retrato satisfacía tan poco a Larra, acaso por haber reconocido al modelo? El mérito que aquél se atribuía era meramente imaginario, ya que el príncipe Leopoldo había conseguido reunir en torno a su nombre la unanimidad de los votos de los electores. Pensamos que se trataba de Alejandro Aguado, nombrado marqués de las Marismas del Guadalquivir por Fernando VII, y que se parece bastante al advenedizo descrito por Ros de Olano[224]. No sabemos si el problema era que el retrato se parecía demasiado poco —o en exceso— al original; pero lo cierto es que ninguno de los periodistas contemporáneos pudo —o quiso— identificar al modelo de don Martín Barandilla, en una réplica del cual Churchman creyó ver algunos rasgos alusivos a Byron[225].

En *El Correo de las damas* del 30 de abril, volvemos a hallar poco más o menos las mismas críticas formuladas por Larra en relación con *Ni el tío ni el sobrino*. El cronista subrayaba la endeblez del plan y de los caracteres, a excepción del de don Martín, y encontraba estos defectos más lamentables aún por el hecho de que había soltura en la versificación y de que algunas de las escenas cómicas estaban realmene logradas. Eugenio de Ochoa publicó en *El Universal* del 27 de abril un largo artículo en el cual intentaba rehabilitar la obra. Manifestando su sorpresa por la acogida del público, reconocía que a veces la comedia se alargaba en demasía, pero añadía:

Es evidente, pues que la presente comedia, contra la opinión que he oído emitir a algunas pesonas, *tiene un plan*; y que con arreglo a él camina la acción desde el principio hasta el fin, sin que la entorpezcan más episodios que el absolutamente necesario (aunque demasiado largo, por cierto, pues ocupa casi todo el II acto) del desafío con don Carlos.

Según Ochoa, la escena del acto III, en la que vemos a Luisa a los pies de Eugenio, hubiera sido más verosímil si la joven hubiese demostrado ya o dejado

224. Nacido el 29 de julio de 1785 en Sevilla, Alejandro Aguado era coronel en 1808. Más tarde sirvió en el ejército del rey José I. En 1815, en París, solicitó proseguir su servicio en el ejército francés. En 1820 regentaba un negocio de vinos y licores en el número 69 de la rue Saint-Honoré (Archives du ministère des Armées, Vincennes, dossier personnel, y X[1] 41, Prisonniers de guerre espagnols; ANP, F[7] 12106, 566 e). Amasó una colosal fortuna gracias a los empréstitos de la corona española; en 1831 acompañó a Rossini a Madrid, deslumbrando con su fasto a la sociedad madrileña.

225. Churchman escribió: «Possibly, however, these lines are meant to picture the noble English traveller-poet («Posiblemente, no obstante, estas líneas sirvan como retrato del noble poeta-viajero inglés»): *Que soy hombre conocido / de los monarcas de Europa; / que cuantas mujeres veo / me persiguen y me adoran; / y que tengo de mis viajes / para imprimir una obra / de ciento y mil renglones.*» (“Byron and Espronceda”, *RH*, XX, 1909, p. 199). Tal afirmación nos parece excesiva (la cita de estos versos: BAE, t. LXXII, p. 182a).

entrever sus sentimientos por el sobrino de don Martín; Luisa hubiera salido ganando al ser presentada como víctima de la codicia de una madre sin escrúpulos. Tras añadir algunas observaciones sobre unos cuantos detalles, Ochoa subrayaba que los caracteres de don Martín y Eugenio estaban particularmente bien estudiados. Citaba luego algunas réplicas de la obra en las cuales los autores demostraban sus dotes de observación, destacando en especial lo siguiente:

> No ha sido menos ingeniosa la ocurrencia de poner en boca de doña Luisa, al declarar una pasión que no siente, expresiones que son suyas, tomándolas como escusa y costumbre en semejante caso, del último drama o novela que ha leído. Por eso dice la doncella:
>
> «... Eugenio mío,
> perdóname si yo ciega
> puesta a tus pies te declaro
> mi pasión, pasión eterna,
> digna de ti y de mí misma
> que todo el pecho me quema.»
>
> Como dice Óscar en la conocida tragedia de este nombre:
>
> «... amor violento
> amor digno de Óscar y de ti propia,
> activo, ardiente, impetuoso, eterno[226].»

Lamentaba que los límites de su artículo no le permitieran reproducir otros fragmentos del diálogo repletos de belleza y agudezas, y hacía hincapié en las cualidades del estilo. La iniciativa de Ochoa, inspirada por la amistad, no produjo el efecto deseado: la obra sólo permaneció dos días en cartel, el 25 y el 26 de abril de 1834; el 27, el teatro de la Cruz reponía *La niña en casa y la madre en la máscara* de Martínez de la Rosa. Pero este fracaso no se debió únicamente a los defectos imputables a los autores: los actores trabajaron bastante mal, con excepción de Galindo (don Martín), Luna (don Carlos) y López (el coronel Renzuelo), cuya interpretación fue alabada por Ochoa y *El Correo de las damas*. Refiriéndose a la actuación, el crítico de *El Tiempo* señaló «un poco de frialdad en algunas escenas», y explicaba esta falta de entusiasmo por el reducido número de espectadores y la escasa taquilla. En su carta a Ros de Olano, Espronceda confirmó la opinión de los cronistas a este respecto:

> aunque no tengo queja de Galindo ..., de Luna ... ni tampoco de López ..., la Bravo que hacía la hija representó pésimamente, y Cubas [Ambrosio] no sabía su papel. ... Valero, el hermano del buen actor, representó un estúpido en vez de un aturdido y estropeó el papel de Eugenio.

226. Se trata de *Óscar, hijo de Osián*, tragedia de Arnault adaptada por Juan Nicasio Gallego, cuyo texto aparece en las *Obras poéticas* de este último, Madrid, 1854. Los versos que cita Ochoa proceden de una réplica de Óscar, acto I, escena IV (ed. cit., p. 217).

Reconoció que en cierta medida las reacciones del público eran justificadas, no sólo debido al entusiasmo por las «comedias de Pastorcita», sino también porque la obra adolecía de «cierta languidez». Según escribe a su amigo y colaborador, la primera representación no le ha traído más que decepción y amargura. Pero le tranquiliza, añadiendo que la segunda ha ido mejor, gracias a algunos cortes que efectuó tan pronto cayó el telón, la misma noche del estreno. Podemos conocer el alcance de estas modificaciones a través de las dos copias destinadas al traspunte y al apuntador[227]. No afectan para nada al desarrollo de la intriga, y tienen como único objetivo aligerar el diálogo a fin de imprimirle un ritmo más rápido. Resultaría fastidioso dar la lista completa de las mismas; diremos tan sólo que demuestran que Espronceda era consciente de los defectos de la obra y que, teniendo en cuenta las reacciones del público a las que se había referido la crítica, se esforzó por remediarlo. Sin duda fue Ochoa quien hizo publicar el siguiente suelto, impreso en negrita en *El Universal* del 29 de abril de 1834, en la sección de "Noticias varias":

> Habiendo hecho varias supresiones y enmiendas en la comedia nueva titulada *Ni el tío ni el sobrino*, fue recibida sin muestras de desagrado, y aun con aplauso, en su segunda representación.

Esta obra hecha de prisa y corriendo tiene escaso interés. Casalduero ve en ella «una burla de la comedia moratiniana, especialmente de *El sí de las niñas*; algo así como *El pastor Clasiquino* del teatro en lugar de la poesía» y añade: «Es interesante para conocer la reacción de Espronceda a este teatro; también es curioso darse cuenta del poder que tenía el poeta sobre su estilo[228].» Semejante opinión no tiene en cuenta ni las circunstancias en que se compuso la comedia, ni el hecho de que sea fruto de la colaboración entre Espronceda y Ros de Olano. En un estudio más reciente, Anna Maria Gallina ha demostrado con gran acierto que, muy al contrario, el lector no descubre en dicha obra intención alguna de parodia, y que la intriga se desarrolla de una manera perfectamente lógica. Al plantearse ella qué parte corresponde a cada uno de los dos autores, llega con razón a la conclusión de que es imposible determinarlo. Pero se basa en el hecho de que en ningún momento advertimos la presencia de las características habituales en las obras literarias de Ros de Olano, como son la oscuridad del pensamiento y las frases alambicadas y faltas de naturalidad[229]. A nuestro parecer, comete

227. Estas dos copias manuscritas —pero no autógrafas— se conservan en la Biblioteca Municipal de Madrid (leg. 3.° de la N = al n.° 46, 1-134-1). Se componen de tres cuadernos (de 31, 37 y 39 hojas para la primera, y de 30, 35 y 39 para la segunda) que contienen un acto cada uno. En estas copias aparece el reparto completo de la obra y una serie de acotaciones al margen. Los pasajes suprimidos están recuadrados. La obra debía estar en curso de impresión ya antes de su estreno, pues el *Semanario teatral* del 28 de abril de 1834 (n.° 2) anuncia su pronta publicación; el nombre de Ros de Olano va seguido de su grado: «Alférez de la Guardia real de infantería.» El anuncio de su puesta a la venta apareció en el *Diario de avisos* del 9 de mayo: en él se designa al colaborador de Espronceda como subteniente, grado que había obtenido el 29 de abril (AGM, expediente personal de Ros de Olano).

228. Casalduero, p. 260.

229. A. M. Gallina, "La traiettoria drammatica di Espronceda...", *Annali dell' Istituto universitario orientale*, VII (1), enero de 1965, pp. 81-82.

un error de perspectiva: en 1833, el estilo del futuro marqués de Guad-el-Jelú está todavía muy alejado del de *El doctor Lañuela*, publicado en 1863, en el que hallamos en efecto los defectos señalados por Anna Maria Gallina. En la época de su colaboración con Espronceda, los poemas que publicó en la prensa madrileña nos lo muestran sólo como un discípulo rezagado del neoclasicismo [230]. En fin, los dos amigos no hubieran solicitado el dictamen de Bretón si se hubiese tratado de una parodia del género que éste cultivaba con éxito desde sus comienzos en el teatro, la comedia de filiación moratiniana. Espronceda y Ros de Olano no tenían otra intención que la de escribir una comedia del mismo estilo. Era el único medio de que la aceptara algún editor y obtener así un anticipo. El hecho de que no triunfara no significa que la intriga, el diálogo y las situaciones de su obra fueran intrínsecamente malos; simplemente, les faltaba oficio para acometer tal empresa, y las circunstancias en las que fue compuesta la obra sólo podían contribuir a aumentar sus defectos. Dejemos que sea Ros de Olano el que se encargue de pronunciar la oración fúnebre de *Ni el tío ni el sobrino*: «En mi sentir, más le valiera haber sido silbada por botaratería que haber sido enterrada de limosna [231].»

ESPRONCEDA Y LA NOVELA HISTÓRICA: *SANCHO SALDAÑA, O EL CASTELLANO DE CUÉLLAR*. ETAPAS DE LA COMPOSICIÓN Y PUBLICACIÓN; FUENTES Y ANALOGÍAS; *BLANCA DE BORBÓN* Y *SANCHO SALDAÑA*

Por la misma época, el nombre de Espronceda apareció en la cubierta de una obra de género muy distinto: *Sancho Saldaña o el castellano de Cuéllar*, tercer título de la colección de novelas históricas españolas publicada a partir de noviembre de 1833 por el editor madrileño Delgado; los dos primeros eran *El primogénito de Albuquerque* de Ramón López Soler (con el seudónimo de Gregorio López de Miranda) y *El doncel de don Enrique el Doliente* de Larra.

Espronceda había iniciado la composición de esta novela durante su destierro en Cuéllar, en el segundo semestre de 1833. La redacción de los dos primeros tomos debió de acabarse a lo más tarde en diciembre del mismo año, ya que Delgado presentó el manuscrito de ellos —así como el de los dos primeros volúmenes del *Doncel* de Larra— a la censura el 2 de enero de 1834; el permiso de publicación fue concedido el 27 del mismo mes [232]. El 5 de febrero, editor y autor firmaban un contrato [233] por el que Espronceda se comprometía a entregar su no-

230. Véase *supra*, p. 260 y nota 96.
231. Carta citada *supra*, p. 260.
232. AHN, Consejos (Impresiones), leg. 5572, n.º 54. A. González Palencia, en su *Estudio histórico sobre la censura gubernativa...* (t. II, Madrid, 1936, pp. 354-357), ha resumido los documentos de este expediente que nos permiten conocer la historia administrativa de la colección publicada por Delgado. Pero este autor no había visto el documento del 11 de febrero de 1833 que concede al editor la autorización para publicar esta colección de novela bajo las formalidades habituales de la censura (AHN, Consejos, leg. 11344).
233. BNM, ms. 12971[15]. Cascales, pp. 332-333. Larra había obtenido unas condiciones más ventajosas que Espronceda. Un recibo de sus derechos de autor publicado por C. de Burgos (“*Fígaro*”..., Madrid, 1919, p. 152) indica que cobró 4.800 reales por los cuatro volúmenes de *El Doncel*..., es decir, 200 reales por volumen más que nuestro poeta.

vela, en seis volúmenes de doce cuadernos impresos cada uno, antes del 31 de marzo de 1834; a rehacer las partes que pudieran ser suprimidas por los censores; a corregir las pruebas, y a redactar, llegado el caso, anuncios y prospecto. Delgado pagaría al autor 1.000 reales por volumen entregado y, en el momento de la firma, abonaba los 2.000 correspondientes a los dos primeros. El plazo de entrega del manuscrito completo no fue respetado por Espronceda, muy a su pesar. Al principio, la publicación prosiguió con normalidad: la puesta a la venta del tomo I se anunció en el *Diario de avisos* el 8 de abril de 1834; la del tomo II, el 22 de abril; la del tomo III, el 17 de mayo; la del IV, el 10 de junio; y la del V, el 14 de julio. Pero la del tomo VI y último no salió, en el mismo periódico, hasta el 3 de noviembre. El editor explicaba así a los suscriptores las razones de esta demora: «por circunstancias particulares acaecidas al autor de *Sancho Saldaña*[234].» Estas «circunstancias particulares» eran la detención, que tuvo lugar el 25 de julio, y el posterior destierro del poeta, que hemos tenido oportunidad de evocar anteriormente. Así pues, no sólo no había acabado Espronceda su obra el 31 de marzo de 1834, sino que a finales de julio todavía no había entregado el sexto y último volumen al editor.

Los biógrafos del poeta no han dedicado mucha atención a *Sancho Saldaña*. El primero de ellos escribía refiriéndose a dicha novela:

> En su destierro de Cuéllar, hizo Espronceda los apuntes, y diseños que se publicaron después bajo el título del *Castellano de Cuéllar*; rica y vasta colección de descosidos materiales, en los que cada página encierra un hermoso cuadro sin que entre todos haya armonía ni conjunto[235].

Se trata de un juicio poco halagador, en el cual volvemos a hallar algo de lo que reprochaban los críticos a *Ni el tío ni el sobrino*: algunos pasajes logrados, pero falta de un plan bien elaborado. De todas formas, es un juicio demasiado severo, ya que la intriga se desarrolla a partir de una lógica completamente plausible, a pesar de la acumulación de episodios y efectos teatrales requerida por las leyes del género. Las novelas de la colección de Delgado, así como las que siguieron, se caracterizan por su monotonía. Sus autores han leído a Walter Scott, y el influjo de éste es sensible en la concepción de las obras, en su construcción, en la falta de profundidad de los caracteres y en la utilización de motivos tenebrosos o grotescos[236]. *Sancho Saldaña* no es una excepción a la regla, y Peers ha señala-

234. La misma explicación apareció el 4 de noviembre de 1834 en *El Eco del comerio*, y el 5 en la *Gaceta de Madrid* (con algunas variantes: no figura en ella las palabras «acaecidas al autor de *Sancho Saldaña*»). El capítulo XXII de la novela de Espronceda contiene una alusión al tratado de Londres, firmado el 22 de abril de 1834 (BAE, t. LXXII, p. 453b). Podemos deducir de ello que el tomo V (que contenía los capítulos XIX a XXVI) se compuso como muy pronto inmediatamente después de este acontecimiento (al menos en su mayor parte).

235. *El Labriego*, 14, 23 de mayo de 1840, p. 225a. Esta frase se cita sin comentario alguno en Rodríguez-Solís, p. 118.

236. Ph. Churchman y E. Allison Peers, "A Survey of the Influence of Sir Walter Scott in Spain", *RH*, LV, 1922, pp. 268-310; M. Núñez de Arenas, "Simples notas acerca de Walter Scott en España", *RH*, LXV, 1925, pp. 5-11; Peers, "Studies of the Influence of Sir Walter Scott in Spain", *RH*, LXVIII, 1926, pp. 1-160. Sobre la novela histórica en España, véase N. Alonso

do las numerosas similitudes existentes entre la novela de Espronceda e *Ivanhoe*; estas comparaciones demuestran que el poeta conocía la obra del novelista escocés y que la tuvo en mente —añadamos que de forma más o menos consciente— en ciertos pasajes. En opinión de Peers, el hecho de que en algunas partes de la obra se inspirara de modo más especial en esta novela en concreto y no en otra, se debe a que los hechos históricos que sirven de telón de fondo a ambas obras presentan muchos puntos en común en su desarrollo, y a que determinados detalles relativos a la vida cotidiana o a costumbres caballerescas podían ser utilizados sin modificación alguna o con una ligera adaptación[237].

En líneas generales, el argumento de la novela es bastante sencillo: la acción transcurre en tiempos de Alfonso el Sabio; durante las luchas intestinas que dividen Castilla, Sancho Saldaña, castellano de Cuéllar, toma partido por Sancho IV el Bravo, mientras que Hernando de Íscar lucha a favor de los infantes de La Cerda. Sancho Saldaña está enamorado de Leonor de Íscar, hermana de Hernando; durante un tiempo ha sentido una pasión, ahora apagada, por Zoraida. El que sirve de lazo de unión entre los personajes es Usdróbal quien, desde el comienzo de la historia, forma parte de una cuadrilla de bandoleros al servicio de Saldaña y dirigida por "El Velludo"; Usdróbal es el desfacedor de entuertos, y en ocasiones el *deus ex machina* que hace fracasar los proyectos de los traidores o de los malvados. Después de innumerables peripecias[238], Leonor, Elvira y Zoraida mueren, Saldaña va a acabar su vida en la Trapa, Hernando de Iscar busca refugio junto al rey de Aragón, Usdróbal es armado caballero por el rey Sancho el Bravo como recompensa a sus servicios, y "El Velludo" lleva hasta su muerte una existencia de forajido.

Aunque admite las similitudes existentes entre *Sancho Saldaña* y las novelas de Scott, Mazzei apunta como otra posible fuente la *Crónica* de Sancho el Bravo. En efecto, señala algunos elementos que Espronceda hubiera podido tomar de dicha obra, y establece comparaciones en torno a detalles; a nuestro parecer, resulta un tanto arbitrario pretender sacar de ellas conclusiones convincentes, más

---

Cortés, *Zorrilla*, 2.ª ed., Valladolid, 1943, pp. 116-121; J.F. Montesinos, *Introducción a una historia de la novela...*, Madrid, 1955, pp. 73-74; Peers, *HMRE*, t. I, pp. 230-253.

237. Peers dedica el capítulo II (pp. 40-69) de su artículo de 1926 citado en la nota anterior a la confrontación de estos aspectos. Rechaza un cierto número de similitudes de detalle entre *Sancho Saldaña* y *Quentin Durward, The Bride of Lamermoor* y *The Fair Maid of Perth* señaladas por M. Burmer Travis en su tesis inédita *The Influence of Walter Scott on Espronceda's Sancho Saldaña* (Chicago, junio de 1922).

238. Casalduero (p. 253) elabora una lista completa de los «recursos del género» utilizados por Espronceda. En lo que toca a las numerosas peripecias de la novela, no nos queda más remedio que renunciar a enumerarlas. Se puede encontrar un resumen completo del libro en E. Pujals, *Espronceda y Lord Byron*, Madrid, 1951, pp. 158-162. D. G. Samuels ha detectado algún parecido entre *Los bandos de Castilla* de López Soler y *Sancho Saldaña*: «In each novel, the lover (Sancho, Pelayo) woos his beloved (Leonor, Matilde) in vain because of family feud arising out of political diferences. Both the lover and the heroine's brother fight on opposite sides. In each case the lover kidnaps the girl and, unless she yields to his desires, threaten to kill her brother who is now a prisoner.» («En ambas novelas, el amante corteja a su amada en vano pues la enemistad entre las familias se debe a diferencias políticas. Ambos, el amante y el hermano de la heroína, luchan en bandos opuestos. En los dos casos el amante rapta a la chica, y salvo que ella acceda a sus deseos, la amenaza con matar a su hermano, que es ahora su prisionero.») (*Enrique Gil y Carrasco...*, Nueva York, 1939, pp. 145-146, nota 1).

aún cuando el crítico italiano subraya que la *Crónica* no hace mención alguna de la enemistad que separa las familias de Cuéllar y de Íscar[239]. Se plantea el problema de saber si, en el momento en que escribía su novela, el poeta había tenido posibilidad material de consultar el citado texto. Es algo que no hay que descartar, si bien Mariana le brindaba una documentación harto suficiente. Hicimos ya una observación análoga al referirnos a las posibles fuentes de determinados fragmentos del *Pelayo* y de *Blanca de Borbón*; en el caso de *Sancho Saldaña*, la utilización de la obra de Mariana está fuera de toda duda. En efecto, en el capítulo IV de su novela, Espronceda menciona el nombre de este historiador. Rebate la opinión desfavorable que éste tiene de Alfonso X, poniendo de relieve sus cualidades: el monarca no fue avaro, sino muy generoso; no fue injusto, sino muy al contrario, el primero en codificar las leyes. Pese a estas reservas, el cuadro de la situación española desde finales del reinado de Alfonso X hasta la proclamación de su hijo Sancho y los desórdenes que siguieron, está sacado, en cuanto a los hechos históricos fundamentales, de los libros XIII, XIV y XV de Mariana[240]. Espronceda no se propone esclarecer el problema de la legitimidad de los derechos de Sancho; hace hincapié tan sólo en los disturbios que acarreó la lucha por la posesión de la corona entre los hijos y los nietos de Alfonso X, los infantes de La Cerda. Al tener la novela como marco los episodios de la guerra civil que fue fruto de esta lucha, bastaba con poner brevemente al lector al corriente de los datos más importantes a fin de que pudiera seguir el desarrollo de los episodios.

Sancho Saldaña, al igual que *Blanca de Borbón*, se sitúa en una época de discordias intestinas cuya causa principal es básicamente la misma: el conflicto entre un rey y un pretendiente al trono que defienden una concepción opuesta de la monarquía, apoyados cada uno de ellos por una parte de la nobleza. No es el único punto en común existentes entre las dos obras. El personaje de Usdróbal recuerda en algunos de sus rasgos al de Enrique; ambos encarnan la lealtad, dan muestras de rectitud, los mueve un espíritu caballeresco, y se convierten en paladines de la justicia y la inocencia oprimida. En el capítulo XIV de la novela, presenciamos una entrevista entre Usdróbal y Zoraida en el transcurso de la cual ésta le hace partícipe de sus quejas contra Sancho Saldaña. Al igual que Blanca de Borbón, ha sido abandonada y recluida por el hombre al que sigue amando a pesar de todos los sufrimientos que éste le ha infligido. La diferencia entre las dos protagonistas está en que mientras la mujer de Pedro soporta su suerte con resignación, Zoraida intenta vengarse del ingrato; pero ambas encuentran un defensor en la persona del hombre que encarna el bien. Cuando menos eso parece en el caso de la última, ya que en el capítulo XVII vemos a Usdróbal, que ama a Leonor, urdiendo un plan para liberar a ésta. Este proyecto recuerda el de Enrique, quien, por una razón similar, se introducía en el calabozo de Blanca. Los tormentos que le inflige el rey no han conseguido borrar el amor que siente todavía por él, que la abanonó por María de Padilla; Zoraida demuestra similares sentimientos por Saldaña cuando se arrepiente de la venganza que acaba de em-

239. Mazzei, p. 49.

240. Espronceda se basa sobre todo en el libro XIII, caps. 9 a 11, en el libro XIV, caps. 1, 5 y 8, y en el libro XV, cap. 1, de Mariana (BAE, t. XXX, pp. 382-428).

prender (capítulo XVI). Al final del acto I de *Blanca de Borbón*, Espronceda nos presentaba a García ofreciendo su ayuda a Blanca para huir, siempre que ésta accediera a concederle sus favores. Según vimos, este episodio fue suprimido tras las modificaciones que el poeta introdujo en la obra; pero volvemos a encontrarlo, bajo una forma algo distinta, en el capítulo XIV de *Sancho Saldaña*, cuando el paje Jimeno propone a Zoraida ser el instrumento de su venganza a cambio del mismo pago. Ante la negativa de la protagonista, tanto Jimeno como García llevan a cabo una especie de chantaje, amenazando con revelar, el primero unos supuestos amores entre Zoraida y Usdróbal, y el segundo, una supuesta intriga urdida entre Blanca y Enrique. La infortunada esposa de Pedro el Cruel encuentra un alma compasiva en Leonor, hija del carcelero don Tello, la cual acude a menudo a visitarla en su calabozo; en *Sancho Saldaña* (capítulo XV), Elvira, hermana de Sancho, es la que consuela a Leonor en su mazmorra. El señor de Saldaña tuvo anteriormente un comportamiento que recuerda el del rey Pedro, cuando abandonó a Blanca por María de Padilla: aquél dejó a Leonor al enamorarse apasionadamente de Zoraida; no obstante, en la novela se invierte la situación, ya que el protagonista vuelve a su primer amor. Así, Leonor y Zoraida se encuentran alternativamente en la situación de Blanca de Borbón. El acto V de la obra de teatro transcurre en una atmósfera nocturna de tormenta, y una parte del mismo, ante la cueva de la maga; Espronceda sitúa el final del capítulo III de su novela en un marco idéntico, en el que vemos aparecer una hechicera (más adelante sabremos que no es otra que Elvira, hermana de Sancho Saldaña). El autor otorga una gran importancia a la descripción del paisaje y de la tormenta, acumulando los detalles tenebrosos y terroríficos; puede decirse que en cierta forma desarrolla las indicaciones escénicas, necesariamente breves, de la obra de teatro. La canción con la cual, en el acto III, Enrique anuncia su llegada al pie de los muros de la cárcel de Blanca, pese a que presenta una métrica distinta, es de un tono y un estilo similares a los de la *Canción de la cautiva* intercalada en el capítulo VIII de *Sancho Saldaña*.

Al comienzo del capítulo XXVII hallamos una extensa descripción de las tropas de Sancho cerca del castillo de Cuéllar. Este es un motivo que reaparece en varias ocasiones en la obra de Espronceda, tratado con mayor o menor amplitud, pero utilizando de preferencia imágenes visuales y auditivas constantes: estandartes ondeando al viento, armas relucientes, caballos que relinchan, cantos o música, en una atmósfera radiante y soleada. Lo encontramos, por ejemplo, en la última estrofa del fragmento 3 del *Pelayo* (vv. 649-659); en la escena II del acto II de *Blanca de Borbón* (cuando Leonor describe a Blanca la comitiva real); en *¡Guerra!* (vv. 9-11), e incluso en la introducción de *El diablo mundo* (vv. 630-634) [241]. Es un tema trillado, que ha pasado de la epopeya a la novela histórica al estilo de Walter Scott, y que aparece tratado en una poesía de García de Villalta de la cual adopta Espronceda un fragmento —el único conocido— como epígrafe del capítulo XVII de *Sancho Saldaña*. Aun cuando se trata de un simple tópico literario de color local, la frecuencia con que recurre a él el poeta demuestra que es un cuadro de género por el que sentía especial predilección.

241. Para un análisis más detallado de estos paralelismos, véase la nota 71 a los versos 649-653 del *Pelayo* en Espronceda, *Poésies*, ed. Marrast, p. 185.

ELEMENTOS AUTOBIOGRÁFICOS, RECUERDOS DE LECTURAS E IDEAS DE ESPRONCEDA SOBRE DIVERSOS TEMAS EN *SANCHO SALDAÑA*

Espronceda no aporta innovación alguna a la novela histórica, ya que se conforma con adaptar a la pintura de la España del siglo XIII los procedimientos narrativos de Walter Scott y se inspira ampliamente en éste. Así pues, el interés de *Sancho Saldaña* no radica ni en la originalidad del estilo ni en la del tema, sino en lo que esta historia prolija nos revela acerca de la personalidad y las hondas preocupaciones del autor.

Más allá de la simple comprobación de similitudes formales entre las novelas de Walter Scott —en especial *Ivanhoe*— y *Sancho Saldaña*, Nicholson B. Adams ha procedido a un cotejo mucho más sugestivo. Mientras que el héroe de Scott logra salir siempre triunfante de las trampas u obstáculos que se alzan en su camino, el castellano de Cuéllar no consigue más que el fracaso total en su búsqueda del amor. El espíritu de las dos obras se revela entonces como diametralmente opuesto:

> In a word, Espronceda imposes on his hero his own melancholy view of life: life as a tragedy, during wich the individual struggles hopelessly against blind fate, and virtue and bravery will be of no avail ... Pleasure is an illusion, wich one will weigh in the balance and find wanting. The only reality is fail and suffering, and the only solution death[242].

Algo que está fuera de duda es que Espronceda se proyecta en sus personajes: «En Usdróbal y Saldaña tenemos la coexistencia de la vida pura (infancia) y la vida del mal (realidad-madurez)[243].» Usdróbal se parece mucho al joven «buscarruidos» que era el poeta antes de su exilio, y en el relato que hace el primero de su infancia en el capítulo L (BAE, t. LXXII, pp. 297-301), observamos cierto número de rasgos autobiográficos. Su primer maestro fue un sacerdote: «aunque mi talento era despejado ... yo era más inclinado al juego que al estudio» (lo mismo que decían en esencia los partes trimestrales del alumno Espronceda en el Colegio de San Mateo); «Tenía ya doce años y era lo que se llama una alhaja; llevaba regularmente dos palizas al día ... Juntábame con otros chicos de mi edad, que si no eran de lo mejor, eran al menos de lo más malo». Los destrozos causados por Espronceda en el material del colegio, así como los recuerdos de Escosura, muestran que este retrato debe mucho a su creador. Usdróbal sigue evocando en estos términos el recuerdo de su infancia de estudio: «¡Oh vida regalada del monasterio! ¡Cuántas veces te echo de menos! Sólo por aquello de *dulces, exubiae dum fata Deusque sinebant*, como repetía el buen abad cuando me regalaba el rostro con alguna palmada, y no de las más suaves, en prueba de

242. («En una palabra, Espronceda plasmó en su héroe su propia visión melancólica de la vida: la vida como una tragedia, durante la cual el individuo lucha esperanzadoramente contra el ciego destino, y la virtud y la bravura no serán útiles... El placer es una ilusión que puede pesarse en la balanza y descubrir que no existe. La única realidad es el error y el sufrimiento, y la única solución morir.») N. B. Adams, "Notes on Espronceda's *Sancho Saldaña*", *Hispanic Review*, V (4), octubre de 1937, pp. 304-308.

243. Casalduero, p. 256.

su cariño» (*ed. cit.*, p. 296b). ¿Acaso no se parece a Lista este buen abad, severo, pero al que se recuerda con ternura?

El judío Zacarías, a quien Usdróbal se ve confiado a fin de perfeccionar su educación, habla con voz penetrante y se expresa a menudo en un tono sentencioso y a veces tajante: «pondré a este joven en el camino de la virtud y le enseñaré la moral necesaria» (*ed. cit.*, p. 303); en boca suya hallamos constantemente citas latinas para expresar, en muchos casos, una trivialidad (*ed. cit.*, pp. 303, 304, 305, 309, 310, 322, etc...): nos hace pensar en el severo Hermosilla. Abundan también los recuerdos de las humanidades y lecturas de Espronceda: reminiscencias escolares o bíblicas como: «mirándole con tanto desprecio como el gigante Filoteo cuando vio venir a David»; «más enlazado al cuerpo de su contrario que las serpientes de Laocoonte» (*ed. cit.*, pp. 306a y 306b); «la que no quiere dar a César que es de César» [*ed. cit.*, p. 310a]; «la espada parece que es la de Absalón!», «Las mujeres perdieron a Salomón» [*ed. cit.*, pp. 343b, 344b, 345b, 436b, 437b, 476a, 481, 491b, 535b); citas de Horacio (*ed. cit.*, p. 394a), de Cervantes («gente *non sancta»), [ed. cit.*, p. 392b]) del que reconocemos el estilo del comienzo de *Rinconete y Cortadillo* en las primeras páginas de *Sancho Saldaña*; citas de Quevedo («cada uno moría de su enfermedad y no de su médico» [*ed. cit.*, p. 435a]; «ni yo he montado en la escoba desde entonces, ni he dado paz al cabrío» (*ed. cit.*, p. 365a); «Había sido verdugo en Valladolid [...] como el respetable del gran Tacaño, que era un *águila en el oficio*» (*ed. cit.*, p. 394a)[244].

Los epígrafes de cada capítulo de la novela nos dan una idea de los autores que Espronceda conocía y que probablemente había leído; Casalduero ha recogido sesenta y tres nombres de obras o escritores citados en *Sancho Saldaña*, que representan un panorama cultural bastante amplio, que abarca desde la Antigüedad grecolatina y las Sagradas Escrituras hasta los contemporáneos[245]. Si buscamos la fuente de los epígrafes sacados de obras literarias españolas de los siglos XVI, XVII y XVIII, obtenemos un número relativamente reducido de obras que podían figurar perfectamente en la biblioteca del joven poeta en la época de su regreso del exilio. La *Colección general de comedias escogidas del teatro antiguo español*, publicada en Madrid a partir de 1824, incluye todas las obras de Calderón, Moreto, Lope, Rojas Zorrilla y Bances Candamo, de quienes se citan algunos versos en *Sancho Saldaña*. Espronceda toma también algunos fragmentos de romances de las colecciones editadas entre 1828 y 1832 por Durán. En las antologías de Quintana —*Poesías selectas castellanas* (cuya 1.ª edición es de 1807 y la 2ª de 1829) y *Musa épica*— encuentra trozos de Herrera, de Jorge Manrique, Vicente Espinel y Ercilla. Poseía sin duda una edición completa de *La Araucana*; en efecto, los cuatro versos de dicha epopeya citados al inicio del capítulo XX de *Sancho Saldaña* (BAE, t. LXXII, p. 436a) están sacados del canto VII (estrofa 49), del que no aparece recogido ningún fragmento en el florilegio de la poesía épica de Quintana; Espronceda debía de tener también una edición completa del poema de Valbuena, *El Bernardo*, puesto que los dos fragmentos que encabezan

244. Mazzei (pp. 53-54) ha detectado algunas reminiscencias de Cervantes y Quevedo en *Sancho Saldaña*. Un recuerdo del *Quijote*, presente ya en la novela, reaparece en su artículo *Costumbres*, publicado en *El Artista* en 1835 (véase *infra*, p. 403).

245. Casalduero, p. 47.

los capítulos XV y XIX (*ed. cit.*, pp. 409b y 434b) no constan en la colección de Quintana. En el último tomo de *Sancho Saldaña* encontramos, como epígrafe al capítulo XLIII (*ed. cit.*, p. 540b), siete versos sacados de *Fragmentos de un poema* de Martínez de la Rosa, que salieron a la luz en el volumen publicado en agosto de 1833[246]; como epígrafe a los capítulos XLI y XLII (*ed. cit.*, pp. 533a y 535a), aparecen citas de *El moro expósito* de Rivas publicado en París a principios de 1834 y de la que algunos ejemplares llegaron poco después a Madrid[247]; como epígrafe al capítulo XVII (*ed. cit.*, p. 419b), una frase extraída de las *Guerras civiles de Granada* de las que León Amarita publica en Madrid una reedición a finales de 1833 o comienzos de 1834[248]. Vemos con ello que Espronceda se mantenía al corriente de las últimas publicaciones.

Tal vez por juego, todos los epígrafes del tomo V están sacados de jóvenes autores contemporáneos: Villalta, Bretón, Ros de Olano, Larra, Juan Bautista Alonso, Vega, Ochoa, Rafael González Carvajal[249]. Estos nombres son los de sus amigos de entonces, y entre ellos encontramos a antiguos compañeros del colegio o de la época de la emigración. Las citas que encabezan los capítulos de *Sancho Saldaña* indican también hacia qué escritores y qué géneros se orientaba la curiosidad intelectual de Espronceda a finales de 1833 y en 1834. De cuarenta y nueve, trece están tomadas de obras de teatro (cuatro de Moreto, tres de Cienfuegos, dos de Calderón, una de Rojas Zorrilla, una de Lope, una de Bances Candamo y otra de Quintana); nueve provienen de romances; tres están sacadas de *La Araucana* y cuatro, de *El Bernardo*. Con excepción de Quintana y Cienfuegos, ninguno de estos autores había dejado rastros de influjo en las obras anteriores de Espronceda quien, por otra parte, del segundo escritor quizá conociera tan sólo las poesías antes de 1833. Estos epígrafes están seleccionados en virtud del contenido del capítulo que van a encabezar, lo cual nos induce a ser prudentes en las conclusiones que podamos extraer de dicha estadística. Señalemos únicamente que las preferencias del poeta van hacia el teatro, en particular la comedia, y hacia el romancero, es decir, muestra predilección por obras que el romanticismo histórico-nacional proponía como ejemplo a los jóvenes escritores.

A lo largo de su novela histórica, Espronceda atribuye a sus personajes ideas, sentimientos o recuerdos personales, eso cuando no los mete en digresiones. No debemos lamentarlo en el caso de *Sancho Saldaña*, ya que, para el lector contem-

246. El anuncio de las *Poesías* de Martínez de la Rosa apareció en la *Gaceta de Madrid* el 29 de agosto de 1833; el *Boletín de comercio* dio cuenta de ello al día siguiente; el artículo de Larra apareció en la *Revista española* el 3 de septiembre de 1833.

247. La obra de Rivas se anunció el 15 de febrero de 1834 en la *Bibliographie de la France*; la autorización para introducir 150 ejemplares en España le fue concedida al autor el día 10 del mismo mes (AHN, Consejos, leg. 10288); los primeros comentarios aparecieron el 23 y el 24 de mayo en la *Revista española*.

248. El permiso de impresión data del 11 de junio de 1833 (AHN, Consejos [Impresiones], leg. 5572, n.º 107, y A. González Palencia, *op. cit.*, t. II, p. 360); un comentario sobre esta reedición apareció en la *Revista española* el 11 de febrero de 1834.

249. No hemos encontrado el poema de este autor poco conocido (que en 1834 colaboraba en la *Revista española*), una de cuyas octavas reproduce Espronceda como epígrafe al capítulo XXXIV de *Sancho Saldaña* (BAE, t. LXXII, p. 505a).

poráneo, constituye una de las cualidades de la obra[250]. Acerca de la breve carrera militar del poeta y su amistad con Ros de Olano, hallamos el siguiente testimonio:

> Estas amistades en tan breve tiempo no parecerán extrañas al que haya vivido algún tiempo entre militares, donde la franqueza y familiaridad del trato hace que la amistad se estreche e intime casi a primer vista. (BAE, t. LXXII, p. 401a)

Y en relación con el amor, aparece esta frase, en la que adivinamos al poeta reviviendo la dolorosa experiencia de su pasión por Teresa, en espera del momento en que ésta pueda —o quiera— por fin reunirse con el joven exiliado desesperado:

> La esperanza de lograr el amor de la persona amada es la última que abandona un corazón enamorado de veras, y a veces, es tal la ilusión que se forma el amante, que halla en la más insignificante mirada representado un sentimiento que está sólo en su corazón. (*Ed. cit.*, p. 15b.)

¿Acaso el siguiente retrato en dos tiempos de Zoraida no es el de Teresa, una Teresa exiliada en su tierna infancia, apasionada, que abandonó su hogar por su amante, dejándose llevar sólo por la pasión?

> Sus pasiones impetuosas y vehementes daban a todos sus deseos un carácter tal de fuerza, que su voluntad había de cumplirse o debía ella perecer en su empeño. Estaba acostumbrada a arrostrar los caprichos de la fortuna, y aun a veces a vencerla y a sujetarla, y esta lucha continua en que había pasado toda su vida la había dotado de un valor a toda prueba y de un arrojo en sus empresas que rayaba en temeridad. (*Ed. cit.*, p. 328a).
>
> El carácter de Zoraida, a despecho de su altivez, era tan flexible al sentimiento y la melancolía como a todos los arrebatos de la ira, siendo su alma de fuego y no habiendo conocido nunca sino el último de las pasiones, tan arrebatada en sus celos como exagerada en su amor, sin que hubiese dique alguno que bastase a detener siquiera el torrente de su corazón. (*Ed. cit.*, p. 386a.)

En *Sancho Saldaña*, el amor es siempre imposible: la fatalidad de la historia separa a los amantes, los desgarra y los aleja. El desasosiego interior de Zoraida está presentado en unas páginas admirables (*ed. cit.*, pp. 367-368a), en contraste con el cuadro risueño del despertar de la naturaleza y el de la vida cotidiana de las gentes felices que se dirigen tranquilamente a sus tareas. También aquí se percibe un acento sincero, que se traslucía ya bajo el estilo ampuloso de *A la luna* y *A la noche*, y que, en otro aspecto, podía apreciarse asimismo en *La entrada del invierno en Londres*; en este último poema el joven desterrado se sentía extraño a un mundo que, aun no siéndole hostil, no era el suyo propio. Sentimiento plenamente "romántico" —pensaremos— el de esta insatisfacción que conduce

250. Casalduero (pp. 254-255) ha señalado de forma breve en *Sancho Saldaña* algunos de esos elementos de la ideología de Espronceda que él califica de «anacronismos ideológicos y sentimentales».

primero a la resignación, luego a la rebelión y, por último, al rechazo; ciertamente, pero lo que sabemos de la vida de Espronceda, de sus tribulaciones como amante y patriota nos obliga a ver en ello una actitud hondamente enraizada en el corazón. Espronceda proyecta parte de este sentimiento en el personaje de Saldaña, cuando lo describe

> entregado a un solo pensamiento en el mundo, lleno de hastío, ansioso de algo que nunca podía encontrar, desasosegado en el sosiego, agitado de tristes imaginaciones ... La pasión que había tenido por Zoraida había agotado en su corazón las fuentes del sentimiento, y sólo le había quedado fuerza para sufrir, y memoria para hacer eterno el gusano que le roía. (*Ed. cit.*, pp. 326b y 327a.)

Saldaña no encuentra consuelo alguno en los libros, la soledad le ahoga: «Estoy solo, y la soledad fatiga y no ofrece ningún pasatiempo ni diversión.» (*Ed. cit.*, p. 349.) En el pueblo de Cuéllar, a donde le había desterrado el poder, Espronceda podía experimentar un sincero desaliento como éste y, al igual que el poeta de su novela, hallar una especie de gozo liberador en la contemplación del grandioso espectáculo de la tempestad:

> El poeta entre tanto, sin acordarse del peligro que le rodeaba, contemplaba absorto a la luz de los relámpagos el trastorno sublime y la confusa belleza de la tempestad. Ya veía rasgarse el cielo en llamas y descubrir a sus ojos otros mil cielos ardiendo, ya seguido de espantosos truenos lanzarse el rayo en los aires brillantes como las armas de mil guerreros, ya imaginaba que oía en los bramidos del huracán los cantos de guerra de un ejército numeroso ... — En verdad, dijo, que mejor tempestad ni más magnífico espectáculo hacía ya tiempo que no se presentaba a mis ojos; ¡Qué grandiosidad! No parece sino que el cielo, y el bosque, y todo está ardiendo en la Naturaleza, y el bramido del huracán como los quejidos de las fieras que ven desaparecer entre las llamas el abrigo a que se recogían. (*Ed. cit.*, pp. 335b-336a.)

La evocación del recuerdo de la mujer amada, que constituye el tema de la primera parte del *Canto a Teresa*, se encuentra ya en el capítulo XV de *Sancho Saldaña*, en el que el protagonista se expresa así:

> Un recuerdo, dulce como el aroma de las flores, me quedaba aún; [...] Tú, joven hermosa, virgen pura; tú a quien yo había amado ya cuando mi corazón era bueno; tú sola podías hacer mi felicidad; tú eras la llama de mi existencia; yo te veía en todas partes, para mí no había soledad, porque tú siempre me acompañabas. ¡Ah! Yo necesitaba de ti, de ti para que fueses el rocío de mi alma... (*Ed. cit.*, p. 413a).

Son los mismos sentimientos que el poeta expresa en lo que denomina un «desahogo de mi corazón» —el canto II de *El diablo mundo*— en el que revive dolorosamente los primeros impulsos de su corazón y la dicha compartida con Teresa. Tanto en esta página de la novela, como más tarde en el desahogo lírico, hallamos el mismo ardor, la misma pasión.

El Numantino, el combatiente de julio de 1830 y de Valcarlos, ha sentido siempre amor por la libertad. En *Sancho Saldaña*, Espronceda la define al principio de una manera negativa, como lo había hecho en *La entrada del invierno en Londres*: «¿Pero qué vale el beber en oro y verse servido de mil esclavos atentos al menor movimiento del obsequiado cautivo, si al fin no puede pasar de un término prefijado, sino respira el aire puro de la libertad?» (*Ed. cit.*, p. 410a.) Concreta su pensamiento en las palabras que, más adelante, pone en boca del judío Abraham, enviado de los reyes de Francia y de Aragón: «En una palabra, socavar sigilosamente el alcázar de la tiranía para levantar sobre sus ruinas el templo de la libertad; tal me parece que debe ser nuestro primer objeto.» (*Ed. cit.*, p. 458b.) Semejantes frases, escritas a comienzos de 1834, son de candente actualidad, precisamente en el momento en que la guerra civil se extiende por doquier en España. ¿Cómo acabar con los facciosos? Escuchemos nuevamente a Abraham: según él, una vez propagada la libertad, la concordia reinará de nuevo:

> Nuestras tropas entonces hallarán auxiliares en todas partes, los triunfos que sin duda se han de alcanzar reforzarán el espíritu del soldado y nuestros enemigos, peleando en un terreno en falso, se hundirán y serán raídos de la haz de la tierra como las espigas desaparecen en montón bajo la hoz de los segadores. (*Ed. cit.*, pp. 458b-459a.)

Espronceda denuncia lo absurdo de esta lucha fratricida que aflige la Castilla del siglo XIII, pero también el noroeste de España en 1834, y lo hace contrastando los fatuosos festejos de los poderosos con la miseria de los humildes:

> Muchas madres no habían vuelto a ver a los hijos que vieron arrancar de sus brazos para conducirlos a sostener lo que ellos mismos quizá ignoraban, muchos labradores habían perdido sus cosechas y visto quemar su casa, huérfanos desvalidos había que lamentaban la pérdida de sus padres sin tener adónde volver la cara a pedir sustento. (*Ed. cit.*, p. 504a.)

A principios de junio de 1834 y a pesar de los nubarrones que se cernían en el horizonte político, toda España celebraba oficialmente con magníficos festejos la promulgación del Estatuto Real, mientras la guerra asolaba las provincias. Cuando en el capítulo XXII, Espronceda relata la misión de los enviados que han venido a ofrecer los buenos oficios de los reyes de Francia y Aragón para poner término a la guerra civil, tiene en mente los preliminares de la conferencia de Londres que concluirá con el tratado denominado de la Cuádruple Alianza, firmado el 22 de abril de 1834; con él quedará resuelto, aunque muy provisionalmente y de modo insatisfactorio para España, el problema de Portugal, envenenado por la guerra carlista. Tras exponer los términos del compromiso propuesto por Abraham, Espronceda comenta:

> Tal era esta intriga, que prueba lo antigua que es en el mundo esta tan poderosa ciencia de la mentira, y la tramoya y la desvergüenza que ha valido tanta fama a un príncipe alemán de nuestros días y a otros varios manufactureros de protocolos. (*Ed. cit.*, p. 453b.)

Privado de la tribuna pública que le brindaban las columnas de *El Siglo*, aprovecha la ocasión para condenar los manejos de los diplomáticos extranjeros quienes, por aquellas mismas fechas, están debatiendo el destino de España con arreglo a los intereses de su propio país:

> Era nuestro judío uno de aquellos hombres a quien si hubiera vivido en nuestro tiempo hubiéramos honrado con el título pomposo de grande hombre y que no habría dejado de dar que hacer últimamente y de medírselas con el veterano Talleirand [*sic*] o por otro nombre el embrollo personificado, a haber tenido la dicha de vivir en este siglo y la sobre todo digna de envidia de ser miembro de la conferencia de Londres. (*Loc. cit.*)[251]

Gracias a las decisiones de ésta, don Carlos pudo embarcar rumbo a Inglaterra, para luego volver pronto a España y reanudar la guerra en el preciso momento en que iba a ser capturado por las tropas del general Rodil.

Espronceda combate, no sólo los vicios de la política española de su tiempo, sino también las anomalías de las instituciones y de la sociedad. Cuando en el capítulo XXXIV de *Sancho Saldaña* sitúa el auto de fe que va a describir, empieza así:

> Hay un campo fuera de Valladolid que llaman el Campo Grande, que sirve hoy de paseo a las gentes de aquella ciudad, y donde se cuentan hasta catorce edificios... o conventos, puestos que a ciertas gentes les parecen pocos, por aquel dicho sin duda que *nunca lo bueno fue mucho*. Pero dejando esto aparte, que a fe mía que el que quiera frailes en España no ha de llorar por ellos, seguiremos el hilo de nuestro cuento... (*Ed. cit.*, p. 505a.)

No es una simple salida irreverente, sino expresión de una verdad. En 1834, un economista francés, basándose en las últimas estadísticas conocidas que se remontaban a 1826, daba para España la cifra de 186.498 personas, miembros o al servicio de la Iglesia, de entre las cuales 57.892 eran religiosos seglares y 92.627 regulares, o sea 1 por cada 91 habitantes (siendo la proporción de 1 por 200 en Italia, 1 por 280 en Francia y 1 por 650 en los Países Bajos)[252]. Dos años más tarde, Espronceda será un entusiasta partidario de la desamortización de los bienes del clero, aunque criticará la forma en que ésta será llevada a cabo por Mendizábal.

Tampoco la justicia queda a salvo de las críticas en *Sancho Saldaña*. Los capítulos XXXIV y XXXV están dedicados al juicio de Dios al cual se ve sometida Zoraida. En primer lugar, Espronceda describe detenidamente los preparativos y el escenario; nos presenta a la muchedumbre, contenida a duras penas por los alabarderos, que se apretuja para no perderse nada del espectáculo: riñen, discuten acerca del modo en que procederá el ejecutor, los estudiantes alborotan, los niños lloran y chillan, los pobres piden lismosna, y la gente lanza pullas contra Soguilla, el verdugo apoplético. Sigue luego la descripción del minucioso ceremo-

251. «Le prince de Talleyrand, interpellé par un de ses amis sur la véritable portée de ce traité, répondit, à ce qu'on assure: Ce n'est rien pour nous, c'est quelque chose pour les puissances du Nord, et beaucoup pour les sots.» («El príncipe de Talleyrand, interpelado por uno de sus amigos acerca del verdadero alcance de este tratado, respondió, según se afirma: esto no es nada para nosotros, es algo para las potencias del norte, y es mucho para los tontos.») (Marliani, *Histoire politique de l'Espagne moderne*, Bruselas, 1842, t. I, p. 20). Véase también el *post-scriptum* de la "Carta de Fígaro a un bachiller su corresponsal" (*Revista española*, 31 de julio de 1834; BAE, t. CXXVII, p. 424).

252. A. Moreau de Jonnès, *Statistique de l'Espagne...*, París, 1834, pp. 72-76.

nial del tribunal eclesiástico. Espronceda escribe, no sin cierta ironía: «Dirigió el obispo en seguida muchas maldiciones a Satanás, mandándole que se ahuyentara de aquellos sitios, y amenazándole si no lo hacía con redoblar sus conjuros.» (*Ed. cit.*, p. 508b). Parece complacerse y divertirse enumerando estas conminaciones un tanto irrisorias, y mostrándonos al obispo, después de haberlas repetido, pateando el suelo y amenazando al diablo con la excomunión si persistía en seguir en la sala para turbar el ánimo de los jueces. Luego, el secretario del tribunal de la Inquisición procede a la lectura del sumario del proceso de Zoraida:

> Consistía éste, como todos los de su jaez, en un enjambre de desatinos, testimonios falsos y acusaciones ridículas, que si bien en el día pudieran tal vez hacernos reir al leerlas, servían en aquellos tiempos, y aun sirvieron muchos siglos después para llevar al patíbulo infinidad de inocentes. (*Ed. cit.*, p. 509a.)

Seguidamente, Espronceda describe con gran inspiración al secretario que se esmera en lucir su estilo, «empezando a leer en bajo y concluyendo cada período en tiple, ... alzándose sobre las puntas de los pies por ser pequeño de cuerpo y gesticulando con su cara de chorlito a cada palabra sobre la cual quería llamar la atención»; la concurrencia, atenta, y sin entender una palabra «le oía tan atentamente como si cada uno de los que allí estaban fuese un *dómine* examinando» (*loc. cit.*) ¡O poder de las «divinas palabras»! Zoraida, a la que se pregunta qué es lo que puede alegar en su defensa, «sin preguntarle primero si entendía el latín» (*ed. cit.*, p. 509b), no contesta nada. De lo cual deduce el obispo que el espíritu maligno la ha privado del uso de la palabra, y amenaza al susodicho espíritu con el fuego y el agua. Mientras prosigue la audición de los testigos, algunos jueces se duermen y sólo se despiertan con el grito de Zoraida, «creyendo que era la campanilla del presidente que ya los llamaba para votar la muerte de la prisionera» (*ed. cit.*, p. 510b). Esta culpable indiferencia no impide la crueldad; observemos sino este detalle terrible: cuando Zoraida proclama su inocencia, el tribunal la acusa de blasfemia, y entonces «el que parecía más dulce dijo: —Que se le atraviese la lengua con un hierro ardiendo por mano del verdugo». Y cuando el padre de la desdichada irrumpe en la sala: «—¡Hola! —gritó el obispo— ¡Alguaciles! ¡Que echen de ahí a este impertinente!» (*ed. cit.*, p. 510a). Al público le conmueve la desesperación del pobre hombre, y al propio Jimeno, falso testigo de cargo, se le encoge el corazón; aquí Espronceda abandona la ironía y el sarcasmo por un tono más vehemente, más directo:

> Sólo aquellos eclesiásticos, viejos ya, y en cuyas almas de hielo jamás había penetrado la ternura del amor paterno, cuyo deber había sido sofocar las pasiones de la juventud, y que nada veían ya en su vejez sino a sí mismos, se mantenían impasibles y pretendían arrojar de allí aquel hombre enojoso, que había faltado al miramiento debido a tan respetable tribunal con la osadía, nunca vista, de haber atropella el foro. (*Ed. cit.*, p. 511a.)

Estamos ante el arrebato de un joven indignado, ante la rebeldía que estalla bruscamente contra el puntilloso empeño que demuestra esta gente de justicia por salvaguardar la dignidad de una función, incluso —y sobre todo— si no son muy dignos de ejercerla. Se trata asimismo de una idea que interesa enormemente a Espronceda, a saber: combatir en todos los ámbitos la voluntad de los ancianos de oponerse a los generosos impulsos de la juventud, deseosa de echar abajo tabúes y prejuicios para construir un mundo mejor y propagar la libertad. La desarrollará en su artículo *Libertad, igualdad, fraternidad* en enero de 1836[253].

El sentido de la justicia y la dignidad humana induce a Espronceda a condenar también las torturas del juicio de Dios. Tortura moral primero: el ruido de los martillos golpeando los hierros candentes puestos en el yunque, estrépito que resuena en la cabeza del condenado (*ed. cit.*, pp. 515b y 517b). Muestra también la indiferencia del verdugo, en quien las lágrimas de los torturados no hacen mayor mella que el «llanto de un niño que hubiera perdido un juguete» (*ed. cit.*, p. 516a). A este respecto, resulta interesante la descripción de los preliminares del tormento de Hernando, en el capítulo XLV. Adivinamos a Espronceda preocupado por el problema del verdugo y el del condenado a muerte, personajes sobre los que compondrá un poco más tarde dos poesías; el mencionado capítulo forma parte del tomo VI y último de *Sancho Saldaña*, puesto a la venta a principios de noviembre de 1834 —es decir, apenas unos meses antes de la composición de *El reo de muerte* y algo menos de un año antes de la de *El Verdugo*— y al mismo tiempo que la traducción hecha por García de Villalta del *Dernier jour d'un condamné* de Hugo[254]. La escena transcurre en Cuéllar, y la muchedumbre se apiña en torno al cadalso, «obra sin duda de extraño artificio y particular gusto, a juzgar por el inmenso gentío que la contemplaba» (*ed. cit.*, p. 549a). Los asistentes bromean con el verdugo Soguilla, el mismo que hacía de ejecutor durante el juicio de Dios infligido a Zoraida. Aquí aparece completado el retrato del personaje; así, sabemos que ha conseguido su puesto por medio de la intriga, más que por sus aptitudes. Luego, Espronceda describe la «lúgubre estancia» en donde el reo espera la hora del tormento; reina en ella un profundo silencio, que contrasta con el alboroto que arman fuera los curiosos. Algunos de ellos envidian al privilegiado que ocupará el asiento de honor —destinado a Leonor— situado en el centro de la galería que domina la plaza, ya que el que allí se sienta «con tanta comodidad vería desde allí al reo y al verdugo en el interesante momento de atarle los brazos a la espalda y descagar sobre él la cuchilla» (*ed. cit.*, p. 551a). Otros piensan que es el puesto reservado al rey, «no pudiendo persuadirse que hubiera en el mundo nadie que no tuviese el mismo gusto que ellos» (*ibid.*). Espronceda desprecia a ese gentío sin piedad, que acude a presenciar este espectáculo a falta de otro más noble y que no tiene conciencia de su crueldad:

> Los espectadores, lejos de mostrar piedad, unos se mofaban de los pocos hígados del caballero, otros disputaban muy acalorados sobre si era o no el caso para perder el ánimo, muchos con estúpida gravedad miraban aquello como hubieran mirado cualquier otra cosa, es decir, sin saber ellos mismos por qué miraban, si no es porque había otros que estaban mirando también. (*Ed. cit.*, p. 553a.)

253. Véase *infra*, pp. 477-482.

254. Sobre la fecha de composición de estos poemas, véase Espronceda, *Poésies*, ed. Marrast, pp. 269-371 y 387-388.

Estos curiosos se componen de un «populacho, siempre feroz» (*ed. cit.*, p. 555b), una «desenfrenada muchedumbre, que no hay juramento que arrojase, mala palabra que no dijese, ni insulto que no le hiciera» (*ed. cit.*, p. 556a). Cuando Leonor solicita hablar con el rey a fin de salvar a su hermano Hernando de manos del verdugo, quedando interrumpido el espectáculo, la multitud se desata en gritos, se atropellan e insultan al condenado, e incluso parecen todos dispuestos «a relevar a Soguilla en su importante cargo y desobedecer al rey mismo, arrebatados sin duda del ardiente amor a la justicia que les animaba» (*ed. cit.*, p. 554b). Espronceda se rebela aquí contra el carácter inhumano de la ejecución; y no se trata sólo de censurar la crueldad inconsciente de la plebe, sino también la de los soldados que la dispersan «con aquel encarnizamiento con que los satélites que usan la librea del despotismo acometen siempre con razón o sin ella a sus indefensos hermanos», y que, tras imponerse, se reparten por la ciudad sembrando la muerte y la devastación «hasta que restablecieron el orden, es decir, *la paz de las tumbas*, en aquella desolada ciudad» (*ed. cit.*, p. 536b). Esas tropas al servicio del despotismo no son sólo las del siglo XIII, sino también las que, a las órdenes de Zumalacárregui, arrasaban el noroeste de la península combatiendo en las filas del pretendiente al trono. Esta muchedumbre cruel e inconsciente es la misma que, en julio de 1834, presa del pánico por el cólera y la amenaza carlista, se entregó al saqueo de conventos y a la matanza de frailes.

Al referirse más adelante al ceremonial que acompaña la ejecución del reo, Espronceda escribe:

> Faltaba entonces *caridad* con los que ajusticiaban, y no había como ahora *hermanos* por consiguiente que con la mayor *caridad* del mundo acompañaban a un hombre a morir por fuerza, haciendo desaparecer de este modo lo único que semejante lance puede tener de cruel. (*Ed. cit.*, p. 553a-b.)

Cabe preguntarse si esta frase no contiene una tremenda carga irónica. En efecto, la desgarradora melopea de los postulantes de la cofradía Paz y caridad, que resonaba junto a los muros de la cárcel desde la víspera de la ejecución, era para el condenado una tortura moral suplementaria: Espronceda hará de esta melopea el leitmotiv de su poesía *El reo de muerte*[255].

Sancho Saldaña contiene también pasajes en los que el autor expresa o sugiere algunas ideas en torno a la literatura. El capítulo XXIX se inicia, de forma inesperada, con una especie de definición de la novela:

> Cuando dicen que las cosas del mundo parecen una novela, no es más sino que una novela es o debe ser la representación de las cosas del mundo, en que todo va a nuestro entender desenlazado y desunido a veces, aunque si se examina bien no carece de cierto orden y regularidad, y en que personas al parecer inútiles y acontecimientos en sí frívolos son acaso tan esenciales y necesarios cuanto que sin ellas o ellos fuera imposible que tuviese tal o cual fin el asunto principal. (*Ed. cit.*, p. 485a.)

255. Sobre los Hermanos de la Caridad y su papel al lado del condenado a muerte, véanse la noticia y las notas de *El reo de muerte* y *El Verdugo* de Espronceda, *Poésies*, ed. Marrast, pp. 372, 377-379 y 394-395.

Se trata, claro está, de un mero preámbulo para justificar el carácter aparentemente deshilvanado y complejo de la intriga, atribuido sin más a la supuesta crónica antigua de la que Espronceda, al igual que otros tantos, asegura que ha extraído el tema de su relato. Bien mirado, esta definición puede aplicarse a la novela histórica tal como se práctico a lo largo del siglo XIX, desde Walter Scott a Galdós, pasando por Alejandro Dumas: lo que cambia es la perspectiva y el hecho de que los actores de los grandes sucesos ya no quedan aislados de modo arbitrario, sino que aparecen integrados en el mundo que los rodea; su papel está presentado y enjuiciado desde el punto de vista del hombre del pueblo que ha contribuido a la realización del hecho histórico, y sin el cual este hecho no se hubiese producido.

Hay dos casos en los que ya presentimos al futuro autor de *El pastor Clasiquino*. En el retrato que hace de la reina doña María, Espronceda nos habla de «sus hermosos ojos árabes, cuyas negras pestañas al caer podría haberlas comparado cualquier poeta clásico, a dos nubes cubriendo un sol en cada uno de ellos, puesto que esto de nubes no hermosea mucho los ojos» (*ed. cit.,* p. 478a). Esto, en el capítulo XXVII, en el tomo V que salió a la luz en julio de 1834. Y en el capítulo XLV, en el tomo VI, publicado en noviembre, hallamos tres palabritas significativas en las que vemos al poeta distanciándose de las metáforas neoclásicas: «El sol y no Febo, en todo su esplendor teñía... *etc.*» (*ed. cit.,* p. 549b). Algo más adelante, antes de describir el espectáculo dado por unos cómicos, el autor declara que su obra no era «una tragedia greco-francesa — clásica a lo Racine, no alguna hermosa creación romántica a lo Shakespeare o a lo Calderón» (*ed. cit.,* p. 563b); dos autores a los que aborrece Clasiquino:

> Sí, por el Pan que rige mi manada, yo he de hacer ver al mundo que esa caterva de poetas noveles, idólatras de los miserables Calderón, Shakespeare y comparsa, son inmorales.

Lo que los cómicos representan, tras recitar una soporífera loa en alejandrinos, no es «una farsa, un sainete, un entremés», sino una improvisación en torno al tema siguiente: un alfaquí y un médico, que discuten de religión, acaban insultándose; aparece entonces un tercer moro que consigue poner un poco de paz en la querella y, luego, llega un caballero cristiano que ahuyenta a los adversarios y a otros moros que han acudido en su auxilio. Se nos hace saber que se trata de Santiago en persona, que ha venido a ofrecer su espada y hacerse armar caballero por el rey Sancho y su esposa. Espronceda hace el comentario siguiente:

> ... como eran cristianos los cómicos y los espectadores, los pobres muslimas siempre solían llevar la peor parte.
>
> Tal era el acertado plan de este drama, que si carecía de ingenio, rebosaba al menos de majadería, y no pertencía de ningún modo al género soporífico, como la loa y algunas obras clásicas de nuestros días, sino al disparatado risible en que campea la locura (*Ed. cit.,* pp. 563b-564a.)

Tal vez podamos ver en ello algunas alusiones veladas al *Aben Humeya* de Martínez de la Rosa, En efecto, en dicho drama hallamos también un alfaquí, que sale en la escena VII del acto I, algunos altercados entre moros (partidarios de Aben Humeya y partidarios de Aben Abó y Aben Farax), y una exaltación algo excesiva de las virtudes caballerescas en general. La obra del ministro tampoco es una tragedia clásica o un drama "romántico" al estilo de Calderón y Shakespeare. Cabe la posibilidad de que, al final de su novela, Espronceda decidiera mofarse indirectamente del hombre que había defraudado sus esperanzas políticas y que le había enviado a la cárcel y, después, al destierro, en julio de 1834.

Se advierte en este último capítulo una influencia difusa. Algunos de los rápidos esbozos de las cocinas, así como la presentación de la comitiva nupcial, recuerdan el relato de los preparativos del festín, la descripción de la entrada del rey y la de otra comitiva en los romances VI, VIII y XII de *El moro expósito*[256]. Espronceda multiplica los efectos de contraste, la mezcla de elementos dramáticos y cómicos, como lo hace Rivas en la segunda mitad de su extenso poema; uno de estos efectos de contraste aparece recogido sin cambio alguno en *Sancho Saldaña*: en medio del júbilo general del día de los esponsales vemos a Leonor triste, indiferente y preocupada, como Kerima en similares circunstancias[257]. El espectáculo de los cómicos ambulantes introduce una nota burlesca en el relato, al igual que el romance de Pelayo que Rivas hace cantar a Vasco, para entretener a la concurrencia a expensas de los moros[258]. El uso de este procedimiento de alternancia le permite a Espronceda acumular gran número de lances, manteniendo empero el interés del lector hasta el trágico desenlace.

También en este último capítulo de *Sancho Saldaña*, Espronceda expresa una idea que le es grata y que comparte con Larra: la preeminencia del talento sobre los privilegios de la edad o de la fortuna, a menudo usurpados por quienes los poseen, o abusivamente reivindicados por seres mezquinos, despreciativos o recelosos para con el artista:

> Como no es dado a todos los hombres tener talento, es signo de éste que aquéllos traten de humillar siempre al que es por su ingenio superior a ellos, y entonces, lo mismo que ahora, ser poeta era poco menos que estar en pecado mortal. (*Ed. cit.*, p. 561.)

Un poco antes, en julio de 1833, Larra había escrito en *Don Timoteo o el literato*: «No hablemos de la aristocracia del dinero, porque si alguna hay falta de fundamento es ésta ... Si algún orgullo hay, pues, disculpable, es el que se funda en la aristocracia del talento[259].» En marzo de 1836, celebrando el advenimiento de García Gutiérrez al mundo del teatro, Larra invita al joven autor a responder a los que le preguntan «¿Quién es el nuevo? ¿Quién es el atrevido?», que él es «hijo del genio» y pertenece a «la aristocracia del talento». Larra añade: «¡Origen por cierto bien ilustre, aristocracia que ha de arrollar al fin todas las demás![260].» El 16 de febrero de 1839, durante el banquete ofrecido a Matilde

256. BAE, t. C. pp. 172-173a, 189a y 269 respectivamente.
257. *Ibid.*, romance XII, ed. cit., p. 269; *cf. Sancho Saldaña*, BAE, t. LXXII, pp. 562 b-563 a.
258. Romance VIII, BAE, t. C, pp. 209b-210.
259. *Revista española*, 30 de julio de 1833; BAE, t. LXXII, p. 259. Espronceda hizo figurar en su programa electoral, en junio de 1836, la defensa de la aristocracia «de la inteligencia y del mérito» (véase *infra*, p. 546).
260. Reseña de *El trovador, El Español*, 4 de marzo de 1836; BAE, t. CXXVII, p. 169 a.

Díez y a los hermanos Romea antes de que partan para Granada, Espronceda hace el siguiente brindis: «Al triunfo del talento y de la virtud sobre la aristocracia del nacimiento y de la riqueza[261].» En 1840, en su artículo *Política general*, el poeta se reafirmará en su convicción al analizar brevemente las condiciones históricas y económicas de la sociedad española:

> Cierto es que en nuestra época de lucha y de transición este espíritu [mercantil] se ha apoderado de todos los corazones, y elevada la aristocracia del dinero sobre la del talento, la de sangre y la de fuerza, ha sofocado por un momento todas las pasiones nobles. (BAE, t. LXXII, p. 594b.)

Por último, el clamor de cólera y desprecio que lanza sobre Europa en *A la traslación de las cenizas de Napoleón* será todavía más violento:

> Miseria y avidez, dinero y prosa,
> en vil mercado convertido el mundo,
> los arranques del alma generosa
> poniendo a precio inmundo.
>
> (Esp., *Poesías*, ed. Marrast, p. 438)

Peers señala con acierto que *Sancho Saldaña* se ha visto perjudicada por la comparación con la obra poética de Espronceda, que ha contribuido a poner de relieve la mediocridad de la novela. El crítico le reprocha su estilo a menudo poco cuidado, sus repeticiones y lentitud en determinados pasajes, así como la excesiva frecuencia de cuadros terroríficos o grotescos; defectos suplidos en parte por algunas descripciones llenas de vida y las obras en verso que aparecen intercaladas[262]. Quien, hoy en día, se tome la molestia de leer *Sancho Saldaña*, no puede sino suscribir básicamente este juicio.

Mientras *El primogénito de Albuquerque* de López Soler fue objeto de una extensa recensión en el *Boletín de comercio* del 11 de marzo de 1834, al igual que *El doncel de don Enrique el Doliente* de Larra en *El Eco del comercio* del 15 de marzo de 1834 y *El golpe en vago* en la *Revista mensajero* del 30 de mayo de 1835, ese no fue el caso de la novela de Espronceda. No obstante, en un artículo publicado en *El Eco del comercio* del 2 de marzo de 1835, referido a la colección de Delgado, el colaborador anónimo, tras dedicar unas pocas líneas a *Los expatriados, o Zulema y Gazul* de Estanislao de Koska Vayo, hace especial mención de *Sancho Saldaña*, de la que subraya las cualidades sin dejar empero de reconocer sus defectos:

> Aunque larga, su lectura no cansa, pues sabe el autor sostener desde el principio hasta el último [capítulo] un continuado interés. El enredo no deja de ser sin embargo complicado; los sucesos y los personajes se suceden unos a otros con demasiada profusión; se ve en todo una imaginación fecunda y ardiente, a la que nada cuesta inventar, y abusar de su misma facilidad; pero en este propio abuso brilla siempre

261. Crónica del banquete por E. Gil, *El Correo nacional*, 20 de febrero de 1839.
262. En su último artículo citado *supra*, nota 236. Sobre las canciones intercaladas, véase Espronceda, *Poésies*, ed. Marrast, pp. 353-358.

el sello del genio, y así es que se prefiere esta abundancia frecuentemente desordenada a la fría y metódica esterilidad que en otros fastidiaría.

La pintura de los caracteres está lograda, pero la obra presenta cierto desaliño en el estilo, imputable a la naturaleza «del genio del autor, que sin duda no se presta a minuciosas correcciones». Por último, el cronista lamenta que la falta de espacio no le haya permitido citar las dos canciones (*A una dama burlada* y *La cautiva*). Según el crítico de *El Eco del comercio*, la novela de Espronceda era demasiado prolija; el autor, llevado por su natural facilidad, había dejado vagar en exceso su imaginación en detrimento de la claridad. Puede sorprendernos el hecho de que, en *El Correo nacional* del 3 de abril de 1839, un cronista anónimo considerara oportuno afirmar que en la primera conferencia de literatura comparada, pronunciada unos días antes por Espronceda en el Liceo artístico y literario de Madrid, aparecían «un desaliño impropio del autor del poema *El Pelayo*» y «un desorden y falta de método ajenos también al claro y lógico del *Castellano de Cuéllar*». Enrique Gil salió en defensa de su amigo en un comunicado publicado el 12 de abril siguiente en el mismo periódico, y escribió entre otras cosas:

> También había de aconsejar al articulista ... que no cite como obras maestras las más débiles del Sr. Espronceda, cuales son *El Pelayo* y *El Castellano de Cuéllar*, escrita la primera a los 14 años y la segunda en circunstancias azarosas y poco favorables.

Como sabemos que, por entonces, Gil estaba preparando, juntamente con García de Villalta, la edición del volumen de poesías de Espronceda que se publicó en 1840, cabe la posibilidad de pensar que dicha opinión reflejaba en aquel momento la del autor de las mencionadas obras, que pertenecían a una etapa anterior y superada de su estética.

Sancho Saldaña fue leída por escritores más jóvenes quienes, según algunos críticos, hallaron en ella fuente de inspiración. El propio Enrique Gil parece haber recordado el personaje de Usdróbal en el momento de retratar al Salvador de su relato *El lago de Carucedo*, y su protagonista María podría tener algunos rasgos comunes con la Elvira de Espronceda; la confrontación de determinados pasajes de *El Señor de Bembibre* y de *Sancho Saldaña* pone de relieve algunas similitudes en los pormenores[263]. Por último, de la novela de Espronceda pudo haber sacado Zorrilla el plan para la escena entre don Gonzalo y don Juan de su *Don Juan Tenorio*[264].

Para el lector de hoy, es escaso el valor literario que posee *Sancho Saldaña*. No podría ser de otro modo, teniendo en cuenta que los seis volúmenes de que consta fueron compuestos de encargo por un novelista principiante, en circunstancias difíciles, como recuerda Enrique Gil. Pero nos parecen valiosos los testimonios que nos brinda esta obra acerca de las opiniones y sentimientos que ex-

263. D. G. Samuels, *op. cit.*, pp. 157 y 197-199.
264. F. Díaz Plaja, "Sancho Saldaña y Don Juan", *Nueva revista de filología hispánica*, V (2), abril-junio de 1951, pp. 228-231. Desconociendo aparentemente este artículo, Casalduero (pp. 258-259) destacó las mismas similitudes entre ambas obras.

presa al paso su autor en relación con la justicia, la libertad, el respeto al ser humano, el amor o la literatura. Aun cuando pueda matizar o desarrollar estas ideas en sus obras posteriores, sus actos como escritor, poeta y hombre público vienen y vendrán dictados siempre por las convicciones profundas que las inspiran.

La novela histórica española en 1833-1835: su estética y objetivos definidos por López Soler. Escaso éxito de las colecciones publicadas en Madrid y Barcelona

La colección de novelas publicada por Delgado entre 1833 y 1835 constituye un aspecto particularmente interesante del romanticismo en Madrid. En efecto, se trata de la primera empresa que tiene como objetivo el dar a conocer en la capital una serie de obras de ficción, escritas por jóvenes autores que extraen los temas de la historia nacional. Durante los años anteriores, algunos libreros de Madrid habían publicado novelas del mismo género, tales como *El conde de Candespina* de Patricio de la Escosura o *El bastardo de Castilla* de Jorge Montgomery; pero la mayoría de las novelas históricas originales se editaban en Valencia y en Barcelona[265]. Según recordaremos, fue en la Ciudad Condal donde, en 1823, *El Europeo* había hecho campaña en pro del romanticismo medieval y caballeresco, y en especial de Walter Scott. En 1828, Ramón López Soler, uno de los redactores de la revista, había llevado a cabo, en colaboración con Juan Nicasio Gallego, y por cuenta de Ignacio Sanponts, Narciso Menard y Aribau, una traducción de *Ivanhoe* que fue prohibida por la censura[266]. Dos años más tarde, bajo el seudónimo de Gregorio López de Miranda, dio a la estampa en Valencia, en las prensas de Cabrerizo, *Los bandos de Castilla o el caballero del Cisne*; siguieron otras varias novelas en Barcelona, con el editor Bergnes de las Casas, quien le encomendó la dirección del periódico *El Vapor* (cuyo primer número se publicó el 18 de marzo de 1833). En él se mantuvo en su actitud de defensa e ilustración del «romanticismo histórico y retrospectivo» emprendida en *El Europeo* diez años antes[267]. López Soler no era desconocido en los círculos literarios madrileños; unos años antes, había frecuentado en Barcelona el salón del duque de Frías y la relación con éste debió de reanudarse en 1832 en Madrid, cuando López Soler colaboraba en la *Revista española* antes de regresar a Barcelona para dirigir *El Vapor*[268]. En 1831, *Cartas españolas* (t. II, p. 69) publicó un caluroso artículo sobre *Los bandos de Castilla* en el que se alababa el prometedor talento del novelista. No debe sorprendernos, por tanto, que éste desempeñara un papel determinante en la empresa de Delgado, de la que tal vez fuese incluso el inspirador. En efecto, según los documentos administrativos referentes a la colección

265. Véase R. F. Brown, "The Romantic Novel in Catalonia", *Hispanic Review*, XIII, 1945, pp. 294-323, y *La novela española 1700-1850*, Madrid, 1953, *passim*.
266. S. Olives Canals, *Bergnes de las Casas*..., Barcelona, 1947, pp. 25-26, notas 44 y 45.
267. *Id., ibid.*, p. 157.
268. Sobre las diversas actividades de López Soler (nacido en 1800, según J. Vicens Vives, *Cataluña en el siglo XIX*, Madrid, 1961, p. 284), véase A. Elías de Molins, *Diccionario*..., Barcelona, 1889, t. II.

de novelas históricas, fue López Soler quien redactó el prospecto, y también él el autor de los dos primeros manuscritos presentados a la censura: *El primogénito de Alburquerque* y *La catedral de Sevilla*[269]. A falta del prospecto, que por desgracia no ha sido conservado, tenemos el siguiente pasaje de la demanda de Delgado, fechada del 21 de septiembre de 1833, en el que quedan claras las intenciones del editor y de su consejero:

> Ahora ha emprendido [Delgado] una colección de novelas originales y referentes a los principales sucesos de la historia de España, para difundir entre los españoles aquel antiguo amor a la religión y al rey, que tan célebres e invencibles les hizo en ambos mundos. Para ello no perdona medio ni gasto alguno, lisonjeándose de que tanto por su estilo como por su novedad, sólida moral y oportuna erudición, contribuirán al lustro de nuestros anales y a despertar en los vasallos de S.M. el brío que resplandeció en el Gran Capitán y otros héroes. Despréndese de lo dicho que una colección destinada a vulgarizar la mayor parte de nuestras glorias ha de ser sumamente vasta, [etc.].

Podemos comparar estas líneas con las siguientes, extraídas de un artículo anónimo publicado en *El Vapor* de Barcelona unas semanas más tarde, y cuyo autor era tal vez el director del periódico, López Soler:

> ¿Rehusaremos a Walter Scott el privilegio hermoso de habernos hecho amable la pureza de las costumbres, de haber contribuido al acrecentamiento del trabajo, no menos que a la honra de la virtud? ... El importante dogma de la fraternidad humana, este dogma desconocido de todos y tan útil en época cual la nuestra, resuelta, pendenciera y fraticida, no halló intérprete más hábil ni abogado más ardiente[270].

Si en el primer texto citado se hace hincapié en el valor moral y educativo de las novelas que van a publicarse, es para convencer a los censores de no obstaculizar su impresión. Para Delgado, se trata de un importante negocio comercial cuyo éxito depende de la adopción de tales precauciones. López Soler, que asesora al editor, ve en dicho proyecto la posibilidad de aplicar las teorías que había expuesto en *El Europeo*: hacer que los lectores conozcan mejor los grandes momentos de la historia del país e infundirles de nuevo el culto al pasado de España, a fin de restaurar o fortalecer el culto a las tradiciones nacionales —caballeresca, cristiana— y despertar el espíritu cívico a través de ficciones ejemplares. El heroísmo y la exaltación guerrera, necesarias durante la Guerra de la Independencia, deben dejar sitio a las virtudes domésticas, garantes de la pureza de las costumbres, de la fraternidad (que no la igualdad) y del amor al trabajo. La obra de Walter Scott ha contribuido a la difusión de estas sanas ideas, que constituyen la base del romanticismo tal como lo concebía López Soler en 1823 y tal como

269. AHN, Consejos, leg. 5572, n.º 54; A. González Palencia, *op. cit.*, t. II, p. 356.
270. "Influencia de las obras de Walter Scott en la generación actual", *El Vapor*, 9 de noviembre de 1833; citado por G. Díaz Plaja, *Introducción al estudio del romanticismo español*, 2.ª ed., Madrid, 1942, p. 239.

lo concibe todavía *El Vapor* diez años más tarde. El escritor catalán había antepuesto a su novela *Los bandos de Castilla* un prólogo que contiene una especie de guía destinada a los imitadores del novelista inglés. Habiendo adaptado él mismo *Ivanhoe* para construir su propio relato, López Soler indica el modo cómo ha procedido y lo propone como ejemplo:

> La novela de *Los bandos de Castilla* tiene dos objetos: dar a conocer el estilo de Walter Scott y manifestar que la historia de España ofrece pasajes tan bellos y propios para despertar la atención de los lectores como los de Escocia e Inglaterra. A fin de conseguir uno y otro intento hemos traducido al novelista escocés en algunos pasajes e imitándole en otros muchos, procurando dar a su narración y a su diálogo aquella vehemencia de que comúnmente carece, por acomodarse al carácter grave y flemático de los pueblos para quien escribe. Por consiguiente, la obrita que se ofrece al público debe mirarse como un ensayo, no sólo por andar fundada en hechos poco vulgares de la historia de España, sino porque aún no se ha fijado en nuestro idioma el modo de expresar ciertas ideas que gozan en el día de singular aplauso [271].

Así se ven cumplidos todos los requisitos morales, estéticos y patrióticos. Esta concepción catalana de la nueva literatura novelesca está próxima a la que en Madrid van defendiendo, desde hace algunos años, Durán y Lista. Este último dio su espaldarazo a López Soler y Walter Scott en un artículo publicado a finales de 1833 [272], del cual destacamos el siguiente pasaje:

> El género que inventó [Scott] es el complemento indispensable de la historia en cuanto retrata con la mayor exactitud las costumbres de cada siglo ... Aunque esencialmente romántico en cuanto a las épocas que pinta ... huye como el clásico más timorato de todo lo que huele a extravagancia. Sus héroes no son energúmenos, ni sus heroínas adolecen de furor uterino. Por lo que hace a su estilo y lenguaje, tampoco están en perpetua pugna con la gramática y el sentido común.

Para Lista, las novelas de Walter Scott quedan incluidas dentro del «romanticismo bueno», siendo por consiguiente recomendables, al contrario de lo que sucede con las producciones de Dumas y Hugo cuyo carácter inmoral condenará unos meses más tarde en el mismo periódico. El antiguo redactor de *El Censor* está ahora de acuerdo con las ideas emitidas en *El Europeo*; está encantado ante la aparición de émulos españoles del novelista escocés quien —según escribe— «nos ha vuelto el don de inventar, perdido enteramente entre nosotros desde los escritores del siglo XVI que imitaron a los antiguos». Este artículo entusiasta merece ser citado con mayor razón si cabe, teniendo en cuenta que, cuando lo escribió, Lista tan sólo había podido leer el tomo I de la primera novela de la serie, *El primogénito de Albuquerque* de López Soler, puesto a la venta el 22 de noviem-

271. El texto de este prólogo aparece reproducido en G. Díaz Plaja, *op. cit.*, pp. 241-245.

272. "Colección de novelas relativas a sucesos y reinados de la historia de España", *La Estrella*, 25, 3 de diciembre de 1833. El artículo no está firmado, pero contiene una serie de ideas que Lista desarrollará y retomará más adelante. Podemos, pues, atribuirle este artículo, tal como ha propuesto Juretschke, p. 428.

bre de 1833[273]. El mismo día —el 3 de diciembre de 1833—, el *Boletín de comercio* publicó un anuncio en el cual Delgado precisaba que su colección, puesta bajo el patrocinio de Walter Scott, «el Cervantes escocés», contaría entre sus colaboradores con «las personas de pluma más ejercitada e imaginación más fecunda entre los cuales se complace en nombrar a D. Ramón López Soler, D. Mariano José de Larra, D. Antonio Gil y Zárate, D. Serafín Calderón, D. Ventura de la Vega, D. José Espronceda, D. Estanislao de Cosca Vayo y D. Patricio de la Escosura». Puede que no se trate de una coincidencia meramente fortuita, y cabe preguntarse si el artículo de *La Estrella* no fue escrito en parte con fines publicitarios.

Entre 1829 y 1832, Tomás Jordán había editado once obras de Walter Scott, *Metrical Romances* o *Waverley Novels*[274]. Para captar la clientela de su competidor, Delgado debía hallar pues una nueva fórmula y nuevos autores, posibilidad que le brindó su asociación con López Soler. Desde principios de 1834, Delgado soñaba con dar mayor amplitud a su colección. En efecto, el anuncio de la puesta a la venta del tomo II de *El doncel de don Enrique el Doliente*, inserto en el *Diario de avisos* del 13 de febrero, señalaba que «de nuevo se han ofrecido a contribuir al complemento de esta única empresa, y que abrazará todas las épocas de la historia de España, los Srs. D. José de Villalta, D. José Ros [*sic*], D. Joaquín Pacheco y D. Nicomedes Pastor Díaz». De todos esos escritores, ni Gil y Zárate, ni Estébanez Calderón, Vega, Ros —sin duda Ros de Olano—, ni Pacheco ni Pastor Díaz colaboraron en la empresa. Unos quince días antes de salir para un viaje que debía durar ocho meses, Larra firmó, el 18 de marzo de 1835, un contrato en el cual se comprometía a entregar a Delgado, en el plazo de dos meses, una nueva novela histórica; desde París, escribía así al editor, el 20 de agosto siguiente:

> Llevo dos meses en París casi y no he enviado a usted nada de la novela: llevo escritos cerca de dos tomos, pero no quiero enviar nada si no acabado. La calculo de mucho efecto, y debo advertirle que se habría de imprimir en letra gruesecita y lo mejor posible[275].

Este proyecto no salió adelante, y *Ni rey ni roque* de Escosura fue la última novela original de la serie. El anuncio de la puesta a la venta del tomo I de dicha

273. La puesta a la venta de los volúmenes de esta colección se anunció en el *Diario de avisos* en las siguientes fechas: *El Primogénito de Albuquerque*, de López Soler (bajo el seudónimo de Gregorio López de Miranda), 4 t., 22 de noviembre, 6 y 19 de diciembre de 1833 y 13 de enero de 1834; *El Doncel de Don Enrique el doliente*, de Larra, 4 t., 29 de enero, 13 de febrero y 7 y 29 de marzo de 1834; *La Catedral de Sevilla,* de López Soler (con el mismo seudónimo), 3 t., 7 de julio, 5 de agosto y 3 de septiembre de 1834; *Los Expatriados o Zulema y Gazul*, de E. de Cosca Vayo, 1 t., 3 de noviembre de 1834 (se anuncia que el volumen ya está a la venta); *El golpe en vago*, de J. García de Villalta, 6 t., 13 de enero, 3 y 24 de febrero, 16 de marzo, 5 de abril y 1.º de mayo de 1835; *Ni rey ni roque*, de P. de la Escosura, 4 t., 23 de mayo, 16 de junio, 20 de julio y 10 de agosto de 1835. Para *Sancho Saldaña*, véase *supra*, p. 329.

274. J. F. Montesinos, *Introducción...*, Madrid, 1955, pp. 286-287.

275. Véase el texto de este contrato en C. de Burgos, *op. cit.*, pp. 148 y 179-181. La novela, cuyo título no se precisa, debía constar de 4 volúmenes, valorados en 1.500 reales cada uno.

obra incluye un nuevo título, pero se trata de una traducción: *La batalla de Navarino o el Renegado*, de H. G. Moke, en versión de Juan Corradi. En 1836, Delgado publicó *El caballero de Madrid en la conquista de Toledo por don Alfonso el VI*, seguida de cinco novelas cortas de Basilio Sebastián Castellanos, y posteriormente, en 1838, otra traducción, anónima, de *El almirante de Castilla* de la duquesa de Abrantes. Casi en el mismo momento que Delgado, su colega Bergnes de las Casas editaba en Barcelona su *Biblioteca de las damas*, que se componía de tres entregas mensuales; las primeras aparecieron publicadas en noviembre de 1833 y las últimas en 1834; cada una de ellas incluía un tomo de una novela traducida. Integran la colección seis obras de Scott, una de Heinrich Zschokke y otra de Fenimore Cooper, en total treinta volúmenes vendidos cada uno a 4 reales a los suscriptores y a 5 reales a los demás compradores[276]. Los volúmenes editados por Delgado, si bien de mayor formato, salían, en rústica, a 8 reales para los suscriptores de Madrid y a 9 para los de provincias, o a 10, si estaban encuadernados. La *Biblioteca* de Bergnes tenía una triple ventaja: era poco costosa; al tratarse de traducciones su precio de coste era poco elevado; y ofrecía sobre todo obras de Walter Scott, el autor de moda. Resulta imposible saber en qué medida influyó la competencia entre ambas colecciones, ya que no disponemos de ningún trabajo de sociología del libro en España a comienzos del siglo XIX. No obstante, podemos tener una idea del éxito de la serie de Delgado a través de las listas de suscriptores publicadas al final de algunos volúmenes. Aparecen 164, residentes en Madrid, en el tomo IV de *El primogénito de Albuquerque* (13 de enero de 1834); 129 —sobre 135 ejemplares— domiciliados en provincias, en el tomo IV de *El doncel de don Enrique el Doliente* (29 de marzo de 1834); por último, en las páginas finales del tomo IV de *Ni rey ni roque* (10 de agosto de 1835) figura un total de 430 ejemplares suscritos en 15 ciudades de provincias (mientras que en las cubiertas de las obras aparece una lista de 33 ciudades, sin incluir Madrid, en donde el editor tenía corresponsales a través de los cuales podía uno suscribirse a la colección). Aunque esas cifras no tengan sino un valor relativo y no incluyan el número de compradores no suscriptores, no parece que estas novelas históricas llegaran a tener una difusión tal que hiciera su publicación realmente rentable.

Sobre la serie de obras de las que forma parte *Sancho Saldaña*, J. F. Montesinos observaba prudentemente que «fue quizá la única que logró vencer hasta cierto punto las prevenciones del público español, hostil por principio ... a las ficciones de los compatriotas[277]». Hemos encontrado en la prensa madrileña anuncios publicitarios para el conjunto de la colección en 1836 —*Diario de avisos*, del 28 de enero—, en 1839 —*Diario de Madrid*, 24 de abril y 6 de diciembre—, en 1840 —*Diario de Madrid*, 22 y 28 de octubre— y en 1842 —*Fray Gerundio*, *Boletín de noticias*, del 7 de junio— [278]. El precio del volumen —8 reales— se

276. S. Olives Canal, *op. cit.*, p. 164 y ss.

277. *Op. cit.*, p. 153.

278. No hemos proseguido nuestra investigación más allá de junio de 1842. Se pueden encontrar también en la *Gaceta* anuncios de libros publicados por la Imprenta Nacional: *Poesías* de Cienfuegos, ed. de 1816 (28 de junio de 1836); de Quintana, ed. de 1813 (24 de julio de 1836); de Arriaza, ed. de 1815 y 1829 (27 de abril y 29 de junio de 1836); de Meléndez Valdés, ed. de 1820 (23 de julio de 1836); se trata en todos los casos de libros cuya venta se había sus-

mantiene sin variaciones, con excepción de *El doncel* de Larra que abarca, en 1837-1838, cuatro de los trece tomos de las *Obras completas* de "Fígaro" a 12 reales cada uno. Esta última novela fue la que se reeditó con mayor frecuencia en el siglo XIX: en 1843, en 1852-1854 y en 1886; la de García de Villalta lo fue una vez (1859), al igual que *Sancho Saldaña* (1869)[279]. Los ejemplares de la edición original de la colección no eran caros, puesto que el texto de una obra de teatro costaba, entre 1835 y 1842, de unos 6 a 8 reales —casi siempre 8 a partir de 1839—, y un volumen corriente, de 15 a 28 reales[280]. Pese a ello, las novelas de Espronceda, López Soler, Escosura, Vayo o Villalta no se venden o se venden mal. En cambio, el *Christopher Colombus* de Washington Irving, traducido por Villalta y publicado en 1834 (*Diario de avisos* del 4 de marzo) a 80 reales los 4 volúmenes, alcanza los 96 reales en 1836 (*Gaceta* del 4 de marzo) y los 100 en 1838 (*Gaceta* del 9 de febrero); *El último día de un reo de muerte*, publicado en 1834 también en versión de Villalta, todavía sigue vendiéndose en 1839 (la *Gaceta* del 29 de junio) al mismo precio de 8 reales (o 10 encuadernado), si bien a partir de 1840 se reedita en Madrid. El libro se ve favorecido por la creciente popularidad de las demás obras de Víctor Hugo, del que aparecen en Madrid las traducciones de Ochoa, editadas a partir de 1835 por Tomás Jordán y Sancha. En el curso de los tres años siguientes, el mismo traductor proporciona también a los citados editores varias obras traducidas de George Sand, Gustave Drouineau, Alexandre Dumas, Frédéric Soulié, Walter Scott y, con el título de *Horas de invierno*, tres volúmenes que incluyen treinta y tres novelas cortas, de las que tan sólo tres son de un autor castellano, Telesforo de Trueba[281]. Así pues, según escribe Montesinos, parece que realmente existía entre el público español un prejuicio desfavorable con respecto a la literatura nacional de ficción, prejuicio que no consiguió vencer la colección de Delgado. La novela de Larra aparece reeditada dentro del conjunto de sus obras completas; si bien la popularidad de "Fígaro" puede explicar en parte las reimpresiones de *El doncel de don Enrique el Doliente*, ignoramos si en los años 1835-1843 dicho libro era tan apreciado como sus artículos, folletos políticos u obras de teatro. No nos sorprende que *El golpe en vago* fuese objeto de una reedición en 1859: en una época como aquélla en la

---

pendido anteriormente por razones políticas. Queremos señalar también que todavía en 1974 las ediciones Atlas incluían en su catálogo obras que formaban parte del fondo de las Academias, y que datan de finales del siglo XVIII.

279. No tenemos en cuenta las ediciones publicadas fuera de España de Larra y otros autores contemporáneos, en particular de aquellas que Ochoa promovió en París, dentro de la "Colección de los mejores autores españoles", destinada sobre todo al mercado hispanoamericano; estas ediciones no han sido objeto de anuncios publicitarios en la prensa madrileña, al menos hasta 1842. El *Sancho Saldaña* de 1869, publicado en Madrid por J. Castro y Compañía consta de dos volúmenes; el primero contiene la novela de Espronceda, y el segundo (bajo el título de *La Expiación*) una continuación apócrifa escrita por Julio Nombela y por García Cuevas, tal como descubriera J. Campos (BAE, t. LXXII, pp. XL-XLI).

280. Así, por ejemplo: *Panorama matritense* (1836), 40 reales los 2 vols.; *Escenas matritenses*, 3.ª ed. (1842), 15 reales el vol.; *Poesías*, de Zorrilla (1837-1840), 16 reales el vol.; *Poesías*, de M. A. Príncipe y de A. García Gutiérrez (1840), 14 reales cada uno; *Poesías*, en Espronceda (1840), 24 reales, sólo 20 para los suscriptores; *El diablo mundo* (1840-1841), 16 reales los 4 fascículos de la edición por entregas, y 28 reales el vol. de la edición de lujo.

281. Véase el resumen de *Horas de invierno* (1836-1837) en D. A. Randolph, *Eugenio de Ochoa...*, Berkeley, 1966, p. 34.

que triunfaba la novela de crítica social y de espíritu anticlerical, ilustrada en particular por Wenceslao Ayguals de Izco, los ataques de Villalta contra la Compañía de Jesús pudieron dar a esta obra un nuevo impulso de popularidad, o cuando menos de interés[282]. Por otra parte, es la única de la serie cuya acción se sitúa en el siglo XVIII y cuya intriga se presta a la intervención de personajes de fuerte color local (bandidos, toreros) y a la inserción de cuadros de costumbres (fiestas populares, escena de cárcel, corridas de toros, etc.), que responden a la imagen de la "España romántica" que se tiene en el extranjero. Lo cual no debe extrañarnos si realmente es cierto que la novela fue escrita originariamente en inglés, destinada al público británico, con el título de *The Dons of the Last Century*[283].

Salvando estas dos excepciones y poco más, podemos afirmar sin demasiado temor a equivocarnos que las novelas históricas publicadas por Delgado no gozaron de una favorable acogida por parte de los lectores, en especial de los de Madrid.

UNA CONCEPCIÓN RETRÓGRADA DE LA FICCIÓN NOVELESCA: "ROMANTICISMO" Y MORAL

El análisis de las relaciones entre literatura y sociedad permitió a Montesinos desvelar un aspecto particular de la mentalidad romántica:

> El romanticismo es primariamente una fusión o confusión de la literatura con la vida; es la vida misma organizada en obediencia al propósito de hacer de ella un poema, un vasto drama, una novela vertiginosa. La consecuencia de esta actitud fue doble: de una parte se produjo un deseo inmoderado de ficción literaria, todos sintieron como nunca el placer de las bellas fábulas, y en la misma medida en que esto ocurría así, la vida en torno pareció mezquina, y el lector romántico español, como el de otras partes, sintió el anhelo de anchos espacios en que aleteara su ensueño, ambientes exóticos, el pasado, las ciudades tentaculares que celan espantables misterios[284].

Esta afición a la ficción novelesca responde al deseo de evasión que, de 1814 a 1820 y de 1823 a 1833, las circunstancias sociales y políticas hacen todavía más imperioso en Madrid. Por las mismas razones que la ópera, tanto el melodrama como la comedia de magia, así como los cuentos, relatos y novelas de distinto origen y calidad permiten satisfacer este deseo. Son los autores extranjeros quienes suministran el material, tanto más buscado cuanto que en ocasiones pesa una prohibición sobre determinados libros. La monotonía de la vida cotidiana y la atmósfera asfixiante de esos períodos en los que triunfa el absolutismo, constituyen unas circunstancias que tal vez impulsan, más que otras, a la búsqueda de la evasión en lo imaginario. La ficción opera como una droga: cuanto mayor es la

282. Véase el artículo de Iris M. Zavala, "Socialismo y literatura: Ayguals de Izco y la novela española", *Revista de Occidente*, 80, noviembre de 1969, pp. 167-168. El autor no menciona la novela de Villalta entre las obras representativas de la tendencia antijesuítica.

283. Según E. de Ochoa, *Miscelánea...*, Madrid, 1867, p. 270. Sin embargo, parece ser que la obra no se publicó en Inglaterra bajo su título original.

284. J. F. Montesinos, *op. cit.*, p. 143.

ilusión que proporciona, mayor es la intensidad y frecuencia con que se utiliza. En estas condiciones, el éxito de una obra novelesca —o teatral— no depende de su calidad estética; es función de su capacidad intrínseca de proyectar al lector fuera de lo común, de hacerle viajar, sin importar los medios, en el tiempo y sobre todo en el espacio. Las novelas de la colección de Delgado no poseían suficiente poder de ilusión, al ser españoles el escenario y los personajes. El público las desechó, mientras que, a partir de 1835, las de Walter Scott primero, seguidas luego de las de Hugo, Dumas, George Sand, Paul de Kock, Pigault-Lebrun y Eugène Sue fueron objeto de numerosas ediciones. Los jóvenes y las mujeres contribuyeron a mantener este entusiasmo, hasta el punto que las lecturas de los españoles constituían en aquella época «el revoltijo más increíble» —utilizando la expresión de Montesinos[285]— del que pueden darnos una idea los nombres anteriormente mencionados.

La novela romántica francesa, tal como la concebía Hugo, no alcanzó su originalidad hasta haber superado la fase de imitación de los procedimientos de Walter Scott, y así podemos comprobarlo valorando la distancia que hay entre *Notre-Dame de Paris* y *Han d'Islande*. Pero la novela romántica española sólo produce obras carentes de autenticidad y originalidad, ya que son producto de un mimetismo puramente formal. La confusión entre cuadro de costumbres y edificación moral se impone de forma más o menos consciente y profunda, tanto a los críticos como a los creadores, se refleja en el dogmatismo de los primeros y el conformismo de los segundos. Así, el 17 de mayo de 1834, *El Eco del comercio* publica un extenso artículo anónimo, dedicado a *Notre-Dame de Paris*, que todavía no ha sido traducida al español pero cuya primera edición se remonta a 1831. El cronista habla de ella como de una novedad, y probablemente lo era para él, que parece desconocer la existencia de *Marion Delorme*, *Les Feuilles d'automne*, *Le Roi s'amuse*, *Lucrèce Borgia* y *Marie Tudor*, y que ve en la novela de Hugo

> el último esfuerzo que ha hecho hasta ahora la nueva secta literaria. Todos los vicios, todas las bellezas del romanticismo se encuentran aquí reunidos, formando el más extraño conjunto que puede imaginarse ... las sensaciones que produce nacen las más veces de tan chocantes contrastes y tan extravagantes ideas que no se sabe si es la sensibilidad la que obra, o cierta horripilación que agita y estremece nuestros nervios.

Ello supone confundir causa y efecto, y no saber apreciar los valores profundos de la novela, tales como: la poderosa inspiración épica que la anima, la exuberante riqueza de la lengua, del vocabulario y las imágenes; lo pintoresco de la evocación arqueológica, así como la irresistible simpatía que inspira la minuciosa descripción del mundo de los humildes y oprimidos. El crítico español reprocha a Hugo el que se interese tan sólo por lo que «la canalla intentaba en sus inmundas guaridas, guiada por sus costumbres crapulosas y sanguinario carácter», ignorando la «clase intermedia» que será la que forjará la futura civilización sobre las ruinas del feudalismo, «de aquí que se ha llegado a ser inverosímil a fuer de atrevido, y ridículo a fuer de entusiasta». Esta concepción simplista de la sociedad

285. *Ibid.*, p. 168; sobre las cuestiones evocadas aquí, véase *ibid.*, pp. 158-170.

medieval, que se basa en un anacronismo histórico, le induce a una reprobación de índole estética a la vez que moral:

> Lo tenebroso y sepulcral ya sólo mueve a risa. No se ven más que imposibles, equilibrios de volatineros, el bello ideal de lo espantoso: la historia se convierte en fábula, y no parece sino que la edad media era una caverna de forajidos. Se ha tomado la excepción por la regla, la forma por el fondo; en fin, cuanto se dice es a la vez una caricatura y una calumnia, y el pobre lector, bajo este diluvio de cosas originales, queda abrumado, aturdido, sin saber lo que le pasa.

Pero ¿acaso deseaba otra cosa el «pobre lector»? ¿No será el crítico el que confunde aquí novela histórica e historia? Tras un análisis acertado y completo de *Notre-Dame de Paris* —que merece ser llamada la *Ilíada* de Hugo, «el Homero de esta literatura de nuevo cuño»—, sigue la enumeración de los pasajes del libro dignos de elogio, como el retrato de Claude Frollo, la descripción de la entrevista con Esmeralda en el calabozo, etc. Por último, concluye diciendo:

> Si el romanticismo produjera siempre bellezas de esta clase, no hay duda en que ganaría el pleito; pero tales bellezas no son ni románticas ni clásicas, pertenecen a todos los sistemas de literatura que son todos uno mismo cuando retratan fielmente la naturaleza y mueven el corazón.

Aun cuando demuestra cierta simpatía por el libro del que habla, el articulista de *El Eco del comercio* no ve en ningún momento la aportación innovadora y vivificante que Hugo ha supuesto para la novela histórica, ni la magnitud que confiere al género. Lo ha leído del mismo modo como hubiera leído una obra de Madame Cottin, Walter Scott o López Soler, ya que los juicios que emite son ante todo de índole moral. Desde una óptica similar, un año más tarde —el 2 de marzo de 1835—, *El Eco del comercio* —y tal vez el mismo colaborador— analizó la colección de novelas históricas de la que forma parte *Sancho Saldaña*[286]:

> Bien sabemos el achaque de que adolecen semejantes escritos. Ese aire de verdad es sólo una apariencia vana; la historia queda extrañamente desfigurada y se mezclan los acontecimientos ciertos con sucesos fabulosos; y el lector sencillo padece un singular engaño, formando de las épocas y de los hechos referidos un concepto equivocado.

El cronista no deja de subrayar que las novelas, que despiertan un gran interés, sobre todo entre las mujeres, deben unir lo útil a lo agradable, y recomienda que «queden en olvido las [novelas] que por cualquier estilo son capaces de corromper la moral, exaltar las pasiones peligrosas o producir otros perjudiciales efectos». Lo cual equivale a desterrar todo lo que pueda ser expresión de una inquietud moral o metafísica, descartada *a priori* como negativa. Supone condenar la literatura a un formalismo, y negar al escritor la posibilidad de manifestar una concepción de la vida, una visión del mundo "heterodoxa"; supone pues —reco-

286. Véase *supra*, pp. 346-347, el párrafo de este artículo dedicado a la novela de Espronceda.

giendo las palabras de Edmund L. King—, obligarle a responder a preguntas que no se ha formulado y que no puede formularse; en una palabra, seguir a Schlegel y no a Kant[287].

287. E. L. King, "What in Spanish romanticism?", *Studies in Romanticism*, II, 1962, p. 8. No es nuestra intención emitir juicios de valor sobre la moral cristiana tal como la concebían entonces (y aún hoy la conciben) algunos españoles. Ello supondría hacer gala, en sentido opuesto, de un dogmatismo digno de Menéndez y Pelayo. Pero no podemo considerar sino como un anacronismo y un error de perspectiva la idea expresada por Lista (e implícita en los juicios que acabamos de citar o que citaremos más adelante) de que este cristianismo había permanecido inmutable desde el fin del paganismo.

Cuarta parte

LITERATURA Y SOCIEDAD EN MADRID EN TIEMPOS DEL "ROMANTICISMO TRADICIONAL"

Capítulo XI

UN EPIFENÓMENO DENOMINADO "ROMANTICISMO TRADICIONAL"

EL "ROMANTICISMO" SEGÚN MARTÍNEZ DE LA ROSA, EL DUQUE DE RIVAS Y ALCALÁ GALIANO

Se ha dicho y repetido en numerosas ocasiones que fueron los emigrados y los exiliados de la ominosa década quienes, a su regreso a España, hicieron triunfar el romanticismo del que se habían impregnado en Inglaterra y en Francia, y quienes contribuyeron de modo decisivo a la decadencia de las teorías neoclásicas vigentes todavía en el país. Para corroborar dicha afirmación, los críticos citan como acontecimientos importantes acaecidos en 1834 y comienzos de 1835 los siguientes: los artículos y poesías de *El Siglo*, las novelas históricas de la colección editada por Delgado, el estreno de *La conjuración de Venecia* de Martínez de la Rosa, la publicación de *El moro expósito* de Rivas y del prólogo de Alcalá Galiano a la citada obra, la aparición de *El artista* y, por último, el estreno de *Don Álvaro o la fuerza del sino*. Después de los trabajos de A. Rumeau sobre Larra, de Juretschke sobre Lista y de Montesinos sobre la novela del siglo XIX y el costumbrismo, ya no es posible seguir manteniendo esta visión esquemática y simplista de la evolución de las ideas literarias en Madrid. En efecto, hemos visto cómo algunas de las nuevas tendencias penetraron en España mucho antes de 1833, hasta el punto de que *El Siglo* y *La Estrella* defendían concepciones estéticas bastante similares. Durán, Lista, Bretón, y posteriormente Ochoa aceptan con algunos matices de diferencia el mismo romanticismo primitivo, histórico y nacional basado en Schlegel, aunque imponen como límites estrictos a la libertad del escritor los de la tradición y la moral nacionales. Así es como se desarrolla durante un tiempo esa forma espuria del romanticismo, a la que denominaremos "romanticismo tradicional". Desde este punto de vista, ninguno de los escritos con los que Espronceda empezó a darse a conocer en 1834 —artículos, poesías, novelas, comedia— contiene nada que pueda considerarse subversivo o pervertidor. Únicamente sus obras y sus ulteriores tomas de postura permiten conceder alguna importancia a las ideas personales que va desgranando en los últimos capítulos de *Sancho Saldaña*. La juventud de Espronceda, así como la huella profunda de la educación recibida en el Colegio de San Mateo, podrían explicar la tardanza en conciliar sus convicciones políticas y sociales con sus convicciones literarias. Además, cabe preguntarse si Martínez de la Rosa, Rivas y Alcalá Galiano fueron realmente intermediarios privilegiados.

Cuando todavía no se había cumplido el año del estreno, el 23 de abril de 1834, de *La conjuración de Venecia*, su autor se vio atribuida por parte de Ochoa «la gloria de haber introducido el primero en el moderno teatro español las doctrinas del romanticismo[1]». De ello se desprende que Martínez de la Rosa era el primer dramaturgo español de la centuria que no respetaba las unidades de tiempo y lugar, sacaba a escena a multitud de personajes, entremezclaba escenas de contenido narrativo o sicológico con cuadros pintorescos y, por último, hacía hablar en prosa a sus personajes, reservando el verso para las partes cantadas. Para todos aquellos que deseaban ver al teatro trágico liberado de las reglas imitadas de la doctrina clásica francesa, *La conjuración de Venecia* era una obra prometedora, que parecía enlazar de nuevo con la tradición de la comedia histórica. Por su parte, el autor declaraba que su deseo había sido el de atenerse a un justo medio entre las exigencias de la tragedia y las licencias del drama moderno. ¿Acaso no estamos ante lo mismo que Durán formulaba como deseo y que Lista había aceptado paulatinamente? Martínez de la Rosa desarrolla una acción sencilla y sobria, sin abusar de los contrastes violentos y recurriendo con moderación a efectos espectaculares y teatrales: aparecen conspiradores y espías urdiendo turbias intrigas en un siniestro panteón, un cuadro del Carnaval en Venecia, escenas de tribunal, un reconocimiento fortuito, amores contrariados y el camino al patíbulo. Jean Sarrailh[2] demostró que Martínez de la Rosa debía mucho a Shakespeare, Hugo, Soumet y a Casimir Delavigne, y que su drama —más parecido a las obras de los dos últimos que a las de los primeros—, ora lacrimógeno, ora prosaico, y salpicado a veces de detalles crueles traídos por los pelos, carecía de fuerza, de lirismo y pasión. Cierto es que desde hacía mucho tiempo los madrileños no habían oído denunciar en un escenario la tiranía ni exhortar a derrocarla. Pero Rugiero nada tiene en común con Manfred, Lara, Conrad o Hernani; el amor o la rebeldía no suscitan en él frenesí ni furor. Por más justa que parezca la causa que han abrazado, los conspiradores son desenmascarados y castigados; aunque se denuncia el despotismo del poder absoluto, sale triunfante su aparato represivo; así, Laura ve morir a su esposo en el patíbulo, pero ella había cometido la falta de contraer un matrimonio secreto. A fin de cuentas, la moral queda a salvo; triunfan la razón y el orden, gracias a una Providencia que restablece el equilibrio de la sociedad, amenazado durante un tiempo. Todo sucede exactamente igual que en el melodrama, y se respetan las mismas convenciones. El éxito de esta obra, representada veintinueve veces en el transcurso del año 1834, se explica por razones de distinta índole: influyó la suntuosidad de la escenografía, que poco antes había asegurado ya el éxito de *Edipo* y que los cronistas se habían

1. E[ugenio] de O[choa], "Galería de ingenios contemporáneos. Don Francisco Martínez de la Rosa", *El Artista*, [I, 14, 5 de abril de] 1835, p. 158.

2. Véanse la introducción y las notas de J. Sarrailh a su edición de las *Obras dramáticas* de Martínez de la Rosa, *Clásicos castellanos*, n.º 107.

mostrado unánimes en subrayar[3]; pero también el prestigio del autor, al que las circunstancias situaban por entonces en el primer plano de la actualidad, y que encarnaba las esperanzas de una renovación política. La batalla ante el público y la crítica estaba ganada de antemano. Así como el Estatuto real fue acogido como una constitución liberal, así también *La conjuración de Venecia* lo fue como una obra revolucionaria. La obra política del primer ministro no tardó en defraudar a quienes suspiraban por las libertades tanto tiempo derogadas. En cuanto a su nueva obra dramática, tampoco tuvo una honda repercusión en el gusto de los espectadores de Madrid: en efecto, a partir de mayo de 1834, el melodrama francés prosiguió con brillantez su carrera en los escenarios de la capital[4], mientras que en París, desde hacía algunos años, los dramas de Dumas y Hugo habían acelerado el declive de este género.

Pese a haber compuesto *La conjuración de Venecia*, no por ello renegaba Martínez de la Rosa de su obra anterior; se trataba tan sólo de una concesión a las formas meramente externas del nuevo gusto, y en modo alguno de una adhesión a las ideas, a la visión del mundo, y menos aún a la filosofía románticas. Tras escribir su *Poética* —en París, hacia 1825, cuando el mundo literario que le rodeaba estaba en plena efervescencia—, el estadista-poeta acepta a lo sumo algunos principios estéticos contingentes, pero procurando mantenerse siempre dentro de los límites de lo razonable. Tal como señala acertadamente Llorens, *La conjuración de Venecia* y *Aben Humeya* no son sino «meras aproximaciones exteriores». Si a esta última obra se le quitan todos los elementos no dramáticos que contribuyeron a darle el éxito —música, coros, parte lírica, ambientación, escenografía— la acción queda reducida a casi nada. Fuera de que las anteriores obras de Martínez de la Rosa estaban en verso, y éstas en prosa, tan sólo se diferencian en las ideas políticas expresadas que se sitúan en la misma línea: «*La viuda de Padilla* es la peroración de un patriota de los días de Cádiz; *Aben Humeya*, la de un moderado que rechaza la tiranía, pero que condena igualmente la rebelión, por justificada que esté[5].» Lo mismo puede decirse de *La conjuración de Venecia*. El romanticismo del primer ministro es meramente superficial, de apariencia, por ser fruto de un compromiso exclusivamente estético. Mucho más innovador y original era el *Macías* de Larra, compuesto en 1833, pero que por vicisitudes administrativas vio retardado su estreno hasta septiembre de 1834; había en este drama todo lo que le faltaba al de Martínez de la Rosa, «le lyrisme, la fougue, l'affirmation passionée de l'éminente valeur du sentiment, du droit de se révolter contre toutes les entraves[6]».

En el campo de la poesía, suele recaer tradicionalmente en Ángel de Saavedra

3. Véase al respecto A. Rumeau, art. cit., pp. 344-345.
4. A lo largo de ese mes, dos obras de Ducange, *El verdugo de Amsterdam* y *El colegio de Tonnington*, se estrenaron y representaron en cuatro y seis ocasiones respectivamente; se reponen otras obras del mismo género: *La expiación* (4 representaciones), *La huérfana de Bruselas* (2 representaciones), *El valle del torrente* (2 representaciones). En junio, *La pata de cabra* conoció un rebrote de éxito (3 representaciones); en octubre, las piezas que se representaban con mayor asiduidad eran todavía *Treinta años...*, *La huérfana de Bruselas* y *La expiación*.
5. V. Llorens, *Liberales y románticos...*, 2.ª ed., Madrid, 1968, p. 398.
6. («... el lirismo, el ardor, la afirmación apasionada del eminente valor del sentimiento, del derecho a rebelarse contra todas las trabas.») A. Rumeau, art. cit., p. 345.

el papel de precursor de la renovación literaria en Madrid en 1834. Ciertamente, *El moro expósito* aparece como una obra sin precedentes: esta «leyenda en doce romances» es una composición de envergadura que enlaza con la tradición épica medieval. Recurriendo a Walter Scott, Madame Cottin, José Antonio Conde, Cienfuegos, Mariana, Ambrosio de Morales y Matos Fragoso[7], Rivas lleva a cabo la reconstrucción idealizada de una época por la que había demostrado especial predilección en sus obras anteriores, y que ya le había inspirado varios temas o motivos, tales como: relaciones sentimentales entre moros y cristianos, toques pintorescos o arqueológicos de mayor o menor exactitud y pinceladas de color local acerca de costumbres o hábitos de la época de la Reconquista[8].

El prólogo de *El moro expósito*, escrito por Alcalá Galiano, se considera uno de los manifiestos del romanticismo español. Su importancia e inmediata resonancia nos parecen haber sido sobrevaloradas, ya que, de hecho, el texto no aportaba nada que fuese revolucionario. La idea fundamental del autor es que la poesía de una nación debe «retratar fielmente la época a que corresponde[9]». En virtud de este principio, Galiano pone de relieve la originalidad del romance, «poesía nacional, y natural de consiguiente», que opone al carácter, según él excesivamente imitativo, de la poesía castellana del siglo XVI, demasiado sometida a los modelos italianos, y a la del siglo XVIII, sometida en exceso a los modelos franceses; estos últimos, al no haber hecho sino adoptar las formas y reglas de los clásicos, dan muestras de «frialdad y estiramiento» y sus obras «obedecen a las reglas dictadas por los preceptistas, más que a los propios ímpetus naturales». Ahora bien, en España todavía predomina la escuela de Meléndez y de Luján, o sea el gusto francés, y no se hace otra cosa sino «sacar copias de copias»; siguiendo todavía el dogma neoclásico de Moratín, Martínez de la Rosa dictamina lo que es bueno y lo que malo, haciendo caso omiso de los nuevos principios de la crítica que se han ido desarrollando en otros países. Fueron los alemanes, «padres del romanticismo», quienes difundieron estos nuevos principios de los que Inglaterra e Italia supieron sacar partido. En cuanto a los franceses, «románticos por excelencia, más que otra cosa son anticlásicos y tienen todos los vicios de su escuela antigua, de la cual sacan su pauta para hacer lo contrario de lo que aquélla dicta»: hacen malos versos, cometen solecismos y barbarismos, y acaban por caer «en rimas de insondable bajeza»; su literatura romántica no es más que amaneramiento y carnavalada. Sobre este último punto todo el mundo estaba de acuerdo en Madrid en 1834.

De ningún modo se hubiera adherido Lista a la condena pronunciada contra los poetas del siglo XVI, pero en su prólogo al *Tesoro del Parnaso español*, Quin-

7. Para un análisis detallado de estas reminiscencias, véase E. Allison Peers, "Ángel de Saavedra, Duque de Rivas. A Critical Study", *RH*, LVIII, 1923, pp. 211-378; G. Boussagol, *Ángel de Saavedra...*, Toulouse, 1926, pp. 214-247.

8. Su primer poema conocido es el romance morisco "En una yegua tordilla" (1806). Después compuso *El paso honroso* (1812), *Aliatar* (1814), *El duque de Aquitania* (1817), *Malek-Adhel* (1818). Sobre la pervivencia de la tradición medieval en Rivas, véase N. B. Adams, "The Extent of the Duke of Rivas' Romanticism", *Homenaje a Antonio Rodríguez-Moñino*, Madrid, 1966, t. I, pp. 3-7.

9. Véase este prólogo en el t. II, apéndice I, de la edición de C. Rivas Cherif de los *Romances históricos* de Rivas, *Clásicos castellanos*, 12 (pp. 257-277 de la ed. de 1922).

tana había expresado desde tiempo atrás una opinión similar y justificada; en cuanto al romance, según reconoce por otra parte Alcalá Galiano, el propio Quintana había subrayado las cualidades y el carácter nacional del mismo. El amigo de Rivas parece ignorar que Durán había publicado recientemente sus romanceros y exaltado este género por las mismas razones. La condena de Meléndez Valdés por falta de originalidad y observación directa de la naturaleza es la única que, pese a los juicios más bien favorables que moderan su dureza, podía parecer inaceptable para Lista y los hombres de su generación. Larra había denunciado ya el anacronismo de semejante poesía en la recensión que había escrito, unos meses antes, sobre el libro de poemas de Martínez de la Rosa.

Según escribe Alcalá Galiano, para alcanzar la originalidad, los poetas españoles deben seguir el ejemplo de los poetas ingleses, que se mantuvieron al margen de la querella continental entre clásicos y románticos y supieron hallar acentos personales en los más variados registros: Scott, caballeresco; Byron, metafísico y descriptivo; Southey, tierno y erudito; Wordsworth, sensible y expresivo; Crabbe, pintor de las clases inferiores; Burns, fogoso intérprete de las fuertes pasiones; y Moore, imaginativo. Todo eso podía estar claro para personas familiarizadas con los poetas anteriormente citados, pero fuera de Scott y Byron, resulta harto dudoso que, en 1834, los lectores españoles del prólogo de *El moro expósito* hubiesen oído hablar alguna vez de los demás autores. En este punto, Alcalá Galiano recoge opiniones anteriores a la suya, desarrolladas por Blanco White, que había quedado deslumbrado por una tradición literaria caracterizada por la ausencia de reglas y normas, la libertad de ideas y expresión, y la fidelidad a los impulsos espontáneos y al carácter nacional al margen de toda imitación extranjera [10]. Según Galiano, la poesía se divide en tres grandes categorías: caballeresca, cuando busca su inspiración en «las edades medias» o los países lejanos en los cuales la naturaleza no se ha visto ahogada por la civilización (Southey, Moore); metafísica, cuando canta nuestras pasiones y emociones en un marco moderno (Byron, Coleridge, Wordsworth, Hugo, Lamartine); y patriótica, cuando tiene como tema «los afectos inspirados por las circunstancias de la vida activa» (Delavigne, Manzoni, Burns, Moore, Campbell, Schiller). De este modo, la poesía vuelve a ser, como en tiempos de la antigua Grecia, «una expresión de recuerdos de lo pasado y de emociones presentes, expresión vehemente y sincera», y no una imitación de los grandes modelos. Estamos de nuevo ante una idea que Espronceda había expresado en *El Siglo*, cuando proponía imitar «filosóficamente» a los clásicos, idea contra la cual nada podía objetar un teórico como Lista.

Alcalá Galiano está mal informado del camino seguido por las ideas literarias en España desde que dejó el país, e incluso de la evolución estética de algunos emigrados. Lo advertimos al leer los artículos que escribió a finales de 1833 para la revista londinense *The Athenaeum*, y en la cual aparecieron publicados de abril a junio de 1834 [11]. Mejor hubiera hecho limitándose a señalar la trivialidad con-

10. V. Llorens, *op. cit.*, p. 408. Para un estudio detallado del pensamiento de Blanco White y de la influencia que ejerció en Mora y Alcalá Galiano, *ibid.*, pp. 386-427.

11. Estos artículos son hoy accesibles gracias a V. Llorens, que publicó la traducción castellana anotada que hemos seguido: A. Alcalá Galiano, *Literatura española siglo XIX*, Madrid, 1969.

vencional de *Marcela*, antes que afirmar que Bretón parecía menos dotado para el teatro que para la poesía, cuando su volumen de versos publicado en 1831 demostraba a las claras lo contrario. Si se le puede perdonar al amigo de Rivas que no conozca el discurso de ingreso de Lista en la Real Academia de la Historia, lo que en modo alguno se le puede admitir es que afirme que los artículos de la *Gaceta de Bayona* son rigurosamente fieles al dogmatismo crítico, según lo había codificado Hermosilla en su *Arte de hablar en prosa y en verso*. En cuanto a Durán, se le acusa de estar, en su *Discurso*, «poco al corriente de la verdadera naturaleza y sentido de la causa, defendida con más celo que capacidad». Quien reivindicaba abiertamente su adhesión a los principios de la crítica histórica y su desprecio por el formalismo hubiera tenido que molestarse en leer detenidamente a Quintana, en lugar de contentarse con reprocharle su estilo «áspero e incorrecto» y sus galicismos; con ello, ¿acaso no estaba Galiano dando la razón a Capmany y a Moratín, a quienes sin embargo había maltratado por su estrechez de miras? Alcalá Galiano habla de Cienfuegos con el mismo desprecio con que pueda hacerlo Hermosilla: pobreza de la inspiración, temperamento frío, expresión extravagante, lengua indigente, puerilidad, «nauseabundo sentimentalismo», estilo ampuloso... Martínez de la Rosa no sale mejor parado: «En *La conjuración de Venecia* hay unos cuantos pasajes de efecto, y la escena en la plaza de San Marcos está llena de animación, pero estos aciertos no son suficientes para salvar la obra.» Es una opinión severa, aunque acertada en el fondo. Menos honrada nos parece su actitud al silenciar los *Apuntes sobre el drama histórico* —a pesar de las tímidas concesiones al nuevo gusto que contienen—, así como al afirmar que el autor de *Zaragoza* «se eleva a más altura en sus poesías breves», dando como ejemplo su envarada contribución a la *Corona fúnebre* de la duquesa de Frías. A pesar de todo lo que le debe —o tal vez a causa de ello—, Alcalá Galiano sólo dedica unas pocas líneas rápidas a Blanco White, del que no cita ningún escrito de importancia. Dedica un extenso capítulo a su amigo político de entonces, José María Calatrava, a quien resulta, cuando menos inesperado, verle figurar en un panorama literario; pero en cambio, olvida mencionar las obras de economía de Flórez Estrada en el breve párrafo en que se refiere a él, y termina con un juicio malintencionado sobre su «estilo desaliñado». En fin, resulta de lo más curioso ver cómo un hombre que se precia de liberal condena el estilo de Llorente en nombre de sus supuestas raíces vascas, así como la obscenidad de algunos versos de María Rosa Gálvez; afirma que Gallardo se complace en el humor vulgar, y que su *Diccionario crítico-burlesco*, aunque gracioso, está «echado a perder por su injustificable impudicia». Cuando en su último artículo, Galiano aboga por una suavización de la censura, añade que ésta «podría limitarse a prohibir la difusión de doctrinas reprensibles», pero se abstiene de precisar cuáles son éstas. Este panorama destinado a lectores ingleses concluye de forma bastante curiosa con un llamamiento a los escritores españoles; se les aconseja que abandonen la mitología clásica y que, en lugar de ello, recurran a las tradiciones y supersticiones populares, o a la historia nacional, aunque

> evitando la imitación de las extravagancias de la moderna escuela romántica, cuyas buenas cualidades quedan desfiguradas por el exceso de afectación, y desdeñando las vagas diferencias entre clasicismo y romanticismo ... Podría dirigir, [la nueva co-

> rriente] la atención de los españoles hacia su propio país y las realidades de la vida cotidiana, lo cual tendría a su vez otra consecuencia beneficiosa: la de hacer conocer mucho mejor a los extranjeros la vida española, tal como es ... España necesita una voz de alarma que estimule a sus hijos a recuperar el carácter nacional y ponerlo a la altura en que puede y debe estar[12].

Según podemos comprobar, Alcalá Galiano no tiene la menor idea de la existencia del costumbrismo español y de las diversas formas que éste ha ido adquiriendo a través de Estébanez Calderón, Mesonero y Larra; es obvio que no está al corriente de los artículos publicados en *Cartas españolas* y en el *Boletín de comercio*, y que desconoce por completo la existencia de las novelas históricas de López Soler. Son lagunas imperdonables para quien pretende ofrecer, en una revista extranjera, un panorama literario de la España de su tiempo y, en el prólogo de *El moro expósito*, predicar la buena nueva a sus compatriotas. En efecto, así escribe en *The Athenaeum*:

> El último poema de Saavedra va acompañado de un prólogo en donde se presentan y defienden doctrinas literarias que escandalizarán a los escritores ortodoxos que hoy ocupan los sitiales de honor en la literatura castellana. El lenguaje de dicho prólogo es atrevido e impetuoso, como conviene a un osado innovador, y será sin duda recibido con airadas reconvenciones y censuras, no exentas de denuestos; pero como esto habrá de conducir al libre examen de su verdad o falsedad, en último término cabe anticipar los mejores resultados[13].

A sus lectores ingleses, afirma que Saavedra «se ha propuesto ser el poeta romántico de la España moderna»; a los lectores españoles de *El moro expósito*, declara: «No ha pretendido [el autor] hacerlo [el poema] clásico ni romántico, divisiones arbitrarias en cuya existencia no cree, siendo claro, por lo mismo que no se ha propuesto obedecer a los que las pregonan como ciertas y promulgan como obligatorias.» Según vemos, Alcalá Galiano no se distingue, ni por su modestia, ni por el rigor de su pensamiento.

En contra de lo que él preveía, ni *El moro expósito* ni su prólogo suscitaron reacciones múltiples y apasionadas. La leyenda de Saavedra tan sólo fue objeto de tres crónicas en la prensa madrileña: la primera en la *Revista española* (el 23 y 24 de mayo de 1834), la segunda en *El Observador* (el 4 de septiembre) y la tercera —que apareció sin firma aunque se debía a la pluma de Alcalá Galiano—, en *El Mensajero de las Cortes*, antiguo *Diario del Comercio* (el 15 de septiembre). El primero de estos artículos es anónimo; ha sido analizado y profusamente citado por Peers[14], y aquí nos referiremos a él sólo en sus líneas generales, sin seguir empero al hispanista inglés en todas sus conclusiones. El romanticismo —escribe el periodista— tiene un carácter distinto según los países; el de Mickiewicz no es el de Goethe, ni el de Byron, Lamartine o Víctor Hugo, «exagerado escritor de este género». Así pues, podría afirmarse que es romántica cualquier obra que no

12. *Ed. cit.*, pp. 133-136.
13. *Ed. cit.*, p. 129.
14. E. Allison Peers, "The *Moro Expósito* and Spanish Romanticism", *Studies in Philology*, XIX, 1922, pp. 308-316. Peers (*HMRE*, t. I. p. 274, nota 513) escribe: «su autor muy bien puede haber sido Larra», pero no justifica esta hipótesis.

respeta los preceptos de Aristóteles y de Boileau y que no sigue los mod
transmitidos por los escritores «reconocidos por eminentemente clásicos».
qué categoría cabe situar pues *El moro expósito*, en cuyo prólogo (que el a
del artículo cree se debe a la pluma de Rivas) se declara que no pertenece a
guna de las dos mencionadas? El colaborador de la *Revista española* dedica
atención a dicho prólogo. Destaca ante todo sus aspectos negativos y los ju
sobre la poesía del siglo XVI. Señala que las cualidades que presenta el poem
Saavedra son precisamente las de aquellos maestros tratados con tanto des
Escribe, en efecto el párrafo siguiente (en el que adivinamos una fina ironía
parece haberle pasado desapercibida a Peers):

> Esta invasión [romántica] sería realmente estrepitosa, si el Sr. de Saavedra
> a encontrar muchos sectarios y diremos ingenuamente nuestro sentir: al dec
> sectarios, juzgamos que más podrá ganarlos con los argumentos desenvueltos en el prólogo, que con los ejemplos suministrados en los doce romances de su leyenda, pues es preciso convenir en que ésta no es una composición esencialmente romántica. Reinan en ella con frecuencia un buen sabor de nuestros mejores poetas, reminiscencias de sus giros, de sus imágenes, de sus galas, que tienen todo el brillo de imaginaciones orientales más bien que el sesgo metafísico, los conceptos nebulosos y las pinturas fantásticas de los que marchan por la senda del romanticismo exclusivo.

El cronista de la *Revista española* afirma seguidamente que «la más atrevida de sus innovaciones está en el lenguaje y en el estilo», ya que el poeta no duda en utilizar el término familiar o vulgar cuando así lo requieren el estilo y el contenido de determinado pasaje. En la segunda parte del artículo, el periodista pone de relieve las cualidades de la obra: sencillez en la acción, llevada de una forma regular, sin complicaciones ni extravagancias contrarias a la verosimilitud, caracteres coherentes y bien modelados; en resumen, Saavedra demuestra que «conoce los preceptos del buen gusto, y que difícilmente puede separarse de ellos». En *El moro expósito* no hay ni «creaciones estrafalarias de las imaginaciones fantástico-románticas», ni «héroes sin verdad, escondidos siempre en misterios inexplicables y envueltos en una atmósfera nebulosa». A la pregunta de si la obra podría incluirse pues en el clasicismo, responde que no, ya que los fanáticos de Horacio y Boileau la encontrarían monstruosa. El crítico concluye diciendo:

> Nosotros, que somos tan amantes de la independencia en política como en literatura, no nos asociaremos a tan tiránica desaprobación. Creemos que el autor no es un reflejo exacto de los románticos ingleses, alemanes ni franceses; pero pensamos sí que naturaliza el género, en cuanto el influjo de sus buenos estudios primitivos se lo permite, dándole una fisonomía española.

Acto seguido, para demostrar la originalidad de Rivas, lo opone a Osián, cuya obra posee «toda la grandeza fantástica a que se presta un clima de oscuridad y de tinieblas» y que puede «suponer a su albedrío genio y accidentes caprichosos entre las nubes donde se pierden los sonidos de su harpa mágica: la credulidad puede darlos fe, y la razón aprueba lo que conmueve el corazón». Pero estas tintas no son las apropiadas para la descripción de la «risueña y rica Andalucía» cuyo clima es poco propicio a los espectros; como tampoco son propias de las almas meridionales las impresiones vagas e indefinibles. Por último, «¿cómo ha de hallar recursos su fantasía, donde la unidad religiosa excluye las visiones que nacen de creencias poco seguras, multiplicadas y supersticiosas?» El episodio más impregnado de «colorido romántico» es aquél en el que Ruy Velázquez, influido por una de esas «creencias supersticiosas», cree ver los fantasmas de los siete infantes. El único reproche que el crítico hace a la obra atañe al desenlace: piensa —y con razón— que la decisión de Kerima de romper su matrimonio con Mudarra para retirarse en un convento no está motivada por sentimientos desarrollados y explicitados con la suficiente claridad, y que dicha decisión es demasiado precipitada para suscitar interés o emoción.

Hay que esperar hasta el 4 de septiembre de 1834 para hallar en la prensa madrileña un nuevo artículo acerca de *El moro expósito*. Ese día, *El Observador* publicó una recensión de la obra, probablemente debida a Rafael Húmara y Salamanca [15]. El crítico alaba la abnegación y la dignidad de las que hizo gala Rivas en el destierro, y afirma: «Al leer el nombre del autor ya empieza a interesar la obra.» Tras algunas apreciaciones superficiales aunque favorables al poema, aparece este elogio inesperado:

> Las muchas máximas morales que le enriquecen, propias del asunto donde están colocadas, brotan naturalmente de los sucesos mismos, y en vez de detener la marcha rápida del poema, facilitan su comprensión y amplían sus detalles.

Unos días más tarde, Alcalá Galiano publicó en *El Mensajero de las Cortes* un artículo sin firma [16]. En él lamenta amargamente que el poema de Rivas haya caído ya en el olvido, y más adelante hace una defensa del prólogo (sin revelar que él es su autor) para recordar —aunque nadie parece haber escrito lo contrario— que es falso que se hiciera en él una afirmación de la superioridad de los románticos sobre los clásicos. El autor condena únicamente «la doctrina que califica de clásico lo que no lo es», y anima a los poetas a que escriban con toda libertad sin someterse «a reglas caprichosas y nada conducentes al acierto». Si Rivas tiene a veces un estilo suelto o descuidado, como Ariosto o Walter Scott, es porque, al igual que ellos, sigue más «la naturaleza que el arte». Por último,

15. El artículo va firmado por las iniciales «R. H. y S.», que probablemente designan al teniente coronel sevillano Rafael Húmara y Salamanca, autor de las novelas históricas *Ramiro, conde de Lucena* (Madrid, 1823, y París, 1828), precedida de un prólogo en el que reprueba la inmoralidad de las novelas sentimentales, y *Los amigos enemigos o las guerras civiles* (Madrid, 1834). Sobre la primera de estas obras, inspirada en Mme Cottin, véase V. Llorens, *Literatura, historia, política*, Madrid, 1967, pp. 187-203; sobre la segunda, véase A. González Palencia, *La censura gubernativa...* t. II, Madrid, 1935, pp. 353-354.

16. Boussagol (*op. cit.*, p. 332) se inclinaba a atribuir este artículo a Alcalá Galiano; J. Campos no ha tomado en consideración esta posibilidad (BAE, t. C. pp. XLV-XLVII). En él encontramos, bajo una forma algo diferente, las opiniones sobre la obra que aparecían en el último artículo publicado por Galiano en *The Athenaeum*: comparación entre las poesías de juventud de Saavedra y diversas obras de Lope y Balbuena; la tendencia posterior, motivada por la presión de sus amigos, a seguir el dictado de su imaginación y de su fantasía más que el de los modelos clásicos; la consecución de un mayor acierto en los cuadros descriptivos que en la caracterización de los personajes, etc. (véase la traducción española de los artículos de Galiano, ed. cit., pp. 122-129).

al referirise a los romances históricos que completan el segundo tomo de *El moro expósito*, Galiano subraya su novedad en relación con los de Meléndez, y afirma que sus temas e imágenes «nos agradan más que los pastores y los mirtos, y las guirnaldas de rosas, las invocaciones a las musas y la mitología, y todo lo que si fue algún día bueno, al cabo hoy ha de ser ya fastidioso, cuando no por otra cosa, por lo repetido».

Según observa Peers con acierto, para el cronista de la *Revista española* que había escrito que Rivas «naturaliza el género [romántico]», *El moro expósito* representa «a specifically Spanish Romanticism[17]». El poeta vuelve a encontrar la vena de la poesía más genuinamente española, enlaza de nuevo con la tradición histórica y destierra de su vocabulario los oropeles de la mitología. Tiene el mérito de haber escrito el primer gran poema castellano del siglo XIX, que responde a los deseos expresados por Durán en una nota de su *Discurso* de 1828:

> También el poeta romántico suele proponerse pintar un siglo o una nación entera, presentando un protagonista ideal o histórico, al cual atribuye y reviste, no de un vicio o una virtud aislada, sino de todas aquellas pasiones, hábitos y costumbres que pueden caracterizar la época o nación que trata de retratar[18].

La coincidencia entre la concepción del romanticismo expuesta por Durán y la que Rivas aplicó en *El moro expósito* permite comprender la razón por la que el prólogo de Alcalá Galiano no suscitó polémica alguna. Si bien éste había tomado de Blanco White dos grandes ideas —decadencia de la actividad intelectual por la doble influencia del dogmatismo opresivo y de la imitación de formas extranjeras que sofocan la originalidad—, no supo sacar de ellas las consecuencias filosóficas que el antiguo sacerdote de Sevilla desarrolló y asumió en su propia vida, adjurando de su religión y renegando de su patria y de su propia lengua[19]. Alcalá Galiano sólo retuvo argumentos de índole exclusivamente estética; escribe en su prólogo las frases siguientes, reveladoras de un pensamiento superficial:

> De Alemania hemos dicho que es la cuna del romanticismo. Lo que a nuestros ojos parecen rarezas de sus escritores, les es natural y está enlazado con sistemas filosóficos llenos de misterios y obscuridad[20].

El fundamento ético —por otra parte desconocido— del romanticismo aparece descartado *a priori* como incompatible por definición con el romanticismo castellano. Por caminos distintos, los españoles de dentro y los de fuera llegan en suma a las mismas conclusiones fundamentales: rechazo del dogmatismo neoclásico en nombre de la relatividad del gusto y de la originalidad; y puesta en guardia frente al ejemplo del romanticismo francés identificado con un anticonformismo literario desmesurado e ideológicamente peligroso. Esta identidad de opiniones queda fácilmente explicada: Durán y Lista defienden una concepción del es-

17. Art. cit., p. 312.
18. A. Durán, *Discurso*..., ed. cit., p. 312, nota 1.
19. Sobre Blanco, véase V. Llorens, *Liberales y románticos*..., 2.ª ed., Madrid, 1968, cap. X y último, y en parte pp. 409-411.
20. Prólogo a *El moro expósito*, ed. cit., p. 270.

píritu nacional en el preciso momento en que, en una España sometida a la presión de la Santa Alianza, se impone la necesidad de defender la tradición frente a las influencias extranjeras; Martínez de la Rosa y Alcalá Galiano, alejados de su tierra natal, sienten la necesidad de afirmar su hispanidad y lo consiguen por idénticas vías. De la imagen de la "romántica España", tanto unos como otros han resaltado los mismos rasgos porque les impulsa un mismo patriotismo. En Malta, alentado por su anfitrión inglés John Hookham Frere, Rivas busca instintivamente la inspiración en una bella leyenda que le permite hacer revivir una época gloriosa del pasado nacional:

> La imagen de la patria intensificada por la nostalgia, se proyecta sobre un pasado remoto con luz nueva, más grata para el desterrado que la del presente. Extraña manera de acercamiento y posesión, sólo explicable en quien siente la patria como algo asequible y al mismo tiempo íntimo. Tal en *El moro expósito*[21].

Mientras que Martínez de la Rosa, dos años mayor que él, se había limitado a utilizar con sensatez algunos elementos espectaculares sacados del drama moderno para escribir *La conjuración de Venecia*, Rivas crea un personaje romántico aparentemente plausible. Mudarra es un bastardo que padece su condición. Es el joven aureolado de misterio a quien su sino reserva para una elevada misión; éste sitúa en un primer término los derechos del sentimiento y se encuentra enfrentado con las exigencias del deber y de la pasión; en resumen, es generoso, recto, ansioso de justicia, y con cada una de sus acciones despierta la admiración y se gana la simpatía. Pero no es un auténtico rebelde, y todos sus rasgos le vinculan al romanticismo histórico, nacional, caballeresco y medieval definido por Durán. La Academia Española consagró esta unanimidad llamando juntos a su seno al autor del *Discurso* y al de *El moro expósito*; ambos pronunciaron su discurso de ingreso el mismo día, el 29 de octubre de 1834. El duque de Rivas hizo el elogio de la lengua española, pero no habló de poesía: formuló el deseo de que resucitara el espíritu de la comedia en el teatro, y en la prosa, el estilo de Mariana, Solís, Cervantes y Fray Luis de Granada. Al comentar este acontecimiento en *La Abeja*, Joaquín Francisco Pachero señalaba que los nuevos recipiendarios pertenecían ambos a la nueva escuela

> designada, tal vez malamente, con el nombre de romántica. Escuela ridiculizada y calumniada por espíritus rutinarios; despreciada y combatida por otros antipoéticos, o demasiado adictos a las tradiciones de la suya, mal comprendida por la generalidad de los que hablan de ella; adoptada sin mesura y con exageración por algunos cerebros ardientes.

Felicitó a Rivas quien, tras haber cultivado la poesía clásica, «abandonó ese estéril sistema para explotar el riquísimo minero de la historia de Castilla, y cantar las costumbres de nuestros antepasados en los simpáticos acentos de la poesía nacional». En su obra anterior, había adoptado ya tema de la «sociedad religiosa y romántica de la edad media», pero con *El moro expósito*, el discípulo de Alfieri se ha convertido en «un poeta español». En cuanto a Durán, merecía el honor

21. V. Llorens, *Literatura, historia, política*, Madrid, 1967, p. 80.

que se le hacía, por haber sido uno de los primeros en señalar el camino a seguir y en incitar a conciliar «los recuerdos de nuestra antigua gloria y la tendencia moral y política del siglo». Ciertamente, Alcalá Galiano estaba muy equivocado al pensar que el libro de Rivas y su prólogo iban a desencadenar una contienda literaria; así lo prueba una vez más esta doble elección situada bajo el signo del "buen romanticismo".

EL "ROMANTICISMO" EN MADRID ANTE LA CRÍTICA Y EL PÚBLICO

Peers se sorprende de que, por una razón desconocida, *El moro expósito* no provocara numerosas reacciones como sucediera con *Don Álvaro* un año más tarde; pero él mismo nos proporciona la razón de ello: el poema «no aparecía en el tradicional campo de batalla, la escena[22]». Por su parte, Boussagol señala que el prólogo de Alcalá Galiano «souleva peu de polémiques» («suscitó pocas polémicas») y recuerda que «le courant politique, dans les mois qui suivirent la mort de Ferdinand VII, était plus entraînant que le courant littéraire ... et enfin le *Moro* était destiné à être lu, dans un pays qui lit peu, relativement[23]». Estas observaciones, en parte acertadas, requieren algunas precisiones. El público de los teatros de Madrid era poco numeroso, ya que una obra se consideraba un éxito cuando alcanzaba las diez o doce representaciones[24]; pero la popularidad de un escritor dependía principalmente de su triunfo como autor dramático, en la medida en que satisfacía los gustos y el afán de novedades de los espectadores. Así, Martínez de la Rosa vio afianzada su celebridad gracias a *Edipo* y luego —favorecido por su prestigio de estadista— a *La conjuración de Venecia*, pero no gracias a su libro de *Poesías* ni a *Hernán Pérez del Pulgar* publicados a finales de 1833 y comienzos de 1834. En esa época, hace ya largo tiempo que Quintana ha dejado de escribir para el teatro; su *Pelayo* se representa todavía una o dos veces de 1833 y en 1835, pero sus poesías no se reeditan en Madrid de 1821 a 1852. Para el público, pertenecía por su edad y sus obras a un período ya caduco. Sin embargo, en 1833 dio a la estampa el último volumen de sus *Vidas de españoles célebres*, cuyo método, imparcialidad, estilo vivo y moderno hacen de él —como subrayó Larra— un modelo del género[25] y el ejemplo más brillante en España de la visión romántica de la historia. *No más mostrador* hizo más para la popularidad de Larra que su *Duende satírico del día*, sus odas y poesías de circunstancias. Por último, Rivas hizo su aparición en el teatro con una trivial y anticuada comedia de costumbres escrita en 1828, *Tanto vales cuanto tienes*, estrenada sin éxito el 2

22. Peers, *HMRE*, t. I, p. 274; esta observación ya se encontraba en su libro *Ángel de Saavedra...*, p. 214.

23. («... la corriente política, en los meses que siguieron a la muerte de Fernando VII, era más atrayente que la corriente literaria ... y en fin el *Moro* estaba destinado a ser leído, en un país que lee poco, relativamente.») G. Boussagol, *op. cit.*, p. 332.

24. En París, por el contrario, *Hernani* se representó 39 veces en 1830; *Marion Delorme*, 24 días ininterrumpidos a partir del 11 de agosto de 1831; *Angelo*, 30 veces en 1835, y 62 en 1837-1838 (J. Gaudon, *Victor Hugo dramaturge*, París, [1955], pp. 10-11); *Antony*, un centenar de ocasiones en 1831 (A. Dumas, *Mes mémoires*, ed. Josserand, t. IV, París, [1967], p. 307); *La tour de Nesle*, más de 200 veces en 1832-1834.

25. *Revista española*, 9 de abril de 1834; BAE, t. CXXVII, pp. 368-370.

de julio de 1834, poco después de que *El moro expósito* llegara a Madrid; pero deberá esperar cerca de un año, hasta el 22 de marzo de 1835, para que *Don Álvaro* asegure su consagración como escritor.

Por otra parte, es cierto que poco después de la publicación del poema de Rivas y del estreno de *La conjuración de Venecia*, el clima político era tenso y se agravó todavía más en julio de 1834: el complot de La Isabelina, la epidemia de cólera, la matanza de frailes, así como las sesiones tempestuosas de las Cortes constituyen una serie de acontecimientos que acaparan la atención en detrimento de las actividades literarias. No obstante, si bien los teatros de Madrid están tan desiertos por aquel entonces que se llega a pensar en cerrarlos provisionalmente, en cambio la actividad de los editores no disminuye. Por doquier se publican traducciones de Chateaubriand, Berquin, Arlincourt, Fenimore Cooper, Madame Cottin, Ducray-Duminil, Florian, Walter Scott[26]. En la mayoría de los casos, se trata de autores u obras ya conocidas en España y cuyo éxito perdurará todavía durante largo tiempo. Así pues, estos libros de los que se habla poco o nada son los que se leen, con preferencia de los que la crónica contemporánea o la ulterior historia de la literatura han destacado sin tener en cuenta las relaciones inestables y complejas entre los escritores y la sociedad. Según vimos, la colección de novelas históricas a la que pertenece *Sancho Saldaña*, a pesar de su importancia intrínseca en la evolución del género, no parece haber conseguido la adhesión general ni creado una corriente favorable a los autores españoles, antes al contrario. Los lectores de Mrs. Radcliffe y sus imitadores, de Volney o de Walter Scott pronto iban a asegurar el triunfo de las novelas románticas francesas, por las mismas razones por las que los espectadores de Ducange y de Pixérécourt estaban preparados y dispuestos a aplaudir a Dumas y Hugo. Fiel a sus gustos, es un público que no se deja orientar en sus preferencias. Por ejemplo, la empresa de los teatros de Madrid presentó en octubre de 1834 en el *Diario de avisos* las dos partes de *El tejedor de Segovia* como «un drama romántico en seis jornadas. La primera y la segunda parte de la comedia antigua ... forman reunidas el drama que se anuncia». Se aclaró que se trataba del texto original y no de una refundición, elegido con objeto de «demostrar que nuestro teatro abundaba desde hace más de dos siglos en creaciones románticas no inferiores a las que recientemente se han apoderado de la escena francesa y que nadie puede disputar a los dramáticos españoles ni la prioridad en el romanticismo que se halla tan en boga ni la loable circunstancia de haberlo manejado sin mengua de las buenas costumbres[27]». No es ésta la primera vez que los anuncios de este tipo incluían —más equivocada que acertadamente— los términos «drama romántico», «creación romántica», y

26. Véase la bibliografía de traducciones de novelas elaborada por J. F. Montesinos para el período 1800-1850, *Introducción a una historia de la novela...*, Madrid, 1955, pp. 191-317.

27. Citado por A. Rumeau, "Le théâtre à Madrid à la veille du romantisme", *Hommage à E. Martinenche*, París, [1939], p. 342. *Cf.* lo que más tarde escribiría Lista de esta obra: «Estas dos comedias ... componen un verdadero drama romántico, que podría dividirse en cuadros, según la moda del día. Mas no es conforme a ella en el desarreglo de las ideas morales ... Si hay alguna composición verdaderamente romántica, esto es, novelesca, es la fábula del *Tejedor de Segovia*. Está llena de acción, de movimiento y de interés.» (A. Lista, *Ensayos...*, Sevilla, 1844, t. II, pp. 209-211).

ya hemos tenido ocasión de citar otros ejemplos. Pero esta vez falló el intento y la obra fracasó por una razón muy sencilla: el público a quien unos años antes se le había presentado el melodrama *Trente ans ou la vie d'un joueur* como una comedia en dos partes, no aceptó que se le ofreciera una comedia en dos partes bajo la misma etiqueta que un melodrama. Para los espectadores de Madrid, el concepto de "romanticismo" no era reversible. Las medidas adoptadas por Javier de Burgos a fines de 1833 y principios de 1834 con objeto de liberalizar el control oficial de los teatros no tuvieron el efecto deseado. Así, tras la supresión de la prohibición de la que eran objeto desde hacía diez años *El sí de las niñas*, *La mojigata* y *Numancia*, dichas obras fueron representadas doce, diez y once veces respectivamente en 1834; pero en 1835 la primera y la tercera no son representadas más que en tres ocasiones, y la segunda desaparece del cartel y sólo vuelve a incluirse en una única ocasión en 1836. En cambio, *La conjuración de Venecia* se representa veintinueve veces en 1834, y *Macías*, diez veces, de septiembre a diciembre. Pero según hemos visto, son los melodramas los que acaparan con mayor frecuencia el cartel a lo largo del mismo año. Bretón presiente que pronto el drama romántico francés se beneficiará de esta moda. En septiembre, se representa su adaptación de la *Marie Stuart* de Schiller según la versión francesa edulcorada de Lebrun (1820), pero sólo tres veces; el autor de *Marcela* guarda en un cajón una traducción de *Marion Delorme* y, en octubre, lleva a las tablas *Elena*, en la cual funde «par le plus curieux des amalgames les atrocités de la Porte-Saint-Martin, les bizarreries de Calderón, les fadaises de la comédie sentimentale[28]». Las confusas frases que siguen, en boca de un crítico anónimo, revelan los miramientos con que se desea tratar a un vodevilista que se ha equivocado de camino por haber querido "practicar el romanticismo":

> Si nos entendiéramos acerca de lo bueno y lo malo, acerca de lo que es clásico o romántico, de lo que es histórico o puramente imaginario, de lo que es moral o inmoral... ¡con cuánto placer no haríamos de la nueva representación un juicio crítico... arreglado a unos principios cualesquiera[29]!

El público dio claras muestras a Bretón de que no aceptaba la mezcla de géneros: *Elena* fue un fracaso estrepitoso. Dicha obra constituye el ejemplo extremo, y por ello más característico, de los vicios redhibitorios de una literatura que intenta desesperadamente remozarse a través de la imitación superficial de procedimientos sacados mal que bien de modelos extranjeros. *Elena* no responde a una honda necesidad por parte de su autor, ni a demanda alguna por parte de su público, condicionado por un repertorio muy delimitado. Bretón pensó que bastaba con introducir en la ficción teatral determinadas situaciones o determina-

28. (« ... en la más curiosa amalgama las atrocidades del teatro de la Porte-Saint-Martin, las rarezas de Calderón y las sandeces de la comedia sentimental.») G. le Gentil, *Le poète Manuel Bretón de los Herreros...*, París, 1909, pp. 95-96. El autor añade: «C'est ainsi que bien involontairement, six mois avant le *Don Álvaro* d'Ángel Saavedra, Bretón a déconsidéré le romantisme.» («Es así como, involuntariamente, seis meses antes del *Don Álvaro* de Ángel Saavedra, Bretón ha desacreditado el romanticismo.») Esta desafortunada tentativa no tenía nada de involuntaria, y no desacreditaba de ningún modo lo que el público llamaba «drama romántico».

29. Reseña anónima de *Elena* en *El Observador*, 25 de octubre de 1834; citada por A. Rumeau, art. cit., p. 344.

dos diálogos procedentes del melodrama o del drama para que la ilusión se hiciera realidad. Con ello creía alejar al público de obras en las que estas situaciones o diálogos responden a implicaciones morales opuestas. En la defensa más o menos consciente del sistema de valores tradicionales, persiste un elemento que Montesinos vuelve a hallar en los ataques de Mesonero contra el romanticismo: «un rebrote de la antigua enemiga española a contaminar la vida de literatura, sobre todo si esa literatura es antisocial y anárquica[30].» Pero intentar apartar a espectadores o lectores de obras consideradas como "corruptoras" revela un análisis superficial. La explicación de la falta de interés por las novelas históricas publicadas por Delgado, o por *El moro expósito* y su prólogo, sólo podemos hallarla en una reflexión sociológica sobre la cultura española y sus relaciones con la sociedad, pero de ningún modo en las reseñas compuestas con premura, bajo la presión constante de los imperativos de una moral estrechamente conformista. Una vez más, comprobamos que Larra es el único que posee la amplitud de miras indispensable para situarse a una distancia suficiente que le permita proponer los elementos de dicha reflexión. Unos meses después de haber dedicado un artículo entusiasta a *La conjuración de Venecia*, que en el momento de su estreno le parecía una obra capital y cargada de esperanza al igual que el Estatuto real (impresión legítima entonces, justificada además por la inmensa mayoría), pone en boca del año 1834 —al que imagina que se le aparece en sueños— las palabras siguientes: «En literatura he visto una o dos producciones nuevas; he visto dos dramas históricos, de que no sé si hablarán tanto como yo mis sucesores[31].» Más tarde, en febrero de 1835, hace la siguiente observación:

> Si bien luce algún ingenio todavía de cuando en cuando, nuestra literatura, sin embargo, no es más que un gran brasero apagado, entre cuyas cenizas brilla aún pálida y oscilante tal cual chispa rezagada. Nuestro siglo de oro ha pasado ya, y nuestro siglo XIX no ha llegado todavía[32].

Si Larra se expresa así, es porque ha tomado conciencia de que la literatura española no se adecúa a su tiempo. Fue el primero en comprender que la evolución de las expresiones artísticas estaba estrechamente vinculada a la evolución de la sociedad. Ya a mediados de 1834, proponía un análisis de las categorías de que se componía esta última[33]. Existe —según decía con acierto— una «clase media, industrial, fabril, comercial» en Barcelona o en Cádiz, pero no en la capital administrativa, en la que sólo hallamos a la «clase media», formada por «proletarios decentes» (empleados y funcionarios) y una «clase baja» inculta, que desconfía instintivamente de todo lo que procede del extranjero. Estas apreciaciones son fruto de una observación directa: los jardines públicos son mirados con desconfianza, como un producto de importación, por la más baja de estas categorías, e ignoradas por la clase media que rehuye la promiscuidad y remeda los modales de la aristocracia. De estas observaciones, Larra deduce que estos hechos son

30. J. F. Montesinos, *Costumbrismo y novela...*, Madrid, 1965, p. 55.
31. *Reseña del año 1834* (artículo prohibido por la censura), BAE, t. CXXVIII, p. 50.
32. Reseña de las *Poesías* de J. B. Alonso, *Revista española*, 19 de febrero de 1835; BAE, t. CXXVII, p. 456b.
33. "Jardines públicos", *Revista española*, 20 de junio de 1834; BAE, t. cit., pp. 411-413.

consecuencia del «oscuro carácter» nacional, y que sólo se pueden paliar modificando de forma progresiva el modo de vida nacional. Ahondando más en su análisis, busca las razones de este carácter propio de sus compatriotas, y llega a la siguiente conclusión:

> ¡Qué tiene éste [carácter] de particular en un país en que le ha formado tal una larga sucesión de siglos en que se creía que el hombre vivía para hacer penitencia! ¡Qué, después de tantos años de gobierno inquisitorial! Después de tan larga esclavitud es difícil saber ser libre.

En tanto la «verdadera libertad» no se encuentre profundamente enraizada en las costumbres, será imposible extirpar ese sentimiento de pecado que pesa sobre las conciencias, y lograr una evolución que permita que España alcance el nivel de las demás naciones europeas. Larra concibe la regeneración nacional como un todo, y se sitúa en una perspectiva que no es exclusivamente moral, política, guerrera o estética. Su liberalismo «más que a implantar una Constitución, aspiraba a promover todas las actividades del país, los adelantamientos al liberalismo europeo, y al español en particular[34]». Habiendo profundizado en su análisis, Larra distingue tres categorías sociales en 1836:

> 1.º Una multitud indiferente a todo, embrutecida y muerta por mucho tiempo para la patria, porque no teniendo necesidades, carece de estímulos, porque acostumbrada a sucumbir siglos enteros a influencias superiores, no se mueve por sí, sino que en todo caso se deja mover ... 2.º Una clase media que se ilustra lentamente, que empieza a tener necesidades, que desde este momento comienza a conocer que ha estado y que está mal, y que quiere reformas, porque cambiando sólo puede ganar ... 3.º Y una clase, en fin, privilegiada, poco numerosa, criada o deslumbrada en el extranjero, víctima o hija de las emigraciones, que se cree ella sola en España, y que se asombra a cada paso de verse sola cien varas delante de las demás[35].

Larra llega a la conclusión de que es imposible escribir para una nación compuesta por categorías heteróclitas que nada en común tienen entre sí. Con ello, nos previene ante la tentación de considerar a la pequeña elite de intelectuales como representativa del conjunto de los españoles, o cuando menos de los madrileños, y por esa misma razón nos induce a no conceder un valor unánimemente reconocido a las obras que dicha elite produjo, alabó o defendió.

En Francia, el número de ediciones sucesivas o de representaciones de que fueron objeto las obras de Lamartine, Hugo, Dumas, Vigny, Balzac, así como el éxito duradero de publicaciones como la *Revue des Deux mondes*, la *Revue de Paris* y *L'Artiste*, constituyen indicios seguros de la existencia de un público numeroso de libro y de teatro. La situación es muy distinta en España, y existen otros elementos de los que hemos dado una idea al referirnos a las novelas históricas publicadas por Delgado, que vienen a confirmar de un modo más general

34. V. Llorens, *Literatura, historia, política*, Madrid, 1967, p. 87.
35. Reseña de *Antony* (1.er artículo), *El Español*, 23 de junio de 1836; BAE, t. cit., pp. 246-247a.

la opinión de Larra. En julio de 1838, los autores dramáticos de Madrid confirieron la gestión de sus derechos al editor Delgado (*Gaceta* del 28); unos meses más tarde, éste puso a la venta unas recopilaciones facticias que incluían por lo general siete obras precedidas por una cubierta adicional, al precio de veinte reales, y que constituían las colecciones denominadas *Teatro moderno español* y *Teatro moderno extranjero* (*Gaceta* del 22 de febrero de 1839). Esta empresa no tuvo éxito, ya que a finales de 1840 el editor lanzó una nueva e importante campaña publicitaria para estas colecciones en el *Diario de avisos* (de los días 8, 9, 10, 22 y 23 de septiembre) y la *Gaceta* (del 13 de septiembre). Cuando publica una nueva obra de un famoso dramaturgo, Delgado la anuncia, seguida de los demás títulos del mismo autor todavía disponibles: así sabemos por *El Piloto* del 2 de diciembre de 1839 que acaba de publicarse *La boda y el duelo* de Martínez de la Rosa, y que aún no están agotadas las primeras ediciones de *La conjuración de Venecia* y de *Aben Humeya*; o por *El Eco del comercio* del 7 de marzo de 1841, que *Los solaces de un prisionero* de Rivas acaba de darse a la estampa, pero que todavía pueden encontrarse ejemplares del *Don Álvaro* (reeditado en 1839) y de *Tanto vales cuanto tienes*, representada sin éxito en 1834 y editada en 1840. Así pues, las reposiciones de estas obras en los escenarios madrileños no tenían demasiada repercusión en su venta. En 1901, la Sociedad de Autores Españoles, fundada dos años antes, revendió a peso de papel las existencias de los editores teatrales del siglo XIX, existencias que contenían gran número de ejemplares de la edición original de varios dramas famosos que no habían encontrado mayor número de lectores que otras obras menores[36]. En cuanto al *Discurso* de Durán, publicado en 1828, sigue estando a la venta ocho años más tarde (*Gaceta* del 23 de junio de 1836); sus *Romanceros* todavía se anuncian en 1835 (*Gaceta* del 30 de abril) y en 1841 (*Gaceta* del 27 de enero, *Eco del comercio* del 19 de junio). *El último día de un reo de muerte* publicado en 1834 no está agotado en 1839 (*Gaceta* del 29 de junio), y no se volverá a imprimir hasta 1840 en Madrid y 1841 en Barcelona.

Tampoco tuvieron importante difusión los libros de versos publicados entre 1833 y 1835. Las *Poesías* de Martínez de la Rosa no son objeto de una reedición española antes de 1847. De *El moro expósito*, editado en París por Salvá y puesto a la venta a comienzos de 1834, Rivas encargó se mandasen a España tan sólo ciento cincuenta ejemplares poco después de su regreso[37], y no apareció publicidad alguna de la obra en la prensa madrileña. El mismo año se hizo una segunda edición en España, pero en Pamplona[38], y al igual que la primera, no fue anunciada en los periódicos de la capital. Habrá que esperar veinte años para asistir a la publicación de una edición madrileña de *El moro expósito*: en el tomo II de las *Obras completas* de Rivas en 1854.

También hay libros que pasan casi desapercibidos a los lectores, como es el caso de las *Poesías* de Jacinto de Salas y Quiroga publicadas en Madrid a princi-

36. E. Cotarelo, "Editores y galerías de obras dramáticas en Madrid en el siglo XIX", *Revista de la Biblioteca, Archivo y Museo*, V, 1928, pp. 121-139.

37. Véase *supra*, nota 247 de la Tercera parte.

38. G. Boussagol, "Ángel de Saavedra, duc de Rivas. Essai de bibliographie critique", *BH*, XXIX, 1927, p. 25, n.º 98.

pios de 1834[39]. Este joven de veintiún años que acababa de recorrer Francia y América latina, tenía sin embargo el mérito de ser el primer poeta lírico de su generación que en el prólogo de un libro de versos proclamaba abiertamente su entusiasmo y su admiración por Byron, Hugo y Lamartine, y lanzaba un llamamiento, a la vez patético e ingenuo, a sus contemporáneos para incitarles a inspirarse en Cervantes «mezcla singular de imaginación romántica e irónica filosofía», en el fecundo Lope, en Calderón «genio entusiasta, que hizo con osadía el drama del Catolicismo», en Tirso y Moreto, aun con riesgo de imitar «sus felices desbarros». Según decía, era este el medio de liberar a España de la «odiosa tiranía», tanto en poesía como en política: «Si hay algún ingenio en las orillas del Sena que merezca el que nos ocupemos en estudiar sus escritos, nosotros lo hemos formado.» Pese a su contenido heteróclito, este libro[40], dedicado «Al pueblo español en la época de su regeneración política y literaria», contiene poesías interesantes. Hallamos en él una inspiración, tan pronto elegíaca, al estilo de las *Méditations de Lamartine*, como exótica o trovadoresca, al estilo de las *Orientales* de Víctor Hugo; el joven poeta carece todavía de experiencia y de oficio, pero no de sensibilidad, y su talento es prometedor. Habrá que esperar a que Ochoa incluya sus composiciones en *El Artista* para que Salas y Quiroga se dé a conocer un poco más, antes de fundar él mismo, en 1837, la revista *No me olvides*. *El Eco de la opinión* del 13 de mayo de 1834 dedicó al libro un breve artículo (firmado *C.*) felicitando al poeta por no haber imitado hasta en sus «monstruosidades» al autor de *Lucrèce Borgia*; en la *Revista española* del 12 de junio, un cronista anónimo aconsejaba a Salas que para escribir buenos versos, mejor lo hiciera en francés que en español; por último, un redactor de *El Eco del comercio* le proclamaba el 27 de mayo «nuevo campeón romántico», pero le reprochaba su versificación lánguida y prosaica, y su falta de fluidez en la expresión, concluyendo así su artículo:

> No dudamos pues, que el Sr. Salas más sumiso a las leyes de la armonía y del buen gusto, que son comunes a clásicos y románticos, producirá algún día versos numerosos dignos del Parnaso español. La libertad exagerada así en política como en literatura es el camino seguro del desacierto. En poesía sólo hay una senda que conduce a la inmortalidad
>
> Do nunca arriba quien de allí declina.

Después de lo cual y a pesar del tono innovador que Salas y Quiroga aportaba a la poesía lírica, su libro cayó en el olvido y nunca más llegó a reeditarse. En cuanto a *El moro expósito*, ya vimos cómo Alcalá Galiano reconocía amargamente en septiembre de 1834 que ya nadie hablaba del libro; la elección de su autor en la Academia Española no conllevó ninguna campaña publicitaria para la obra. Las poesías de Bretón y de Estébanez Calderón, publicadas en volumen en 1831,

39. La obra se anunció en el *Diario de avisos* el 5 de mayo de 1834. Una reseña de las *Poesías* de Salas y Quiroga apareció posiblemente en *El Siglo* el 28 de febrero de 1834, pero no la hemos encontrado (Alonso Cortés, p. 18, nota 5).

40. J. de Salas y Quiroga, *Poesías*, Madrid, 1834. El prólogo ocupa las pp. VII-XV; las poesías, las pp. 1-93 (entre ellas se encuentra una oda en francés a Víctor Hugo, pp. 88-90); el drama en tres actos *Claudia*, las pp. 94-214.

sólo serán reeditadas mucho más tarde, dentro del conjunto de los demás escritos que les habían dado fama entre los lectores de periódicos. Todo ello hace pensar que por aquel entonces los madrileños no compraban libros de versos, o bien compraban pocos.

En esos años de 1833 a 1835, la prensa de la capital dedica sobre todo sus columnas a la información y a los comentarios políticos, y concede poco espacio a las bellas letras; en este ámbito, la más regular y mejor cubierta es la crónica teatral. Cuando los periódicos publican poesía, se trata en la mayoría de los casos de obras de circunstancias, enviadas a veces por colaboradores espontáneos. Entre estos versificadores, hay que citar en primer lugar a Bretón quien, a partir de 1831, explota su vena moderadamente satírica en unas letrillas alusivas a acontecimientos o a los defectos de sus contemporáneos, tan pronto compuestas como leídas y olvidadas. Durante la Guerra de la Independencia, con Quintana, la poesía podía ser de actualidad, pero a la altura de la historia; con Bretón y en tiempos del Estatuto Real, desciende al nivel de la anécdota. Imprecaciones, exhortaciones al combate, elegías y odas filosóficas han dejado paso a las estrofas fáciles, a las bromas de poca altura. También en este campo España va rezagada: posee un Désaugiers, pero no tiene ni un Béranger, un Barthélémy, ni un Barbier. Las composiciones líricas, ya escasas en el *Correo literario y mercantil*, en especial a partir de 1832, son poco numerosas en las publicaciones nacidas posteriormente. Las que aparecen de vez en cuando en 1834 son muestra en general de una fidelidad constante al academicismo neoclásico. Existen no obstante unas pocas excepciones, como por ejemplo, las poesías patrióticas que Espronceda publicó en *El Siglo* y en la *Gaceta de los tribunales*, y las que podemos leer en el *Diario del Comercio: Un manchego en Burdeos, 1832. Recuerdos de un emigrado* (18 de mayo) y *Al General Lafayette* (9 de junio), ambas anónimas; así como *El desterrado* de Rivas (16 de junio). Si bien los temas son nuevos para los lectores madrileños, la forma sigue siendo tradicional, tratándose de obras compuestas varios años antes. La creación de la Milicia Nacional y la extensión de la rebelión carlista vuelve a poner en boga el himno guerrero y el canto de marcha; con motivo de las ceremonias en las que toman parte los milicianos urbanos, se recitan numerosos poemas de circunstancias, obras de versificadores de mayor o menor inspiración, que los periódicos se apresuran en publicar. El *Correo de las damas, periódico de modas, bellas artes, amena literatura, música, teatro, etc.*, ofrece en general en sus páginas, (entre julio de 1833 y diciembre de 1835), composiciones en verso que muy bien podrían haber sido escritas medio siglo antes; tan sólo en dos ocasiones, durante el segundo trimestre de 1834, aparecen himnos patrióticos anónimos: *Himno para cantar al piano* (n.º 42, 20 de marzo), *Himno a la Milicia Urbana de Isabel II compuesto por un individuo del Cuerpo* (n.º 49, 25 de abril). Pero cuando el 7 de enero de 1835 se reanuda su publicación, interrumpida el 30 de abril de 1834, a partir de entonces el *Correo de las damas* no inserta ya sino sáficos-adónicos, anacreónticas, cantilenas, romances amatorios, plegarias, letrillas y demás poesías de divertimento. A la par que permite a su clientela seguir de cerca la evolución en la moda indumentaria, los redactores [41] se esfuerzan por

41. El *Correo de las damas* lo dirigía un tal Ángel Lavagna. Larra entregó a esta publicación algunos "rehiletes" y crónicas teatrales; dejó de colaborar en ella a partir del 9 de diciembre de

mantener la vertiente literaria de la revista al margen de los "excesos románticos". Durante su primer semestre de existencia (de julio a diciembre de 1833), el *Correo de las damas* publica relatos históricos, cuentos fantásticos: *Ya era tarde, historia romántica del siglo XIII* (n.º 10, 4 de sept.); *Una aparición* (traducido del inglés; n.º 12, 18 de sept.); *El castillo de Dunstán, crónica escocesa* (n.º 22, 20 de nov.); *El vaso etrusco*, traducción anónima y no confesada de un fragmento de la novela corta de Mérimée (n.º 22, 27 de nov.). En el n.º 20 (del 13 de nov.) aparece publicado *La ilusión, rasgo romántico*, con la firma "A.R.", en donde se narra en tono humorístico la decepción de un joven que trepa una noche hasta el balcón de su amada y recibe una esquela amorosa, pero escrita por la doncella de la dama. Luego, en 1834 y 1835, el *Correo de las damas* se muestra resueltamente hostil a todo lo que lleva, con razón o sin ella, el sello de "romántico". Un tal "M.G." publicó (n.º 46, año segundo, 10 de abril de 1834) un relato titulado *El Romántico*: es la historia de Adolfo, estudiante parisiense que devora los libros de Hugo, Arlincourt y Walter Scott «y concluye por ser un inteligente apreciador de la literatura romántica». Su héroe favorito es Hernani; va a Génova, rapta a una joven a la que tienen encerrada en su habitación y se la lleva consigo en una barca; el barquero prorrumpe en risa, ya que la elegida de Adolfo es una pobre loca; el estudiante la devuelve a casa de sus padres, y «la vergüenza de este desengaño le corrigió de su romanticismo». En el n.º 20 (año tercero, 28 de mayo de 1835), un cronista (probablemente Segovia) vapulea con despreciativa condescendencia el drama de Pacheco, *Alfredo*; en el número siguiente (7 de junio) salen publicadas las *Lecciones de poesía romántica*. La novela contemporánea aparece definida como «un tejido interminable de acontecimientos horrorosos aglomerados uno sobre otro con la mayor confusión posible»; el autor de las *Waverley Novels* no se ve excluido de esta condena global:

> Vaya, donde hay una novela de Walter Scott, calle todo el mundo. Verdad es que las hay muy pesadas, muy monótonas y que nada dicen bueno ni nuevo; pero el nombre del autor las recomienda y esto basta y basta de tal modo que he visto yo mismo en una tertulia elogiar mucho *El Ivanhoe* [*sic*] a quien me constaba que no lo había leído.

En fin, aprovechando la reseña de tal o cual obra de teatro, el *Correo de las damas*, a través de Segovia, no pierde la menor oportunidad de burlarse de *El Artista* y de sus colaboradores (a pesar de algunos elogios envenenados o de doble sentido), de la inmoralidad del drama moderno y sobre todo de «una cosa que ha dado en llamarse romanticismo» (n.º 22 y n.º 23, año tercero, 14 y 21 de junio de 1835).

El *Correo de las damas* iba destinado a una clientela acomodada, puesto que

---

1833, tal como indica un comunicado con esta fecha incluido en el n.º 24 (véase I. Sánchez Estevan, *M. J. de Larra...*, Madrid, 1934, pp. 82-83). Segovia, a su vez, abandonó la revista después de su reaparición en 1835: una nota publicada el 7 de agosto en el n.º 29 (año 3.º) da cuenta de su dimisión. Había entregado al *Correo de las damas* poemas y reseñas de espectáculos. El poeta que firma con su nombre o iniciales un mayor número de piezas es Juan José Fuentes. El ejemplar del *Correo de las damas* que se conserva en la BNM presenta abundantes mutilaciones.

su principal objeto era el de publicar figurines e informaciones de moda. Resulta lógico pensar que dicha clientela se reclutaba entre las categorías sociales que frecuentaban los teatros y leían novelas, y es posible que las pullas de la revista contra los autores y los géneros en boga contribuyeran a la larga a su desaparición, en lugar de conseguir apartar a los lectores de obras que eran calificadas de monstruosas e inmorales. Sea como fuere, a pesar de ser una revista de modas, el *Correo de las damas* fue durante la primera parte de su existencia (de julio de 1833 a mayo de 1834) el único semanario publicado en Madrid que concedía notoria importancia a la literatura. Por eso es por lo que nos interesa, ya que aporta un testimonio importante. En efecto, si bien la revista da muestras de una creciente hostilidad hacia el romanticismo, sus ataques se dirigen exclusivamente a las novelas y al teatro; ni *El moro expósito*, ni las *Poesías* de Salas y Quiroga son objeto de una sola reseña, ni siquiera de la menor alusión. Tal indiferencia respecto a la nueva poesía parece confirmar dos hechos: que ésta era leída sólo por algunos iniciados, y que, de todas formas, no era moralmente peligrosa, puesto que el *Correo de las damas* no consideró necesario entablar combate en este terreno.

Así pues, en Madrid, para los lectores de periódicos o de este único semanario, la poesía seguía siendo ante todo, o la letrilla, o la composición anacreóntica, de amable divertimento, juego de salón, pura retórica. Sin querer atribuir al *Correo de las damas* una importancia desmesurada, observamos que prosigue su carrera de julio de 1833 a abril de 1834, y luego a lo largo del año 1835, en una época en que las tentativas de creación de publicaciones literarias y artísticas fracasan o se demoran. En abril de 1833, Ventura de la Vega había proyectado fundar una revista de bellas letras que proponía denominar *Vergel romántico*; le fue denegada la autorización ministerial por falta de la información necesaria, pero tampoco renovó su demanda. El 30 de diciembre siguiente, el editor Tomás Jordán solicitó el permiso para publicar, en colaboración con un «alumbrado académico español», una revista de literatura y economía titulada *Almacén madrileño*; proponía que el censor fuese Martínez de la Rosa, Gallego, Arriaza o Estébanez Calderón; el 6 de febrero de 1834, se dio carpetazo al expediente, a petición del interesado que había renunciado a la empresa, si bien parecía contar con sólidos apoyos[42]. Por último, aunque provistos de la autorización oficial y pese a haber difundido ya en junio de 1834 el prospecto de *El Artista*, Eugenio de Ochoa y Federico de Madrazo tuvieron que esperar hasta enero de 1835 para lanzar el primer número de la revista[43] que intentará, a lo largo de dieciséis meses, hacer triunfar, pese a todo, "el romanticismo tradicional".

42. Los documentos referentes a estos dos proyectos se encuentran en el AHN, Consejos, leg. 11344.

43. En una petición elevada a la reina el 17 de junio de 1834, Ochoa y Madrazo solicitaban el permiso para publicar «un periódico semanal intitulado *El Artista*, cuyo objeto no será otro que el de popularizar, si les es posible, entre los españoles la afición a las Bellas Artes, para lo cual contendrán todos sus números retratos y biografías de hombres célebres, como también descripciones de monumentos y trozos de amena literatura.» Este documento ha sido publicado *in extenso*, sin indicar su procedencia, por J. López Núñez en el capítulo "La primera revista ilustrada de España" de su libro *Románticos y bohemios*, Madrid, 1929, pp. 38-39. La aparición de esta revista se anunció como próxima el 7 de junio en la *Gaceta de los tribunales*; el 26, la *Gaceta de Madrid* informaba a sus lectores de que el n.º 1 se pondría a la venta el primer domin-

go de julio, es decir el día 6. Pero el 5 de julio la *Gaceta* incluyó un comunicado en que se explicaba que los editores de *El Artista* habían decidido suspender provisionalmente la publicación a causa de las dificultades de distribución ocasionadas por las medidas sanitarias contra el cólera. El primer prospecto de la revista tuvo que ponerse en circulación hacia el mes de junio. Hemos encontrado un ejemplar en cuyo dorso se ha copiado el texto de una minuta conservada en un expediente que se refiere a la presencia de Balbino Cortés y José Galindo entre los milicianos nacionales que habían irrumpido en el convento de Atocha el 18 de julio de 1834 (AVM, Corregimiento, 1-26-64). El texto de este impreso es idéntico al del que se encuentra al frente de la colección encuadernada de *El Artista* en la BNM. Tan sólo difieren en la primera frase: «Saldrá este periódico el 6 del próximo mes de julio» se convierte en «Saldrá este periódico el domingo 4 de enero de 1835».

Capítulo XII

LA REVISTA *EL ARTISTA*: DEFENSA E ILUSTRACIÓN DEL "ROMANTICISMO TRADICIONAL"

EL ARTISTA Y *L'ARTISTE* DE PARÍS: IMITACIONES Y PLAGIOS

Deslumbrados por la brillantez de la vida intelectual en París, en donde habían residido un tiempo y se habían puesto en contacto con escritores, pintores, y personajes importantes del mundo de las letras y las artes, dos jóvenes de apenas veinte años, Eugenio de Ochoa y Federico de Madrazo, se propusieron a partir de 1834, según indica el prospecto de su revista,

> hacer populares entre los españoles los nombres de muchos grandes genios, gloria de nuestra patria, que sólo son conocidos por un corto número de personas y por los artistas extranjeros que con harta frecuencia se engalanan con sus despojos[44].

Resulta curioso observar cómo los colaboradores de *El Artista* no dudaron en hacer lo que reprochaban a algunos extranjeros. En la revista madrileña nunca aparece mención alguna de su primogénita francesa *L'Artiste*, que Achille Ricourt había empezado a publicar en París el 1.º de febrero de 1831 y que dirigió hasta abril de 1838. Y ello, por una razón muy evidente: Ochoa y Madrazo, no satisfechos con copiar el nombre, imitaron incluso la presentación material de aquélla: el formato, la tipografía y la letra gótica utilizada en algunos titulares[45].

44. Véase el texto de este prospecto en el índice de la revista elaborado por J. Simón Díaz (Madrid, 1946), pp. 133b-134a.

45. Tan sólo varía el número de páginas: veinte por entrega en *L'Artiste*, doce en *El Artista* (excepto el último número, que tenía dieciséis). J. Simón Díaz ha comparado ambas revistas en su artículo "*L'Artiste* de París y *El Artista* de Madrid" (*Revista bibliográfica y documental*, I, 1947, pp. 261-267). Ha detectado, en las ilustraciones, tres plagios de F. de Madrazo y uno de C. L. de Rivera, que justifica (?) «por uno de los frecuentes accidentes que ocasionaban la rotura de los dibujos en la estampación, o por falta de materiales». No ha identificado ninguno de los

En ambas revistas encontramos biografías de escritores y de artistas antiguos o contemporáneos, reseñas de exposiciones de pintura, de espectáculos y libros, así como noticias sobre las letras y las artes. La revista española concede gran importancia en sus columnas a la poesía, mientras que la revista francesa publica sólo excepcionalmente obras en verso, que en la mayoría de los casos aparecen en forma de extensas citas dentro de los artículos dedicados a las publicaciones recientes. Pero tanto en *L'Artiste* como en *El Artista* abundan los cuentos fantásticos.

Estas similitudes se explican por el hecho de que los fundadores de la revista madrileña habían considerado oportuno adoptar una fórmula que ya había sido experimentada en Francia con éxito. Su juventud podría disculpar el servilismo un tanto ingenuo de la imitación, si ésta se limitara simplemente a eso; pero no siempre es así. Por ejemplo, en el n.º 31 de *El Artista* (t. II, [2 de agosto] de 1835, pp. 50-52), Pedro de Madrazo firma con sus iniciales un artículo titulado *Protección debida a las Bellas Artes*, que recoge el denominado con el título: *Influence de la politique sur les arts* publicado en *L'Artiste* (t. V, 1.er sem. de 1833, pp. 301-302), en donde se indica que está traducido de la *British Gallery of Arts*; en el n.º 32 de la revista española (t. II, n.º 32 [9 de agosto] de 1835, pp. 64-67) aparece, firmada con las iniciales "E. de O." (Eugenio de Ochoa), una *Noticia sobre la vida y obras de Henrick Wergeland, poeta noruego* textualmente traducida de un artículo publicado en *L'Artiste* (t. II, 2.º sem. de 1831, pp. 197-199) por V. de Castelpers; el cuento oriental *¡Yadeste!*, seguido de las mismas iniciales "E. de O." (*El Artista*, t. I, nº 7 [15 de febrero] de 1835, pp. 79-81), no es sino la versión española del *Post-scriptum* de la *Physiologie du mariage* de Balzac[46]. Algunos grabados publicados por *L'Artiste* reaparecen en *El Artista* firmados con nombres españoles. El primer tomo de la revista francesa que abarca los meses de febrero a julio de 1831 contiene (pp. 170-171) un artículo de Raulin sobre *Les Intimes* de Michel Raymond, con dos pequeñas ilustraciones de Tony Johannot. Éstas figuran en *El Artista*, la primera con el pie *¡Adiós!* (t. II, n.º 33 [16 de agosto] de 1835), y la segunda titulada *La Pesadilla* (t. III, n.º 58 [7 de febrero] de 1836), firmadas ambas por Federico de Madrazo. Otro grabado, anónimo en *L'Artiste* (tomo IV, 1.er sem. de 1832, p. 169), aparece reproducido en *El Artista* (t. III, nº 57 [31 de enero] de 1836) con el título de *Un capricho* y aderezado con detalles adicionales: no va firmado pero tampoco acompañado de ninguna indicación de origen. Y todavía hay más: el grabado del que Madrazo se atribuye la paternidad en *El Artista* (t. II, nº 43 [25 de oct.] de 1835) y que titula *Lo que ha sido y lo que es* está sacado de una plancha de bosquejos de Eugène Lami litogra-

---

textos literarios traducidos en *L'Artiste* que no llevan indicada su procedencia. Destaca que en la revista francesa «falta ... el espíritu satírico reflejado en *El Pastor Clasiquino* y *¡Ah, ingrata Filis*» de Madrazo, y lo cierto es que el primer grabado también es un "préstamo" de *L'Artiste*. Deseoso ante todo de justificar la originalidad de *El Artista*, Simón Díaz no ha llevado a cabo la confrontación sistemática que el título de su artículo nos hacía esperar, y que convendría realizar de forma más seria. Aportamos aquí algunos elementos nuevos para este estudio.

46. Este texto apareció de nuevo en el n.º 21, [24 de septiembre de] 1837, pp. 4-6, de la revista *No me olvides*, firmado con las mismas iniciales, pero acompañado esta vez de la siguiente nota: «Véase *Fisiología del matrimonio*, tomo 2.» Podemos encontrarlo en el índice de *No me olvides* elaborado por Pablo Cabañas (Madrid, 1946), n.º 177, pp. 84a-86a.

fiada por Frey y publicada en el tomo IX de *L'Artiste* (1er sem. de 1835, p. 24); Madrazo se ha limitado a añadir algunos pormenores y ha vestido con una levita al pintor moderno que figura en él. Por último —volveremos a hablar de ello más adelante— también el grabado que ilustra el artículo de Espronceda *El Pastor Clasiquino* en *El Artista* no es sino plagio: el anciano está sacado de un dibujo de F. Grenier litografiado por Frey y titulado: *Voilà comme j'étais hier, voilà comme je serai demain*, reproducido en *L'Artiste* (t. VII, 1.er sem. de 1834, p. 68); Madrazo se conformó con introducir leves modificaciones. Por último, Carlos Luis de Rivera se atribuye en *El Artista* (t. I, n.º 6 [8 de febrero] de 1835, p. 72) la paternidad del grabado *Calaveradas de muchacho* que podemos ver en *L'Artiste* (t. II, 2.º sem. de 1831, p. 258). También abundan en *El Artista* las viñetas y finales de capítulo sacados de la revista parisiense; además Tony Johannot parece haber sido a menudo fuente de inspiración en algunas composiciones de jóvenes artistas españoles. Los plagios de Federico de Madrazo —de los que Simón Díaz da una explicación desatinada[47]— son tanto más inexcusables cuanto que los retratos que hizo para ilustrar ciertas biografías de españoles célebres son de gran calidad y demuestran que su autor no carecía de talento.

No obstante, pese a todo lo que *El Artista* debe a la revista fundada por Achile Ricourt, las separan varias diferencias fundamentales. Por un lado, la revista francesa sale a la luz en febrero de 1831, cuando ya han finalizado los grandes debates en torno al romanticismo y éste ha triunfado; no se trata pues del órgano de una escuela literaria. Por otro lado, los colaboradores de la revista son todos de mayor edad que sus imitadores españoles (Louis Boulanger, nacido en 1806 y Jules Janin, nacido en 1804, son los benjamines del equipo); algunos de ellos han logrado una sólida reputación en el mundo de las letras y las artes, como Antoine Delécluze, Joseph Fiévée, el músico Fétis y Adrien Jal, y no todos habían defendido anteriormente las mismas posturas. Firman artículos cuyo objetivo es el de informar al público, no el de reavivar querellas ni defender una causa. Entre los autores de grabados o dibujos, se encuentran los hermanos Deveria y los hermanos Johannot, pero también Charlet, Eugène Lami y Henry Monnier. Desde luego, el prospecto de *El Artista* y la *Introducción* de Ochoa que abre el primer número no contienen ninguna expresión agresiva, y su tono es muy moderado: la revista va dirigida a quienes piensan que el materialismo de la sociedad moderna no ha matado el arte ni la poesía, y se propone demostrar que, también en estos ámbitos, España está tan adelantada como los demás países[48]. Así se explica la cuasi unanimidad con la que la prensa madrileña acogió la aparición de la revista. Las críticas más elogiosas sobre el primer número fueron las de *El Observador* (7 de enero de 1835) y de *La Abeja* (11 de enero). Ésta publicó dos meses más tarde —el 7 de marzo— un nuevo artículo, firmado con la inicial de Bretón, alabando una vez más *El Artista*; en él, el autor citaba unos versos de Ochoa —quien además iba a colaborar pronto en el periódico— y esperaba que menu-

47. Véase *supra*, nota 45.
48. El texto de esta "Introducción" escrita por E. de Ochoa aparece reproducido en el citado índice de la revista, n.º 272, pp. 118a-119a.

dearan más los retratos de españoles célebres. Fuera de esto, ni el menor ataque, ni el más mínimo comentario irónico.

"Clasiquistas" y "románticos": *El pastor clasiquino* de Espronceda

Pero pronto, a diferencia de *L'Artiste*, *El Artista* se definió como una revista militante. No resulta sorprendente cuando conocemos los gustos de Ochoa cuyo testimonio encontramos en la carta que escribió desde Madrid, el 26 de julio de 1834, al conde de Campo Alange, a la sazón en Sevilla. En ella comunica a su amigo la reciente publicación de las *Paroles d'un croyant* de Lamennais «que se ha prohibido en todas partes y que, según se explican los periodistas, es una tea destinada a efectuar una completa disolución social si no se pone algún remedio violento», y le anuncia la próxima edición de obras «que nuestro admirable Víctor Hugo ... tiene anunciadas hace tanto tiempo; y ésas sí sería un pecado mortal en una persona de dinero no hacerlas venir inmediatamente para recreo propio y de los amigos». También le habla del drama de Dumas, *Catherine Howard* «que ha metido mucho ruido», de la edición de las obras de Scribe ilustradas por los hermanos Johannot, y le anuncia que espera recibir pronto «la colección de cuentos fantásticos y nocturnos de Hoffman». En esta carta se mencionan también los *Anales de la Corona de Aragón* de Jerónimo de Zurita, los *Anales de Madrid* de León Pinelo, *A la muy antigua, noble y coronada villa de Madrid*... de Jerónimo de Quintana, *Hijos de Madrid ilustres*... de José Antonio Álvarez de Baena, y el *Para todos* de Montalbán[49]. Este gusto por la tradición nacional y esta admiración por los escritores franceses contemporáneos se reflejan claramente en los artículos que Ochoa publica en *El Artista*. En ellos denuncia con fuerza el carácter rutinario, causa «de que tengamos braseros, calesines, horrible empedrado y no bueno teatro, ni medianas fondas, ni posadas habitables[50]»; sin embargo, escribe un largo artículo para felicitar al *Correo de las damas* por su campaña contra «el antipatriótico uso de los sombreros mujeriles» importados de París, y para sumarse a la defensa de la mantilla, cuya desaparición le produce «un sentimiento de amarga humillación», convirtiéndolo en un asunto de «decoro nacional»[51]. El objetivo principal de Eugenio de Ochoa y sus jóvenes amigos es el de hacer revivir o salvaguardar la herencia del pasado, esforzándose a la vez por devolver su brillantez a las letras españolas inspirándose del ejemplo del país vecino. Con alguna diferencia de matiz, los colaboradores de *El Artista* dan muestras de moderación en la exposición de sus ideas y se mantienen siempre dentro de los límites de la mesura y la cortesía. Subrayan con frecuencia su deseo de no conformarse con definiciones imprecisas en materia de teatro o poesía, y de desterrar cualquier fanatismo de escuela. En su reseña acerca de la traducción, por García de Villal-

49. Condesa de Campo Alange, "Carta de don Eugenio de Ochoa...", *Correo erudito*, IV (29) [1946], pp. 18-21.
50. E[ugenio] de O[choa], "De la rutina", *El Artista*, I, 11, 15 de marzo de 1835, pp. 123-124. Se pueden encontrar varios fragmentos comentados de este artículo en D. A. Randolph, *E. de Ochoa y el romanticismo español*, Berkeley, 1966, pp. 15-28.
51. *Id.*, "Modas", *ibid.*, II, [38, 2 de agosto de] 1835, pp. 59-60. Índice citado, n.º 290, pp. 123 b-124.

ta, del *Dernier jour d'un condamné*, Campo Alange define en estos términos la postura de la revista:

> Donde hallemos lo bueno allí estará nuestra bandera. Con igual empeño rechazaremos las ridículas exigencias de algunos que se llaman a sí mismos retóricos, que el desenfreno de los que, burlándose de todas las trabas, creen que no conviene aprender las reglas sino para hacer lo contrario de lo que ellas prescriben[52].

Más adelante, toma partido por los dramas de Hugo y de Dumas a los que acababa de atacar *El Eco del Comercio*, que los acusaba de ser escuela del crimen, de la inmoralidad y de ideas contrarias al equilibrio social. Según escribe Campo Alange, aun cuando es cierto que el drama todavía no ha alcanzado en Francia su más alto grado de perfección, es muy superior a las frías tragedias de la época imperial a las que salvaba únicamente el talento de Talma. No obstante, añade acto seguido que los partidarios españoles de la nueva escuela distan mucho de aprobar todos estos dramas sin reservas ni análisis, sino que por el contrario se apresuran en reconocer el carácter "monstruoso" de algunos de ellos. ¿En dónde está la intolerancia?, pregunta Campo Alange. ¿Por parte nuestra, que junto a Víctor Hugo reconocemos el talento de Racine al igual que el de Shakespeare, o del lado de los «clasiquistas» que condenan sin remisión a Shakespeare, Byron y Hugo, en quienes no ven sino inmoralidad, indecencia, gérmenes de anarquía social, mal gusto y desprecio por la gramática? Tras subrayar el carácter irreversible de la evolución del teatro, concluye diciendo: «Por lo tanto, lejos de combatir una reacción necesaria irresistible, creemos que todos los hombres de talento deberían ponerse al frente de ella para dirigirla y moderarla[53].»

En su *Examen del «Don Álvaro o la fuerza del sino»*, enviado desde Sevilla a la revista, el cuñado del duque de Rivas, Leopoldo Augusto de Cueto, que habla en nombre de los «hijos del siglo XIX», hace la siguiente puntualización:

> no queremos ... pertenecer al número de aquellos exagerados románticos que miran el solo nombre de *clasicismo* como el sello de la desaprobación, y que aseguran sin rebozo que cuanto hay anterior a esta reciente secta, o es indigno de ser leído, o lo escribieron románticamente sus autores sin haber caído en ello. Nosotros, menos exaltados, aunque profesamos el espíritu de esta escuela como el camino más franco para que campee libre la imaginación, no nos atrevemos a proclamarlo un género exclusivo, un tipo absoluto de la perfección. Antes bien, le encontramos algunos defectos, porque, a decir verdad, ¿qué humana invención podrá creerse totalmente inmune de defectos?

Prescribir la obediencia o desobediencia a las reglas sería obrar como doctrinario y despojar de toda libertad al escritor. De ahí esta sensata definición:

> El romanticismo es el libre albedrío de los literatos; establecer reglas es vulnerarlo. En este siglo, en que es permitido examinar las doctrinas antes de admitirlas,

52. C[ampo] A[lange], "*El último día de un reo de muerte* por Víctor Hugo", *ibid.*, I [4, 25 de enero de] 1835, p. 40.

53. *Id.*, "Del drama moderno en Francia", *ibid.*, I, [8, 22 de febrero de] 1835, pp. 95-96. Índice citado, pp. 101a-102b.

y en que no se adoptan ciegamente rutinas arbitrarias, crear preceptos *infalibles* de que exclusivamente deba echar mano es prohibir al genio la facultad de analizar que el progreso de las luces le concede, es esclavizar los talentos nuevos al capricho de los que nacieron antes[54].

En la tercera entrega de *El Artista*, Ochoa publicó un artículo titulado *Un romántico*[55] en el que resplandece todo el entusiasmo de sus veinte años. Con una grandilocuencia y un énfasis teñidos de cierta ingenuidad, declara que es una exageración identificar romántico con herético, y considerar secuaces del Anticristo a los partidarios de esta escuela cuyos verdaderos apóstoles son Homero, Dante y Calderón. Pese a los ataques de que ha sido objeto, el romanticismo ha sobrevivido valerosamente; quienes lo han profesado han anunciado al mundo la emancipación de la inteligencia humana, y han mantenido alta la frente aureolada con la palma del martirio «en medio de los discordes graznidos del campamento contrario». A estos adversarios irreductibles Ochoa los denomina «clasiquistas». El «clasiquista» —según explica éste— puede poseer todas las cualidades humanas, todas las virtudes familiares y también cierta cultura, pero no por ello deja de ser «intolerante, testarudo y atrabiliario». ¿Qué se entiende con este término: Admirador de obras clásicas? ¿Hombre con estudios? Pero estas dos definiciones podrían aplicarse igualmente a los jóvenes románticos. No, el «clasiquista» es un hombre rutinario para quien todo está dicho desde Aristóteles; alguien que no cree en el progreso de las artes y de la inteligencia, y que considera que desde la época de Augusto nada nuevo se ha dicho ni podría decirse. De ahí que desprecie al género humano y sienta indiferencia ante el mundo. El grabado de Madrazo que ilustra el artículo representa a un joven, de aspecto serio y meditabundo, con una frente a lo Hugo, vestido sin extravagancias y rodeado de libros en el lomo de los cuales podemos leer *Crónicas*, *Biblia*, Zurita: *Anales, Historia*, y que efectivamente nada tiene de Anticristo ni de herético. Texto e ilustración se aúnan para dar del "romántico" la imagen simpática de un joven

cuya alma llena de brillantes ilusiones quisiera ver reproducidos en nuestro siglo las santas creencias, las virtudes, la poesía de los tiempos caballerescos; cuya imaginación se entusiasma, más que con las hazañas de los griegos, con las proezas de los antiguos españoles; que prefiere Jimena a Dido, el Cid a Eneas, Calderón a Voltaire y Cervantes a Boileau; para quien las cristianas catedrales encierran más poesía que los templos del paganismo; para quien los hombres del siglo XIX no son menos capaces de sentir pasiones que los del tiempo de Aristóteles...

Con el deseo de dejar bien clara su postura, Ochoa, en un nuevo artículo titulado *Literatura* y publicado poco después, justificó la denominación de «clasiquistas» aplicada a los adversarios del romanticismo. Los contemporáneos que son opuestos a las nuevas tendencias de la literatura no tienen derecho a llamarse «clásicos», ya que dicho adjetivo sólo puede aplicarse a los escritores unánime-

54. *Ibid.*, III, [60 y 61, 21 y 28 de febrero de] 1836, pp. 106-108 y 110-114. Índice citado, pp. 55b-61a.
55. *Ibid.*, I, [3, 18 de enero de] 1835, p. 36. Índice citado, pp. 130b-131.

mente considerados grandes, sea cual fuere la forma y el contenido de su obra; en efecto, «clásico» —escribe Ochoa— es sinónimo de «bueno», y concluye:

> Por esta razón nunca llamaremos *clásicos* a los que componen el partido literario que se da a sí mismo esta denominación, y como esto no obstante, tenemos que llamarles de algún modo, puesto que existen, y hablan y escriben, como las personas, tendremos, con harto dolor de nuestro corazón, que llamarlos *clasiquistas*[56].

En la crítica de la comedia de Bretón *Todo es farsa en este mundo*, un cronista anónimo muestra idéntica preocupación por disipar cualquier equívoco en torno a los términos empleados; en efecto, la mayor parte del artículo está dedicada a dar aclaraciones sobre el personaje de don Faustino: éste «a quien llaman *Romántico* en la comedia, no es *Romántico*: D. Faustino es un tonto de capirote; es lo que se llama un buen castellano, un solemne majadero». Y para que los espectadores no se confundan a este respecto, añade:

> Hubiéramos deseado que el autor hubiera insistido más en probar que D. Faustino, con su voz sepulcral, su cabello a la Perinet-Leclercq y sus endecasílabos cavernosos, no es más que un pobre mentecato ... Inútil será decir que hay mucha diferencia entre un individuo de esta calaña, y lo que la razón y el sano juicio entienden por un *Romántico*[57].

En su artículo *Un romántico*, a fin de que sus lectores no acusaran a la revista de falta de objetividad, Ochoa les anunciaba que pronto les ofrecería el retrato de «el bello ideal de la especie clasiquista». Este retrato lo configura *El Pastor Clasiquino* de Espronceda, también ilustrado con un grabado. Los dos textos se complementan y aclaran recíprocamente: el primero es de contenido positivo, el segundo de contenido negativo y de tono satírico. Resultaba tentador poner un nombre al pie del retrato de Clasiquino, patronímico formado burlonamente a partir de «clasiquista». En la aduladora palinodia que constituye su discurso de ingreso en la Academia Española pronunciado unos años más tarde, Ventura de la Vega, tras ensalzar a Lista y burlarse —sin nombrarlos— de sus amigos Espronceda y Ochoa, decía entre otras cosas:

> Aparecían caricaturas en que se representaba a Meléndez, al restaurador de la poesía castellana, con peluca de bolsa, sombrero tricornio, zurrón y cayado, apacentando ovejas en el ejido y con este rótulo debajo: *El Pastor Clasiquino*[58].

56. *Ibid.*, I, [8, 22 de febrero de] 1835, p. 87.

57. [Anónimo], "Todo es farsa en este mundo", *ibid.*, I, 20, 17 de mayo de 1835, p. 240 (índice citado, p. 141). Algunos meses después, en la crónica del estreno de *Me voy de Madrid*, del mismo Bretón, Ochoa le reprocharía «su empeño, poco acertado, a nuestro parecer, de hacer a todo evento la caricatura del romanticismo, entendido sabe Dios cómo.» (*Ibid.*, II, 52, 27 de diciembre de 1835, p. 311; índice citado, p. 130a).

58. "Discurso que leyó D. Ventura de la Vega...", *Memorias de la Academia Española*, I (II), 1870, p. 10. Al final del discurso figura la fecha: 3 de febrero de 1842. Firmado con las iniciales «J. de E.», *El Pastor Clasiquino* se publicó en *El Artista*, I, [21, 24 de mayo de] 1835, pp. 251-252 (índice citado, p. 66). Este texto se reprodujo por vez primera en G. Le Gentil, *Les Revues littéraires...*, París, 1909, pp. 46-47.

Basta una simple ojeada al grabado que ilustra el texto para cerciorarse de lo inexacto de esta descripción. Físicamente, Clasiquino no se parece en nada a Meléndez Valdés. No podría ser de otro modo, dado que Madrazo se limitó a reproducir un personaje sacado de un dibujo de F. Grenier publicado en *L'Artiste*, según hemos tenido oportunidad de señalar anteriormente. Si el grabador eligió dicha figura, cabe pensar que era porque le pareció que correspondía al personaje descrito por Espronceda. Su manera de vestir no es de última moda (ésta consistía en llevar el pantalón que iba ensanchándose a partir de la rodilla y el frac ceñido en la cintura), sino que se remonta a lo sumo a 1825, época del sombrero ajustado que se convertirá en chistera; el anciano de Grenier no se apoya en un cayado, sino en un bastón. Del bolsillo de su levita que cuelga hasta el suelo, sobresale un libro —que no está en el dibujo original— en el lomo del cual podemos leer el nombre de Moratín: ¿acaso una alusión al género moratiniano continuado por Bretón? Junto a la silla en la cual aparece sentado, cabizbajo y ensimismado en sus reflexiones, vemos tres ovejas al pie de un peñasco, a la derecha del cual están inscritos los nombres consagrados de los personajes de égloga: Melibeo, Menalca, Clori, Coridón, Anfriso y —poco legible— el de Lira (o Lisa). Puede que el grabador quisiera escribir Elisa. Anfriso nos lleva a pensar en el seudónimo poético del maestro de San Mateo, seudónimo que también era el de Juan Bautista Alonso (cuyo volumen de poesías había sido objeto poco antes de una fría acogida, excepto por parte de Bretón que le había dedicado un artículo elogioso en *La Abeja* del 18 de febrero de 1835).

A primera vista, la identificación de Clasiquino con Meléndez Valdés puede justificarse por los tres versos de este último que aparecen citados:

> Pajiza choza mía,
> ni yo te dejaría
> si toda una ciudad me fuera dada [59].

Sin embargo, el primer reproche que se le hace a Clasiquino es que, en el mundo artificial en el cual se refugia, no piensa en la guerra de Navarra, es decir en la guerra carlista. Semejante crítica sólo podía ir dirigida a un contemporáneo, no a Meléndez Valdés, muerto en 1817. ¿Pero a quién podía referirse? Nuestro hombre pretende un empleo en el ministerio de Hacienda. La alusión a Jovellanos nos remonta a la época de la ocupación francesa en la cual, entre los altos funcionarios, hallamos a muchos futuros «clasiquistas»: Hermosilla, jefe de división en el ministerio de la Policía; Calleja, administrador de las rentas provinciales en Uceda; Javier de Burgos, subprefecto de Almería; Miñano y Lista, al servicio de Soult en Sevilla; Moratín, bibliotecario de José Bonaparte; Meléndez Valdés, consejero de Estado [60]. Entre ellos están el director y dos de los profesores del Colegio de San Mateo: Lista, Calleja y Hermosilla.

Este último es quien nos parece haber proporcionado más rasgos a Espronceda. En efecto, Clasiquino es un consumado helenista, y Hermosilla había publica-

59. Son versos de la égloga "Paced, mansas ovejas", premiada en 1780 por la Academia española (BAE, t. LXIII, p. 176a).
60. AGP, Papeles reservados de Fernando VII, t. 10.

do en 1831 una traducción de *La Ilíada* de estilo rigurosamente neoclásico; ya diez años antes Lista decía refiriéndose a él: «Es el mejor helenista de España[61].» Clasiquino sabe expresarse en prosa y en verso: Hermosilla había publicado en 1826 su *Arte de hablar en prosa y verso*, pedantesco tratado escolar de retórica cuyo título imita con gracia Espronceda subrayando la alusión con cursivas. Por último, Hermosilla tenía fama de ser de carácter poco amable y de tono cortante, al igual que Clasiquino cuando condena irremisiblemente «esa caterva de poetas noveles» porque desconocen la figura denominada onomatopeya. Pero Hermosilla no era poeta, al contrario que Clasiquino. Habría que pensar entonces también en Lista y sus numerosos idilios, églogas y anacreónticas, imitadas a veces de Gessner. El principio según el cual la naturaleza sólo podía incluirse en la literatura una vez embellecida, si bien nunca aparece afirmado en términos tan perentorios por Lista, puede desprenderse empero de sus escritos. Finalmente, la descripción física de Clasiquino se reduce a dos rasgos que con toda probabilidad pueden atribuirse al antiguo profesor del Colegio de San Mateo: lleva gafas (aunque no en el grabado) que caen sobre una nariz grande. La caricatura de Espronceda constituye lo que hoy denominaríamos "retrato-robot" del clasiquista, obtenido a partir de diversos elementos. El ataque no va dirigido a una determinada personalidad en particular; no se ataca a Meléndez Valdés, sino a sus epígonos rezagados que perpetúan una literatura anacrónica.

Mientras que Ochoa adopta en *Un romántico* un tono serio y se expresa con un énfasis que raya a veces lo ridículo, Espronceda en cambio evita las frases rimbombantes. Desde las primeras palabras, sitúa a su personaje en un paisaje bucólico, utilizando de forma sistemática el vocabulario obligado del género: «el pastor ... sencillo y cándido», «ingrata Clori», «valle pacífico», «arroyuelo cristalino», «manso rebaño». El rebaño se convierte en el símbolo de las preocupaciones del pastor Clasiquino, que se refugia en una soledad artificialmente recreada. Espronceda da la palabra a Clasiquino a fin de mostrárnoslo en pos de su mundo ideal y ficticio; le atribuye dos metáforas elegidas por su grandilocuencia, y subraya el carácter obsoleto de las mismas dando su traducción entre paréntesis: «*la máquina preñada* (es decir, el cañón) y el *sonoro tubo* (la trompeta).» Luego, pone en boca de Clasiquino tres versos sacados de Meléndez Valdés. Dichos versos y el género al que pertenecen son condenados por Espronceda en la medida en que su contenido le permite subrayar la contradicción entre un anhelo —el deseo de vivir en una choza apartada, lejos de la ciudad— y la prosaica realidad. Acto seguido, en tono familiar («Y era lo bueno que...») aparece presentada dicha realidad: el hombre vive en Madrid y postula un empleo en la administración de Hacienda; su Cloris es un ama de llaves huraña y gruñona; y como en los mejores tiempos de la Escuela de Salamanca, el ministro es el «mayoral» y su protección se solicita expresando en verso el menosprecio por la agitación de la vida urbana y exaltando el retiro en el campo. Y en cuanto al «pacífico valle», lo que se recorre son los pasillos del ministerio o las alamedas del Prado.

Clasiquino también es un personaje egoísta, encerrado en su mundo creado por entero. Resulta peligroso en la medida en que intenta mantener la ilusión de que ese mundo es el único refugio del sabio, contribuyendo así a apartar a sus

61. Carta a Reinoso del 10 de marzo de 1821, en Juretschke, p. 567.

lectores de los grandes problemas de su tiempo. Clasiquino pone en la balanza el peso de la erudición, respetable pero mal comprendida, la autoridad de Aristóteles, y concluye con estas palabras: «Nada debe ser lo que es, sino lo que debiera ser.» El malentendido entre las dos generaciones radica en el hecho de que los jóvenes escritores pensaban que era inútil querer seguir imitando a los maestros en lugar de crear una literatura que respondiera a las necesidades y aspiraciones de sus contemporáneos. La acusación de inmoralidad que hace Clasiquino es consecuencia de su principio según el cual la naturaleza debe ser embellecida para que pueda ser incluida en la poesía o la prosa. De no ser así, éstas son susceptibles de contaminar al lector, ya que la descripción de los sentimientos sin afeites ni disfraz puede conducir a la apología de la anarquía social. Espronceda nos muestra de forma intencionada a Clasiquino deteniéndose en la censura de cuestiones de detalle, como el que los jóvenes poetas desconozcan las figuras retóricas y no sepan componer ya una égloga según las reglas. En este terreno resulta imposible cualquier acuerdo. Espronceda no pretende discutir (hasta las ovejas del pastor se han quedado dormidas escuchando al maestro), y utiliza un verso de la primera égloga de Garcilaso para decirlo —«de pacer olvidadas escuchando»—, aunque lo sitúa en un contexto muy diferente, con lo cual consigue un efecto cómico (en el poema de Garcilaso, el rebaño se olvida de pacer, arrobado por el canto de su dueño). Por último, asistimos al digno retiro de Clasiquino hacia su «majada», que Espronceda subraya con un juego de palabras alusivo al doble sentido de «borrego»: «tenaz en su empeño de seguir hecho borrego mientras le durare la vida.»

Unos meses más tarde, reaparece el mismo personaje en un grabado de *El Artista*. Esta vez Madrazo lo representa, igual de flaco y desgarbado, franqueando de un salto su balcón por desesperación amorosa —como sugiere el pie maliciosamente sacado de Meléndez Valdés: «¡Ah, ingrata Filis...!»— a la vez que con el impulso ha salido disparada su zapatilla izquierda y su media ha quedado enrollada en torno a su delgada pantorrilla[62].

A la sátira de Espronceda no le faltan el toque pintoresco ni el vigor; está cargada de una ironía despiadada que consigue poner a quienes se ríen de parte del joven poeta. Puede que éste hubiese recordado los términos en los que Alcalá Galiano, en el prólogo de *El moro expósito* de Rivas, había condenado categóricamente a los defensores del neoclasicismo; en él, el autor rinde homenaje a Meléndez Valdés, acepta que se le califique de «restaurador» de la poesía española, pero se niega a reconocerle un gran talento:

> Cuando convertía a Jovellanos en el *Mayoral Jovino*, y él se transformaba en *Batilo el Zagal*, ¿cómo podía escribir a impulsos de una inspiración legítima? ¿Cabe cosa más ridícula que su oda *A Dalmiro* y aquel furor sagrado que se le entra en el pecho y causa que su voz no se ajuste al verso, cuando celebra en versos harto compaseados el mérito de un poeta, que no rayaba un punto más alto de la medianía? En esto vemos un escritor obediente a doctrinas por él respetadas como infalibles

62. Este grabado se publicó en *El Artista*, II, [39, 27 de septiembre de] 1835, p. 156 (índice citado, lám. III). Su leyenda recoge el primer verso de *La paloma de Filis*, de Meléndez Valdés: «Filis, ingrata Filis» (BAE, t. cit., p. 112a).

que, con arreglo a ellas, se inflama cuando y como y hasta el punto que cree deber inflamarse, revistiendo los objetos de aquellos colores de que le está mandado echar mano exclusivamente[63].

Este juicio pone de relieve el academicismo de este tipo de poesía, así como el ridículo en el que cae quien sigue practicándolo. En *El Pastor Clasiquino*, Espronceda desarrolla un punto de vista similar, aunque de forma satírica, a la vez que se sitúa en una perspectiva igualmente histórica. En efecto, se rebela contra aquellos que consideran intangible la concepción de la poesía propia de Meléndez Valdés y que, en 1835, todavía siguen teniéndola como criterio de un gusto absoluto que excluye cualquier tentativa innovadora.

Más negro y amargo que el de Espronceda es el retrato que hizo Larra de don Timoteo, el viejo literato de reputación usurpada[64]. Éste no ha escrito más que una oda a la Continencia, una oda al Huracán y una silva a Filis; forma parte «de los literatos rezagados del siglo pasado»; no lee nada y nunca va al teatro, vive «en contradicción con los usos sociales». En 1833 don Timoteo es respetado y mirado por muchos como un hombre sabio de gusto certero. En 1835, Clasiquino ya no es sino objeto de burla. La concepción del papel del poeta está cambiando: ahora se le considera un ser inspirado, no sólo un hábil artesano de las palabras. Larra presentaba ya esta mutación en *El pobrecito hablador* y hablaba de los deberes del escritor y de las elites en la sociedad nueva: «Il est du tempos où les poètes romantiques assument volontiers la tâche des philosophes des siècles précédents et y ajoutent une note mystique: l'œuvre devient mission et le philosophe devient mage. C'est dans ce sens que le Bachelier se dit poète et investi, comme les poètes, les savants, les hommes de génie, de la "alta misión", de la "obligación sagrada" de "contribuir al bien de la humanidad"[65].» Aunque es un punto de vista que comparten los colaboradores de *El Artista*, no todos ellos llegarán a las mismas conclusiones.

La publicación, a comienzos de 1835, de las poesías de Juan Bautista Alonso, les brindó la oportunidad de plantear el problema en términos claros, en torno a un punto capital de la querella generacional: la artificial Arcadia al estilo de Meléndez Valdés ya no es sino un mundo anacrónico, denunciado como tal por Larra desde finales de 1833 en su reseña del libro de Martínez de la Rosa y, posteriormente, en su artículo referente al volumen de Alonso[66]:

63. Prólogo a la primera edición de *El moro expósito*, en Duque de Rivas, *Romances*, ed. cit., pp. 267-268.

64. "Don Timoteo o el literato", *Revista española*, 30 de julio de 1833; BAE, t. CXXVII, pp. 259-263. El modelo de la caricatura de Larra sería Juan Nicasio Gallego, según C. de Burgos ("*Fígaro*"..., Madrid, 1919, p. 123). Don Timoteo desempeñaba el papel de «clásico» en el diálogo publicado por Bretón en el *Correo literario y mercantil* (13 de abril de 1831) dedicado a la comparación de los méritos de las dos escuelas literarias.

65. («... es del tiempo en el que los poetas románticos asumen de buen grado la tarea de los filósofos de los siglos precedentes y añaden una nota mística: la obra se convierte en misión y el filósofo en mago. Es este sentido el Bachiller se llama poeta y es investido, como los poetas, los sabios, los hombres de talento...»). A. Rumeau, *Mariano José de Larra*..., París, 1949, p. 372. Véanse las entregas VII y IX de *El pobrecito hablador*.

66. *Revista española*, 3 de septiembre de 1833 y 11 de febrero de 1835; BAE, t. CXXVII, pp. 273-274 y 456-457 respectivamente.

Convengamos en que el poeta del año 35, encenagado en esta sociedad envejecida, amalgama de oropeles y de costumbres perdidas, presa él mismo de prisioncillas endebles, saliendo de la fonda o del billar, de la ópera o del sarao, y a la vuelta de esto empeñado en oír desde su bufete el cefirillo suave que juega enamorado y malicioso por entre las hebras de oro o de ébano de Filis, y pintando a lo Gesner la deliciosa vida del otero (invadido por los facciosos) es un ser ridículamente hipócrita o furiosamente atrasado. ¿Qué significa escribir cosas que no cree ni el que las escribe ni el que las lee?

Puesto que todo evoluciona de forma tan lenta en España —escribe "Fígaro"—, ¿por qué iba a evolucionar más aprisa la poesía? Al referirse al libro de Alonso, Ochoa utiliza los mismos argumentos, pero de una forma algo menos categórica. En esta época revuelta —escribe Ochoa— se necesita cierto valor para publicar poesías líricas que son acogidas con general indiferencia; sería deseable hallar en el libro más «sentimientos patrióticos» y «verdades filosóficas», pero no hay que olvidar que hace poco tiempo que los españoles disfrutan por fin de la libertad. El joven director de *El Artista* expresa su admiración por las odas que componen la primera parte del libro, aunque desaprueba las anacreónticas y otras composiciones de divertimento en las que encuentra demasiados «arroyos murmuradores» y «traviesos Cupidillos». Critica a Alonso por haber imitado en exceso a Meléndez Valdés en vez de dar rienda suelta a su imaginación, y resume así su impresión: «Me parece ver al arquitecto Juan de Herrera construyendo casitas de papel pintado.» A esta concepción que considera obsoleta, Ochoa opone su propia concepción de la poesía y de la función del escritor:

Convencido de que él también tiene que desempeñar en la tierra una misión generosa y santa, oye el poeta en el silencio de su gabinete, rugir desencadenadas las tempestades políticas; su corazón se entusiasma a los nombres de patria y libertad: la embriaguez del triunfo le sonríe con todos sus halagos: piensa en las palmas que esperan al vencedor, y entonces, lleno de alegría, trocara la lira por la espada, la soledad por el tumulto de los campamentos y la vida del hombre pacífico por una muerte gloriosa[67].

El Artista y el teatro; Espronceda, cronista dramático

Los colaboradores de *El Artista* nunca tuvieron ocasión de hablar en la revista de un solo libro de poesía que respondiera a sus deseos. En efecto, entre enero de 1835 y abril de 1836 no se publicó en Madrid ningún libro de versos, con excepción del de Juan Bautista Alonso. Pero los estrenos de nuevas obras dramáticas les brindaron la oportunidad de exponer sus ideas acerca del teatro. En su crítica de la tragedia de Gil y Zárate, *Blanca de Borbón*, Ochoa señala que evitaría muy mucho hablar de ella con desprecio como habían hecho, a propósito del drama *Alfredo* de Joaquín Francisco Pacheco, «algunos periodistas clasiquinos» por razones opuestas. Si bien encuentra en la obra buenos pasajes, observa

67. Eugenio de Ochoa, "Poesías de Juan Bautista Alonso", *El Artista*, I, [9, 1.º de marzo de] 1835, pp. 97-99. La publicación de este volumen se anunció en el *Diario de avisos* el 6 de febrero de 1835.

que el autor ha tenido que resolver con inverosimilitudes el desarrollo de la intriga a fin de respetar la unidad de lugar; un drama histórico le hubiera permitido sortear este escollo y mantener el interés de forma más eficaz. Ochoa se niega a rechazar lisa y llanamente la tragedia por el mero hecho de que se trata de una tragedia clásica: «*El Artista* no es un periódico de modas, sino de convicción[68].» En cuanto a Bretón, se le juzga con serenidad: *El Artista* le reconoce un arte incontestable en la pintura de tipos, caracteres y defectos sociales, así como una gran habilidad en la versificación y una *vis comica* sin falla; pero como hemos visto, le reprocha su tendencia constante a caricaturizar el romanticismo, a pesar de igualarle con toda seriedad a Tirso y a Moreto[69]. El drama moderno da lugar a crónicas entusiastas; *Don Álvaro* es objeto de una apasionada defensa en contra de sus detractores que no establecen distinción alguna entre la obra de Rivas y los melodramas de Ducange; es defendida por Campo Alange en el momento de su estreno en Madrid y luego por Leopoldo Augusto de Cueto después de su reposición en Sevilla[70]. La empresa de teatros de la capital difundió un extenso comunicado para anunciar la próxima representación, el 18 de julio de 1835, de *Lucrecia Borgia*, primer drama de Hugo ofrecido a los españoles; al día siguiente, *El Artista* reproducía dicho texto anteponiéndole una nota en la que explicaba que se trataba de una especie de manifiesto cuyo contenido coincidía con las ideas de la redacción[71]. Cabe pensar, pues, que los miembros de ésta aprobaban las observaciones aparecidas en el texto acerca de la evolución del gusto del público: creciente desinterés por el teatro del Siglo de Oro (a pesar de los remozamientos efectuados por los refundidores) y por la comedia clásica de Moratín, y de ahí la necesidad de recurrir al repertorio extranjero. Ochoa y sus amigos no podían sino suscribir la condena del drama lacrimógeno, de la comedia de espectáculo y del melodrama que sucedió a ésta «en los teatros subalternos de París, y que impropiamente se ha denominado *romántico*, porque se aparta, muchas veces gratuitamente, de todas las reglas», y que ha perdido el favor de los espectadores a pesar del éxito obtenido recientemente por *Trente ans ou la vie d'un joueur*. La inestabilidad del gusto se debe a que España está atravesando una época de transición; se impone pues una verdadera evolución de la literatura; «nada puede convenir tanto al severo carácter de las ideas modernas como el drama grave, profundo, filosófico, de la novísima escuela francesa, a cuya cabeza brillan Víctor Hugo y Alejandro Dumas.» Ochoa comparte por entero esta convicción, él que pronto traducirá *Antony* y *Hernani* y además novelas de Dumas, Hugo y George Sand. En su crítica acerca de la representación de *Lucrèce Borgia*, «una creación tan gigante como el genio de Víctor Hugo», observa con amargura que la obra ha suscitado mayor extrañeza que deleite entre los espectadores, aunque no pierde la esperanza de ver triunfar el genio sobre la rutina:

> Cuando nuestro público se familiarice con la poesía grandiosa del género romántico; cuando a la sorpresa y al susto que ahora le causan los dramas de esta natura-

68. Eugenio de Ochoa, "*Blanca de Borbón*, tragedia en cinco actos de don Antonio Gil y Zárate", *ibid.*, I, [25, 21 de junio de] 1835, p. 300. Índice citado, p. 112.
69. Véanse los dos artículos citados *supra*, nota 57.
70. Véanse los artículos citados *supra*, notas 53 y 54.
71. *El Artista*, II, [29,19 de julio de] 1835, pp. 34-35. Índice citado, pp. 106b-108a.

leza suceda en su ánimo la meditación, creemos que le gustará *Lucrecia Borgia* y todas las obras de Víctor Hugo[72].

En las sucesivas crónicas teatrales de *El Artista* reaparecen las mismas constantes: admiración sin reserva por el drama romántico francés, más a menudo proclamada en tono grandilocuente que justificada por medio de argumentos; fe ciega en su próximo triunfo en España, y reivindicación de la total libertad del artista en oposición a las trabas del dogmatismo neoclásico. A este último tema dedicó José Bermúdez de Castro la tercera parte de su breve reseña sobre *Teresa* de Dumas, obra traducida por Vega:

> Déjese a cada autor la libertad de escribir y describir una acción de la manera que la concibe; no se le pongan lazos; no se le encierre en un término prefijo ni se le dé un compás matemático para medir lo que menos sujeto está a medidas, lo que menos se presta a pauta y molde, lo más volandero y fantástico: la imaginación. Libertad literaria como libertad política, por esto ha clamado siempre *El Artista*, y en esta nueva doctrina que se va ya adoptando, su voz ha sido, si no la de más peso, al menos, de las primeras[73].

Muy distinto es el tono de las tres crónicas teatrales que Espronceda publicó en *El Artista*. Su exposición nunca está basada en argumentos de orden general; no se molesta en matizar su opinión cuando la obra de la que habla le ha parecido mala o no ha despertado su interés. Más impresionista que Ochoa o Campo Alange, suele hablar más a menudo en primera persona del singular que en la del plural. Dedica la primera de sus crónicas a la tragedia de Dionisio Solís, *Camila*, y al drama *El ambicioso o la dimisión de un ministro* de Scribe, traducido por Ventura de la Vega[74]. En el preámbulo, Espronceda se alegra por la reanudación de las actividades teatrales al finalizar la Cuaresma y lamenta que todavía no se conozcan los nombres de los cantantes de ópera contratados para la temporada; nos comunica su impaciencia por poder gozar al fin de una de sus distracciones favoritas. Todo ello, para hacernos comprender mejor el aburrimiento que le invade en la representación de *Camila* —obra sobre el tema del *Horace* de Corneille, imitada del italiano— y que describe de modo humorístico:

> Pero, ¡ah!, lo mismo fue alzarse el telón, cuando de los primeros versos subió lentamente, extendiéndose por todo el teatro, un vapor de beleño, adormidera y opio, que, a pesar mío, me postró en una especie de letargo tan profundo, que no desperté de él hasta el quinto acto en que cayó el telón por última vez y se fue disipando la soporífera nube. Conocí que éste era el efecto de las tragedias clásicas y que el autor había logrado el fin que se había propuesto.

El contenido de la obra, su argumento importan poco; ¿cómo iba a hablar de ello el crítico si se había quedado dormido la noche del estreno, y también la

72. E[ugenio] de O[choa], "Lucrecia Borgia", *ibid.*, II, [30, 26 de julio de] 1835, pp. 47-48.
73. J[osé] B[ermúdez de] C[astro], "Primera representación de *Teresa*...", *ibid.*, III, 58, [7 de febrero de] 1836, pp. 71-72. Índice citado, p. 45.
74. J[osé de] E[spronceda], "Crónica de teatros", *ibid.*, I, [17, 26 de abril de] 1835, p. 204; BAE, t. LXXII, pp. 586-587.

noche siguiente ya que, por conciencia profesional, había intentado valerosamente volver a ver la obra? Ni siquiera los «profundos literatos» habían podido resistir, pero no obstante, al despertar, habían aplaudido con toda confianza «en celebridad de Aristóteles». Ninguna demostración en toda regla de lo obsoleto del género al que pertenece *Camila* podía haber sido más eficaz que la irónica ejecución a la que se entrega Espronceda: el hecho de que el aburrimiento se apodere incluso de los partidarios incondicionales de Aristóteles, es prueba del fracaso del partido neoclásico.

Al día siguiente, el crítico recobra la alegría asistiendo a la representación del drama de Scribe. No nos cuenta la intriga; se limita a resaltar brevemente las cualidades de estilo y de construcción dramática, y a darnos la idea general de la obra: la descripción de la ambición exclusiva de Robert Walpole, primer ministro de Jorge I y Jorge II de Inglaterra. Espronceda demuestra mayor interés por el trabajo de los actores, por la forma en que componen su personaje, que por la obra en sí; juzga sobre todo la representación. Hace una crítica detallada, en la que nunca falta la ironía; pese a su severidad, los reproches que hace a los actores son siempre justificados y están teñidos de un humor que los exime de cualquier férreo dogmatismo. Tras enumerar los errores interpretativos del actor Furnier, Espronceda agrega: «y varias veces ha tomado un tono de misión que nos hizo creer no habíamos aún salido de la cuaresma.» En cuanto a Lombía, su interpretación fue tan mala que ningún rey pudo parecerse jamás al que encarnaba; para decirnos cuán defectuosa era su dicción, el poeta utiliza una comparación de una crudeza apenas templada por la ironía: «Seguramente nos pareció más cruel que Nerón, puesto que, como otros Herodes, ha degollado las inocentes palabras del inocente drama. No parecía sino que las infelices le habían jugado alguna mala pasada.» Espronceda dedica un extenso pasaje de su crónica al actor Luna, que interpretaba el papel principal (el de Robert Walpole). Consideraba un error el haberle asignado un papel que no convenía a su temperamento. Luna no se sentía cómodo en un personaje que requería una interpretación interior, llena de matices. En lugar de explicarnos las razones, Espronceda prefiere mostrarnos al actor en escena, con sus tics:

> Su continente, además, no ha sido tampoco adecuado al carácter que desempeña, y estamos persuadidos que ningún ministro anda tan a compás como él, ni hace ciertos quiebros de maestro de baile, en el que el Sr. Luna abunda generalmente. Y sobre todo es fama que ningún ministro británico ha braceado ni manoteado tanto en su vida. En una palabra, ningún inglés hubiera encontrado en el Sr. Luna a su compatriota Roberto.

Acertada observación, en la que demuestra el conocimiento de las costumbres inglesas, como son la flema y la parquedad en el gesto. El único elogio sin reservas es para Matilde Díez, de la que Espronceda alaba la naturalidad, la elegancia e inteligencia. Para acabar, recoge con malicia una expresión desafortunada de su colega de la *Revista española* que había calificado el castillo de «locuaz y elegante»:

> ¡Cosa rara! Ha sido el primer palacio de que se cuenta que haya hablado hasta ahora. Quizá el articulista tomó el continente por el contenido, o, lo que es igual, dijo una cosa por otra. ¡El articulista hará hablar a las piedras!

Las crónicas de Larra han conservado interés más por las reflexiones o digresiones de su autor, que por la información que nos proporcionan sobre obras en general justamente olvidadas. Asimismo, la de Espronceda nos aporta valiosos datos sobre la interpretación de los actores de su tiempo; de ella sacamos la impresión de que, exceptuando a Matilde Díez, su trabajo no se basaba ni en grandes cualidades personales, ni en una cultura o en una seria información preliminar. Pero ¿cómo echarles en cara esta falta de conciencia profesional cuando sabemos el número considerable de obras que se sucedían por aquel entonces en la cartelera de los teatros madrileños?

La segunda crónica teatral de Espronceda es muy breve [75]. Se inicia con una observación irónica acerca de la proliferación de traducciones de obras francesas; apenas si se menciona el título de la obra, y aun a veces reducido a la mitad; no aparece la menor alusión al autor, al traductor o a la intriga. Al poeta sólo le interesa la interpretación. Furnier y Pacheco se han mantenido fieles a sí mismos; Luna debería perder la costumbre de desplazarse a pasos cortos. Como en la anterior crítica, aparece el mismo reproche a Lombía, decididamente poco inspirado para interpretar a los reyes; una alusión a un episodio de la obra le permite una observación maliciosa respecto a la monarquía; «Aconsejamos al Sr. Lombía que se niegue a ser Rey, porque se convierte en tirano de los espectadores; por fin, derribado de su trono, como otros Reyes, nos ha indemnizado de su mal trato haciéndose conspirador.» Después de lo cual, para finalizar, sigue el elogio breve pero entusiasta a Matilde Díez, «la perla de nuestros teatros».

Mucho más interesante es la tercera crónica teatral de Espronceda, dedicada en su mayor parte al drama de Joaquín Francisco Pacheco, *Alfredo* [76]. Dicha obra, estrenada el 23 de mayo de 1835 en el Príncipe, fue retirada de la cartelera dos días más tarde debido al poco éxito que obtuvo. La escena transcurre en Sicilia en tiempos de las Cruzadas; el joven Alfredo ama apasionadamente a Berta, que resulta ser la viuda de su padre a quien se da por muerto, pero que pronto reaparece; el protagonista, arrebatado por su pasión imposible, se apuñala en el quinto acto invocando la irresistible fatalidad que se ha cernido sobre él.

Desde la primera frase, Espronceda se sitúa al margen de las querellas suscitadas por la obra de Pacheco. Éste —dice— ha querido «pintar un coloso de crímenes y pasiones, un solo carácter, al cual se sacrifique todo absolutamente, y cuyo desarrollo debe únicamente ocuparnos». Todos los demás personajes sólo existen en función del protagonista, ya sea para arrastrarle al crimen, ya para poner de relieve lo infortunado de su destino. En estas condiciones, Espronceda ni siquiera se toma la molestia de rebatir los argumentos que hayan podido oponer al autor los adversarios del género: no sólo se ha reducido voluntariamente la acción, sino que «en este drama no hay que buscar caracteres, porque no hay

75. J[osé de] E[spronceda], "Teatros", *ibid.*, I, [19, 10 de mayo de] 1835, p. 228; BAE, t. cit., p. 587. En el índice citado, p. 69. La obra que comenta es *El duque de Braganza o la Revolución de Portugal*, traducida por José Andrew de Covert Spring (seudónimo de Andrés Fontcuberta) y estrenada en el teatro de la Cruz el 5 de mayo de 1835.

76. J[osé de] E[spronceda], "Teatro", *ibid.*, I, [22, 31 de mayo de] 1835, pp. 263-264; BAE, t. LXXII, pp. 588-590. Índice citado, pp. 69b-71a. La crónica de *Alfredo* va seguida de un comentario en pocas líneas del drama *Seducción y venganza o el marido inglés* (representado los días 27, 28 y 29 de mayo de 1835), traducción del *Rochester* de Ducange.

ni debe haber más que Alfredo». El objeto de su amor hace de él un criminal que en el encadenamiento de circunstancias hunde en su crimen: «Primero inocente y puro, pero indeciso, melancólico y ansioso de algo que llenara el vacío de su alma; después, apasionado, delirante, tratando de fortalecerse contra su conciencia y arrastrado y despeñado por su pasión.» Alfredo se ve empujado a matar a Jorge, hermano de Berta, y Espronceda piensa que Pacheco no ha desarrollado lo suficiente la explicación de los motivos de este crimen que, desde el punto de vista sicológico, queda justificado por la completa enajenación del personaje ante una pasión contra la que no puede luchar: «El que ha de odiar algún día como un rival a su propio padre, fuerza es que asesine al hermano de su querida, viendo en él un obstáculo a su felicidad.» Según el poeta, el mayor acierto del autor es la personificación de la voz de la pasión, que adopta los rasgos de un misterioso griego que de vez en cuando aparece ante Alfredo. Es una idea audaz, combatida por la mayoría de los críticos, pero defendida por Espronceda: qué importancia tiene que no exista un ser así en la naturaleza si existe en cambio en la imaginación del protagonista, «como para un fanático existían las brujas y los duendes, como para Sócrates un genio que él veía y con quien razonaba amigablemente». Estamos de nuevo ante una convicción que Espronceda había expresado ya al referirse a Tasso, en quien defendía el empleo de lo maravilloso y lo sobrenatural, así como la introducción de espíritus celestes e infernales, porque formaban parte de las creencias de la época, del mismo modo que Virgilio había recurrido a la mitología. Precisamente, las escenas en las que aparecía el griego fueron las más apreciadas por los espectadores, en contra de lo que era de temer dado lo novedoso de semejante idea.

Según Espronceda, los actores interpretaron sus personajes impecablemente, y hacía largo tiempo que no había podido presenciarse espectáculo tan perfecto. Julián Romea supo dar con el tono justo para componer el papel del misterioso griego; y el cronista nos describe el trabajo del actor a través de un retrato minucioso:

> Sus miradas, su aparición en la escena, la frialdad y amargura de sus palabras, su fisonomía cejijunta, pálida e inquieta, sus ojos vagos y penetrantes nos dieron a conocer en él al misterioso ser que había imaginado el poeta.

Con similar entusiasmo Espronceda elogia sin reservas a Latorre, que interpretó el papel de Alfredo, superándose en el quinto acto en el cual consiguió dar toda su magnitud al protagonista de la obra:

> Apasionado, loco, acosado de remordimientos, precipitado al crimen; y las entonaciones de su voz, su continente frenético, su fisonomía desencajada y pálida le hacía parecer no ya un hombre furioso, sino un ser de veras marcado con el sello de la reprobación.

Espronceda encuentra sublime este quinto acto en el que «el terror y el interés están llevados al último punto». En cambio, el lector de hoy encuentra un tanto ingenuo un desenlace tan sombrío: Alfredo se clava el puñal y muere gritando: «¡Maldición!» en medio del estruendo de una espectacular tempestad y ante los ojos del enigmático griego que sonríe con una sonrisa infernal. Cuando en 1864

Pacheco publicó de nuevo *Alfredo*, lo juzgó benévolamente, y descubrimos en él cierta amargura cuando afirma que el éxito duradero de otras obras del mismo género había eclipsado, injustamente en opinión suya, el de su drama. Sin duda pensaba en *Don Álvaro* que, si bien construido con mayor habilidad, no trata de modo más verosímil el tema de la fatalidad y recurre con similar frecuencia a los medios escénicos espectaculares:

> Las pasiones son ardientes pero naturales: su lucha con el deber es viva y accidentada: el término es posible, es verosímil, es eminentemente trágico. No juzgo que lo sea más ni de mejor ley el de otras muchas obras, estimadas por la buena crítica como capitales y maestras[77].

No obstante, lamentaba no haberlo escrito en verso, lo cual también había deplorado ya Espronceda en su crónica, con estas palabras: «Hubiera gustado más y habría evitado cierta hinchazón de que adolece la poesía escrita en prosa.» El protagonista es juguete de una fatalidad contra la cual no puede luchar a pesar de sus esfuerzos; cree hallar en la acción un medio de liberarse de ella, pero todo es en vano. El don Álvaro de Rivas se halla prisionero de un encadenamiento de circunstancias exteriores y accidentales que, objetivamente, no son más que coincidencias; el Alfredo de Pacheco lleva dentro de sí la maldición que le arrastra al suicidio: el amor por una mujer a la que le está prohibido amar por razones de orden social que, lógicamente, no pueden calmar su pasión, pero le impiden satisfacerla. El principal reproche que Espronceda hace al autor es el de no haber logrado del todo desarrollar este aspecto fundamental del personaje: «Alfredo no es más que un hermoso pensamiento dramático mal puesto en escena.»

A pesar de sus exageraciones, pese a la atmósfera excesivamente lúgubre o siniestra, y a las torpezas de un estilo que sólo sabe hallar en el uso y abuso de la exclamación y en el énfasis el medio de expresar la pasión o la fatalidad, *Alfredo* da testimonio de un estado de ánimo: el de aquellos jóvenes que intentan expresar su insatisfacción y que se esfuerzan desesperadamente en dar un sentido a su vida en un mundo desorientado, proclamando la primacía de la pasión y yendo a buscar en las épocas heroicas la exaltación de un ideal, valores de los que tanto carecía la sociedad en el seno de la cual les había tocado vivir. Así pues, mucho más por su valor de testimonio, tanto sociológico como literario, que con arreglo a criterios estéticos debemos juzgar el drama de Pacheco. Donoso Cortés coincidió con Espronceda en subrayar la actualidad del personaje de Alfredo y extraer su significado profundo:

> Alfredo es el hombre de nuestro siglo, es decir, activo e indolente al mismo tiempo, su alma de fuego quisiera dilatarse por la Palestina, por aquellos campos famosos abiertos a la actividad humana, por aquel horizonte immenso que empaña el polvo de un combate que da la inmortalidad[78].

77. J. F. Pacheco, *Literatura, historia, política*, Madrid, 1864, t. I, p. 91.
78. Reseña de *Alfredo* por J. Donoso Cortés, *La Abeja*, 25 de mayo de 1835.

La crónica de Espronceda demuestra que compartía esta certidumbre, sin que ello le impidiera ver con claridad los defectos de la obra. Las primeras escenas de los actos II, III y IV rompen —según dice— el ritmo de la obra, ya que su construcción defectuosa fatiga al espectador; si bien reconoce que en ocasiones el drama se hace pesado, el lenguaje y el estilo son del gusto del poeta:

> El lenguaje es puro, oriental, apasionado y propio de la época de las cruzadas, tal como nuestra imaginación nos pinta que deberían hablar y sentir los hombres de la espada y de la lira, los guerreros de la Fe, los amantes de la hermosura.

Con ello, Espronceda nos proporciona una valiosa información acerca de sus ideas estéticas, en la época en que él mismo manifiesta en sus propias obras un gusto por el exotismo histórico o geográfico, como se refleja en *Sancho Saldaña*, en los fragmentos del *Pelayo* publicados por *El Artista* y en su *Canto del cruzado*.

Un cuadro de costumbres y un cuento humorístico de Espronceda

El Artista no es sólo una revista de información y de crítica; en ella la literatura de imaginación ocupa un lugar destacado. En cada número se publican numerosos textos originales en verso y en prosa, que representan la cuasi totalidad de todos los géneros literarios, incluido el costumbrismo. Apasionado defensor de las tradiciones nacionales, Eugenio de Ochoa comentó con entusiasmo el *Panorama matritense*:

> En él están pintadas muchas de las costumbres españolas con una verdad, con una gracia digna de nuestros antiguos escritores; crítico severo algunas veces, otras observador profundo y festivo novelista, en toda esta obra revela sin ostentación el Sr. Mesonero su ilustrado amor a esta *ingrata* España, sin que un extranjerismo a la moda le presente abultados sus defectos, ni se los oculte un mal entendido patriotismo[79].

José Augusto de Ochoa publicó en la revista de su hermano una serie de ocho artículos sobre costumbres campesinas; en ellos describe los festejos a los que dan lugar las fiestas religiosas, así como las supersticiones populares, y el desarrollo de los velatorios en los pueblos. Pero en estas descripciones nunca hace concesiones al color local o a lo pintoresco. Muy al contrario, contienen severas advertencias acerca de las ruidosas manifestaciones o las escenas de embriaguez que acompañan a ceremonias durante las cuales debería primar el recogimiento. Concluye así su artículo sobre la festividad de Todos los Santos: «Así son todas las diversiones populares en España; nada se respeta, *todo se mancha, todo se atropella*[80].» Era natural que Espronceda quisiese ejercitarse en el cuadro de costumbres. Hay que señalar de antemano que no le salió demasiado bien, lo cual expli-

79. E[ugenio] de O[choa], *Panorama matritense...*, *El Artista*, II, 43, 25 de octubre de 1835, pp. 196-198. Índice citado, pp. 126b-128a.

80. D. A. Randolph, *op. cit.*, p. 21. La frase de J. A. de Ochoa se encuentra en su artículo "Costumbres españolas. Artículo IV. Día de Todos los Santos", *El Artista*, II, [49, 6 de diciembre de] 1835, p. 269.

ca que su primer intento —el artículo *Costumbres*[81] —no tuviese continuidad.

En oposición a José Augusto de Ochoa, no se detiene en consideraciones morales, y tampoco pretende, como Estébanez Calderón, dar de este cuadro andaluz una imagen enternecedora y complaciente. Evidentemente, con ánimo de juego está escrita esta sátira, maliciosa pero no malévola. Nos hallamos en Andújar, un día festivo; los habitantes endomingados están en la calle esperando el paso de la procesión. Mientras tanto, el concejo delibera sobre los pormenores de la recepción que se ofrecerá al fraile capuchino Pascual de Andújar que va a venir a predicar en la iglesia de la villa. El escribano pone fin a la confusión que reina en la asamblea y de una tirada enumera en estilo jurídico las medidas que propone. Éstas se aceptan; el dómine escribe el discurso del alcalde que deja estupefactos a sus administrados y del cual el capuchino no entiende ni jota.

La primera parte, corta y rápida, describe escuetamente la animación que reina en la calle y en los balcones en donde se han reunido las muchachas. Espronceda no se detiene en la descripción de sus trajes como lo suele hacer "El Solitario". Algo más detallado es el bosquejo de los jóvenes que se pasean («envueltos en sus capas pardas y calado el sombrero gacho, paseaban los jaques de Andalucía con aire de perdonavidas y afeado el rostro con patillas de seis pulgadas»), aunque está directamente inspirado de los primeros versos de la *Sátira a Arnesto* de Jovellanos:

> ¿Ves, Arnesto, aquel majo en siete varas
> de pardomonte envuelto, con patillas
> de tres pulgadas afeado el rostro
> ...
> con aire sesgo y baladí[82]?

Espronceda añade «el sombrero gacho» para completar el retrato del «castellano viejo». Está utilizando un tópico del cuadro de costumbres, ya presente en el último capítulo de *Sancho Saldaña* en donde hace intervenir tres personajes, entre los cuales dos llevan amplias capas «a la antigua usanza castellana»; allí, esta última palabra va acompañada de la nota siguiente: «Ahora y en nuestros días no hay castellano viejo que no asista con su capa parda a las fiestas del lugar, y es el traje de ceremonia que usan cuando van a casarse y en cualquier función de etiqueta[83].»

El humor es poco ágil y, en todo caso, falto de originalidad, en el pasaje en que Espronceda nos lleva ante la reunión de las autoridades municipales: «los graves varones, los miembros respetables del ayuntamiento se entretenían, reunidos en permanente sesión, en trasladar el vino de algunos cántaros a sus estómagos.» Había utilizado con mayor acierto esta imagen —sacada de Cervantes— en el capítulo XX de *Sancho Saldaña* en el que describía "El Velludo" y su cuadrilla

81. J[osé de] E[spronceda], "Costumbres", *El Artista*, I, 26, 28 de junio de 1835, pp. 303-305; índice citado, pp. 63-64; BAE, t. LXXII, pp. 590-592.

82. BAE, t. XLVI, p. 33.

83. BAE, t. LXXII, p. 565a.

«trasegando el alma de algún pellejo de vino a sus insaciables estómagos[84]». El retrato del alcalde es bastante expresivo, y Espronceda parece haber tenido en cuenta el de Monipodio en *Rinconete y Cortadillo*: en efecto, ambos tienen unos cuarenta y cinco años, llevan una capa de la que nunca se desprenden, tienen un porte majestuoso, están imbuidos de la dignidad de sus funciones e imparten severa justicia. El magistrado de Andújar lleva siempre consigo un enorme y largo garrote como «vara de justicia», detalle que Espronceda pudo tomar de Cervantes, quien en *La Elección de los alcaldes de Daganzo*, pone en boca de Pedro Rana, durante su profesión de fe electoral, las palabras siguientes:

> Yo, señores, si acaso fuese alcalde,
> mi vara no sería tan delgada
> como las que se usan de ordinario:
> de una encina o de un roble la haría,
> y gruessa de dos dedos ...[85]

Algunos personajes intervienen en la discusión: el alcalde, que pronuncia una larga frase que pretende ser sentenciosa y resulta ininteligible; un regidor; el dómine que no puede abstenerse de soltar citas en latín. Luego toma la palabra el escribano. En su discurso utiliza un estilo, mezcla de jerga del mundo de la justicia, plagado de enrevesadas frases incidentales, salpicadas de expresiones estereotipadas, tales como: «por cuanto y en atención a que», «por ende», «pido que ordene el señor alcalde, reiterando su mandamiento en debida forma», «ítem», «ítem más», «por todo lo cual he dicho y presento en debida forma este mi parecer», etc. La sátira —amable aquí— del formalismo judicial, se hallaba expresada en un tono más áspero, según vimos, en *Sancho Saldaña*. El escribano del cuadro de costumbres presenta un punto en común con el secretario del tribunal de la novela: su aspecto físico contrasta con la dignidad de su función, de donde nace el ridículo. Ambos son de baja estatura, y mientras el primero pronuncia con voz engolada los considerandos del acta de acusación, el segundo pone cara de regocijo y, entre los demás miembros del concejo, «parecía ... como el sonido de unas castañuelas entre la majestuosa música de un *Te Deum*». El testimonio del escribano —que refiere hechos acaecidos el 18 de marzo de 1766 (es decir, dos años antes que la escena narrada por Espronceda, según se desprende de una ulterior alusión)— es de una comicidad forzada: el predicador esperado en Andújar hizo derramar tantas lágrimas cuando predicó en Córdoba que los veinte mil pañuelos utilizados para enjugarlas todavía están húmedos. Por consiguiente, se invita a los habitantes de la villa a proveerse, para el sermón, de cuántos pañuelos, trapos o sábanas sean necesarios, y a sonarse sin demasiado ruido so pena de multa. La anécdota, que no tiene nada de original, no mejora para nada, antes al contrario, con este excesivo alargamiento.

Aquí Espronceda ha trabajado de forma más despreocupada. Mezcla torpe-

84. *Ibid.*, p. 436a. *Cf. Quijote*, II, cap. LIV: «... y desta manera meneando las cabezas a un lado y a otro, señales que acreditaban el gusto que recibían, se estuvieron un buen espacio, trasegando en sus estómagos las entrañas de las vasijas.»
85. BAE, t. CLVI, p. 502a.

mente dos temas entre los cuales está indeciso: la crítica de la jerga de los golillas y la de los predicadores burlescos, a quienes resulta dudoso que llegara a oír en algún momento. Cabe preguntarse si, al situar la anécdota en el siglo XVIII, quiso evocar, en fray Pascual de Andújar, al célebre fray Diego José de Cádiz, a su vez capuchino y cuyo nombre incluye también un topónimo; aunque se trataba de un personaje totalmente olvidado en 1835. Está claro que el cuadro de costumbres no es el género que mejor se adapta al talento de Espronceda.

Mucho más interesante es el cuento que publicó un poco antes en *El Artista* y que se llama *La pata de palo*[86]. En él, Espronceda nos narra la desventura de un comerciante inglés que, habiendo sido amputado de una pierna, se hace fabricar una de madera. La prótesis resulta ser de una perfección tal que el hombre no puede dominarla y se ve arrastrado a una loca carrera por las calles de Londres, y luego por el mundo entero. La situación inicial —un hombre enfrentado a un objeto dotado de vida propia— podía haberse desarrollado en registro fantástico, pero Espronceda eligió el registro humorístico y lo mantuvo constantemente. Al principio, una larga frase nos predispone a estremecernos de horror; la historia que se nos va a contar hace

> erizar el cabello, horripilarse las carnes, pasmar el ánimo y acobardar el corazón más intrépido, mientras dure su memoria entre los hombres y pase de generación en generación su fama con la eterna desgracia del infeliz a quien cupo tan mala y tan desventurada suerte.

Sigue este aviso a los cojos: «¡Oh cojos! escarmentad en pierna ajena», formado a partir del modismo "escarmentar en cabeza ajena", y que además va destinado a todos, ya que cualquier hombre es un cojo en potencia. Ante semejante advertencia, el lector no puede tomar en serio lo que va a seguir. El relato propiamente dicho se inicia como un cuento para niños: «Érase que en Londres vivían...»; acto seguido, se nos presenta al rico comerciante y al hábil ortopedista que se llama —y aquí hay un guiño al lector que sabe inglés— Mr. Wood. El accidente del amputado está relatado de tal forma que ha desaparecido cualquier elemento trágico: «Acertó ... nuestro comerciante a romperse una de las suyas [piernas] con tal perfección, que los cirujanos no hallaron otro remedio más que cortársela.» Nuestro hombre está impaciente por disfrutar de una pierna de madera; así se verá por fin libre de «semejantes percances».

En el diálogo que se entabla entre Mr. Wood y su cliente, la nota cómica surge del malentendido acerca del sentido que cada uno de los interlocutores da a las palabras «mis piernas» (las piernas de carne y hueso para uno, las de madera que fabrica, para el otro); la lógica de lo absurdo lleva al cliente a hacer la siguiente observación: «—Por cierto que es raro que un hombre como V. que sabe hacer piernas que no hay más que pedir, use todavía las mismas con que nació.» El comerciante quiere una pierna mejor que la que ha perdido, en una palabra,

86. J[osé de] E[spronceda], "La pata de palo", *El Artista*, I, [12, 22 de marzo de] 1835, pp. 138-140; índice citado, pp. 67-69a; BAE, t. LXXII, pp. 583-585. Este cuento se publicó también, firmado con las iniciales «J. de E.», en *No me olvides*, 23, 8 de octubre de 1837, pp. 1-3.

«una pierna que ande sola». La continuación de la historia se basa en este juego verbal: mientras que el cliente utiliza la expresión en sentido figurado, el ortopedista la toma —por así decirlo— al pie de la letra.

El amputado no cabe en sí de gozo, es presa de «mil sabrosas imaginaciones y lisonjeras esperanzas», y hasta la naturaleza parece participar de su júbilo: «Era una mañana de mayo y empezaba a rayar el día feliz en que habían de cumplirse las mágicas ilusiones del despernado comerciante...». Su impaciencia se ve colmada; el ortopedista ha cumplido con su palabra. De paso, una pequeña frase atrae nuestra atención: «¡Ojalá que no la hubiese cumplido entonces!» Insólita observación —precisamente cuando parece que todo va a salir a pedir de boca— que está anticipando «la parte más lastimosa» de la historia en la que vemos al infeliz arrastrado por la pierna de madera que responde realmente a su deseo de que fuera «una pierna que ande sola». Una vez sentado este punto de partida, Espronceda saca de él todas las consecuencias según una lógica rigurosa de la que nace el elemento cómico. Efectivamente, la pierna echa a andar por sí sola, y vemos al obeso comerciante arrastrado a todo correr por las calles: «No andaba, volaba; parecía que iba arrebatado por un torbellino, que iba impelido de un huracán.»

Trata de agarrarse a lo que puede, pero se ve obligado a soltarse y, en su alocada carrera, arrolla a cuantos intentan detenerle. Para colmo, su indumentaria en paños menores —está en calzoncillos— sorprende e indigna; va a llamar a casa de Mr. Wood, pero cuando éste abre la puerta, su cliente está ya lejos, «arrebatado en alas del huracán». Por último, se dirige a casa de su tía, una respetable dama de setenta años que, escandalizada por la extraña conducta de su sobrino, le hace, tras la ventana del *parlour* (en inglés en el original) «una exhortación muy grave acerca de lo ajeno que era en un hombre de su carácter andar de aquella manera». Este pequeño cuadro, de un humor más bien inglés que quevedesco, concluye con una réplica del sobrino «pernialígero» que recuerda en tono burlesco las palabras de César moribundo a Bruto: «¡Tía! ¡Tía! ¡También usted!»

En el último párrafo, el personaje sólo aparece en los testimonios, referidos con la mayor seriedad, en torno al destino del infortunado: unos dicen que debió ahogarse en el canal de la Mancha; otros que le vieron cruzar como un rayo los bosques del Canadá y, al parecer, todavía se le habría visto recientemente, convertido en un esqueleto descarnado, errando por las cumbres de los Pirineos. Por último, desaparece por completo, y sólo la pierna de madera prosigue su carrera alrededor del mundo, «sin haber perdido aún nada de su primer arranque, furibunda velocidad y *movimiento perpetuo*». Es un relato bien llevado, con un gran sentido de la observación y un ritmo que en ningún momento decrece. El equívoco en torno a la «pierna que anda sola» se mantiene hasta los límites de lo absurdo. Lo insólito nunca llega a tomar un carácter inquietante.

El tema del hombre víctima de un objeto dotado de vida propia reaparece un año más tarde en la introducción del folleto de Espronceda, *El Ministerio Mendizábal*, tomando la forma de una anécdota sacada de Henri Heine: un autómata alcanza tal grado de perfección que exige a su constructor que le dé un alma y le amenaza tanto que el pobre hombre debe huir para escapar de la máquina: «Y a estas horas, es fama que aún le persigue por todas partes, y le grita que le dé un alma con la misma tenacidad[87].» Pero en *La pata de palo*, el tema está tratado en tono cómico, e incluso burlesco. Aquí, Espronceda quiso simplemente divertirse y divertirnos. Da a su relato un marco inglés —como más tarde en *Un recuerdo*— que facilita la evasión. El recurso a algunas pinceladas de costumbres puramente británicas le permite guardar las distancias con lo sobrenatural o lo fantástico, logrando así divertir al lector sin hacerle nunca estremecerse de falso horror. En su *Cuento* inacabado, escrito unos años antes, Espronceda había desmostrado que era capaz de tratar con ironía lo maravilloso seudomedieval. La *pata de palo* pone de relieve su aptitud para compensar con un discreto humor todo lo que podía tener de artificial lo fantástico. Por otra parte, este cuento resulta interesante por su carácter excepcional en las páginas de *El Artista*, si lo comparamos a los que publicó en la revista Eugenio de Ochoa, por ejemplo *El castillo del espectro*, *Stephen*, *Luisa* y *Ramiro*. Éste explota de forma sistemática temas horribles, macabros, tenebrosos, lúgubres o sobrenaturales extraídos de narraciones fantásticas de origen septentrional o germánico, y los grabados de Federico de Madrazo que acompañan dichos relatos ilustran en general las escenas más horrendas. Estos motivos aparecen insertos a veces en un marco histórico nacional (*Ramiro*) o incorporados a temas modernos (en *Zenobia*, o la historia de los desgraciados amores de una emigrada polaca en París)[88]. El siguiente pasaje de *El castillo del espectro* contiene buen número de estos tópicos utilizados incontables veces, y acumulados aquí por capricho:

> Mientras de este modo pasaban el tiempo los habitantes del castillo, bramaba por de fuera el huracán y caía la lluvía a mares, rompiendo sólo la profunda oscuridad de la noche los vivos relámpagos que casi sin interrupción se sucedían en el firmamento. Respondían los del castillo con brindis, gritos y canciones de orgía a los terribles estampidos del trueno, que retumbaba con sordo ruido en aquellas bóvedas y los rugidos del torrente, estrellándose en las peñas sobre que estaba fundado aquel solitario edificio[89].

El exotismo histórico y geográfico y el género trovadoresco; nuevos fragmentos del *Pelayo* y el *Canto del cruzado*

Bajo las influencias conjugadas de Osián, de la novela negra y las leyendas anglosajonas a las que se suman la de *El moro expósito* y, luego, la del *Don Álvaro* de Rivas, lo ojival y medieval invaden la joven poesía española tras haber invadido unos años antes la poesía francesa. Esta boga conduce a una utilización nueva de determinados temas. Se sigue floreando sobre los temas ya presentes en las composiciones de finales del siglo XVIII, tales como los de la luna y la noche; pero suelen incorporarse con frecuencia a una atmósfera lúgubre o siniestra que sirve de marco a una anécdota histórico-legendaria situada en la mayoría de

87. BAE, t. LXXII, p. 573a.
88. Sobre estos cuentos de E. de Ochoa, véase Peers, *HMRE*, t. I, pp. 527-528, y D. A. Randolph, *op. cit.*, pp. 60-63.
89. E[ugenio] de O[choa], "El Castillo del espectro", *El Artista*, I, [2, 11 de enero de] 1835, p. 17.

los casos en tiempos de las Cruzadas. Las obras publicadas por Ochoa en *El Artista* constituyen el ejemplo más característico de esta inspiración: así, *El misántropo, El monasterio, La muerte del abad, La vuelta del Cid* explotan a fondo esta vena. Incluso a veces, el ansia de color local induce a la introducción de palabras o giros arcaicos en los versos: como en el caso de la trova titulada *Don Rodrigo*, en la cual Pedro de Madrazo describe la llegada de un caballero a un castillo —«de góticas formas», por supuesto— en el mismo momento en que se oye el fragor del trueno; al final de la obra el poeta acumula los efectos siniestros: un búho vuela hacia la torre «de lúgubres silbos [*sic*] poblando el ambiente»; bajo la lluvia torrencial, cae un rayo en el edificio, y resplandece la lanza manchada de sangre del desconocido; por último, «un eco de muerte de lo alto salió» [90].

Este es el tono común a la mayor parte de las poesías publicadas en *El Artista*. Los colaboradores de la revista practican con harta frecuencia el género trovadoresco, caído en desuso desde tiempo atrás en Francia. En su *Sermon sur l'Épiphanie*, Fénelon oponía ya el «buen tiempo pasado» a la edad moderna, bárbara y corrompida, y ponía el castillo como símbolo de las virtudes ancestrales. Recuperando lo que en Francia es un tópico desde aproximadamente 1750 [91], Eugenio de Ochoa, Pedro de Madrazo, Marcelino Azlor, Salas y Quiroga, Patricio de la Escosura, Julián Romea y Zorrilla vuelven a dar vida, a cuál mejor, a bellas damas abandonadas, dolientes cautivas, caballeros de regreso de Tierra Santa, a los que sitúan en paisajes nocturnos, cruzados por relámpagos de tormenta o en castillos y conventos tenebrosos o sepulcrales. Este retorno a la Edad Media va acompañado en algunos casos de una reconstrucción más o menos arbitraria de la lengua de la época. Pedro de Madrazo publicó en *El Artista* (t. I [n.º 7, 15 de febrero] de 1835, pp. 78-79) una poesía titulada *Separación* y escrita en una especie de "fabla antigua" (al igual que Agustín Durán, que había dado a la *Revista española* del 17 de noviembre de 1832, unas *Trovas a la Reina Nuestra Señora* en castellano seudo-antiguo). Unos meses más tarde, explicaba del siguiente modo las razones de sus preferencias:

> Las trovas amorosas de la edad media están llenas de ternura, de fidelidad, de nobleza y pundonor: no se encuentran en ellas esa bajeza, ese servilismo, ese floreo empalagoso que respiran las letrillas a Clori, Filis y Silvia de nuestros modernos poetas amadores, ni esa repetición de lugares comunes que causa hastío aun a las mismas hermosuras a quienes van dirigidas bajo fingidos insulsos nombres.

El trovador —añade— no lloraba «como un marica» cuando sufría pena de amores, sino que expresaba sus lamentos «en versos llenos de ternura y de dignidad varonil y caballeresca». En aquellos tiempos de heroísmo, nobleza y barbarie, no se conocían las artes del fingimiento como en nuestra época civilizada y educada. Después de citar unos versos de Villasandino dedicados a los amores de Pero Niño y Beatriz de Portugal, concluye diciendo: «El lenguaje de estas tres estrofas manifiesta la poca afectación de nuestras antiguas poesías. En el siglo XIV nues-

90. P[edro] de M[adrazo], "Trova. Don Rodrigo", *ibid.*, I, 15, 12 de abril de 1835, p. 180.
91. H. Jacoubet, *Le genre troubadour et les origines françaises du romantisme*, París, 1929, p. 30.

tras costumbres eran intactas; en el XVII ya fueron adulteradas, y en el XIX han sido, hasta ahora, francesas[92]!!»

Las obras de este tipo, en verso o en prosa, publicadas en la revista, se insertan en la misma corriente que las colecciones de romances publicadas por Durán entre 1828 y 1832, posteriormente *El moro expósito* en 1834, las poesías de Zorrilla a partir de 1837 y, por último, los *Romances históricos* de Rivas en 1840, así como las traducciones cada vez más numerosas de Walter Scott y la Colección de novelas históricas publicada por Delgado en los años 1834-1835. Un colaborador anónimo de *El guardia nacional* de Barcelona, en un artículo publicado en agosto de 1836, o sea un año después del de Madrazo, explica con mayor claridad las razones de este gusto:

> La Edad Media, fuente abundantísima de brillantes y caballerosos hechos, de horrendos crímenes y de pasiones violentas, la Edad Media, romántica por sus recuerdos, tenebrosa por su feudalismo y gloriosa por su espíritu guerrero, no podía menos de excitar el entusiasmo de nuestros literatos que levantando una bandera nueva, pero brillante, rompieron las trabas que hasta el día han sujetado en parte el vuelo de la imaginación, la nueva escuela, si así puede llamarse la que inspiró a Calderón sus románticos dramas; la escuela de la creación, sublime y filosófica, parece haber escogido por campo de sus glorias aquellos siglos mágicos con sus cruzadas, sus eternos combates y su fanatismo religioso[93].

Así va imponiéndose una especie de transposición de temas actuales en situaciones y sentimientos proyectados en este pasado remoto. Cuando Jacinto de Salas y Quiroga canta *La muerte del bravo*[94], no es el sacrificio por su patria de un soldado cristino en la guerra contra los carlistas lo que está describiendo, sino el de un héroe medieval imaginario; y concluye diciendo que no hay que llorar por su suerte, ya que el bravo ha buscado y conseguido la gloria, muriendo feliz por haber defendido su país. Luis Usoz y Río termina su poesía *Una noche de diciembre, aventura amorosa* afirmando que el amor de su bella le hará olvidar todo, incluso

> de [su] Patria la ajada beldad,
> y su púrpura y grillos eternos,
> sus discordias y eterno penar[95].

En la crónica (sin firma) sobre la función patriótica del 22 de octubre de 1835 en el teatro de la Cruz se rinde homenaje a la «adorada Cristina», pero sólo aparecen reproducidas dos composiciones anodinas: un soneto de Mariano Roca de Togores (*Isabel 1.ª y Cristina*) y una letrilla de Bretón; sin duda el «ditirambo del señor Espronceda» pareció demasiado belicoso para ser insertado[96]. Naturalmen-

92. P[edro] de M[adrazo], "Poesía antigua", *El Artista*, II, 29, [19 de julio de] 1835, pp. 27-28. Índice citado, pp. 94b-95b.
93. "Costumbres de la Edad Media", *El Guardia nacional,* 28 de agosto de 1836.
94. *El Artista*, I, [12, 22 de marzo de] 1835, pp. 142-144.
95. *Ibid.*, I, [6, 8 de febrero de] 1835, p. 66b. Simón Díaz ha omitido en su índice la referencia de este poema.
96. Se trata de la poesía ¡*Guerra*! La crónica de esa velada se encuentra en *El Artista*, II, 43, 25 de octubre de 1835, p. 204.

te, tal como lo había anunciado ya en el prospecto, *El Artista* nunca se ocupó de temas políticos, a no ser que tuviesen alguna repercusión en las artes; lo cual se produjo una sola vez, durante el período —febrero-marzo de 1836— en que la desamortización de los bienes del clero condenó a la demolición a edificios religiosos de gran valor artístico. Aparte de los numerosos retratos que ilustran las biografías, las láminas fuera de texto representan con frecuencia monumentos antiguos: la catedral y la puerta de Bib-Arrambla de Granada, el hospital de La Latina de Madrid, un patio árabe o la Puerta del Sol de Toledo.

Durante cierto tiempo, Espronceda halló en esta reconstrucción ideal del pasado nacional el medio de expresar sus sentimientos. Según tuvimos oportunidad de decir anteriormente, entre los manuscritos suyos que se remontan a la época de la emigración, figura la copia de poesías del siglo XVI citadas en un apéndice a la *Poética* de Martínez de la Rosa; asimismo en el capítulo XVII de *Sancho Saldaña* hace cantar a Leonor una especie de villancico cuyo estribillo es una hábil imitación de los del siglo XV[97]. En marzo y abril de 1835, un mes antes de que saliera *El Pastor Clasiquino* en *El Artista*, Espronceda dio a la revista algunos fragmentos de *Pelayo*, los primeros que aparecieron publicados. Iban precedidos por una breve introducción que los presenta como trozos de «una obra escrita según las doctrinas románticas», es decir —insistimos— según lo que se entendía por doctrina romántica en la revista[98]. Dichos fragmentos (vv. 17-48; sueño de Rodrigo, vv. 129-192; *Descripción de un serrallo* y *Cuadro del hambre*, vv. 754-873) no forman propiamente parte del plan de la epopeya según lo había concebido Lista, y no incluyen ni una sola de las estrofas compuestas por éste para su discípulo. La selección de Espronceda se orienta hacia cuadros descriptivos que forman cada uno de ellos un conjunto acabado. Tan sólo el *Cuadro del hambre* se inicia con un hemistiquio («Mas todo en vano fue...») que sirve de transición entre la descripción de la indigencia de los españoles y la probable descripción proyectada —o escrita y posteriormente desechada o perdida— de sus esfuerzos en la lucha contra el invasor. Aunque el episodio del sueño de Rodrigo contiene todavía muchos tópicos académicos («guadaña impía», «ominosa lumbre», «brazos ... fornidos», «trilingüe punta» de la lengua del dragón, «helado sudor», etc.), no obstante la aparición de la Muerte, la visión de las simas infernales, así como la descripción de la angustia de la víctima, dan al conjunto un tono sombrío, unas tintas siniestras, como las que hallamos en la novela de terror y la poesía propia del romanticismo frenético. Brereton ha comparado este fragmento con los versos 1480-1701 de *El estudiante de Salamanca* y con los versos 114-121 de *El reo de muerte*, en los que reaparece en términos muy similares el tema del hombre que sueña que le están estrangulando[99].

El sueño de Rodrigo narrado por Espronceda presenta algunas analogías con la *Florinda* de Rivas, publicada en 1834, y con la *Gerusalemme liberata* de Tasso. Está precedido por un breve cuadro de cuatro estrofas, en las que se evocan las diversiones y los juegos en la corte de Toledo, y muy brevemente el episodio de

97. Véase *supra*, p. 184.

98. Estos fragmentos se publicaron en *El Artista*, I, [13, 29 de marzo de] 1835, pp. 137-138, y [16, 19 de abril de] 1835, pp. 183-184. Véase el texto de presentación en Espronceda, *Poésies*, ed. Marrast, p. 118.

99. Brereton, pp. 42-46 y p. 87, nota 2.

Rodrigo y Florinda. En él hallamos, de paso, el tema del festín en el palacio. Hay en este pasaje una atmósfera de sensualidad casi oriental que reaparece en la descripción del serrallo: Aldaimón y Rodrigo tienen en común el mismo gusto por los placeres. Según parece, Espronceda quiso conseguir un violento efecto de contraste entre esta visión de paz y despreocupación, y la narración, publicada a continuación, de la pesadilla que asalta al último rey godo. Se obtiene un efecto similar mediante la yuxtaposición de la descripción del serrallo y del *Cuadro del hambre*. En resumen, este primer fragmento constituye una escena de género que tiene muy poco que ver con un poema épico dedicado al rey Pelayo. Lo mismo sucede con la descripción del serrallo, de la que no hallamos ningún antecedente entre los poetas que Espronceda pudo leer en la época del Colegio de San Mateo y de la Academia del Mirto. Este fragmento es fruto de un mero exotismo. Nos consta la importancia del Próximo y Medio Oriente en la literatura y las artes en el momento en que Espronceda se encontraba en Londres y en París: relatos de viajes reales o imaginarios, estampas, cuadros, libros de versos describían, a cual mejor, los hábitos y costumbres de los pueblos de Iliria (*La Guzla* de Mérimée), de los países musulmanes o de Grecia (Delacroix, Byron, Hugo).

El *Cuadro del hambre* parece guardar más relación con el tema general del poema que los fragmentos anteriores, ya que podía fácilmente incluirse en una descripción general de las desdichas de España bajo el yugo árabe. En él pueden hallarse posibles reminiscencias de la *Numancia* de Cervantes o de la de López de Ayala, de *La Henriade* de Voltaire, de Mariana, y tal vez también de Virgilio; además el pasaje es aún de estilo neoclásico. El cuadro finaliza con la descripción del moribundo despedazado por un buitre, visión aterradora que las reglas del decoro académico hubieran rechazado sin apelación. Cadalso, en sus *Noches lúgubres*, nunca llegó tan lejos en el horror.

En ninguno de los fragmentos del *Pelayo* que Espronceda ofrece a los lectores de *El Artista* aparece personal o indirectamente el héroe que da nombre al poema proyectado. Las estrofas que selecciona están vinculadas, por su contenido, estilo y colorido, tanto al género trovadoresco como al género tenebroso. Ochoa podía pues con razón considerarlas «románticas», ya que la mayoría de los textos que salen a la luz en su revista responden a las mismas características. Unas semanas después de los dos últimos fragmentos del *Pelayo*, Espronceda publica *El Pastor Clasiquino*. Era lógico por lo tanto que decidiera dar a conocer los únicos cuadros de su epopeya inacabada en los cuales, si bien no habían desaparecido del todo los tópicos de la poesía del siglo XVIII, eran cuando menos muy poco numerosos, y además los temas pertenecían al género de moda practicado por los colaboradores de *El Artista*.

En tiempos de la Academia del Mirto, Espronceda era capaz de componer cuadros que, pese a su torpeza, demostraban su habilidad para aprovechar con tino el surtido de accesorios académicos. A su regreso de Francia, da muestras de similares dotes en la novela histórica, así como en el género trovadoresco. Un testimonio de este período, caracterizado por el interés por una Edad Media idealizada y en general por las remotas épocas del pasado nacional, lo dejó el poeta en *El canto a Teresa*. Al evocar sus admiraciones de juventud y los sentimientos que le animaban entonces, cita a los héroes de la Antigüedad que suscitaban su entusiasmo, y añade luego:

El valor y la fe del caballero,
del trovador el arpa y los cantares,
del gótico castillo el altanero
antiguo torreón, do sus pesares
cantó tal vez con eco lastimero,
¡ay! arrancada de sus patrios lares,
joven cautiva, al rayo de la luna,
lamentando su ausencia y su fortuna
...
Ya al caballero, al trovador soñaba
y de gloria y de amores suspiraba[100].

Uno de los temas evocados aquí fue tratado en la *Canción de la cautiva* —única obra en verso inserta en *Sancho Saldaña*, directamente vinculada con la acción novelesca— que no incluye nada personal a pesar de su factura armoniosa. Espronceda había asignado ya, tanto al príncipe Sancho del *Pelayo* como al Enrique de *Blanca de Borbón*, los rasgos del perfecto caballero. Sus compañeros en Londres y en París también se sintieron atraídos por el Medioevo. Entre los manuscritos que pertenecieron a Balbino Cortés, hallamos una primera versión, fechada de 1830, de *El paladín cautivo* de Eugenio de Ochoa; en 1827, Juan Florán escribe una *Cantinela* en la que se nos presenta a un trovador que, bajo la lluvia, se acerca a pedir hospitalidad a la puerta de un castillo. Pero una de las poesías que suscitó el mayor número de imitaciones fue el *Canto del cruzado* de Espronceda, del que tan sólo aparecieron publicados algunos fragmentos en 1836 y 1837 en *El Español*[101].

Conocido en Madrid hacia mediados de 1834, el *Canto del cruzado* inspiró varias composiciones del mismo tipo, tales como *El bulto vestido del negro capuz* de Escosura, *El guerrero y su querida* de Marcelino Azlor, *Ricardo* de Julián Romea (todas ellas publicadas en *El Artista*), *El sayón* de Romero Larrañaga y *Blanca* de Juan Francisco Díaz. Están todas construidas por el mismo patrón y contienen idénticos motivos: noche de tormenta, relámpagos, río tumultuoso o mar embravecida, ave de mal augurio, destellos de armas y armaduras, castillo aislado y personaje misterioso[102]. En el siguiente párrafo, Narciso Alonso Cortés ha definido perfectamente el carácter de esta composición que quedó inconclusa, pese a que constaba sin embargo de doscientos noventa y ocho versos:

> Llama la atención en el *Canto del cruzado* el, como si dijéramos, apresto de romanticismo incipiente, que le da carácter. La variedad métrica, con predominio de dodecasílabos; las pinceladas abigarradas del fondo; ciertos rasgos curiosos, como la frecuente omisión del artículo, el empleo de sustantivos y adjetivos extemporáneos y *bizarros*, de frases escuetas y elipsis desusadas; los trozos de diálogo seco y cortado... Todo ello da a el *Canto del cruzado* un tono de original ingenuidad.

100. BAE, t. LXXII, p. 99b.

101. Véase Espronceda, *Poésies*, ed. Marrast, pp. 337-339. El poema de Florán fue reproducido por Ochoa en sus *Apuntes*..., París, 1840, t. I, p. 521.

102. Sobre la influencia de *El canto del cruzado* en la poesía del momento, véase Alonso Cortés, pp. 21-34, y J. L. Varela, *Vida y obra literaria de G. Romero Larrañaga*, Madrid, 1948, pp. 213-221.

Piensa que Espronceda abandonó esta obra por considerarla de poco valor, pero «como precisamente estos rasgos nuevos y llamativos habían de tener particular atractivo para los poetas que daban sus primeros pasos en la lírica romántica y que veían en Espronceda al maestro indiscutible, bien pronto el *Canto del cruzado* tuvo imitaciones [103]». En lo que a Escosura se refiere, prueba de ello la tenemos en la carta que escribió a Vega el 13 de marzo de 1835 desde Pamplona; en ella habla de su poesía *El Bulto vestido del negro capuz*, compuesta según su propia confesión a partir del *Canto del cruzado*, y solicita de Vega, Bretón, Espronceda, Alonso y Grimaldi la opinión que les merece: «Es a manera de acto de fe romántico; más claro: es un poemilla bastante para que el clasicismo, si hiciera caso de mí, me tuviera por tan hereje como el Papa a Martín Lutero [104].»

En algunos pasajes, el *Canto del cruzado* todavía lleva la impronta del neoclasicismo. Zoraida, la protagonista de la primera canción intercalada, también es la de una tragedia de Cienfuegos que Espronceda parece haber recordado; y la de una corta obra de Lista, en la que ésta espera el regreso de Abenámar al que cree muerto tal vez [105]; por último, lleva el mismo nombre que un personaje de *Sancho Saldaña*, cuyo capítulo XXXVII va precedido precisamente de un epígrafe sacado de la obra de Cienfuegos. Casalduero ve cierta influencia de Osián en algunos de los motivos utilizados por Espronceda: «tormenta, fantasmas, vírgenes tímidas, arpas junto a las liras, el bardo junto al trovador; el festín es otra fiesta de las conchas [106].» Sin duda es así, pero aquí estos motivos aparecen transformados, o en cualquier caso adaptados a un marco medieval que no está localizado en las brumosas montañas del Morven. El tema del festín en el castillo se encuentra reiteradas veces en Espronceda: en el primer fragmento del *Pelayo*, en el capítulo XXXIII de *Sancho Saldaña* y al inicio de *Blanca de Borbón* en donde lo hallamos como breve referencia en las primeras réplicas. Todos estos temas desaparecen más adelante. Tan sólo uno se traslada a *El estudiante de Salamanca*: el del hombre enmascarado, que nos encontramos en la primera parte, y que está presentado en una atmósfera de misterio nocturno bastante similar a la del *Canto del cruzado*. No obstante, esta última obra contiene algunos rasgos personales. En dos ocasiones, Espronceda nos muestra cómo al caballero se le apaga bruscamente la mirada y sus ojos pierden el brillo; Casalduero ve en ello una nota autobiográfica: «los amigos del poeta nos han dejado el testimonio de este cambio en su mirada y en su sonrisa [de Espronceda]»; también está la intrepidez del personaje, su deseo de olvidar un pasado cuyo recuerdo le resulta penoso evocar [107], tema frecuente en efecto en su obra. Puede añadirse aún que la canción de Zoraida desarrolla el tema, caro a Espronceda, de los amantes separados, presentado aquí desde el punto de vista de la mujer y que, por su tratamiento, recuerda *La Fiancée du timbalier* de Hugo. La segunda canción intercalada describe una situación derivada de este mismo tema: el retorno del cruzado junto a su amada, de la que se ha visto alejado durante largo tiempo.

103. Alonso Cortés, pp. 24-25.
104. A. Iniesta, *D. Patricio de la Escosura...*, Madrid, 1958, pp. 108-109.
105. Para un estudio detallado de las influencias que recoge este poema, véase Espronceda, *Poésies*, ed. Marrast, pp. 351-352.
106. Casalduero, p. 146.
107. Casalduero, p. 147.

A medida que va avanzando en la composición de *Sancho Saldaña*, Espronceda multiplica las alusiones a la realidad contemporánea, los juicios personales más o menos explícitos sobre los hombres o las instituciones; lo cual se aprecia sobre todo en los dos últimos volúmenes, escritos a lo largo del segundo y tercer trimestres de 1834. Tal vez el poeta compensara así, de forma más o menos consciente, cierto hastío por la empresa que el contrato con el editor le obligaba a llevar a término. A su regreso a Madrid, Espronceda se dedicó también a retocar *Blanca de Borbón*, pero la copia que contiene el último estado de la obra está incompleta: falta el quinto acto [108]. El abandono de una obra en la cual, según demuestran las numerosas tachaduras y correcciones de los manuscritos conocidos, el autor había trabajado detenidamente, se explica a nuestro juicio por las mismas razones que el abandono del *Canto del cruzado*: ninguna de estas dos composiciones respondía a la idea que Espronceda se hacía de la literatura. El poeta que en *El Artista* calificaba de soporífica la *Camila* de Solís y alababa el *Alfredo* de Pacheco, no podía sino haber desistido de la idea de acabar y llevar a las tablas su tragedia, completamente neoclásica en su concepción y estilo.

Tanto el *Pelayo*, como el *Canto del cruzado* y *Blanca de Borbón*, quedaron inacabadas porque Espronceda tomó conciencia de la parte de artificio que contenían estas reconstrucciones históricas. Algo más tarde, publicará fragmentos de las dos primeras obras, pero no las considerará dignas de ser concluidas.

En cuanto a la tercera, renuncia a ella por razones literarias, pero también por los motivos políticos a los que ya hemos aludido anteriormente [109]. En el momento en que deja de colaborar en *El Artista*, hacia mediados de 1835, comienza una nueva etapa en su poesía, cuyo inicio viene marcado por la célebre *Canción del pirata*, si bien ésta sólo adquiere pleno sentido cuando la comparamos con las demás canciones publicadas a fines del mismo año.

108. Véase nuestro artículo "Contribution à la bibliographie d'Espronceda...", *BH*, LXXIII, 1971, pp. 125-132.

109. Véase *supra*, p. 217.

Capítulo XIII

EL FRACASO DE LA REVISTA *EL ARTISTA*

BALANCE DEL ROMANTICISMO SEGÚN LO ENTENDÍA *EL ARTISTA*

En España, al igual que en otros lugares, las sucesivas concepciones del romanticismo no son divergentes, sino complementarias, habida cuenta de factores extraliterarios, como la personalidad y cultura de los autores que las han expuesto. *El Artista* defiende y representa ideas que se han abierto camino a través de las páginas de *El Europeo*, el *Discurso* de Durán, el prólogo de *El moro expósito*, y las columnas de *El Siglo* merced a la pluma de Espronceda; ideas tales como: el abandono de las convenciones mitológica y pastoril; la búsqueda de nuevas fuentes de inspiración y de un nuevo lenguaje; la renuncia a respetar ciegamente las reglas extraídas de las obras de los Antiguos por algunos doctrinarios; la revisión del juicio desfavorable que el siglo XVIII manifestaba por el teatro del Siglo de Oro; la necesidad de recurrir a la historia nacional para hallar temas que serán tratados según la inspiración de cada cual, sin atenerse ya a formalismos. En su artículo sobre el *Discurso* de Durán, Larra había resumido en dos frases el carácter irreversible de la evolución de los géneros literarios, que con buen tino había puesto en relación con la evolución general de la sociedad:

> Una nación, al abrazar un género literario, no hace sino obedecer a las leyes necesarias de su existencia moral ... La cuestión del género clásico y del romántico no puede nunca ser absoluta, sino relativa a las exigencias de cada pueblo [110].

El Artista tiene en su haber el combate librado contra unas formas literarias estancadas y debilitadoras. Lo que nos distancia de los clasiquinos —escribe Ochoa—, «no es el ver observados unos preceptos que pueden ser buenos o malos, sino el ver que carecen de toda centella de genio, que quieren reparar esta

110. *Revista española*, 2 de abril de 1833; BAE, t. CXXVII, p. 207.

falta irreparable con el prestigio de las reglas [111]». Con razón los editores de la revista podían escribir en el artículo de despedida a los lectores:

> Hemos hecho una guerra de buena ley a *Favonio*, a *Mavorte insano*, al *Ceguezuelo alado Cupido*, a *Ciprina*, al *ronco retumbar del raudo rayo*, y a las zagalas que tienen la mala costumbre de *triscar*, y a todas las plagas, en fin, del clasiquinismo. Pero esto hicimos mientras vivió este malandante mancebo con peluquín; ahora ya murió. Requiescat in pace [112].

Hay que entender con ello que estos jóvenes escritores intentaron crear un nuevo lenguaje capaz de sustituir el que les había transmitido la última generación del siglo XVIII. Ésta utilizaba en los cuadros descriptivos un vocabulario convencional, un repertorio de metáforas obligadas, gracias a los cuales, seres, animales, vegetales y objetos podían alcanzar la «dignidad poética». Lista transmitió a sus alumnos este uso erigido en principio contra el cual ya había reaccionado Quintana. En la Academia del Mirto, el Guadalquivir sólo podía ser mencionado en los versos con el nombre de Betis; la aurora era ineludiblemente «refulgente» o «sonrosada»; el batir de los remos, «blando»; el Turco, «fiero»; la espada, «el acero crudo»; el océano, «el piélago undoso»; el francés, «el galo mañoso»; el inglés, el «bretón sombrío»... Basta con ojear las obras juveniles de Espronceda y de sus condiscípulos para hallar, cien veces repetidos, semejantes estereotipos, que todavía serán usados durante algún tiempo por algunos poetastros como Juan Bautista Alonso.

No obstante, tampoco en este ámbito fueron innovadores los redactores de *El Artista*. Unos años antes, en su discurso de ingreso en la Real Academia Española pronunciado el 19 de julio de 1827, Javier de Burgos había planteado de un modo más abierto y en un tono más moderado el problema del lenguaje [113]. En él proponía elevar «a la clase de hidalgas ciertas palabras y expresiones que pasan ahora por villanas». Citando la *Sátira a Arnesto* de Jovellanos, demostraba que ciertas palabras "bajas" pueden ser empleadas en poesía; señalaba que si bien algunos animales raros —león, pantera, tigre, dromedario— eran nombrados comúnmente sin calificativo, en cambio se escribía en verso «el asno sufrido», «el caballo ligero», «el buey lento», «la cabra trepadora», «la oveja golosa». De ello deducía Javier de Burgos la regla siguiente: «Toda palabra que designa un objeto de que se habla sin rubor entre personas bien criadas, puede entrar en cualquier composición poética, sin excluir las del género elevado, siempre que se les asocie convenientemente», es decir, siempre que se realce dicha palabra por medio de un epíteto. Agregaba que la poesía no puede admitir el uso de palabras o giros de la prosa «común o trivial», y que era conveniente que la Academia estudiase estos temas; en efecto

111. "Calderón", *El Artista*, I, [5, 1.º de febrero de] 1835, p. 52. Índice citado, pp. 112b-116b.

112. Los Editores, "*El Artista* a sus lectores", *ibid.*, III, [65, 4 de abril de] 1836, p. 160. Índice citado, pp. 61b-62.

113. Véase el texto de este discurso en E. de Ochoa, *Apuntes*..., París, 1840, t. I, pp. 222-230. Es un documento que suele ser ignorado por los historiadores del romanticismo; sólo A. Rumeau, en la introducción a su edición crítica de *El duende satírico del día* de Larra (París, 1948, pp. 120-121), ha puesto de relieve su gran interés.

> para la calificación de lo que se llama *frase humilde*, no hay siempre un principio constante, una regla segura a que referirse, de que resulta que nunca es general o uniforme la opinión que uno o muchos individuos tienen de la bajeza de una expresión, mientras que para calificarla de prosaica, basta referirse al uso común.

La elección de las palabras depende del carácter de cada género poético, pero si la Academia quiere resolver la cuestión, no debe someterse «siempre a la tiranía del uso, aunque éste se califique con razón de árbitro supremo de las lenguas». Ciertamente, el muy conservador Javier de Burgos no incitaba a poner «un bonnet rouge au vieux dictionnaire» («un sombrero rojo al viejo diccionario»), según señala A. Rumeau; pero cuando menos tiene el mérito de poner de manifiesto, ya en 1827, el carácter artificial del lenguaje poético heredado del siglo XVIII. El arte de «choisir et de cacher» («escoger y esconder») que Chauteaubriand consideraba condición necesaria para la descripción de lo «beau idéal» («bello ideal»), le parecía algo ya superado al autor de *Los tres iguales*; por otra parte, Moratín hijo había abierto la vía en la renovación del diálogo de teatro. Mucho antes que *El Artista*, el principio del abate Batteux, adoptado por Lista e inculcado a sus discípulos, según el cual el escritor debe inspirarse en los maestros consagrados y no en la naturaleza, había sido severamente criticado en el propio seno del neoclasicismo. El «vieux plâtrage qui masque la façade de l'art [114]» («viejo yeso que enmascara la fachada del arte») estaba ya muy agrietado en 1835.

Ochoa y Madrazo no pretenden en modo alguno hacer tabla rasa, sin distinciones, de la obra de sus mayores. En las páginas de la revista, panegíricos de Lope y Calderón alternan con versos de Lista, Juan Nicasio Gallego y Gallardo; junto a biografías de escritores de la antigua escuela —Lista, Quintana, Martínez de la Rosa— hallamos las de jóvenes literatos— García Gutiérrez, Trueba y Cosío—, e incluso una de ellas está dedicada a Bretón, pese a que le acusaran de caricaturizar el romanticismo según lo entendía *El Artista*. Según opinaban los animadores de la revista, la importación de obras extranjeras no era sino un medio provisional que contribuía a fomentar en el público aquella "ilustración" que iba a permitir el nacimiento a corto plazo de una nueva literatura española digna de la de los países vecinos. Así pues, no resulta sorprendente ver a Eugenio de Ochoa dedicándose a traducir a Hugo, a Dumas o a George Sand, antes incluso de la desaparición de *El Artista*.

D. A. Randolph ha subrayado con acierto que no existía contradicción entre el internacionalismo de Ochoa —ya apreciable en las páginas de *El Artista*— y su racionalismo, fruto del deseo de devolver a su patria, luchando contra la rutina en todos los dominios, la brillantez perdida desde largo tiempo atrás. Los artículos políticos que publicó a finales de 1835 en *La Abeja* revelan su fe en el liberalismo moderado y las reformas que éste podía aportar a España. De ahí su decepción y preocupación tras el motín de La Granja en 1836; predice a su amigo Campo Alange el próximo advenimiento de la república y de los desórdenes que desembocarán en la anarquía y en el posterior triunfo del carlismo [115]. No hay que

114. V. Hugo, *La préface de "Cromwell"*, ed. Souriau, p. 252.

115. D. A. Randolph, *op. cit.*, pp. 34-45. La carta citada, fechada en 7 de septiembre de 1836, ha sido publicada por el marqués del Saltillo, "Un prócer romántico: El conde de Campo Alange", *Boletín de la Biblioteca Menéndez y Pelayo*, I, 1931, p. 152.

olvidar que en 1835 Ochoa tenía apenas veinte años y que sus ideas no se basaban en una reflexión clara y profunda. Así escribía en *El Artista*, para justificar su defensa del romanticismo:

> He aquí por qué no basta en el día la tan decantada literatura del siglo de Luis XIV, porque es más bien la expresión de una sociedad idólatra y democrática que no de una sociedad monárquica y cristiana, en una palabra, porque estaba fundada en el error ... ¡Oh! si la causa de Dios hubiera sido defendida no sólo por la virtud sino también por el genio, la filosofía de Voltaire y Diderot hubiera hallado un obstáculo invencible en las santas creencias del pueblo ... Pero los poetas *paganos* del siglo de Luis XIV prepararon la disolución de la sociedad [116].

Semejantes argumentos demuestran que Ochoa no había meditado lo suficiente los problemas que planteaba. Su visión simplista de las relaciones entre literatura y sociedad, aplicada a su época, le llevaba a considerar a los escritores franceses que amaba —Dumas, George Sand, Hugo— como los paladines de una emancipación sólo en el modo de expresar los sentimientos. Al contrario de Lista, que veía en ellos a peligrosos perturbadores del orden. Será más tarde cuando descubrirá cuántas «ideas disolventes» contenían estas obras, mientras que en 1835 sólo veía en ellas inocentes desahogos de la imaginación y de la pasión. En efecto, en 1851, después de que la revolución de 1848 le iluminara, escribió:

> ¿Qué trascendencia podían tener aquellos elegantes extravíos de Jorge Sand en sus novelas, y de Dumas en sus dramas? En esta confianza insensata, se dejó que cundiese el desorden literario y aún se fomentó en gran manera aceptándolo y patrocinándolo como un capricho de moda. Y ¿qué sucedió? que aquel supuesto inocente desahogo de la imaginación, sin consecuencias prácticas posibles, las tuvo veinte años después tan posibles y tan tremendas cual todos las hemos visto; sucedió que aquel supuesto desahogo, no era en realidad más que una audaz tentativa para subvertir el orden social, puso a este orden veinte años después a dos dedos de su ruina [117].

Y el año siguiente, siendo censor de los teatros, Ochoa votará en contra del reestreno de *Antony*, obra de la que era el traductor [118].

El error fundamental residía en un malentendido: el deseo de conciliar una especie de *Romantik* a la alemana, católico y monárquico, con el romanticismo francés de 1830 que, en su evolución progresiva, se iba apartando cada vez más del romanticismo primitivo de la Restauración. Dicha actitud suponía olvidar estas sencillas verdades que Larra enunciará así en diciembre de 1836:

> La pretensión de los clásicos que quieren detener y estancar el teatro cuando las revoluciones marchan es un delirio que sólo podría verificarse si se diera en la Naturaleza el desnivel. Pero una unidad admirable lo encadena todo, y cuando los ro-

116. Eugenio de Ochoa, "Literatura", *El Artista*, I, [8, 22 de febrero de] 1835, p. 88.
117. "Revista dramática", *La España*, 16 de febrero de 1851; citado por D. A. Randolph, *op. cit.*, p. 39.
118. Este hecho es señalado y comentado favorablemente por A. M. Segovia en su artículo necrológico dedicado a Ochoa (*La Ilustración española y americana*, XVI, 1872, p. 147).

mánticos han innovado, no es porque de pensado y por un fantástico capricho hayan querido innovar, sino porque son hombres de nuestra época ... Víctor Hugo y Dumas han querido y creído ser originales, cuando no eran más que unos plagiarios de la política, porque la literatura es y será siempre no una causa, sino un efecto [119].

Ochoa sólo se preocupaba por aproximar lo más posible el pasado al presente, por modernizar el lenguaje y los temas, y promover así una forma española del romanticismo. Éste debía incluir conjuntamente el culto regenerador de las épocas gloriosas —o consideradas como tales— y la libre expresión de los sentimientos contemporáneos, rechazando cualqüier traba académica. Pero con tal objetivo, ¿cómo era posible proponer el ejemplo del drama francés según Dumas y Hugo, incitando a la vez a volver a una Edad Media idílica o a la comedia del Siglo de Oro? En ningún momento aparece en *El Artista* la respuesta a esta cuestión primordial porque ninguno de los defensores de esta concepción de la nueva literatura se la había planteado. En efecto, en las obras o épocas que admiran, sólo buscan materiales decorativos sin preocuparse de perspectiva histórica. De ahí que repitan hasta la saciedad temas imitados para llegar a un subjetivismo descriptivo o lírico, en ocasiones con una carga moralizante más o menos implícita. Este es, todavía a comienzos de 1835, el caso de Espronceda que da a la revista sus fragmentos del *Pelayo* en los cuales explota lo pintoresco oriental y los temas del sueño aterrador o de la visión horrenda. Por cierto que hallamos en *El Artista* algunos fragmentos de Henrik Wergeland traducidos de su poema *La Création, l'Homme, le Messie* publicado en 1830 (y según recordaremos, tomados por Ochoa de *L'Artiste* de París), en los cuales se exalta el siglo XIX sin que aparezca mencionado el nombre de ningún rey ni pontífice, sino sólo el de la libertad; hallamos también dos poesías de Ochoa en honor de la resistencia griega frente al opresor turco. Sin embargo, no aparece ninguna composición en verso o en prosa dedicada a las «tempestades políticas» que conmovían por entonces el país. En una reseña de la *Historia del levantamiento y revolución de España* del conde de Toreno, un redactor se exalta al recordar episodios gloriosos de la guerra de la Independencia, la «cólera e intrepidez españolas» que se opusieron al «torrente de injustos opresores» y exclama: «¡Cuadros admirables para el pincel y las trovas [120]!» Así pues, para estos jóvenes escritores, la historia no es sino un marco abstracto en el cual proyectan sus sentimientos, un simple almacén de accesorios exóticos que utilizan para ambientar sus ficciones; de ahí que sitúen en un mismo plano la revuelta de *Antony* y el espíritu caballeresco de los cruzados, o que transfieran a las aventuras del don Álvaro de Rivas o del Alfredo de Pacheco —víctimas de una incierta fatalidad— una insatisfacción mal definida, o aun a las hazañas de Mudarra, su confusa necesidad de acción.

La Edad Media es preferentemente el objeto de su culto casi exclusivo. Exaltan su civilización, su arquitectura, sus costumbres; es una época que aparece tanto más someramente idealizada en visiones fragmentarias, cuanto que conocen

119. Reseña de "Felipe II", *El Español*, 20 de diciembre de 1836; BAE, t. CXXVIII, p. 287.

120. [Anónimo], "Historia del levantamiento...", *El Artista*, II, [29, 19 de julio de] 1835, pp. 35-36. Índice citado, pp. 75b-76a.

mal su auténtica realidad. El Medioevo se convierte así en el marco privilegiado de proezas o nobles amores más o menos imaginarios que constituyen la alternativa mítica al prosaísmo de la sociedad en la cual viven. La discusión sobre el mundo contemporáneo se efectúa por esta vía y a través de esos medios superficiales exentos de toda trascendencia, ya que ni éstos ni aquélla permiten sacar las consecuencias de la confrontación entre el pasado y el presente. Este romanticismo histórico, vuelto hacia el pasado, es por esencia reaccionario, en la medida en que conduce a quienes lo practican a la pasividad, o bien a la exaltación lírica. En 1857, un colaborador de *El Museo Universal* define las características y los límites del mismo en unos términos que merecen ser citados:

> Prefiere la tradición a la historia, el cuento a la tradición, el mito al héroe; se complace en vagar por entre las nieblas de la edad media, evoca lleno de amor las hadas y las hechiceras de otros tiempos y hasta intenta sustituirlas a las deidades paganas, haciéndolas su *Deus ex machina*. Emancipa el genio poético, más sólo *formal* y no *materialmente*. Le da nuevos medios de manifestación, pero sin dilatarle el campo en que se mueve [121].

El Artista contribuyó al establecimiento de este nuevo formalismo que, a otro nivel, constituye un fenómeno de legitimación de ciertos "valores tradicionales" (caballería, cruzadas, sentimiento religioso, ascetismo, amores sublimados). La rebeldía contra la razón, así como la reivindicación de la libertad del yo afectivo, de los derechos de la imaginación y de la primacía de los sentimientos apartan a estos jóvenes de un mundo que rechazan, por ser el de una nueva civilización en la que, desde su óptica, dichos valores se encuentran amenazados. Según ha señalado Vicens Vives, este romanticismo conservador y legitimista de tono arcaizante constituye la expresión artística de la ideología reformista de los liberales moderados. Estos partidarios más o menos conscientes del justo medio, representado por Martínez de la Rosa, encuentran en la resurrección de un pasado brillante y glorioso los argumentos que les permiten justificar, tanto su condena del carlismo reaccionario como la del liberalismo "exaltado" del que reprueban las tendencias revolucionarias [122]. Según escribía Ch.-V. Aubrun en 1947, «à la vérité, le romantisme européen a servi à asseoir définitivement la "romantique" ou "romanticismo", forme non virulente, dans les lettres espagnoles»* y este avatar de la *Romantik* según Schlegel y Madame de Staël «va bientôt déboucher sur un idéalisme mièvre, abâtardi, doublé de traditionalisme obtus» [123]. Sin tener clara conciencia de ello, los jóvenes amigos de Ochoa acaban por encontrarse en un callejón sin salida: queriendo ser hombres de su siglo, le dan resueltamente la espalda. Las posturas de *El Artista* son reveladoras de una situación que no es nueva en España, y que aparece reflejada con exactitud en las siguientes palabras de Llorens:

121. [Anónimo], "Espronceda y Larra", *El Museo universal,* 1 (12), 30 de junio de 1857, pp. 93-94. E. Rodríguez-Solís (p. 143) atribuye este artículo a Pi y Margall.

122. J. Vicens Vives, "El romanticismo en la historia", *Hispania*, X (XLI), 1950, p. 754.

* «...en verdad, el romanticismo europeo ha contribuido a establecer definitivamente lo "romántico" o "romanticismo", forma no virulenta, en las letras españolas.»

123. («... va a desembocar pronto en un idealismo amanerado, envilecido, de un tradicionalismo obtuso») C.-V. Aubrun, reseña del libro de N. B. Adams, *Notes on dramatic criticism in Madrid, 1828-1833*, *BH*, XLIX, 1947, pp. 475-476.

> Ocurrió entonces lo que había de ocurrir otras veces, no sólo en el aspecto literario, en la España moderna. Un largo y penoso esfuerzo para ponerse a tono con el espíritu del tiempo, y cuando el objetivo parecía logrado, ya el tal espíritu había tomado una nueva dirección. De ahí la confusión, el tropel innovador y el persistente anacronismo de la cultura española, que vive en los tiempos modernos no sólo en una posición de inseguridad, sino moviéndose constantemente a contratiempo [124].

Confusión, innovaciones apresuradas, indecisión de una cultura a contratiempo, estos son en efecto los caracteres que presenta el género que abarca al más amplio sector de público: el teatro. En mayo de 1835, en su crónica sobre *Mérope* de Voltaire traducida por Bretón, Ochoa señala lo siguiente:

> El público silba indistintamente lo clásico y lo romántico, lo original y lo traducido: todo le cansa, todo le fastidia: va al teatro con la misma indiferencia que un inglés millonario que ha agotado ya todas las sensaciones gastronómicas va a un opulento banquete [125].

La introducción al tomo III de *El Artista* incluye un balance muy optimista del año dramático de 1835; su autor —de nuevo Ochoa, sin duda— celebra el declive de popularidad de las obras de Scribe que ha redundado en provecho de las de Hugo, Dumas, Casimir Delavigne y de autores españoles [126]. Entre estos últimos, los que han obtenido un éxito apreciable son Rivas con *Don Álvaro* (17 representaciones) y Bretón con *Todo es farsa en este mundo* (14 representaciones). El *Alfredo* de Pacheco sólo se representó tres veces, mientras que *El Arte de conspirar*, traducido de Scribe por Larra, estuvo veintiséis veces en cartel; la ópera, los melodramas de Ducange y, como era de esperar, *La pata de cabra*, obtienen un éxito que no decae. De Víctor Hugo, se representan sucesivamente *Lucrèce Borgia* (en julio) y *Angelo* (en agosto); de Dumas, *Richard Darlington* (en septiembre); aunque el verdadero triunfador del año es Casimir Delavigne, del que se llevan a las tablas *Marino Faliero* de 1829 (en septiembre, traducido por Vega), *Los hijos de Eduardo* de 1833 (en octubre, en traducción de Bretón) y *Las vísperas sicilianas* de 1819 (en noviembre); estas tres obras se representan veintidós veces en total en el curso de los tres últimos meses del año, mientras que los grandes dramaturgos del Siglo de Oro sólo muy rara vez figuran en la cartelera de los teatros [127]. El aspecto caótico de semejante repertorio, antes refleja incoherencia e incertidumbre, que demuestra el triunfo de las nuevas tendencias como proclamaba *El Artista*; el público se encuentra más desconcertado que definitivamente cautivado, por estas obras importadas sin discernimiento alguno. ¿De qué otro modo iba a ser si se le ofrecía, en batiborrillo, dramas originales torpemente imitados, obras históricas de "justo medio" de Delavigne, vodeviles de Scribe, una tragedia de Voltaire y traducciones de obras de Hugo, una de dos años atrás (*Lucrèce Borgia*), y otra de Dumas de apenas unos meses (*Angelo*)? Suponía ignorar lo que Larra denominará «la unidad admirable» que existe entre el movimiento de las ideas y las figuraciones literarias, en especial en el teatro.

124. V. Llorens, *Liberales y románticos...*, Madrid, 1968, pp. 420-421.
125. Eugenio de Ochoa, "Mérope", *El Artista*, I, [18, 3 de mayo de] 1835, p. 216.
126. [Anónimo], *ibid.*, III, [53, 3 de enero de] 1836, p. 1. Índice citado, p. 84.
127. Peers, *HMRE*, t. I, pp. 414-417.

El Artista es un buen reflejo de esta confusión ampliamente extendida en Madrid, tanto entre los espectadores como entre los críticos, si bien por razones variadas y complejas[128]. El deseo, reiteradas veces expresado en la revista, de encauzar los efectos espectaculares y los sentimientos desbordados dentro de los límites de la "razón" y del "buen gusto" revela una difusa preocupación por la influencia que tales dramas podían ejercer en las costumbres. La revista de Ochoa y de Madrazo no constituye realmente el órgano de una vanguardia literaria: se limita a seguir lo que, tanto sus redactores, como también sus adversarios, consideran como una moda. Tanto unos como otros, sólo se plantean entonces de modo superficial las implicaciones sociales del romanticismo francés posterior a 1830; no ven en él más que un medio de expresión literaria, como tal loable o condenable. En cuanto al público en general, y en particular el público de teatro, seguía desinteresándose de estos problemas, para él puramente teóricos.

Causas de la desaparición de *El Artista*

La desaparición de *El Artista* a los quince meses de existencia sería, según Peers, prueba evidente del fracaso de la revolución romántica en Madrid[129]; por otra parte, denomina eclectismo la tendencia a condenar, tanto la imitación exclusiva de Byron, Hugo o Dumas, como la obediencia a las teorías neoclásicas. Pero si descartamos el concepto abstracto de romanticismo latente que escapa a cualquier definición relativa, concepto al que Peers se remite constantemente, sin precisar su contenido, este supuesto eclectismo es en realidad una simple fase del "nacional-romanticismo" del que el *Discurso* de Durán había sentado las primeras bases. En efecto, las razones por las que la revista dejó de publicarse no radican en algunas posturas consideradas desmedidas que podían haber hecho perder audiencia a *El Artista*. Sus adversarios se dedican a criticar a veces ciertos aspectos externos de obras publicadas o alabadas por los jóvenes autores (sentimientos exaltados hasta el rídiculo, tópicos, estilo desenfrenado, abundancia de crímenes, suicidios, adulterios, incestos y violencias de todo tipo); este es el caso de *El Eco del comercio* que, aun cuando se muestra riguroso en la reprobación de tales excesos, emite juicios en general equitativos sobre las obras dramáticas importadas o imitadas del repertorio francés. Pero en *La Abeja*, cuyas ideas políticas moderadas se hallan próximas a las de Ochoa, encontramos reservas similares ante este tipo de obras, y Bretón —quien por otra parte sigue confundiendo melodrama y drama— las expresa claramente, aunque en términos menos tajantes que sus colegas de *El Eco*[130]. Antonio María Segovia había lanzado pullas

128. Determinar estas razones y comentar las motivaciones sociales y económicas exigiría otro libro. Lo conveniente sería proceder, como ha hecho R. Andioc para la época de Moratín hijo (y en la medida en que lo permita la documentación conservada), al estudio comparativo durante el período que nos interesa de las recaudaciones según categorías de asientos y de las recaudaciones de cada obra en particular (estreno y reposiciones eventuales).

129. Peers, *HMRE*, t. I, pp. 13-15.

130. Véanse los fragmentos de artículos de 1835-1836 reproducidos y comentados por R. F. Brown, "Three Madrid Periodicals", *Liverpool Studies in Spanish Literature*, I, 1940, pp. 49-52 y 59-62.

contra *El Artista* en el *Correo de las damas* aprovechando precisamente estos mismos aspectos desmesurados; la revista de Ochoa siguió siendo blanco de su ironía en el periódico moderado *El Jorobado*. En éste encontramos, por ejemplo, a comienzos de 1836, la historia de un hombre que, sufriendo de pesadillas de tanto leer revistas, ve aparecérsele «una descomunal figura» que se dirige a él en estos términos:

> Yo soy el demonio de la literatura, grande amigo de Víctor Hugo y de todos sus secuaces. Yo tengo puesto el abasto de los dramas románticos para los teatros de París, de donde vosotros los tomáis para traducirlos y echarlos a perder. Yo soy el que dicta al *Artista* las novelejas de trasgos, duendes y fantasmas con que se engalana todos los domingos ...; ¡Miserable! tan apegado estás al clasicismo, que piensas todavía que todo cuanto se escribe ha de querer decir algo! [131].

No obstante, un mes más tarde, en el mismo periódico "El Estudiante" dedicaba a *El Artista* un artículo necrológico en el cual escribía:

> El único papel de alguna cuenta que teníamos dedicado exclusivamente a la literatura y a las artes, el periódico de la ilustración y del buen gusto, el ARTISTA, el joven, el galán, el enamorado, el poeta, el músico, el romántico ARTISTA... ha concluido su carrera. La muerte de este apreciabilísimo y amado colega nos ha llenado de tristeza, ha hecho correr nuestras lágrimas y excitado en nuestra mente mil ideas tristes y reflexiones melancólicas. ¡Es posible! Un periódico tan lindamente redactado, tan bonitamente impreso; un periódico en donde lucían su ingenio las elegantes plumas de la juventud literaria madrileña ... que ha procurado picar la curiosidad del público, excitar el amor propio nacional, despertar la afición a las letras y a las artes, perpetuar la memoria de españoles ilustres antiguos y modernos ... ¡Y vive el *Nacional*!; ¡Y vive el *Eco*! [132].

Seguidamente, lamentaba la ingratitud de los escritores, artistas y mecenas quienes, aun cuando algunos de ellos habían visto publicado su retrato en *El Artista*, no habían dado apoyo a la revista cuya tumba «será un monumento de baldón para la edad presente»; luego finalizaba su artículo con un soneto-epitafio que concluía así:

> Más versos hizo, que cobró pesetas;
> más retratos que tuvo suscritores.
> España que no está por los poetas
> ni se le da una higa de pintores,
> al versificador, y al retratista
> ingrata abandonó. ¡Mísero ARTISTA!

La *Revista española* publicó, el 11 de diciembre de 1835, un artículo cuyo autor,

131. "El Licor infernal", *El Jorobado*, 2 de marzo de 1836. El artículo no lleva firma, pero parece hijo de la pluma «festiva» de Segovia.

132. "Necrología. El Artista", *El Jorobado*, 7 de abril de 1836. Este artículo aparece también en la *Colección de composiciones serias y festivas...* por El Estudiante, Madrid, 1839, t. I, pp. 75-76; una nota indica que se publicó en abril de 1836.

que firma "M. F.", se quejaba del uso abusivo del adjetivo «romántico», que se aplicaba indistintamente a la muchacha que robaba el dinero de su padre para huir con su amante, como al calavera, asesino, candidato al suicidio, o joven excéntrico viviendo al estilo de los *Jeunes-France* según los describirá Théophile Gautier; en resumen, a todos los que desacreditan «el elevado romanticismo». Aunque el autor no lo especifique, la idea que se trasluce parece próxima al concepto de romanticismo que tiene *El Artista*. Un artículo muy elogioso para la revista de Ochoa salió (con la firma "M.F.M.", que tal vez se refiere al mismo colaborador) en la *Revista española* del 10 de febrero de 1836 y, más adelante, el 21 de marzo siguiente, un suelto anunciaba en términos afligidos la próxima desaparición del semanario. Por último, *El Español*, en su número del 5 de abril, afirmaba que el fracaso de la empresa de Ochoa y Madrazo era una vergüenza para el país que no había sabido respaldar como se lo merecía la única publicación que contribuía en España a la difusión de la cultura literaria y artística. Tan sólo el *Eco del comercio* se abstuvo de cualquier comentario, lo cual entraba dentro de la normalidad, puesto que las ideas del liberalismo "exaltado" que éste defendía en política eran incompatibles con una concepción "reaccionaria" de la literatura. Cabe añadir que Larra nunca tomó partido por *El Artista* en ninguno de sus artículos. Esta cuasi unanimidad demuestra que, a pesar de algunas reservas sobre aspectos menores o ciertas bromas burlonas provocadas por episódicos excesos juveniles, los textos contenidos en *El Artista* no fueron objeto de una reprobación global. En concreto, en ningún momento fue puesto en tela de juicio en la prensa contemporánea uno de los principios más gratos a la revista; la defensa e ilustración del pasado nacional.

Se desprende claramente del artículo de despedida a los lectores publicado en el último número de *El Artista* que, según lo da a entender un verso del soneto de Segovia, se renunció a la empresa debido a su carácter deficitario: «así lo exigen ... las defraudadas esperanzas, los perjudicados intereses de los que firman estas líneas.» Los editores acusaron no sólo a «los autores de anónimos, los pedantes», sino también a «los que se suscriben por varios ejemplares y luego no pagan más que uno»[133]. Ya en el artículo de introducción al tomo III, pedían a sus lectores que recompensaran con su fidelidad «sus trabajos, disgustos y sacrificios pecuniarios»[134]. La publicación de *El Artista* coincide con un período crítico de la crisis económica de los años 1830-1840 y con una época de inestabilidad política; además, la guerra carlista hace difíciles las comunicaciones con ciertas provincias. Tales condiciones eran desfavorables para que prosperara una revista de arte y de letras en un país en el que también hay que tener en cuenta los particularismos provinciales; que sepamos, la prensa de Barcelona nunca publicó artículo alguno sobre la revista (de la que no obstante sacaba a veces algunos textos para reproducirlos, acompañados de un comentario favorable), ni lamentó que dejara de publicarse. Aparte de estos factores, *El Artista* era una publicación cara: la suscripción costaba 30 reales al mes, 78 al trimestre, 178 al semestre o 240 por un año, mientras que el texto de una obra de teatro salía por 4 reales y

133. Los Editores, "*El Artista* a sus lectores", *El Artista*, II, [65, 28 de marzo de] 1836, pp. 159-160. Índice citado, pp. 61b-62a.

134. *El Artista*, III, 53, 3 de enero de 1836, p. 1. Índice citado, p. 84.

un volumen de la colección de novelas históricas de Delgado, por 8 reales. Ahora bien, según vimos anteriormente, dichos folletos y libros se vendían bastante mal; la publicación más leída y de mayor difusión era el diario, cuya suscripción salía por 20 reales al mes. Podemos comparar estas cifras con las de algunos salarios y precios en 1834-1836: Quintana, ministro del Consejo Real, percibía 50.000 reales al año; García de Villalta, jefe político de Lugo, 28.000; Antonio Bernabeu, oficial primero de rentas provinciales en Alcaraz (en la Mancha), 5.000; Eugenio de Ochoa, funcionario en la *Gaceta de Madrid*, sucesivamente 800 (oficial segundo), 1.000 (oficial primero), 1.200 (redactor segundo), y 1.400 (redactor primero)[135]. Pascual Madoz nos proporciona otros puntos de referencia en relación con el segundo tercio del siglo XIX, aunque podemos fecharlos con menos precisión: un profesor del Conservatorio de Madrid ganaba de 10.000 a 14.000 reales; un maestro, 8.800 (en Chamberí, tan sólo 3.500); un director de hospital, 12.000; un cirujano municipal, 2.200; un empleado del servicio de parques y jardines de Madrid, 6 reales por jornada laboral[136]. Por último, recordemos que la madre de Espronceda, viuda de un general, sólo tenía derecho a una pensión de 6.000 reales al año. Un viajero que se preocupó por llevar las cuentas narra que en 1835 la entrada al baile de máscaras de los teatros de Madrid, se pagaba a 20 reales, y una localidad para la función a 4, 8 o 12 reales (más 2 cuartos para la Casa de Misericordia); y que una pensión completa sin lujo sale por 10 reales al día[137]. A finales del mismo año, la cuota de los socios del Ateneo está fijada en 40 reales[138]; en enero de 1838, los socios del Liceo artístico y literario deben abonar 100 reales en concepto de derechos de inscripción, y luego 20 al mes[139]. A principios de 1836, Larra alquila un piso amueblado por 24 reales al día, ganando él a la sazón 20.000 al año por sus artículos en *El Español*[140]. Pero ¿cuántos miembros de la clase media de la que él procedía, incluso entre los literatos, disponían de tales ingresos?

En las tres categorías que componían la sociedad de la capital española según la describió "Fígaro", era poco probable que *El Artista* encontrase lectores asiduos, capaces de apoyar a largo plazo la empresa de sus fundadores. Si descartamos la «multitud indiferente a todo», que es pobre e inculta; la «clase media que

135. Estas cantidades aparecen en diferentes expedientes de los interesados. Así, respectivamente: AHN, Hacienda, leg. 2780, n.º 41 (citado por A. Dérozier, "Les étapes de la vie officielle de M. J. Quintana", *BH*, LXVI, 1964, p. 353); hoja de servicios citada por E. Torre, *La vida y la obra de J. García Villalta*, Madrid, 1959, p. 142; expediente de Antonio Bernabeu, Archivo del Ministerio de Estado, leg. 28, n.º 1140; expediente de pensión de Carlota Madrazo, viuda de Ochoa, Archivo de Clases Pasivas, Pensiones, leg. M 259. Queremos señalar aquí que hasta la fecha ningún especialista de la historia económica española ha analizado a fondo las fuentes de información sobre salarios y precios en Madrid durante la época que nos ocupa.

136. P. Madoz, *Diccionario geográfico-estadístico-histórico*, Madrid, 1844 y ss, artículo: *Madrid*.

137. A. C. Ferrer, *Paseo por Madrid, 1835*, Madrid, 1952, pp. 41, 86 y 91. Un uniforme de miliciano nacional costaba 360 reales en abril de 1835, según una factura de sastrería a nombre de Espronceda (Archivos Núñez de Arenas).

138. Libro 1.º de Actas del Ateneo, acta de la reunión del 23 de diciembre de 1835 (Archivo del Ateneo de Madrid).

139. Según el art. 3, cap. 2, de los estatutos de la sociedad (*El Liceo artístico y literario español*, 1, 31 de enero de 1838, p. 49).

140. I. Sánchez Estevan, *Mariano José de Larra...*, Madrid, 1934, p. 164.

se ilustra lentamente» y acude al teatro o lee algunas novelas en busca de ilusión y evasión, nos queda la «clase privilegiada». Ésta se compone de nobles, intelectuales y artistas que han adquirido en el extranjero o del extranjero una cultura que, erróneamente, imaginan ampliamente difundida entre sus compatriotas[141]. En cuanto a la aristocracia, el llamamiento que le hizo en *El Artista* el conde de Campo Alange[142] pone de manifiesto que eran escasos los miembros de la misma que tuvieran por entonces alguna afición por las letras y las artes. Tiene la excusa —escribe el amigo de Ochoa—, de haber sido «desterrada de toda intervención en el gobierno durante muchísimos años, no por la aristocracia del saber, la más respetable de todas, sin duda alguna, sino por las intrigas de algunos advenedizos, sin otra religión que su interés, sin otros principios políticos que la adulación; humillada, puesta en ridículo y, a veces, hasta proscrita»; el papel político que ahora está destinada a desempeñar en el seno del Estamento de próceres debería obligarla a salir de su letargo. Por lo tanto, debería dedicarse al mecenazgo, y desempolvar los archivos y bibliotecas familiares a fin de publicar los textos raros y olvidados; e interesarse por las obras de los artistas contemporáneos en lugar de comprar chucherías chinas, frivolidades o cuadros de pacotilla para simular lujo y buen gusto. La severidad de los juicios emitidos por Campo Alange no era lo ideal para ganarse la simpatía de aquellos a quienes se dirigía, como tampoco la de los capitalistas o de los hombres en el poder, tratados de advenedizos sin escrúpulos.

Por último, hay otro motivo que puede explicar la desaparición de *El Artista*, y es que sus colaboradores asiduos eran jóvenes desconocidos. En la revista no encontramos texto alguno de Mesonero, Estébanez Calderón, Larra, Rivas, Martínez de la Rosa o Bretón. Algunos de éstos eran amigos de Ochoa y Madrazo; ¿acaso dudaron en participar en una empresa que les inspiraba cierta desconfianza, a pesar de los elogios que se les dispensaba en las reseñas o biografías a ellos dedicadas? ¿O bien por el contrario se les mantuvo al margen por cierto espíritu de clan, según da a entender Cotarelo[143]?

En diversos grados (que la ausencia de documentos relativos a la tesorería y la administración de la revista no permite calibrar con precisión), hubo un gran número de factores que condujeron a la desaparición de *El Artista*. No todos son, ni mucho menos, de orden literario. Lo cual nos induce a pensar que la posteridad ha sobrestimado la importancia y el papel de este semanario dentro de la historia de las ideas. El lujo de su presentación material así como la calidad de su tipografía y de sus ilustraciones son indiscutibles, pero no deben hacernos olvidar que su difusión fue muy reducida, según confiesan sus propios fundadores. Por otra parte, por muy estimable que fuese el talento de Ochoa, Pastor Díaz,

141. Primer artículo sobre *Antony*, de Dumas, *El Español*, 23 de junio de 1836; BAE, t. CXXVIII, pp. 246b-247a.

142. C[onde] de C[ampo] A[lange], "A la aristocracia española", *El Artista*, I, [3, 18 de enero de] 1835, pp. 25-27. Índice citado, pp. 98b-101a.

143. Esta frase, de la que cabría desear que sus términos fuesen más explícitos, es de Cotarelo: «Pero el favor con que al principio se recibió esta excelente revista *[El Artista]* fue poco a poco enfriándose, sin que ella, encerrada en su egoísmo de familia, más aún que de escuela, hiciese nada por atraérselo de nuevo.» ("Elogio biográfico de don Ramón de Mesonero Romanos", *Boletín de la RAE,* XII, (XII), 1925, p. 317).

Bermúdez de Castro, Salas y Quiroga o García y Tassara, no estaba a la altura de las ambiciones expresadas en los artículos teóricos de la revista. Sólo dos de los colaboradores de *El Artista* dejarán un nombre célebre en la poesía española: Espronceda y Zorrilla. Dotado de una gran facilidad, este último irá explotando sistemáticamente todos los recursos que ofrecía el romanticismo histórico primitivo, y popularizará la imagen del eterno trovador tradicionalista, respetuoso de la moral y del orden, aunque no tanto de la lengua y del verso castellanos. Zorrilla ha sido el versificador y Espronceda, el poeta. Poeta, lo fue de verdad, porque comprendió, hacia 1835, que el romanticismo ya no podía ser sólo una estética (un vocabulario y un repertorio de imágenes o de temas nuevos) que permitiera expresar más libremente sentimientos y pasiones o recurrir a los valores consagrados de una remota tradición, sino que debía ser una ética de las relaciones sociales, políticas y económicas aplicable a una España en plena transformación.

Quinta parte

DEL ROMANTICISMO TRADICIONAL AL ROMANTICISMO AUTÉNTICO: LA LITERATURA AL SERVICIO DEL HOMBRE Y DE LA SOCIEDAD

Capítulo XIV

ESPRONCEDA, POETA DEL MUNDO REAL Y ESCRITOR CONSAGRADO

LA RUPTURA CON EL ROMANTICISMO TRADICIONAL

El año 1835 es un año capital para Espronceda. Es el momento en que sus posturas políticas se afianzan con la suficiente claridad para que la policía lo encasille entre los oponentes más radicales al régimen del Estatuto real[1]. También es el momento en que su poesía experimenta una decisiva metamorfosis. A finales de junio, deja de colaborar en *El Artista*[2] después de haber dado a la revista crónicas de teatro, dos textos en prosa, algunos fragmentos del *Pelayo,* la sátira *El Pastor Clasiquino* y la *Canción del pirata.* El carácter inconexo de estas obras revela cierta indecisión, si bien la última citada contiene las primicias de una inspiración innovadora. Por otra parte, gracias a una alusión de Larra, sabemos que en marzo de 1835 Espronceda había compuesto, o cuando menos iniciado, *El reo de muerte,* un fragmento del cual aparecerá publicado el 17 de enero de 1836 en *El Español*[3]. Por último, a partir de septiembre de 1835, publica sus obras —poesías o artículos— en periódicos (la *Revista española* y más tarde, *El Español*) que le aseguran una difusión más rápida y sobre todo más amplia que un semanario costoso. Además, el contenido social o político de estas obras las situaba muy lejos del concepto de romanticismo que tenía *El Artista.* Espronceda se apartó de este nuevo formalismo, que no tarda en convertirse en algo tan artificial como el formalismo bucólico o mitológico de los clasicistas. Renunciando a estas facili-

1. Véase *supra*, p. 307.
2. El romance "Raya la naciente luna", publicado en el último número aparecido de la revista (III, [65, 3 de abril de] 1836), aunque va firmado por las iniciales «J. de E.», no fue escrito, según creemos, por nuestro poeta (Espronceda, *Poésies*, ed. Marrast, pp. 27-28).
3. La alusión de Larra (señalada por numerosos críticos), se encuentra en "Un reo de muerte", *Revista mensajero*, 30 de abril de 1836; BAE, t. CXXVIII, pp. 64-67. Véase Espronceda, *Poésies*, ed. Marrast, pp. 369-371.

dades que encierran la literatura en un estrecho conformismo, el poeta habla ahora, en prosa o en verso, del mundo real y de la sociedad en la que vive.

UNA VOZ NUEVA EN LA POESÍA ESPAÑOLA: LA *CANCIÓN DEL PIRATA*, APOLOGÍA DE LA LIBERTAD

La poesía en la que aparecen los primeros signos de este cambio en la inspiración de Espronceda es también la más célebre y la más divulgada: la *Canción del pirata,* publicada el 25 de enero de 1835 en el número cuatro de *El Artista.* Mazzei, Peers y Casalduero han estudiado esta obra y señalado sus profundas cualidades; en efecto, la soltura y fluidez del estilo, su armonía y colorido, el virtuosismo en la métrica y la utilización de las imágenes, así como su frescura y originalidad, revelan un auténtico poeta[4]. Es la primera vez que Espronceda utiliza tan variadas combinaciones de versos y estrofas, con preferencia por la octavilla italiana. Enrique Gil consideró la *Canción del pirata* como el primer intento de poesía hecha para un público amplio, a ejemplo de las *Chansons* de Béranger, quien había contribuido a democratizar un arte tradicionalmente reservado a una minoría:

> El desenfado, fluidez, casta dicción y variada armonía del *Pirata,* junto con la filosofía y verdad de su fondo, la convierten en una lindísima tonada popular, bien acomodada al carácter ardiente y aventurero de nuestra nación[5].

En efecto, la *Canción del pirata* destaca tanto por la sencillez de su vocabulario como por sus otras cualidades. Sin caer en la vulgaridad demagógica (lo que le sucede a veces a Béranger), Espronceda escribió una obra que todos pudieran leer, incluso los menos cultos. No encontramos en ella ninguna referencia implícita, susceptible de ser entendida sólo por un lector que haya estudiado humanidades; todo está claro y los motivos aparecen presentados en un orden lineal y lógico; la estructura de la obra es nítida y armoniosa. La *Canción del pirata* obtuvo un éxito inmediato y fue luego reproducida reiteradas veces hasta nuestros días en múltiples antologías. También fue objeto de imitaciones más o menos afortunadas. Por ejemplo, Gregorio Romero Larrañaga publicó en marzo de 1837 en el *Semanario pintoresco español* una *Canción del pescador* en la que aparecen recogidos algunos motivos y esquemas métricos sacados de Espronceda. El resultado es una pálida imitación, que se hace interminable, y en la que nunca se alcanza la perfección en la sencillez del modelo. Los sentimientos y actitudes del pirata se tornan un tanto ridículos al ser atribuidos a un pacífico y respetuoso pescador de caña. Juan Arolas escribió también una obra titulada *El pirata* e imitada en parte de la de Espronceda; en ella desarrolla sobre todo motivos exóticos que Espronceda había desdeñado en favor del personaje central[6].

4. Mazzei, pp. 81-84; Peers, *HMRE*, t. I, pp. 501-503; Casalduero, pp. 150-156.
5. E. Gil, "Poesías de don José de Espronceda", *Semanario pintoresco español*, 2.ª serie, II (28), 1.º de julio de 1840, p. 223b; BAE, t. LXXIV, p. 491b.
6. Sobre las diversas ediciones de la *Canción del pirata*, véase Espronceda, *Poésies*, ed. Marrast, pp. 32-33; el poema de Arolas aparece en sus *Poesías caballerescas y orientales*, Valencia, 1840, pp. 233-238.

La popularidad de la *Canción del pirata* se debe, según dice Casalduero, a su ritmo melódico, nuevo en el momento de su publicación, y a su carácter, animado y juvenil. El pirata expresa «un individualismo belicoso, pero su espíritu de lucha tiene un aire de juego, de deporte» dentro de una especie de libertad embriagadora, de reto a la sociedad y a la muerte. Este personaje, en el que Espronceda proyecta su propia sensibilidad, es uno de los símbolos preferidos de la poesía romántica europea[7]. Es uno de esos tipos de aventurero, de forajido o de marginado que hallamos en Walter Scott (Robin Hood, Cleveland), Schiller (el Moor de *Los bandoleros*), Byron (el corsario, Lara), y Hugo (don César de Bazan, Hernani). Todos viven al margen de la sociedad, sea por nacimiento, sea por elección deliberada, y encarnan sentimientos de generosidad, de amor por la libertad y la justicia que ven imposible hallar en un mundo del que rechazan la moral y los valores tradicionales. El personaje del pirata o del corsario forma parte de una tradición literaria anterior a Espronceda; no obstante, éste lo sitúa en un marco geográfico concreto, el mar de Mármara:

> Asia a un lado, al otro Europa,
> y allá a su frente Stambul.

Así pues, aparentemente su pirata es de origen griego, aunque no reivindica patria alguna y afirma su independencia frente a cualquier poder temporal o espiritual. El poeta no sólo quiso pintar a uno de esos aventureros del mar que secundaron a los griegos en su lucha contra los turcos, sino mostrar un símbolo de la libertad. Ahí reside su originalidad en relación con sus posibles fuentes, cuyo valor cabe analizar.

Churchman comparó la *Canción del pirata* con ciertos pasajes de *The Corsair* de Byron; Moreno Villa señaló analogías con *La Frégate "La Sérieuse"* de Vigny; partiendo de estos cotejos, Brereton llegó a la conclusión de que Espronceda había tenido en cuenta el poema francés, mientras que la influencia del escritor inglés parecía menos segura[8]. En realidad, los motivos comunes en Vigny y Espronceda son poco numerosos y poco significativos: los dos marineros elogian su navío y citan con orgullo el número de sus cañones; se dirigen a su barco como a un ser querido; no conocen sino el mar, son los únicos dueños a bordo y se sienten orgullosos de ello. No creemos que pueda hablarse de imitación, ya que todos los elementos son, por decirlo así, obligados en composiciones que se ocupen de este tema. Compartimos la opinión de Narciso Alonso Cortés, que considera que se trata de detalles insignificantes y sin valor probatorio[9]. Espronceda pudo conocer el *Chant des pirates* de Hugo, y el de Louis-Marie Fontan, publicado en 1827 en el *Almanach des Muses* de París. Existen en efecto ciertas analogías generales entre esta última poesía y la de Espronceda. También encontramos algunas con *L'Ami de la tempête, imitation de Lord Byron* por De Lourdoueix, que podemos leer en las páginas 133-134 de los *Annales romantiques* de 1826 y, en

7. Casalduero, p. 155.
8. Ph. Churchman, "Byron and Espronceda", *RH*, XX, 1909, pp. 149-154; J. Moreno Villa, prólogo a la edición de las poesías de Espronceda en *Clásicos castellanos*, vol. 47, pp. XXXIV-XXXV; Brereton, pp. 74-76.
9. Alonso Cortés, p. 129.

este caso, las analogías son más concretas: al protagonista le agradan las tormentas que asustan a la gente de tierra, desafía a quienes lo han puesto al margen de la sociedad, y se vanagloria de sus presas [10]. En ambos casos, el autor pone en boca de su personaje un panegírico de la libertad y el rechazo altivo de las leyes. Espronceda también recordó probablemente *The Corsair* de Byron, cuyo protagonista proclama ideas similares. Yendo más allá de la mera comprobación de analogías verbales establecida por Churchman, Brereton llega a la siguiente conclusión:

> Le *pirata* d'Espronceda contemple avec pitié les rois qui partent «en guerre féroce» pour une parcelle de terre quand ils pourraient posséder tout l'océan; le *corsair* de Byron méprise les «terriens» parce qu'ils mènent une vie indolente et molle. Le *corsair* a sur la mort des réflexions philosophiques auxquelles le *pirata* ne prétend pas. La *Canción del pirata* contient en revanche un éloge du navire corsaire, des vantardises et des menaces à l'adresse des ennemis du pirate, et la description d'une tempête qui ne fait que bercer le vrai marin. Tous ces traits sont absents du poème anglais [11].

Nadie habría podido expresar mejor (pese a la confusión entre *corsair* y *pirata,* explicable en un autor de habla inglesa) la originalidad de Espronceda sin negar la posibilidad de un recuerdo de lectura. Las similitudes son muy generales; no hay ninguna en lo que se refiere a la forma métrica o a la sicología de los dos personajes: el de Byron es melancólico, frugal, reservado y poco dado a los placeres, mientras que el de Espronceda disfruta de la vida, es expansivo, está satisfecho con su suerte y proclama abiertamente su alegría y su independencia. Lo que el pirata y el *corsair* tienen en común, es su actitud desafiante ante el mundo; ambos encuentran en el mar la posibilidad de vivir manteniendo este desafío, porque a bordo de su barco se sienten liberados de las trabas de la sociedad [12]. Un mismo deseo de libertad impulsa a estos dos ejemplos del héroe romántico; en cambio, Vigny nos muestra a un viejo marino evocando su fragata perdida de la que habla con nostalgia y pesar. En Espronceda, el tema del navío adopta un significado muy distinto, no sólo en la *Canción del pirata,* sino en varias partes de su obra. En *La entrada del invierno en Londres,* el poeta se dirige al «bajel dichoso» que, desde la orilla del Támesis, ve salir rumbo a España; le desea una feliz travesía y le encarga que transmita su saludo a la patria de la que se encuen-

10. El texto del poema de Fontan aparece reproducido en V. Llorens, *Liberales y románticos...*, Madrid, 1968, pp. 217-219, nota 15; para un análisis de las similitudes con la pieza de Lourdoueix, véase Espronceda, *Poésies*, ed. Marrast, pp. 267-268.

11. («El "pirata" de Espronceda contempla con piedad a los reyes que se lanzan "a una guerra feroz" por una parcela de tierra cuando podrían poseer el océano entero; el *corsair* de Byron desprecia a los "de tierra adentro" porque llevan una vida indolente y muelle. El *corsair* hace sobre la muerte reflexiones filosóficas a las que no aspira el "pirata". En cambio, la *Canción del pirata* incluye un elogio del bajel corsario, jactancias y amenazas dirigidas a los enemigos del pirata, así como la descripción de una tempestad que no hace sino arrullar al auténtico marino. Ninguno de estos rasgos aparece en el poema inglés.») Brereton, p. 73.

12. El himno al océano que se halla en el canto IV del *Childe Harold's Pilgrimage* de Byron es ya una manifestación de esa actitud desafiante, pero sería abusivo ver en él una fuente directa de la canción de Espronceda, como ha propuesto D. G. Samuels (*Comparative Literature*, VI, 1952, p. 280).

tra alejado. Para el emigrado, este barco simboliza la libertad de la que por ahora se halla privado. El bergantín del pirata es «apoteosis de la libertad y del individualismo anárquico del capitán[13]». Barco y capitán no son más que uno: el primero resiste los embates de los elementos y prosigue su ruta en medio de las tempestades; el segundo desafía al mundo y encuentra en el mar un campo de acción a la medida de sus aspiraciones profundas, imposibles de realizar en tierra. Hallamos de nuevo una identificación similar en el canto II de *El diablo mundo* (vv. 25-32), en el que el poeta evoca su juventud en términos que recuerdan la célebre frase de *René:* «Plein d'ardeur, je m'élançais sur cet orageux océan du monde...»: («lleno de pasión, me lancé a este océano tormentoso del mundo»):

Mi vida entonces, cual guerrera nave
que el puerto deja por la vez primera
y al soplo de los céfiros suave
orgullosa despliega su bandera,
y al mar dejando que sus pies alabe,
su triunfo en roncos cantos, va velera,
una ola tras ola bramadora
hollando y dividiendo vencedora. (BAE, t. LXXII, p. 99.
ed. Marrast, p. 223.)

Aquí, en su entusiasmo por lanzarse en el mundo y a la acción, Espronceda se compara a una nave guerrera que, segura del triunfo, avanza orgullosamente sobre las olas a las que no teme. El primer coro con el que se inicia *El diablo mundo* (vv. 1-7 de la "Introducción") es una canción marina; los demonios liberados aparecen presentados en una barca, desafiando la tempestad:

Boguemos, boguemos,
la barca empujad,
que rompa las nubes,
que rompa las nieblas,
los aires, las llamas,
las densas tinieblas,
las olas del mar. (*Ed. cit.*, p. 83a.)

En *A una estrella*, la imagen es menos material. Habiendo expresado su desencanto tras el desengaño amoroso, el poeta se refugia en la indiferencia; y de nuevo aparece el tema de la nave, surgiendo en la última estrofa, aunque presentado aquí de forma implícita:

Yo indiferente sigo mi camino
a merced de los vientos y la mar,
y entregado en los brazos del destino
no me importa salvarme o zozobrar[14].

13. A. W. Phillips, "Una imágen de José de Espronceda", *Nueva democracia*, 36 (3), 1956, pp. 20-23.
14. Véase Espronceda, *Poésies*, ed. Marrast, pp. 407-408.

En la "Introducción" de *El diablo mundo* (vv. 156-163), otro coro presenta una versión todavía más desencantada del mismo tema:

UN CORO

Allá va la nave
¿quién sabe dó va?
¡Ay! ¡Triste el que fía
del viento y la mar!

UNA VOZ

¿Qué importa? El destino
su rumbo marcó.
¿Quién nunca sus leyes
mudar alcanzó? (*Ed. cit.*, p. 84b.)

Por último, en el canto IV (vv. 249-252), ha desaparecido la ilusión de libertad; en la sociedad, el hombre es como el náufrago enfrentado a la tempestad:

Siempre en eterna tempestad, impura
mar donde el mundo su sobrante arroja,
lucha náufrago el hombre a la ventura
sin puerto amigo que en su mal le acoja.(*Ed.cit.*, p. 116b.)

La identificación entre el navío y el ser humano se ha ido efectuando progresivamente, al tiempo que la exaltación radiante y exuberante de la *Canción del pirata* iba dejando paso a una amargura y una desilusión cada vez más hondas. No puede descartarse la posibilidad de que en un principio este tema viniese sugerido por una lectura de Byron; en todo caso aparece utilizado de una forma muy distinta a la de Vigny. Según dice Allen W. Phillips, «más que un mero adorno retórico, este motivo poético refleja un concepto del mundo típicamente romántico y en el que ha proyectado el escritor su propia intimidad [15]».

La *Canción del pirata* es el primer ejemplo, en el poeta, de lo que Václav Cerný denomina el «titanisme anarchique et débraillé», la «liberté orgiaque du hors-la-loi» («titanismo anárquico y desvergonzado», «libertad orgiástica del forajido») [16]. No hay motivo alguno para sospechar de la sinceridad de Espronceda en los sentimientos que atribuye a su pirata, ni razón alguna para ver en ellos tan sólo la expresión de un deseo de introducir temas imitados. Es una obra exenta por completo de afectación, que conserva todo su encanto, hecho de musicalidad y armonía. Con ella, la poesía está experimentando un cambio: la expresividad de la composición no se debe sólo a la jactancia del pirata, sino también al hecho de que sea el propio autor quien hable al lector por mediación de su personaje, rompiendo así con el lenguaje convencional [17]. Mazzei señala con acierto que es ésta la primera vez que Espronceda crea una poesía totalmente personal, que no contiene el menor residuo de retórica verbal, el menor recuerdo literario

15. Art. cit. *supra*, nota 13.
16. V. Černý, *Essai sur le titanisme...*, Praga, 1935, pp. 354-355.
17. Véase C. Bousoño, *Teoría de la expresión poética...*, 3.ª ed. aumentada, Madrid, 1962, pp. 274-278.

artificialmente adherido o utilizado, y que alcanza una pureza de línea y una viveza de colorido que difícilmente lograrán sus imitadores. En opinión de Mazzei, el poeta expresa una simpatía realmente sentida y típicamente española por los individuos enfrentados a las leyes de la sociedad y que oponen a ésta un código personal, justo por definición. Es una observación válida también para *El mendigo y El reo de muerte* [18]; es rechazada por Casalduero que no admite que «se lean estas poesías como trasunto social», y añade: «Siendo una representación romántico-europea, es inconcebible que se haya podido ver en estos poemas algo nacional [19].» Lo cierto es que Espronceda halló en la figura del pirata un arquetipo de la poesía romántica, y que lo perfiló a su modo, porque le permitía proyectarse en él de forma satisfactoria. La afirmación de los derechos del individuo frente a las normas del orden moral y social es una de las razones de la popularidad de la *Canción del pirata*: en ella vuelve a aparecer aquella soberbia, aquel orgullo nacional encarnados por el bandolero, el gitano, el señorito chulo o el patriota, tan frecuentes en la literatura de cordel familiar al gran público [20].

La reivindicación juvenil y anarquista de la libertad corresponde con toda exactitud al estado de ánimo de Espronceda en aquel momento. Tiene junto a él a una mujer a quien ama y a la que ha conquistado infringiendo las costumbres: el poeta es el pirata que ha arrebatado Teresa a su marido y la muestra con orgullo, como su héroe que en alta mar alardea con soberbia de su presa. Y a la vez, se opone a un orden establecido que le parece malo e injusto para una parte de sus compatriotas. Una parábola, más clara y menos académica que las de Pelayo o de Blanca de Borbón, transmite ahora su pensamiento. No porque se crea maldito, marcado por los estigmas del rebelde, y se complazca en ello. Desafió la autoridad publicando *El Siglo* «en blanco»; reclamó públicamente el derecho a ser juzgado y a proclamar su inocencia cuando fue encarcelado en julio de 1834. Su pensamiento poético está en perfecta consonancia con su conducta como ciudadano y como hombre. La *Canción del pirata* es su primer poema romántico, el primer poema romántico español, en el sentido en que el romanticismo se define, no como un repertorio de oropeles literarios, sino como una «inquiétude morale, religieuse et métaphysique» («inquietud moral, religiosa y metafísica»), como «un manque de foi et non une foi» («una falta de fe y no una fe»), como expresión de «une sensibilité douloureuse excitée par le sentiment de la fin d'un monde» («una sensibilidad dolorosa exacerbada por el presentimiento del final de un mundo») [21].

LA SOCIEDAD EN TELA DE JUICIO: *EL MENDIGO, EL REO DE MUERTE, EL VERDUGO*

En la forma que le había dado Espronceda, la rebeldía del pirata era de buen tono; el personaje conservaba cierto colorido exótico y no era preocupante de

18. Mazzei, pp. 84 y 81.
19. Casalduero, p. 153.
20. Véase al respecto, J. Caro Baroja, *Ensayo sobre la literatura de cordel*, 1969, p. 439 y *passim*.
21. J. Aynard, "Comment définir le romantisme?", *Revue de littérature comparée*, año 5.º, 1925, pp. 641-658.

entrada. Este no era el caso del mendigo que el poeta presentó, el 6 de septiembre de 1835, a los lectores de la *Revista española*. Era un tipo que existía ya en la literatura española: la novela picaresca había descrito su comportamiento cínico y marginal con una finalidad edificante y ejemplar. El humanitarismo del siglo XVIII había considerado oportuno ocuparse de su condición, y de ahí que, en 1802, Meléndez Valdés escribiera un discurso sobre la mendicidad[22]. Los escritores costumbristas le habían asignado un lugar en sus cuadros, en donde constituía un elemento decorativo y pintoresco descrito desde fuera. En Francia, Hugo y Béranger le habían dado un sitio en la poesía. Espronceda lo presenta con toda la crudeza: dándole la palabra —*El mendigo* está escrito en primera persona— le hace pronunciar una profesión de fe que conserva algún parentesco con la del pirata.

No puede hablarse aquí, como tampoco en *El reo de muerte* o en *El verdugo*, de influencia o imitación de Byron, puesto que éste «évite de tracer des tableaux dont la minutie des détails lui aurait semblé une préoccupation vulgaire. Lorsqu'il ne peut pas s'exalter devant son sujet, il le raille, incapable de décrire, ou de s'inspirer directement, des phénomènes matériels, il use d'une veine humoristique où la veine lyrique ne sied plus[23]».

El primer verso del estribillo de *El mendigo* («Mío es el mundo: como el aire libre») recuerda el v. 57 de la *Canción del pirata* («que yo soy el rey del mar»); ambos personajes demuestran igual desprecio por la sociedad y la autoridad:

EL PIRATA

Allá muevan feroz guerra
ciegos reyes
por un palmo más de tierra:
que yo tengo aquí por mío
cuanto abarca el mar bravío
a quien nada impuso leyes.
(vv. 35-40)

EL MENDIGO

Busquen otros
oro y gloria
yo no pienso
sino en hoy.
Y do quiera
vayan leyes,
quiten leyes,
reyes den.
(vv. 113-120)

Los dos se preocupan poco por la vida y la suerte que les espera:

Y del trueno
al son violento
y del viento
al rebramar
yo me duermo
sosegado,
arrullado
por el mar.
(vv. 95-102)

Y me digo: el viento brama,
caiga furioso turbión;
que al son que cruje de la seca leña
libre me duermo sin rencor ni amor.
(vv. 29-32)

Un sentimiento común anima a ambos personajes: se proclaman con orgullo al margen de la sociedad, viven a costa suya y desprecian sus costumbres; de ahí extraen su fuerza y su superioridad; y este sentimiento lo afirman el pirata, con

22. "Fragmentos de un discurso sobre la mendiguez dirigido a un ministro en 1802 desde la ciudad de Zamora", *en: Discursos forenses*, Madrid, 1821, pp. 273-310.

23. («Evita describir cuadros en los que la minuciosidad en los detalles le habría parecido una preocupación vulgar. Cuando no puede exaltarse ante un tema, hace mofa de él; incapaz de describir o de inspirarse directamente en los fenómenos materiales, utiliza una vena humorística en la que ya no cabe la vena lírica.») Brereton, p. 66.

insolencia, y el mendigo, con cinismo. El desprecio por la vida será también uno de los rasgos que Espronceda asignará a Montemar en *El estudiante de Salamanca*.

Como Enrique Gil había dicho[24] que las canciones representaban un intento de democratización de la poesía, paralelo y similar en conjunto al de Béranger, Brereton buscó lo que, de *Les Gueux*, podía haber quedado recogido en *El mendigo*[25]: no halló ningún punto en común irrefutable. Sin embargo, Enrique Gil había señalado que Espronceda no hacía sino «bosquejar la mendiguez descuidada, holgazana, indiferente y en cierto modo satisfecha con su vagabunda libertad y sus poco envidiables goces». Pese a que interpreta en sentido contrario la canción de Béranger (que presenta equivocadamente como desbordante de «encono y amargura»), pone de relieve la diferencia fundamental entre ambas obras: Béranger presenta a unos pordioseros, contentos con su suerte, que, si bien compadecen el destino de los ricos que se aburren en su palacio de oro, no dan muestra de cinismo ni orgullo por su condición. Alonso Cortés admite que la lectura de Béranger pudo dar al poeta la idea de escribir *El mendigo* o *El canto del cosaco*; pero en lo que se refiere a algunas lejanas e imprecisas similitudes en los pormenores, adiverte con razón que Espronceda no tenía necesidad alguna de recurrir a nadie para adoptar ideas tan comunes y divulgadas[26].

Mazzei y Casalduero han señalado las cualidades y la novedad de *El mendigo* desde el punto de vista del fondo y de la forma[27]. Peers analizó su construcción métrica, llegando a la acertada conclusión de que esta obra «representa al extremo máximo que alcanza el verso rimado con anterioridad a las innovaciones más atrevidas que empezaron a finales del siglo XIX[28]». Alonso Cortés sitúa *El mendigo* entre los ejemplos de la «manía redentorista» de algunos poetas románticos españoles, «que hicieron la apología de ciertos seres a quienes, por crueldad, por miedo o por repugnancia, la sociedad menosprecia». Y en esta «poesía de los desvalidos y los rebeldes», junto a *El verdugo*, *El pirata*, *El mendigo* y *El reo de muerte* de Espronceda, incluye también *El peregrino* de Bermúdez de Castro, *El expósito* de Madrazo, *El pecador* de Salas y Quiroga, *El cautivo* de Enrique Gil y *La huérfana* de Sainz Pardo[29]. Ahora bien, el personaje de Espronceda no tiene ninguno de los rasgos de esas víctimas de la sociedad, de la indiferencia o la fatalidad; ni es decorativo ni de buen tono; no pretende que se apiaden de su suer-

24. Art. cit. *supra*, nota 5.
25. Brereton, p. 83.
26. Alonso Cortés, pp. 128-129. La influencia de un pasaje del prólogo al *Dernier jour d' un condammé* de Hugo en algunos versos de *El mendigo*, señalada por A. Martinengo ("Espronceda e la pena di morte", *Studi mediolatini e volgari*, XII, 1964, p. 96), no nos parece convincente en absoluto. Una vez más se trata de detalles ínfimos y de coincidencias en el texto demasiado generales como para que se pueda hablar de "fuente" (véase Espronceda, *Poésies*, ed. Marrast, pp. 369-370). Recientemente, un crítico ha propuesto como fuentes de *El mendigo* un texto de los *Compleat Angler* del poeta inglés Izaak Walton y *The Barefoot Briar*, poesía intercalada en el cap. XVII del *Ivanhoe* de W. Scott. Pero nuevamente se trata, a nuestro parecer, de vagas coincidencias (W. T. Pattison, "Sources of Espronceda's *El Mendigo*", *Filología y crítica hispánica. Homenaje a F. Sánchez Castañer*, Madrid, 1969, pp. 299-308).
27. Mazzei, pp. 84-89; Casalduero, pp. 162-165.
28. Peers, *HMRE*, t. I, pp. 503-504.
29. N. Alonso Cortés, *Zorrilla...*, 2.ª ed., Valladolid, 1942, pp. 178-179. Sobre este tipo de personajes, véase Peers, *HMRE*, t. II, pp. 446-457.

te, antes al contrario, alardea con un cinismo incongruente del beneficio que saca de la caridad y de su forma de explotarla sin escrúpulos. Pide limosna por el amor de Dios, y se la dan por miedo al castigo que Dios inflige al que la niega, según observa Casalduero, quien concluye: «No vale la pena detenerse en este punto, pues lo que importa es ver reducido el mendigo, el hombre libre, a "un cuerpo miserable"[30].» Es un punto que no nos parece nada desdeñable, ya que, en nuestra opinión, refleja el sentido profundo de la poesía.

El estribillo que enmarca los cuatro movimientos de *El mendigo* nos induce a buscar en esta parte el significado del poema:

> Mío es el mundo: como el aire libre,
> otros trabajan porque coma yo;
> todos se ablandan si doliente pido
> una limosna por el amor de Dios.

Estamos ante tres ideas complementarias: el mundo me pertenece, ya que estoy libre de cualquier traba social; no tengo que trabajar para ganarme el pan, otros lo hacen por mí; me basta con mendigar por el amor de Dios para que todos, conmovidos, me den limosna. A diferencia del pirata, el mendigo no se pone al margen de la sociedad; por el contrario se incrusta en ella como un parásito y no contraviene a ninguna ley humana.

El primer movimiento (vv. 5-32) describe la vida material del mendigo que encuentra techo y comida tanto en casa del más humilde como del más rico; no demuestra rencor ni agradecimiento por los que le acogen. Esta conclusión aparece desarrollada y comentada en el segundo movimiento (vv. 37-64): ruega a Dios por todos sus bienhechores, recibe sus favores «sin estima y sin amor», y no establece la menor distinción entre ellos. Todo se reduce a un toma y daca:

> Que mis rezos
> si desean,
> dar limosna
> es un deber.

La riqueza es un pecado: a veces Dios se convierte en mendigo y castiga a los que niegan la caridad. Así pues, el personaje, tomando al pie de la letra la ley divina, se presenta a sí mismo como la tranquilidad de conciencia de los ricos. No poseyendo nada, lo posee todo. En el tercer movimiento, el mendigo explica cómo opera: le basta con presentarse en casa del rico e imponer su mal olor a la distinguida dama para preocupar a los que son más afortunados que él. Su sola presencia inspira el remordimiento o el temor de perder todo lo que el dinero proporciona:

> Mostrando cuán cerca habitan
> el gozo y el padecer,
> que no hay placer sin lágrimas, ni pena
> que no transpire en medio del placer.

30. Casalduero, pp. 164-165.

El mendigo obliga a los ricos a meditar sobre la precariedad de su bienestar material y la fugacidad de los placeres que les proporciona la fortuna. El cuarto movimiento (vv. 103-130) opone estas preocupaciones a la despreocupación por el mañana. El mendigo vive al día; poco le importa el lugar en el que hallará asilo, ya que de todas formas está seguro de hallar uno; no tiene recuerdos ni desvelos, ni el menor anhelo de oro y gloria, y no demuestra sino indiferencia por la organización de la sociedad y el régimen político:

Y do quiera
vayan leyes,
quiten reyes,
reyes den.

¿Por qué razón? En este punto reaparece uno de los motivos del primer movimiento, repetición que revela su importancia:

Yo soy pobre
y al mendigo,
por el miedo
del castigo
todos hacen
siempre bien.

Su conducta no viene dictada por la despreocupación; está basada en un cálculo: siempre se dará limosna al miserable porque las buenas obras obtienen recompensa mientras que quien se zafa recibe castigo. Seguro de la piedad ajena, sólo cuenta a sus ojos la subsistencia material. No se preocupa por el más allá:

Y un asilo donde quiera
y un lecho en el hospital,
siempre hallaré, y un hoyo donde caiga
mi cuerpo miserable al expirar.

Al contrario de sus bienhechores, no demuestra el menor interés por su salvación eterna, y ni siquiera le viene a la mente cuando piensa en la muerte. Aunque ruega por los demás, nunca ruega por él mismo.

Al igual que Lazarillo de Tormes o Guzmán de Alfarache, el mendigo de Espronceda tiene ante todo una necesidad imperiosa que satisfacer: el hambre. Pero mientras Lázaro acaba por integrarse en la sociedad haciendo la vista gorda ante su honor conyugal escarnecido, y Guzmán hace de su experiencia un relato detallado y comentado para ponerla como ejemplo, el mendigo, en cambio, se convierte en el acusador de una sociedad que desprecia y de la que explota las debilidades. Es la viva demostración de que los buenos sentimientos rara vez —para él, nunca— son desinteresados. El cinismo con que lo afirma pone de relieve una de las taras de España, sumida a la sazón en una crisis económica que se remonta a 1814 y que se prolongará hasta 1843 aproximadamente; las grandes ciudades, y en especial Madrid, se ven invadidas por un subproletariado a menudo de origen rural cuya existencia no preocupa ni a la clase media ni a la aristocracia. Al igual que en el siglo XVII, se conforman con ofrecer la sopa boba a las puertas de conventos y cuarteles. Espronceda pone el dedo en esta llaga social; lo hace como poeta, a través de la evocación de un caso particular, creando un personaje cuyo comportamiento está presentado desde un punto de vista subjetivo, pero característico. Para él, el mendigo no es uno de los tipos pintorescos del cuadro de costumbres; ni es tampoco el objeto de una fácil conmiseración. Es la vergüenza de una sociedad asentada en un relativo bienestar económico, que practica una caridad interesada y episódica, impuesta por un formalismo religioso muy alejado de la verdadera solidaridad cristiana. Se paga con una limosna el placer de una fiesta o de un banquete, al igual que hoy todavía se tiene la conciencia tranquila regalando un suntuoso manto a la Virgen de Guadalupe o siguiendo con un capirote y cadenas en los pies la procesión de Semana Santa. Ni el cinismo abiertamente afirmado del mendigo, ni los sentimientos que inspira a las víctimas de sus exigencias, nos mueven en ningún momento a apiadarnos de la suerte de aquél, y menos aún de la de éstas[31].

La *Canción del pirata* expresaba el amor por la libertad, así como la idea de que ésta sólo puede encontrarse al margen de esta sociedad, de estrechos límites y ambiciones mezquinas; *El mendigo* expresa el desprecio por dicha sociedad y sus costumbres, a la vez que denuncia su moral rutinaria, de forma más directa y clara, por medio de una parábola realista. Con ello, Espronceda demuestra que se ha desprendido por completo del academicismo neoclásico, pero a la vez que ha roto con el romanticismo histórico, caballeresco y exótico que había practicado durante un tiempo. Con *El reo de muerte* y *El verdugo* emprende resueltamente el camino del romanticismo social.

Brereton ha recordado la actualidad del problema de la pena de muerte en el curso de los años inmediatamente anteriores y posteriores a la Revolución de Julio, en el marco de las ideas humanitarias que hallamos reflejadas en la literatura[32]. Algunos escritores se apasionan por el personaje del verdugo, su situación en la sociedad, su función de ejecutor de los castigos dictados en nombre de Dios y de los hombres. El reo de muerte suscita interés; se piensa en cuáles deben de ser sus sentimientos en el momento en que se le inflige la pena capital, se reflexiona sobre la legitimidad de infligir dicha pena, contra la cual se hace campaña en nombre de la humanidad, del progreso y de la dignidad humana. Utilizando diversos registros, Joseph de Maistre, Hugo, Mérimée, Balzac, Ducange, Dumas padre y Henry Monnier recurrieron a los personajes del verdugo y del reo[33].

En la primera conversación de las *Soirées de Saint-Pétersbourg* (1821), Joseph de Maistre da por sentado que el crimen es un pecado que compite a la justicia humana, institución indispensable y reflejo de la justicia divina. En *Le dernier jour d'un condamné* (1829), Hugo plantea el tema de otro modo: ¿no será culpable la sociedad? y, en tal caso, ¿tendrá derecho a condenar? Lamennais, Ballanche y Lamartine solicita, por su parte, la abolición de la tortura y de la pena de

31. Mazzei (p. 86) propone otra interpretación posible, aunque precisa que tampoco cree en ella excesivamente: *El mendigo* sería también una denuncia del parasitismo.

32. Brereton, pp. 83-85.

33. Sobre estas obras y sobre la evolución del pensamiento de Hugo en lo que a estas cuestiones se refiere, véase P. Savey-Casard, *Le crime et la peine de mort dans l' œuvre de Victor Hugo*, París, 1956, pp. 21-45 y 245-264 en particular.

muerte. Espronceda experimentó el influjo de estas ideas, debatidas en la época de su estancia en Francia. Además, si Hugo había quedado impresionado en 1812 en Burgos por el paso de la comitiva de un reo de muerte y, más tarde, por la de Louvel conducido al cadalso en 1820, también Espronceda había presenciado el paso de la de Riego en 1823 y vivido en dos ocasiones en las cárceles de Madrid, a principios de 1825 y en julio-agosto de 1834. Por todas esas razones, era natural que se interesara por estos problemas y hallara en ellos materia poética. Brereton ha cotejado *Le dernier jour d'un condamné* con *El reo de muerte* y *El verdugo*, no encontrando más que remotas analogías, explicables por la similitud del tema y de las escenas. Espronceda describe sólo el suplicio moral del condenado y el drama íntimo del verdugo, sin dar formalmente su opinión personal sobre la pena de muerte, al contrario de Hugo. De ello podemos deducir simplemente que «il est possible, sinon probable, que *Le dernier jour* ait orienté Espronceda vers son sujet», pero sin haber «exercé une influence décisive»[34].

Aún cuando *El verdugo* incluye detalles provenientes probablemente de Joseph de Maistre, Espronceda defendió la opinión contraria a las ideas del escritor francés, que consideraba al verdugo como el instrumento de la justicia divina[35]. Según Černý, el poeta quiso demostrar que «le bourreau est au contraire une victime innocente, preuve vivante de l'existence du mal immérité»* y pretendió «faire éclater l'injustice criante d[e son] sort ... en en montrant la répercussion sur l'innocence et la pureté morale absolues»** encarnadas en la esposa y el hijo del personaje. Černý llega a una conclusión que nos parece un tanto apresurada: considera que la rebeldía de Espronceda carece de fundamentos morales y sigue siendo gratuita; su titanismo «est tout en gestes extérieurs, violents et anarchiques ... Il prend des attitudes surhommesques [*sic*], mais on n'y sent que de l'orgueil. Ce titanisme est essentiellement byronien»*** y su más perfecta encarnación será Montemar, el estudiante de Salamanca[36].

La ausencia de fundamentos morales constituye una petición de principio. El poeta no pretende esclarecer los motivos de la condena de muerte, ni las razones por las que el verdugo sigue apegado a su oficio; ciertamente es así, pero Espronceda plantea el problema tal y como se presenta y en el momento en que se presenta. Lo que le interesa es mostrar la crueldad de la tortura impuesta al conde-

34. («... es posible, cuando no probable, que *Le Dernier jour* orientara a Espronceda en el tema... [pero sin haber] ejercido una influencia decisiva».) Brereton, pp. 85-89. Otras analogías entre Hugo y Espronceda advertidas por A. Martinengo (art. cit., pp. 90-91) se refieren a detalles insignificantes que no prueban nada.

35. Brereton, pp. 89-93 Tal argumentación ha sido retomada por V. Černý (*op. cit.*, pp. 351-353), Mazzei (pp. 90-92) y A. Martinengo (art. cit., pp. 92-94). Sobre estas "fuentes" posibles de *El reo de muerte y El verdugo*, véase Espronceda, *Poésies*, ed. Marrast, pp. 369-379 y 387-395.

* «... el verdugo es por el contrario una víctima inocente, prueba fehaciente de la existencia del mal inmerecido».

** «sacar a la luz la injusticia escandalosa [de su] suerte ... mostrando su repercusión sobre la inocencia y la pureza moral absolutas.»

*** «... es sólo de ademanes externos, violentos y anárquicos ... Adopta actitudes de superhombre [*sic*], en las que sólo despunta el orgullo. Es un titanismo esencialmente byroniano.»

36. V. Černý, *op. cit.*, pp. 353-355.

nado entre el momento en que oye el veredicto del tribunal y aquél en que su cabeza rueda. Esta tortura es tanto más inhumana cuanto que va acompañada de la indiferencia general, o, en su última fase, de un interés de malsana curiosidad. El verdugo se rebela contra la tradición que le pone al margen de una sociedad que le encomienda la ejecución de castigos dictados por jueces merecedores del mayor respeto. Difícilmente podemos ver orgullo o «attitude surhommesque» («actitud de superhombre») en estas protestas. El verdugo «existe en vertu du mal inhérent au caractère humain» («existe en virtud del mal inherente al carácter humano»), según observa con acierto Brereton, quien compara *El verdugo* con *El diablo mundo* en donde aparece la idea del «diable-bourreau» («diablo-verdugo»)[37]. Pero el tema central del gran poema inacabado es el del mal en cuanto elemento constitutivo del hombre y, en consecuencia, de la sociedad de los hombres. Como miembro de dicha sociedad, el verdugo pone de manifiesto una verdad indiscutible:

> ¿Que no es hombre ni siente el verdugo
> imaginan los hombres tal vez?
> ¡Y ellos no ven
> que yo soy de la imagen divina
> copia también! (vv. 23-28).

A lo cual había respondido Joseph de Maistre: el verdugo está hecho externamente al igual que todos los mortales, pero «pour qu'il existe dans la famille humaine, il faut un décret particulier, un FIAT de la puissance créatice. Il est créé comme un monde»*; aunque no es un criminal, «aucune langue ne consent à dire, par exemple, *qu'il est vertueux, qu'il est honnête homme, qu'il est estimable*, etc.»**. Lista condenará *El verdugo* en nombre de los mismos principios:

> Todo el talento del autor no persuadirá a nadie que es *su igual* el hombre cuyo oficio es matar por dinero. El sentimiento de horror que inspira es general y fundado; ¿por qué no se miran con este sentimiento los soldados que fusilan a su camarada delincuente? Porque lo hacen por obligación forzosa, y no por profesión elegida voluntariamente. La poesía que es el idioma del sentimiento, se prestó siempre de mala gana a los pensamientos que la desvirtúan[38].

Ahí vemos con toda claridad cómo una determinada concepción del orden establecido corre pareja con una determinada concepción de la poesía. Distinta es la opinión de Enrique Gil, quien insiste en subrayar con ahínco las cualidades y el alcance de dicha composición:

> ¡Qué sentimiento y qué versos! ¿Para qué mayor anatema contra esa práctica que por más que con la necesidad se cohonesta y encubra, no por eso deja de ser

37. Brereton, p. 94.
* «... para que exista dentro de la familia humana, hace falta un decreto especial, un FIAT del poder creador. Es creado como un mundo».
** «... nadie se atreve a decir, por ejemplo, *que es virtuoso, hombre honrado, que es digno de estima,* etc...»
38. A. Lista, *Ensayos literarios y críticos...*, Sevilla, 1844, t. II, p. 83.

un sarcasmo del progreso de las luces? ¿Qué podrá añadir a esto la poderosa razón y las sabias investigaciones de los filósofos? Poco a nuestro entender; poco cuando menos que más arrastre, convenza y cautive[39].

En efecto, si bien Espronceda no se pronuncia personalmente sobre la pena de muerte, se plantea la existencia de la misma dando la palabra al verdugo que acusa a los hombres por despreciarle, cuando ellos le encargan de hacer desaparecer a sus semejantes considerados indeseables en la sociedad. El hecho de que el ejecutor reciba un pago por este trabajo no cambia para nada la premisa; desde este punto de vista, la maldición que pesa sobre él no es más que un pretexto para la mala conciencia de la humanidad. El verdugo experimenta sin duda un horrendo placer al realizar su trabajo, y así lo justifica:

Que de los hombres
en mí respira
toda la ira,
todo el rencor:
Que a mí pasaron
la crueldad de sus almas impía
y al cumplir su venganza y la mía
gozo en mi horror (vv. 53-60).

Placer —según señala con razón Mazzei[40]— no menos sádico y repugnante que el de la muchedumbre que asiste a la ejecución, o que aquélla que ante los ojos de Espronceda, aplaudía al verdugo de Riego e insultaba al que iba a pagar con su vida el crimen de haberle dado la libertad unos años antes. Pero ¿puede el chivo expiatorio ser considerado responsable de los pecados de que le culpan?

En los capítulos XXXIV, XXXV y XLV de *Sancho Saldaña*, el poeta destacó la afición que tiene el gentío por el espectáculo del tormento del reo, y describió su inconsciente crueldad, la indecencia de sus comentarios y bromas para aliviar la espera, a la vez que su cruel desenfreno en cuanto se ve privada de lo que había venido a ver[41]. En la novela, el verdugo, en cambio, era presentado como un personaje ridículo y objeto de burla (sobre todo en el capítulo XIII); Espronceda le asignó algunos rasgos tomados del tío de Pablos en la *Vida del Buscón*, en especial el orgullo por su función que considera un honor, y por su habilidad de la que se vanagloria. La perspectiva se ha modificado notablemente en *El verdugo*.

En 1833 sale a la luz una novela de Fenimore Cooper, *The Headsman* (que Defauconpret tradujo con el título de: *Le Bourreau de Berne ou l'Abbaye des vignerons*). Espronceda pudo haberla leído, o cuando menos llegado a conocer la reseña halagüeña y muy pormenorizada que sobre ella se publicó en *L'Artiste* durante el segundo semestre del mismo año (t. VI, p. 206). El novelista norteamericano plantea el problema del verdugo en la sociedad de una manera bastante similar a la del poeta. En ambos escritores reaparecen determinadas situaciones o problemas planteados por la función de ejecutor de la justicia, así como las

39. E. Gil, art. cit., p. 231a; BAE, t. LXXIV, p. 494.
40. Mazzei, p. 93.
41. Véase *supra*, pp. 342-343.

repercusiones de dicho oficio en la familia de éste. Como *The Headsman* o su traducción son poco leídas hoy en día, permítasenos ofrecer un resumen de la obra a fin de poner de relieve estas analogías; que sepamos, nunca han sido señaladas anteriormente. Al principio, Fenimore Cooper nos presenta la salida de Ginebra del barco *Winkelried*; los pasajeros se muestran inquietos porque corre el rumor de que Balthazar, el verdugo de Berna, se encuentra a bordo. Mientras se efectúa la comprobación de identidad, asistimos a las reacciones y comentarios de los viajeros. Uno de ellos señala que, mientras que es perfectamente aceptada en el barco la presencia de un soldado, que también mata obedeciendo órdenes sin por ello incurrir en el desprecio, en cambio, la del verdugo, que no hace sino ejecutar la ley, provoca temor y repulsa. Se nos hace saber que Balthazar viaja con el nombre de Müller; algunos pasajeros a los que confiesa su verdadera identidad prometen protegerle llegado el caso. El verdugo explica que su cargo, hereditario, le impone unas tareas que le repelen y le atraen el desprecio de los demás. Más adelante, durante la fiesta de los viñateros, Jacques Colis va a casarse con Christine, hija del verdugo; ésta, que se ha criado lejos de sus padres, ignora sus orígenes, los cuales Sigismond, hijo de Balthazar, revela a Adelheid, rica y bella joven a la que ama y por la que es correspondido. Sigismond se rebela contra la maldición que pesa sobre su familia en virtud de una ley que considera injusta. Uno de los asistentes revela públicamente, en plena ceremonia, quién es Christine; el baile interroga a Balthazar, el cual reconoce ser por derecho de herencia el último «vengador de la ley». Ante lo cual Jacques Colis retira su palabra, siendo aplaudido por la multitud. Sigue una discusión entre el baile y Marguerite, mujer de Balthazar. Ésta declara que los miembros de la familia del verdugo son criaturas de Dios, y que sólo Él tiene la facultad de decir a uno de sus hijos: heredarás la desgracia de tu padre; por consiguiente, la herencia del cargo que ocupa su marido es una crueldad por la que los hombres tendrán que rendir cuentas algún día. Más adelante, Marguerite expone que el hijo del verdugo no es ninguna fiera, sino un hijo como los demás, que sólo deja de serlo por decisión de la sociedad la cual tiene interés en mantener esta cómoda situación: que el hijo suceda al padre. El baile conversa con Sigismond —de quien ignora la ascendencia— y le confiesa su aversión por el oficio repugnante de verdugo. Añade que si lo ha defendido durante la fiesta de los viñateros, ha sido por interés y necesidad de hacer respetar la ley; en realidad, para él sólo es digno de respeto el linaje, y aquellos a quienes los hombres han condenado no merecen sino odio y desprecio. Sigismond objeta que tal vez sea ésta una actitud fundada en prejuicios, a lo cual responde el baile que un hombre condenado por la opinión pública sólo puede apelar a la justicia divina y sobrellevar su suerte en la tierra. Sobre este mismo tema prosiguen más tarde la discusión Marguerite y Christine (cuando, a consecuencia de diversas peripecias, Balthazar es acusado injustamente del asesinato de Jacques Colis, acerca del cual el baile está investigando en el convento del Saint-Bernard). Marguerite afirma que la sangre derramada por Balthazar y sus antepasados ha recaído en la conciencia de quienes ordenaron verterla. Instrumento involuntario de la justicia de los hombres, el verdugo es inocente ante Dios. Christine proclama a su vez su confianza en el Cielo; en efecto, el hecho de que la sociedad repruebe y desprecie la familia del verdugo hace que ésta esté más unida a Dios.

Es innegable que *El verdugo* de Espronceda presenta varios puntos en común con las ideas expuestas por los personajes de Fenimore Cooper. La última parte de la poesía (vv. 101-120) plantea el problema de la herencia del cargo, que es el punto de partida implícito de la protesta del verdugo: ¿no sería mejor acaso ahogar al hijo en la cuna a fin de evitarle la triste suerte que le espera? Dice a su mujer:

> Piensa que un día
> al que hoy miras jugar inocente
> maldecido cual yo y delincuente
> también verás (vv. 117-120).

La crítica de la costumbre según la cual el hijo del verdugo debe suceder a su padre constituye el tema fundamental de la canción de Espronceda. En la primera parte (vv. 1-20), contra esta costumbre protesta —según hemos visto— el personaje que debe ejecutar las venganzas de la sociedad. Se diferencia del Balthazar de Cooper en un único rasgo: mientras el de Espronceda experimenta una especie de goce malsano en el cumplimiento de su tarea, al verdugo de Berna le horrorizan la violencia y la sangre. Así pues, Espronceda va más allá que el novelista norteamericano: no satisfecho con hacer de él un ser maldito, la sociedad ha pervertido a este hombre el cual, a fuerza de desempeñar un oficio que le repugna, ha acabado por encontrar gusto en dar muerte, porque siente un profundo desprecio por los que le han encomendado esta misión. Balthazar confía en el juicio divino; es decir, según Cooper, el mal que reina en el mundo es responsabilidad de las criaturas y no del Creador. Espronceda rechaza esta visión optimista, y su verdugo desecha toda esperanza de salvación después de la muerte, en la vida eterna, puesto que Dios es quien ha hecho de él lo que es:

> En mi vive la historia del mundo
> que el destino con sangre escribió,
> y en sus páginas rojas Dios mismo
> mi figura imponente grabó (vv. 80-84).

Al igual que el verdugo, para Espronceda, el reo de muerte es ante todo una víctima. Sus antecedentes no interesan al poeta; en efecto, desconocemos la naturaleza del crimen que ha cometido, e incluso si es culpable o bien un inocente condenado a consecuencia de algún error judicial. La primera parte del poema (vv. 1-72) está dedicada a la descripción de la soledad física y sobre todo moral en la que se encuentra el personaje. Aunque le acompaña un viejo fraile que ruega por él (vv. 9-16), esta presencia puramente material no aporta ningún calor humano: el altar, el crucifijo y la vela no son más que objetos, al igual que este «fraile agonizante» cuyo rostro está medio oculto. El reo no experimenta sentimiento alguno de piedad:

> El rostro levanta el triste
> y alza los ojos al cielo;
> tal vez lleva en su duelo
> la súplica de piedad:

> ¡Una lágrima! ¿es acaso
> de temor o de amargura?
> ¡Ay! ¡a aumentar su tristura
> vino un recuerdo!!!! (vv. 17-24).

Vuelve sus ojos al cielo, pero por un reflejo casi maquinal, como en una última súplica; no da muestras de remordimiento ni de humildad; las lágrimas que derrama no son de arrepentimiento, sino de miedo o de amargura. Llena todo su pensamiento el recuerdo de su existencia pasada, y la tristeza de morir en plena juventud (vv. 25-32). Si mira al fraile, es para comprobar que este anciano le sobrevivirá, mientras que su propia muerte está cercana (vv. 37-40). El poema consta de dos estrofas introductorias para situar el decorado y presentar a los personajes; de tres para describir el estado de ánimo del condenado; y luego de dos más, que concluyen con el leitmotiv presentado en epígrafe:

> ¡Para hacer bien por el alma
> del que van a ajusticiar! (vv. 51-52 y vv. 63-64).

y en las que se describen los ecos del mundo exterior que llegan hasta la celda. La primera parte de *El reo de muerte* está construida sobre la antítesis entre el hombre que va a morir y los hombres que dan rienda suelta a la alegría y a los placeres con una despreocupación, cuyas carcajadas se oyen dentro de la cárcel

> cual de lejos arrojadas
> de la mansión infernal (vv. 59-60).

También aquí aparece la idea fundamental que Espronceda desarrollará en *El diablo mundo*: este mundo es un infierno porque reinan por doquier el egoísmo, la cobardía y la hipocresía, siendo sus eternas víctimas el débil o el desdichado. La última estrofa (vv. 65-72) describe la reacción extrema del condenado ante esta ruidosa alegría: en su desesperación, maldice su destino, la madre que le dio vida y el mundo entero. Con razón ve Casalduero en el personaje una figura simbólica: «Ser hombre quiere decir ser condenado a muerte. Tampoco hay aquí un sentido religioso; no, lo que brota es el sarcasmo ante la indiferencia de la sociedad[42].» El reo jamás acepta su muerte, y la indiferencia que le rodea sólo le mueve a la ira. Estamos aquí ante el polo opuesto a la resignación cristiana; frente a ésta, prevalece el sentimiento de que un hombre, quienquiera que sea y a pesar de lo que haya podido hacer, es una víctima de los demás hombres cuando éstos se atribuyen el derecho de excluirlo físicamente de la sociedad. La rebeldía del verdugo lleva la misma orientación: éste se niega a que le declaren maldito quienes, por más que le encomienden a él su venganza, serán siempre presa del mal.

El poema presenta un perfecto equilibrio: setenta y dos versos en la primera parte y setenta y tres en la segunda, en la que sin embargo son más variadas las combinaciones estróficas y métricas[43]. Espronceda comienza con la evocación de un Madrid dormido y silencioso durante la noche que precede a la madrugada de la ejecución. Todo está en calma; nadie dedica un recuerdo al infortunado

42. Casalduero, p. 171.
43. Véase la estructura métrica detallada de este poema en Espronceda, *Poésies*, ed. Marrast, p. 371.

que pronto va a morir. La perspectiva se va restringiendo progresivamente: vemos al juez, que duerme con la conciencia tranquila, al verdugo que sueña con el salario que va a cobrar y, por último, al único en romper el silencio:

> en la sangrienta plazuela
> el hombre del mal que vela
> un cadalso a levantar (vv. 98-100).

Luego Espronceda nos hace entrar de nuevo en la celda del condenado, víctima de una pesadilla que recuerda la del rey Rodrigo en el último fragmento del *Pelayo*. Reaparece el tema del hombre que sueña que le están estrangulando[44], tema que enlaza aquí con el ensueño sobre la mujer hasta hace poco amada. La ilusión se desvanece rápidamente

> y halla un cuerpo mudo y frío
> y un cadalso en su lugar (vv. 140-141).

Aquí estamos ya ante el esbozo de lo que será el desenlace de *El estudiante de Salamanca*, en donde vemos a Montemar sosteniendo entre sus brazos a un esqueleto, disimulado por el velo de la que creía ser una mujer. Para ambos personajes, el único recurso es la muerte.

Tanto en *El verdugo* como en *El reo de muerte*, Espronceda no pretende ser ni historiador, ni moralista. Se limita a exponer las reacciones de los dos seres que el uso de la pena de muerte pone frente a frente, si bien evitando cuidadosamente cualquier detalle anecdótico o pintoresco. Su condenado, así como su verdugo, aparecen presentados en líneas generales, sin antecedentes ni cualidades específicas. Son prototipos, descritos el primero desde fuera y el segundo desde dentro, que encarnan una rebeldía que tiene por origen el enfrentamiento con una sociedad cuyo código moral exige la eliminación física del que infrinja sus reglas, a la vez que la marginación de aquel que se ocupa de ejecutar las sentencias capitales. Según ha señalado con acierto Casalduero, las canciones de Espronceda contienen una nueva concepción de la dignidad humana, un sentido nuevo de la personalidad del individuo, que el poeta reivindica en nombre de todos y para todos[45]. En este proceso contra las taras de la sociedad, Brereton ve el sello de un espíritu revolucionario y librepensador, pero añade que sería erróneo pretender extraer de la obra de Espronceda una filosofía fundamentada[46]. Nosotros, por el contrario, mantenemos que tanto en *El mendigo*, *El verdugo* y *El reo de muerte*, como también ya en la *Canción del pirata*, aparecen determinadas ideas que demuestran una visión del mundo perfectamente coherente, tales como: la ausencia de sentimiento religioso; una moral fundada en el respeto del hombre; la denuncia de valores basados en realidad en la hipocresía, la cobardía o la inconsciencia, y de ritos o prácticas rutinarias que constituyen una serie de coartadas formalistas; condena de los "buenos sentimientos" de orígenes poco

44. Véase Espronceda, *Poésies*, ed. Marrast, pp. 174 y 379.
45. Casalduero, *loc. cit.*
46. Brereton, p. 93.

confesables, de las trabas y obligaciones impuestas para mantener contra viento y marea un orden que el poeta juzga irrisorio y artificial.

La Partida del trueno

Incómodos ante el tono y el contenido tan nuevos de las *Canciones*, o violentos al tener que afrontar una reseña de las mismas, muchos críticos optaron por una explicación cómoda, pero simplista. La rebeldía de Espronceda se debía exclusivamente a una "*pose* romántica" y "byroniana" por añadidura. Egoísta, niño mimado, el autor de *El reo de muerte* se hubiera esforzado afanosamente en dar resonancia a su nombre, y cantado la libertad sólo para reivindicarla en beneficio suyo. Imbuido de su superioridad e identificándose idealmente con su personaje Félix de Montemar, se hubiera sentido defraudado al ver que sus contemporáneos no le aclamaban como deseaba. Así se explicaría también el desencanto del que están impregnadas sus obras posteriores a 1835[47]. Los acentos de las *Canciones* pueden sorprender; y tanto que algunos han dudado de la sinceridad de su autor. Resulta por cierto fácil atribuir al dandismo o a la irresponsabilidad de un joven impetuoso la expresión de ideas en tan clara contradicción con las de la España del justo medio, y con las de una tradición que el "nacional-romanticismo" se esforzaba en perpetuar. Pero declarar que Espronceda no fue más que un epígono consciente de Byron, que se dedicó a explotar temas provocativos con el único deseo de lucirse y destacar, es una afirmación que no resiste el menor examen. No es cierto que se le negaran los elogios o que se le concedieran con parquedad en el momento en que escribía y publicaba sus canciones. La nota anónima que acompaña *El verdugo* en la *Revista española* del 19 de septiembre de 1835 demuestra profusamente lo contrario. En ella se denomina a Espronceda como «uno de los más brillantes apóstoles» de las nuevas doctrinas literarias, y el autor concluye diciendo que basta con la mera comparación entre esta poesía y las insulas églogas de Meléndez Valdés para zanjar el debate entre clasicismo y romanticismo[48]. No es este el único testimonio de que, a finales de 1835, Espronceda era uno de los jóvenes escritores célebres de Madrid. Su nombre aparece con frecuencia en la crónica literaria y mundana de la capital, sin hablar de momento de sus actividades políticas.

El 22 de octubre de 1835, ocupó un palco del Teatro de la Cruz en el transcurso de una función cuya recaudación se destinaba a engrosar el producto de una suscripción abierta por los comerciantes madrileños para contribuir a sufragar los gastos militares[49]. Al final del espectáculo, compuesto principalmente por una obrita de actualidad de Bretón y Vega, *El plan de un drama o la Conspiración*, Gil y Zárate, Bretón, Roca de Togores y Espronceda asistieron a la lectura por parte de algunos actores de unos poemas compuestos por ellos para la ocasión. La prensa dedicó crónicas entusiastas a esta función y publicó las mencionadas

47. W. T. Pattison, "On Espronceda's Personnality", *PMLA*, LXI, 1946, pp. 1141-1142.
48. Véase el texto completo de esta nota en Espronceda, *Poésies*, ed. Marrast, p. 393.
49. *Diario de avisos*, 5 de noviembre de 1835, *Suplemento*. Véase el programa de la velada en Espronceda, *Poésies*, ed. Marrast, p. 396.

obras en verso, entre las cuales estaba la del poeta, *¡Guerra!*; en ésta aparecían recogidas algunas estrofas del canto de marcha escrito en 1830 y publicado en 1834 en la *Gaceta de los tribunales*[50]. La contribución de Espronceda a dicha velada teatral no es ni mejor ni peor que la de los demás; se trata de una composición escrita apresuradamente, utilizando versos ya publicados y apenas retocados, cuya trivialidad queda compensada sólo por el entusiasmo que sentimos vibrar en ella. Lo importante es que se solicitara la participación del poeta en esta manifestación; en efecto, con ello se entiende que su nombre era entonces lo bastante conocido como para que figurara en un cartel al lado del de escritores tan célebres como Bretón y Vega; hecho que confirma Fernando Fernández de Córdoba en sus memorias. De regreso en Madrid en 1835, el joven oficial relata que en esa época se reunía a veces en el café del Príncipe con sus compañeros de armas Estébanez Calderón, Ros de Olano y Patricio de la Escosura. Allí seguía celebrándose la tertulia del Parnasillo, de la que los más asiduos eran por aquel entonces Larra, Andrés Borrego, Mariano Carnerero, Bretón, Juan Bautista Alonso, Antonio Gil y Zárate, Salustiano de Olózaga, Juan Donoso Cortés, Joaquín Francisco Pacheco, Vega y Espronceda de quien le agradaba oír las agudezas y los epigramas y que figuraba «entre los más jóvenes y más alborotados». Pero Fernández de Córdoba evoca también las malas pasadas a las que, según él, se dedicaban algunos de estos jóvenes, que componían la llamada Partida del trueno, llegada la noche en las calles de Madrid. Al parecer, una noche Larra embadurnó con almagre el cabriolé del duque de Alba estacionado ante una puerta, a fin de desorientar a su dueño; en varias ocasiones, Espronceda y sus amigos ataron un carruaje a un puesto, que era arrastrado por el vehículo al ponerse éste en marcha; o también, armados con cerbatanas, se dedicaban a romper cristales de tiendas y farolas o lanzaban sus proyectiles sobre algún transeúnte rezagado; a veces incluso habían llegado a meterse en algunas casas para perturbar apacibles reuniones familiares o amicales[51]. De estas bromas que no eran del mejor gusto, hizo "Fígaro" un inventario en sus dos artículos titulados *Los calaveras*[52].

No obstante, parece que las actividades de la Partida del trueno fueron objeto de cierta confusión ya en la época de su existencia. El joven americano Antonio C. Ferrer, que residía a la sazón en Madrid y frecuentaba los mismos círculos que Fernández de Córdoba, la sitúa en diciembre de 1835. Precisa que se trataba de una «cuadrilla de malintencionados» que, sólo por divertirse, se dedicaba a apalear de tarde y de noche a los transeúntes; se habló mucho de ella, se inventaron o exageraron sus fechorías, pero muy pronto la policía capturó a los culpables «y por las averiguaciones que se hicieron, parece que se descubrió que había entre ellos oficiales y jóvenes decentes, de los que no se presumirían tan escandalosos atentados[53]». La prensa de la capital publicó algunos sueltos que permiten, en cierta medida, disipar las dudas existentes en torno a la Partida del trueno.

50. Sobre estos dos poemas, véase Espronceda, *Poésies*, ed. Marrast, pp. 260-264 y 369-400.
51. F. Fernández de Córdoba, *Mis memorias íntimas*, BAE, t. CXCII, pp. 91-92.
52. *Revista mensajero*, 2 y 5 de junio de 1835; BAE, t. CXXVIII, pp. 94-102.
53. Antonio C. Ferrer, *Paseo por Madrid 1835*, Madrid, 1952, pp. 90-91. Citamos a título de información la "historia" de la Partida del Trueno según V. de la Fuente en su *Historia de las sociedades secretas...*, Lugo, 1881, t. II, pp. 9-11.

El 2 de diciembre de 1835, la *Revista española* llamó la atención de las autoridades acerca del escándalo provocado por «algunos pillos» que vapuleaban a los transeúntes, de noche por las calles; *La Abeja* publicó también el mismo texto en su número del día siguiente. El 10, *El Eco del comercio* anunció que acababan de ser detenidos dos jefes de la cuadrilla, y que podía considerarse ésta «ya destruida por el celo de la autoridad civil». El 15, *El Español* informaba de que dos jóvenes habían sido víctimas de la Partida, de lo cual se deduce que ésta seguía existiendo. En efecto, según informaciones publicadas el 20 en *El Eco del comercio* y el 23 en la *Revista española*, fueron detenidos otros miembros unos días más tarde. El 13 de diciembre, apareció en *El Eco del comercio* una interesante puntualización:

> Se nos asegura que en virtud de averiguaciones hechas por la autoridad, consta que los individuos presos como complicados en los desórdenes de la partida que se titulaba del *Trueno*, tienen opinión de carlistas, o cuando menos de realistas del tiempo de marras. Lo anunciamos para desmentir el rumor esparcido de que esta malhadada cuadrilla de calaveras se componía de jóvenes liberales.

Con dicha aclaración se pretendía establecer una distinción entre las calaveradas de algunos jóvenes "de moda" y las fechorías de unos simples gamberros (como los que habían atacado a una anciana ciega, según anunciaba *El Eco del comercio* del 18 de diciembre) o de provocadores carlistas. No obstante, para la policía y la gente respetable, unos y otros eran de la misma ralea. Un informe del 27 de diciembre de 1835[54], sobre unos incidentes que se habían producido el día antes, relata que «en las máscaras se introdujo la partida del Trueno, compuesta de los individuos siguientes: un tal Garrido, Juárez, Milans, Espronceda, Vega, Bravo y otros»; que éstos insultaron y molestaron a los que bailaban, quienes pidieron auxilio al retén de la guardia nacional cuyo jefe reconoció a los perturbadores que iban con el rostro descubierto. Los jóvenes subieron entonces al ambigú, «en donde escandalosamente brindaron por la República universal, y por la destrucción de todos los tronos; únicos brindis de estos malvados»; uno de ellos la tomó con Manuel Cantero, magistrado municipal; los milicianos se disponían a intervenir pero su jefe no se decidió a dar la orden. Según concluye el informe, todos estos hechos podían ser confirmados por numerosos testigos dignos de crédito.

El relato de este incidente viene a confirmar en parte los recuerdos de Fernando Fernández de Córdoba, cuando menos en lo que se refiere a la participación de Espronceda, Vega y González Bravo en una calaverada que no era sin duda la única de este tipo que debían de haber cometido. Pero existe una gran diferencia entre este escándalo en un baile de máscaras y el apaleamiento de transeúntes rezagados, y eso es lo que pretendía poner de manifiesto el comunicado publicado unos días antes por *El Eco del comercio*. La ruidosa intrusión y los brindis sediciosos hechos por Espronceda y sus amigos podían sembrar la preocupación entre la gente honrada quienes, habituados a practicar la amalgama, no dudaron en atribuir a estos jóvenes irrespetuosos otros actos de vandalismo o de brutalidad. En los informes policiales elaborados en el transcurso de las últimas semanas

54. RAH, Papeles de la regencia de María Cristina, 9-31-6, leg. 6939 (documento inédito).

de 1835, y conservados en el mismo legajo que el que acabamos de citar, no se menciona ningún otro incidente del mismo tipo o delitos cometidos por la Partida del trueno o los amigos de Espronceda. Nada demuestra que las malas pasadas que éstos hubiesen podido cometer fuesen más graves que la única de cuya realidad queda constancia en un documento; por otra parte, el hecho de que se presentaran con el rostro descubierto al baile de máscaras del 26 de diciembre prueba que no temían ser reconocidos. Se puede pensar que todo eso no tiene mayor importancia. No obstante, resulta bastante significativo de un cierto estado de ánimo el que, en el ocaso de su vida, el moderado Fernández de Córdoba imputara a Espronceda y a Larra las únicas fechorías que relata de la Partida del trueno. En la época en que la existencia de la misma aparece atestiguada en la prensa madrileña (diciembre de 1835), "Fígaro" no ha regresado todavía de su viaje por varios países de Europa, y el recuerdo de sus artículos sobre *Los calaveras* pudo bastar para crear, en la memoria del anciano oficial, una confusión entre la realidad y la ficción. Por otra parte, advertimos que, para Córdoba, los únicos verdaderos bribones del Parnasillo son los dos escritores cuya obra se distinguía entonces por su anticonformismo; no incluye en esta categoría ni a Vega ni a Gónzalez Bravo, convertidos más tarde en respetables personajes que habían renegado de sus audacias de juventud. Así vemos cómo, en el caso de Espronceda, puedo ir tomando cuerpo la leyenda del dandi vanidoso, de Tenorio pervertido por el "romanticismo" que Ferrer del Río contribuyó a divulgar: bastaron algunas calaveradas para descalificar la obra de un poeta cuyo carácter subversivo se atribuyó durante un tiempo a la afectación y al byronismo, a fin de ocultar su significado profundo a la "gente honrada".

Pero esta falsificación progresiva se inicia realmente a partir de la muerte del poeta. Su indiscutible celebridad aparece confirmada, en la época que nos ocupa, por su participación en dos acontecimientos de la mayor importancia en la vida cultural de Madrid: el resurgir del Ateneo y la publicación de un nuevo diario, *El Español*[55].

El resurgir del Ateneo de Madrid

Entre 1820 y 1823, el Ateneo había sido el centro de la actividad intelectual liberal. La idea de darle nueva vida se debía a Juan Miguel de los Ríos, preceptor de los hijos del conde de Parsent y capitán de la Milicia Nacional, a quien su participación en el levantamiento del 15 de agosto de 1835 le valió ser detenido tres días más tarde. Fue encarcelado y posteriormente puesto en libertad el 7 de septiembre[56]. El 12, fue admitido entre los socios de la Real Sociedad Madrileña de Amigos del País, de la que ya formaban parte —entre otros personajes cuyo nombre ha aparecido mencionado en estas páginas— Juan Bautista Alonso, Die-

55. Sobre las actividades políticas de Espronceda en la misma época se hablará *infra*, p. 494 y ss.

56. Según un documento citado por F. Caballero, *El Gobierno y las cortes del Estatuto*, Madrid, 1837, p. 116, y una información aparecida en la *Revista española* el 8 de septiembre de 1835.

go de Alvear y Ward, Mesonero, Vega, Bernardino y José Núñez de Arenas[57]. A partir del 10 de octubre, Ríos presentó a la sociedad un proyecto de creación de un nuevo Ateneo, que fue inmediatamente aprobado y que una comisión se encargó de ejecutar[58]. El 31, ciento diez personas, respondiendo a su convocatoria, se reunieron en una sala de las Casas consistoriales; se encontraban entre ellas socios de la Sociedad de Amigos del País, y también del antiguo Ateneo de 1820, representantes de las Sociedades Económicas de provincias, además de cincuenta y seis personalidades de la política, del periodismo y de la literatura, entre las que estaban el duque de Rivas, Luis Usoz y Río, Roca de Togores, Grimaldi, Antonio y Dionisio Alcalá Galiano, Bretón, Iznardi y José de Espronceda. Los asistentes tuvieron que votar para elegir a los siete miembros de la junta provisional del futuro Ateneo; Olózaga obtuvo 72 votos, Rivas 57, A. Alcalá Galiano 47, de los Ríos 31, Olavarrieta 29, Mesonero 28, y Fabra 23; Bretón obtuvo 14 votos y Espronceda 11, mientras que apareció un solo voto a favor de Martínez de la Rosa. Al haber conseguido por un decreto del 16 de noviembre la autorización oficial de fundar el nuevo Ateneo, los elegidos convocaron el 26 la primera reunión de la sociedad en los salones del palacio de Abrantes —sito en la calle del Prado—, cedidos por el impresor Tomás Jordán. A la misma asistieron ciento sesenta y cinco personas, entre las cuales estaba Espronceda; tras una reñida votación, el duque de Rivas fue elegido presidente (por 52 votos frente a los 23 de Argüelles) y Mesonero secretario. El 6 de diciembre tuvo lugar la sesión inaugural en casa del duque de Rivas, en la calle de la Concepción Jerónima, en presencia de ochenta y ocho socios; en esta ocasión, Espronceda no figuraba entre los asistentes.

En el discurso que pronunció con este motivo, Rivas definió los objetivos de la sociedad, fundada «para esparcir gratuitamente las luces, para fomentar la ins-

57. La lista de miembros de la Sociedad confeccionada el 10 de octubre de 1835 nos permite saber que los personajes citados fueros admitidos bajo el número, en la fecha y en la sección siguientes: Alonso, n.º 145, el 7 de noviembre de 1833, comercio; Alvear, n.º 163, el 18 de enero de 1834, agricultura; Mesonero, n.º 166, el 26 de enero de 1834, comercio; Vega, n.º 167, 10 de mayo de 1834, arte; Bernardino Núñez de Arenas, n.º 178, 16 de agosto de 1834, arte; José Núñez de Arenas, n.º 201, 23 de agosto de 1835 (no se precisa la sección); J. M. de los Ríos, n.º 204, 12 de septiembre de 1835, agricultura, arte, comercio (Archivo de la Real Sociedad madrileña de Amigos del País, leg. 304, n.º4).

58. Los detalles que siguen sobre la fundación y primeras actividades del Ateneo los hemos sacado del Libro 1.º de Actas del Ateneo, que se conserva en los archivos de la sociedad y que hemos podido consultar gracias a la cortesía de su ex secretario, nuestro buen amigo Ramón Solís Llorente. R. M. de Labra utilizó parcialmente estas actas en sus dos obras sobre el Ateneo (Madrid, 1878, pp. 65-68; Madrid, 1906, pp. 5-7 y 11-12), en las que se basó ampliamente V. García Martí al escribir su libro *El Ateneo de Madrid (1835-1935)*, Madrid, 1948. La información que se publicaba en la prensa de la época sobre esta sociedad no siempre coincide, y los recuerdos de Mesonero al respecto son bastante imprecisos (*Memorias de un setentón*. BAE, t. CCIII, pp. 224-226). "El curioso parlante" (citado muy por extenso en García Martí, *op. cit.*, pp. 67-72) se atribuye un papel de primer orden en la fundación del Ateneo, y menciona a Larra (a la sazón ausente de Madrid) entre los fundadores (este error fue detectado por C. de Burgos, *op. cit.*, p. 47). De hecho, Larra fue el primer miembro admitido según los estatutos: presentado, el 2 de enero de 1836, por Grimaldi, y respaldado por Roca de Togores, Bretón, J. J. de Osma, Antonio Gil, J. M. Díaz... y Mesonero. Este documento, que hoy se conserva enmarcado en el despacho del secretario, fue publicado y comentado por J. Artiles, "De la época romántica: Larra y el Ateneo", *Revista de la Biblioteca, Archivo y Museo*, VIII, 1931, pp. 137-151.

trucción pública, y para adquirir con la mutua correspondencia nuevos vínculos sociales que estrechen invisiblemente a todas las clases del estado». Un programa como éste —añadía— sólo es realizable en el marco de instituciones liberales que permiten la difusión, sin trabas de ningún tipo, de la cultura, del pensamiento y del saber. De ahí que Rivas celebrara ver reunidas tales condiciones:

> Es claro como la luz del sol que las instituciones tiránicas son para la ilustración una insuperable barrera donde se han estrellado los esfuerzos de hombres privilegiados y filantrópicos. ¿Qué fruto hubiera logrado nuestra España de los planes de algunos ministros de Carlos 3º, si la inquisición y la intolerancia monacal no hubiesen sofocado su celo por la civilización de la patria?

El presidente rindió homenaje a los socios del Ateneo de 1820 y presentó luego el programa de la sociedad, que consistía en crear cátedras de derecho público, de derecho constitucional, de ciencia administrativa, economía política, química, literatura y lenguas inglesa y francesa.

El 11 de diciembre de 1835, tuvo lugar una nueva reunión en el transcurso de la cual varios escritores trajeron ejemplares de sus obras para constituir la futura biblioteca: Rivas, Olózaga, Roca de Togores, Espronceda, Vega, Bretón, Mesonero y Pacheco, entre otros. Los días 20, 21 y 23 de diciembre, el poeta no participó en las discusiones acerca del proyecto de estatutos que definieron el Ateneo como una sociedad exclusivamente científica y literaria[59], cuyos socios se proponían incrementar sus conocimientos a través de la discusión y la lectura, y difundirlos por medio de la enseñanza. Se trataba de edificar una especie de universidad abierta a todos y gratuita, a la par que un centro de información y de intercambio de ideas, presentado en los estatutos como «Academia, Instituto de enseñanza y círculo literario». La diferencia esencial entre el Ateneo de 1820 y el de 1835 está en que el primero se definía como una sociedad literaria *y* patriótica, y de hecho había desempeñado el papel de una asociación política. Los nuevos estatutos ponen claramente de relieve que ya no es así en 1835: no se trata ya de que el Ateneo dé su opinión en cuestiones administrativas o jurídicas, como sucedió por ejemplo en 1821, cuando la comisión *ad hoc* de las Cortes consultó a la sociedad acerca del proyecto de código penal, sin hablar de las discusiones sobre los empréstitos, la reforma colonial o el régimen constitucional que se instituyeron en el seno de diversas comisiones.

Después de las cuatro reuniones de los días 2, 4, 7 y 15 de enero de 1836, los miembros del Ateneo no fueron convocados hasta el 28 de mayo siguiente. Espronceda y Larra se hallaban entre los asistentes cuando se enteraron que por decreto del 12 de febrero, la reina regente había aceptado el título de protectora de la sociedad, y que Lista tenía a bien encargarse de la cátedra de literatura. El 28 de abril, se asignaron otras cátedras: la de derecho constitucional a Antonio Alcalá Galiano, la de historia a Francisco José de Fabré, la de ciencia administra-

59. Por el contrario, Larra es un asiduo a estas primeras reuniones tras su regreso a Madrid: figura, según el Libro de actas citado, entre los asistentes los días 23 de diciembre de 1835, y 2, 7 y 15 de enero de 1836. Pero deja de frecuentar el Ateneo en agosto de 1836, en una época de su vida especialmente dramática (I. Sánchez Estevan, *M. J. de Larra...*, Madrid, 1934, pp. 188-189).

tiva a Cristóbal Bordiu, y la de economía política a Eusebio María del Valle. A partir de esta fecha, el nombre de Espronceda no figura ya entre los de los socios del Ateneo presentes en las reuniones. Así era también probablemente en 1837, año a partir del cual no aparecen anotados en el libro de actas los nombres de los asistentes. Por otra parte, observamos que, pasados los primeros meses, las asambleas del Ateneo atraen a un número cada vez más reducido de socios; este fenómeno, sensible ya a finales de mayo de 1836, se acentúa en el transcurso de los meses de verano. Espronceda no era el único en practicar el absentismo. Cierto es que la situación política entre la caída de Mendizábal (15 de mayo de 1836) y la de Istúriz (15 de agosto) revestía especial gravedad. Rivas y Alcalá Galiano, a la sazón ministros en el gabinete Istúriz, no pudieron desempeñar sus funciones en el Ateneo, recayendo el cumplimiento de las mismas en Olózaga «que por sus ideas avanzadas en política, no estaba de acuerdo con las que predominaban ya en la corporación» —según escribe Mesonero Romanos. Éste, con su acostumbrada complacencia para consigo mismo, ha relatado cómo, gracias a la amistad que le unía a Olózaga pese a sus diferencias de opinión política, consiguió cubrir las cátedras del Ateneo y darle nueva vida. Mesonero propuso al gobernador civil de Madrid una lista que incluía entre otros los nombres de Donoso Cortés, Lista, Pérez Hernández, Benavides, Ponzoa, Revilla, y Puch y Bautista; Olózaga señaló que todos estos hombres pertenecían al partido moderado y pidió a Mesonero que solicitara la ayuda de personalidades progresistas. De ahí que se encargara a Fernando Corradi la cátedra de literatura extranjera; el mismo Olózaga y Fermín Caballero, por su parte, se declararon incompetentes[60].

El 30 de diciembre de 1836 se produjo la renovación estatutaria de la junta del Ateneo. Olózaga salió elegido presidente con 56 votos; el marqués de Someruelos y el marqués de Torremegía, consejeros; Joaquín Francisco Pacheco y Gervasio Gironella, secretarios; y Mesonero Romanos, bibliotecario. El 13 de enero de 1837 fueron elegidos los presidentes de las cuatro secciones; la dirección de las dos más importantes recayó en Donoso Cortés (ciencias morales y políticas) y en Martínez de la Rosa (literatura). Con lo cual podemos decir que, a partir de ese momento, predomina una tendencia claramente conservadora en el Ateneo cuya sede, sita un tiempo en la calle del Prado n.º 27, se encontraba ahora en el número 27 de la calle de Carretas. Pero incluso en 1838, en el momento en que Martínez de la Rosa accederá a la presidencia, el Ateneo seguirá siendo el lugar de reunión de hombres que, aun siendo a veces adversarios políticos, contribuyeron juntos a una empresa cultural de indiscutible utilidad.

Por lo que hemos visto, Espronceda se desinteresó bastante pronto de las actividades del Ateneo. Tal vez se sintiese decepcionado por la orientación que habían tomado éstas debido a la acción de Mesonero quien, a pesar de lo que pudo decir, parece haber contribuido realmente a evitar que los representantes de las ideas liberales "exaltadas" obtuviesen una preponderancia, peligrosa a sus ojos.

60. Mesonero Romanos, *op. cit.*, p. 225. Larra dedicó seis artículos a los cursos públicos que se dictaron en el Ateneo en *El Español* de los días 11, 16 y 18 de junio y 2, 6 y 7 de julio de 1836 (BAE, t. CXXVIII, pp. 221-223, 228-231, 235-237 y 254-260).

UN NUEVO GRAN PERIÓDICO: *EL ESPAÑOL*

A mediados de 1835, los tres grandes diarios de la capital eran la *Revista española, El Eco del comercio* y *La Abeja* (sin mencionar la *Gaceta de Madrid*, órgano oficial, y el *Diario de avisos*, sin tendencia política). En el mes de julio de 1835 se publicó el prospecto de *El Español*, cuyo primer número se anunciaba para el 1.º de enero siguiente. El nuevo periódico se presenta como el defensor de la monarquía constitucional; la transformación del régimen español es necesaria, pero debe efectuarse pacíficamente. Así pues, hay que reformar el Estatuto real, practicar una política realista y eficaz, y acabar con la indecisión reinante en el gabinete Toreno. El fundador de *El Español*, autor de dicho prospecto, es Andrés Borrego, personaje emprendedor que no es un novato en el periodismo ni en la política. Nacido en 1802 en Málaga, huérfano de padre a los cinco años, había sido educado por un sacerdote, Francisco Javier Asenjo, que se lo llevó con él a Auch en 1814, cuando tuvo que exiliarse en Francia. De regreso en Madrid, Borrego se casó en 1823 y luego emigró a su vez. En 1830 y 1831, estuvo muy relacionado en París con el coronel Baiges, Beltrán de Lis y Pascual Inglada; al parecer, desempeñó un papel importante, aunque poco aclarado, en los círculos de exiliados españoles constitucionales. A fines de septiembre de 1830, fundó en París el periódico *El Precursor* (inmediatamente prohibido en Madrid) que se presentaba como el órgano de dichos emigrados y que probablemente tuvo tan sólo dos meses de vida. Por la misma época, parece ser que colaboró en *La Presse* y trabó numerosas amistades en el mundo del periodismo francés. Tomó parte activa en las jornadas de Julio. De regreso a España, se habló de él con motivo del levantamiento de agosto de 1835[61].

¿Qué espacio iba a ocupar el nuevo periódico dentro de la prensa madrileña? La *Revista española* —que había sucedido a *Cartas españolas* el 7 de noviembre de 1832— defendía con moderación posiciones liberales, según demuestran los artículos de sus principales redactores, Carnerero y Antonio Alcalá Galiano; *El Eco del comercio* (a partir del 1.º de mayo de 1834) era el órgano de los "exaltados" Iznardi, Fermín Caballero y Joaquín María López, de ideas más radicales; *La Abeja* (que había sucedido a *El Universal* el 10 de junio de 1834 y que, a partir del 1.º de junio de 1836, pasaría a denominarse *La Ley*) representaba la tendencia moderada, con Joaquín Francisco Pacheco, Manuel Pérez Hernández, Gervasio Gironella y Bravo Murillo, cuyos artículos demostraban que eran favorables al mantenimiento del Estatuto real, que añoraban el ministerio de Martínez de la Rosa y temían ante todo "la anarquía". Se trata de tendencias generales que se irán concretando y matizando, ya en los primeros días de 1836, con la actitud adoptada por dichos periódicos ante la política de Mendizábal; sólo uno

61. En su libro *Andrés Borrego y la política española del siglo XIX*, (Madrid, 1959), A. Oliva Marra-López aporta muy pocos detalles sobre la vida y las actividades de este personaje antes de 1838. Hemos encontrado el rastro del fundador de *El Español* en algunos expedientes de archivos: Archives départementales du Gers (M 1 607); ANP (F^7 12102, 1674er); AHN (Consejos, leg. 11343 y 12202; Sala de gobierno, leg. 3856); Archives du ministère des Armées, Vicennes (E^4 51, X^1 40 y Réfugiés espagnols 1823, carton 63). Parece ser que gozó de alta protección durante su estancia en Francia, ya que no existe o no se le abrió ningún expediente policial personal, como era habitual que se hiciese con la mayoría de emigrados.

—*El Nacional*— la apoyaba abiertamente, según proclamó en su número del 28 de febrero de 1836[62]. *El Español* se define como el órgano de los partidarios de las reformas necesarias del estado y la sociedad, con orden y sin violencia, y recurriendo a soluciones nacionales, no importadas de países extranjeros. Publicó numerosos artículos sobre la industria, la literatura, el comercio, las costumbres y la administración de varios países, en particular Inglaterra. Se abrieron importantes secciones, que permitieron una difusión de las ideas más amplias de lo habitual en la prensa madrileña de la época, en la que sólo podían encontrarse informaciones y comentarios acerca de los acontecimientos de más reciente actualidad y comunicados oficiales. Andrés Borrego disponía sin duda de fondos importantes ya que, por dos artículos semanales, ofreció 20.000 reales al año —suma considerable— a Larra, quien consideraba *El Español* como el mejor de los periódicos europeos[63]. El primer número salió el 1.º de noviembre de 1835, a petición de los suscriptores, según rezaba un comunicado de la redacción. A partir de enero de 1836, *El Español* se imprimió en papel de gran formato e impreso en prensas importadas especialmente de Inglaterra. Además, tanto el título en letra gótica, como los tipos de letra y la disposición tipográfica, recordaban las de los diarios londineses, especialmente las de *The Times*. Andrés Borrego recurrió a colaboradores regulares u ocasionales elegidos entre los escritores jóvenes o los conocidos especialistas en problemas económicos, tales como Álvaro Flórez Estrada, Bernardino Núñez de Arenas, Luis González Bravo, Juan Donoso Cortés, José Canga Argüelles, Santos López Pelegrín, José García de Villalta, Luis Usoz y Río, Espronceda, sin olvidarnos de Larra. De ahí que este periódico no sea simplemente el portavoz de una camarilla, de un grupo de parlamentarios o de un sector reducido de la opinión pública, como era el caso de sus colegas, sino punto de confluencia de tendencias diversas, y sobre todo órgano de cultura ampliamente abierto. Mantendrá estas características durante los primeros meses de su existencia, es decir hasta la caída de Mendizábal en mayo de 1836. En agosto del mismo año, Borrego cedió *El Español* a Juan José Carrasco y Manuel Beltrán de Lis; la redacción quedó entonces encomendada a los moderados Joaquín Francisco Pachecho y Manuel Pérez Hernández. Finalmente, el 2 de junio de 1837, José García de Villalta tomó la dirección del diario; se encargó él mismo de los artículos políticos, puso a Luis González Bravo como redactor jefe, y encomendó la sección de artes y letras a Eugenio Moreno López. A partir de entonces, cada domingo, *El Español* publicó una página literaria completa, innovación sin precedentes en Madrid dentro de la prensa informativa[64].

La colaboración de Espronceda en el periódico fundado por Andrés Borrego se inició con la publicación, en el número del 14 de diciembre de 1835, del soneto *A la memoria de las víctimas de Málaga*, con motivo del cuarto aniversario del

62. *El Nacional* apareció posiblemente a finales de diciembre de 1835. Tan sólo hemos podido consultar en la BNM, igual que Hartzenbusch, una colección que se inicia en el n.º 14 (10 de enero de 1836).

63. Carta de Larra a sus padres del 8 de enero de 1836, BAE, t. CXXX, p. 281b.

64. Sobre los cambios acaecidos en la dirección y administración del periódico, véanse las informaciones publicadas al respecto en *El Español* de los días 2 de junio y 14 de agosto de 1834, así como el comunicado de García de Villalta titulado *Los redactores del "Español" al público*, incluido en *El Eco del comercio* del 4 de febrero de 1838.

fusilamiento de Torrijos y sus compañeros[65]. Ésta prosiguó a lo largo de los primeros meses de 1836: *El reo de muerte* (primera parte), el 17 de enero; *Libertad, igualdad, fraternidad*, el 15 de febrero; *El gobierno y la bolsa* y los primeros fragmentos de *El estudiante de Salamanca*, el 7 de marzo; *A la patria*, el 11 de marzo; *A la muerte de Joaquín de Pablo Chapalangarra*, el 26 de abril; y dos fragmentos de *El Canto del cruzado*, con el título de *El templario*, los días 9 de mayo y 30 de junio. Con excepción de los fragmentos de *El estudiante de Salamanca* y de los artículos en prosa, se trata de obras de composición anterior que habían permanecido inéditas, salvo la poesía a Chapalangarra ya publicada en 1834. Los fragmentos del *Canto del cruzado* corresponden a la estética del romanticismo medieval que Espronceda había dejado de practicar. El hecho de que los hiciera o dejara publicar en *El Español* tal vez se deba a la insistencia de sus amigos, o incluso a motivos económicos. Pero también cabe pensar que se decidiera entonces por estos versos meramente descriptivos con objeto de mostrar claramente que no compartía las ideas políticas del periódico, tal y como lo afirmó además públicamente en una carta publicada el 29 de julio de 1836 en *El Eco del comercio*[66]. Este fue también el caso de Larra que, en dos ocasiones, reivindicó su independencia y su libertad de opinión ante la dirección de *El Español*[67].

Después de ejercitarse en variedad de géneros —cuento humorístico, cuadro de costumbres, crítica teatral— con motivo de su colaboración en *El Artista*, Espronceda se inclina resueltamente por una poesía "filosófica" —según se denominaba entonces— que, como sus escritos en prosa de principios de 1836, refleja preocupaciones sociales y políticas cada vez más profundas. En ese momento, era un personaje destacado dentro del mundo literario de Madrid. Al abrirle las columnas de *El Español*, Andrés Borrego hizo algo más que rendir homenaje a su talento; materializó en cierta forma el encuentro de dos escritores a los que unen muchos puntos en común: José de Espronceda y Mariano José de Larra.

65. Publicado en la edición de 1840 de las *Poesías* de Espronceda, con el título *A la muerte de Torrijos*. Sobre este soneto y los otros poemas citados, véase Espronceda, *Poésies*, ed. Marrast, *passim*. El texto de *Libertad, igualdad, fraternidad* puede encontrarse en nuestro opúsculo *Espronceda articles et discours oubliés*..., París 1966, pp. 7-10; el de *El gobierno y la Bolsa*, en BAE, t. LXXII, pp. 582-583. Sobre estos artículos, véase *infra*, pp. 477-482 y 508-513.

66. Véase el texto de esta carta *infra*, pp. 548-549.

67. *Cf.* "Fígaro al director de *El Español*", *El Español*, 23 de mayo de 1836 (BAE, t. CXXVIII, pp. 217-218), y la carta de Larra publicada en el mismo periódico el 4 de septiembre siguiente, que reproduce en parte I. Sánchez Estevan, *op. cit.*, p. 191.

Capítulo XV

LARRA Y ESPRONCEDA, TESTIGOS DE SU TIEMPO

Dos escritores en comunión de pensamiento

De la época en que publica sus *Canciones* y los artículos políticos destinados a *El Español*, Espronceda no ha dejado ningún texto en el que expusiera sus ideas literarias y su concepción del papel del escritor. Ahora bien, para comprender toda la importancia y el alcance de sus obras compuestas a finales de 1835 y comienzos de 1836, no basta con poner de relieve sus perfiles de originalidad e innovación que le valieron al poeta una rápida celebridad; cabe situarlas dentro del movimiento general de las ideas y en relación con las demás formas de expresión literaria de la misma época. Los escritos de Larra permiten efectuar dicho cotejo, ya que ningún otro contemporáneo de Espronceda presenta mayores afinidades con éste.

La comunión de pensamiento entre ambos no es fortuita; está fundada en un aprecio mutuo y una amistad que, según demuestran varios testimonios, se remontan a muy antiguo. Los dos hombres, que se habían conocido siendo adolescentes, reanudaron, tras el retorno del poeta a Madrid, estos primeros lazos de amistad. En varios artículos publicados en julio de 1834, Larra defendió a Espronceda, que había sido desterrado de Madrid al igual que García de Villalta a raíz del asunto de La Isabelina; en su crónica sobre *Ni el tío ni el sobrino*, no se ensañó con los autores, que habían sufrido empero un merecido fracaso, y destacó su talento; por último, en su reseña sobre el folleto de Espronceda *El Ministerio Mendizábal*, rindió homenaje al autor en unos términos que no dejan duda alguna sobre su sinceridad. La amistad de los dos escritores queda confirmada en unas líneas de una carta de Larra al editor Delgado, escrita desde París, con fecha del 20 de agosto de 1835. Larra se queja de no tener noticias de Vega y de Grimaldi, y añade luego, refiriéndose a Espronceda:

> Dígale usted que estoy muy agradecido a la exactitud con que en los primeros días de mi ausencia cumplió mis encargos de guardar secreto. Posteriormente he

sabido, por una casualidad, su porte caballeresco. Nunca me admiro, porque le conozco; pero sí deseo ocasiones aquí o en cualquier parte de probarle cuánto le estimo, más: lo quiero y respeto sus brillantes calidades, superiores aun, si cabe, a su talento[68].

Era pues a Espronceda a quien Larra había confiado el motivo secreto de su marcha de Madrid, a finales de marzo o comienzos de abril de 1835, y podemos ver en qué expresivos términos hablaba de su amigo, en un escrito privado. Indudablemente, y a pesar de la profunda diferencia de carácter que los separaba, existía entre ambos hombres mucho más que una mutua simpatía.

Aun cuando son distintos sus respectivos medios de expresión, los puntos de vista que manifiestan en sus escritos coinciden muy a menudo en 1835-1836. En el cuarto número de *El Artista*, el conde de Campo Alange había publicado un artículo muy favorable sobre la traducción, por García de Villalta, del *Dernier jour d'un condamné* de Hugo; pero se dedicaba sobre todo a alabar sus cualidades literarias[69]. Larra, en *El reo de muerte* publicado poco después, y en el que aparece una alusión a la poesía de Espronceda que lleva el mismo título, no se conforma con apiadarse de las crueles experiencias impuestas al condenado, sino que plantea el problema de la pena de muerte y de su aplicación en términos de moral social, sin concesiones al humanitarismo o a una vaga filantropía. Dicho artículo contiene reflexiones idénticas a las que suscita la canción del poeta. Larra señala que la ejecución pública ha perdido todo carácter de ejemplaridad en la medida en que ha pasado a ser un espectáculo habitual. Se rebela contra el hecho de que los curiosos exijan del condenado que dé muestras de valor, sin lo cual se consideran frustrados; protesta contra el rutinario ceremonial que rodea el acto, contra la hipócrita distinción establecida entre la forma de suprimir al noble y al plebeyo; y por último, contra el hecho de que la sociedad sólo sepa poner remedio al mal con otro mal: la muerte de un hombre. Todo esto le disgusta más aún cuando los condenados que demuestran mayor serenidad en la hora de la muerte son aquellos que mueren por sus ideas políticas o que no tienen la menor creencia religiosa. En cuanto al criminal que ha sucumbido siempre a sus instintos, que ha matado y robado maquinalmente, muere también maquinalmente, ya que está cerrado a cualquier remordimiento y desconoce el arrepentimiento; el que tiembla es el hombre que permaneció sordo a la voz del deber o de la religión, pero que al haber recibido alguna educación, se ve poseído por una duda que le aterroriza. Si así es, ¿por qué la pena de muerte? Ésta y la ejecución constituyen usos obligados, vestigios de leyes que, aun siendo caducas, se mantienen en vigor por la fuerza de la costumbre: «he aquí la clave de lo mucho que cuesta hacer libre por las leyes a un pueblo esclavo por sus costumbres», escribe Larra. Vemos con ello la enorme diferencia que separa su obra de escritor de costumbres de la de un Mesonero: mientras éste describe con complacencia e indulgencia, aquél describe con intención de reformar, combatiendo el mal de raíz. Desde la misma óptica, "Fígaro" demuestra algo más tarde que el duelo en defensa del honor no

68. BAE, t. CXXX, p. 278a.

69. C[ampo] A[lanje], "*El último día de un reo de muerte*, por Víctor Hugo", *El Artista*, I, [4, 25 de enero de] 1835, pp. 40-43.

es más que un asesinato, si no legal, cuando menos justificado por una costumbre obsoleta[70]. A finales de 1835 y principios de 1836 aparecen, en *El Español* y la *Revista española* principalmente, varios artículos originales o traducidos que tratan el tema del régimen penitenciario y de la pena de muerte, pero siempre desde el mismo punto de vista general y humanitario, o con tendencia a proponer soluciones utópicas[71]. Larra no se atiene a vagas consideraciones cuando toma de nuevo parte en el debate. En *Los barateros, o el desafío y la pena de muerte*[72], parte de un hecho real: el asesinato de un detenido por uno de sus compañeros de celda en una cárcel de Madrid. Se subleva contra la diferencia establecida por la sociedad entre el noble y el hombre del pueblo en materia de duelo; si sale vencedor del combate, al primero no se le molesta, mientras que el segundo es considerado un asesino. Larra advierte que la cárcel no hace sino «estancar al acusado» y no le proporciona protección alguna frente a los oficiales de prisiones o a los demás detenidos. Lo que hace falta —escribe— no es que la sociedad se vengue del criminal condenándole, sino que se proteja contra los crímenes, que emplee todos los medios para evitar que éstos se cometan. No se trata de diezmar, sino de mejorar el mundo de los hombres; y cuando no es así, la aplicación de una pena supone recurrir al ejercicio del derecho del más fuerte, derecho contrario al respeto de la dignidad humana y de la justicia digna de tal nombre.

Al inicio de *Un reo de muerte*, Larra explica cómo y por qué fue deslizándose paulatinamente de la crítica teatral a la crítica social. Especifica su propósito de tal forma que induce a diferenciar sus intenciones de las de los costumbristas que se limitan a observar y describir; declara además que no se dejará guiar por la costumbre que «casi siempre nos hace mirar como naturales cosas que en su sentir no debieran parecérnoslo tanto». Casi un año más tarde, vuelve a tratar el tema en *De la sátira y de los satíricos*[73]. La dificultad de este género está en que no hay que atenerse a las apariencias, sino «desentrañar las causas y los resortes más recónditos del corazón humano», «comprender perfectamente el espíritu del siglo», fundarse en la verdad y buscar la utilidad. En fin, escribe:

> Somos satíricos porque queremos criticar abusos, porque quisiéramos contribuir con nuestras débiles fuerzas a la perfección posible de la sociedad a que tenemos la honra de pertenecer.

En ese momento, la obra de Espronceda está al servicio de la misma causa, responde al mismo imperativo.

70. "El duelo", *Revista mensajero*, 27 de abril de 1835; BAE, t. CXXVIII, pp. 79-82. Larra ya había abordado este tema en *El pobrecito hablador* y en una sátira inédita, publicada por A. Rumeau ("Larra poète...", *BH*, LIII, 1951, pp. 118-119).

71. Un análisis comentado de estos artículos se encuentra en A. Martinengo, art. cit., nota 26, pp. 66-67 y 82-85.

72. *El Español*, 19 de abril de 1836 ; BAE, t. cit., pp. 204-207.

73. *El Español*, 2 de marzo de 1836; BAE, t. cit., pp. 161-165.

La producción literaria de los años 1835-1836, enjuiciada por "Fígaro"

Fue en *El Español* donde "Fígaro" publicó los artículos que se cuentan entre los más importantes, tanto en su obra como en el conjunto de la producción literaria de aquella época, para quien quiera conocer el estado de las letras españolas en los años 1835-1836. En el segundo artículo que escribió para dicho periódico[74] pudo parecer desmesurado en sus juicios sobre los escritores contemporáneos. En efecto, en él hallamos esta frase tantas veces citada:

> Rehusamos ... lo que se llama en el día literatura entre nosotros; no queremos esa literatura reducida a las galas del decir, al son de la rima, a entonar sonetos y odas de circunstancias, que concede todo a la expresión y nada a la idea.

Se argüirá que Larra escribe esto poco después de su regreso a Madrid, tras una ausencia de casi nueve meses; en París, ha tratado con el barón Taylor, con Hugo, Casimir Delavigne, Charles Nodier, Scribe, y asistido a las representaciones del Théâtre Français; en Londres, ha podido oír ópera en el Covent Garden; de ahí que su punto de vista sobre las manifestaciones de la vida intelectual y artística de Madrid pudo haberse visto desvirtuado por semejante experiencia. Si bien puede que haya algo de cierto en ello, no hay que olvidar que Larra se había educado en Francia y que siempre se había mantenido al corriente de la literatura francesa, como lo demuestran sobradamente sus escritos; cabe recordar también que en París leía por lo menos un diario de Madrid, que le informaba de lo que se representaba o publicaba durante su ausencia en la capital española[75].

Durante el año 1835, la producción literaria de obras nacionales es realmente escasa; el *Apéndice al Manual de Madrid* y el *Panorama matritense* de Mesonero, el tomo I de la *Historia del levantamiento...* de Toreno, el tomo I de *El Espíritu del siglo* de Martínez de la Rosa, y los últimos títulos de la Colección de novelas históricas de Delgado son los únicos libros de autores españoles que se publican en Madrid, fuera de los volúmenes que recopilan los artículos de "Fígaro". No sale a la luz ni un solo libro de poesías. Tan sólo aparecen publicados en la prensa periódica algunos versos de circunstancias o algunas composiciones relacionadas con el género trovadoresco o tenebroso. El acontecimiento teatral fue *Don Álvaro*, estrenado el 22 de marzo de 1835, y representado diecisiete veces a lo largo del año. Pero ¿puede decirse —según se ha repetido a menudo— que esta obra señala realmente el triunfo del romanticismo en Madrid? De las reseñas de que fue objeto en la prensa se desprende que, más que conquistar al público de entrada, lo dejó sorprendido y asombrado. Los cronistas parecen haber tenido ciertas dificultades para explicar el carácter de la fatalidad de la que era víctima el protagonista: en realidad una serie de circunstancias meramente fortuitas y carentes

74. "Literatura. Rápida ojeada sobre la historia e índole de la nuestra. Su estado actual. Su porvenir. Profesión de fe", *El Español*, 18 de enero de 1836; BAE, t. CXXVIII, pp. 130-134.

75. Efectivamente, Larra recibía en París la *Revista mensajero*, puesto que envió a este periódico, el 18 de noviembre de 1835, una carta (publicada en el número del 8 de diciembre y reproducida por I. Sánchez Estevan, *op. cit.*, pp. 157-158) para desmentir su participación en la redacción del texto castellano de las memorias de Godoy.

de toda lógica[76]. Se ha intentado a veces ver en don Álvaro una especie de Edipo y comparar los avatares del destino de ambos; así, se ha dicho que el personaje de Rivas encarnaría una forma española —y por lo tanto cristiana— de la fatalidad, lo cual no significa absolutamente nada, y no explica en modo alguno la saña de la Providencia contra un ser que en ningún momento puede valerse de su libre albedrío y acaba por suicidarse. El comportamiento de don Álvaro no tiene ninguna justificación metafísica o moral, ni presenta, en sus fases sucesivas, verosimilitud sicológica o lógica interna. Hay que buscar en otra dirección para determinar cuáles fueron las intenciones de Rivas. Así nos lo indica claramente una frase de Boussagol: «Il s'applique à construire un drame aussi strictement romantique que ses tragédies avaient été strictement classiques. Il y arrive par les mêmes procédés: il ne s'attaque pas au fond, mais à la forme[77].» Boussagol alude en varias ocasiones al papel determinante que tuvo Alcalá Galiano en la composición de *Don Álvaro*; lo ve como una especie de apuesta por parte del autor y de su amigo quienes, deseosos de hacer una parodia del drama francés, hubieran utilizado todos los recursos del género en el grado más excesivo[78]. En los dos artículos que dedicó a *Don Álvaro*, el amigo de Rivas no da ningún argumento positivo en favor de la obra, limitándose a rechazar con cómica irritación las acusaciones de incoherencia y de inverosimilitud vertidas en la *Revista Mensajero* del 12 de abril de 1835:

> Otras acusaciones se han hecho a *Don Álvaro* pero que huelen a gente del bronce. ¿Que tiene dieciseis decoraciones? Tanto mejor, con eso recrea la vista. ¿Que muere mucha gente? Y ¿qué le importa a Vd? ¿son sus parientes? dijo un agudo ingenio de esta corte hablando en un corrillo. ¿Que es muy desatinado? Pues con sus desatinos lo prefiero a muchas tragedias arregladas en cinco actos, con unidades, confidentes, desenlaces, y todos sus requisitos.

Todo esto es poco serio. Alcalá Galiano parece mostrarse más despechado por las críticas hechas a la obra que realmente predispuesto a defenderla; al no haber suscitado su prólogo a *El moro expósito* ninguna de las violentas reacciones esperadas por él, resulta comprensible su irritación ante las reservas expresadas en relación con este *Don Álvaro* en el que, a juzgar por la dedicatoria de Rivas,

76. Sobre los comentarios que suscitó *Don Álvaro* ya desde su estreno y durante todo el siglo XIX, véase Azorín, *Rivas y Larra...* (Buenos Aires-México, 1947, pp. 20-76); G. Boussagol, *Ángel de Saavedra, duc de Rivas, Essai de bibliographie critique*, Burdeos, 1926, pp. 25-33, y la introducción de J. Campos a las obras completas de Rivas, BAE, t. C, pp. XLVIII-LIII. Estos dos últimos autores rectifican el error de Azorín, que atribuyó a Larra el artículo sobre *Don Álvaro* publicado en la *Revista española* el 25 de marzo de 1835, y que en realidad, como ciertas frases denotan, fue escrito por Alcalá Galiano, así como aquel que publicó el 12 de abril siguiente el mismo periódico. Boussagol y Campos parecen ignorar que antes de ellos Peers había puesto en duda la atribución de Azorín en su artículo "The *Moro Expósito* and Spanish Romanticism", *Studies in Philology*, XIX 1922, pp. 308-309, sin pronunciarse no obstante sobre la identidad del autor.

77. («Se esfuerza en construir un drama tan estrictamente romántico como estrictamente clásicas habían sido sus tragedias. Lo consigue con los mismos procedimientos: actuando no sobre el fondo, sino sobre la forma.») G. Boussagol, *Ángel de Saavedra, duc de Rivas, sa vie, son œuvre poétique*, Toulouse, 1926, p. 447.

78. *Id., ibid.*, pp. 128-129 y 448.

había tomado parte tan activa[79]. También se comprende que Larra —quien sin duda vio el drama antes de marcharse de Madrid— no considerara oportuno dedicarle una crónica. Sin embargo, en el momento en que *Don Álvaro* estaba en cartel, la *Revista mensajero* publicó dos artículos de "Fígaro" que se refieren indirectamente a la obra. El primero es *Una primera representación*[80], en el que califica del siguiente modo el género al que pertenece la obra:

> el drama romántico, nuevo, original, cosa nunca hecha ni oída, cometa que aparece por primera vez en el sistema literario con su cola y sus colas de sangre y de mortandad, el único verdadero; descubrimiento escondido a todos los siglos y reservado sólo a los Colones del siglo XIX. En una palabra, la naturaleza en las tablas, la luz, la verdad, la libertad en literatura, el derecho del hombre reconocido, la ley sin ley.

Esto, por lo que a la forma se refiere. Sigue luego el artículo titulado *El duelo*[81], cuyo propósito es el de demostrar la inanidad de la ley del honor y lo absurdo de sus consecuencias sociales; ahora bien, don Álvaro es víctima precisamente de esta ley que, ciegamente observada por don Carlos y don Alfonso de Vargas, hijo del marqués de Calatrava, es a fin de cuentas la causa real de las desdichas del protagonista, el cual las achaca a un sino cruel. Aunque maldice este sino, su rebeldía no tiene el menor contenido positivo; todo se reduce a gesticulaciones y vociferación frenética.

El drama de Rivas no prueba ni demuestra nada, ya que parte de una actitud completamente pasiva del héroe ante los decretos de la Providencia, de la que sólo puede librarse suicidándose. Los efectos teatrales, los numerosos cambios de lugar, los diálogos enfáticos, los cuadros costumbristas intercalados, la alternancia del verso y la prosa, la variedad y riqueza de los decorados y trajes, así como los contrastes de atmósfera e iluminación, constituyen todos ellos un buen ejemplo de explotación sistemática de los mismos medios puramente externos a los que, con mayor moderación y timidez, había recurrido ya Martínez de la Rosa en *La conjuración de Venecia* y en *Aben Humeya* (obra ésta que, como *Don Álvaro*, fue escrita primero en francés y retocada unos años más tarde para los madrileños). Esta última obra se representó diez veces tras su estreno el 7 de junio de 1836, y como siempre los espectadores se mostraron sensibles a la suntuosidad de la escenografía. Larra, en su reseña, dedicó elogios a este aspecto de la obra; pero en lo que se refiere a cualidades literarias y dramáticas, no le reconoció ni una a *Aben Humeya*: ningún interés, ningún resorte dramático, ninguna pasión dominante, ningún hecho importante, una obra que debiera empezar por donde acaba, estilo descuidado...[82]. En resumen, lo que Jean Sarrailh denomina con razón «romantisme postiche»[83]. Se repite, una vez más, este fenómeno de mimetismo que caracteriza muchos momentos de la literatura española.

79. Véase el texto de esta dedicatoria, que no permite ninguna duda sobre el papel de Alcalá Galiano en la composición del drama, en G. Boussagol, *Ángel de Saavedra, duc de Rivas, Essai de bibliographie critique*, Burdeos, 1926, p. 91.
80. *Revista mensajero*, 13 de abril de 1835; BAE, t. CXXVIII, pp. 68-73.
81. *Revista mensajero*, 27 de abril de 1835; BAE, t. cit., pp. 79-82.
82. *El Español*, 12 de junio de 1836; BAE, t. cit, pp. 224-227.
83. En el estudio previo de su edición de *Aben Humeya* (Martínez de la Rosa, *Obras dramáticas*, *Clásicos castellanos*, t. 107, p. 124).

También se ofrecen al público madrileño traducciones de Hugo y de Dumas, pero en un orden incoherente, según señala Larra a propósito de *Hernani*:

> Tomando aquí las producciones extranjeras no en el orden en que ven la luz sino buenamente cuando y como podemos, *Hernani*, primer paso de la escuela moderna, ha venido a presentarse a nuestra vista después de haber apurado nosotros hasta los excesos de esta escuela[84].

En efecto, en la cartelera de los teatros madrileños encontramos, en 1835: *Lucrèce Borgia* (17 de julio, 13 representaciones), *Angelo* (1 de diciembre, 13 representaciones), *Richard Darlington* (14 de septiembre, 4 representaciones); y en 1836: *Térésa* (5 de febrero, 6 representaciones), *Catherine Howard* (29 de marzo, 7 representaciones), *Antony* (20 de junio, 5 representaciones), *Hernani* (24 de agosto, 7 representaciones), *La Tour de Nesle* rebautizada como *Margarita de Borgoña* (5 de octubre, 13 representaciones). Por otra parte, entre septiembre y diciembre de 1835, se representan veintidós veces tres obras de Casimir Delavigne, *Les Vêpres siciliennes, Les Enfants d'Édouard* y *Marino Faliero*, y el gran éxito del año es *El arte de conspirar* de Scribe (26 representaciones frente a las 17 tan sólo de *Don Álvaro*); por último, en 1836, *El trovador* de García Gutiérrez recibirá una triunfal acogida, siendo representado 25 veces[85]. ¿Qué podía tener de bueno para la literatura española la importación de obras de contenido tan dispar y representativas de diferentes momentos del romanticismo francés? Larra manifestó reiteradamente su preocupación por una situación que contribuía a acentuar el atraso de España en el aspecto cultural y por la confusión que con ello se suscitaba. De su crónica sobre *Térésa*, de febrero de 1836, dedicó gran parte a señalar el error en que incurría uno de sus colegas al situar en el mismo plano a Dumas, Hugo, Ducange y Casimir Delavigne; puso de relieve con sutileza y precisión la gran diferencia existente entre ellos, destacando sobre todo en qué residía la inferioridad de los dos últimos respecto a los primeros citados. Una vez más, Larra es el único, en ese momento, capaz de percibir estas diferencias y que se muestra preocupado por señalarlas[86]. El mes siguiente, el estreno de *Catherine Howard* le brindó la oportunidad de subrayar el desfase existente entre las condiciones de la vida social, política y literaria de su país y las obras que se ofrecían apresuradamente al público de Madrid. Según escribe Larra, mientras que en Francia se ha efectuado progresiva y lentamente la transición del teatro clásico al drama pasando por el melodrama, «entre nosotros en un año solo hemos pasado en política de Fernando VII a las próximas Constituyentes, y en literatura de Moratín a Alejandro Dumas ... En una palabra, que estamos tomando el café después de la sopa». Y para dejar bien claro que cultura, civilización y política constituyen un conjunto indisoluble, añade:

> He aquí una de las causas de la oposición que así en política como en literatura hallamos en nuestro pueblo a las innovaciones. Que en vez de andar y de caminar

84. *El Español*, 26 de agosto de 1836; BAE, t. cit., pp. 268-269.
85. Hemos tomado estos datos de Peers, *HMRE*, t. I, pp. 414-416 y 427-429.
86. *El Español*, 5 de febrero de 1836; BAE, t. cit., pp. 147-150.

> por grados, procedemos por brincos, dejando lagunas y repitiendo sólo la última palabra del vecino. Queremos el fin sin el medio y ésta es la razón de la poca solidez de las innovaciones[87].

Tres meses más tarde señala de nuevo, con amargura y desánimo:

> ¡Desorden sacrílego! ¡Inversión de las leyes de la naturaleza! En política, don Carlos, fuerte en el tercio de España, el Estatuto en lo demás; y en literatura, Alejandro Dumas, Víctor Hugo, Eugenio Sue y Balzac[88].

Refiriéndose al estreno de *Margarita de Borgoña*, Larra proclama, siguiendo a Hugo, que todo lo que está en la naturaleza está en el arte, pero que la naturaleza no es ni «tan comedida y corta de genio y de recursos, tan moderada y encajonada en reglas como la vistieron los clásicos, ni es tan desordenada y violenta como los románticos la disfrazan». Si admitimos que el retrato de un avaro contribuye a corregir la avaricia, ¿por qué no admitir que el de un asesino puede contribuir a disuadir del asesinato? Según los defensores de la antigua escuela, no es inmoral llevar a la escena a un jugador; ¿por qué iba a ser inmoral llevar a la escena a un criminal? La única regla es la verosimilitud, todo lo demás no es sino fruto de la rutina. ¿Qué sentido tiene rasgarse las vestiduras ante *La Tour de Nesle* cuando personajes como Edipo, Fedra o Nerón, totalmente admitidos en la escena, también son monstruosos? A ello Larra responde: «Parcialidad nada más y miseria en los juicios de los hombres.» Luego, vuelve a plantear dos verdades que ya ha repetido hasta la saciedad. Por un lado, la literatura sólo puede ser la expresión de una época; de ahí la pregunta: «¿ha sido el género romántico y sangriento el que ha hecho las revoluciones, o las revoluciones las que han traído el género romántico y sangriento?». Por otro lado, «decir que el teatro forma la moral pública, y no ésta al teatro, es invertir las cosas, es entenderlas al revés[89]». Larra seguirá desarrollando estas ideas, señalando la «extraordinaria unidad» que existe entre la crisis del teatro y la crisis de la civilización europea[90]. Por último, la publicación de *Horas de invierno* (colección de novelas y relatos traducidos por Ochoa) le inspira una profunda meditación sobre el estado de la cultura española, así como la famosa frase «Escribir en Madrid es llorar». En un país que sólo vive de las ruinas de un pasado glorioso, desaparecido para siempre, y que alimenta en vano la nostalgia de una grandeza que no es más que un recuerdo polvoriento, el escritor no puede hallar eco alguno; en las frases siguientes Larra resume una situación de la que es el único en publicar las verdaderas causas:

> ¿Queremos violentar las leyes de la Naturaleza y pedir escritores a la España? Hay una armonía en las cosas del mundo que no consiente el desnivel; cuando en

87. *El Español*, 23 de marzo de 1836; BAE, t. cit., pp. 186-187.
88. Reseña de *Antony* de Dumas, *El Español*, 23 de junio de 1836; BAE, t. cit., p. 247b. En su condena de *Antony* entran en juego razones íntimas, explicables por la situación sentimental de Larra en esos momentos; no nos es posible detenernos en su análisis aquí (véase al respecto I. Sánchez Estevan, *op. cit.*, pp. 180-181).
89. *El Español*, 5 de octubre de 1836; BAE, t. cit., pp. 276-278.
90. En su ya citada reseña de *Felipe II, El Español*, 20 de diciembre de 1836; BAE, t. cit., pp. 286-288.

política tenga Talleyranes y Périers; cuando en armas tenga Soults; cuando en su cámara tenga Thiers; cuando en ciencias tenga Aragos, entonces tendrá en literatura Chateaubrianes y Balzacs[91].

LA MISIÓN DEL ESCRITOR SEGÚN LARRA

La esperanza expresada por "Fígaro" en enero de 1836 dejó paso en diciembre al más amargo desencanto, agravado además por una crisis sentimental que desgarró profundamente a Larra. En su artículo *Literatura*, el segundo publicado en *El Español*[92], deseaba ver a España ocupando un rango «suyo, conquistado, nacional» en la literatura europea. En un momento en que el progreso rompía las trabas a la libertad en todos los campos, Larra creía firmemente que las letras de su país seguirían el curso de la evolución general, ahora que un nuevo jefe de gabinete —Mendizábal— tomaba en sus manos los destinos de España y parecía querer encaminarla por fin por la senda del liberalismo:

> La literatura ha de resentirse de esta prodigiosa revolución, de este inmenso progreso. En política el hombre no ve más que *intereses* y *derechos*, es decir, *verdades*. En literatura no puede buscar por consiguiente sino *verdades*... Esperemos que dentro de poco podamos echar los cimientos de una literatura *nueva*, expresión de la sociedad *nueva* que componemos, toda de *verdad*, como de *verdad* es nuestra sociedad, sin más reglas que esa *verdad* misma, sin más maestro que la *naturaleza, joven*, en fin, como la España que constituimos. Libertad en literatura, como en las artes, como en la industria, como en el comercio, como en la conciencia.

Ante un libro las preguntas a plantearnos deben ser las siguientes: «¿Nos enseñas algo? ¿Nos eres la expresión del progreso humano? ¿Nos eres útil?» Larra se niega a tomar partido en las querellas de escuelas, ya que en este plano dogmático la discusión resulta estéril al no ser ninguna de ellas absolutamente buena ni absolutamente mala. No se trata de oponer a Horacio y Boileau con Lope y Shakespeare, sino de dar cabida en la biblioteca a todos los grandes escritores, sean cuales fueren su origen, sus tendencias o su nacionalidad. Larra reclama «una literatura hija de la experiencia y de la historia y faro, por lo tanto, del porvenir; estudiosa, analizadora, filosófica, profunda, pensándolo todo, diciéndolo todo en prosa, en verso». Según él, esta literatura no debe estar reservada a una minoría, sino que debe estar

> al alcance de la multitud ignorante aún; apostólica y de propaganda; enseñando *verdades* a aquellos a quienes interesa saberlas; mostrando al hombre no *como debe ser*, sino *como es*, para conocerle; literatura, en fin, expresión de la ciencia de la época, del progreso intelectual del siglo.

91. "Literatura. *Horas de invierno*... Primer artículo. Imposibilidad de escribir en España", *El Español*, 25 de diciembre de 1836; BAE, t. cit., pp. 289-291 (bajo el título incompleto de "Horas de invierno").
92. Art. cit. *supra*, nota 74. La cursiva de las citas que siguen es del mismo Larra.

Sin pronunciar nunca la palabra, "Figaro" asigna al artista una misión, la de interesar e ilustrar a los lectores hablándoles sobre los problemas que se les plantean a los hombres de su tiempo. Ochoa, en su artículo sobre las *Poesías* de Juan Bautista Alonso, había hablado de la "misión generosa y santa" del poeta, pero la definía en términos grandilocuentes y vagos como una especie de entusiasmo patriótico y guerrero sin precisar su papel concreto ni su puesta en práctica. Esta palabra, "misión", no tardará en hacer fortuna, pero su contenido se verá vaciado del verdadero sentido que implícitamente le otorgaba Larra. Ante la tumba de aquél, Zorrilla exclamaba:

> Que el poeta en su misión
> sobre la tierra que habita
> es una planta maldita
> con frutos de bendición[93].

En sus poesías posteriores retomó esta definición bajo diversas formas: personaje maldito, aislado en una sociedad que no le comprende, a causa de lo cual sufre, el poeta es un ser hipersensible investido de un apostolado que consiste en repartir belleza y armonía entre los hombres a pesar de la hostilidad y la ignominia de la que es objeto[94]. Peers lleva razón cuando considera esta actitud, en el caso de Zorrilla, de pura afectación. La opone con razón a la sinceridad de un Vigny, y señala que otros versificadores menos capacitados ofrecían un blanco fácil a la ironía de los clasiquistas cuando seguían los pasos del autor de los *Cantos del trovador*[95]. Eso es lo que les reprocha y niega Lista en un artículo de 1839. Partiendo del principio según el cual el único objetivo de la poesía es el de agradar, y su única finalidad la de hacer amar la virtud y aborrecer el vicio, se niega a identificar el don poético y la inspiración con una misión cualquiera; según él, los únicos investidos de ella son los profetas y los autores inspirados de los himnos y los cánticos de la Sagrada Escritura. Considerarse un enviado de Dios por escribir composiciones poéticas sería blasfemo y sacrílego si no fuese soberanamente ridículo. Y condena firmemente a quienes, en nombre de su "misión",

> abusan de este arte [la poesía] para hacer descripciones inmundas o para inculcar máximas inmorales y perniciosas ... No puede haber *belleza* en una composición contraria a las buenas costumbres, porque la deformidad moral es la mayor de todas, y basta a destruir todos los rasgos del cuadro mejor acabado[96].

Lista sólo ve en el poeta a un artista, a un servidor de la Belleza, pero también del orden establecido. Larra tiene una concepción distinta de la función del

93. "A la memoria desgraciada del joven literato D. Mariano José de Larra", *Obras poéticas* de D. José Zorrilla..., París, 1893, t. I, p. 1.
94. Véanse las citas de Zorrilla escogidas por Peers, *HMRE*, t. II, pp. 434-436.
95. *Id., ibid.*, pp. 433-437.
96. "De la supuesta misión de los poetas", *Ensayos literarios y críticos*, Sevilla, 1844, t. I, pp. 165-167. Este artículo, publicado en la *Gaceta de Madrid* el 28 de marzo de 1839, procedía de *El Tiempo* de Cádiz, en donde tuvo que aparecer un poco antes. Aunque es posterior a la época que nos ocupa, refleja las convicciones de Lista que se habían mantenido inmutables desde 1834.

poeta y del escritor en general: como misión —no podemos usar otro término— en la sociedad, le asigna la de guía; dicha concepción coincide con la que Lamartine, de 1830 en adelante, así como Hugo, Mickiewicz, Manzoni, Vigny y muchos otros defienden e ilustran, cada cual con sus matices peculiares. Y ya no es posible atenerse a un dogmatismo del justo medio, como Lista, para ser un escritor sensible a todos los aspectos del mundo contemporáneo y el intérprete de un ideal de emancipación de la humanidad. Desde esta óptica, las nociones de interesante, característico y útil sustituyen a las de belleza ideal y buen gusto. Al conformismo literario, religioso, político y social, se oponen la libre expresión y el libre examen de las ideas como bases de una literatura que, rechazando toda controversia formalista, pueda responder sin exclusiones a las necesidades y problemas de los hombres del mundo contemporáneo. A comienzos de julio de 1836, Larra dedica un artículo al «cuento romántico en verso» de J. F. Díaz, *Blanca*[97]. Si bien reconoce que Madrid cuenta con algunos poetas —«los hay medianos, hay algunos hasta soportables»—, niega este título a los poetastros que, inspirándose en acontecimientos recientes, sólo componen obras de circunstancias en las que reaparecen constantemente los mismos tópicos trillados y las mismas rimas. Aunque a veces se dé el caso de que algún «*hugonote*, o sectario de Hugo» se dedique a tales ejercicios, los nuevos poetas se sienten atraídos sobre todo por el «cuento romántico [que] viene a ser la armadura blanca del poeta novel, hablando el lenguaje de la edad media». Desaparece la ironía cuando Larra elogia a Espronceda:

> Marcha sin duda a la cabeza de nuestra moderna poesía romántica el joven D. José de Espronceda, de quien por nuestro periódico conocen ya nuestros suscriptores algunos fragmentos: entre los aficionados corren con general y justísima admiración las canciones del *Pirata, El mendigo, El reo de muerte* y otras que honrarían aún a las primeras plumas de Europa. El carácter especial del Sr. de Espronceda es la energía y la armonía. La música poética y el entusiasmo le constituyen eminente poeta, y ponémoslo pues a la cabeza sin miedo de hallar contradicción por una calidad más esencial en este siglo, en que se busca algo más que canturía en los versos. El Sr. de Espronceda tiene una tendencia filosófica y política que da suma importancia a sus composiciones. No hacemos mención de su conocimiento en la lengua y otras circunstancias de esa especie que oímos a veces encarecer como un mérito, porque no concebimos que un poeta merezca más elogios por conocer su lengua, que merecería un carpintero por tener escoplo. La lengua es el instrumento, y lo menos que puede hacer en Castilla un literato es saber castellano.

Si bien cabe tener en cuenta que algunas de estas líneas pudieron serle dictadas por la amistad, no obstante, se desprende de ellas que lo que en otro momento hizo que Espronceda fuese considerado por algunos como un "poseur", aparece aquí como lo que confiere mayor valor a sus poesías. La distinguida elegancia de

97. "Blanca, cuento romántico en verso...", *El Español*, 3 de julio de 1836. El catálogo de las obras de Larra publicado por I. Sánchez Estevan (*op. cit.*, apéndice) contiene la referencia de otros seis artículos del autor de *Macías* (pero no de aquel que nos ocupa) firmados «L.» y publicados en *El Español* los días 11, 16, 18, 19, 20 de junio y 7 de julio de 1836, cuya paternidad no es dudosa. F. Courtney Tarr ("More light on Larra", *HR*, IV, 1936) atribuye "Blanca..." a "Fígaro". Esta hipótesis nos parece correcta, y se justifica por el tono y el contenido del artículo.

Rivas y la verbosidad de Zorrilla pudieron dar el pego, unidas a su fidelidad tantas veces proclamada a las tradiciones, que resultaba de lo más tranquilizador. Pero la novedad de los temas y la profundidad de las cuatro *Canciones* de Espronceda le convierten indiscutiblemente, en ese momento, en el primer poeta romántico de España según lo entendía el testigo más lúcido de su tiempo, y también en el único cuya poesía fuese por entonces —según la bella expresión de Gabriel Celaya— «un arma cargada de futuro».

"NACIONAL-ROMANTICISMO" Y ROMANTICISMO SOCIAL

Así pues, se manifiestan claramente en 1836 las líneas maestras de las dos tendencias de la literatura española. Una de ellas es la del romanticismo tradicional o "nacional-romanticismo" volcado en la resurrección del pasado, y al que Zorrilla dará pronto su forma definitiva; Mesonero y Estébanez Calderón quedan vinculados a esta tendencia, en la medida en que sus descripciones de costumbres del presente están compuestas desde una óptica tradicionalista. La otra tendencia es la del romanticismo social —en el más amplio sentido— representado por Espronceda y Larra, que examinan la realidad que les rodea para explicar, y si es preciso denunciar, algunos aspectos de la misma desde una perspectiva progresista y abierta, al margen de cualquier apriorismo moral.

Inmediatamente después de la desaparición de *El Artista* por las distintas razones que hemos analizado anteriormente, Mesonero publicó el *Semanario pintoresco español*, cuyo primer número salió el 3 de abril de 1836. Su bajo precio —3 reales al mes para los suscritos al *Diario de Madrid* y 4 para los demás suscriptores, con derecho a cuatro entregas semanales de ocho páginas— le aseguró un éxito duradero[98]. El contenido de la revista es tan absolutamente anodino como las secciones recreativas o literarias del *Correo literario y mercantil* de 1831-1832 y del *Correo de las damas*. El prudente Mesonero, ansioso de tratar con tino a su clientela, evita cuidadosamente contrariar sus gustos de forma demasiado radical. Durante los primeros meses de su existencia, el *Semanario* publica varios poemas de Gregorio Romero Larrañaga quien, con sobrada abundancia, acumula los motivos y las imágenes horrendas o sombrías: ejecuciones, crímenes, tormentas, caballeros misteriosos, noches tenebrosas, etc. Pero en agosto de 1836, unos días antes del estreno de *Hernani* en Madrid, hallamos en la revista un relato de Clemente Díaz titulado *Rasgo romántico*, que nos parece digno de interés, no por sus cualidades literarias, absolutamente inexistentes, sino por ser reflejo de un determinado estado de ánimo. Para librar de su obsesión a un hombre que ha devorado a su víctima —un pavo, según se nos dice poco después—, su confesor le da el siguiente consejo: «hazte romántico»; el hombre se echa a gritar «¡Carne! ¡sangre!»; le sirven un capón, pero en el momento en que se dispone a hincarle el tenedor, uno de sus vecinos de sala (la escena transcurre en el Hospi-

98. Véase Mesonero Romanos, *op. cit.*, pp. 232-233a; A. Arnao, "Historia del Semanario", *Semanario pintoresco español* t. XVIII, 2 de enero de 1853, pp. 1-3; G. Le Gentil, *Les revues littéraires...*, París, 1909, pp. 49-74; E. Cotarelo, "Elogio biográfico de don Ramón de Mesonero Romanos", *Boletín de la RAE*, XII (XII), 1925, pp. 318-319; el índice de la revista publicado por J. Simón Díaz, Madrid, 1946.

tal general) disfraza la voz y, como si el capón hablara, le reprocha su crueldad. El pobre hombre se vuelve loco, víctima del "romanticismo"[99]. Lo cual debía de ser muy del gusto de Mesonero —futuro autor de *El romanticismo y los románticos*— para quien romanticismo era sinónimo de extravagancia (con todas las reservas mentales que implica semejante opinión). Al público del *Semanario*, que no se anda con sutilidades, se le va presentando poco a poco este punto de vista como una verdad; un redactor lo resume bastante bien en una reseña de *¡Muérete y verás!* de Bretón. En ella, elogia este mediocre vodevil y lo opone a las obras de los románticos que se apartan voluntariamente de la sana moral política, social y religiosa, divulgando ideas estrafalarias y complaciéndose en las simas del horror y en el crimen, hasta el punto de que su escuela no merece más calificativos que los de «falsa e inmoral»[100]. El debate no alcanza nunca mayor altura; en efecto, al igual que había hecho poco antes Bretón en 1832, en el *Correo literario y mercantil*, recurriendo a la burda práctica de la amalgama, se confunde una vez más en una misma reprobación todo lo que, con razón o sin ella, exhibe la etiqueta de "romántico". El cálculo es más hábil de lo que parece, y en su discurso de ingreso en la Academia española[101] Ventura de la Vega desvelará las verdaderas razones de dicha actitud: el drama y la novela románticos franceses habían provocado «con sus miasmas mefíticos la peste general» en Madrid; el público de *Lucrèce Borgia*

> hábil en sorprender las inverosimilitudes materiales del drama, pero ciego de todo punto respecto de las morales, se dejó cautivar por el interés novelesco de la fábula, por el trueque de los venenos y contravenenos, por la canción báquica con acompañamiento de *De profundis*, por la procesión de los agonizantes blancos, por los cinco ataúdes y otros mil resortes dramáticos; y no echó de ver la inverosimilitud moral del personaje de Lucrecia.

En estos términos se expresaba, para granjearse la simpatía de sus nuevos colegas, el traductor de *Térésa* de Dumas y de *Le Roi s'amuse* de Hugo; aunque se abstuvo muy mucho de censurar las audacias e inverosimilitudes de *Don Álvaro*, cuyo autor —que escuchaba este discurso— había publicado un año antes sus *Romances históricos*, fruto tardío del "nacional-romanticismo". Vega recuerda asimismo que, en esos años de 1835-1836, solía considerarse a los clásicos (entiéndase más bien aquellos a los que Ochoa había bautizado como «clasiquistas») como carlistas, y a los románticos como liberales. Aunque sin apoyarse en argumento alguno, rechaza, por supuesto, semejante asimilación. A pesar de lo que ésta pueda tener de apresurada y simplista, nos parece que contiene cierta parte de verdad, siempre que demos a las palabras su más amplio sentido. El carlismo es una ideología que lleva el tradicionalismo hasta el fanatismo. Los liberales moderados se fundan también en la tradición; la diferencia es sólo de grados. Pero los partidiarios del justo medio deben librar combate en los dos frentes, puesto que su

99. *Semanario pintoresco español*, I (21), 21 de agosto de 1836, pp. 174b-176a. En *El pobrecito hablador*, Larra había ridiculizado a Clemente Díaz, que le había atacado en una grotesca sátira en versos de poetastro (véase C. de Burgos, *op. cit.*, pp. 120-122).
100. *Ibid.*, t. II, n.º 53, 7 de mayo de 1837, p. 140a.
101. *Memorias de la Academia española*, II, 1870, pp. 5-15.

oposición al romanticismo francés posterior a 1830, al romanticismo social, se basa en argumentos extraídos de esta misma tradición, que a su vez peligraba por la corriente de anticlericalismo provocada por la rebelión carlista. Conviene, pues, mantener el orden —un orden precario y frágil— a todos los niveles.

La lección inaugural de Lista en el Ateneo en 1836[102] se inicia con una serie de definiciones. En primer lugar, rehúsa la idea de que puedan asimilarse los clásicos a los absolutistas y los románticos a los liberales «como si el liberalismo consistiera en el desprecio de toda ley y norma de conducta, desprecio que suelen afectar algunos que toman el nombre de *románticos* con respecto a las reglas y leyes del arte»; luego recoge en líneas generales la división entre la literatura de la Antigüedad pagana (clásica), que se dedicaba a la descripción del «hombre exterior», y la literatura de la era cristiana (romántica), que se dedica a la descripción del «hombre interior». Esta última, si bien liberada de algunas trabas formales, debe seguir vinculada a la ilustración de la moral católica tradicional, ya que «la belleza es incompatible con la inmoralidad». Si no se respeta este principio, sólo hallamos «monstruosidades ridículas al mismo tiempo que atroces, de la naturaleza humana», como en *Angelo, Antony* y *La Tour de Nesle*. Según vemos, en su conferencia de 1836, Lista repite —y en algunos puntos de forma textual— los argumentos ya desarrollados en 1834 en *La Estrella*[103]. La importación de dramas franceses contemporáneos sólo pudo servir para reforzar su postura.

En su reseña acerca de esta primera lección de Lista, Larra da muestras de una respetuosa benevolencia para aquél al que denomina «uno de los hombres a quienes más debe el país», en consideración a la calidad de la enseñanza a la que dedicó su vida[104]. Ensalza las cualidades de pedagogo del orador, su conocimiento profundo de los grandes escritores y la claridad de su ponencia. Pero el contenido de ésta aparece resumido con la mayor objetividad, y Larra no discute ni uno de los argumentos desarrollados; tras lamentar que las conferencias de literatura congreguen un público más numeroso que las de administración y economía, concluye que las lecciones siguientes tendrán el gran mérito de ofrecer un mejor conocimiento de los dramaturgos españoles; son estas las únicas apreciaciones personales de Larra y es lógico que así sea en un artículo en el que el autor tiene claro interés en manternerse dentro de unos límites estrictamente informativos. En efecto, las teorías de Lista se encuentran demasiado alejadas de las concepciones de "Fígaro" para que éste pueda, en el marco de una crónica, iniciar un debate sobre el fondo. Un debate de este tipo resultaría estéril, ya que sólo serviría para poner de manifiesto el total desacuerdo entre puntos de vista irreconciliables. En efecto, Larra enfoca la evolución de la literatura castellana desde una perspectiva histórica, y partiendo de una dialéctica que excluye la hipótesis del carácter absoluto e intangible de la tradición moral católica, a la cual en cambio se remite Lista constantemente como a un artículo de fe. En la crónica sobre *Catalina Howard*, "Fígaro" se adelanta a responder a las críticas de inmoralidad que se vierten sobre el teatro romántico francés:

102. A. Lista, *Lecciones de literatura dramática española...*, Madrid, 1839, *Introducción*, pp. IV-X. Este texto es reproducido por Ochoa en *Apuntes...*, París, 1840, t. II, pp. 273-277.

103. Véase *supra*, pp. 314-317.

104. *El Español*, 16 de junio de 1836; BAE, t. CXXVIII, pp. 228-231.

> En las comedias de costumbres del género clásico oye el espectador la moral dicha. En *Catalina Howard*, ve la moral en acción. Tendencia irresistible del siglo, en que no hay más verdades que los hechos, en que la moral se presenta al hombre no como un dogma sino como interés ... El teatro rara vez corrige al hombre, porque el hombre es animal de poco escarmiento. En cuanto a los medios y a las formas dramáticas, a los crímenes, a los horrores que han sucedido en el teatro moderno a la fría combinación de las comedias del siglo XVIII, oponerse a ellos es oponerse a la diferencia de las épocas y de las circunstancias, con las cuales varía el gusto[105].

Unas semanas antes, manifestaba en estos términos su desacuerdo con los que afirmaban (como era el caso de Lista) que con el Siglo de Oro había finalizado la afición por las bellas letras:

> Si pensamos que, aun en la época de su apogeo, nuestra literatura había tenido un carácter particular, el cual o había de variar con la marcha de los tiempos o había de ser su propia muerte, si no quería transigir con las innovaciones y el espíritu filosófico que comenzaba a despuntar en el horizonte de la Europa[106].

Seguidamente, recuerda que la Reforma suscitó un poderoso movimiento de ideas que se propagó por Alemania e Inglaterra, y cuya influencia fue lo bastante fuerte en Francia para «templar y equilibrar el ciego impulso del fanatismo». Por razones tanto religiosas como políticas, España se quedó al margen de dicha corriente y siguió considerando el catolicismo como el garante de su salvación nacional, con un fanatismo acrecentado por siete siglos de reconquista. En este bastión de la Contrarreforma, el celo apostólico promovió la persecución de los infieles (en especial en el Nuevo Mundo) y de los heterodoxos, impidiendo cualquier progreso en el ámbito del pensamiento. Las presiones ejercidas por la tiranía política, sumadas a las de la tiranía religiosa, impidieron que la literatura española adquiriera «un carácter sistemático, investigador, filosófico; en una palabra, útil y progresivo». De ahí la excesiva abundancia de escritos místicos y teológicos, o de sutiles tratados de metafísica y de moral; y de ahí también la ausencia de verdaderos historiadores, dado que Solís y Mariana confunden la historia con la crónica y la novela. A finales del siglo XVIII, los escritores que restauraron las letras españolas adoptaron ideas importadas de Francia, si bien quisieron cuando menos salvar del naufragio los medios de expresión del siglo XVI: «Una vez puros, se creyeron originales»; Herrera, Rioja y Cervantes fueron declarados perfectos modelos de purismo. Así fue cómo se originó y perpetuó un desfase entre fondo y forma; efectivamente, no puede utilizarse un instrumento de tres siglos de antigüedad para expresar los problemas del mundo de hoy. De ahí que Cienfuegos, el primer poeta "filósofo", se viera acusado de haber sido poco respetuoso con esta lengua considerada como intocable. Semejante actitud constituye un anacronismo, en una época en que el progreso intelectual rompe por doquier las antiguas cadenas, aminora la fuerza de las tradiciones obsoletas, derriba los ídolos y «proclama en el mundo la *libertad moral*, a la par de la *física*, porque la una

105. *El Español*, 23 de marzo de 1836; BAE, t. cit., pp. 184-187.
106. "Literatura...", *El Español*, 18 de enero de 1836; BAE, t. cit., pp. 130-134. Las citas que siguen han sido tomadas del mismo texto.

no puede existir sin la otra». Luego, en la parte que sigue, ya anteriormente citada y comentada, Larra establece el programa de la literatura fundada en estos principios de libertad en todos los campos, incluido el de la conciencia.

Este artículo es de una importancia capital en la obra de "Fígaro", y sobre todo en el conjunto de lo que se ha dado en llamar, por lo general de un modo en ciertos casos un tanto apresurado, los "manifiestos" del romanticismo español. Estamos ante el más original y el más audaz de dichos manifiestos; no sólo por la profesión de fe que constituye su segunda parte, sino también por el examen de las causas religiosas y políticas que confirieron a la cultura española sus características peculiares.

LARRA Y HEINRICH HEINE

Para hallar el origen de este punto de vista innovador, cabe recordar en primer lugar que, en otros dos artículos dedicados a las conferencias del Ateneo, Larra llama la atención sobre un aspecto al que, por lo visto, concede gran importancia. Anima a Fernando Corradi, encargado de la cátedra de letras extranjeras, a tratar extensamente la literatura alemana, casi desconocida en España, y que

> en el día se nos ofrece como la más esencial, como la más pensadora y filosófica ... ella puede dar la clave de la situación política de los pueblos del Norte, y de lo que de ellos puede prometerse, o temer la gran revolución social que tan a duras penas y tan lentamente se está llevando a cabo en Europa de muchos años a esta parte[107].

Más adelante, en la recensión que hace sobre la primera conferencia de Corradi, aparecen estas frases:

> Al llegar aquí no podemos menos de recordar a nuestros lectores, y a los que piensan seguir el curso del señor Corradi —y a los que den a la moderna literatura alemana toda la importancia que tiene, y que en otra ocasión apuntamos ya—, la excelente obra crítica del profundo Henry [*sic*] Heine, titulada *De la Alemania*, que tan victoriosamente refuta juicios aventurados de la célebre Madame Stael [*sic*] sobre aquel país y su literatura; obra así interesante por su erudición, exacto criterio y filosofía, como por la escritora sobre quien recae la refutación[108].

Carmen de Burgos, que calificó con acierto a Heine de hermano espiritual de "Fígaro"[109], no prestó atención a dicho párrafo, si es que llegó a conocerlo. Contiene la primera alusión, por parte de un escritor español, al nombre de Heine y al título de una de sus obras más importantes dentro de la historia del romanticismo europeo[110]. Unos meses antes, Espronceda había sacado del mismo libro del autor alemán, aunque sin nombrarlo, la anécdota que sirve de introducción a su

107. *El Español*, 18 de junio de 1836, BAE, t. cit., p. 235.
108. *El Español*, 7 de julio de 1836; BAE, t. cit., p. 260.
109. C. de Burgos, *"Figaro"...*, Madrid, 1919, p. 161.
110. Los estudiosos de literatura comparada se han ocupado sobre todo de analizar las similitudes entre la obra poética de Heine y la de Bécquer; la frase de Larra, por lo que sabemos, nunca había sido recalcada.

folleto *El ministerio Mendizábal*: otra coincidencia entre el autor de la *Canción del pirata* y Larra, coincidencia que sin duda no es fruto de la casualidad. Pese a su brevedad, las líneas que "Fígaro" dedica a Heine constituyen un elogio entusiasta de *De l'Allemagne* y expresan la adhesión sin reservas de su autor a las teorías que en él se exponen. Sin llegar a afirmar que el libro de Heine haya sido la fuente única de las ideas desarrolladas por Larra en 1836, lo que sí podemos asegurar es que contribuyó a orientarlas o a consolidarlas. Los escritos teóricos en prosa de Heine, que habían aparecido publicados en parte en algunas revistas parisienses en 1833 y 1834, fueron recopilados luego en forma de libro; el 15 de abril de 1835, salieron a la venta los dos tomos de *De l'Allemagne*, publicados por el editor Renduel[111]. Larra, que a la sazón viajaba por Europa, tuvo que fijarse necesariamente en una obra que llevaba el mismo título que la de Madame de Staël, y que además defendía la posición contraria. Es probable que "Fígaro" no se interesara mucho por los capítulos dedicados a Kant y a Hegel, como tampoco en general por las explicaciones acerca de la filosofía alemana contemporánea, en aquel momento del todo desconocida para los españoles[112]. El sistema estético de Heine, basado en consideraciones históricas y religiosas, ofrecía materia suficiente para la reflexión.

Heine reconoce que el cristianismo presentaba aspectos positivos considerables: constituyó el amparo de los débiles y el aglutinante de las civilizaciones nacionales: gracias a él los pueblos se vieron unidos por un mismo lenguaje; supuso una reacción bienhechora ante el imperialismo del imperio romano que ponía en peligro la inteligencia humana. Según el cristianismo, el mundo y la naturaleza son patrimonio del Mal, de Satanás; el alma pertenece a Cristo y hacia su reino aspira a ascender ésta a través del Bien, es decir luchando contra el cuerpo y los sentidos. Heine piensa que la humanidad sólo recobrará la salud moral y física cuando consiga poner fin a esta pugna facticia entre el espíritu y la materia; será entonces cuando encuentre en la tierra la felicidad que las almas devotas posponen para después del juicio final. Aunque sublime en su principio, la religión cristiana se ha convertido en el más firme apoyo de los déspotas que explotan sólo en provecho propio la humildad, el desprecio por los bienes materiales y la resignación por los fieles. En Alemania, la Reforma fue una lucha del espiritualismo *de jure* contra el sensualismo *de facto*: en Francia, en cambio, dio lugar, en los siglos XVII y XVIII, a una contienda entre el sensualismo y el espiritualismo que era sólo *de facto*. Desde el momento en que Lutero reivindicó el derecho a refutar las doctrinas mediante argumentos racionales o a través del estudio de las Escrituras, comenzó a reinar la libertad de pensamiento, a la vez que desaparecieron las distinciones establecidas por la escolástica entre verdades teológicas y verdades filosóficas. Gracias a ello, pudieron progresar las ciencias y las ideas, y los sistemas irse cimentando sin trabas. Pero Lutero no se limitó a romper las ataduras del dogmatismo; al traducir la Biblia, creó la lengua alemana que permitió a todos participar en el movimiento de las ideas, y que todavía sigue confiriendo a este país —escindido por las fronteras políticas y dividido en materia religiosa— una profunda unidad literaria.

111. Para la bibliografía francesa de las obras de Heine, véase K. Weinberg, *Henri Heine, "romantique défroqué"*..., París, 1954, pp. 285-287.

112. *Cf. supra*, p. 370, las palabras de Alcalá Galiano al respecto.

En la primera parte de *Literatura*, Larra aplica estas consideraciones a su país, demostrando —aunque a grandes rasgos y midiendo cuidadosamente las palabras— que el retraso de que adolece la cultura española se debe a la ausencia de este carácter «sistemático, investigador, filosófico» que se había afianzado en las vecinas naciones bajo el impulso de la Reforma. La opinión de "Fígaro", según la cual juzga a Solís y Mariana «más bien como columnas de la lengua que como intérpretes del nacimiento de su época», adquiere pleno sentido cuando pensamos en el papel ejercido por Lutero y en las consecuencias de la Reforma tal como las definió Heine; en efecto, los citados escritores son excelentes prosistas, pero su falta de espíritu crítico les impide ser verdaderos historiadores. Pese a su profundo escepticismo, Heine denuncia las injusticias sociales porque tiene una fe absoluta en el futuro de la humanidad; en eso está muy próximo a Larra. Pero el escritor español se ve sujeto a una mayor reserva y discreción que el escritor alemán, que escribe en Francia, al margen de las presiones que pesan sobre sus colegas que permanecen en su país. "Fígaro" proclama la necesidad de una literatura de progreso fundada en la libertad y la verdad, pero no explica por qué «lo que se llama en el día literatura» en España no responde a estos deseos, y se limita a definir dicha literatura a través de sus aspectos negativos: formalismo, ausencia de ideas, carácter superficial. El hecho de elogiar a Heine por haber refutado victoriosamente las teorías de Madame de Staël, así como el incitar a los escritores españoles a mirar hacia el presente y el futuro, y también el rechazar la idea de que el espíritu positivista y analítico que caracteriza el siglo XIX vaya a acarrear la muerte de la literatura, todo ello equivale a condenar implícitamente tanto a los "clasiquistas" como al romanticismo, según lo entendían Ochoa y los partidiarios de un justo medio como Lista. Larra desaprueba a ambos por igual, tanto a los que buscan refugio en el pasado como a los que desean la pervivencia del neoclasicismo de finales del siglo XVIII, aun a costa de algunas concesiones a las reglas. Ni unos ni otros pertenecen a su tiempo, ya que las obras, fruto de estas concepciones opuestas, constituyen un anacronismo. Pueden ser objeto de la misma acusación que Heine hacía a Schlegel: la de no ver «dans toute vie moderne qu'une tiède prose» y apartarse de ella[113]. Larra también reiteró en varias ocasiones que la importación sin orden ni concierto de obras francesas recientes era una mala solución, ya que dichas obras reflejaban una evolución social, política y cultural que en España distaba mucho de haber alcanzado el mismo grado que en Francia. El error de los escritores españoles de finales del siglo XVIII fue —escribe— el «agregarse al movimiento del pueblo vecino, adoptando sus ideas tales cuales las encontraban», pero expresando estas ideas con la lengua de Herrera, de Rioja o Cervantes[114]; el error de los defensores del romanticismo histórico radica en que, siguiendo un camino similar, restauran las tradiciones estéticas, morales y sentimentales de la Edad Media y del Siglo de Oro, e intentan conciliarlas con la mentalidad contemporánea. Para Larra, la literatura es indisociable de la vida de un pueblo en todas sus formas, y debe reflejar dicha vida. Por lo tanto, no cabe dar con desprecio la espalda a su tiempo y vivir de

113. («... en cualquier vida moderna sino una tibia prosa.») H. Heine, *De l'Allemagne*, París, 1866, t. I, p. 262.
114. *Literatura..., loc. cit.*

la gloria pretérita, sino dar cuenta de los problemas políticos y sociales que conforman las principales preocupaciones del siglo XIX. Según recordaremos, para Larra, Espronceda es un «eminente poeta» porque sus canciones revelan la tendencia «política y filosófica que da suma importancia a sus composiciones». En los años 1835-1836, tanto uno como otro se sitúan en la misma línea que los adversarios del "nacional-romanticismo" agrupados en el movimiento de la Jeune-Allemagne de la que Heinrich Heine escribía: «Eux aussi ils ne veulent faire aucune différence entre leur vie et leurs écrits, ils ne séparent plus la politique de la science, l'art de la religion, et ils sont en même temps artistes, tribuns et apôtres[115].»

115. («Tampoco ellos quieren hacer distinción alguna entre su vida y sus escritos; ya no separan la política de la ciencia, el arte de la religión, y son a un tiempo artistas, tribunos y apóstoles.») H. Heine, *op. cit.*, t. I, p. 344.

Capítulo XVI

ESPRONCEDA Y LAS ENSEÑANZAS DE LA HISTORIA. ESBOZO DE SU SISTEMA POLÍTICO

EL ARTÍCULO *LIBERTAD, IGUALDAD, FRATERNIDAD*. EL PROGRESO Y LA FUTURA SOCIEDAD, SEGÚN LARRA Y ESPRONCEDA

Artista, tribuno, apóstol... Esta triple vocación es la que inspira los escritos que, desde finales de 1835, publica Espronceda: en primer lugar sus *Canciones* —en especial las tres últimas— que constituyen una abrumadora requisitoria social; luego, el soneto *A la memoria de Torrijos y sus compañeros*, cuyo llamamiento final a la lucha contra la tiranía y la opresión recobra actualidad y nuevo significado en la época de la guerra carlista; y por último, el artículo titulado *Libertad, igualdad, fraternidad*[116].

Hay que señalar de inmediato que en estas páginas no hallamos la exposición pormenorizada de una doctrina, sino tan sólo algunas ideas generales. El primer párrafo es una especie de preámbulo en el que Espronceda define la libertad, la igualdad y la fraternidad como la meta hacia la cual tienden los pueblos de la Europa contemporánea tras las luchas que los dividieron a comienzos del siglo XIX. Pero el pueblo no siempre comprendió el verdadero sentido de estas palabras. Según afirma el poeta, la libertad sólo puede asentarse en la igualdad y la fraternidad, sin lo cual no es más que una palabra desprovista de sentido. Sigue luego un rápido análisis de la historia de las sociedades desde la Antigüedad hasta finales del siglo XVIII. En el mundo dominado por Grecia y Roma, los hombres libres representaban una minoría de naciones fuertes que oprimían a las naciones más débiles convirtiendo a sus miembros en esclavos. Esta etapa de la evolución

116. Este artículo apareció sin firma en *El Español* el 15 de enero de 1836. Lo hemos publicado, junto a una nota que indica los elementos que nos han permitido atribuirlo a Espronceda, en *Hispanófila*, 5, enero de 1959, y más adelante en nuestro libro *Espronceda, articles et discours oubliés...*, París, 1966, pp. 7-10.

de la humanidad concluyó cuando llegaron a su término la religión de los Antiguos y los principios en los que se basaba su sociedad. Surgió entonces el reino del cristianismo, que proclamó la igualdad y la fraternidad. Pero no se respetó el espíritu del Evangelio, y en realidad a la esclavitud le sucedió la servidumbre:

> El feudalismo alzó en Europa sus adustos castillos, y desdeñando el hombre la tierra que hollaba con sus pies, imaginó para su consuelo que sólo en otra mejor vida podía llegar a igualarse con su señor.

Así pues, para Espronceda, la palabra de Cristo se ha visto despojada de su verdadero sentido, y el pobre ha aceptado con humildad su mísera condición y su dependencia con la esperanza de ser merecedor, a su muerte, de la igualdad que le era negada en este mundo. No obstante, la humanidad se ha ido dando cuenta paulatinamente de la necesidad que tenían los pueblos de unirse y ayudarse mutuamente, gracias a las comunicaciones establecidas por las empresas comerciales y guerreras. Así fue extendiéndose la idea de libertad entre los hombres que acabaron imponiendo su fuerza y consiguiendo la abolición de los privilegios, iniciándose con ello una nueva era de progreso y de esperanza. El siglo XVIII luchó victoriosamente contra el despotismo y consiguió derribar grandes sectores del edificio social fundado en la opresión:

> Una sociedad viciada y decrépita abandonó su puesto a otra sociedad indecisa y de transición, y, mezclándose a las nuevas reformas abusos antiguos, quedó un alcázar renovado en algunas partes y por otras carcomido y desmoronándose.

El siglo XIX, al que se denomina positivista, no es sino una época de transición en la cual subsisten todavía vestigios del Antiguo Régimen; la sociedad actual se compone de hombres «apuntalados en las ficciones del crédito y partícipes a un mismo tiempo de privilegios y libertades». Esta situación no puede prolongarse, ya que la humanidad se encamina hacia su perfección «y ahora si levanta una mano de hierro para destruir, también tiende la otra para crear».

Las ideas expuestas —aunque a grandes rasgos— en esta primera parte del artículo permiten calibrar lo mucho que separa a Espronceda de los partidarios del justo medio. En 1820-1823, Lista había presentado en *El Censor* la concepción de un liberalismo moderado que, si bien recogía la herencia del Siglo de las Luces, no era más que una forma apenas evolucionada del despotismo ilustrado. Este liberalismo se veía limitado por la repulsa a que la dirección de los asuntos públicos fuese controlada por el conjunto de los ciudadanos. Situándose a medio camino entre el extremismo absolutista y el extremismo constitucional, Lista se hacía portavoz de una ideología que excluía tanto el retorno al Antiguo Régimen como la democratización de los mecanismos de gobierno; más tarde, condenaría la Revolución de 1830 en París y la extensión del movimiento a otros países, y adoptaría una postura más rígida, según testimonian los artículos publicados en *La Estafeta de San Sebastián*, en la que escribía el 14 de febrero de 1831: «Instituciones morales son las que hacen falta en Europa, no políticas[117].» Preconizaba además la vuelta a una educación fundada en los principios religiosos que la Revolución de 1789 había desterrado. Para Lista, como también para Martínez de la Rosa o Toreno, el sistema representativo sólo es aceptable en una sociedad fuertemente jerarquizada que tenga al frente de la misma, ya no una aristocracia de tipo feudal, que todos están de acuerdo entonces en considerar como anacrónica, sino la clase social que ha pasado a ocupar el lugar de esta nobleza, la alta clase media de la industria y del comercio, para la cual democratización es sinónimo de anarquía. La diferencia existente entre dicha concepción y la que defiende Espronceda radica en la interpretación del liberalismo. Los primeros lo entienden de modo restrictivo; consideran que en España éste sólo puede adoptar la forma de una monarquía constitucional, sobre la cual tan sólo un reducido sector de la sociedad ejerce un control a través de una Cámara alta compuesta por miembros de derecho o nombrados por la Corona, y de una Cámara baja formada por los elegidos mediante un sistema electoral censatario, y por lo tanto selectivo. En cambio, Espronceda ve en semejante régimen un término medio poco duradero entre la monarquía absoluta y el estado democrático fundado en la igualdad de derechos y deberes, respaldada por la fraternidad.

La segunda parte —la más corta— del artículo de Espronceda es una visión del futuro. Hoy en día, las ideas se divulgan con rapidez gracias al progreso material:

> El vapor, los caminos de hierro, son un presagio de unión para el porvenir; los usos y costumbres de las naciones civilizadas se extienden cada día y aclimatan en todas partes, y los hombres, cuya misión es guiar este movimiento universal de las gentes, han hecho en fin resonar con voz de trueno las santas palabras ¡Igualdad! ¡Fraternidad!

Un año antes, Larra expresaba en términos similares la idea de que los medios de comunicación contribuían a acelerar la educación de los hombres: «La diligencia y el vapor han reunido a los hombres de todas las distancias; desde que el espacio ha desaparecido del tiempo, ha desaparecido también en el terreno[118].» Tres días después del artículo de Espronceda, *El Español* publicó el artículo *Literatura* en el que Larra reafirmaba su fe en el progreso intelectual y material, generador de libertad en todos los campos. Ambos escritores coinciden también en la definición de los fundamentos de la igualdad. Según Espronceda,

> la igualdad significa que cada hombre tiene una misión que llenar según su organización intelectual y moral, y que no debe encontrar trabas que le detengan en su marcha, ni privilegio que delante de él pongan hombres que nada valieran sin ellos; significa, en fin, que todo sea igual para todos y que la facilidad o dificultad de su merecer esté en razón de la igualdad o desigualdad de las capacidades y no de los obstáculos, que antiguos abusos o errores perjudiciales establecieron.

117. Citado por Juretschke, p. 342. Véase el capítulo de este libro titulado "El ideario político-histórico", pp. 336-371.

118. "Un periódico nuevo", *Revista española*, 26 de enero de 1835; BAE, t. CXXVII, p. 446b.

Así pues, que cada cual obtenga según sus méritos y su valor, y no según la clase social a la que pertenece. De esta forma se creará una aristocracia nueva, la del talento, que ya en 1833 Larra deseaba que sustituyera a la de la belleza o de la fortuna, y consideraba como la única a la que uno pudiera sentirse orgulloso de pertenecer[119]. "Fígaro" vuelve a plantear esta idea en su crónica sobre *El trovador* en marzo de 1836. Si le preguntamos quién es, el autor desconocido responderá: «soy hijo del genio, y pertenezco a la aristocracia del talento, que ha de arrollar al fin a todas las demás[120].» Unos meses más tarde, Larra insiste en este punto en el prólogo de su traducción de las *Paroles d'un croyant* de Lamennais en el que encontramos la frase siguiente, que recoge de forma implícita la definición de la igualdad dada por Espronceda: «Igualdad completa ante la ley, e igualdad que abra la puerta a los cargos públicos para los hombres todos, según su idoneidad, y sin necesidad de otra aristocracia que la del talento, la virtud y el mérito[121].»

En resumen, para Espronceda, la igualdad supone «la emancipación de las clases productoras, hasta ahora miserables siervos de una aristocracia tan inútil como ilegítima». La aristocracia aparece definida como un conjunto de detentores de privilegios, que son al mismo tiempo no-productores que viven del trabajo de aquellos a los que explotan, quienes por su parte no sacan ventaja alguna de su condición. El poeta opone a explotadores y explotados utilizando una terminología todavía imprecisa, pero lo suficientemente clara. El proceso de instauración de la igualdad de derechos y deberes aparece presentado un poco más tarde por Larra, en esta respuesta que pone en boca de la sociedad que habla al hombre del pueblo: «Hombre del pueblo, la igualdad ante la ley existirá cuando tú y tus semejantes la conquistéis; cuando yo sea la verdadera sociedad y entre en mi composición el elemento popular[122].» Conviene pues que el pueblo vea dónde están sus intereses y se una para defenderlos. Esta unión es el primer requisito para el establecimiento de un equilibrio social justo: «Toda la dificultad para llevar adelante la regeneración del país consiste en interesar en ella a las masas populares, lo cual escasamente se puede conseguir sin hacerles comprender antes sus verdaderos intereses[123].»

La conquista de la igualdad sólo puede conseguirse mediante la unión y la fraternidad entre las naciones; esta es la conclusión del artículo de Espronceda:

> Formen una santa alianza entre los pueblos cultos, a la manera que sus enemigos, comprendiendo mejor sus intereses, se aprieten mutuamente las manos para ayudarse a oprimirlos. Sea su primer grito el de fraternidad para que el triunfo de la libertad sea cierto. Sea la *igualdad* el pensamiento fuerte que impela en su marcha a la humanidad. ¡Pueblos! todos sois hermanos; sólo los opresores son extranjeros.

119. "Don Timoteo o el literato", *Revista Española*, 30 de julio de 1833; BAE, t. cit., p. 259b.
120. *El Español*, 4 de marzo de 1836; BAE, t. CXXVIII, p. 168a.
121. BAE, t. CXXX, pp. 292b-293a.
122. "Los barateros", *El Español*, 19 de abril de 1836; BAE, t. cit., p. 206b.
123. Artículo sobre *El ministerio Mendizábal* de Espronceda, *El Español*, 6 de mayo de 1836; BAE, t. cit., p. 214a.

Este llamamiento a la unión entre los pueblos recuerda el programa de la parisiense Sociedad de Derechos del hombre que preconizaba la creación de una federación de naciones europeas, como también el célebre estribillo de Béranger:

> Peuples, formons une sainte alliance
> et donnons-nous la main*.

En un artículo publicado en 1821 y titulado *Concordia del gobierno y la opinión*, Lista manifestaba que el futuro de Europa estaba en la unidad en el liberalismo, que permitiría hacer frente de forma eficaz a la potencia que la amenazaba por el este, Rusia. Desarrollando los puntos de vista expresados por de Pradt y que él hizo suyos, Lista escribía:

> La Europa tiende a formar una sola familia por las relaciones de comercio e industria, por la semejanza de instituciones civiles y religiosas, por la comunidad de los conocimientos científicos y aun por las mismas alianzas de los soberanos. No existe ya la diferencia de costumbres, los rencores religiosos que por tantos siglos han separado a los pueblos. Todo conspira a la fraternidad[124].

Espronceda deseaba una fraternidad más amplia que la soñada por Lista. Para él, el fundamento de la misma no debe ser sólo la comunidad de pensamiento o de intereses comerciales, como tampoco las alianzas entre soberanos, sino la toma de conciencia por parte de los pueblos de la fuerza que representan si unen sus esfuerzos contra quienes les oprimen. En la época del trienio liberal, para los hombres de la última generación del siglo XVIII, y en especial para Lista, la libertad y la igualdad sólo pueden implantarse mediante la transición progresiva de la fase agrícola de la economía a su fase industrial; en Francia, la misma concepción aparece defendida en *Le Censeur* por Comte y Dunoyer, quienes ven como fuentes de libertad la independencia obtenida gracias al desarrollo de una industria competitiva[125]. Pero el equilibrio de fuerzas se ha modificado en los años 1833-1836. La España del justo medio intenta recobrar el apoyo de Francia y de Inglaterra, para hacer frente a la facción carlista, más que por razones económicas o de política exterior. La monarquía de Julio es un régimen tranquilizador para aquellos que temen que se produzcan revueltas populares de signo liberal; por otra parte, los gobiernos de Martínez de la Rosa y de Toreno no podrán eludir afrontarlas, aunque evitarán reprimirlas con excesiva dureza so pena de fortalecer la causa del carlismo. Los ministros de Isabel II buscan cada vez más el apoyo de las clases dominantes, colmadas por Mendizábal, que las favorecerá al llevar a cabo la desamortización de los bienes del clero. Tanto para Espronceda como para Larra, no basta con efectuar sin desórdenes una revolución económica, sino que hay que reformar las costumbres sociales y políticas, empezando por hacer tabla rasa de las desigualdades a todos los niveles y partiendo desde la base. Para ello, conviene que se instaure ante todo la fraternidad, paso previo hacia la liber-

* «Pueblos, formemos una santa alianza / y démonos la mano».
124. *El Censor*, t. VII, 38, 21 de abril de 1821, p. 96.
125. Véase Juretschke, pp. 360-363.

tad, a fin de que la sociedad deje de ser, como escribía "Fígaro", «una reunión de víctimas y de verdugos»[126].

INFLUENCIA DEL SANSIMONISMO Y DE *PAROLES D'UN CROYANT* DE LAMENNAIS

Las ideas expresadas por Espronceda son muy generales, y tanto su análisis como sus conclusiones siguen siendo esquemáticos. Están imbuidas de cierto idealismo, pues no habla de los medios prácticos para llevar a cabo este hermoso programa de unión entre los pueblos, conducente a la igualdad de los individuos. No obstante, no podemos menos que subrayar la generosidad y novedad de las mismas en España. Descubrimos fácilmente el origen de sus ideas en los diversos estudios sociales de los republicanos franceses durante la monarquía de Julio. *La Jeune France* del 20 de junio de 1829 contiene la siguiente definición, comparable a las que da Espronceda al final de su artículo:

> Par républicanisme, j'entends parler de cette soif d'égalité et de justice, de ce dédain universellement éprouvé pour les distinctions qui ne viennent pas du mérite personnel, de ce besoin de contrôle des actes du pouvoir, enfin de cette conscience de la dignité de l'homme et du citoyen qui le fait résister à l'arbitraire et s'indigner à l'idée du despotisme[127].

Para Buonarotti, la libertad es consecuencia de la unión fraternal, que confiere al pueblo la fuerza necesaria para imponer la igualdad de derechos y deberes:

> La liberté réside dans la puissance du souverain qu'est le peuple entier dont chaque élément conserve l'influence nécessaire à la vie du corps social, par l'effet d'une répartition des jouissances ... La liberté résulte de l'égalité que la foi fait régner dans les conditions et les jouissances des citoyens et de la plus grande extension de l'exercice du droit politique[128].

Espronceda no especifica lo que entiende por «antiguos abusos o errores perjudiciales»; no pone directamente a discusión la propiedad ni quiere recurrir a una dictadura como los partidarios de Babeuf. Algo más tarde, en *El ministerio Mendizábal*, aprueba las ideas de Flórez Estrada sobre el reparto de los bienes nacionales en provecho de las clases rurales menesterosas. Espronceda también pudo tener conocimiento de las teorías desarrolladas por Dupont en la *Revue ré-*

126. "La sociedad", *Revista española*, 16 de enero de 1835; BAE, t. CXXVII, p. 445b.
127. («Por republicanismo, entiendo esa sed de igualdad y justicia, ese desdén universalmente sentido por las distinciones que no sean fruto del mérito personal, esa necesidad de controlar los actos de poder y, por último, esa conciencia de la dignidad del hombre y del ciudadano que le hace reaccionar frente a la arbitrariedad e indignarse ante la idea del despotismo.») Citado por I. Tchernoff, *Le parti républicain sous la monarchie de Juillet...*, París, 1901, pp. 43-44.
128. («La libertad reside en el poder de este soberano que es todo el pueblo, del que cada elemento conserva la influencia necesaria para la vida del cuerpo social, gracias a un reparto equitativo de los bienes ... La libertad se deriva de la igualdad que la confianza establece en las condiciones y bienes de los ciudadanos, así como de la mayor extensión del ejercicio del derecho político.») Buonarotti, *Conspiration pour l'égalité de Babeuf*, París 1828, t. I, pp. 8 y 17, en: Tchernoff, *op. cit.*, p. 82.

publicaine en 1834 y 1835, y expuestas de forma sucinta en la introducción de dicha publicación: el hombre va perfeccionándose poco a poco y la humanidad se encamina hacia el progreso, interrumpido a veces por fases de estancamiento; pero su «but social et définitif» («objetivo social y definitivo») es «la satisfaction complète et égale des facultés physiques et morales de tous les hommes, c'est-à-dire l'égalité et la liberté de tous par la fraternité[129]». Esta frase resume bastante bien el artículo de Espronceda, aunque éste, a diferencia de Dupont, no llega a afirmar que sólo la república puede permitir la realización de este programa, y tampoco piensa en los distintos ámbitos en los que deba ejercerse esta igualdad (enseñanza, legislación, derechos políticos). En *Los barateros*[130], Larra se rebelará contra uno de los aspectos de estas escandalosas diferencias: en efecto, el derecho penal castiga con rigor al autor de un crimen cometido en el transcurso de una riña, pero absuelve al vencedor de un duelo. Ni "Fígaro" ni Espronceda plantean, por supuesto, el problema de la lucha de clases; parecen más interesados en buscar la armonía de la sociedad a través de la conciliación de los intereses propios de cada una de las categorías de ciudadanos, sin olvidarse de los más menesterosos.

El sistema con el cual el artículo *Libertad, igualdad, fraternidad* presenta mayores afinidades es el sansimonismo. En efecto, en la argumentación de Espronceda, reconocemos determinadas ideas divulgadas por Saint-Simon o por sus discípulos en *Le Producteur, L'Exposition de la doctrine* por Enfantin y Bazard, y en *Le Globe* entre diciembre de 1830 y abril de 1832[131]. Para los seguidores de Saint-Simon, la sociedad atraviesa una crisis que sólo puede ser superada mediante la instauración de una nueva jerarquía. El poder debe serles retirado al clero, a la nobleza y a los magistrados, para pasar a manos de los industriales, o sea de los productores, asistidos por científicos, encargados de descubrir las leyes de la explotación encomendada a los ejecutantes; a los artistas corresponde el papel de ilustrar y acelerar el desarrollo del progreso. En estas condiciones, la libertad deja de ser un concepto abstracto, de contenido variable, y sólo existe en relación con la solidaridad que une a los individuos. Cada uno de éstos en el seno de su pueblo, y cada pueblo en el marco del mundo, se entregaría «au genre précis d'activité auquel il est le plus propre, soit par ses antécédents, soit par les circonstances spéciales où il se trouve placé*». Con ello se conseguirá la total desaparición de la explotación del hombre, que ha adoptado en el pasado tres formas sucesivas: la esclavitud, la servidumbre y el proletariado. También supone la abolición de los privilegios en los que se basaba el feudalismo, y ésta tendrá como corolario la desaparición de la ociosidad y la mendicidad. El sistema queda resumido en el conocido lema que sirve de epígrafe al periódico *Le Globe*:

129. («... la completa y equitativa satisfacción de las facultades físicas y morales de todos los hombres, es decir la igualdad y libertad de todos a través de la fraternidad.») Tchernoff, *op. cit.*, pp. 317-320.
130. *El Español*, 19 de abril de 1836; BAE, t. CXXVIII, pp. 204-207.
131. Hemos utilizado aquí los libros I y II de la excelente obra de S. Charléty *Histoire du Saint-Simonisme (1825-1864)*, Ginebra, 1964, pp. 27-171, de la que tomamos, salvo cuando se indica lo contrario, las citas de textos sansimonianos que siguen.
* «... al tipo concreto de actividad para el que fuese más idóneo, ya por sus antecedentes, ya por las circunstancias especiales en las que se encontrare.»

> Toutes les institutions sociales doivent avoir pour but l'amélioration du sort moral, physique et intellectuel de la classe la plus nombreuse et la plus pauvre; tous les privilèges de la naissance, sans exception, seront abolis; à chacun selon sa capacité, à chaque capacité selon ses œuvres*.

Entonces la tierra se cubrirá «d'une innombrable et fraternelle population, n'ayant plus qu'un même intérêt et une même pensée, l'exploitation complète et méthodique de la planète**». Se verán favorecidas las relaciones entre los hombres, y se incrementarán los intercambios de ideas, productos y descubrimientos gracias al desarrollo de los medios de comunicación, en especial del ferrocarril. Desaparecerán poco a poco el espíritu de conquista y el odio entre los pueblos a medida que vaya instaurándose el espíritu de fraternidad; los antagonismos darán paso a la asociación universal, y desaparecerá la miseria. Los partidarios del sansimonismo acusan a los liberales franceses de haber destruido sin ánimo de reconstruir, de estar desunidos, de obrar de forma desordenada, de ofrecer al pueblo «quelques consolations mystiques ... l'excercice de quelques droits métaphysiques»***, y de predicar la libertad, la igualdad y el aislamiento, en lugar de proponer un nuevo orden social fundado en la unidad y la asociación. Según había escrito Saint-Simon, «la philosophie du dernier siècle a été révolutionnaire; celle du XIXe siècle doit être organisatrice[132]». Censuran a los conservadores por apoyarse en una moral religiosa que predica la resignación a los explotados. Los seguidores del sansimonismo piensan que la religión es el aglutinante necesario para la unión, pero siempre que se vuelva al verdadero espíritu del cristianismo (armonía del mundo, felicidad de los pobres) y que no se separe lo espiritual de lo temporal; en resumen, que la religión sea una moral y deje de ser una metafísica. Según afirma el epígrafe del periódico *Le Producteur* en 1825: «L'âge d'or, qu'une aveugle tradition a placé jusqu'ici dans le passé, est devant nous****».

Del sansimonismo —del que sólo hemos esbozado aquí las líneas generales—, Espronceda retuvo algunos principios fundamentales que volvemos a hallar en *Libertad, igualdad, fraternidad*. Uno de ellos puede aplicarse particularmente a España en el momento en que se publica el artículo: nos referimos a la distinción establecida entre épocas de orden (orgánicas) y épocas de confusión (críticas). En España, más que en cualquier otro país, se manifiesta de modo más patente este último aspecto, por ser una sociedad compuesta —como dice Espronceda— «de restos de la antigua y pedazos de la naciente», y en la cual —según escribía

* «Todas las instituciones sociales deben tener como objetivo la mejora del destino moral, físico e intelectual de la clase más numerosa y más pobre; serán abolidos, sin excepción, todos los privilegios de linaje; se dará a cada cual según su capacidad, y a cada capacidad según sus obras.»

** «de una innumerable y fraternal población, animada por un único interés y un único pensamiento, la explotación completa y sistemática del planeta.»

*** «... algunos consuelos místicos ... el ejercicio de algunos derechos metafísicos.»

132. («... la filosofía del siglo pasado fue revolucionaria; la del siglo XIX debe ser organizadora.») Citado por M. Leroy, *Histoire des idées sociales en France*, t. II, París, 1962, p. 202.

**** «La edad de oro, que una ciega tradición ha situado hasta ahora en el pasado, se abre ante nosotros.»

un poco antes Larra— reina «el cuasi en fin en las cosas más pequeñas[133]». La guerra carlista traslada este conflicto entre tradición y progreso al campo de batalla; conflicto que, en Francia, adquiere la forma larvada del debate ideológico que cristaliza en explosiones de corta duración, como las revueltas populares de 1830, 1832 y 1834; en efecto, no puede decirse que la desatinada expedición de la duquesa de Berry en Vendée llegara a constituir una seria amenaza para el trono de Luis Felipe en 1832. Esta peculiar situación española fue analizada por Heinrich Heine en unos párrafos en los que manifiesta que el «touchant rapport entre le peuple et les hommes au pouvoir, c'est-à-dire entre la populace et l'aristocratie*» es posible gracias a la actitud de un sector del clero católico que la avala «afin que les impies (les libéraux) ne puissent pas conquérir l'autorité**». Añade con una fina ironía:

> Ils voient en effet très juste: l'homme qui ose se servir de sa raison pour nier les privilèges de la naissance nobiliaire, finit par douter des doctrines les plus sacrées de la religion et ne croit plus au péché originel, à Satan, à la rédemption, à l'ascension; il ne s'approche plus de la table du Seigneur et ne donne aux serviteurs du Seigneur aucun de ces pieux pourboires d'où dépend leur subsistance et par conséquent le salut du monde. Les aristocrates de leur côté ont reconnu que le christianisme était une religion fort utile, que celui qui croit au péché héréditaire ne peut nier non plus les principes héréditaires, que l'enfer est une excellente institution pour tenir les hommes en état de crainte, et que quiconque mange son dieu a de la force pour digérer beaucoup de choses[134].

Tanto si el poeta leyó o no estas líneas, como si Larra las tuvo en mente cuando escribió en París su artículo *Conventos españoles*[135] en el cual ataca con dureza el fanatismo del clero regular, lo que sí está claro es que ambos, por la misma época y en términos más o menos implícitos, condenan un orden social que se basa en una moral de resignación de la que sólo sacan provecho una minoría de privilegiados, y en ocasiones también algunos parásitos cínicos como el mendigo de la *Canción* de Espronceda.

No obstante, hacia 1835-1836, ni éste ni Larra escribieron en ningún momento, ni dieron a entender a sus lectores, que España debía romper con el catolicismo para convertirse en una nación de progreso. La tradición religiosa estaba de-

133. "Cuasi, Pesadilla política", *Revista mensajero*, 9 de agosto de 1835; BAE, t. cit., p. 122b.

* «... conmovedora relación entre el pueblo y los hombres en el poder, es decir entre el populacho y la aristocracia.»

** «a fin de que los impíos [los liberales] no puedan llegar al poder.»

134. («En efecto, están en lo cierto: el hombre que se atreve a utilizar su razón para negar los privilegios del linaje nobiliario, acaba dudando de las doctrinas más sagradas de la religión y deja de creer en el pecado original, en Satanás, la redención y la ascensión; no vuelve a acercarse a la mesa del Señor y tampoco da a los servidores del Señor ninguna de esas piadosas propinas de las que depende su subsistencia y, por consiguiente, la salvación del mundo. Los aristócratas, por su parte, han reconocido que el cristianismo es una religión harto útil, quien cree en el pecado hereditario no puede negar tampoco los principios hereditarios, que el infierno es una institución excelente para mantener a los hombres sumidos en el temor, y que quien come a su dios es capaz de tragar muchas cosas.») H. Heine, *De la France*, ed. R. Schiltz, París, 1930, p. 147.

135. *Revista mensajero*, 3 de agosto de 1835; BAE, t. cit., pp. 117-119.

masiado hondamente enraizada para que pudieran llegar a pensarlo. Mientras que el primero no se pronuncia claramente sobre este tema, el segundo halló en las *Paroles d'un croyant* de Lamennais —del que publicó una traducción en Madrid en septiembre de 1836— las bases de una nueva concepción del catolicismo que le pareció aplicable a su país. Habiendo luchado siempre contra el despotismo, el fanatismo, la injusticia y el oscurantismo, descubrió un hecho al que Vicente Llorens atribuye con razón el fracaso de la «cruzada romántico-nacionalista» de Böhl de Faber:

> La terrible verdad que Böhl desconocía era que el catolicismo español, con todo su arraigo y poder institucional, representaba entonces una fuerza culturalmente negativa, sin capacidad de expresión adecuada en un mundo nuevo. Hasta que se liberalizó o modernizó con Balmes y Donoso a mediados del XIX, el catolicismo español no pudo hablar un lenguaje a tono con los tiempos y eficaz en consecuencia para su propia causa[136].

Esta «terrible verdad» resplandecía ahora, puesta en evidencia por la guerra carlista; pesaba tanto en Larra que en la reedición, en 1835, de *El pobrecito hablador*, suprimió entre otras las páginas finales de *El casarse pronto y mal*, en las cuales aparecía la frase siguiente: «Religión verdadera, bien entendida, virtudes, energía, amor al orden, aplicación a lo útil, y menos desprecio de muchas cualidades buenas que nos distinguen aún de otras naciones.» Palabras que su autor juzga sin duda ambiguas tres años después de su publicación inicial y que, en cualquier caso, ya no corresponden a su pensamiento actual. Según Carlos Seco Serrano, «la distancia que separa al "Pobrecito Hablador" del "Fígaro" que escribe en 1835 es una pérdida progresiva de fe y de esperanza». El mismo crítico pone de relieve además el anticlericalismo del autor de *Nadie pase sin hablar al portero* y de otros escritos posteriores; señala que la postura de Larra ante la religión aparece claramente definida en su introducción a las *Paroles d'un croyant*[137].

Este libro es una especie de evangelio del catolicismo democrático. De las Escrituras, Lamennais ha salvado el espíritu igualitario a fin de demostrar que las reformas sociales vienen impuestas por la caridad cristiana, el progreso continuo de la humanidad y la perfectibilidad del hombre, en un mundo en que el Estado y su aliada la Iglesia se han convertido en instrumentos de opresión de

136. V. Llorens, *Liberales y románticos*, 2.ª ed., Madrid, 1968, pp. 419-420.

137. C. Seco Serrano, *Estudio preliminar* a su edición de las obras de Larra, BAE, t. CXXVII, pp. XXXIX, XLIII-XLIV, LXI-LXII y LXIX-LXXI. No aprobamos los juicios de valor que Carlos Seco hace de la actitud de Larra, tales como: «Equivocada y todo, su postura es al menos sincera y desinteresada» (p. LXI); «Ha faltado a Fígaro el mínimo de humildad necesario para saberse desprender a tiempo del implacable racionalismo de su crítica, obstáculo interpuesto fatalmente en su vuelo hacia Dios» (p. LXIX); «Nunca ha llegado Larra a comprender este ofuscamiento que le incapacita para descansar plenamente en Dios y le agota en cambio en una búsqueda de horizontes insatisfecha siempre, decepcionada siempre» (p. LXX). Las convicciones de Larra eran claras y firmes, como reconoce Carlos Seco; condenarlo, aun indulgentemente, en nombre de un catolicismo tradicionalista que él reprobaba con justicia pone de manifiesto una actitud que recuerda lamentablemente a la de Menéndez y Pelayo para con los «heterodoxos».

los débiles. El contenido de la obra impide un análisis riguroso, debido a la forma bíblica de los versículos que constituyen los capítulos, y al estilo poético y tono apasionado del mensaje mesiánico que pretende transmitir. Aparecen en él algunas fórmulas, que en cierta medida presentan analogías con las de los seguidores del sansimonismo, y de las que creemos hallar un eco en el artículo de Espronceda. Las frases finales de *Libertad, igualdad, fraternidad* pueden compararse a éstas, por ejemplo:

> Vous êtes fils d'un même père, et la même mère vous a allaités; pourquoi donc ne vous aimez-vous pas les uns les autres comme des frères? et pourquoi vous traitez-vous bien plutôt en ennemis?
>
> Aimez-vous les uns les autres, et vous ne craindrez ni les grands, ni les princes, ni les rois [138].

La condena o la esclavitud o a cualquier tipo de servidumbre se presenta como el origen de todos los males; pero esta tara desaparecerá cuando los hombres hayan roto sus cadenas. La visión de este mundo fraternal puesto bajo el signo de la solidaridad aparece presentada de este modo: «Et il n'y avoit ni pauvres ni riches, mais tous avoient en abondance les choses nécessaires à leurs besoins parce que tous s'amoient et s'aidoient en frères [139]». La necesidad de la abolición de los privilegios se ajusta a la palabra de Cristo; la igualdad es el fundamento de la libertad, reforzada por la fraternidad. La tesis de Lamennais coincide en este punto con la de Espronceda:

> Quand donc on vous dira de ceux qui possèdent sur la terre une grande puissance, voilà vos maîtres, ne le croyez point. S'ils sont justes, ce sont vos serviteurs; s'ils ne le sont pas, ce sont vos tyrans.
>
> Tous naissent égaux: nul, en venant au monde, n'apporte avec lui le droit de commander ...
>
> Le Père céleste n'a point formé les membres de ses enfants pour qu'ils fussent brisés par des fers, ni leur âme pour qu'elle fût meurtrie par la servitude.
>
> Il les a unis en familles, et toutes les familles sont sœurs; il les a unies en nations, et toutes les nations son sœurs: et quinconque sépare les familles des familles, les nations des nations, divise ce que Dieu a uni: il fait l'œuvre de Satan.
>
> Et ce qui unit les familles aux familles, les nations aux nations, c'est premièrement la loi de Dieu, la loi de justice et de charité, et ensuite la loi de liberté, qui est aussi la loi de Dieu.
>
> Car, sans la liberté, quelle union existeroit entre les hommes? Ils seroient unis comme le cheval est uni à celui qui le monte, comme le fouet du maître à la peau de l'esclave [140].

138. («Si sois hijos del mismo padre, y os ha amamantado la misma madre, ¿por qué no os amáis unos a otros como hermanos? ¿y por qué os tratáis más bien como enemigos?
Amaos unos a otros, y así no temeréis ni a los poderosos, ni a los príncipes, ni a los reyes.») Lamennais, *Les paroles d'un croyant*, cap. IV, 1 y 4, ed. Y. Le Hir, París, 1949, p. 99.

139. («Y no había ni pobres ni ricos, pero todos tenían en abundancia las cosas precisas para cubrir sus necesidades ya que todos se aman y ayudan como hermanos.») *Id., ibid.*, cap. XI, 37.

140. («Aunque se os diga de los que poseen en la tierra un gran poder, éstos son vuestros amos, no lo creáis. Si son justos, son vuestros servidores; si no lo son, son vuestros tiranos.

Espronceda se subleva contra el hecho de que algunos eran «partícipes a un tiempo mismo de privilegios y de libertades»; Lamennais denuncia en términos más duros esta incompatibilidad: «L'oppresseur qui se couvre de son nom [du nom de la liberté] est le pire des oppresseurs. Il joint le mensonge à la tyrannie, et à l'injustice la profanation; car le nom de la liberté est saint[141]». Ni uno ni otro incitan a la violencia para conquistar la libertad, sino a una toma de conciencia:

> Et la violence qui vous mettra en possession de la liberté, n'est pas la violence féroce des voleurs et des brigands, l'injustice, la vengeance, la cruauté: mais une volonté forte, inflexible, un courage calme et généreux[142].

Se le puede hacer a Lamennais la misma objeción que a Espronceda: ¿acaso la libertad individual no correrá el riesgo de desaparecer en el mundo que proponen construir? Según el autor de las *Paroles d'un croyant*, la comunión en la familia universal de Cristo y la fe en su palabra restituida en toda su pureza vendrán a suplir, para la sociedad, esta libertad personal. Pero Espronceda da una interpretación laica de la fraternidad; ni una sola vez aparece en su pluma el nombre de Dios o de Cristo. Arrebatado por sus generosas convicciones, retiene únicamente lo que coincide con éstas: sentido de la justicia, amor por la humanidad y simpatía por los que sufren. Al poeta instintivo que es, no podemos reprocharle el carácter impreciso de sus afirmaciones, puesto que tienen el mérito de ser sinceras y presentar un tono bastante innovador, para la época en que escribe[143]. Cabe señalar que si bien no llega a establecer las relaciones que, en virtud de sus principios, deberían necesariamente existir entre capital y trabajo, evita del todo caer en el maniqueísmo simplista de una oposición entre pobres y ricos, y se abs-

---

Todos nacen iguales: al venir al mundo, ninguno trae consigo el derecho a mandar ...

El Padre celestial no dio vida a los miembros de sus hijos para que fuesen quebrados por las cadenas, ni creó su alma para que fuese herida por la servidumbre.

Los unió en familias, y todas las familias son hermanas; los unió en naciones, y todas las naciones son hermanas; y todo aquel que separe a las familias de las familias, a las naciones de las naciones, divide lo que Dios ha unido: obra como Satanás.

Y aquello que une a las familias con las familias, a las naciones con las naciones, es en primer lugar la ley de Dios, la ley de justicia y caridad, y luego la ley de libertad, que es también la ley de Dios.

Ya que, sin la libertad, ¿qué unión existiría entre los hombres? Estarían unidos como el caballo está unido al que monta, como el látigo del amo a la piel del esclavo.») *Id., ibid.*, cap. XIX, 1-2 y 14-16.

141. («El opresor que se oculta tras su nombre [el nombre de la libertad] es el peor de los opresores. Une la mentira a la tiranía, y la profanación, a la injusticia, ya que el nombre de la libertad es sagrado.») *Id., ibid.*, cap. XX, 3.

142. («Y la violencia que os dará la posesion de la libertad no es la violencia salvaje de los ladrones y bandoleros, ni la injusticia, la venganza o la crueldad, sino una voluntad firme, inflexible, un ánimo sereno y generoso.») *Id., ibid.*, cap. XXII, 12.

143. Al menos así fue en Madrid. No nos es posible, dentro de los límites de este estudio, comparar las ideas de Larra y Espronceda con las teorías más o menos precisas expuestas en los artículos (firmados "El Proletario") publicados por el periódico de Algeciras *El Grito de Carteya* (y reproducidos por *El Vapor* de Barcelona en noviembre de 1835 y enero de 1836) y en los que escribió Fontcuberta para *El Propagador de la libertad* barcelonés. A. Elorza ha reunido varios de estos textos en una compilación antológica titulada *Socialismo utópico español* (Madrid [1970]), publicada cuando el presente capítulo ya se había escrito.

tiene de incitar a los primeros a una lucha abierta contra los segundos. Pide tan sólo que cualquier hombre tenga la posibilidad de cumplir dignamente su cometido en la sociedad, y que ésta tenga en cuenta las capacidades y el valor de cada individuo, y no la categoría social a la que pertenece, para concederle el puesto que le corresponda. Larra desarrrolla esta idea en noviembre de 1836 en su reseña sobre *El pilluelo de París*[144]; según dice, la desigualdad en las clases y fortunas es un mal que dimana de la naturaleza de las cosas en el estado actual de la civilización; cualquier abuso fundado en la supremacía por la fortuna o por el prestigio de un título hereditario es un contrasentido, y las mejores instituciones políticas son aquellas que garantizan por igual a pobres y ricos el ejercicio de sus respectivos derechos. En resumen, el aristócrata no debe condenar al pobre, ni el pobre al aristócrata en nombre de criterios *a priori*; ni el bien ni el mal son privilegio de ninguno de los dos, sino que están repartidos por igual; por lo tanto, deben reconocerse los derechos de cada uno. La única aristocracia admisible es la del talento, del mérito y de la virtud; la fortuna o el poder pertenecen a aquellos que, sea cual fuere su origen, sepan ganarlos por sus capacidades y su trabajo.

En nuestra opinión, no hay por qué negarse a ver en las ideas de Larra y Espronceda una implícita profesión de fe socialista. El primero afirma que la igualdad de oportunidades hará desaparecer los defectos inherentes a las dos grandes categorías sociales: la ociosidad que lleva al rico a ser ambicioso, intrigante y mujeriego, y la necesidad que induce al pobre a engañar y robar; el otro, desde una perspectiva similar, asienta la libertad en la fraternidad. Las ideas en las que basan la regeneración de España son racionalistas, según demuestra su interpretación del cristianismo. Ninguno de los dos la considera una religión revelada, sino un período de la evolución intelectual y moral de la humanidad. Comparemos estas frases de Larra:

> El paganismo, cayendo ante el poder de la opinión, y a la voz del Cristo, cayó para siempre, al paso que la fuerza colosal del Imperio romano no consiguió ahogar la voz del Cristo, en la apariencia más débil, pero en realidad, más poderosa, por que se apoyaba en la convicción ... La religión cristiana apareció en el mundo estableciendo la igualdad entre los hombres, y esta gran verdad, en que se apoya, ha sido la base de su prosperidad[145].

con las siguientes de Espronceda, en *Libertad, igualdad, fraternidad*:

> Grecia y Roma cumplieron entonces su misión en la marcha progresiva de la humanidad, y cuando su religión y los principios establecidos llegaron al término en que el progreso intelectual había precisamente de adelantarse, el cristianismo alzó la voz y gritó a los hombres: *¡Igualdad! ¡Fraternidad!* Igualdad, sí, dijo el ungido del Señor, y la tierra se alborozó; ¡Fraternidad! y los hombres en su júbilo se tendieron la mano amistosamente.

Hay en estas palabras una comunidad de pensamientos, casi una identidad de expresión, que no deja lugar a dudas acerca de la actitud de ambos escritores.

144. *El Español*, 19 de noviembre de 1836; BAE, t. cit., pp. 283-285.
145. Prólogo a la traducción española de *Paroles d'un croyant*, BAE, t. CXXX, p. 290.

Para ellos, la religión es el «dogma de los deberes del hombre para con el poder superior preexistente a él en el mundo, y ... fuente de moral[146]». La reestructuración de la sociedad sólo puede efectuarse desde una perspectiva democrática, y el cristianismo *como moral* debe ser restablecido en su pureza original, a menos de convertirse en un conjunto de prácticas desprovistas de sentido. Entre los abusos y obstáculos que se interponen en la marcha hacia el progreso figuran el clericalismo y los privilegios de la Iglesia que, como potencia temporal, encuentra en el carlismo oportunidad y medios para perpetuar su poder y su papel económico. De ahí que Larra encuentre una explicación para los incendios de conventos y matanzas de religiosos en 1834 y 1835, en «la larga acumulación de un antiguo rencor jamás desahogado» contra los frailes «dominantes siglos enteros en España», y a la sazón partidarios de los facciosos[147]. Espronceda, según hemos visto, considera que el sistema feudal desvirtuó los principios proclamados por Cristo al implantar una servidumbre en la cual veían, quienes la padecían, el pago por una igualdad que iba a serles concedida en la vida eterna. Pero estos son ya tiempos pasados: «Algún día, cuando las gentes comprendan tan santas palabras, ha de brillar como el sol para todos, y hacer un solo pueblo de toda la humanidad.» La alianza universal que anhela Espronceda es «santa» por estar fundada en una aplicación justa y verdadera de las «santas palabras»: libertad, igualdad, fraternidad. Palabras que no poseen contenido real en la sociedad madrileña de 1835, cuya hipocresía denunciaba el poeta en *El mendigo, El verdugo* y *El reo de muerte.*

La teoría de Espronceda presenta lagunas evidentes. Por ejemplo, no dice si es partidario del sufragio universal, uno de los pilares de la igualdad política. Resulta sorprendente que no especificara este punto en un momento en que se estaban debatiendo en la prensa madrileña y en el Parlamento los proyectos de ley electoral. El 10 de enero de 1836, pocos días antes de que *El Español* publicase *Libertad, igualdad, fraternidad*, Toreno defendía en las Cortes el punto de vista conservador: la fortuna debe ser el único criterio para la elección de diputados y electores; y de éstos, conviene descartar a los artistas, profesores, miembros de profesiones liberales en general, así como a los funcionarios de justicia, debido a la influencia que ejercen en las masas populares. En una palabra, supone el rechazo a que participen en la vida política del país los que pertenecen a la aristocracia del mérito, del talento, de las capacidades y de la virtud; supone además el deseo de mantener los privilegios que Espronceda y Larra consideran perjudiciales y abusivos y cuya abolición se impone para lograr la emancipación de las «clases productoras». Tal vez el lector de *El Español* del 15 de enero de 1836 sabía ver, con mayor claridad que nosotros, en las opiniones de Espronceda una réplica indirecta a los diputados conservadores y a su concepción de la representatividad de electores y elegidos[148].

146. *Ibid.*, p. 289.
147. "Dios nos asista", *El Español*, 3 de abril de 1836; BAE, t. CXXVIII, p. 193.
148. Sobre estas cuestiones y las doctrinas de los diferentes partidos, véase el excelente estudio de A. Dérozier "Les discussions sur la loi électorale en 1835 et 1836: le gouvernement en échec", *Caravelle* (Toulouse), 4, 1965, pp. 179-233.

Más allá de su significado inmediato, el artículo del poeta plantea el problema más importante de las relaciones entre España y Europa. Desde el siglo XVIII se manifiestan a este respecto dos tendencias, que se han mantenido vigentes hasta tiempos recientes. Los tradicionalistas defienden la postura del aislamiento, del refugio en los "valores eternos" del país, y se niegan a aceptar que una ideología de un liberalismo cada vez más radical cruce los Pirineos. Sus adversarios, por el contrario, piensan que la integración de España en Europa, en el terreno social, económico y político, constituye la única posibilidad de ayuda para la paulatina regeneración del país. Entre estos últimos se encuentran Larra y Espronceda. Por una sencilla razón:

> Pendant les XVIIIe et XIXe siècles, l'Europe était le symbole du progrès par rapport à l'immobilisme de nos gouvernants. Aussi bien pour Espronceda que pour Larra, pour Donoso Cortés que pour Vázquez de Mella, l'Europe *était* la révolution de 1789 et la déclaration des Droits de l'homme, l'industrialisation et la réforme de nos institutions et de nos lois[149].

No obstante, entre las posturas perfectamente claras de los representantes de estas dos tendencias, existían, durante los años de 1820 a 1836, partidarios de una solución intermedia. Entre ellos están algunos reformistas —Lista, Miñano, López Ballesteros— y, en cierta medida, el propio Mendizábal. Influenciados por algunos doctrinarios franceses, aceptan un liberalismo moderado como mal menor, como inevitable concesión a la evolución de las ideas, e intentan por todos los medios a su alcance orientar la corriente revolucionaria en provecho de la alta clase media. Eso hicieron las juntas de 1835, que encauzaron la confusa agitación de las masas populares y llevaron al poder al primer ministro cuyas reformas iban a colmar los deseos de comerciantes, industriales y terratenientes.

Espronceda no hará sino reforzarse en su postura; tanto en sus estudios sobre la formación de una comunidad ibérica publicados en 1814, como en sus intervenciones en las Cortes con motivo del debate sobre los aranceles en 1842[150], abogará por la integración de España en Europa. La noche del 26 de diciembre de 1835, cuando brindaba por la república universal y la destrucción de todos los tronos, a pesar del escándalo que armó, Espronceda estaba manifestando, si bien de forma un tanto cruda, una sincera y profunda convicción.

149. («Durante los siglos XVIII y XIX, Europa era el símbolo del progreso en relación con el inmovilismo de nuestros gobernantes. Tanto para Espronceda como para Larra, para Donoso Cortés como para Vázquez de Mella, Europa *era* la revolución de 1789 y la declaración de los Derechos del hombre, la industrialización y la reforma de nuestras instituciones y nuestras leyes.») J. Goytisolo, "L'Espagne et l'Europe", *Les Temps modernes*, 194, julio de 1962, pp. 130-131.

150. «Política general», *El Pensamiento*, 1, 15 de mayo de 1841, pp. 12-15, y 5, 15 de julio de 1841, pp. 106-109 (BAE, t. LXXII, pp. 592-599); intervención en las Cortes, 8 de abril de 1842, en *Espronceda, articles et discours oubliés...*, París, 1966, pp. 27-33.

La función social del escritor

Parece superfluo subrayar todo lo que, en 1836, separaba a Espronceda y Larra de los colaboradores de *El Artista*, y luego de los de *El Semanario pintoresco español*, en lo que se refiere a sus respectivas concepciones de los deberes del escritor y de la función de la literatura. Ochoa y sus amigos fracasan en su tentativa de fomentar una cultura cuyo órgano está reservado a una elite; en cuanto a Mesonero, con el semanario que funda, se dirige a un público amplio, al cual ofrece cada semana los elementos de una especie de enciclopedia universal al alcance de todos, pero con un contenido anodino lo más alejado posible de los temas y problemas de actualidad. "Fígaro" piensa de modo muy distinto, y así lo escribe sin rodeos al inicio de su reseña sobre *El ministerio Mendizábal* de Espronceda, con quien declara estar totalmente de acuerdo:

> En una época como ésta, en que toda la dificultad para llevar adelante la regeneración del país consiste en interesar en ella a las masas populares, lo cual escasamente se puede conseguir sin hacerles comprender antes sus verdaderos intereses, no sólo es meritorio que cada español que se crea capaz de fundar una opinión se apresure a emitirla por medio de la imprenta, sino que en nuestro entender fuera culpable el que pudiendo, dejase por temores personales de añadir una piedra al edificio que sólo de consuno podremos levantar[151].

Según él, el escritor no sólo no debe dudar en afrontar la censura, sino que, si es preciso, debe estar dispuesto a sufrir persecución, cárcel, patíbulo, a sacrificar su vida a su deber de redentor, de defensor público de los derechos del pueblo, aun cuando su objetivo no se logre hasta mucho después de su muerte. Si bien es esta una labor ingrata y peligrosa, pues quien la asume actúa necesariamente a contracorriente y se ve tachado de orgulloso, vanidoso, codicioso y ávido de gloria, no obstante es a la vez una misión exaltante y útil a la humanidad.

Larra y Espronceda comparten la convicción de que el escritor es el guía que alumbra el camino de la sociedad, indicando a los hombres la senda a seguir y los obstáculos a sortear. Con distintos matices, eso es también lo que afirman en el mismo momento Vigny, Hugo y Lamartine. De este modo, el romanticismo ya no se reduce sólo a una rebeldía íntima y personal, sino que pasa a ser una rebeldía «teintée de social» («teñida de social»), usando la expresión de Maxime Leroy, quien ve en dicha evolución la influencia difusa de Fourier y de Saint-Simon[152]. En efecto, tanto las *Canciones* de Espronceda, como los artículos de costumbres de Larra de los años 1835-1836 son muestra de esta literatura "cínica", que presenta los vicios de la sociedad en su cruda realidad, y que Victor Considérant definía así en *La Phalange* del 8 de febrero de 1833:

> Il faut, quoi qu'en puisse dire la pudibonderie classique et morale, que la littérature déchiquette pièce à pièce et dissèque minutieusement notre civilisation vieillie,

151. *El Español*, 6 de mayo de 1836; BAE, t. CXXVIII, p. 214a.
152. M. Leroy, *op. cit.*, t. III, París, 1964, p. 134.

> il faut qu'elle l'expose au grand jour avec hardiesse et cynisme, sans voile, toute nue, difforme, telle qu'elle est[153].

Larra desea que se emprenda esta senda con prudencia y sensatez, sin excesivas prisas, y sin adoptar de manera irreflexiva obras extranjeras demasiado avanzadas para la evolución española. No debe sorprendernos el hecho de que acogiera favorablemente *El trovador*[154], obra que parece tan alejada de su credo ético y estético. Aun reconociendo las deficiencias técnicas del drama, éste le brindaba la oportunidad de celebrar el triunfo de un autor desconocido que debía su éxito tan sólo a su propio talento. Pero también comprendió todo lo que separaba esta obra de *Don Álvaro* o de *Aben Humeya*; fue sensible al triunfo de su protagonista, el de un héroe oscuro que vence a un importante personaje, su rival, el cual abusa de su título y sus prerrogativas para intentar arrebatarle al trovador la mujer que ama. En Manrique vio precisamente al verdadero héroe romántico, cuya rebelión contra la injusticia representa una victoria sobre las barreras sociales; en la venganza de Azucena, el desquite de la desigualdad; y en el comportamiento de Leonor, el triunfo del corazón sobre el orden racional. Pese a su ambientación medieval, *El trovador* reproducía, a través de la doble intriga que constituye el drama, algunos aspectos de la sociedad contemporánea.

Para Espronceda y Larra, al igual que para Saint-Simon, el artista es un productor de sensaciones e ideas a quien le está asignada —como a los demás productores en el ámbito material— una función capital. Pero para ello debe dejar a un lado los sueños personales y las controversias de escuela; su actividad debe estar volcada en el perfeccionamiento del hombre en cuanto ser social. Las ideas expresadas por Buchez, uno de los discípulos del fundador de la Escuela, definen con bastante exactitud la obra de los dos escritores españoles a partir de 1835:

> Sentir le mal de son époque et l'exprimer, concevoir l'avenir, découvrir par inspiration ce que les sciences apprennent, et montrer au grand nombre cette voie de bonheur et d'immortalité, voilà ce qui appartient aux grands talents. Le génie des beaux-arts n'est point un génie vulgaire: ce n'est point un esclave destiné à suivre pas à pas la société; il lui appartient de s'élancer devant elle, pour lui servir de guide; c'est à lui de marcher et c'est à elle de le suivre[155].

153. («Opine lo que opine la mojigatería tradicional y moral, la literatura debe desmenuzar pieza por pieza y disecar meticulosamente nuestra anticuada civilización; debe sacarla a la luz con audacia y civismo, sin velos, totalmente desnuda, deforme, tal como es».) Citado en *Id., ibid.*, p. 159.

154. En *El Español* del 4 de marzo de 1836; BAE, t. cit., pp. 168-171.

155. («Sentir el desasosiego de su época y expresarlo, imaginar el futuro, descubrir por inspiración lo que enseñan las ciencias, y mostrar a la mayoría esta senda de dicha e inmortalidad, he ahí lo propio de los grandes talentos. El genio de las bellas artes no es un genio vulgar: no es un esclavo destinado a seguir paso a paso la sociedad; le corresponde lanzarse al frente de ella para servirle de guía: a él le incumbe avanzar y a ella seguirle.») Buchez, "Quelques réflexions sur la littérature et les beaux-arts", *Le Producteur*, t. IV; citado por M. Thibert, *Le rôle social de l'art d'après les saint-simoniens*, París, 1926, p. 25.

Capítulo XVII

LA CAMPAÑA CONTRA EL MINISTERIO MENDIZÁBAL

La crisis de agosto-septiembre de 1835 y la misión de Espronceda ante el conde de Las Navas, jefe de la junta insurrecta de Andalucía

Pocos políticos han suscitado en España reacciones tan apasionadas como Juan Álvarez y Mendizábal durante los ocho meses —del 14 de septiembre de 1835 al 15 de mayo de 1836— en que estuvo al frente del gabinete de Madrid. Acogido como el salvador de la patria cuando fue nombrado para el cargo de primer ministro, su programa le granjeó la simpatía y el apoyo casi unánimes de la nación y los parlamentarios; en efecto, tenía a su favor el haber puesto fin a la gravísima crisis suscitada por la política de su predecesor Toreno, y el haber evitado una segunda guerra civil que las juntas insurrectas de provincias, en especial la de Andalucía, hubieran iniciado de no haberse obtenido su sumisión. Pero este ministro, tan deseado como bien acogido, tuvo que dimitir al cabo de unos meses, por la presión conjunta de los diputados moderados y de los liberales progresistas, a consecuencia de una campaña de prensa extremadamente intensa y en ocasiones muy virulenta; era ésta la primera vez que se producía en España semejante situación. En ella, Espronceda desempeñó un papel importante, debido a dos artículos y a un folleto que obtuvo cierta repercusión.

Mientras "Fígaro" viajaba por Europa, tuvieron lugar en julio y agosto de 1835 los graves acontecimientos que provocaron la caída del gabinete Toreno. Como recordaremos, Espronceda había tomado parte activa en los mismos, y a comienzos de septiembre, en el momento en que la *Revista española* publicó *El mendigo* y *El verdugo*, se hallaba en una clandestinidad provisional para escapar de una posible detención. Unas semanas más tarde, se le encomendó una misión política oficiosa de la que proporcionan algunos detalles la prensa madrileña de octubre de 1835 y ciertos documentos de archivo, aunque sin llegar a satisfacer por completo la curiosidad. No podemos saber con exactitud cómo, por qué o por quién fue elegido o aceptado el joven poeta como uno de los intermediarios entre la junta de Andalucía y el gobierno, ni tampoco cuál fue su cometido concreto ni qué resultados obtuvo. Para comprender en qué consistía dicha misión, es necesario recordar cuál era la situación interna de España en los últimos momentos del ministerio Toreno.

La insurrección que había estallado el 15 de agosto de 1835 en Madrid se situaba dentro del conjunto de explosiones de cólera que se habían producido, bajo diversas formas y con mayor o menor violencia, en distintos puntos de España. El primer motín tuvo lugar el 6 de julio en Zaragoza, al grito de «¡Viva la Constitución de 1812!»; luego algunas juntas se hicieron con el poder o se pronunciaron contra el gobierno central en otras provincias. Hasta ahora, ni los orígenes del descontento que cristalizaban estas juntas, ni las confusas reivindicaciones de las mismas, han sido estudiados en profundidad. Los manifiestos dirigidos a la regente demuestran que no se trataba —como podría pensarse a simple vista— de un movimiento popular. Todos estaban de acuerdo en un punto: reconocían que si la guerra carlista se iba prolongando era porque la administración y el gobierno se mostraban incapaces de acabar con la facción. En Cataluña, la agitación tuvo su arranque en incidentes de poca importancia y —recogiendo la expresión de Vicens Vives— el «infantilismo subversivo» del pueblo se manifestó en la quema de conventos, las matanzas de frailes, el saqueo de fábricas o el linchamiento del general Bassa, acciones por medio de las cuales se liberaban viejos rencores. Una proclama titulada *Escudo tricolor* incitaba a la revuelta a aquellos que «ahora, a fuerza de trabajar, apenas pueden cubrir sus carnes y ganarse un pedazo de pan». Pero la junta de Barcelona, en su manifiesto del 13 de agosto de 1835 a los catalanes, declaró que no iba a dejarse desbordar por estos agitadores, y protestó contra los impuestos excesivos, los aranceles y las contribuciones de todo tipo que redundaban en perjuicio de los comerciantes y los industriales. El origen de la revuelta estaba en un malestar económico y social de la clase media y de la burguesía, y ésta, al tomar la dirección del movimiento, se esforzó en impedir que se extendiera la subversión de un proletariado desorganizado. Lo mismo sucedió en Zaragoza, cuya junta envió el 11 de agosto un mensaje a la reina. Sus miembros fundadores especificaban que eran «ocho individuos nombrados por el ayuntamiento y mayores contribuyentes», y las primeras palabras de su mensaje eran para afirmar que su objetivo era el de amparar a los habitantes de la ciudad de la anarquía que los amenazaba; no quieren que se les confunda con los saqueadores de conventos, y declaran:

> Vista la imposibilidad de resistir el movimiento se creyó conveniente dirigirlo adoptando de buena fe cuanto tuviese de razonable, y dándole un giro noble y tan ajeno de desórdenes como de complicaciones contrarias a la forma de gobierno existente, que tal vez, abandonado el pueblo a sí mismo, pudieran haberse introducido[156].

156. Lafuente, *Historia general de España*, Barcelona, 1885, t. VI, p. 87b. El texto completo de las peticiones dirigidas a la reina por las juntas de Barcelona y Zaragoza aparece *ibid.*, pp. 83-88. Para conocer los detalles de estos acontecimientos, véase *ibid.*, pp. 78-99, y Pirala, *Historia de la guerra civil...*, t. II, Madrid, s.f. [1854], pp. 138-145. Hemos consultado también J. Vicens Vives, *Historia de España y América*, t. V, Barcelona, 1961, p. 354, y A. Eiras Roel, *El partido demócrata español*, Madrid, 1961, pp. 73-76.

El 18 de agosto, Málaga se sublevaba a su vez. Se cometieron algunos excesos y una junta promulgó la constitución de 1812, decidió la supresión de la policía, la destitución de los funcionarios sospechosos y la abolición de los arbitrios municipales. El 19, Cádiz se sumó al movimiento, seguido por la milicia urbana local, respaldada a su vez por el regimiento del coronel Osorio y el gobernador militar de la plaza, Hore. También en este caso son económicas las razones del levantamiento, y la iniciativa del mismo por parte de la burguesía mercantil de la ciudad, por su descontento al comprobar que la sesión parlamentaria había concluido sin que se votara la ley sobre la deuda pública, y al ver cómo se prolongaba el estado de guerra[157]. Osorio, a la cabeza de sus tropas, propagó el movimiento a las demás ciudades de la provincia de Cádiz; Sevilla, Almería, Córdoba y Jaén se fueron pronunciando sucesivamente. En Granada, las autoridades constituidas entraron a formar parte de la junta, que contaba incluso con un fraile entre sus miembros, y todo se desenvolvió de forma pacífica. Lo mismo sucedió en Galicia y Extremadura. En Valencia, la junta presidida por el conde de Almodóvar propuso a las provincias limítrofes de Alicante, Castellón, Murcia y Albacete, unirse en una especie de federación que tendría mayor fuerza para imponer sus reivindicaciones al gobierno de Madrid. Éste, despavorido, suspendió la publicación de los periódicos de la oposición y lanzó en la *Gaceta* un anatema contra los insurgentes. Toreno firmó un decreto por el que se aprobaba la devolución de los bienes nacionales a los compradores que hubiesen sido desposeídos de los mismos en 1823, pero esta medida no surtió el efecto deseado ya que la mayoría de las juntas insurrectas la habían adoptado ya a nivel local. No se reconocía la autoridad de los altos funcionarios nombrados por el primer ministro en las provincias, y la junta de Valencia y Murcia envió un manifiesto a Francia, Inglaterra y Portugal para solicitarles que intervinieran en su favor. Todo lo cual demuestra cuán impopular se había hecho el gabinete Toreno; el conde llegó a ser declarado culpable de alta traición por la junta de Cádiz.

La llegada de Mendizábal al poder originó la sumisión progresiva de la mayor parte de las juntas, cuyos miembros se declararon satisfechos con el discurso de la Corona del 16 de septiembre de 1835. Las medidas más importantes anunciadas en dicho discurso eran las siguientes: preparación de proyectos de ley sobre el sistema electoral, la libertad de prensa y la responsabilidad de los ministros; promulgación de un decreto que reduciría las penas de cárcel impuestas por delito de contrabando, lo cual contribuiría a proporcionar mano de obra a la agricultura y la industria; supresión de las comunidades religiosas y desamortización de sus bienes, así como de los de propios y montes, destinándose el producto de su venta a la construcción de caminos y canales para fomentar el comercio; transformación de los pósitos en bancos provinciales; y reclutamiento de cien mil hombres para reforzar el ejército. Todo ello iba encaminado a satisfacer a la alta clase media, beneficiaria exclusiva de las nuevas disposiciones económicas y financieras, así como del incremento del esfuerzo militar, ya que un rápido final de la guerra civil permitía esperar la normal reanudación de las actividades comerciales e industriales. No estaba previsto el sufragio universal, y el sistema electoral seguiría siendo censatario. La libertad de prensa, unida a la promesa de que las

157. Lafuente, *op. cit.*., t. VI, p. 95b.

Cortes revisaran el Estatuto Real, proporcionarían a Mendizábal la oportunidad de atraerse a los "intelectuales" liberales. Ninguna de las medidas prometidas era realmente democrática. Por ejemplo, en nada cambiaban las condiciones de trabajo. La supresión de las comunidades religiosas satisfacía cómodamente el anticlericalismo popular, y pronto iba a permitir a los poseedores de fortunas respetables la realización de excelentes inversiones al comprar los bienes del clero. Por último, la transformación de la Milicia Urbana en Guardia Nacional utilizada como refuerzo para el ejército hacía presagiar la pronta desaparición de la facción carlista.

Las juntas habían conseguido encauzar el descontento de la burguesía y la confusa agitación del proletariado, tomando la dirección del movimiento, y luego interrumpiéndolo al someterse a la autoridad de Mendizábal. Con razón subraya Pirala este carácter:

> Estas juntas tan decididamente revolucionarias, eran también respetables por los sujetos de importancia en todas las posiciones sociales que contaban. Grandes capitalistas, generales, altos magistrados y funcionarios públicos, personas elevadas por su rango, prestigio y ciencia, he aquí los que se habían comprometido por la revolución, los que la prestaban su autoridad[158].

En la mayoría de casos, en efecto, el proceso recuerda el de la revolución de Julio en Francia: una agitación popular inmediatamente controlada por la burguesía, que a fin de cuentas es la única y verdadera triunfadora. Conviene evitar asimilar estos movimientos a insurrecciones de signo democrático; tan sólo el impulso incial es dado por las categorías sociales más desfavorecidas, que en seguida se ven apartadas de cualquier iniciativa de subversión generalizada. Así, en Cádiz, García de Villalta dio entrada en la junta de la que era secretario a personas poco propensas a los desmanes; Henry Southern, enviado en misión a Andalucía por el embajador de Inglaterra George Villiers, ponía de manifiesto, el 14 de septiembre de 1835, en un informe a su superior[159], el papel moderador del autor de *El golpe en vago*, a pesar de las ruidosas declaraciones oficiales hechas con posterioridad a esta fecha por la junta que, el 5 de octubre, anunció su dimisión.

No obstante, una de las juntas se negaba a ceder y exigía mayores garantías: la que se había establecido el 2 de septiembre en Andújar y había tomado la denominación de Junta central de las provincias andaluzas. Su presidente era el conde de Donadío, diputado de Jaén, secundado por José de Salamanca y por el conde de Las Navas quien, tras el pronunciamiento del 15 de agosto, había huido de Madrid para evitar ser detenido. A mediados de septiembre, dicha junta no contaba más que con el apoyo de las de Málaga, Granada, Almería y Jaén, ya que las demás ciudades andaluzas se habían unido a Mendizábal o estaban a punto de hacerlo. El 17 de septiembre, las tropas del general Latre, enviadas desde Madrid para oponerse a las fuerzas de la junta central —al mando del brigadier

158. Pirala, *op. cit.*, t. II, p. 164. Esta interpretación ha sido adoptada por J. Vicens Vives, *loc. cit.*

159. Una copia de este informe, que incluye un penetrante análisis de la situación en la provincia de Cádiz, se halla en los Archives du ministère des Affaires étrangères, París, Mémoires et documents, Espagne, vol. 312, f.os 65-86.

Villapadierna y estacionadas en Despeñaperros— se pasaron al bando opuesto a la voz de: «¡Viva la Constitución!». En cierto modo, Latre se había visto colocado, a pesar suyo, al frente de las tropas rebeldes; aceptó la situación a fin de evitar mayores desórdenes y, a los pocos días, dio la siguiente explicación en un comunicado:

> No he podido negarme a las juntas de Cádiz, Sevilla, Málaga, Almería, Córdoba, Jaén y Granada, que unánimes me han nombrado comandante general de sus fuerzas. He venido a ésta [Manzanares] en donde me hallo, por no alterar el orden en esa respetable capital [Madrid]; y creo que se arreglará todo, y bien, dentro de breves días[160].

En efecto, el conde de Las Navas se vio paulatinamente abandonado por las unidades que se habían unido a él. Pese a ello, no se consideró satisfecho con las primeras medidas anunciadas por Mendizábal; a cambio de su sumisión, exigía la promesa formal de que el gobierno procedería a la convocatoria de una constituyente (y no sólo del parlamento con el objeto de revisar el Estatuto Real), a la anulación del decreto de disolución de las juntas, al reconocimiento de éstas como juntas de armamento y defensa, y también a la pronta creación de un cuerpo de ejército formado con las tropas acantonadas en Andalucía para combatir la facción carlista de la Mancha[161]. El 21 de septiembre, Las Navas reiteró dichas condiciones, añadiendo nuevas exigencias, tales como: depuración de los altos funcionarios sospechosos de ser hostiles a las ideas liberales, formación de un ministerio de oposición homogéneo «sin mezclas repugnantes», comparecencia de Toreno para pedirle cuentas de su administración[162]. En la carta en la que Mendizábal comunicaba estas pretensiones a la regente, las calificaba de «ridículas bases». El mismo día, éste firmó el decreto por el que encomendaba a las diputaciones provinciales el armamento y defensa de su territorio respectivo; esta medida equivalía a legalizar en parte la acción de las juntas, que iban a suministrar el nuevo personal administrativo local, investido desde ese momento de una autoridad legitimada. Más adelante, la mayor parte de los gobiernos civiles o militares de provincias fueron confiados a destacados liberales: Mina, Palafox, López Pinto, Grases, José Núñez de Arenas, García de Villalta, Olózaga. Al negarse Las Navas a disolver su junta, Mendizábal envió hasta él a varios emisarios para que intentaran convencerle de no proseguir en su actitud, y uno de éstos fue Espronceda.

El 5 de septiembre de 1835, el brigadier Narciso López fue nombrado comandante en jefe de las tropas de la Mancha; al tomar posesión de su puesto, pro-

160. Carta del 26 de septiembre de 1835, reproducida en *La Abeja* del 2 de octubre. Para los detalles que siguen nos hemos basado en Pirala, *op. cit.*, t. II, pp. 275-276.

161. Estas condiciones no se hicieron públicas. Aparecen enumeradas en un documento que ha permanecido inédito (RAH, Papeles de la regencia de María Cristina, 9-31-6, leg. 6939, f.º sin fecha).

162. Documento fechado en Valdepeñas, 21 de septiembre de 1835, a las dos de la mañana, adjunto a una carta sin fecha de Mendizábal a la regente (*ibid.*, 9-31-6, leg. 6943). El 24 de septiembre, el embajador de Inglaterra Villiers informó por carta al general Córdoba de las condiciones impuestas por Las Navas (F. Fernández de Córdoba, *op. cit.*, BAE, t. CXCII, p. 157).

nunció una breve alocución (publicada en la *Revista española* del 16) en la cual se declaraba dispuesto a luchar contra todos los enemigos de la patria sin distinción. Pero su autoridad no había sido reconocida por el conde de Las Navas, y no se podía pensar en reducir a éste por la fuerza, ya que eso hubiese dado origen a una nueva guerra civil en un momento en que la facción carlista se mostraba amenazadora. Mendizábal envió primero a Rodrigo Aranda (pariente de Las Navas y colega suyo en la Cámara) a Manzanares, en donde se hallaba el conde que había tenido que abandonar Andújar, al haberse sometido la ciudad; Aranda había regresado a Madrid el 23 de septiembre, según anunciaba la *Revista española* de ese mismo día. El 26, el mismo periódico comunicaba que el general Quiroga, que se dirigía a Granada, probablemente había sido retenido en camino por la junta central; y también que Schneider, secretario particular de Mendizábal que acompañaba a Quiroga, había vuelto a la capital, así como el ex-diplomático Antonio María Aguilar, emisario del primer ministro, y el brigadier Narciso López, que presumiblemente había venido a Madrid a dar cuenta de la situación. Éste debió de volver poco después a Manzanares, pues *La Abeja* del 1.º de octubre anunciaba su regreso desde dicha ciudad. El 5 de octubre, la *Revista española* publicaba una carta escrita desde Ocaña el día 2, de la cual citaremos los renglones siguientes:

> Nos ha satisfecho la *Gaceta* con el decreto de convocación de Cortes y Guardia Nacional; pero no así al conde de las Navas, según sabrán vmds. por Espronceda y Bernabeu, que regresaron ayer por aquí milagrosamente, especialmente el segundo, a quien quisieron fusilar. Según sus últimas noticias, parece que el conde con sus fuerzas replega sobre Despeñaperros ...
>
> P.D. Antes de ayer pasó por aquí el comerciante don Benito Gamíndez, amigo del conde de las Navas, y muy temprano ha regresado con buenas esperanzas de que se terminará razonablemente la cuestión.

En su número del 3 de octubre, el mismo periódico publicó un suelto anunciando que Espronceda y Vega acababan de regresar de Manzanares y, el día siguiente, una rectificación puntualizando el carácter de este viaje:

> Ayer dijimos en nuestro número, que los señores Espronceda y Vega, habían regresado a esta corte procedentes de Manzanares, a donde habían ido con una comisión del gobierno. Padecimos una equivocación en cuanto al señor Vega, pues quien acompañó al señor Espronceda fue el patriota don Antonio Bernabeu[163].

El mismo día —4 de octubre—, *La Abeja* daba nuevos detalles, acompañándolos del comentario siguiente:

> Antes de anoche llegaron a esta corte D. José de Espronceda y D. Antonio Bernabeu que habían ido, según se dice, a ver al conde de las Navas a Manzanares, con el objeto de enterarle del estado actual de las cosas, y persuadirle a dejar la posición hostil que le suponen.

163. Sobre Antonio Bernabeu, ascendido poco después a subteniente, véase *supra*, nota 155 de la segunda parte. Ignoramos cuál fue su actividad durante el período de insurrección de las juntas andaluzas.

Se nos ha asegurado que el señor de Bernabeu debió ser fusilado antes de llegar a Manzanares, por orden que tenía dada el conde de antemano, sabedor de que debía ir, por aviso sin duda que recibió de esta corte; y que se salvó por ir en compañía del señor de Espronceda, pues no creyeron irían dos, y porque tal vez uno de los oficiales que había en Ocaña era conocido.

Se supone, refiriéndose a estos dos emisarios, que apenas tendrá 2.000 hombres, y se cuentan mil anecdotillas a que no podemos dar crédito, en particular a la respuesta que dicen dio cuando se le manifestó la necesidad de reunir todos nuestros esfuerzos para batir al *enemigo común*; pues cuando tenemos una facción implacable que absorbe toda la atención y recursos de la nación y del gobierno, parece imposible que haya españoles, esto es patriotas, que abriguen otros sentimientos que los de acabar con aquélla y cooperar a su destrucción total. Este es el blanco a que deben dirigirse nuestros esfuerzos, y exterminada que sea, veamos si nos conviene más o menos latitud en las instituciones. Además que la marcha del actual ministerio satisface a todos los que de buena fe quieren tranquilidad, orden y libertad; nada más que libertad.

Este artículo anónimo demuestra que *La Abeja* (órgano de los moderados, dirigido por Joaquín Francisco Pacheco) estaba dispuesta a apoyar a Mendizábal. Con habilidad, el redactor elude dar la respuesta de Las Navas al argumento principal de los emisarios, pero reproduce el contenido de dicho argumento: la unidad es necesaria para luchar de forma eficaz contra la facción carlista. En una carta enviada a la *Revista española*, que la publicó el 5 de octubre, Espronceda y Bernabeu desmintieron los rumores suscitados por su viaje. En realidad, se trataba de una respuesta indirecta a *La Abeja*, a pesar de que este periódico no apareciera nombrado en la misma:

Señores redactores de la *Revista mensajero*:

Habiendo dado lugar a varias hablillas nuestro viaje a Manzanares no podemos menos de desmentirlas, manifestando claramente lo que ha pasado. Ni nosotros hemos llevado comisión del gobierno, ni tampoco hemos estado a riesgo de ser pasados por las armas. Nuestros antecedentes obraban demasiado en favor nuestro para que corriésemos tal peligro, y tenemos allí muchos y verdaderos amigos que nos conocen hace ya años y que han combatido a nuestro lado por la causa de la libertad. La acogida que nos hicieron fue favorable y atenta, como era de esperar y aunque diferimos en opiniones no por eso medió en nuestras palabras el menor insulto. Lo único que ha podido dar lugar a lo del *fusilamiento* es una expresión del señor conde de las Navas que hablando con Bernabeu le dijo le habían preguntado algunos sabedores ya de que íbamos, si nos habían de fusilar o no.

Sírvanse vmds. insertar esto en su apreciable periódico quedando de ustedes muy seguros servidores que sus manos besan. = José de Espronceda. = Antonio Bernabeu.

Así pues, los dos amigos no fueron amenazados de fusilamiento y, al parecer, se trataba sólo de un comentario mal narrado y deformado. De todas formas, tal vez pueda dudarse del valor de esta explicación, ya que la mencionada carta del corresponsal de Ocaña (fechada del 2 de octubre y publicada en el mismo número de la *Revista española*) afirmaba que la vida de Bernabeu había sido realmente amenazada. ¿Acaso hubo un malentendido o un exceso de celo, afortunadamente sin consecuencias, por parte de algún oficial de las tropas que protegían a los miembros de la junta central? Espronceda y Bernabeu afirman haber sido bien acogidos por los miembros de la junta, pese a cierta divergencia en las opiniones. Con ello reconocían que su viaje había tenido como objetivo discutir las posiciones de los rebeldes y, por lo tanto, estaban jugando con equívocos al desmentir que hubiesen sido investidos de una misión por el gobierno (cuando *La Abeja* no había publicado nada similar). Mendizábal no podía comunicar por conducto oficial que enviaba a unos emisarios escogidos entre los amigos políticos de Las Navas, para intentar dar fin al conflicto originado por las condiciones puestas para la sumisión de la junta. Se trataba pues de gestiones oficiosas a las que la prensa se refería sólo de forma implícita, anunciando por ejemplo el regreso desde Manzanares de determinado personaje[164]. El hecho de que *La Abeja* faltara en cierto modo a esta regla hizo que Espronceda y Bernabeu se vieran obligados a responder del modo como lo hicieron. El 6 de octubre, el mismo periódico publicó otro suelto cuyos términos un tanto irónicos prueban que a nadie engañaba este mentís. Tras recordar la información publicada el día 4, el redactor anónimo agregaba:

> Hoy hemos visto una carta de los mismos señores inserta en la *Revista-Mensagero* cuyo objeto es desmentir cuanto se ha dicho acerca de los mismos en estos días, incluso el *fusilamiento*. Desmentido queda también por nuestra parte, pero habiendo llegado a entender que hay quien nos supone a nosotros autores de aquellas noticias, impulsados por nuestra habitual *mala fe*, debemos manifestar que fueron dadas por persona que debía estar bien enterada, y que no nombramos por prudencia.

Detrás de todo ello, adivinamos chismes de café o de salas de redacción; esta puntualización deja bien claro que eran perfectamente conocidas las verdaderas razones del viaje a Manzanares, y que las informaciones publicadas por *La Abeja* no venían dictadas por discrepancias en las opiniones políticas entre sus colaboradores y los interesados. *El Eco del comercio* sólo dedicó estas pocas líneas al caso, en su número del 7 de octubre:

> Una carta del joven Espronceda publicada en la *Revista* desmiente la especie que ha corrido en estos días de que la columna del coronel Villapadierna trató de detener y aún de fusilar a un amigo suyo que le acompañó en su viaje a Manzanares. Tal aserción es enteramente falsa como lo aseguran los mismos a quienes se supuso maltratados.

Más cauto, y también tal vez con el deseo de no obstaculizar las negociaciones oficiosas, el redactor de esta breve aclaración no habla del objetivo del viaje. Asimismo advertimos que sólo menciona el nombre de Espronceda, que era probablemente el miembro más importante, o en todo caso el más conocido, de la delegación. Ésta parece ser ciertamente la última que fue enviada ante la junta central. Las Navas llegó a Madrid el 10 de octubre, según anunció la *Revista española* del 11, que añadía que éste volvería a salir el mismo día para Manzanares.

164. Los nombres de los emisarios enviados a Manzanares en septiembre de 1835 aparecen en J. de Burgos, *Anales del reinado de D. Isabel II*, Madrid, 1850, t. II, p. 310, y en Pirala, *op. cit.*, t. II, p. 276a.

Debió de permanecer por más tiempo en la capital, a juzgar por la noticia publicada en *La Abeja* del día 19, en la cual se comunicaba su próxima salida para la misma ciudad, con objeto de apresurar la marcha hacía Aragón de las tropas al mando de Villapadierna; el periódico añadía que el conde había decidido servir como soldado raso a la espera de ocupar asiento en el Parlamento. No debió quedarle mucho tiempo para ello, ya que, el 12 de noviembre siguiente, tomaba parte en la sesión inaugural de las Cortes para el período de 1835-1836. El 12 de octubre, Bartolomé Gutiérrez Acuña y Pedro Antonio de Acuña, miembros de la junta de Andalucía, llegaban a su vez a Madrid, según anunciaba la *Revista española* del día siguiente. Se habían puesto en camino sin esperar la respuesta a su carta del 3 a Istúriz, quien había comunicado el contenido de la misma a Mendizábal y a Argüelles en el transcurso de una reunión secreta celebrada en casa de este último el 7 de octubre[165]. El día 15, los dos emisarios se entrevistaron con Argüelles, Alcalá Galiano e Istúriz para tratar el tema de la sumisión de la junta de Andalucía. Mendizábal, usando el seudónimo de "Neto", escribió el día 17 a Istúriz que si el 20 no se hacía efectiva esta sumisión, el gobierno tomaría medidas para conseguirla por el medio que fuera. Istúriz escribió de inmediato al conde de Donadío (la carta va dirigida a «Mi querido conde», pero no puede tratarse de Las Navas, que se encontraba por entonces en Madrid) para alertarle del peligro de una prolongación de la rebelión; en efecto, ésta perdía en adelante todo sentido al haberse dictado auto de sobreseimiento a favor de los milicianos amotinados en agosto en Madrid, y con la publicación de unos decretos en los que se preveían medidas contra las juntas y se convocaban las Cortes. Mendizábal había sabido manejar las cosas, al obligar a Istúriz —que en un principio apoyaba a los insurgentes de Andújar— a desempeñar el papel de mediador.

Resulta difícil determinar la importancia del papel asignado a Espronceda en estas negociaciones. Sea como fuere, se había considerado que poseía las cualidades y la importancia requeridas para cumplir una misión de este tipo que, si bien oficiosa, y precisamente por serlo, era especialmente delicada en virtud de los intereses en juego. Por otra parte, esta embajada ante el conde de Las Navas nos permite situar a Espronceda entre los partidarios de Mendizábal en el momento en que éste viene a España para tomar la dirección del gobierno; su actitud no tardará en cambiar.

Los buenos oficios del poeta ante el conde de Las Navas no consiguieron alejar las sospechas de la policía respecto a su persona. Un informe enviado a la reina regente el 19 de octubre de 1835 le involucra en un asunto muy grave. El documento dice lo siguiente:

> Es indispensable adoptar ciertas precauciones para destruir en parte los planes formados para egecutar el horrible atentado del asesinato proyectado en la persona de quien tiene conocimiento S.M.

165. Este detalle y los que siguen han sido tomados de los papeles de Istúriz (RAH, Colección Istúriz-Bauer, 9-30-3, leg. 6279). El contenido de éstos no siempre es claro, pero basta para poner en evidencia el papel desempeñado por Istúriz en la oposición a Toreno y en las negociaciones con la junta de Andújar.

> Por primera de aquellas medidas se considera como necesaria la salida de Madrid de D. José Espronceda, encargado de hacer poner en egecución la fatal empresa; se dice que está nombrado oficial de una de las secretarías de Estado. Asi mismo deve salir de la Capital, el Capitán Don Segundo Correa y Botino, socio de Espronceda en el plan; este sugeto ha sido procesado por el delito de insubordinación, y puesto en libertad el mes pasado: El General Quesada tiene los antecedentes necesarios del [1 palabra ilegible: *¿carácter?*] y circunstancias de Correa[166].

Sigue luego una historia rocambolesca de presuntos asesinos que tendrían intención de introducirse en el parque del Pardo, en donde se encontraba entonces la reina, disfrazados de mendigos o de pobres venidos a recoger leña o bellotas. Este atentado, del que se acusa a Espronceda de haberlo preparado, debía ir dirigido probablemente contra Muñoz, amante de la reina, que a la sazón se encontraba embarazada por segunda vez, por obra de éste, y a punto de dar a luz. Esta acusación no parece estar justificada, como tampoco era cierto el nombramiento del poeta como funcionario del ministerio de Estado. Probablemente Mendizábal le ofreció un cargo oficial como recompensa a su misión en Manzanares, pero Espronceda lo rehusó, tal y como declaró más adelante en una carta publicada por *El Eco del comercio* el 29 de julio de 1836, preocupado por mantener su independencia respecto a los hombres en el poder[167]. Era obvio que el asunto revelado en este informe policial no tenía ningún fundamento. Acaso se debiera todo a chismes de confidentes o a una provocación destinada a desacreditar a un joven escritor destacado. Los proyectos que se atribuyen al poeta son de una índole que nada tiene que ver con su carácter, tal y como se manifiesta éste en sus obras y sus actos. Probablemente Espronceda nunca llegó a enterarse de las perversas intenciones que se le atribuían y, en todo caso, nunca fue molestado a raíz de estas extravagantes revelaciones; tres días más tarde, el 22 de octubre, asistía en el teatro de la Cruz a la función patriótica durante la cual se recitó *¡Guerra!* compuesta para la ocasión[168]. Todavía eran tiempos de ilusiones y esperanza.

El ministerio Mendizábal en su etapa inicial

Durante los primeros meses de su existencia, y una vez sofocada la agitación en las provincias, Mendizábal pudo obrar como mejor le convino. La oposición parlamentaria moderada, presidida por Toreno y Martínez de la Rosa, se mostró al principio poco vehemente. Argüelles y Antonio Alcalá Galiano, los dos grandes tenores de las Cortes, apoyaron el proyecto de ley que contenía el voto de confianza solicitado en el discurso de la Corona del 16 de noviembre de 1835 y debatido el 21 de diciembre por los diputados. El duque de Rivas adoptó la mis-

166. Informe firmado por Francisco Salcedo (AGP, Sección histórica, caja 294). Segundo Correa y Botino vivía en Francia como emigrado en enero de 1831; en esa fecha obtuvo el permiso necesario para residir en París y fue inscrito en las listas de ayuda a los refugiados. Él era entonces —o así se nombraba— comandante de caballería (ANP, F^7 12077, 67 er).

167. Véase *infra*, p. 548.

168. *Diario de avisos*, 5 de diciembre de 1835, *Suplemento*.

ma actitud en el momento de los debates del Estamento de Próceres, y la ley fue sancionada por la reina el 16 de enero de 1836. Se autorizaba al gobierno a administrar los fondos públicos según las reglas implantadas para el presupuesto del ejercicio anterior; a modificar —sin tocar los principios esenciales— el sistema de recaudación de los impuestos; y, por último, a «proporcionarse cuantos recursos y medios considere necesarios al mantenimiento y sostén de la fuerza armada y terminar dentro del más breve término posible la guerra civil», sin recurrir no obstante a nuevos empréstitos o a la reserva de bienes del Estado destinados, o debiendo estar destinados, a consolidar y amortizar la deuda pública. Este último artículo, por su contenido más bien negativo, suscitó numerosas reservas debido a la imprecisa extensión de la firma en blanco solicitada. Pero finalmente, Mendizábal lo consiguió por una holgada mayoría tras anunciar, en la sesión de la Cámara de diputados del 31 de diciembre de 1835, que se retiraría si el resultado era otro. Era la primera vez que un gabinete planteaba el voto de confianza en España[169].

Las discusiones sobre la ley electoral contribuyeron en gran manera a dividir a los partidarios de Mendizábal, quien permitió que los debates se fueran prolongando; se habló y se escribió extensamente acerca de los tres proyectos sometidos al Parlamento, para concluir en una solución de compromiso, a medio camino entre la elección directa y la elección indirecta, solución que además no pudo ser sometida a votación en su totalidad debido a la prematura disolución de las Cortes. A raíz de lo cual, el primer ministro se encontró en una incómoda situación que le enajenó en parte la simpatía de algunos de sus amigos políticos, como Alcalá Galiano, Istúriz, el duque de Rivas, Calatrava y Argüelles. *El Eco del comercio* y *El Español*, que hacían campaña por una ley electoral más equitativa, comenzaron a distanciarse del ministerio y de su jefe, y de día en día su apoyo se hizo más matizado con reservas cada vez más numerosas. Si comparamos estos proyectos de ley, advertimos además que tenían como mínimo dos puntos en común: el sufragio universal estaba excluido, y el derecho de voto quedaba reservado a una minoría —que, si bien más o menos amplia, seguía siendo una minoría— elegida en virtud de su situación económica[170]. Por el hecho de que los miembros del clero dejaban de ser elegibles, sólo protestó *La Abeja* en su número del 6 de enero de 1836; era el único periódico, órgano del partido de Martínez de la Rosa y de Toreno, que desde septiembre de 1835 se mostró abiertamente hostil a Mendizábal.

La disolución de las Cortes, dictada por decreto del 27 de enero de 1836, fue acogida con entusiasmo por los liberales que esperaban un triunfo masivo en las próximas elecciones; pero el brusco cambio de Istúriz, Rivas y Alcalá Galiano, que entonces se revelaron claramente como moderados, dividió la antigua mayoría; y, por su parte, el conde de Las Navas fue adoptando una postura cada vez más radical. La política del «ministerio de la revolución», según lo denominaban tanto sus adversarios como sus partidarios de los primeros tiempos, había origina-

169. Sobre esta ley y las reacciones que suscitó en el Parlamento, véase J. Tomás Villaroya, *El sistema político del Estatuto Real...*, Madrid, 1968, pp. 362-364 y 411-413.

170. Véanse los pormenores de las discusiones sobre la ley electoral en el artículo de A. Dérozier citado *supra*, nota 148.

do este nuevo fraccionamiento de los dos grandes partidos, el moderado y el liberal. Sus líderes, antiguos emigrados como Mendizábal, habían visto, cada uno por su lado, en el programa del primer ministro el posible triunfo del sistema que defendían. Pero mientras para los primeros, este programa destruía con una rapidez a sus ojos peligrosa el precario equilibrio instituido por el Estatuto Real, para los segundos no atendía lo suficiente a las necesidades de una evolución del régimen en el sentido de una representatividad extendida a todos los miembros de la sociedad española. Se produjo, por lo tanto, un serio malentendido en torno a la declaración del 14 de septiembre de 1835, que sentaba las bases de un contrato consensual y se presentaba como la que iba a dotar a España de una verdadera monarquía constitucional según el modelo inglés; en efecto, los liberales exaltados vieron en ella esperanzas de una ampliación de las libertades, cierto espíritu democrático; y los moderados vieron una promesa de prosperidad para la burguesía de los negocios y del comercio.

Mendizábal no tardó en percatarse de este estado de cosas, enojoso para la estabilidad de su ministerio. Una vez obtenida la sumisión de las juntas insurrectas, se esforzó —con una insistencia que llega a ser conmovedora— por mantener el favor de Luis Fernández de Córdoba que estaba al mando del ejército del norte; así lo demuestra la correspondencia cruzada entre el primer ministro y el general, y citada por el hermano de éste en sus memorias[171]. En ella, el jefe del gabinete insiste en el hecho de que la dimisión del oficial arrastraría el país al caos, y se trasluce su preocupación ante la posibilidad de que Córdoba abandonara airadamente su cargo para ponerse a disposición de la oposición moderada y encabezar un nuevo gobierno. El 9 de febrero de 1836, llegó incluso a escribirle para proponerle ser elegido diputado de Cádiz, si tal era su deseo, y pedirle que Estébanez Calderón usara de su influencia para que Salustiano de Olózaga obtuviera la mayoría en Logroño, en donde "El Solitario" era a la sazón gobernador civil. Aun cuando su hermano se afana en demostrar que Luis Fernández de Córdoba no tenía intención de venir a Madrid para prepararse, en conversaciones con los moderados, a presidir un gabinete apoyado por la camarilla de la regente, no obstante las cartas enviadas por Muñoz y María Cristina al comandante en jefe del ejército del norte, si bien no aluden a ningún proyecto concreto de este tipo, hablan profusamente de un posible viaje del general a la capital[172]; de ahí que Mendizábal tuviese el mayor interés en granjearse la simpatía del general mediante demostraciones de amistad y promesas de envíos de fondos, tropas, víveres y material. Además, el hermano del oficial confiesa ingenuamente: «¡Lástima es que haya sido preciso en todas las épocas en España contar con el apoyo, o con la neutralidad al menos, de la fuerza pública, para decidir los más sencillos asuntos de Gobierno!» Se apresura a añadir que la regente mostraba excesiva desconfianza en su primer ministro, el cual —y en este punto podemos confiar plenamente en la opinión de este moderado— «inclinábase entonces, y muy marcadamente por cierto, en sentido conservador, achaque éste muy común en cuantos liberales de abolengo han ocupado el poder a

171. F. Fernández de Córdoba, *op. cit.*, BAE, t. CXCII, pp. 206b-211b.
172. *Id., ibid.*, pp. 214-216.

poco de ejercerlo, y de cuyo fenómeno no fue el primero ni el último ejemplo Mendizábal[173]».

La disolución de las Cortes se había hecho inevitable, y Mendizábal tuvo que dictarla para intentar un acercamiento con sus amigos liberales cuyo apoyo le era indispensable. La *Revista española*, órgano de Argüelles y de Alcalá Galiano, había expresado ciertas reservas sobre el voto de confianza en su número del 1 de enero de 1836. Un colaborador que firmaba como «J.M.L.» —¿acaso Joaquín María López?— manifestaba algún temor por la utilización que pudiera hacer el primer ministro de la libertad de acción que solicitaba; se preguntaba cuáles serían los medios que iba a emplear y qué límites iban a tener sus medidas políticas y financieras. El artículo terminaba con una advertencia prudente, aunque firme, a no abusar del voto de confianza: «Cualquier voto de esta clase que se solicite, tendrá que pecar mucho por lo vago e ilimitado, tendrá que dejar la índole, el carácter y la extensión de la operación al arbitrio de aquel a quien se conceda.» Al día siguiente, el mismo periódico publicaba un artículo de A[niceto] de Á[lvaro], titulado *Legados del ministerio Mendizábal*, en el cual se imaginaba la situación en caso de dimisión del gabinete: se decía que éste se había esforzado en restringir la censura y que, llegado al poder en circunstancias particularmente críticas, había contribuido a fortalecer el ejército, dándole los medios para luchar contra el carlismo, y también para defender la independencia del país una vez restablecida la paz. Para concluir, el autor felicita al ministro por haber anunciado su intención de dimitir si no obtenía una muy amplia mayoría: «Esta declaración es el complemento de la más solemne prueba del culto que profesa a las doctrinas constitucionales quien la ha emitido. Así procede el hombre de bien. Así muere el justo en la tranquilidad de su conciencia.»

En su comentario acerca del voto de confianza, M[ariano] C[arnerero] disertó el 5 de enero en el mismo periódico sobre el tema siguiente: la mayoría aplastante obtenida por el ministro (135 votos a favor, 3 en contra y 12 abstenciones) es la prueba de que la casi mayoría quiere cortar definitivamente el paso a don Carlos. En los días que siguieron, este diario insistió en la dificultad que existía para Mendizábal de apoyarse en una mayoría coherente; el artículo de fondo anónimo publicado el 25 de enero de 1836 plantea el problema en los siguientes términos:

> En cuanto al gobierno se encuentra en una muy extraña y dura posición. Ha declarado que no cree practicable un método de elegir en el tiempo requerido para cumplir las promesas de S.M. la Reina Gobernadora; y sin embargo, le obligan a plantearlo. En lugar de dirigir como gobierno, se cambia el instrumento para llevar a cabo ideas ajenas. El ministerio del señor Mendizábal será el agente de una mayoría a cuya cabeza se encuentran y cuyos directores son los señores Martínez de la Rosa y conde de Toreno. ¿Es ésta posición parlamentaria? Fácil nos parece la respuesta, y fácil igualmente de designar los dos únicos medios que existen para salir de tal embarazo.

El 18 de febrero de 1836, *La Abeja* publicó un suplemento de cuatro páginas que incluía un extenso artículo titulado *Cuatro palabras sobre la prensa periódica,*

173. *Id., ibid.*, p. 216b.

y los ministerios Cea, Martínez de la Rosa, Toreno y Mendizábal, del que, tres días más tarde y en las mismas columnas, se declaró autor Antonio de la Escosura y Hevia. Éste defendía con entusiasmo la política de los tres primeros jefes de gabinete, justificando la de Martínez de la Rosa por haber tenido el mérito, al elaborar el Estatuto Real, de ofrecer al país una «bandera de fusión»; agregaba —y ahí radica el fondo de su argumentación— que no era la oposición parlamentaria la que había precipitado la caída de Cea, sino «la insensata y descabellada que se le hacía en los periódicos y los cafés», cuando esta misma prensa, en cambio, no había mostrado la menor preocupación ante la conspiración de 1834 que, contrariamente a lo que pudiera haberse dicho, existió realmente. Como puede suponerse, Antonio de la Escosura concluye planteando la necesidad de la unión y el olvido de las diferencias; la abolición de la tolerancia que se tiene para con las opiniones desmedidas, sus manifestaciones y los periodistas, verdaderos responsables de las crisis; y propone también la desaparición del espíritu de partido. Del espíritu de partido de los que no militan en las filas de los moderados, por supuesto. Luego estas consignas se repetirán incansablemente en otros artículos de *La Abeja*, y más adelante en 1838 en *El Correo nacional*. Los días 21 y 24 de febrero de 1836, la *Revista española* combatió los argumentos de Antonio de la Escosura, que había negado la realidad de las medidas arbitrarias de detención y destierro dictadas por Martínez de la Rosa en julio de 1834[174]. También continuó la polémica entre *La Abeja* y *El Eco del comercio*; el primero siguió reclamando un gobierno enérgico, a su entender el único capaz de llevar a cabo de forma sensata la reforma social, así como afirmando que su partido era el de la nación (20 de febrero).

En el primer artículo que publicó el 5 de enero de 1836 —*Fígaro de vuelta*—, Larra demuestra una actitud expectante más bien favorable al nuevo jefe de gabinete; en su folleto *Buenas noches*, del día 30, se alegra por la disolución de las Cortes pero señala con ironía y amargura la confusión que reinó en el debate sobre la ley electoral, en el cual el ministerio se mostró poco enérgico[175]. Pero Larra empieza pronto a adoptar una actitud desencantada, según refleja la *Tercera carta de Fígaro a su corresponsal en París*, del 3 de abril de 1836[176]. Protesta contra la intensificación de la censura, y evoca luego los disturbios que se habían producido recientemente en Barcelona, Zaragoza y Valencia; atribuye las razones de los mismos al odio difuso que existe hacia el clero regular, considerado por el pueblo como activo soporte de la causa carlista, y hacia los gobiernos que han dado muestras de una reprobable indulgencia. Lamenta el que algunos oponentes, como Aviraneta, hayan sido deportados a las Islas Canarias sin habérseles instruido proceso alguno; que no se dé al general Córdoba los medios para llevar a cabo su plan de campaña; y que el gobierno encubra a Mina —o cuando menos no lo desapruebe públicamente— después de que éste ordenara la ejecución de la madre del faccioso Cabrera[177]. Larra critica a Mendizábal por haberse hecho

174. Véase *supra*, p. 299.
175. BAE, t. CXXVIII, pp. 125-129 y 140-146.
176. *Ibid.*, pp. 191-200.
177. La relación pormenorizada de estos hechos se publicó en *El Español* el 30 de marzo de 1836, y aparece reproducida en Lafuente, *op. cit.*, t. VI, pp. 118a-124a, donde también podemos hallar el relato de la ejecución de la madre de Cabrera, tal como apareció en el mismo periódico el 29 de febrero.

elegir diputado por varias provincias, y por acumular las funciones de presidente del Consejo con las de ministro de Asuntos Exteriores, Hacienda y Marina. Por último, deplora que se pretenda restablecer la constitución de 1812, que no responde ya a las necesidades y aspiraciones de la época. La frase siguiente resume perfectamente su punto de vista sobre la situación: «Pero todos somos liberales y vamos a una: eso sí. Por lo cual esto se acabará pronto de un modo o de otro; en prueba de ello te puedo decir que se empiezan a acabar dos cosas: el dinero y la paciencia.»

Las críticas de Larra reflejan fielmente las principales quejas de la oposición. Aunque resulta más acertado hablar de "oposiciones" ya que, si bien *La Abeja*, *El Español, El Eco del comercio* y la *Revista española* coinciden en deplorar la actuación del gobierno, el análisis que hacen de la misma y las conclusiones que sacan son obviamente distintas y divergentes. El único punto en común entre los periódicos de distinta tendencia es su hostilidad cada vez más declarada hacia Mendizábal.

Crítica del espíritu mercantil; el artículo de Espronceda *El gobierno y la Bolsa*; influencia de Heinrich Heine

El 7 de marzo de 1836, *El Español* publicó un artículo titulado *El gobierno y la Bolsa*, firmado por José de Espronceda[178]; era la primera vez que éste dejaba oír su voz públicamente en la campaña de prensa dirigida contra el primer ministro. En él, no ataca hechos concretos, sino que denuncia uno de los aspectos fundamentales de la política de Mendizábal, como es la preocupación por reactivar la situación económica favoreciendo las operaciones financieras. Los decretos de desamortización y puesta a la venta de los bienes del clero —publicados los días 16 y 19 de febrero y completados por un tercero que saldría el 8 de marzo— habrían de permitir al gobierno atraerse a los rentistas del Estado y a los futuros propietarios de los bienes vendidos en pública subasta. Acérrimo defensor de las clases sociales desfavorecidas, el poeta censura este espíritu mercantil. No se expresa como un experto en economía política, sino que adopta de entrada el punto de vista del hombre de la calle, de «cualquiera rancio español, de estos por quienes se dijo *el pan pan y el vino vino*». No duda de que el gobierno esté deseoso de poner fin a la guerra carlista pero, a su modo de ver, se equivoca en el medio que utiliza, al identificar el interés de la nación con el alza de las cotizaciones de la Bolsa. Quienes consideran dicho edificio como el bastión de nuestra libertad y de todos nuestros anhelos esperan el alza con tanta impaciencia como se aguardaba antaño la llegada del Mesías, ateniéndose al siguiente razonamiento lógico:

178. BAE, t. LXXII, pp. 582-583. He aquí la fe de erratas de esta única reedición: p. 582 a, l. 5, en lugar de *públicos*, léase *políticos*; l. 20, en lugar de *paladín*, léase *paladión*; l. 29, en lugar de *aguardan*, léase *aguardaban*; p. 582 b, l. 2, en lugar de *venturoso y anhelado* léase *anhelado y venturoso*; l. 25, en lugar de *a la de la mayoría*, léase *al de la mayoría*; p. 583 a, l. 3, en lugar de *o una noticia*, léase *una noticia*; l. 6-7, en lugar de *una suma muy pequeña de su riqueza*, léase *una muy pequeña parte de su riqueza*; l. 16, en lugar de *intentaban*, léase *intenta*; p. 583 b, l. 11, en lugar de *para la nación*, léase *para una nación*.

> Cuando llegue ese anhelado y venturoso día —dicen— tendremos oro a montones, porque habrá confianza; de la confianza nacerá el crédito, del crédito el dinero, y como para todo se necesita dinero y todo se alcanza con él, extinguiremos la facción, las fuentes de la pública prosperidad derramarán torrentes de riqueza, y la ahora desventurada España será entonces el asombro y la envidia de las demás naciones.

A su llegada al poder, Mendizábal disfrutaba del prestigio que le daban conjuntamente su pertenencia al partido liberal durante la ominosa década, el éxito de la campaña que había llevado a Maria da Gloria al trono de Portugal, así como su reputación de hombre de negocios que gozaba de la confianza de los banqueros más importantes de Europa. Aparentemente la situación del Erario español es favorable desde 1834, época en que la circulación en España de moneda extranjera fuerte —consecuencia de los empréstitos en Francia e Inglaterra— permitió cierta reactivación de las operaciones en la Bolsa de Madrid, fundada en 1831. Pero todo se reduce a un mero espejismo, ya que las especulaciones al alza no tienen efecto duradero y no originan una verdadera expansión. La ley Toreno del 16 de noviembre de 1834, que disponía la conversión de la deuda pública, había permitido negociar con el banquero Ardoin de París un empréstito de 400 millones de reales, a cambio de títulos por un valor nominal de 700 millones[179]. Cabe preguntarse cómo, en las condiciones de deflación monetaria en que se encontraba España, podía esperar Mendizábal hallar nuevos recursos sin recurrir a impuestos o empréstitos nuevos, y mejorar la condición de los detentores de créditos al Estado asegurando la negociación de las rentas españolas en las bolsas extranjeras. Al parecer, el primer ministro demostró excesivo optimismo al no poner los medios para consolidar progresivamente la deuda pública, medida que se imponía con la máxima urgencia puesto que las arcas del Estado estaban casi vacías y que el presupuesto de Guerra exigía fuertes y urgentes gastos. Desde finales de 1835, Lista publicó en la *Gaceta* numerosos artículos cuyo tema le suministraba el primer ministro, con el objeto de infundir confianza en los círculos de negocios[180]. Pero Mendizábal tomó peligrosas iniciativas, negociando letras de cambio sobre futuros ingresos procedentes de algunas colonias y de las minas de Almadén, y utilizando fondos depositados en Londres para la conversión de la deuda externa en virtud de la ley Toreno de 1834. En resumen, empleó 500 millones que produjeron apenas la mitad y cargaron con un interés de 17 millones y medio de reales al año el presupuesto nacional, lo cual equivalía a efectuar un empréstito encubierto. Para asumir sus compromisos, Mendizábal decidió por decreto del 16 de febrero de 1836 que los títulos no incluidos en la ley Toreno serían liquidados, fijándose el plazo de presentación para el 31 de diciembre siguiente. La noticia sembró la alarma entre los que ostentaban títulos consolidados, por la competencia que los nuevos títulos iban a crear sin duda en la Bolsa, y una vez más se intentó tranquilizarlos mediante algunos artículos en la *Gaceta*. No obstante, se produjo una baja sensible de los efectos públicos que constituyó una de las causas determinantes de la decisión de expropiar los bienes del clero

179. J. Sardá, *La política monetaria*..., Madrid, 1948, pp. 255-256.
180. Lafuente, *op. cit.*, t. VI, pp. 147b-148b.

y venderlos para cubrir la deuda del Estado. En realidad, la posibilidad de adquirir estos bienes por medio de títulos de la deuda pública consolidada previstos por el anterior decreto originó una considerable pérdida de beneficio para el vendedor. Este breve panorama de la situación de la economía española a comienzos de 1836 basta para entender las críticas que dedica Espronceda a este aspecto de la política de Mendizábal. Su artículo se sitúa en el momento en que el primer ministro espera que el mercado bursátil va a consolidarse, y permitirle que se beneficien de sus operaciones financieras tanto el Estado como los "capitalistas". En su folleto *El ministerio Mendizábal* pronto reiterará el poeta, con argumentos más sólidos, las ideas expuestas en *El Español* del 7 de marzo de 1836.

De momento, se atiene a observaciones generales: el gobierno es un gobierno «puramente mercantil» cuyo jefe merece más bien el nombre de director de la Bolsa que el de administrador del país. Partiendo del principio según el cual ningún pueblo ha debido nunca su felicidad a las especulaciones de financieros que actúan sólo en interés propio, considera que el alza o la baja de los fondos públicos, provocadas a veces a capricho, nada tienen que ver con el bien de la nación. No hay que confundir causa y efecto, pues una Bolsa floreciente no suele dar origen a la riqueza de un país, sino que es tan sólo una de las consecuencias de su prosperidad. El autor recuerda que se está incurriendo en el mismo error cuando se propone el tendido del ferrocarril antes de tener mercancías o productos agrícolas que transportar. Al invertir el orden de los factores, «intenta el Gobierno hacer milagros». Por último, plantea un nuevo argumento, éste de orden moral: de ningún modo puede considerarse la Bolsa el termómetro de la opinión pública, ya que la conducta de los especuladores no viene dictada ni por el amor a la patria ni por la honradez:

> Allí en un juego inmoral y sobremanera ruinoso, a costa de todo, trata el jugador de enriquecerse, suben y bajan los fondos a voluntad del más influyente, y más de una vez ha habido fiesta en la Bolsa y el sol ha brillado allí en todo su esplendor para los que negocian en ella, mientras estaba enlutado y sombrío para una nación entera.

No hallamos en este artículo ideas inspiradas por una teoría económica determinada. Espronceda advierte que el juego de la Bolsa no es más que un artificio de gobierno, más peligroso aún para un país, en gran parte agrícola, cuando el primer ministro lo ha convertido en una institución fundamental de su sistema. Aunque tiene la sensación de que entraña peligro para el equilibrio financiero y social de España, no opone ningún argumento técnico. La impresión predominante tras la lectura de este breve artículo es la de que Espronceda considera también una injusticia el hecho de que algunos hombres que se enriquecen, desdeñando el interés general, sean mirados como quienes representan la única fuerza importante del país. Tampoco puede llegarse a afirmar que Espronceda se declare adversario del capitalismo; tan sólo denuncia una tara de la sociedad burguesa, el espíritu mercantil, que acarrea como consecuencia la explotación de los pobres por los ricos, una nueva forma de servidumbre. Estas ideas reaparecerán, con un tono más violento, en poesías posteriores. En *El canto del cosaco* (vv. 19-22), Europa está presentada como un continente en el que el afán de lucro constituye el único ideal, y que no merece sino servir de botín a los bárbaros. Este desprecio vuelve a advertirse en los primeros versos de *A la degradación de Europa*; por último, en el canto III de *El diablo mundo*, dirigiéndose a la «turba de viejos que ha mandado y manda», Espronceda concluirá su diatriba con esta afirmación:

Sólo nos podéis dar, canalla odiosa,
miseria y hambre y mezquindad y prosa[181].

Este desprecio por el culto al dinero está ya presente, aunque expresado en términos menos categóricos, en el artículo *El gobierno y la Bolsa*. No deja de sorprender la brevedad del mismo, tratándose de un tema tan importante; tal vez la censura amputara algunos pasajes, ya que, según observamos, va subiendo el tono al hilo de las frases. Las dos primeras están teñidas de cierta ironía que no tarda en desaparecer, sustituida por el apasionamiento que impulsa a Espronceda a mostrarse cada vez más mordaz y sarcástico: «a fe que hay gentes que están esperando el alza de los fondos como los santos padres aguardaban el advenimiento de Nuestro Señor.» Los especuladores no están mejor tratados: su interés es «mezquino y contrario al de la mayoría»; no son ni patriotas ni honrados, tan sólo jugadores que practican un juego inmoral. El autor concluye con una apreciación desencantada, que nos recuerda el estilo de Larra: «*Los fondos subieron*, muchas veces equivale a decir de oficio: *Ha habido regocijos públicos y el rey fue vitoreado y aclamado con general entusiasmo*.» Pero dista mucho el poeta de tener el oficio de su amigo "Fígaro", más frío y también más convincente y corrosivo cuando se dispone a menudo, como quien no quiere la cosa, a espetar tremendas verdades.

El artículo *El gobierno y la Bolsa* se debe al choque que supuso para las profundas convicciones de Espronceda una política de la que desaprueba el principio fundamental. Así pues, resulta difícil, en relación con este artículo, hablar de fuentes en el sentido estricto de la palabra. Sin embargo, tiene cierto interés señalar que el mismo tema había sido tratado por Heinrich Heine, del que tuvimos ocasión de comprobar, si no la influencia, cuando menos las afinidades de pensamiento con Larra y Espronceda. En el octavo de los artículos recopilados bajo el título de *De la France*, escrito el 27 de mayo de 1832 en París[182], el escritor alemán comunicaba las reflexiones que le inspiraba el hecho de que la muerte de Casimir Périer —el «gran ministro banquero» que «había rebajado Francia para hacer subir la cotización de la Bolsa»— no hubiese tenido la menor influencia en las cotizaciones del mercado financiero. Su postura respecto a esta institución coincide con la de Espronceda:

181. BAE, t. LXXII, p. 110. Hemos corregido, en el primer verso citado, la palabra *viejas* (que se encuentra en todas las ediciones del poema) por *viejos*, solución que nos parece, atendiendo a su sentido, mucho más satisfactoria.

182. H. Heine, *De la France*, ed. R. Schiltz, París, 1930, pp. 128-133. En su reseña de *El ministerio Mendizábal*, Larra niega que la Bolsa sea el verdadero termómetro del estado del país; de todas formas, Espronceda no había retomado esta comparación en su folleto; posiblemente "Fígaro" pensaba en el artículo *El Gobierno y la Bolsa*, y quizás también en el texto de Heine.

> Je me courrouce toutes les fois que j'entre à la Bourse, ce bel édifice de marbre, bâti dans le style grec le plus noble et consacré à cet ignoble trafic des fonds publics ... C'est ici ... que s'agite l'agiotage avec ses mille figures tristes et ses dissonnances criardes, comme le bouillonnement d'une mer d'égoïsme*.

En su texto hallamos la misma imagen y su refutación:

> Le cours des effets publics et de l'escompte est sans contredit un thermomètre politique; mais on se tromperait si l'on croyait que ce thermomètre indique le degré de progrès de l'une ou l'autre question qui remuent actuellement l'humanité**.

Heine demuestra por medio de algunos ejemplos recientes que no existe proporción alguna entre el carácter y las consecuencias de una peripecia política en quienes la padecen, y el modo en que reacciona la Bolsa ante el hecho. Espronceda se limita a comprobar este desfase en términos generales, y a través de la siguiente comparación que precede la frase final anteriormente citada: «más de una vez ha habido fiesta en la Bolsa y el sol ha brillado allí en todo su esplendor para los que negocian en ella, mientras estaba enlutado y sombrío para una nación entera.» Ambos escritores están de acuerdo en condenar el espíritu de lucro que excluye toda reacción humana ante los acontecimientos, condena que Heine expresa del siguiente modo:

> Être ou ne pas être n'est pas la grande question à la Bourse: on ne s'y inquiète que de la paix ou du trouble. C'est là aussi que se règle l'escompte. Dans les temps d'agitation l'argent devient inquiet, se renferme dans les caisses des riches, comme dans une forteresse, et y demeure retiré: l'escompte monte. En temps calme, l'argent redevient confiant, s'offre volontiers, se produit en public, se montre très affable: l'escompte est bas[183].

* («Me enfurezco cada vez que entro en la Bolsa, hermoso edificio de mármol, construido en el más noble estilo griego y dedicado a este innoble tráfico de fondos públicos ... Aquí es ... donde bulle el agiotaje con sus mil tristes rostros y sus disonancias chillonas, como el hervor de un mar de egoísmo.»)

** («La cotización de los efectos públicos y del descuento es sin lugar a dudas un termómetro político; pero sería una equivocación el pensar que dicho termómetro indica el grado de progreso de alguna de las dos cuestiones que agitan actualmente la humanidad.»)

183. («Ser o no ser no es la cuestión fundamental en la Bolsa: allí sólo preocupa la paz o el desorden. También allí es donde se determina el descuento. En las épocas de agitación el dinero se vuelve temeroso; se encierra en las arcas de los ricos, como en una fortaleza, y allí permanece retirado, con lo cual sube el descuento. En tiempos de paz, el dinero vuelve a ser confiado, gustosamente, se presenta en público y se muestra muy afable: entonces el descuento es bajo».) En *De l'Allemagne* (París, 1866, t. I, pp. 349-350), Heine relacionaba el culto al dinero con una nueva religión: «Mais en quoi consiste cette religion d'aujourd'hui, est-ce l'argent fait Dieu ou Dieu fait argent? N'importe, l'argent est le seul culte actuel. Ce n'est plus qu'au métal monnayé, aux hosties d'or et d'argent que le peuple attribue une vertu miraculeuse. L'argent est le commencement et la fin de toutes les œuvres des hommes d'aujourd'hui.» («Pero ¿en qué consiste esta religión de hoy, es que el dinero hace a Dios o Dios hace el dinero? No importa, el dinero es el único culto actual. Sólo el metal-moneda, a las hostias de oro y de plata, atribuye el pueblo una virtud milagrosa. El dinero es el principio y el fin de todas las obras de los hombres de hoy.») Estas frases, según parece, influyeron en el pasaje de *El gobierno y la Bolsa* en

Son los mismos principios por los que se rigió la política financiera de Mendizábal, cuya acción más importante fue la desamortización, y que tuvo consecuencias duraderas en el país.

Larra y Espronceda, defensores del patrimonio artístico amenazado por la desamortización

De entre estas consecuencias, hay una que, no siendo ni política ni económica, fue sin embargo de gran alcance; nos referimos a la destrucción total o parcial de los edificios religiosos y a la dispersión sin discernimiento de las obras de arte y de las bibliotecas que contenían. El 25 de enero de 1836, se instituyó en Madrid una comisión denominada de demolición, encargada de determinar la suerte de los mil novecientos monasterios españoles cuya supresión había sido dictada por decreto del 11 de octubre anterior. Unos meses antes, en julio, Toreno había promulgado dos decretos en los que se disponía la abolición de la Compañía de Jesús y la disolución de las comunidades de menos de doce religiosos. Larra había llamado la atención entonces sobre el peligro que sin duda iban a correr las riquezas artísticas contenidas en las instituciones afectadas y en las que, según sus acertadas previsiones, iban a ser cerradas dentro de poco. Envió desde París un artículo sobre este tema a la *Revista mensajero*, que lo publicó el 3 de agosto de 1835. En él, Larra alertaba al gobierno del proyecto ideado en la capital francesa de enviar a España una comisión oficial cuyos miembros debían encargarse de copiar o adquirir cuántos cuadros y manuscritos pudiesen hallar; incitaba a sus compatriotas a que se apresuraran a inventariar y poner a buen recaudo las obras de arte que poseían, antes que permitir que el provecho se lo llevaran unos extranjeros[184]. Su primer artículo publicado en *El Español* el 5 de enero de 1836[185] contenía una alusión al que había salido a la luz cinco meses antes. "Fígaro" recordaba a su imaginario corresponsal parisiense que poco después de su primera voz de alarma —curiosa coincidencia— se había promulgado un decreto para enviar a provincias personas competentes, con la misión de hacer inventario de los objetos artísticos pertenecientes a los mencionados conventos, y de guardarlos en lugar seguro. Pero según añade Larra,

> la cosa se ha llevado tan a punta de lanza, y con tal celo, que yo mismo vi y toqué no muy lejos de Madrid objetos de ésos, que paran en casa de quien los ha querido tomar. Códices viejos, por ejemplo, manuscritos, ediciones raras de obras antiguas y otras bagatelas. ¿Para qué quiere el gobierno esas tonterías? ¡Librotes de frailes! ¡*Chucherías de las madres*!

---

que Espronceda compara a los especuladores con los «santos padres [que] aguardaban el advenimiento de Nuestro Señor».

184. "Conventos españoles...", BAE, t. CXXVIII, pp. 117-119. La comisión a la que se refiere Larra estaba integrada por el barón Taylor y los pintores Dauzats y Blanchard. Abandonó París en octubre o noviembre de 1835 y, tras un viaje a Portugal y Andalucia, se hallaba en Madrid a principios de 1836 (véase al respecto, A. Rumeau, «M. J. de Larra et le Baron Taylor, *Le Voyage pittoresque en Espagne*», *Revue de littérature comparée*, XVI, 1936, pp. 478-482).

185. "Fígaro de vuelta. Carta a un su amigo residente en París", BAE, t. cit., pp. 125-129.

Poco después de que se creara la comisión de demolición, varios artistas protestaron por el vandalismo legal que iba a practicarse contra monasterios o iglesias de Madrid de gran valor artístico. El 23 de febrero de 1836 en *El Español*, y el 28 en *El Artista*, Pedro de Madrazo publicó dos extensos artículos titulados *Demolición de conventos*. En ellos declaraba que iba a enfocar el tema desde el punto de vista exclusivo del arte. Derruir los conventos que no poseen ningún valor arquitectónico, y cuyas tapias afean la capital, puede ser perfecto; pero resulta inadmisible que pueda pensarse en echar a tierra los de San Felipe el Real, de la Merced o de la Trinidad, puesto que ello supondría transformar Madrid en una ciudad desprovista de todo interés para el turista en busca de monumentos del pasado. Dispersar las riquezas que contienen sería una solución absurda, y los extranjeros nos acusarían con toda la razón de barbarie. Antes que construir horribles edificios modernos, es conveniente conservar los que tienen un valor indiscutible. Un colaborador anónimo de *El Eco del comercio* respondió a Madrazo, en el número de dicho periódico del 1.º de marzo de 1836, recogiendo algunos de sus argumentos. Así, arguye que, si bien ni Londres ni París poseen tantos campanarios y chapiteles como Madrid, no obstante estas dos capitales son más bellas y más visitadas que la de España. Antes que conservar, más vale destruir para construir edificios nuevos. Además, «no sería justo ni conveniente al país que por conservar un retablo u otro pequeño objeto artístico se dejase de hacer una calle o una plaza útil al común de los vecinos». Indudablemente —añade el redactor— no se va a plantear el derruir El Escorial, pero muchos conventos podrían desaparecer sin perjuicio para el arte. Eso es justamente lo que había escrito Madrazo, pero no impide que afirme su contradictor: «Sólo un amor desordenado a las artes puede hacer concebir la idea de que se conserven todos los conventos de comunidades suprimidas para museos de pinturas.» *El Español* publicó el 26 de febrero la carta de un lector que firmaba "Un artista" y apoyaba el punto de vista de Madrazo; el 5 de marzo le cedió sus columnas a éste para que pudiera responder a *El Eco del comercio*. De hecho, cada cual se mantenía en sus posiciones.

Ante la oportunidad de defender una noble causa, raro hubiera sido que Espronceda no deseara hacerse oír. El artículo que escribió sobre este tema (con toda probabilidad en febrero o marzo de 1836) permaneció inédito —que sepamos por lo menos— hasta el 22 de mayo de 1882, fecha en la que salió publicado en el diario *La Época* de Madrid[186]. El tono muy virulento de estas páginas nos induce a pensar que tal vez su publicación fuese prohibida por la censura. Hay que reconocer que su autor no dejaba bien parados a los hombres en el poder. Tras definir las bellas artes como una de las inagotables fuentes de goce para el espíritu, Espronceda escribe que esta definición, aceptada por la mayoría de los hombres, no lo es sin embargo por

> esa pequeña parte de seres degenerados que no sabemos bajo qué nombre comprender, que no conoce ni quiere conocer más Bellas Artes que el arte de cocina, a cuya

186. Este artículo no se ha reproducido desde entonces en ninguna edición de las obras del poeta. El texto, precedido de una noticia bibliográfica, puede verse en *Espronceda, articles et discours oubliés...*, París, 1966, pp. 10-12.

> sección se nos figura que pertenecen, y sea dicho con perdón de nuestros conciudadanos, los actuales mandarines.

Esta opinión manifestada sin contemplaciones es la que Espronceda se propone desarrollar acto seguido. No se trata de exigir al gobierno que practique el mecenazgo, cuando dispone ya de tan pocos medios para llevar a término otras empresas más urgentes; aunque no será porque no se dedique a «estrujar a la nación». La destrucción de los monumentos constituye un daño irreparable; en efecto, ¿qué vale el dinero que produce en relación a las riquezas perdidas para siempre? Aparecen recogidos los argumentos de Madrazo, aunque Espronceda los expone en términos mucho más enérgicos:

> Baldón eterno y maldición sobre los seres degenerados que han robado a su patria estos objetos de su cariño que la hacían digna de admiración de los extranjeros, obligándoles a extasiarse en lo sublime de nuestro romántico suelo, contemplando esos gigantes de belleza y de poesía.
>
> Maldición también sobre los hijos imbéciles de esta patria que han sonreído apáticamente mientras sus más encarnizados enemigos arrancaban uno a uno los bellísimos florones de su envejecida corona.

Según vemos, nadie se salva, ni gobernantes ni gobernados, poco ansiosos de civismo artístico. De ahí que en el párrafo siguiente el autor empiece por pedir disculpas: «Perdónesenos este arrebato de entusiasmo que nos ha hecho salir de nuestro tono...»; un arrebato sin duda perdonable cuando no se ven más que ruinas en los lugares en donde se erigían antes los edificios que honraban el patrimonio artístico de España. Por lo tanto, ya es hora de que todos los hombres que albergan en el fondo de su corazón «sentimientos puros y sublimes de gloria nacional» se unan para detener esta «devastación vandálica». Leyendo estos epítetos, se entiende que hayamos emitido la hipótesis de un veto de los censores a la publicación de semejante artículo. La violencia de la invectiva lleva a pensar que fue escrito de un tirón en un arranque de indignación. Por otra parte, la situación que denuncia el poeta no es exclusiva de España; también en Francia, en 1825 y luego en 1832, Víctor Hugo daba la voz de *Guerre aux démolisseurs!* en sendos artículos resonantes[187], en los que aparecían duramente tratadas las autoridades locales que, amparando en diversos pretextos su vandalismo inconsciente, derribaban o permitían derruir monumentos de enorme valor. Pero éste guardaba más las formas que Espronceda, y con ello su argumentación ganaba en rigor. En el fondo, las conclusiones de ambos escritores son similares y coinciden con las de Pedro de Madrazo anteriormente citadas: algún día se lamentará esta «arbitraire dévastation» («arbitraria devastación») del patrimonio artístico religioso de España, pero demasiado tarde, cuando ya sea irremediable. Espronceda hace también una profecía, que por desdicha se cumplirá en parte cuando, en 1837, el primer ministro Calatrava decrete la venta de los objetos del culto procedentes de algunas de las iglesias y conventos secularizados:

187. *Œuvres complètes* de V. Hugo. *Philosophie I, 1819-1834: Littérature et philosophie melées*, París, [1927], pp. 315-342.

> Cuando no haya más bellezas arquitectónicas de que echar mano, se pondrán a pública subasta todas las demás bellezas artísticas encerradas en nuestros museos, que enriquecerán a algunos particulares empobreciendo y humillando a toda una nación que quedará para siempre entregada al olvido, sin tener un solo objeto de arte que mostrar a la veneración del universo de las innumerables palmas que cogió en sus tiempos de gloriosa soberanía.

Espronceda no se basa, como Hugo o Madrazo, en ejemplos concretos; da la voz de alarma en unos pocos párrafos apasionados. Su intervención en el debate tiene como objeto el de lanzar una campaña, y por ello invoca a que participen «las buenas plumas de nuestros artistas», reclamando que «lluevan artículos que ilustren a la nación acerca de lo bárbaro de cada nueva medida de demolición que se adopte». También en este punto coincide con Larra, quien concebía la función del escritor como la de un hombre cuya misión consiste en pregonar la verdad y propagarla a cualquier precio.

La oposición a Mendizábal en la prensa madrileña

Desde comienzos de marzo de 1836, es decir en la época en que Mendizábal gobierna enajenándose la nueva Cámara elegida el mes anterior —cuya mayoría le es favorable en principio y cuya minoría moderada se muestra cada vez más hostil—, la situación del ministerio es muy grave. Las cartas enviadas, los días 9 y 30 de marzo desde Madrid, por Miguel de Imaz —estrecho colaborador del ministro de la Guerra, conde de Almodóvar— al general Luis Fernández de Córdoba, reflejan la amplitud de la campaña emprendida contra el jefe de gobierno[188]. A partir del 1.º de marzo, se publica un nuevo periódico, *El Jorobado*, que maltrata con dureza a los hombres en el poder; por entonces el conde de Las Navas se convierte en enemigo acérrimo de Mendizábal, como también Istúriz (aunque por motivos opuestos) que se niega a formar parte del gabinete; a su vez, Andrés Borrego, influyente director de *El Español*, descontento al comprobar que se han desoído sus consejos, retira su simpatía al primer ministro, quien intenta ponerle en minoría en el consejo de administración del periódico si persiste en publicar artículos de oposición al gobierno. Por su parte, el director de la *Revista mensajero*, a pesar de haber rehusado una cartera ofrecida según él demasiado tarde, acepta prescindir de los servicios de un colaborador especialmente virulento en sus artículos, a cambio del compromiso de quinientas suscripciones por parte del gobierno; no obstante, la neutralidad del órgano de Argüelles y Alcalá Galiano durará por poco tiempo; por último, *El Nacional*, que salía tres veces a la semana, pasa a ser diario el 1.º de marzo y, bajo la dirección del secretario de Mendizábal, asegura la propaganda a favor del ministerio. Pero ni la propaganda, ni los pactos, ni la tentativa de intensificar la censura, surtieron el efecto previsto.

188. Estas cartas, de las que hemos tomado los detalles que siguen, aparecen reproducidas en F. Fernández de Córdoba, *op. cit.*, BAE, t. CXCII, pp. 217b-219b. La segunda de estas cartas está fechada en 30 de mayo, pero el lugar que ocupa entre las demás misivas publicadas nos permite suponer que la fecha correcta es la del 30 de marzo, dado que, por otra parte, el 30 de mayo Mendizábal ya no era el primer ministro.

En su artículo de fondo del 1.º de marzo de 1836, *El Eco del comercio* expresa con claridad su postura: si bien nos hemos opuesto a los ministerios Cea, Martínez de la Rosa y Toreno, «con igual imparcialidad hemos elogiado muchos actos de ministerio Mendizábal, y reprobado otros en todo o en parte». El autor recuerda que ya había manifestado ciertas reservas ante el hecho de que no se hubiese completado el gabinete, y ante la falta de firmeza de los ministros; y añade que no puede dejar de lamentar determinadas actuaciones del gobierno que le parecen arbitrarias —el anticipo de un millón de reales solicitado a los mayores contribuyentes de Zaragoza; la contribución de dos millones exigida en la provincia de Alicante con el nombre de donación voluntaria; la exigencia del pago anticipado de las dos terceras partes de los impuestos en el Bajo Aragón— o aquellas otras que pueden acarrear enojosas consecuencias —como el asesinato legal, por orden de Mina, de la madre de Cabrera retenida como rehén—. El editorialista plantea la necesidad de un fortalecimiento de la autoridad del gobierno, único remedio aplicable a su entender. Se trata de un serio toque de atención, algunos de cuyos elementos quedarán recogidos en el proyecto de respuesta al tercer discurso de la Corona, preparado y debatido en abril por los próceres —que hasta entonces no habían manifestado excesiva hostilidad hacia Mendizábal—, pero también por Istúriz, Alcalá Galiano y Las Navas, disidentes de la mayoría en el momento del debate sobre este mismo tema[189].

Los días 14 y 15 de marzo, la *Revista mensajero* publicó dos artículos (*Sobre nuestra conducta* y *Programa*), firmados respectivamente con las iniciales de Mariano Carnerero y Antonio Alcalá Galiano. Con gran prudencia, pero con claridad, los autores escribían en esencia que su apoyo tras la apertura de la legislatura dependería de los actos positivos del gobierno y de las medidas que éste sometería a las Cortes. El 24 de marzo, Galiano tituló su artículo *De la incertidumbre*; en él trata de la incertidumbre, lamentable a sus ojos, en la que el gobierno mantiene a la oposición pública en relación con algunos impuestos recaudados por determinadas autoridades locales, la libertad de prensa, y en general el uso que hace de los amplios poderes que se le concedieron. *El Eco del comercio* del 19 de marzo consiente en no tener en cuenta que ya ha vencido el plazo de seis meses que Mendizábal había solicitado en septiembre de 1835 para acabar con la facción carlista; no por ello se va a exigir su dimisión, aunque se pone como condición fundamental que incremente el esfuerzo bélico y responda de modo aceptable a las objeciones que se le hagan. *El Español* del 17 de marzo hablaba también de las cuentas que el gabinete debería rendir ante los representantes electos de la nación, y no se pronunciaba sobre el resultado de los primeros debates, a los que el ministerio parecía presentarse con un optimismo considerado excesivo:

> O el gobierno de S.M. está seguro de salir triunfante del examen, o se ha abandonado con una resignación verdaderamente ejemplar a sufrir gustoso los resultados que puede traer consigo. Tal nos lo hacen creer la calma y el sosiego con que espera ese día.

El 20 de marzo, el mismo diario manifestaba, en su editorial, su extrañeza ante la aversión que parecía demostrar el ministerio por la mayoría progresista

189. J. Tomás Villaroya, *op. cit.*, pp. 393-395.

que le daba su apoyo en las Cortes; no obstante, *El Español* había alertado a Mendizábal del peligro que correría si no traducía de inmediato en actos sus intenciones. Pero ¿qué ha sucedido hasta la fecha? «El país se encuentra en situación tan crítica como se hallaba en septiembre último ... no se ha hecho más que sentar principios que no se han aplicado, hacer promesas que no se han cumplido.» Se hacían idénticas observaciones en *La Abeja* del 28 de marzo, aunque seguidas de conclusiones opuestas, vertidas por G[ervasio] G[ironella] con el significativo título de *A quién se debe dar la preferencia*; también éste lamentaba que no se hubiesen seguido los consejos de su periódico y adoptado «un sistema firme de progreso legal» (es decir, que no se hubiese proseguido la política de Martínez de la Rosa), y deploraba una vez más que en el discurso de la Corona no se hubiese incluido un llamamiento a la unión y la concordia para la represión, preventiva llegado el caso, de los desórdenes fomentados por los "exaltados".

Según escribiría más tarde Fernando Fernández de Córdoba, era cierto que Mendizábal deseaba aproximarse a los moderados; de ahí que le estorbara la nueva mayoría en las Cortes, pues quería evitar verse impulsado, por seguirla, a adoptar decisiones o medidas demasiado radicales con las que se enajenaría inevitablemente a la alta clase media a la que tanto le había costado atraerse. En una palabra, aceptaba ser el ministro de la revolución, pero de la revolución burguesa. El 22 de marzo de 1836, *El Nacional* publicó una exposición dirigida a la reina el día antes por algunos grandes de España, propietarios y comerciantes de Madrid. Éstos arremetían contra los partidos los cuales, según decían, se dedicaban a una lucha estéril; además, a su entender, estos partidos están condenados, puesto que, pese a sus profundas divergencias, se alian contra Mendizábal. Su conclusión es la de que hay que apoyar a éste a toda costa, a menos de ver el país hundiéndose en el caos en manos de los exaltados. Este tipo de razonamiento será utilizado después reiteradas veces, y también fuera de España, para justificar el apoyo concedido —aunque fuere resignadamente— a algún hombre considerado providencial. Evitanto por todos los medios dar muestras de antiparlamentarismo, precisamente cuando acaban de salir elegidas unas Cortes liberales, los peticionarios concluyen con un sutil distingo entre los partidos y sus diputados, considerados por necesidades de la causa como los portavoces de una mayoría favorable que dimana del país:

> Pero si los partidos son ingratos, los pueblos son generosos, Señora, mientras que ellos se agitan en Madrid para escalar el poder, combatiendo al actual gabinete, éstos le aclaman en toda la extensión de la vasta monarquía: mientras que aquéllos le acusan, éstos eligen procuradores, a quienes imponen el deber de prestarle el apoyo de su voz, ya que el actual gabinete ha prestado a la Nación el apoyo de su brazo.

Como es lógico, quienes pusieron de forma más o menos espontánea su firma al pie de dicho documento no deseaban en modo alguno que las Cortes derribaran al ministro que, al decretar la venta de los bienes del clero, acababa de brindarles la oportunidad de enriquecerse. El 25 de marzo, *El Español* y *El Eco del comercio* expusieron sus dudas sobre el valor y el carácter espontáneo de la petición, que iba seguida sólo de ciento trece nombres, y no de quinientos como pretendía *El Nacional*; éste replicó de inmediato —el día 26— que pronto iban a publicarse las firmas restantes. El órgano oficioso de Mendizábal aprovechó la ocasión para deplorar la conducta tortuosa de *El Español* y atacar «la coqueta y asaz ingrata *Revista*». ¿Ingrata porque las quinientas suscripciones hechas en nombre del gobierno para obtener de Carnerero que sus colaboradores moderasen sus ataques no habían producido el efecto esperado? En resumen, *El Nacional* del 26 de marzo hace suyas, citándolas, las ideas de *La Abeja*: si el gabinete quiere triunfar sobre los dos partidos extremistas que le estorban, debe «invocar con valentía el orden y la legalidad, sacudir el yugo de todo partido, y apelar a la verdadera opinión general, que detesta las bullangas, las arbitrariedades y las injusticias». Así pues, desde la apertura del nuevo período de sesiones de las Cortes, y según reconocía su propio periódico, Mendizábal no era sino un progresista a pesar suyo. El 25 de marzo, los comerciantes de Cádiz dirigieron a su vez a la reina una petición en la que declaraban apoyar con todas sus fuerzas la política de su compatriota; *El Nacional* se apresuró a publicarla en su número del 29. La prensa de la oposición dio a entender de forma discreta que también en esta ocasión las firmas habían sido solicitadas probablemente por agentes de Mendizábal.

El 26 de marzo, durante la sesión de las Cortes se produjo un hecho importante, que relata detenidamente *El Eco del comercio* del 27; al parecer, algunos diputados cambiaron ostensiblemente de escaño para mostrar su desacuerdo con el gabinete. Dos de ellos —uno de los cuales era Fuente Herrero— cuyo escaño se encontraba detrás del banco azul, fueron a reunirse con Argüelles en el centro derecha; en los escaños de la derecha, vacíos hasta entonces, tomaron asiento seis diputados más, que hasta la fecha habían ocupado la izquierda (entre los cuales estaban Alcalá Galiano, Flores Calderón y el conde de Donadío), y a ellos se unió Istúriz; éste, elegido presidente provisional de las Cortes el 17 de marzo, no había sido confirmado en su cargo en el momento de la votación definitiva del día 22. Después de esta nueva demostración pública de desafección con la que culminaba la ruptura entre Istúriz y Mendizábal —concluye diciendo el editorialista de *El Eco*—, el primer ministro sólo podrá contar con una mayoría si modifica y completa el gabinete, si reorganiza la administración pública —empezando por la expulsión de los funcionarios sospechosos de simpatías carlistas—, y si procede a la revisión de las leyes fundamentales; en una palabra, se verá obligado a seguir una línea política claramente definida y constante.

Los días 29, 30 y 31 de marzo, *El Español* publicó tres artículos firmados por su director Andrés Borrego —hecho excepcional destinado a subrayar el alcance de su contenido— titulados *De nuestra posición respecto al actual ministerio*. El primero, en el que se hacía un recorrido histórico de las circunstancias en las que Mendizábal había accedido al poder, concluía con estas apreciaciones:

> Inmensa era la carga que se impuso el Sr. Mendizábal, superior quizás a la capacidad y a los esfuerzos de un solo hombre. Fidelidad y desvelos era lo único que podía exigírsele; él ofreció milagros, y los ofreció con una imperturbabilidad y una insistencia, que no dejó libertad para rehusar el ofrecimiento.

El segundo y el tercer artículos recordaban que el giro que habían tomado las discusiones sobre la ley electoral había colocado al periódico en una posición delicada, pero que en semejantes circunstancias no le quedaba a *El Español* otra salida que mantener su apoyo al gobierno «a pesar de sus desaciertos»; se puntualizaba luego que esta fidelidad no implicaba un apoyo incondicional, sino que, muy al contrario, el sostén sólo se mantendría en la medida en que se fuesen llevando a la práctica los principios afirmados en septiembre de 1835, lo cual equivalía a decir que el periódico se había pasado a la oposición. El 8 de abril, *El Nacional* respondió, aunque con poca firmeza y sin pruebas determinantes, que las promesas hechas el 14 de septiembre de 1835 nada tenían de desconsiderado y que si bien el ministerio estaba incompleto, no por ello había dejado de gobernar.

Respecto al problema de la libertad de prensa, *El Español* tiene una doctrina moderada. El 7 de abril de 1836 sale publicado en sus columnas un artículo en el cual se habla de las constantes suspensiones de las que es víctima *El Jorobado*; leemos entre otras cosas:

> ¿Qué ha hecho pues el actual ministerio en favor de la imprenta? Prometer mucho, acariciarla en un principio; y luego denostarla y venderle una falsa y precaria protección.

El 28 de abril, en un comentario referente al proyecto de ley sobre la prensa, el diario expresa sus temores de que no estén lo bastante clarificados los límites a la libertad de expresión de los periodistas, y que a raíz de ello puedan aparecer en los periódicos apologías de la anarquía que ninguna disposición legal permitiría prohibir. La opinión de la *Revista española* es bastante parecida: en el número del 14 de abril, A[ntonio] de T[orija] y C[arrese] exige que este serio problema se resuelva «en un sentido tal, que no se ponga traba ni restricción alguna, para que por medio de la prensa, sea o no periódica, puedan ventilarse estas cuestiones tan importantes a fin de consolidar las instituciones políticas de la Nación española». Pero el ministerio cayó antes de que fuese votada dicha ley, y *El Español* (del 16 de mayo) vio en ello la razón principal de la caída de Mendizábal:

> Coartada la voluntad pública al expresarse en términos decorosos, se ha visto esta voluntad como forzada a romper o traspasar esos términos y ha opuesto a veces un ataque más directo y claro, y más adaptado a la manera franca del pueblo español.

No siempre resulta fácil comprender el verdadero alcance de las reservas y restricciones de *El Español* y la *Revista española*; no obstante, puede afirmarse que en marzo y abril de 1836 ambos periódicos eran cada vez más hostiles a Mendizábal. Los dos órganos de prensa cuya posición está muy clara y no varía en ningún momento son: *El Nacional* que defiende al primer ministro con firme desesperación, sobre todo a partir de abril de 1836; y *La Abeja*, que agita sin cesar el espectro de la "anarquía" para inducir al primer ministro a volver a la política de Martínez de la Rosa, y a liberarse de la influencia de los liberales exaltados; la autoridad del gobierno debe ejercerse ante todo contra quienes quisieran arrastrarlo hacia lo que los moderados consideran temerosamente como un liberalismo demasiado amplio que, según dicen, provocaría sin duda graves desórdenes. La fraseología de *La Abeja* no ha cambiado, como tampoco los argumentos de sus redactores, desde la época en que —en 1834, y en un país seriamente amenazado por la facción carlista— Martínez de la Rosa había descargado la mano sobre los que podían permitirle conjurar el peligro. Gervasio Gironella incita a Mendizábal a desconfiar de la "izquierda"; para él, la primera de las *necesidades urgentes* (este es el título del editorial firmado con sus iniciales, el 5 de abril de 1836) es la siguiente:

> que se restablezca y consolide el orden público, se fortalezca la ley, y se ponga término a los funestos extravíos de las pasiones, inspirando un justo temor a los que arrastrados por ellas se entregan a los más criminales excesos, con el castigo legal de sus seductores y de un puñado de liberticidas que desgarran esta pobre patria, y presentan al vulgo la causa sagrada de la libertad con los feos coloridos del más ominoso y bárbaro despotismo.

No cabe pensar ni remotamente que con ello se está induciendo al gabinete a intensificar la lucha contra el carlismo. Esta «necesidad urgente» sólo aparece en segundo lugar en el artículo. Los hombres a los que se alude en este párrafo son los liberales "exaltados". El 25 de abril, el mismo periodista publicó en *La Abeja* un artículo titulado *Oportunidad en las reformas*, en el que se hace el planteamiento siguiente: ciertamente, hacen falta reformas, pero no demasiado rápidas, si no es que se quiera ver el país entero sembrado de desórdenes. De ahí la acostumbrada diatriba contra los partidos (aunque no contra el partido moderado que se supone representa la opinión de la mayoría de la nación), y el llamamiento a la unión a fin de evitar el caos.

Ya es demasiado tarde para que Mendizábal pueda esperar, a finales de abril de 1836, que los acontecimientos se inclinen de nuevo a su favor. El editorial de la *Revista española* del 21 de abril, titulado *De la situación actual* (y firmado con tres estrellas), demuestra a las claras que la escisión que se puso de manifiesto el 26 de marzo en las Cortes es definitiva y que Mendizábal ha perdido todo crédito ante sus antiguos partidarios, Alcalá Galiano, Argüelles e Istúriz:

> Juzgando sólo por las apariencias, se debería inferir que el ministerio tenía asegurada su victoria y su duración. Sin embargo, si se examina el punto, debidamente, esto no es del todo exacto; en esa misma mayoría hay fracciones que difícilmente estarán siempre de acuerdo en lo sucesivo en todas las cuestiones teóricas, prácticas y personales de gobierno ... Ley electoral, libertad de imprenta, responsabilidad ministerial, reformas económicas, dirección en la parte diplomática, todo esto es muy bueno dicho genéricamente, y poco controvertible. Los tropiezos empiezan cuando se quieren fijar hechos sobre tan arduos e intrincados problemas.

Cuando finalmente, el 27 de abril, salió promulgado el decreto que completaba el ministerio (para Almodóvar, la cartera de Asuntos Exteriores; para Rodil, la de Guerra, y para Chacón, la de Marina), ya sólo le quedaban a éste dieciocho días de vida. El 15 de mayo, el duelo entre Istúriz y Mendizábal había consumado la ruptura[190].

190. No podemos desarrollar aquí la historia del ministerio Mendizábal, sobre el que no existe hasta la fecha ningún estudio crítico, aunque los documentos inéditos son abundantísimos: cartas de Mendizábal a la reina (1835-1836: RAH, Papeles de la regencia de María Cristina, 9-31-6, legs. 6939 y 6943; 1837: AGP, Sección histórica, caja 295, que contiene también los informes del gobernador civil de Madrid durante el período mayo-junio de 1836).

Los libelos de Espronceda y Larra contra el ministerio Mendizábal

Por encima del considerable aluvión de editoriales periodísticos, en los que cabe discernir las segundas intenciones que a veces se nos escapan, así como la estrategia política y los pactos secretos de los que no ha quedado constancia alguna, se sitúan los folletos publicados por Larra y Espronceda, los cuales, al no estar adscritos a ningún partido, escribieron sus libelos en contra del ministerio Mendizábal que había defraudado las esperanzas que pusieran en él en septiembre de 1835. Estos folletos aparecen en abril de 1836, en el momento en que es más virulenta la campaña de prensa. El día 5, el *Diario de Madrid* anuncia que sale a la venta *Dios nos asista. Tercera carta de Fígaro a su corresponsal en París* y *De 1830 a 1836 o la España desde Fernando VII hasta Mendizábal*, traducción arreglada y completada de un folleto escrito en francés por Charles Didier[191]. En el primer artículo, del que ya tuvimos oportunidad de hablar anteriormente, Larra escribía esta frase lapidaria que resume perfectamente la situación, frase que Espronceda adoptará como epígrafe de su opúsculo: «Aquí llaman esto un *Gobierno representativo* ..., confieso que yo llamo esto un *hombre representativo*.» Por último, llegaba a la conclusión de que la única cosa que se podía desear, era que «Dios nos asista»,

> mientras vea levantarse en masa a la nación para ahogar de una vez y para siempre el monstruo que en el Norte nos devora, en vez de entretenerse en cuestiones secundarias y en rencillas personales, de las cuales debería el país hacer justicia, como del orgullo mezquino y de la loca vanidad de sus dueños.

En *De 1830 a 1836...*, Larra tomó de Charles Didier —completándolo con algunas apostillas personales— un panorama de la España de los últimos cinco años. En él se hacía un retrato muy logrado de las grandes figuras de la oposición, como Alcalá Galiano, o Argüelles, definido en unas pocas palabras: «Es anglómano como Galiano y por las mismas causas; y en cuanto a principios, como muchos en España, liberal del siglo XVIII. Se plantó en 89 y por él no pasan días.» Frente a estos rezagados que no habían aprendido nada, oponía al conde de Las Navas, al cual rendía homenaje, pese a sus escasas dotes de orador parlamentario:

> A pesar de esa especie de don quijotismo de la oposición, el papel que Las Navas haga en cualquier cámara es de la mayor utilidad. Necesítanse hombres de su temple, ojos de lince como los suyos, que todo lo escudriñan, lenguas indiscretas que no reconocen cortapisas; centinelas avanzadas, vigías perpetuas de la libertad, tales hombres son el mejor parapeto de los derechos públicos.

El estudio concluye con un panorama pesimista de la situación a partir de la llegada al poder de Mendizábal, de quien prevé la próxima caída; reina un sordo descontento, pero a pesar de los hombres que intentan obstaculizar la evolución, ésta es imparable. Con gran clarividencia, Larra sitúa puntualmente a Mendizábal en la línea del lento proceso seguido por la política española:

191. BAE, t. CXXVIII, pp. 191-200 y 325-345 respectivamente.

> Ni un eslabón se ha roto en la cadena. Así Cea, antiguo colega de Calomarde, se continúa por medio de Burgos en el Ministerio Martínez y Mendizábal sale de él en línea recta por medio del conde de Toreno, de quien fue colega antes de ser heredero.

De todas formas —acababa diciendo Larra— el curso de la Historia es irreversible; la esperanza y la perseverancia conducirán inevitablemente al triunfo de la verdad, cualquiera que sea el camino seguido y el nuevo giro que pronto vayan a tomar los acontecimientos.

El 16 de abril de 1836, Joaquín María de Alba escribía a Luis Fernández de Córdoba para informarle de que la intervención francesa en la guerra contra los carlistas no sería posible mientras Mendizábal estuviese en el poder, y también para darle algunos pormenores acerca del reciente duelo que había enfrentado a este último con Istúriz. Seguía diciendo: «En estos días saldrán tres folletos —con licencia o sin ella— de Espronceda, Cortés y Vega. Serán ataques fuertes contra el gobierno, y usted será respetado en todos ellos: es un plan combinado[192].» El general encargó a Alba que entregara un mensaje a Larra —desconocemos el contenido del mismo, pero debía de darle las gracias sin duda por haberlo defendido en sus escritos—, al cual éste respondió el 20 de abril diciendo «que no mordía a los que obraban de buena fe, aunque llegasen a equivocarse alguna vez en cosas poco trascendentales». Alba añade: «No solamente él: Ochoa, Cortés, Espronceda, Bravo y los demás muchachos que figuran en la corte política, los escritores, los que tienen sobre sí la crítica y la oposición periodística, todos hacen de usted constantes y públicos elogios[193].» En efecto, el folleto de Espronceda no contiene ni una sola palabra desfavorable al general Córdoba, si bien éste no ocultaba su simpatía por el partido moderado. Según escribe Alba al comandante en jefe el 27 de abril, al mandarle algunos ejemplares de *El ministerio Mendizábal*, «podrá usted ver que su persona y sistema son respetados y que ninguno de los que escriben para revolucionar, porque tal es la doctrina de Larra y Espronceda, ninguno de los jóvenes que despuntan, hacen a usted la guerra y sí a Mina»[194].

Los dos jóvenes escritores se sitúan en una perspectiva distinta de la que adopta el periódico progresista *El Eco del comercio*, cuyo director, Fermín Caballero, había criticado con dureza en reiteradas ocasiones al general Córdoba. Éste está bien visto por la corte y, como podemos comprobar a través de las cartas que recibe de Joaquin María de Alba, de la regente, del conde de Almodóvar y del duque de Rivas[195] a lo largo de las últimas semanas del ministerio Mendizábal, tanto el partido moderado como la camarilla procuran complacerle adoptando medidas susceptibles de agradarle. Fermín Caballero, por su parte, intenta imponer a Mendizábal una orientación más radical de su política. En la ya mencionada carta a Córdoba del 20 de abaril de 1835, Alba le informa del programa que una comisión parlamentaria acaba de proponer al jefe del gabinete, por ini-

192. F. Fernández de Córdoba, *op. cit.*, BAE, t. CXCII, p. 224a.
193. *Id.*, *ibid.*, p. 224b.
194. *Id.*, *ibid.*, p. 225a.
195. *Id.*, *ibid.*, pp. 240-250, *passim*.

ciativa del director de *El Eco del comercio*; en él se incluyen: el nombramiento de los titulares de las carteras ministeriales que quedan por cubrir; la destitución de los funcionarios demasiado moderados, que serían sustituidos por liberales progresistas; y la disolución de las Cortes y elección de una asamblea constituyente. En todo ello se reconoce de inmediato el programa de acción propuesto en el periódico de Caballero el 27 de marzo anterior. Alba añade además que, entre los ceses, habría figurado el de Córdoba. Hubiera sido una medida imprudente, ya que, gracias a las simpatías de que gozaba, el general hubiera podido encabezar fácilmente un nuevo gabinete apoyado por los moderados y, dada la importancia de su cargo, ejercer directamente o a través de intermediarios una auténtica dictadura. Más perspicaces y más realistas que los colaboradores de *El Eco del comercio*, Larra y Espronceda evitaron criticar a Córdoba quien, sean cuales fueren sus opiniones, tenía cuando menos el mérito de obedecer las órdenes recibidas de Madrid, a pesar de la penuria de hombres, material y víveres con la que tenía que bregar. Por todas estas razones, lo sensato y lógico era salvarle. Por otra parte, los desmanes a los que se entregaba Mina en Cataluña no aconsejaban proponer la sustitución de Córdoba por el antiguo guerrillero de 1808, quien se comportaba ahora como un tirano local, al igual que el capitán general de Valencia, Carratalá, que, a comienzos de marzo de 1836, había propuesto cesarle en sus funciones y substituirle por el general Méndez Vigo.

El 22 de abril, se anunció por vez primera en el *Diario de Madrid* que salía a la venta *El ministerio Mendizábal*[196]. Es el primer texto político importante de Espronceda. Ni *El Eco* ni *La Abeja* publicaron el menor comentario al respecto; la *Revista mensajero* esperó al 21 de mayo —tras la caída de Mendizábal— para dedicarle parte de su folletín, firmado "J.B.C." (¿José Bermúdez de Castro?), al comienzo del cual se incluía una reseña de *Dios nos asista* de Larra. El artículo nos informa de las cualidades del libelo y de la acogida que obtuvo:

> Ha sido leído con la misma ansiedad que la carta de Fígaro, y debía ser así: el autor no usa del sarcasmo, de aquella fría ironía, ni de la risa burlona del de las cartas, pero en un estilo castizo, robusto, lleno de facundia hace cargos al ministerio fundados en hechos, de que mal pudiera disculparse.

Después de disculparse por carecer de espacio para citar fragmentos del mismo, el autor del artículo hace una puntualización interesante: «El que esto escribe ha visto los excelentes trozos que ha amputado la censura, y prueba suficiente del mérito de la obra es el interés que presenta, aún después de haber sido cruelmente mutilada.» Para justificar la brevedad de su crónica, el periodista remite al artículo «magistralmente escrito» de "Fígaro", y añade —lo cual nos permite valorar la importancia y repercusión de la obra de Espronceda— con una publicidad apenas encubierta:

196. Esta obra de Espronceda no se publicó en febrero de 1836, como indica la fecha que aparece (según Rodríguez-Solís, p. 149) al final del texto de la edición de J. Campos (BAE, t. LXXII, pp. 573-579), y así lo demuestran una serie de alusiones a acontecimiento posteriores a esta fecha errónea. No hemos encontrado ningún rastro de los otros dos folletos mencionados en la carta de J. M. de Alba citada más arriba; quizás fueron prohibidos por la censura.

> La obra es por otra parte demasiado conocida, y el nombre del autor, suficiente garantía para su venta. Creemos por esta razón que no habrán quedado muchos ejemplares en la librería de Escamilla calle de Carretas.

Otra muestra del interés suscitado por el folleto es el hecho de que la dirección de *El Jorobado* hubiese escogido algunos fragmentos del mismo, a fin de publicarlos en sus columnas. En su número del 9 de mayo de 1836, el periódico informaba de la negativa de la censura que, al parecer, hubiera aceptado que se insertara el texto completo, en varios números si era preciso, pero no permitía la publicación de pasajes escogidos. Lógicamente, *El Jorobado* protestaba por esta decisión arbitraria. No fue hasta el 27 de mayo, tras la caída de Mendizábal, cuando dichos fragmentos fueron publicados en el n.º 73 del periódico, precedidos por estas líneas halagüeñas:

> Es digno de leerse lo que es obra del talento. Hemos leído con mucho detenimiento este folleto, del que vamos a extractar algunos trozos, por los cuales podrá juzgarse con exactitud de su mérito, como producción literaria y como asunto de política.

Hemos mencionado estos artículos porque su contenido demuestra que el opúsculo de Espronceda tuvo una favorable acogida, no sólo por su contenido, sino también debido al nombre de su autor y a su reputación literaria. Todo ello aparece confirmado en las cartas de Alba al general Córdoba; no obstante, cuando el hermano de éste escribió más tarde sus *Memorias íntimas*, calificó la obra de «conjunto de ciega pasión y de inexperiencia, muy propicio de su autor, que a la sazón era muy joven[197]». Este juicio tardío queda desmentido por los testimonios contemporáneos a la publicación de la obra. Además, para convencerse del todo, basta con leer la crítica muy favorable que sobre ésta publicó Larra en *El Español*, y de la que volveremos a hablar más adelante.

Para iniciar el tema, Espronceda tomó de Heinrich Heine una anécdota fantástica: un fabricante de autómatas se ve perseguido sin tregua por el robot que ha construido y que no cesa de reclamarle un alma, la única cosa que le falta para ser perfecto[198]. Según dice el poeta, este cuento puede aplicarse a España

197. Nota a la carta de J. M. de Alba a Córdoba, del 16 de abril de 1836, citada *supra*, p. 522 (BAE, t. CXCII, p. 224a).

198. Esta anécdota se encuentra al principio de la tercera parte de *De l'Allemagne* (París, 1866, pp. 115-116). El autor la acompaña del siguiente comentario, que Espronceda no conservó, puesto que le dio otra aplicación: «Nous rencontrons maintenant dans tous les pays ces deux personnages; et celui-là seul qui connaît leur position respective comprend leur singulier empressement, leur trouble et leur chagrin. Mais quand on connaît cette position particulière, on y retrouve bientôt quelque chose de général; on voit comment une partie du peuple anglais est lasse de son existence, et demande une âme, tandis que l'autre partie est mise à la torture par cette demande, et qu'aucune d'elles ne peut trouver la paix au logis.» («Nos encontramos ahora en todos los países a estos dos personajes, y sólo el que conoce sus posiciones respectivas comprende su singular diligencia, sus inquietudes y sus penas. Pero cuando se conoce esta posición particular, se encuentra en seguida alguna cosa común; se ve cómo una parte del pueblo inglés está cansada de su existencia y pide un alma, mientras que la otra parte está sometida a la tortura por esa petición, y ninguna de ellas puede encontrar la paz en casa.»)

y a sus gobernantes; en un breve preámbulo, bosqueja un escueto cuadro de la evolución del país que, «cadáver desde 1823», despertó de su inmovilidad debido a la sacudida que le produjo la muerte de Fernando VII. La máquina volvió a ponerse en funcionamiento, y también ella reclamó un alma, «y el obrero huyó aterrado al momento». Vinieron otros, pero unos fueron incapaces de hacer realidad este deseo, y a los demás los llenó de espanto. Sigue luego un acertado análisis de la situación en septiembre de 1835: la insurrección de las provincias iba dirigida contra el Estatuto Real «raquítico y presuntuoso como su autor», y su causa no eran tanto unos principios políticos concretos como el odio hacia un primer ministro impopular (el conde de Toreno, que no aparece citado por su nombre). Así explica Espronceda el entusiasmo con el que fue acogido entonces Mendizábal; en efecto, una vez emprendido el camino de la revolución, se hacía difícil volver atrás. La confianza depositada en el nuevo jefe de gabinete por el conjunto de la opinión tiene una causa simple y fundamental:

> Mendizábal, pues, se presentó en la arena, pintó un cuadro vistoso aunque mal concebido, poco profundo; pero cualquier cosa bastaba: el movimiento había llegado a su término, y era forzoso hacer alto. Nuestra posición no era buena, pero era la única de que pudimos apoderarnos.

En este punto, coincidía con Larra, que expresaba una opinión muy favorable a Mendizábal en su artículo *Fígaro de vuelta*, publicado en *El Español* del 5 de enero de 1836[199]. Este entusiasmo desapareció muy pronto: hemos podido seguir a través de los editoriales de la prensa el paso paulatino que se fue produciendo, desde el apoyo más o menos condicional pero confiado, a las reservas cada vez más abundantes y explícitas. Espronceda utiliza un estilo menos incisivo que el de Larra; recurre a numerosas imágenes y acumula las palabras en largas frases llenas de incisos, en las que aparece más el poeta arrebatado por la elocuencia que el libelista ansioso de rigor. Pero no por ello tienen menos impacto sus pullas:

> Puentes de oro, ríos de miel y leche, palacios de pedrería, paz, gozo, unión, todo era para nosotros si callábamos, si no metíamos bulla y dábamos un simple voto de confianza, y sin pedir nada a nadie, ni dejar de pagar a nadie, ni molestarnos apenas, habíamos de ver realizadas tantas y tan tornasoladas esperanzas a poco que hiciera o dijera nuestro mágico prodigioso, no el de Salerno Pedro Bayalarde[200], sino Don Juan Álvarez Mendizábal, primer ministro que tenía en sus bolsillos nuestra fortuna y nuestro porvenir.

El primer ministro se había proclamado «el gran pacificador de la familia española». Espronceda demuestra por qué fracasó. Su primera equivocación fue la de juzgar el estado de ánimo de las provincias según el de la capital, y conceder excesiva confianza a la Bolsa (tema que había dado pie al artículo *El gobierno y*

199. Larra modificó posteriormente este artículo para su edición en volumen. El texto primitivo va restablecido en una nota de BAE, t. CXXVIII, p. 128.

200. Alusión a la obra en cinco actos de Juan Salvo y Vela *El Mágico de Salerno, Pedro Vayalarde* (citada en el *Catálogo*... de Moratín padre, BAE, t. II. p. 328a), que aún se representaba en 1815-1816, según Mesonero, *Memorias de un setenton*, ed. cit., p. 82b.

la Bolsa). Mendizábal no tuvo que hacer frente a ningún movimiento popular en Madrid, pero quiso ignorar la agitación que se produjo en Barcelona durante las primeras semanas de 1836, y posteriormente en Zaragoza, Málaga y Valencia; mantuvo vigente el Estatuto Real y reunió las Cortes elegidas en 1834, que habían dejado de representar la opinión del país. Según señala Espronceda, obviamente tales Cortes sólo podían votar una mala ley electoral; el primer ministro se despreocupó con gran ligereza de este tema, al cual se atribuía mayor valor que a la votación de confianza solicitada por Mendizábal quien, según dice Espronceda, vio en ello, antes que nada, el modo de satisfacer su vanidad, incluso antes de saber el uso que iba a hacer de esta firma en blanco fácilmente obtenida.

Este análisis de la situación del ministerio ante el país y ante las Cortes no deja de ser acertado; es el de un liberal que, como Larra, no pertenece a ningún partido, y denuncia cualquier concesión. Espronceda considera que Mendizábal ha traicionado la confianza en él depositada, porque da por sentado que el sucesor de Toreno debe apoyarse en los partidarios de lo que, tanto Larra como Espronceda, denominan «la revolución». Si el poeta había aceptado cumplir una misión oficiosa ante el conde de Las Navas para aconsejarle que pusiera fin a su abierta oposición, era porque veía en Mendizábal al único hombre capaz de restablecer el orden por medios radicales (expuestos en el manifiesto del 14 de septiembre de 1835) en una España desorganizada. Ahora bien, de las propuestas de Las Navas el jefe del gabinete sólo había aceptado lo que le permitía no tener que luchar en dos frentes; en efecto, la institucionalización de las juntas, convertidas ahora en juntas de defensa y armamento, era la única medida capaz de poner término a las amenazas de rebelión. Más tarde, cuando el primer ministro se vio obligado a disolver las Cortes y a proceder a nuevas elecciones, se hizo patente enseguida el total desacuerdo entre éste y una molesta mayoría de la que no tardaron en separarse Alcalá Galiano e Istúriz; cuando habían sido precisamente ellos mismos quienes habían inducido a Mendizábal a ordenar la disolución o a dimitir; éste, obcecado, cayó en la trampa, por temor a verse forzado a adoptar medidas que consideraba demasiado radicales después de haber solicitado unos plenos poderes que no se le podían negar:

> Los hombres astutos del partido retrógrado, y a los cuales no titubeó el señor Mendizábal en llamar sus amigos a boca llena, pensando sin duda el inocente que lograría engañarlos así, conocieron su falta de tacto parlamentario, y le pusieron en el duro trance de cerrar las Cortes, o dejar su puesto.

Esta es en efecto la alternativa ante la cual, el 25 de enero de 1836, el editorial de la *Revista mensajero* colocaba al primer ministro. La disolución de las Cortes no tuvo el efecto previsto, ya que Mendizábal no vio realizadas las esperanzas que depositaba en la reactivación del mercado de valores bursátiles. Espronceda resume esta situación en una expresión muy gráfica: «En vano, alquimista pertinaz, buscaba en sus hornos la piedra filosofal: no consideró que los alquimistas necesitan oro hasta para encontrar chasqueadas sus esperanzas.»

El autor recoge los principales argumentos de su artículo *El gobierno y la Bolsa*. Añade algunos nuevos: para los ciudadanos de un país que tiene una deuda exterior cuyos intereses alcanzan una cifra casi igual a la del capital, es indiferente que suban o bajen los fondos públicos ya que no pueden sacar de ello provecho alguno, a pesar de verse agobiados por los impuestos. Luego, hace hincapié en que, si bien el gobierno dispone de bienes con que resarcir a sus acreedores, no hace nada para mejorar la suerte de los pobres. Espronceda no se dedica a una crítica sistemática; señala simplemente que Mendizábal ha tomado decisiones «a la casualidad» y «con tal desatino» que con ello se han visto anulados de antemano los efectos de dichas medidas. Espronceda pasa luego a referirse a las modalidades de venta de los bienes nacionales; en este punto declara suscribir las conclusiones de la «sabia crítica» de Flórez Estrada, que resume en pocas líneas:

> Si no lo derogan [el decreto] las Cortes aumentará, sí, el capital de los ricos pero también el número y mala ventura de los proletarios. El gobierno, que debería haber mirado por la emancipación de esta clase, tan numerosa por desgracia en España, pensó (si ha pensado en ello alguna vez en su vida) que con dividir las posesiones evitaría el monopolio de los ricos proporcionando esta ventaja a los pobres, sin ocurrírsele que los ricos podrían comprar tantas partes que compusiesen una posesión cuantiosa. Mezquino en verdad y escaso de discurso ha andado el señor ministro.

Es un tema que merece nuestra atención ya que constituye el eje de la política de Mendizábal y fue la más polémica de sus decisiones. Tres decretos, promulgados los días 16 y 19 de febrero y el 8 de marzo de 1836, disponían la extinción de las comunidades religiosas de todo tipo cuyos bienes, que pasaban a ser propiedad del Estado, se destinarían al pago de la Deuda pública. Entre las disposiciones que regulaban la venta de estos bienes denominados nacionales, figuraban las siguientes: los predios rústicos se dividirían en el mayor número de lotes posibles, que serían sacados aisladamente a subasta; el pago se efectuaría en metálico (en dieciséis años) o en títulos de la Deuda consolidada (en ocho años); dichos títulos serían admitidos por su valor nominal, si bien un tercio debía formar parte de la Deuda consolidada al 4 por ciento, y los dos tercios restantes, de la Deuda a consolidar al 5 por ciento; el producto de las ventas en metálico se invertiría por mitad en la amortización de la Deuda consolidada, y la otra mitad se convertiría en Deuda sin interés. Como demuestra Manuel Tuñón de Lara, la operación no constituyó en modo alguno una reforma agraria revolucionaria. Únicamente se beneficiaron de estas medidas los especuladores y los poseedores de títulos de la Deuda, pero en absoluto los campesinos modestos. De hecho, supuso la extensión del latifundio; en efecto, las tierras en venta fueron adquiridas, por medio de estos títulos muy depreciados, a un precio realmente irrisorio, lo cual demuestra claramente, según ponía de relieve Espronceda, que «la preocupación de Mendizábal era mucho más financiera que económica[201]». Lógicamente, el beneficio real resultó insuficiente para hacer frente a los enormes gastos de guerra y al pago de los suministros y armas comprados a Inglaterra.

Álvaro Flórez Estrada expuso su punto de vista a este respecto poco después de la promulgación de los primeros decretos, en un artículo publicado en *El Español* el 28 de febrero de 1836 y titulado *Del uso que debe hacerse de los bienes*

201. M. Tuñón de Lara, *La España del siglo XIX*, 2.ª ed., París, 1968, pp. 85-86.

nacionales. Ante las objeciones que plantearon a su teoría la *Revista Española* y *La Abeja*, el autor respondió en su opúsculo *Contestación de Don Álvaro Florez Estrada a las impugnaciones hechas a su escrito sobre el uso que debe hacerse de los bienes nacionales*[202]. Heredero de las doctrinas de los grandes economistas liberales del siglo XVIII, Flórez Estrada basa su teoría en la búsqueda de un reparto equitativo de la propiedad, fuente de equilibrio político. Si bien es partidario de la desamortización, critica la forma en que ésta se ha llevado a cabo: en lugar de enjugar la Deuda pública de un golpe por medio del producto de la venta de bienes raíces, el gobierno hubiera tenido que ceder dichos bienes en arriendo enfitéutico, repartiendo la renta del mismo entre sus acreedores. El primer argumento que aduce es que, al estar fijada la Deuda del Estado, el valor de los bienes que servirán para saldarla es variable, con lo cual, de entrada, la operación será desventajosa para el Erario público. Por otra parte, la enfiteusis no puede resultar sino favorable para el desarrollo de la agricultura, ya que el beneficiario del arrendamiento tiene la seguridad de sacar provecho de las mejoras introducidas por él en el sistema de cultivo; en cambio, los nuevos propietarios, al no explotar ellos mismos las tierras, aumentarán el importe de su arriendo a quienes las cultivan, y la situación de éstos, lejos de mejorar, se hará cada vez más precaria. Los acreedores del Estado verían cómo duplica y triplica su valor la garantía de la Deuda pública gracias a la enfiteusis, cuyas modalidades estarían fijadas por organismos locales encargados de administrar los bienes nacionales; en cambio, la venta de éstos a nivel nacional origina, o bien fraudes, o bien un aumento de los gastos de peritaje y venta, o, por último, una considerable desvalorización de los bienes vendidos en grandes cantidades y simultáneamente, como consecuencia lógica de la ley de la oferta y la demanda. Según Flórez Estrada, una de las ventajas de la enfiteusis es de carácter político: los arrendatarios del Estado constituirían pronto una nueva clase de pequeños propietarios, firmes y activos soportes de un régimen que les brindaría la seguridad de vivir de su trabajo. Finalmente, el sistema propuesto por el economista asturiano tiene la ventaja de ser el único medio de mejorar la condición particularmente mísera del proletariado rural, del que la nación ha exigido todos los sacrificios sin hacerle nunca partícipe de ninguno de los beneficios; este último argumento es el que recoge Espronceda en *El ministerio Mendizábal*, sin entrar a comentar los demás puntos de la teoría de Flórez Estrada. Recurriendo de nuevo a una imagen poética, ilustra Espronceda las ideas esenciales de la economía liberal que, según él, no debe favorecer a una categoría en detrimento de las demás, sino tener en cuenta los intereses de todos:

> Las riquezas de las naciones pueden compararse a un caudaloso río, confluencia y total de los que en él desembocan. Una mano diestra sangrándolo en varios ramales, vuelven éstos a tributarle sus aguas, y en este flujo y reflujo consiste sin duda la riqueza pública. Así es que cada parte de esta riqueza viene a ser causa y resul-

202. Este artículo y el folleto aparecen en el t. I de las obras de Flórez Estrada, BAE, t. CXII, pp. 360-383. Para un estudio pormenorizado de ambos textos, véase la introducción al t. II (BAE, t. CXIII, pp. XXV-XXIX) por L. A. Martínez Cachero, y el cap. IV de la obra del mismo autor *Álvaro Flórez Estrada. Su vida, su obra política y sus ideas económicas*, Oviedo, 1961, pp. 185-195.

tado a un mismo tiempo de toda ella. Ahora bien, si el Gobierno hubiera fijado toda su atención únicamente en el ramo de sedas (y aun éste es ramo nacional y la bolsa no) ¿no se le habría criticado de dedicarse sólo a la cría de aquellos gusanos?

Espronceda piensa que la prosperidad y la independencia de una nación deben tener como base la desaparición de las desigualdades sociales y la participación de todas las capas sociales del país en las ventajas del progreso. Así es cómo se creará una fecunda solidaridad entre los ciudadanos. En el capítulo XXIII de su novela de 1834 *Sancho Saldaña*, el poeta expresaba, por boca de Zacarías, la opinión de que una amplia propagación de la libertad sería el mejor fundamento para la concordancia y la pacificación del país[203]. Ahora, como consecuencia lógica de las ideas desarrolladas en *Libertad, igualdad, fraternidad* aplicadas a la situación creada por la política de Mendizábal, escribe:

Si el señor ministro desea que los fondos suban, mire por la paz y prosperidad de los pueblos, líbrelos de la miseria que los acosa por todas partes, y verá entonces cómo se reanima el comercio y nuestro crédito se afianza.

Tanto para Flórez Estrada como para Espronceda, la desamortización no debía constituir sólo un arbitrio financiero provisional por definición y por naturaleza, sino que debía llevar a una reforma agraria fundamental, a una revisión del sistema de la propiedad en beneficio de los que cultivan la tierra. En España, no era esta la primera vez que se había pretendido amortizar la Deuda pública mediante la venta de los bienes nacionales. En 1811, Álvarez Guerra había pensado ya en un recurso similar; en 1820, la supresión de las comunidades religiosas de menos de veinticuatro miembros cuyos bienes fueron enajenados por el Estado, había permitido reactivar de forma provisional la economía ofreciendo a los ricos la posibilidad de adquirir a buen precio bienes rústicos o urbanos[204]. Fue entonces cuando, según vimos, el padre de Espronceda compró la casa de alquiler de la calle de la Cruz.

Mendizábal no podía sino proseguir la política de Toreno que había suprimido los conventos de jesuitas, y más adelante los demás monasterios: los religiosos se veían amenazados porque, por una generalización tal vez apresurada, se les consideraba afectos a la causa carlista. En otro ámbito, el primer ministro continuaba la política llevada a cabo unos diez años antes por López Ballesteros, consistente en atraerse los círculos financieros y en crear una clase burguesa de nuevos ricos, opuestos evidentemente a cualquier liberalización excesiva del régimen. Ramón de Santillán condena la enfiteusis porque este proyecto «mantenía una administración desastrosa por lo minuciosa y complicada y falseaba completamente el fin político de la enajenación de bienes nacionales[205]». Esta apreciación, en boca de

203. Véase *supra*, p. 339.

204. Véase al respecto C. Viñas Mey, "La reforma agraria en España en el siglo XIX", *Boletín de la Universidad de Santiago de Compostela*, IV (16), octubre-diciembre de 1932, pp. 3-65. Según J. L. Aranguren, Larra y Espronceda fueron poco más o menos los únicos que comprendieron las críticas de Flórez Estrada a la desamortización (*Moral y sociedad*, 3.ª ed., Madrid, 1967, p. 84).

205. R. de Santillán, *Memorias (1815-1856)*, ed A. M. Berazaluce..., Pamplona 1960, t. I, p. 162.

un alto funcionario moderado, pone de relieve los motivos que impulsaron a combatir el sistema propuesto por Flórez Estrada, y que a Espronceda le parecía el más apropiado para satisfacer las necesidades de los proletarios. Hallamos argumentos similares a los de Santillán en el artículo firmado con las iniciales de Manuel Pérez Hernández en *La Abeja* del 9 de mayo de 1836, y titulado *¿Conviene que se suspenda la enajenación de los bienes nacionales?* Para el autor, el arrendamiento de estos bienes es un «sistema complicado, embarazoso, cuyos resultados no podían menos de ser mezquinos ... Hay más de ideal que de positivo en ese intento de distribuir la propiedad en fracciones tan pequeñas que puedan venir a radicar en manos de todos los proletarios». Ese argumento se basa en una única razón: los productos de las tierras cedidas en arriendo serían gravados con impuestos, cuya recaudación resultaría harto más difícil al estar aplicados a tierras muy fraccionadas. Ahora bien, aunque esta parcelación aparecía formalmente incluida en el reglamento de aplicación de los decretos de desamortización, era una medida democrática, sólo en apariencia; en efecto, por un lado, nada impedía a quienquiera que fuese hacerse con la compra de varias parcelas, o de su totalidad en distintas veces, y, por otro, eran pocos los pequeños arrendatarios de las comunidades religiosas suprimidas que tuviesen posibilidades de comprar la tierra que cultivaban. Más adelante, Pérez Hernández refuta el argumento según el cual el modo en que se había efectuado la desamortización había favorecido a una minoría de ricos; según dice, la especulación era imposible, dado el reducido volumen de las operaciones bursátiles en España y la mala situación del comercio. Luego, el colaborador de *La Abeja* desecha la idea de una suspensión de las medidas de desamortización, que no dejaría de tener graves consecuencias en el crédito. Así pues, cada cual se mantiene en sus posiciones. Para los moderados, la supresión de las comunidades religiosas es un medio útil de prevenir la subversión que se desata contra sus miembros con motivo de las rebeliones locales; por lo tanto, la desamortización y sus consecuencias sólo pueden tener un efecto saludable para el mantenimiento de una política de justo medio. Si bien las medidas de Mendizábal son revolucionarias, se quedan en el marco de un liberalismo moderado, el único aceptable por los partidarios de un orden fundado en la prosperidad de las clases poseedoras. En esencia, el primer ministro está de acuerdo a este respecto con Alcalá Galiano, Argüelles e Istúriz. No es hasta comienzos de 1836 cuando éste, habiendo adquirido por fin la certeza «de cuán desacertados habían andado hasta entonces los hombres de ideas avanzadas»[206], se vuelve resueltamente conservador. Las ideas expresadas por Flórez Estrada, recogidas y aprobadas por Larra y Espronceda, de haber sido aplicadas y formuladas en las leyes, hubieran traído como consecuencia normal una democratización, juzgada peligrosa por hombres en quienes la edad había mitigado el ardor revolucionario del que habían dado muestras unos quince años antes.

Espronceda acusa brevemente al ministerio por no haber practicado una política a largo plazo: «Nuestro gobierno ha marchado a la casualidad, saltando breñas y trepando cerros que no ha visto hasta el momento de ir a tropezar con ellos ... En su conducta política no ha sido menos azarosa y aventurada su marcha.»

206. Marqués de Miraflores, *Biografía del Excmo. Sr. D. Francisco de Istúriz y Montero...*, Madrid, 1871, pp. 1-17.

Hace una breve alusión —demasiado rápida para nuestro gusto, aunque puede que la censura suprimiera el comentario a estas medidas— a la decisión, adoptada por decreto del 24 de octubre de 1835, de llamar a filas a todos los hombres aptos de dieciocho a cuarenta años, cuando no se habían previsto los medios para equiparlos y asegurar su subsistencia. De los 100.000 hombres que se esperaban, tan sólo hubo 46.983 nuevos soldados movilizados[207]; un sistema de exenciones preveía que cualquier futuro recluta podía liberarse mediante el pago de 4.000 reales o la entrega de 1.000 reales y un caballo. Esta disposición tuvo la ventaja de que se ingresaran unos treinta millones en las arcas del Erario[208], pero el claro inconveniente de imponer la obligación del servicio militar a la clase más desfavorecida, consiguiendo no obstante tranquilizar a comerciantes, industriales y propietarios, que deseaban el rápido final de la guerra civil.

Espronceda plantea una serie de preguntas a propósito de las medidas que habrían tenido que tomarse para sanear la Hacienda pública y la administración, en virtud de las promesas hechas:

> ¿Y qué reformas se han hecho? ¿Qué empleos inútiles se han abolido? ¿Qué empleados carlistas han sido separados de sus destinos? ¿Qué ahorros de importancia se han hecho en el oneroso presupuesto que abruma a los pueblos? Porque esto era lo que más interesaba a un Gobierno que había ofrecido llenar todas sus obligaciones sin agravar a la nación con nuevos tributos ni recargarla con deudas.

El cese de los funcionarios sospechosos de colusión con los carlistas es una medida que, según vimos, había reclamado *El Eco del comercio* en su editorial del 27 de marzo de 1836. Espronceda va más allá y exige también la supresión de los empleos inútiles, tan numerosos en las oficinas, «asilo de hombres ineptos y holgazanes que deben al favor únicamente sus destinos, o al abandono y descuido de los gobernantes». Añade asimismo que ya es hora de abolir el sistema de la cesantía, cuyos beneficiarios cobran por no hacer nada, y que sería conveniente en cambio aumentar el sueldo de los que trabajan y que así trabajarían todavía mejor. Desecha sin mayor comentario la objeción que se le podría plantear de inmediato: « Ni es razón contestar que esas oficinas no pueden suprimirse porque sería dejar sin comer a multitud de familias. Otro tanto equivaldría decir que no deben introducirse máquinas porque sería quitar al jornalero el trabajo.» Durante la sesión de las Cortes del 6 de abril de 1836, el conde de Las Navas había expuesto un punto de vista similar y demostrado que los cesantes constituían una tremenda carga para el Estado. Y prosigue Espronceda: no son sólo algunos oscuros empleados quienes gravan el presupuesto; también Martínez de la Rosa, Llauder, los antiguos ministros y los antiguos gobernadores civiles destituidos siguen percibiendo una elevada paga; haría falta un infolio para hacer la lista de las injusticias de este tipo.

207. M. Tuñón de Lara, *op. cit.*, p. 84.

208. Según R. de Santillán (*op. cit.*, p. 157), el producto de esas exenciones se elevó a 25 millones de reales y 7.000 caballos; según *El Nacional*, el decreto de movilización habría incrementado en 70.000 hombres los efectivos del ejército, y la exención habría supuesto unos ingresos de 36 millones de reales en las arcas del Tesoro. Estas cifras son difícilmente verificables con precisión.

En un extenso párrafo escrito en un tono cada vez más vehemente y que finaliza con cinco largas frases interrogativas, Espronceda denuncia los abusos de poder de Mina en Cataluña y de Carratalá en Valencia. El primero había declarado el estado de sitio en Barcelona a comienzos de 1836; había adoptado medidas tiránicas en contra de los descontentos, y expulsado a Aviraneta a las Islas Canarias; el segundo había intentado acallar de forma brutal a la Milicia nacional local que se había manifestado ruidosamente contra la apatía del capitán general. En *Dios nos asista*, Larra había denunciado ya —pero con mayor ironía— la conducta indigna de estos dos hombres. Espronceda suelta algunas frases lapidarias, vibrantes de cólera e indignación:

> A los pueblos no basta decirles que callen, es menester no darles motivos de hablar. Sería cruel exigir de un hombre mal herido que no despidiese una queja [...] ¿Y qué gobierno puede exigir de los ciudadanos sumisión a la ley cuando ésta no sólo no es respetada, sino que se viola a cada momento?

Espronceda se dedica más a defender elevados principios que a denunciar hechos concretos. Le preocupa ante todo la suerte de los desposeídos y de las víctimas:

> ¿Y podrán callar los que beneméritos y generosos se han desprendido de todo en favor de la patria, y hoy lloran en la indigencia, sin tener un bocado de pan con que sustentar sus familias? ¿Podrán callar esas provincias de Aragón en que sólo el hambre terrible que las acosa hubiera podido organizar facciones?

Más adelante, el poeta evoca la promesa hecha por Mendizábal de acabar la guerra en seis meses. Rinde homenaje al general Córdoba (al igual que Larra en *Dios nos asista*); lamenta que el gobierno sea incapaz de proporcionarle los medios que necesita y haga caso omiso de su deseo de ganarse con la confianza a las poblaciones de los territorios reconquistados, no esperando de él más que victorias militares. Espronceda señala que, con la política de Mendizábal, nada se ha hecho para suscitar el interés del pueblo en la recuperación del país: «¿Qué decretos han salido del taller del gobierno que interesen las masas populares en nuestra regeneración política y les hagan identificarse con la causa que defendemos?» No hay que ignorar, como se hizo en 1820, «ese pueblo que llaman bajo, y que sólo no es alto porque se le niegan los medios de subir» y al cual vimos, en estas condiciones, haciendo una contrarrevolución en favor del absolutismo. Sigue una definición de la libertad, menos teórica que la que hallábamos en el artículo *Libertad, igualdad, fraternidad*:

> La palabra libertad es hermosa y sonora, pero vacía de sentido para el pueblo rudo que sólo comprende intereses materiales, y no puede apreciarla cuanto merece, sino por los beneficios que le produzca.

Espronceda vuelve a referirse —puntualizándola— a una de las ideas fundamentales de su folleto: la guerra carlista no es sino una consecuencia de la desunión que reina en el país, y ésta se manifestará siempre de una forma u otra mientras no se tengan en cuenta las necesidades del pueblo y los derechos de cada cual según sus capacidades, reivindicados un poco antes en *Libertad, igualdad, fraternidad* desde una perspectiva sansimoniana:

> La verdad es que mientras el gobierno no identifique las masas con la marcha de la revolución, la facción durará, aunque se acabe en Navarra, porque alzará otra bandera si es aquélla vencida, suscitarán otra querella, promoverán nuevos desórdenes y nunca disfrutaremos de sosiego.
>
> El instinto del hombre es su conservación; de aquí su deseo de mejorar y su derecho de encontrar en la sociedad de que hace parte los medios de subsistir, según su capacidad y su aplicación.

Toda la historia futura de España aparece resumida en esta frase profética. Según escribe Vicens Vives, la guerra civil dura y se propaga por motivos principalmente económicos; en efecto, debido a su insuficiencia numérica y financiera en el país, la burguesía se muestra impotente para organizar un nuevo Estado e imponer su orden cuando el ejército y la administración carecen de medios y de competencia[209]. Espronceda no tiene la perspectiva necesaria para formular en términos de síntesis el problema que se le plantea a la España de 1836; pero comprende perfectamente que lo que Mendizábal desea es llevar a cabo una revolución burguesa aprovechando el impulso dado por las juntas de 1835, mientras que, según él, tan sólo una democratización en el ámbito de la economía y de los derechos políticos hubiera podido encaminar a España hacia la pacificación de los ánimos. No tendría mayor importancia —sigue diciendo Espronceda— que Mendizábal no hubiese conseguido acabar con la facción en el plazo de seis meses que se había fijado, si hubiese utilizado el voto de confianza para hacer del pueblo esclavo un pueblo libre que le habría aprobado y apoyado ineludiblemente. Pero la realidad era que el primer ministro desechaba una solución de esta índole debido a sus convicciones profundamente reformistas, así como también influía el hecho de que se viera arrastrado por una mayoría liberal a la presión de la cual resistía cuánto podía, pero no lo suficiente para reconquistar a tiempo la simpatía o la neutralidad de los moderados.

Espronceda trata muy por encima otros temas acerca de los que tal vez carece de documentación o información, como son la ayuda militar de Inglaterra y Francia, o la insuficiencia de tropas y equipos. En cuando a la supuesta popularidad del ministerio, refiriéndose a las peticiones de los notables de Madrid y de Cádiz anteriormente mencionadas, el poeta demuestra que se vuelven en contra del que sin duda las suscitó: si los peticionarios «piden a la Reina *le conserve en su puesto para bien de la Monarquía*», se debe a que lo consideran un mal menor. El hecho de que Mendizábal saliese elegido por varias provincias no prueba nada, pues ya se sabe «la influencia y los medios de que puede valerse el que manda» y lo que fue la ley electoral. ¿Acaso no se vio, en tiempos de Fernando VII, a municipios y generales suplicando al rey que restableciese la Inquisición, «presumiendo así aquel partido manifestar cuál era la voluntad nacional»? Es esta una respuesta indirecta a los moderados que, tanto en *La Estrella* en 1834 como en *La Abeja*

209. J. Vicens Vives, *Historia económica de España y América*, Barcelona, 1959, t. V, p. 354.

en el transcurso de los años siguientes, dieron siempre por sentado que las opiniones que defendían eran las de la nación entera, sin otra prueba que su propia convicción.

El autor concluye su diatriba con dos observaciones y la expresión de algunos deseos. Ante todo, justifica su empresa por obligación cívica:

> Deber es de todo patriota verdadero alzar la voz y predicar la verdad del pueblo y desengañarlo, para que coloque en mejor sitio su entusiasmo y sus afecciones.
>
> Concluiré en fin este opúsculo manifestando que el amor a mi patria me ha movido a hacer estas reflexiones, fundadas a mi parecer en la razón misma.

Sin pronunciar las palabras de sufragio universal, el autor incita a las Cortes a que voten una «buena ley lectoral, amplia y popular», de lo cual parece desprenderse que anhela la mayor extensión posible del derecho de voto mediante la ampliación del censo. Por último y para concluir, reivindica el derecho de la juventud a ocuparse de los asuntos públicos:

> Ensáyese en fin esa juventud cuyo patrimonio son las épocas de renovación y turbulencia. Esa juventud que llena de esperanza, no debe titubear en arrojarse, iluminada del talento, por los sombríos senderos del porvenir, aboliendo de una vez tanta práctica antigua, tanto abuso, tanto cadáver resucitado como atrasa, entorpece y corrompe la sociedad. Y no se tenga por una petulancia este deseo que debe hacer latir todos los corazones y arrebatar la imaginación de los jóvenes, no, porque *un siglo de renovación pertenece, sin duda, de derecho, a la juventud.*

Una vez más, vemos a Espronceda de total acuerdo con Larra quien, en *Dios nos asista*, reclamaba también «hombres nuevos para cosas nuevas» y, al hablar de los viejos políticos doceañistas, escribía:

> Nosotros fundaremos nuestro orgullo en ser sus sucesores, en aprovechar sus lecciones, en coronar la obra que empezaron. Nosotros no rehusamos su mérito; no rehusen nuestra idoneidad, que el árbol joven es la esperanza del jardinero, si el viejo ya le da sombra.
>
> Según el miedo que tienen de que la juventud entre en los puestos, no parece sino que es posible hacerlo peor que ellos[210].

Además, a partir de ahora, es este un lugar común que reaparece con frecuencia en los escritos de los jóvenes de la oposición liberal o moderada. Lo hallamos

210. BAE, t. CXXVII, p. 198b. Encontramos opiniones semejantes, por ejemplo, en el *Journal d'un révolutionnaire de 1830* de Víctor Hugo: «La nouvelle génération a fait la révolution de 1830, l'ancienne prétend la féconder. Folie, impuissance! Une révolution de vingt-cinq ans, un parlement de soixante, que peut-il résulter de l'accouplement?» («La nueva generación ha hecho la revolución de 1830, la vieja pretende fecundarla. ¡Locura, impotencia! Una revolución de veinticinco años, un parlamento de sesenta, ¿qué puede resultar del acoplamiento?») y también: «Vieillards, ne vous barricadez pas ainsi dans la législature; ouvrez la porte bien plutôt, et laissez passer la jeunesse. Songez qu'en lui fermant la Chambre, vous la laissez sur la place publique.» («Ancianos, no os atrincheréis así en la legislatura; mejor que abráis la puerta y dejéis pasar a la juventud. Soñad que cerrándole las Cortes, la dejáis en la plaza pública») (*Œuvres complétes* de V. Hugo, *Philosophie I: Littérature et philosophie mêlées*, París, 1927, p. 191).

desarrollado por "Abenámar" (Santos López Pelegrín) a lo largo de un artículo titulado *Exposición de jóvenes a los que no lo son*, publicado el 1.º de febrero de 1838 en el n.º 1 de *Nosotros*, y que concluye con esta frase que recuerda la de Larra: «Consérvense retirados y abrigaditos sin curarse de cómo anda el mundo si por ventura le ven en juveniles manos, y confiesen vuesas mercedes de buena fe que por mal que lo hagamos los de este siglo es imposible que lo hagamos peor que vuesas mercedes.» Al año siguiente, *El Guirigay* de González Bravo dedicó un artículo de fondo al mismo tema, en su n.º 146 del 19 de junio de 1839. Según el editorialista, muchos de los ancianos respetados no han sido sino «niños grandes», en testimonio de lo cual aduce que: «Sólo la *juventud patriótica*, y los hombres que no hayan destemplado su corazón en la piedra del vicio y del engaño serán capaces de emplearlo. Así como no hay *vida* sin *juventud*, no *hay libertad sin ella.*» Sea cual fuere el partido al que se identifican, los españoles de la generación de Espronceda desean ardientemente que se oiga su voz y que se les permita poner a prueba sus ideas. El mismo tema está también presente en la violenta diatriba contenida en el canto III de *El diablo mundo*, que citamos aquí por entero:

> ¡Oh imbécil, necia y arraigada en vicios
> turba de viejos que ha mandado y manda!
> Ruinas soñar os hace y precipicios
> vuestra codicia vil que así os demanda:
> ¿Pensáis tal vez que los robustos quicios
> del mundo saltarán si aprisa anda,
> porque son torpes vuestros pasos viles,
> tropel asustadizo de reptiles?
>
> ¿Qué vasto plan, qué noble pensamiento
> vuestra mente raquítica ha engendrado?
> ¿Qué altivo y generoso sentimiento
> en ese corazón respuesta ha hallado?
> ¿Cuál de esperanza vigoroso acento
> vuestra podrida boca ha pronunciado?
> ¿Qué noble porvenir promete al mundo
> vuestro sistema de gobierno inmundo[211]?

Al igual que los anteriores artículos de Espronceda, tampoco su folleto contra Mendizábal tiene verdadero rigor de demostración. Mientras algunas medidas del gabinete aparecen apenas evocadas, otros puntos (como la Bolsa, los bienes nacionales, o las taras de la administración) están extensamente desarrollados, pero siempre con más pasión que argumentos concretos. Con todo, no debemos olvidar que, según escribía el colaborador de la *Revista española*, el texto original fue amputado por la censura; al desconocer dicho texto, puede que la impresión que sacamos de la lectura del folleto publicado se encuentre en cierto modo des-

211. BAE, t. LXXII, p. 110b. Sobre la corrección que hemos introducido en el segundo verso, véase *supra*, nota 181.

virtuada. En su recensión sobre *El ministerio Mendizábal*[212], Larra dice de forma clara que fueron totalmente prohibidos otros escritos sobre el mismo tema, siendo el de Espronceda «uno de los pocos quejidos que la censura tiránica que nos abruma ha dejado escapar a la opinión pública». Con ello, se confirmaría el hecho de que no pudieron salir a la luz determinados libelos, entre los cuales se contaban aquellos cuya pronta publicación anunciaba, a Córdoba, Joaquín María de Alba en su carta del 16 de abril de 1836. Larra hace suyo el principio expresado por Espronceda: para regenerar el país, hace falta interesar a las masas populares; luego, aprovecha la ocasión para definir la función del periodista que, según él, debe dejar oír su voz constantemente para informar a sus conciudadanos, aun cuando su voz sea acallada y aun a riesgo de poner en peligro su libertad y su vida. Como una prueba más de la popularidad de Espronceda, aparecen estas frases, que también ponen de manifiesto la comunidad de pensamiento existente entre los dos hombres:

> El joven escritor, autor del folleto arriba indicado, era ya bastante conocido por su energía y valor político, circunstancias que tiene bastantemente probadas: y en punto a su talento, no necesitaba dar de él esta nueva prueba para que nadie pueda disputársele.

Los dos puntos que más particularmente interesaron a Larra fueron la crítica de la administración y la de la política financiera y económica de Mendizábal. También "Fígaro" es partidario del sistema de enfiteusis propuesto por Flórez Estrada, y la cita más extensa que hace del opúsculo de su amigo es el pasaje en donde trata de la venta de los bienes nacionales. Para finalizar, invita a todos los patriotas a que lean *El ministerio Mendizábal*, a la vez que justifica en términos de una excepcional gravedad la necesidad de abrir las puertas del poder a la juventud; poder que ésta desea tener, no para satisfacer una mezquina ambición, sino para ayudar a la recuperación del país, ya que la juventud no está constituida, como pretenden los viejos políticos, por un puñado de jóvenes alborotadores:

> La juventud ha comprendido que no es en los cafés donde se forman los hombres que pueden renovar el país: es en el estudio, es con los libros abiertos, sobre el bufete, con la vista clavada en el gran libro del mundo y de la experiencia, es con la pluma en la mano. No ambicionemos miserables empleos, no intriguemos por mezquinas miras personales, trabajemos día y noche, hagámonos los jóvenes independientes, y superiores a nuestros opresores, y si nos está reservado caer gloriosamente en la lucha, caigamos con valor y resignación, desempeñando la alta misión a que somos llamados.

La caída de Mendizábal

En el momento en que aparece publicado el folleto de Espronceda, el ministerio Mendizábal vivía sus últimos momentos. El 19 de abril, en un artículo firmado "L.F.", *El Eco del comercio* hacía una seria advertencia al jefe del gabinete, e incitaba a atacar sin piedad al gobierno y a sus aliados moderados:

212. *El Español*, 6 de mayo de 1836; BAE, t. CXXVIII, pp. 214-216.

> Preciso es que los hombres verdaderamente liberales y patriotas levanten su voz hasta el cielo cuando se ven ultrajadas las cosas más respetables de la tierra. Preciso es romper el silencio perjudicial, que parece poner el sello de la opinión pública sobre lamentables sucesos, tanto más transcendentales y graves, cuanto mayor es la categoría y el aura popular de las personas que juegan con ellos. Y mengua sería de los sinceros amantes del bien de la nación y del progreso de las libertades públicas el no hacer frente con todos sus esfuerzos a demasías tan conocidamente perjudiciales a la santa causa que defendemos.

La causa era, por cierto, «santa», pero Fermín Caballero, cuyas ideas difundía *El Eco del comercio*, planteó a Mendizábal algunas exigencias desmedidas y torpes; quiso imponerle al primer ministro un empréstito para hacer frente a las necesidades de la guerra civil, así como la sustitución de varios militares de alta graduación, en especial de Quesada, capitán general de Castilla la Nueva. El 10 de mayo, Rodil, nuevo ministro de la Guerra, intentó obtener la aprobación de la Regenta para la sustitución de dichos oficiales, y también para la de Córdoba, a quien debía suceder Evans al frente del ejército del Norte. Las gestiones oficiosas ante la corte se prolongaron hasta el 15 de mayo; ese día, cuando Almodóvar se presentó ante la Regente, se enteró de que ésta había decidido sustituir a Mendizábal por Istúriz, quien desde hacía algún tiempo mantenía relaciones secretas con la camarilla de María Cristina. Resulta harto difícil echar luz sobre las intrigas que originaron esta decisión, a la que sin duda no fueron ajenos los emisarios de Córdoba en Madrid; también es cierto que algo tuvo que ver en ello George Villiers, embajador de Inglaterra en Madrid, aunque éste deseaba que Istúriz esperase todavía algo más para suceder a Mendizábal[213].

Desde principios de mayo, éste piensa en dimitir. *El Español* del día 13 califica de absurdos los rumores que corren a este respecto y añade en su editorial: «Todo ministerio que reemplazase al actual debe ser un ministerio de más progreso», y no será difícil encontrar uno entre los hombres del partido liberal. Con ello, Borrego induce hábilmente a sus lectores a apoyar de antemano al sucesor de Mendizábal. El 3 de mayo, la *Revista mensajero*, en su editorial, intima sin contemplaciones al ministerio a que afronte sus responsabilidades (aunque todo el mundo sabía ya que no tenía posibilidades de hacerlo), y no duda en comparar la situación a los más graves momentos de la Revolución francesa, para concluir con las siguientes palabras —una especie de chantaje apenas encubierto para que dimita—: «Cuando estallan esas ruidosas tempestades populares, no hay más que retirarse enteramente de la arena política, o correr todos los peligros de tan instables acontecimientos!» Del 11 al 16 de mayo de 1836, *El Nacional* publicó a diario un importante editorial para intentar salvar *in extremis* al ministerio, pero todo fue inútil; el artículo de fondo del día 18 comentaba en un tono irónico la caída del gabinete: «Y bien, señor *Nacional*, se ha quedado Vd. sin ministerio Mendizábal que se eclipsó con el sol del día de San Isidro», y deseaba buena

213. Sobre las maniobras y negociaciones secretas que culminaron en la caída de Mendizábal y su sustitución por Istúriz, véase Lafuente, *op. cit.*, pp. 140a-146b (Andrés Borrego, que colaboró en este volumen, se otorga a sí mismo sin nombrarse un papel principal en los tratos entre Villiers, la reina e Istúriz), y F. Fernández de Córdoba, *op. cit.*, BAE, t. CXCII, pp. 242a-252a.

suerte al nuevo equipo. En conjunto, las distintas tendencias de la prensa opositora manifestaron su satisfacción; *El Eco del comercio* prosiguió con sus advertencias a veces amenazadoras al gabinete Istúriz, del cual formaban parte dos antiguos partidarios de Mendizábal, el duque de Rivas en la cartera del Interior y Alcalá Galiano en la de Marina. Por vez primera durante su reinado, la Reina Regente, sin tener en cuenta a las Cortes, había cesado de un plumazo a su ministerio, como quien despide a unos cuantos sirvientes.

El Jorobado del 16 de mayo manifestó su alegría en un editorial nada cordial, cuyos términos dan una idea de la exaltación de los ánimos y de la tensión que había reinado en las últimas semanas:

> Cayó por fin en medio de la alegría general el ministerio de horror y de desgracias para este malhadado país que durante ocho meses ha gobernado sin plan, sin orden, sin tino, sin piedad, sin fuerza, sin conocimiento, sin valor, sin justicia, y obedeciendo servilmente tan sólo a influencias despreciables, a hombres traidores los unos, ignorantes y malvados los otros, que iban llevando el país por manos de los asesinos, a los pies del pretendiente. Han caído de sus sillas y han caído de espaldas; nadie los levantará. El señor Mendizábal se encargará de llorar por todos. Llorará como una mujer, ya que no ha sabido defender su puesto, conduciéndose en él como un hombre. Pero él derramará lágrimas no más, al paso que los demás hemos derramado primero lágrimas y después sangre y algunos siempre sangre.

La campaña de prensa, así como los folletos de Larra y Espronceda contribuyeron ampliamente a precipitar los acontecimientos. Resulta harto dificultoso leer entre líneas los periódicos de la época, y comprender todas las alusiones y sobreentendidos que contienen los artículos; igualmente dificultoso resulta trazar las líneas divisorias entre los sectores de la oposición. Aquí hemos intentado tan sólo describir a grandes rasgos los episodios de esta campaña contra Mendizábal.

Habiendo tenido posibilidades de llevar a cabo una revolución democrática, Mendizábal se limitó a dar inicio a una revolución burguesa, y acabó disgustando a todos y creando una confusión mayor en la política española. Con la llegada al poder de Istúriz, pronto iban a repetirse los acontecimientos, como en agosto de 1835, hasta concluir en el episodio tragicómico del motín de los sargentos de La Granja, verdadero esperpento digno de inspirar a Valle-Inclán.

Sexta parte

LA RESISTIBLE ASCENSIÓN DEL MODERANTISMO EN ESPAÑA (1836-1838)

Capítulo XVIII

LA POLÍTICA INTERIOR ESPAÑOLA DESPUÉS DE MENDIZÁBAL. PODER Y GRUPOS DE PRESIÓN

EL BREVE MINISTERIO ISTÚRIZ; LA PROFESIÓN DE FE DE ESPRONCEDA, CANDIDATO A DIPUTADO; LOS DISTURBIOS DE JULIO-AGOSTO DE 1836; LAS DISTINTAS TENDENCIAS DE LA PRENSA MADRILEÑA A PARTIR DE JULIO DE 1836

La elección de Istúriz como nuevo primer ministro no dejaba de ser sorprendente; en efecto, el gabinete que sucedió al de Mendizábal el 15 de mayo de 1836 había sido elegido con una exigua minoría de las Cortes reunidas el 22 de marzo anterior. Los diputados de la oposición manifestaron su descontento por la decisión de la Regente. La sesión del 16 de mayo fue tempestuosa; una moción firmada por cuarenta y cuatro diputados solicitó que el voto de confianza otorgado al anterior ministerio dejase de tener validez a partir de la apertura de las Cortes; que ningún impuesto pudiese ser recaudado si éstas eran disueltas o prorrogadas antes de la votación del presupuesto; y que quedasen anulados todos los empréstitos no autorizados por las Cortes. La moción fue aprobada por noventa y seis votos a favor, doce en contra y diez abstenciones. El diputado Pizarro señaló que Rivas y Antonio Alcalá Galiano ocupaban el banco azul cuando el Congreso todavía no había recibido notificación oficial de su nombramiento; el primero tuvo que abandonar el salón y el segundo, volver a su escaño de diputado. Estas primeras escaramuzas debieran de haber bastado para que Istúriz comprendiera que no podría mantenerse por mucho tiempo en el cargo. Las sesiones de los días siguientes estuvieron repletas de violentas interpelaciones. El 19 de mayo, el Congreso, por ochenta y seis votos a favor, cuatro en contra y doce abstenciones y contraviniendo la opinión del presidente del Consejo de ministros, votó el restablecimiento de las leyes de 1820 sobre los derechos señoriales, el diezmo y los mayorazgos. Por último, el 21 de mayo, se aprobó, por setenta y ocho votos a favor, veintinueve en contra y trece abstenciones, una moción firmada por sesenta y siete diputados en la que se solicitaba a las Cortes la declaración de que el ministerio no gozaba de la confianza del país. Por toda respuesta, el jefe del gabinete ordenó, al día siguiente, la disolución de las Cortes. A pesar de que no todos los artículos de la nueva ley electoral hubiesen sido examinados y adoptados por el Parlamento, se decidió que ésta iba a aplicarse en las elecciones que debían tener lugar en julio de 1836; los recién elegidos se reunirían por vez primera el 20 de agosto. El público, en la tribuna a él reservada en las Cortes, había manifestado ruidosamente su hostilidad al ministerio, hecho que constituía el presagio de graves acontecimientos.

No era un secreto para nadie que la reina deseaba librarse de Mendizábal, cuya política había descontentado a casi todos. Éste, sin duda mal informado de la situación, había pensado de buena fe poder llevar a cabo su programa de septiembre de 1835, en el plazo de seis meses que se había fijado. Era no tener en cuenta las innumerables dificultades que tuvo que afrontar, sin contar tampoco con la intriga, la inercia de una administración mal organizada y su propia indecisión. Pero su destitución pura y llana constituía un acto de despotismo que ponía en evidencia las taras de la monarquía española: la ausencia de una política coherente, las tensas relaciones entre el Palacio real, las Cortes y los ministros, así como la permanente influencia que ejercían en la reina los moderados, despojados del poder a la caída de Toreno, y la constante amenaza del carlismo de la que se valían todos los partidos a fin de hacer presión en los gobiernos sucesivos mediante sutiles y ocultos manejos. La decisión de nombrar a Istúriz para sustituir a Mendizábal, en contra de la mayoría de las Cortes, constituye el primer acto de una tragicomedia de espectaculares efectos teatrales, cuyos móviles son por lo general un misterio para la inmensa mayoría, y que sólo finalizará con la abdicación de María Cristina.

La moción de censura del 21 de mayo de 1836 señalaba el triunfo de las prerrogativas de las Cortes sobre las de la Corona; en otras palabras, los diputados indicaban con su voto que no tenían en cuenta las disposiciones del Estatuto Real. Las conclusiones que de ello sacó el gobierno se manifiestan en su exposición dirigida a la reina, el 22 de mayo, y en un comentario oficioso publicado el día 23 en la *Gaceta:*

> En la Monarquía representativa, cuando el Ministerio pierde la mayoría del Estamento popular, tiene opción, o de someterse a la autoridad de dicha mayoría y retirarse del Gobierno, o de apelar de ella a la nación por medio de nuevas elecciones[1].

El escrutinio de febrero de 1836 había asegurado el triunfo —sospechoso por su amplitud— de los candidatos liberales favorables a Mendizábal, triunfo confirmado por la elección de éste en siete provincias. La *Revista mensajero* del 18 de marzo reconocía abiertamente que los partidarios del primer ministro habían recurrido a cualquier medio para obtener el éxito; tanto Larra —en *Dios nos asista*— como Espronceda —en *El ministerio Mendizábal*— habían comentado desfavorablemente el tráfico de influencias que había llevado a esta victoria, y también lo había denunciado, algo más tarde, Fermín Caballero[2]. Los moderados se per-

1. Citado por J. Tomás Villaroya, *op. cit.*, p. 424.
2. Véase al respecto *id.*, *ibid.*, pp. 447-449.

cataron entonces de la importancia de los intereses en juego. El mismo día en que tomaba posesión el ministerio Istúriz —el 15 de mayo—, apareció en la *Revista mensajero* un editorial titulado *Crisis. Nacionalidad* (firmado *xxx*), en el que podía leerse entre otras cosas:

> En el Presidente del Consejo hemos reconocido una voluntad firme y una acción vigorosa para buscar los medios de acabar la guerra civil; si hubiese sido dable reducir a este punto exclusivo los deseos de los españoles y las exigencias de la opinión, no cabe duda en que la dictadura ministerial habría sido un pensamiento excelente; pero no siendo así, y mezclándose con el estruendo de las armas el afán de resolver los arduos problemas sociales con el fin de mejorar y consolidar nuestras instituciones políticas, no se negará que resultó una situación mixta, bastante complicada.

Las nuevas elecciones de julio de 1836 se prepararon teniendo en cuenta esta doble exigencia y, por primera vez en España, se hicieron públicas las candidaturas. Se solicitó a quienes pedían los votos de sus compatriotas que presentaran su programa o su profesión de fe. *El Español* fue uno de los primeros periódicos en preconizar este sistema, que originó cierta confusión, debido a la ausencia de disposiciones legales al respecto y al no ser presentados los candidatos por partidos organizados. Se intentó paliar estos inconvenientes con la creación de asociaciones electorales de ámbito local y, en algunos casos, nacional; según el periódico de Andrés Borrego, al parecer, los progresistas supieron organizarlas mucho mejor y los agentes que hallaron en las provincias demostraron mayor celo que sus adversarios; se dio el caso inverso en 1837[3]. En el mes de junio de 1836, varios jóvenes tomaron parte en esta campaña electoral de nuevo estilo: Andrés Borrego y Ventura de la Vega, candidatos por Málaga, recorrieron las grandes ciudades de Andalucía, y en Sevilla, Cádiz, Granada y Málaga hicieron propaganda por el partido moderado[4]. Según subraya con razón Tomás Villaroya, las etiquetas políticas eran a menudo imprecisas y las alianzas entre moderados y progresistas disidentes fueron frecuentes: así, el conde de Las Navas figuraba en una lista patrocinada por los primeros, mientras que Martínez de la Rosa era apoyado por Istúriz y Alcalá Galiano, sus antiguos adversarios. Sabemos que Larra se presentó por Ávila (en donde salió elegido en la segunda vuelta por cuatrocientos setenta y siete votos, treinta y seis más que la mayoría absoluta) por razones poco esclarecidas, siendo la más determinante sin lugar a dudas de carácter sentimental[5]. También Espronceda deseó representar una provincia en las Cortes, y escogió —o tal vez la escogieran por él— la de Almería. Su nombre figura en cuarto lugar en la lista de candidatos, de los que por otra parte ninguno salió elegido; ésta apareció publicada el 26 de junio de 1836 en *El Mundo* y el 29 en *El Español*. Con este motivo, el periódico *El Liberal* propuso al poeta que le enviara su profesión de fe política; éste también remitió una copia a *El Español*, que a petición suya la publicó el 19 de junio, y gracias al cual podemos tener conocimiento de la misma[6]:

3. Sobre estas asociaciones y esta campaña, véase *id.*, *ibid.*, pp. 510-515.
4. *El Español*, 26 de junio de 1836; *El Nacional*, 27 de junio de 1836.
5. Véase C. de Burgos, *op. cit.*, pp. 217-223, e I. Sánchez Estevan, *op. cit.*, pp. 179-186.
6. La colección de *El Liberal* que se conserva en la BNM está, efectivamente, incompleta, y empieza en el n.º 87 (17 de septiembre de 1836). En *El Español*, la carta de Espronceda va

Señores redactores del *Liberal*.

En todas las épocas de mi vida me he gloriado de hablar y obrar sin que el miedo ni el interés hayan inspirado mis palabras ni impulsado mis resoluciones. Ansío merecer la honra de representar el país por sólo la gloria de representarle, y ya que Vds. me invitan a que haga una manifestación pública y terminante de mis principios políticos, la haré en resumen de aquellos que he sostenido con la pluma en cuanto he publicado hasta el día y con la espada en París *en la gloriosa semana de julio*, y en Navarra y en Aragón cuando un puñado de libres nos arrojamos en 1830 a conquistar la libertad y la patria que nos arrebatara la tiranía. Convencido de la verdad de mis opiniones sostendré siempre a todo trance el santo dogma de la igualdad, no reconociendo otra aristocracia que la legítima de la inteligencia y del mérito, defenderé asimismo en todas sus consecuencias el principio de la soberanía nacional, y celoso de los derechos e intereses del pueblo, yo independientemente siempre votaré según mi conciencia sin desamparar nunca mi puesto en la vanguardia de la libertad. Ni afecciones personales, ni vil codicia, ni mezquina ambición de empleo, alterarán jamás mis opiniones, que manifiesto con esta franqueza; porque preferiría mejor si disgustaran, renunciar a la alta honra de representar el país, que disfrazarlas o callarlas un solo instante de mi vida. Queda de Vds. su afectísimo S.Q.B.S.M.

José de Espronceda

Este documento tiene, en primer lugar, el interés de confirmar la participación de Espronceda en las Tres Gloriosas de París y en la expedición de octubre de 1830 en la frontera de los Pirineos, según tuvimos ocasión de subrayar anteriormente[7]. Es importante señalar también que esta profesión de fe iba destinada al periódico creado en abril de 1836 por el secretario particular de Mendizábal para defender la política de este último[8]. Se explica así el tono algo agresivo de la carta; en efecto, Espronceda no desea ser considerado partidario del antiguo primer ministro al que había atacado con la pluma dos meses antes. Y para evitar cualquier malentendido, pide a Andrés Borrego que publique el texto en *El Español*; quiere que se entienda bien con ello que tampoco va a apoyar a Istúriz. Efectivamente, tras la caída de Mendizábal, *El Español* se había convertido en el defensor del nuevo gabinete, o cuando menos se mostraba —junto a la *Revista mensajero, La Ley* (nuevo nombre de *La Abeja*) y *El Mundo*— «deferente a su marcha», recogiendo la expresión de un redactor de *El Nacional* del 23 de junio de 1836. La postura de Andrés Borrego puede deducirse de la respuesta que dio a Larra y que *El Español* publicó, junto con la carta de "Fígaro", el 23 de mayo de 1836; este último puntualizó en una nueva misiva —no inserta en el periódico— que su intención era la de mantener una actitud independiente[9]. A pesar de que, por los motivos anteriormente mencionados, las razones de la candidatura

---

precedida de la siguiente nota: «Sres. Redactores de *El Español*: Con esta fecha, invitado por los redactores del *Liberal* a hacer una profesión de fe política, remito igual manifestación a ésta que espero se servirán Vds. insertar en su apreciable periódico. De Vds. afectísimo Q.B.S.M. José de Espronceda.»

7. Véase *supra*, p. 144.

8. Eso es lo que J. M. de Alba explica a Luis Fernández de Córdoba en una carta del 15 de abril de 1836 (F. Fernández de Córdoba, *op. cit.*, BAE, t. CXCII, p. 223b).

9. Véanse las dos cartas de Larra en BAE, t. CXXVIII, pp. 217-218, y t. CXXX, pp. 328-329.

de Larra sean difíciles de desentrañar, parece que se le pueda considerar como uno de esos jóvenes idealistas puros que, defraudados por Mendizábal, no por ello se muestran más dispuestos a apoyar a Istúriz; entre éstos, Carlos Seco Serrano sitúa a los dos escritores[10]. En cualquier caso, la posición de Espronceda se desprende claramente de su carta a *El Liberal*. Al igual que había hecho en la conclusión de *El ministerio Mendizábal*, especifica los motivos de sus palabras y de sus actos manifestando que no los inspiran ni el temor ni el interés. La evocación de los acontecimientos de 1830 tiene como objetivo el demostrar que es y sigue siendo un adversario del absolutismo y un defensor de la libertad y la igualdad. Hay aquí un eco de las ideas expresadas unos meses antes en el artículo *Libertad, igualdad, fraternidad*. Tanto la aprobación anteriormente dada a las teorías de Flórez Estrada sobre la utilización de los bienes nacionales, como el recuerdo de la idea que se hace de la aristocracia (la del talento y del mérito opuesta a la del linaje y la fortuna), así como la defensa del principio de la soberanía nacional, consecuencia de la igualdad de los ciudadanos, o la adhesión a los intereses del pueblo, todo ello constituye una plataforma que, por imprecisa que pueda parecer, está en las antípodas del reformismo moderado al cual se habían suscrito, a comienzos de 1836, Istúriz, Alcalá Galiano y Rivas, y que ponen en práctica en el momento en que se encuentran al frente del gobierno. Espronceda se muestra partidario de un liberalismo que excluya cualquier compromiso. Por entonces, deja de dar textos políticos o poesías patrióticas al periódico de Andrés Borrego, sin duda a fin de demostrar que no está de acuerdo con la postura defendida por su director; así, los días 9 de mayo y 30 de junio de 1836, publica en el mismo dos fragmentos del *Canto del cruzado* que no contienen nada comprometedor y que se remontan a unos años atrás[11]. Por aquellas fechas compuso Espronceda los cuatro versos grabados en la tumba de Pablo Iglesias —víctima del absolutismo en 1825, y cuyas solemnes exequias se celebraron el domingo 25 de junio de 1836 en Madrid en presencia de numerosas personalidades—, lo cual nos da una nueva muestra de su adhesión a las ideas liberales y de su popularidad[12].

La segunda quincena de julio de 1836, período durante el cual se desarrollan las elecciones, está marcada por disturbios que constituyen los signos precursores de la insurrección generalizada del mes siguiente. En mayo, Cádiz, Málaga y Cartagena habían sido escenario de cierta agitación. El 18 de julio, tuvieron lugar en Madrid concentraciones y manifestaciones de descontentos en las que participaron algunos milicianos nacionales. En un comunicado inserto el día siguiente en el *Diario de avisos*, el general Quesada, capitán general de Castilla la Nueva, alertó seriamente a los promotores de disturbios de las graves sanciones a las que se expondrían en caso de reincidencia. El domingo 24 de julio, corrió la voz de que las tropas carlistas habían llegado a San Ildefonso; la muchedumbre se lanzó a la calle profiriendo gritos hostiles contra las autoridades; se repitieron los mismos hechos los dos días siguientes. El 4 de agosto, Quesada publicó una orden del día en la cual declaraba que serían condenados a muerte todos los que toma-

10. BAE, t. CXXVII, *Estudio preliminar*, p. LXIV.
11. Sobre estos versos, véase *supra*, pp. 412-413.
12. Sobre este cuarteto, véase Espronceda, *Poésies*, ed. Marrast, p. 401.

sen parte en los desórdenes; a los pocos días, prescribió la disolución de la Milicia Nacional de Madrid y decretó el estado de sitio en la capital. La situación se agravaba considerablemente. En los últimos días de julio, se proclamó la constitución de 1812 en Cádiz, Sevilla, Granada, Córdoba, Jerez y Málaga, en donde fueron asesinados el 25 el gobernador civil Saint-Just y el conde de Donadío (al que se acusaba de haberse unido a los moderados); el 1.º de agosto, Zaragoza se declaraba independiente, y el movimiento se extendió a las ciudades de las provincias de Levante. En la capital, a finales de julio, *El Eco del comercio* publicó algunos editoriales de excepcional virulencia en contra de los ministros y de su política. De ahí que hayamos podido preguntarnos si Espronceda había tomado parte, junto a estos "exaltados", en las intrigas y tumultos que se produjeron a la sazón en Madrid. En relación con este punto, un documento inédito[13] permite decir con precisión cuál fue la actitud del poeta en aquellos momentos; se trata de un comunicado enviado a los redactores de *El Eco del comercio*, que lo publicó en su número del 29 de julio; el mismo día, apareció reproducido también en el diario vespertino *El Nacional*. El texto dice así:

> *Señores redactores del Eco del Comercio.*= Siento tener que ocupar las columnas de su apreciable periódico hablando de mi humilde persona; pero habiendo llegado a mi noticia que la opinión pública me designa como partidario del actual ministerio, me veo en la necesidad de desmentir este aserto, puesto que mis principios son opuestos enteramente a los suyos. ¿Ni cómo es posible que yo que alcé mi débil voz contra el ministerio de Mendizábal por que marchaba con lentitud y timidez pudiera unirme ni defender jamás a los actuales ministros? También se ha supuesto que era yo redactor del *Español* y amigo por consiguiente de sus doctrinas. Sin que yo intente rebajar el mérito literario de sus redactores, puedo asegurar que nunca he querido tomar parte en su redacción, lejos están de ser mías las doctrinas del *Español* y para no verme obligado a responder a ellas, marcadas están con mi firma todas mis composiciones poéticas que se han insertado en él. Creí que mi profesión de fe política y mi conducta independiente me habrían puesto a cubierto de el, para mí, repugnante título de ministerial, pero no ha bastado y me veo en la precisión de hacer esta manifestación al público, no porque a éste le importa nada mi persona sino porque no quiero cargar con la responsabilidad de un distintivo que siempre he recusado y que recuso ahora absolutamente.
>
> Y viéndome además perseguido por feas intrigas y bajas calumnias debo desmentir asimismo las que respecto a mí se han esparcido estos días suponiendo que he capitaneado el grupo que acompañó al piquete de la Guardia nacional a la salida de los toros gritando y vociferando. Porque mi propio decoro me hubiera impedido hacerlo, y porque declaro mentira vil cuanto se haya dicho de mí en tan despreciable género, y desafío públicamente que nadie se atreva a poner tacha alguna en mi conducta política. Desde la edad de 15 años he arriesgado todo por la libertad de mi patria y no sólo no he pedido nada jamás, sino que he recusado ofertas honrosas del Sr. Mendizábal y del actual secretario de la Gobernación que hubieran desechado muy pocos. Hasta la amistad de los hombres del poder me ha parecido siempre dañosa a mi independencia, y sólo dos veces he ido a ver a los actuales ministros,

13. L. Romero Tobar ha publicado el texto de este documento en su artículo "Textos desconocidos de Espronceda", *Revista de Literatura*, XXXII (63-64), julio-diciembre de 1969, pp. 137-146, cuando este capítulo ya se había redactado.

al principio de su gobierno para hablarles acerca del establecimiento del jurado, si daban (como debía esperarse de sus antecedentes políticos) el ansiado decreto de la libertad de imprenta. = Soy de vds., Sres redactores, S.S.S.Q.B.S.M. = *José de Espronceda.*

Habiendo atacado al ministerio Mendizábal por mostrarse demasiado lento y tímido, parece obvio que Espronceda no podía dar su apoyo a un nuevo gabinete todavía más moderado. Esta puntualización nos parece no contener sino una mera evidencia. El hecho de que fuese necesaria nos da cierta idea de la confusión que debía de reinar entonces en los ánimos, confusión que contribuía a fomentar el brusco cambio de actitud de determinados periódicos, como *El Español*; a este respecto, el comunicado de Espronceda guarda relación con las dos cartas de Larra a la redacción del diario. El hecho de colaborar en la sección literaria del mismo no implicaba en modo alguno la aprobación de las opiniones políticas que se defendían en sus columnas. Es cierto, como afirma Espronceda, que todas sus composiciones poéticas aparecidas en *El Español* van seguidas de su firma. Cabe señalar que no habla de su artículo *El gobierno y la Bolsa*, también firmado, ni de *Libertad, igualdad, fraternidad*; ¿acaso porque este texto, precisamente, fue publicado sin nombre de autor, y el hecho de confesarlo hubiese podido sembrar la duda en el ánimo del lector del comunicado? Resulta comprensible que Espronceda eligiera *El Eco del comercio* para hacer pública su defensa: hubiese sido poco delicado, dado su contenido, enviarlo a Andrés Borrego rogándole que lo publicara; además, el periódico de Iznardi y de Fermín Caballero era el que defendía las ideas más afines a las suyas, mientras que la *Revista española*, en su editorial anónimo del 27 de julio de 1836 había definido su posición como de «prudente expectación» y de «una completa imparcialidad». Por otra parte, denotaba habilidad el haber publicado dicho texto en *El Eco*, cuando a los redactores y simpatizantes del mismo atribuían sus colegas moderados el papel de agitadores.

Aunque se esfuerza por mantenerse moderado en los términos, se nota en este texto, del que ni una sola frase contiene la menor ambigüedad, cómo va subiendo el tono paulatinamente. La profesión de fe política a la cual hace referencia el autor es sin duda el comunicado remitido simultáneamente a *El Liberal* y *El Español* el 18 de junio de 1836. Advertimos, al final del primer párrafo, el ahínco con el que Espronceda rehúsa el calificativo de «ministerial»; no menos categóricamente niega la responsabilidad en uno de los numerosos incidentes que se habían desarrollado unos días antes en Madrid. Nos gustaría estar mejor informados acerca de esas «feas intrigas y bajas calumnias» de las que afirma, indignado, ser víctima. ¿Estamos acaso ante una provocación policial, o ante rumores divulgados a propósito en algunos círculos políticos moderados? En un artículo de la *Revista española* del 30 de julio de 1836, puede leerse una frase que parece responder indirectamente al comunicado de Espronceda sobre este punto; según el redactor del periódico, la mayoría de los tumultos y desmanes cometidos en las calles madrileñas durante los últimos días son obra de reos comunes perfectamente conocidos y de agitadores profesionales. La prensa contemporánea no añade nada más al respecto, a menos que nos haya pasado desapercibida alguna alusión excesivamente sibilina. No vemos por qué iba a protestar Espronceda con tanta firmeza por acusaciones imaginarias. Éste pone interés en recordar que su conducta no ha variado en absoluto desde la edad de quince años, es decir, desde la época de la sociedad numantina (en su profesión de fe como candidato a diputado, no se había remontado tan atrás), y que nada ha pedido ni querido aceptar de los hombres en el poder. Si ha obrado o dejado oír su voz en defensa de la libertad, ha sido por deber de conciencia, no por interés, como había afirmado ya al final de su folleto contra Mendizábal. Según sabemos a través del citado comunicado, este último había propuesto al poeta que ejercitara sus competencias en la administración de los asuntos públicos, sin duda como recompensa por sus buenos oficios ante la junta de Andalucía en septiembre de 1835; el duque de Rivas le hizo una oferta similar, que también rehusó. En una época en que el favoritismo permitía obtener fácilmente cualquier prebenda, merece ser destacado el desinterés de Espronceda, quien prefiere su independencia a la gratitud y a los compromisos que aquélla pudiera acarrearle. Por último, a través de la citada puntualización sabemos que el joven poeta gozaba de una audiencia y una representatividad ciertas, ya que se había hecho portavoz, ante los miembros del gabinete Istúriz, de los periodistas y los escritores deseosos de que se promulgara por fin el decreto anunciando la libertad de prensa. Lamentamos que el texto no sea más explícito, si bien la urgencia de la aclaración justifica este defecto; no olvidemos que, en el momento en que sale a la luz el comunicado en *El Eco del comercio*, Madrid se encuentra en plena efervescencia, y el general Quesada dispuesto a hacer uso del máximo rigor con los promotores de disturbios.

En lo que se refiere al periódico *El Español*, una carta de Luis González Bravo —escrita en Cádiz el 2 de septiembre, y publicada en *El Eco* del 10 y en la *Revista nacional* (fusión de la *Revista mensajero* y de *El Nacional* a partir del 27 de agosto de 1836) dos días más tarde— nos informa más extensamente de las relaciones entre Borrego y los jóvenes escritores liberales. En ella, González Bravo se queja de que le hayan calificado de partidario de Istúriz y de redactor de *El Español*, cuando en Cádiz profesaba opiniones exaltadas. Pero al parecer, sólo publicó en *El Español* algunos artículos literarios o de temas varios; añade lo siguiente:

> Como todo el mundo sabe en Madrid no fueron pocos los esfuerzos en distintas ocasiones de varios jóvenes de opiniones muy conocidas, con el objeto de imprimir un giro más liberal a las doctrinas del *Español*; me cabe la satisfacción de afirmar que en estos esfuerzos tuve yo una buena parte, hasta que convencidos de la inutilidad de nuestros afanes dejamos de mezclarnos en la política del *Español*, así como *El Español* no se acordaba de nosotros sino para insertar algunos de nuestros artículos enteramente extraños a los intereses públicos.

Cabe preguntarse, ante ello, si Espronceda y Larra estaban entre los que, junto con González Bravo, habían intentado convencer a Borrego de que adoptara una línea política menos conservadora. Sea como fuere, Borrego no vio recompensada su cautela; en efecto, el 14 de agosto dejó la dirección de *El Español* el cual, a raíz de unas negociaciones entre los accionistas, pasó a manos de Juan José Carrasco y Manuel Beltrán de Lis; éstos encomendaron la redacción a dos periodistas de opiniones muy moderadas, Joaquín Francisco Pacheco y Manuel Pérez

Hernández, que habían formado parte del equipo de *La Abeja*[14]. Antonio María Segovia y Juan López Peñalver anunciaron en *El Jorobado* del 23 de julio de 1836 que habían dejado de colaborar en dicho diario; *El Nacional* del 2 de agosto especifica que se han pasado a *El Español* porque desaprobaban el lenguaje demasiado incisivo de *El Jorobado*. El 28 de agosto, la *Revista nacional* publicó un suelto según el cual Andrés Borrego había vuelto a hacerse cargo recientemente de la dirección del periódico que había fundado. El interesado respondió en una carta al mismo diario, inserta el 3 de septiembre, y en la que hacía las aclaraciones siguientes: había suspendido su colaboración en *El Español* y desaprobado la cesión de acciones que originó el cambio de propietario; por su parte, creía que el periódico debía dejar de publicarse; por último, expresaba su disconformidad por el contenido de los artículos en los que se criticaban las medidas que acababa de adoptar el gabinete Calatrava, en especial la movilización de 50.000 hombres y la creación de contribuciones de guerra; se declaraba hostil a cualquier forma de oposición que no haría sino estorbar al nuevo gobierno. La ambigüedad de la postura de Borrego concluirá cuando a partir del 16 de febrero de 1838 —y paralelamente a la redacción de su *Revista europea* nacida el 1.º de enero de 1837— publique *El Correo nacional* que pasará a ser entonces el principal órgano de los monárquicos constitucionales moderados. El 2 de junio de 1837, García de Villalta volverá a encargarse de la dirección de *El Español*, que publicará cada domingo una página literaria. En ese momento, Pacheco y Pérez Hernández dejarán el periódico para fundar, el 1.º de julio de 1837, *La España* que, el 1.º de febrero de 1838, se fusionará con *El Español*. Se produjeron también otros cambios a mediados de 1836 en la prensa madrileña: así, *La Ley* —nuevo nombre de *La Abeja* a partir del 1.º de junio— publica su último número el 18 de agosto, pues sus dos principales redactores, Pacheco y Pérez Hernández (asistidos por Gervasio Gironella, Manuel Moreno y Bretón, según el prospecto) pasan, según hemos dicho, a *El Español*. El 27 de agosto, sale a luz el primer número de la *Revista nacional* —fusión de la *Revista mensajero* y de *El Nacional*— que interrumpe su publicación el 17 de abril de 1837 para unirse el día siguiente a *El Patriota*. Lista, Mariano Carnerero, Manuel María Gutiérrez, Francisco Pérez de Anaya y Bartolomé Prats defenderán en sus columnas la política de Mendizábal, lo que les valdrá el 1.º de agosto de 1837 agrias recriminaciones de *La España*, cuyos redactores —según escribe Juretschke— «sabían a qué atenerse, ya que habían tenido ocasión de precisar sus ideas al oponerse a las de Lista en *La Estrella*, entonces más a la derecha que ellos y ahora en el polo opuesto»[15]. En cuanto a *El Eco del comercio*, sigue representando la fracción "exaltada" del partido liberal y sostiene frecuentes polémicas con *El Castellano*, fundado el 1.º de agosto de 1836 por Aniceto de Álvaro, ex funcionario de Hacienda, antiguo feroz partidario de Mendizábal convertido ahora en uno de sus más obstinados adversarios[16]. Durante el ministerio Calatrava, son estos los periódicos que representan las distintas corrientes de opinión, en la que se produce una nueva escisión con motivo de los debates de las Cortes constituyentes, reunidas con objeto de revisar las leyes fun-

14. *El Español*, 14 de agosto de 1836.
15. Juretschke, p. 165. Sobre la polémica entre ambos periódicos, véase *ibid.*, pp. 165-171.
16. Lafuente, *op. cit.*, t. VI, p. 206a.

damentales de 1812 provisionalmente restablecidas a raíz de la "sargentada" de la Granja.

Este acontecimiento supuso la culminación de varias intentonas anteriores cuyo objetivo era el de poner fin al sistema del Estatuto Real, entre ellas: la conspiración de La Isabelina en 1834, el motín del teniente Cardero en enero de 1835 y las insurrecciones del verano del mismo año. Pero nadie consideraba seriamente que la constitución de 1812 pudiera ser restablecida con carácter definitivo; los grupos políticos opuestos al Estatuto Real de Martínez de la Rosa, ya fuesen moderados o exaltados, pensaban que los textos votados en Cádiz debían ser reformados y modificados mediante una puesta al día. Si se pedía que volviesen a entrar en vigor, era porque proclamaban el principio de la soberanía y de la independencia nacionales y la garantía de los derechos individuales; así lo entendían las juntas de julio y agosto de 1836, según se desprende de la lectura de las peticiones remitidas por éstas a la reina, y de los editoriales de los distintos periódicos[17]. No obstante, cabe recordar que, en el marco de las instituciones del Estatuto Real, la subversión era la única vía posible para la oposición. Por ello, aun cuando todos estos avatares de la vida política española hayan sido profusamente relatados por los historiadores, las versiones que dan de los mismos son a menudo contradictorias. Por ejemplo, es casi seguro que algunos partidarios de Mendizábal contribuyeron, con maquinaciones secretas y reparto de dinero, a derrocar de manera brutal y poco democrática el gabinete Istúriz; en un primer momento, respaldando o suscitando los levantamientos en las provincias andaluzas y, finalmente, provocando el conflicto del 12 de agosto de 1836 a raíz del cual la reina se vio obligada a restablecer la constitución de 1812.

Los jefes militares, árbitros de la situación política; la caída del gabinete Calatrava y la vuelta al poder de los moderados

Desde comienzos de 1836, la propagación de la guerra carlista contribuye a dar a los jefes militares un papel de primer orden en la política interior española. Luis Fernández de Córdoba es uno de estos oficiales ambiciosos e intrigantes. Bien tratado por todos, se ve llevado del modo más natural a ser el árbitro de la situación. A finales de mayo de 1836, Córdoba acude a Madrid; asiste a varios consejos de ministros del gabinete Istúriz y se erige en conciliador sin dar excesivas garantías a los distintos partidos que le solicitan. Propone que se le confíe la organización de un ejército de reserva compuesto por unidades de la Milicia Nacional, lo cual le permitiría tener ocupadas en tareas militares esas tropas en las que reina un molesto espíritu subversivo. Se le consulta para la elección del ministro de la Guerra; consigue el nombramiento de su amigo Narváez al frente del ejército de Aragón y, posteriormente, dimite, a finales de julio de 1836, marchándose de España hacia París, no sin haber designado antes él mismo al que será su sucesor en el ínterin: Espartero, su rival, por quien no siente mucho afecto y que no le perdona el haber acaparado los honores de la victoria de Mendigorría[18].

17. J. Tomás Villaroya, *op. cit.*, pp. 555-566.
18. F. Fernández de Córdoba, *op. cit.*, BAE, t. CXCII, pp. 269-276.

El gabinete Calatrava decreta la leva de 50.000 hombres, la movilización de la Milicia Nacional y una contribución de guerra de doscientos millones de reales. El 24 de octubre de 1836, día de la apertura de las sesiones de las Cortes, el cabecilla carlista Gómez toma Almadén, prosiguiendo luego su campaña por el Sur. Ahora es Narváez, en quien ha recaído la misión de limpiar Andalucía, el que es objeto de solicitaciones por parte de los moderados. Éstos le propusieron entrar en Madrid al frente de sus tropas y hacer una contrarrevolución derribando a Calatrava y promulgando la disolución de las Cortes; pero el plan se frustró, y además el general rehusó las proposiciones de Joaquín María López para apoyar al partido liberal[19]. En Cabra, los soldados de Alaix, fieles a Espartero, se negaron a luchar a las órdenes de Narváez, el cual, habiendo caído en desgracia, fue enviado a Cuenca por el nuevo ministro de la Guerra, Rodríguez Vera, siendo posteriormente absuelto por el consejo de guerra; nadie se atrevió a sancionar el motín de los soldados de Alaix, por temor a indisponerse con el sucesor de Córdoba.

A fines de 1836, Espartero obtuvo la clamorosa victoria de Bilbao, que le valió el título de conde de Luchana y acreditó su popularidad. Se convierte así en el nuevo jefe militar de prestigio que, a partir de ahora, los políticos de todas las tendencias tratarán con miramientos e intentarán atraer a su partido. Una vez aprobada la nueva constitución (el 8 de junio de 1837), las tropas carlistas se aproximan a Madrid, que amenazan seriamente en agosto; Espartero es llamado con urgencia y llega el día 12 a la capital, pero Calatrava, temiendo que la entrada del general al frente de sus soldados provoque disturbios, le pide que se dirija hacia Segovia; éste se niega y acantona sus tropas en Pozuelo de Aravaca en donde, el 16 de agosto, algunos oficiales de la Guardia real exigen un cambio de ministerio. Espartero los destituye y los sustituye por suboficiales promovidos de oficio, a raíz de lo cual los descontentos vuelven al orden. Cabe preguntarse si Espartero estaba enterado de lo que se tramaba; según la versión del marqués de Villa-Urrutia[20], se habría negado a respaldar este pronunciamiento prefiriendo mantener la disciplina, a pesar de estar él también descontento del gabinete. Para Fernando Fernández de Córdoba, por el contrario, el conde de Luchana habría dirigido toda la operación por enemistad hacia Luis de Córdoba, a quien acababa de serle ofrecida la cartera de Guerra, que sin embargo éste rehusó[21].

Sea cual fuere la verdad, Calatrava se vio obligado a dimitir a consecuencia de este acto de insubordinación que no podía castigar, pero que atentaba contra su dignidad. Espartero fue nombrado para sucederle y hacerse cargo del ministerio de la Guerra; al cabo de unos días, renunció a estas funciones que consideraba incompatibles con las de general en jefe. Se designó entonces a un progresista de toda confianza, Eusebio Bardají, para formar un gabinete, que no habría de durar más que cuatro meses; el 16 de diciembre de 1837, le sucederá el conde de Ofalia, un moderado convencido que, el 6 de septiembre de 1838, cederá el puesto al duque de Frías; el 22 de noviembre, la reina nombrará a Pérez de Castro al frente del gobierno, en el que permanecerá hasta septiembre de 1839. Enton-

19. Marqués de Villa Urrutia, *La Reina Gobernadora...*, Madrid, 1925, pp. 303-305.
20. *Ibid.*, pp. 325-327.
21. F. Fernández de Córdoba, *op. cit.*, BAE, t. CXCII, pp. 323-325.

ces será cuando Espartero, al igual que Córdoba poco tiempo antes, se convertirá en el verdadero árbitro de la situación política.

Las elecciones de septiembre de 1837 llevaron a las Cortes, y al Senado creado por la nueva constitución, una mayoría moderada. En esta ocasión, reaparece por segunda vez el nombre de Espronceda en una lista de candidatos a la diputación por la provincia de Granada, publicada por *El Español* el 17 de agosto. El mismo periódico dio, el 4 de octubre, el número de votos obtenidos por los candidatos "exaltados", si bien el poeta no figura entre ellos[22]. La lista encabezada por Martínez de la Rosa salió elegida por una cómoda mayoría. Estas elecciones permitieron que algunas personalidades progresistas —Olózaga, Madoz, Caballero, y Joaquín María López, entre otros— ocuparan asientos en las Cortes. Argüelles quedó derrotado, pero los moderados fueron los triunfadores. Volvieron a ocupar los escaños de las Cortes los que habían optado por el exilio después de los sucesos de La Granja de 1836, como Toreno, Istúriz y Alcalá Galiano, a los que se unieron no sólo Martínez de la Rosa, sino también Joaquín Francisco Pacheco, Bravo Murillo, Donoso Cortés, además de dos prestigiosos generales, Narváez y Córdoba. En París, este último se había afanado, por un lado, en obtener mayor ayuda militar de Francia y, por otro, había intervenido en los intentos de acercamiento entre la Reina Regente y don Carlos. Desempeñará un papel importante, aunque secreto, a finales de 1837[23]. Al oponerse Espartero a la formación de un ministerio presidido por Martínez de la Rosa o Toreno, los progresistas hicieron proposiciones a Córdoba; tanto Olózaga, como Mendizábal, Calatrava y Seoane declararon que estaban dispuestos a apoyarle en contra del conde de Luchana; Narváez, por su parte, propuso —sin éxito— a los moderados destituir a Espartero, por la fuerza si era preciso. Obrando con prudencia, el ministerio Ofalia prefirió ofrecer la cartera de Guerra a Espartero —el cual rehusó—, enviar a Narváez a Andalucía para organizar allí el ejército de reserva, y prescindir de Córdoba de momento. En su casa de Carabanchel, éste recibía las visitas de destacadas personalidades, pero se negó a comprometerse con un partido u otro, por lo cual los progresistas tuvieron que acudir a Espartero; abandonarán definitivamente a Córdoba en el momento del pronunciamiento de Sevilla, en noviembre de 1838. Estas vacilaciones le fueron funestas.

A fines de agosto de ese mismo año, el ministerio Ofalia había sido objeto de manifestaciones hostiles en las calles de Madrid; Espartero había exigido la sustitución de los ministros Mon y Castro, sin lo cual se negaba personalmente a permanecer en su puesto. Por las mismas fechas, Martínez de la Rosa, Toreno y Mon se concertaron para determinar la táctica a seguir a fin de que su partido pudiera llegar realmente al poder; propusieron nombrar a Córdoba primer ministro, y la reina, que estaba al corriente, se comprometía a suspender la constitu-

22. Espronceda figura en segundo lugar en esta lista de candidatos. En el séptimo y último aparece D. Nicolás Bonel y Orbe, uno de sus parientes lejanos por vía materna (véase *supra*, p. 24). El poeta obtuvo un solo voto como senador en el primer distrito de la ciudad, excluyendo todo otro sufragio, según se desprende de las actas del 27 de septiembre de 1837 (Archivo municipal de Granada, leg. 57, letra M, moderno n.º 687), que hemos podido localizar gracias a la solícita ayuda del Sr. González Soria, archivero municipal de Granada.

23. Sobre lo que sigue y sobre el papel desempeñado por Córdoba, véase F. Fernández de Córdoba, *op. cit.*, pp. 333-365.

ción de 1837 si los progresistas promovían disturbios. Pero el general rechazó esta peligrosa experiencia, y al frente del gabinete fue nombrado el duque de Frías, personaje políticamente irrelevante, solución de transición a la espera de los acontecimientos. Alaix, favorito de Espartero, rechazó el ministerio de la Guerra, propuesto luego a Ferraz, quien rehusó prudentemente el ofrecimiento; se dio la cartera a un oscuro oficial, el brigadier Hubert. Narváez fue enviado al ejército del Norte, para reforzar las tropas de Espartero. Cruzando Madrid, fue aclamado por las calles. Entonces, se decidió repentinamente mandarle a Andalucía a fin de que organizase allí un ejército de reserva. De ahí la furia —comprensible— de Espartero, que publicó una exposición a la reina en la cual, por así decirlo, la intimaba a cambiar de gobierno. Corrió la voz de que iba a estallar un motín en Madrid el 28 de octubre de 1838; Hubert, sin informar de ello al capitán general Quiroga, ordenó a Narváez que se acercara con sus tropas a la capital. Quiroga presentó su dimisión, que la reina no aceptó; fue imitado por Hubert y por Narváez; se concedió a éste un permiso ilimitado por razones de salud, y se retiró a Loja. Habían triunfado los partidarios de Espartero. Mientras tanto, Córdoba, que había salido de Madrid el 30 de agosto en dirección a Cádiz, recorrió por pequeñas etapas Andalucía, recibiendo por doquier una triunfal acogida. Se encuentra en Sevilla el 10 de noviembre, en el momento en que se inicia la agitación; se pone al frente de la junta insurrecta recién formada mientras el gobernador civil, conde de Cléonard, se halla en Cádiz. Córdoba insiste ante Narváez para que éste vaya a apoyarlo, consiguiendo finalmente que acepte. Pero el asunto acaba mal, y los dos generales, perseguidos y acusados de insubordinación, huyen, el primero a Lisboa (en donde morirá pronto), y el segundo, a Tánger. Éste tendrá que esperar varios años antes de desquitarse de su rival, el ahora triunfante Espartero.

La dimisión del gabinete Calatrava en 1837, por las presiones de un sector del ejército fiel al trono de Isabel II, transfirió a un Parlamento hostil a la nueva constitución las leyes orgánicas que debían permitir la aplicación de la misma. Según escribe con razón Fernando Garrido, la constitución de 1837, hecha por progresistas, respondió en realidad a los deseos de los moderados: la declaración de los derechos del ciudadano es imprecisa, y el sufragio universal no está contemplado; los miembros del Senado son nombrados y no elegidos, y se ha suprimido la comisión parlamentaria permanente que permitía al Parlamento mantener el control sobre las decisiones reales; el soberano posee derecho de veto absoluto[24]. A partir de la toma de posesión de Bardají, y con sus sucesores Ofalia, Frías y Pérez de Castro,

> on peut dire à la vérité qu'il n'y a plus eu de ministres sérieux. Les changements de cabinet n'ont plus eu de sens; les conseillers de la couronne se sont annulés d'eux-mêmes devant leur propre majorité, sans qu'aucune cause parlementaire ait déterminé leur chute, ni l'élévation de leurs successeurs. On a invariablement choisi pour présider le conseil des hommes honorables, sans doute, mais que l'âge ou les maladies avaient depuis longtemps rendus au repos de la vie privée. On a vu, par une singularité sans explication dans un régime représen-

24. F. Garrido, *La España contemporánea...*, Barcelona, 1865, t. II, p. 1.186.

> tatif, un parti puissant par le nombre, ayant une majorité absolue, ne pas oser porter ses véritables chefs au pouvoir, et placer aux différents ministères des hommes dont les titres n'avaient rien de parlamentaire. Il me serait impossible de trouver dans l'existence de ces différents ministres un seul acte que l'histoire puisse enregistrer[25].

Si bien este juicio de un contemporáneo puede parecer parcial, no obstante expresa una verdad reconocida ahora por todos los historiadores.

LAS SOCIEDADES SECRETAS: "JOVELLANISTAS", PROGRESISTAS Y DEMÓCRATAS

La política española no se hace ni se discute realmente durante los consejos de ministros o en las sesiones parlamentarias, sino en conciliábulos entre líderes de las distintas tendencias, y generales. A partir de los primeros meses de 1836, los miembros de la oposición se reúnen en clubs y sociedades secretas cada vez más numerosos, que se organizan e intensifican su acción por todo el país. Las discusiones a las que dio lugar la preparación de la constitución de 1837 originaron una escisión en el grupo de los "exaltados": Calatrava, Joaquín María López, Mendizábal y Gil de la Cuadra representan una tendencia conservadora favorable al reformismo, mientras que Lorenzo Calvo de Rozas, Patricio Olavarría, Calvo y Mateo y el conde de Las Navas adoptan posiciones más radicales y revolucionarias[26]. Estos hombres representan lo que Eiras Roel denomina con razón la izquierda demócrata, que si bien es cierto que dista mucho todavía de constituir un partido organizado, posee sin embargo una red de corresponsales en las distintas provincias y pronto dispondrá incluso de un periódico, *El Centinela de Aragón* (fundado en Teruel en 1837 por Víctor Pruneda), considerado el decano de la prensa republicana española[27].

Como el sistema del Estatuto Real no ofrecía a estos partidarios de cambios rápidos otra posibilidad de acción que no fuese la clandestina, las conspiraciones y complots se multiplicaron en la época del ministerio Mendizábal. Así, tras las elecciones de febrero de 1836, se reunieron en el café Nuevo la Joven España, los Leñadores escoceses, los Templarios sublimes y los miembros de la Asociación de los derechos del Hombre. Javier de Burgos y Pirala atribuyen a dichas sociedades la preparación, para el 19 de marzo de 1836, de un golpe de estado en el cual desempeñaba un papel de primer orden Juan Van Halen, que acababa

25. («... puede afirmarse en verdad que ya no hubo ministros serios. Los cambios de gabinete dejaron de tener sentido; los consejeros de la corona se anularon por sí solos ante su propia mayoría, sin que ningún motivo parlamentario determinara su caída o el encumbramiento de sus sucesores. Para presidir el consejo, fueron elegidos invariablemente hombres honorables sin duda, pero que la edad o las enfermedades habían relegado desde tiempo atrás al sosiego de la vida privada. Por una singularidad sin explicación posible en un régimen representativo, se vio a un partido, poderoso por su número y que contaba con una mayoría absoluta, no atreviéndose a llevar al poder a sus verdaderos jefes y situando en los distintos ministerios a hombres cuyos méritos nada tenían de parlamentario. Me sería imposible hallar en la existencia de estos distintos ministros un solo acto digno de pasar a la historia.») M. Marliani, *op. cit.*, t. I, pp. 275-276.
26. F. Garrido, *op. cit.*, t. I, pp. 301-304.
27. A. Eiras Roel, *El partido demócrata español...*, Madrid, 1961, pp. 39, 49 y 80-81.

de regresar de Bélgica. La preparación del complot llegó a oídos de la policía, siendo inmediatamente desmantelado en Madrid, Barcelona y en Aragón; Van Halen aceptó un mando militar a cambio del cual renunció a sus proyectos. Este pronunciamiento abortado acentuó todavía más las disensiones entre los liberales. El 3 de agosto de 1836, estalló en la capital un motín instigado por el capitán Cardero, héroe de la jornada del 18 de enero de 1835. Pero éste fracasó al no conseguir reunir al conjunto de la Milicia Nacional, que fue inmediatamente disuelta por el capitán general Quesada. Éste fue asesinado la noche del 14 de agosto, y en el café Nuevo sus asesinos hicieron circular de mesa en mesa, según un relato anónimo, las orejas y los dedos del desdichado oficial[28]. Según otro historiador, los levantamientos que precedieron al de La Granja en 1836, e incluso este último, habrían sido obra de La Isabelina, en el seno de la cual estaría infiltrado un agente muy influyente de don Carlos; Istúriz habría revelado estos proyectos a la reina poco antes de la destitución de Mendizábal. Al parecer, en julio del mismo año, la Sociedad de los vengadores de Alibaud habría intentado fomentar desórdenes para presionar a los electores, llamados entonces a votar[29]. A comienzos de 1836, el propio Mendizábal habría utilizado los servicios del conspirador profesional Aviraneta, enviándole a Barcelona, desde donde Mina lo mandó deportado a las Islas Canarias; don Eugenio consiguió evadirse y, de vuelta a Cádiz, negoció la fusión de La Isabelina con la logia masónica local de rito escocés, cuyas simpatías iban hacia los moderados, a fin de luchar contra el primer ministro, objeto ahora del odio implacable de Aviraneta. Estos dos grupos respaldaron luego el gabinete Istúriz, que parecía ofrecer a los negociantes de la ciudad garantías de una prosperidad duradera. Ello dio lugar a confusos pactos a raíz de los cuales, poco después de los sucesos de La Granja, La Isabelina dejó de existir. Eso es lo que se desprende cuando menos del relato detallado de la vida y milagros de Aviraneta contados por él mismo en aquel momento; aunque nos consta la tendencia del personaje a la mitomanía, es indiscutible que en su relato existe un cierto fondo de verdad[30]; en concreto, a través de él sabemos que Luis González Bravo era, en Cádiz, el agente secreto —digamos más bien el delegado para la propaganda local— de Mendizábal, lo cual no aparece formalmente desmentido en los términos de su carta abierta a *El Español* y *El Eco del comercio*.

El restablecimiento de la constitución de 1812 suponía en principio el correlativo restablecimiento de los derechos de asociación y de expresión. Pero el 30 de agosto de 1836, el gabinete Calatrava volvió a poner en vigor el decreto del 17 de abril de 1821 en el que se contemplaban las penas a infligir a los autores de conspiraciones contra las leyes fundamentales de la monarquía. El 19 de septiembre, se negó a autorizar las actividades de una Sociedad de regeneradores del

28. J. de Burgos, *op. cit.*, t. III, p. 158; A. Pirala, *op. cit.*, t. III, pp. 281a, 297 y 309a.

29. [Anónimo], *Examen crítico de las revoluciones de España de 1820 a 1823 y de 1836*, París, 1837, t. II, pp. 73 y 99. Estas mismas sociedades se analizan también, aunque de forma muy breve, en A. García Tejero, *Historia político-administrativa de Mendizábal...*, Madrid, 1858, t. II, pp. 280-282.

30. Véanse los *Apuntes políticos y militares de Aviraneta*, publicados por J. L. Castillo Puche (*Memorias íntimas de Aviraneta...*, Madrid, s.f., pp. 190-216, y en particular las pp. 209-212), que se olvida de precisar que este manuscrito se conserva entre los papeles de Pirala (RAH, 9-31-3, leg. 6801).

pueblo, lo cual suscitó protestas y agitación callejera[31]. El mismo 19 de septiembre, Lorenzo Calvo de Rozas, Antonio de Torija y Carrese, Jacinto de Salas y Quiroga y Genaro Valdivieso cursaron una demanda a la reina para solicitarle la autorización de fundar la Sociedad patriótica de Madrid, la cual se proponía ejercitar el derecho de petición frente a los abusos del gobierno y con objeto de defender los intereses del pueblo. Ignoramos si esta demanda fue acogida favorablemente, aunque parece ser que fue rechazada[32]. En el mes de noviembre de 1836, el gobierno presentó un proyecto de ley encaminado a suspender las formalidades legales de las detenciones y a autorizar al ministro del Interior a desterrar de Madrid a las personas cuya presencia se consideraba peligrosa para el orden público. Según *El Eco del comercio* del 20 de noviembre, habían sido aplicadas órdenes de comparecencia el 17 a Lorenzo Calvo de Rozas, Pascual Inglada, Nicolás Bahamonde, Juan Picón, Francisco Salcedo, Felipe Arias y José María de Orense; puede que otras personas hubiesen sido víctimas de la misma medida, cuyas motivaciones declaraba desconocer por completo el periódico progresista[33]. Lorenzo Calvo de Rozas publicó el 18 de noviembre en *El Corsario* (periódico liberal "exaltado" que había comenzado a publicarse el 1.º de octubre de 1836) una protesta contra la orden, que se le había notificado el 16, de fijar su residencia en Salamanca. Al pie de dicho documento, un suelto anunciaba que el interesado había sido detenido la víspera y, en compañía de otras personas cuya identidad no revelaba, encarcelado. El día siguiente, aparecía recogida en *El Corsario* una información, dada el 18 de noviembre por *El Castellano*, según la cual estas detenciones se habían producido a raíz del descubrimiento de una conspiración republicana; según *El Corsario,* parecía imposible que Calvo de Rozas estuviese involucrado en ella. Basta con leer los artículos que Larra escribió de noviembre de 1836 hasta su muerte, y en especial *El día de difuntos de 1836. Fígaro en el cementerio*, para tener una idea de la atmósfera agobiante que reinaba por entonces en Madrid.

Los moderados se reagrupan asimismo durante los años 1836-1837. En la *Revista europea* (1837) —más tarde *Revista peninsular* (1838)— y luego en *El Correo nacional* (a partir del 16 de febrero de 1838), Andrés Borrego defendió las doctrinas del reformismo burgués, proponiendo a los partidarios del mismo la adopción del nombre de partido «monárquico constitucional». Pero las actividades ocultas de los moderados (Alcalá Galiano, Istúriz, el duque de Rivas, el duque de Frías) iban madurando en el seno de la Sociedad española de Jovellanos, fundada de 1836, para hacer frente a las sociedades secretas de liberales y progresistas. Sus estatutos y su reglamento fueron revelados por Pirala, a partir de un documento[34] en el que puede leerse entre otras cosas:

31. Archives du ministère des Affaires étrangères, Mémoires et documents, n.º 312, pièce 89.

32. Esta petición se imprimió, y la citamos según un ejemplar de nuestra posesión. No hemos encontrado en la prensa ningún rastro de esta tentativa ni de cómo fue acogida.

33. Pirala (*op. cit.*, t. III, p. 319a) menciona el arresto de Orense y de Benito Alejo de Gaminde.

34. Pirala, *op. cit.*, t. III, pp. 319-321, y RAH, 9-31-3, leg. 6801; AGP, Sección histórica, caja 301, leg. 11. De la existencia de la Sociedad de Jovellanos en junio de 1838 ha dejado cons-

> Agotado enteramente el sufrimiento y la razón de las clases inteligentes ricas industriales, se ha creado la Sociedad Española de Jovellanos con el laudable y patriótico fin de llevar a cabo tan grandiosa empresa; cuatro son las bases que forman el importante objeto de su creación:
>
> Primera, combatir a muerte el despotismo representado por el pretendiente o sus partidarios.
>
> Segunda, combatir igualm[en]te la anarquía representada por las sociedades secretas y los Ministerios que éstas engendran.
>
> Tercera, ilustrar al Trono sobre su crítica posición, y el caos en que quisieran envolverle los ensayos intempestivos, imprudentes o exagerados de hombres empíricos, hipócritas o alevosos.
>
> Finalmente, cuarta, acelerar la cooperación extranjera conciliando escrupulosamente la dignidad e independencia de España con las leyes de la gratitud y los intereses políticos del mediodía de Europa.

Los jovellanistas, cuya divisa era *Acheronta movebo*, declaraban ser fieles seguidores de la Regenta y de Isabel II en el orden y la libertad, y estar dispuestos a luchar contra las secuelas del motín de La Granja. Reconocemos en ello el programa de los moderados que en septiembre de 1836 se hallaban en la oposición, programa que Martínez de la Rosa iba a hacer suyo de nuevo, atacando a la vez a "exaltados" y carlistas. El periódico *El Progreso*, que inició su publicación el 16 de marzo de 1838, escribía en su n.º 9 del 24 de marzo[35]:

> Las sociedades secretas son la causa de nuestra ruina, dicen los moderados, y tienen razón: es la única vez que se la concedemos en prueba de nuestra imparcialidad. La sociedad secreta de Jovellanos nos ha conducido al lastimoso estado que tocan nuestras manos, ven nuestros ojos y oyen nuestros oídos. La sociedad española de Jovellanos ha traído el actual gabinete, cuyo programa es una bendición del diablo. ¡Malditas sean las sociedades secretas, y en particular la de Jovellanos!

El 2 de mayo —después del reestreno, el 30 de abril, de *Don Álvaro*— el mismo diario publicó el suelto siguiente: «El señor presidente de la sociedad secreta de Jovellanos es entusiasta por esta composición dramática, según dicen por esas calles, plazas y cafés.» El 18 de febrero de 1839, *El Eco del comercio* reveló los estatutos de la Sociedad de Jovellanos publicados seis días antes en *El eco murciano*; luego, *El Guirigay* (que dirigía González Bravo, a la sazón liberal exaltado) ofreció a sus lectores la lista de los miembros de la sociedad. Varios de los que en ella figuraban desmintieron que formasen parte de la misma[36]. Entonces fue cuando *El Castellano* decidió el 15 de marzo reproducir dicha lista, a fin de

---

tancia Ch. Dembowski (*Dos años en España y en Portugal*..., trad. esp., Madrid, 1931, t. I, p. 146), que precisa que sus miembros se reclutaban entre los altos funcionarios moderados. No hemos encontrado ninguna mención de la Sociedad de los Hijos del Sol, integrada, según el mismo autor, por viejos oficiales "ayacuchos", y de la que Espartero habría sido uno de los principales afiliados.

35. La colección de *El Progreso* que se conserva en la BNM abarca del 16 de marzo de 1838 al 12 de enero de 1839 y presenta numerosas lagunas.

36. Estos mentís aparecieron en el n.º 66 de *El Guirigay*, 18 de marzo de 1839; desconocemos la fecha en que este periódico publicó la lista de jovellanistas, ya que la colección de la BNM es muy incompleta (faltan, entre otros, los n.ºs 59, 61 y 63 a 65).

suscitar nuevos desmentidos; y en efecto, aparecieron algunos en los números siguientes, aunque ninguno firmado por los acusados más relevantes, tales como Martínez de la Rosa (presidente del Directorio supremo), Istúriz, los hermanos Fernández de Córdoba, Alcalá Galiano, el conde de Ofalia, los marqueses de Someruelos y de Miraflores, etc. La iniciativa de *El Castellano*, cuyas simpatías se inclinaban por el partido moderado, tal vez no fuese sino una maniobra con objeto de restar toda credibilidad a esas revelaciones. Habían podido añadirse algunos nombres a una lista auténtica a fin de sembrar la confusión; en ella aparecían en efecto, entre otros, los de Fuente Herrero y Manuel González Bravo, el propio hermano del director de *El Guirigay*[37]. ¿Acaso cabía pensar que importantes y respetables personalidades podían tener como lema: «Nosotros *solos* somos los buenos. Nosotros *solos* ni más ni menos»? Lo que todo esto podía provocar es que se encogieran de hombros quienes creían que las sociedades secretas estaban compuestas sólo por "exaltados" y "anarquistas", contribuyendo así a reforzar su opinión.

No deja de ser cierto que la Sociedad de Jovellanos existió efectivamente, según confirman algunos documentos y correspondencia interceptados; su objetivo era el de recurrir a todos los medios posibles para eliminar a los progresistas[38]. Junto a un informe policial del 19 de mayo de 1838 aparece una carta de Valencia, que nunca llegó a su destino; su autor afirma que varios funcionarios acaban de ser destituidos por orden de los jovellanistas, cuyo jefe, Martínez de la Rosa, impone su voluntad a los ministros que no son más que sus ejecutores[39]. Así pues, de nuevo vemos a los españoles trasladados a la época en que los moderados minaban el régimen constitucional del trienio en el seno de la Sociedad constitucional, conocida con el nombre de Sociedad del Anillo de Oro, de la que eran miembros Toreno, Martínez de la Rosa, el duque de Frías y Álvarez Guerra[40]. Están respaldados ahora por Rivas, Alcalá Galiano e Istúriz, que han pasado a integrarse en el partido moderado; sus "comuneros", en 1836-1839, son los progresistas de los que un sector defiende ideas democráticas y republicanas.

Esta tendencia se desarrolló primero en Cataluña, antes de hallar simpatizantes en Madrid y en las demás provincias. A finales de 1836, reinaba en Barcelona una gran excitación. *El Vapor, El Sancho gobernador* y *El Guardia nacional* incitaban claramente a la rebelión en contra de «las manos eclécticas» que detentaban el poder (*El Vapor* del 1.º de diciembre de 1836), y animaban al pueblo a deshacerse de una vez por todas «de esa cáfila de políticos y embusteros que le [al pueblo] embaucan» (*El Vapor* del 5 de diciembre). La sociedad Hermanos de

37. Una nueva lista, más completa, publicada en octubre de 1840 en una hoja suelta por *El Huracán*, suscitó nuevos mentís y los comentarios de *El Castellano*. Esta hoja suelta aparece encuadernada, en la colección de este periódico que se conserva en la BNM, tras el número del 14 de octubre de 1839.

38. Además de los documentos citados más arriba (véase la nota 34), se pueden consultar en el AGP, Sección histórica, caja 303, un reglamento de la sociedad con fecha de 27 de noviembre de 1837 y un legajo que contiene cartas que van del 5 de enero al 20 de abril de 1839, como era de esperar sin los nombres del destinatario ni del remitente, y firmadas con la sola divisa «Salud, moderación y esperanza.»

39. RAH, Papeles de la regencia de María Cristina, 9-31-6, leg. 6945.

40. Véase al respecto, A. Dérozier, *L'histoire de la Sociedad del Anillo de Oro*..., París, 1965.

la grande unión, que reunía el conjunto de los clubs exaltados, lanzó una proclama titulada *La bandera* en la que se incitaba a la revolución en defensa de los derechos del hombre, y a la lucha contra los aristócratas. Los moderados efectuaron entonces una serie de transacciones que acabaron haciendo de *El Vapor* el órgano de sus ideas. Por ello, cuando el batallón de la Milicia Nacional denominado de la Blusa y el de los zapadores, compuestos ambos por obreros, se sublevaron el 13 de enero de 1837 en Barcelona para exigir el restablecimiento de la constitución de 1812, profiriendo gritos hostiles a la nobleza, al día siguiente dicho periódico publicó un artículo de fondo en el que se solicitaba de forma contundente la enérgica represión de esos perturbadores que, según el periodista, no eran más que una ínfima minoría de «maratistas en caricatura». También en esta ocasión había fracasado la insurrección porque se había limitado a una manifestación de «infantilismo subversivo» del proletariado de la gran urbe industrial, todavía desorganizado y calificado de «partido antisocial» en la petición dirigida el 27 de enero a la reina por la alta burguesía de Barcelona. Pero la calma fue sólo provisional, y la agitación iba a proseguir más tarde y aún con mayor fuerza[41]. En 1837, existían en la capital de Cataluña dos sociedades secretas, la de los Derechos del hombre y la de los Vengadores de Alibaud, que se fusionaron adoptando el nombre de la segunda y, en el mes de diciembre, enviaron a Madrid a tres emisarios para que entraran en contacto con la Joven España y los Unitarios. Todas estas sociedades se unificaron para aunar esfuerzos y formaron La Federación, de la que se instauraron filiales en las provincias, bajo la autoridad de la Federación central rectora establecida en Madrid y presidida por el Supremo regulador federado, residente en París[42]. Los miembros de dicha sociedad, partidarios de una república federal en España, se comprometían a no reconocer ningún gobierno ni poder que no fuese el de la emancipación del pueblo, a luchar contra los tiranos (o sea, «todos los que mandan o mandaren contra la voluntad del pueblo») y sus servidores, y a considerar usurpada la autoridad real. Dos circulares de octubre y noviembre de 1839 —que sin duda no fueron las únicas— inducen a los miembros de la sociedad a que se opongan a los proyectos de ley sobre la imprenta, el clero y los ayuntamientos, y a exigir la revisión de la constitución de 1837 en sentido democrático.

En los años 1838-1839[43], los informes de la policía dan cuenta con frecuencia de algunas reuniones de La Federación, cuya actividad parece suscitar gran interés y preocupación. Aparecen citados reiteradas veces los nombres de sus miembros simpatizantes o portavoces en el Parlamento, como: Juan Bautista Alonso, Iznardi, Gallardo, Fermín Caballero, Evaristo San Miguel, Joaquín López, Pas-

41. Sobre estos sucesos, véase J. de Burgos, *op. cit.*, t. IV, pp. 85-89; E. Rodríguez-Solís, *Historia del partido republicano español*, Madrid, 1893, t. II, p. 368, y A. Eiras Roel, "Sociedades secretas republicanas en el reinado de Isabel II", *Hispania* (Madrid), XXII, 1962, pp. 277-278. Hay una relación anecdótica y detallada de los tales sucesos en J. Coroleu, *Memorias de un menestral de Barcelona*, Barcelona, 1916, pp. 170-172.

42. Los documentos sobre La Federación se hallan en el AGP, Sección histórica, cajas 294, 296 y 301. Han sido utilizados de forma parcial por A. Eiras Roel en su art. cit. en la nota anterior (pp. 278-285) y en su libro *El Partido demócrata español*, Madrid, 1961, pp. 81-84.

43. AGP, Sección histórica, cajas 294, 296 y 301; RAH, Papeles de la regencia de María Cristina, 9-31-6, legs. 6945 y 6947.

cual Madoz y Olózaga. También se hacen referencias a proyectos de creación de periódicos (*Guerra*, en abril de 1839), a idas y venidas de emisarios, así como a vinculaciones con la prensa "exaltada": *El Graduador; el Guirigay* de González Bravo, cuyos colaboradores son Joaquín María López, Campuzano y Juan Bautista Alonso (en cuya casa tienen lugar las reuniones de la Joven España), y que tienen relaciones con Garnier-Pagès en París; *La Legalidad*, que sucederá al anterior tras su supresión; *El Progreso*, cuyo principal accionista, en 1838, es el conde de Parsent, y sus colaboradores, Manuel María Gutiérrez, Mariano Carnerero y Caballero... A menudo resulta harto difícil discernir lo verdadero de lo falso y lo posible de lo probable en estos documentos. Evidentemente, los delatores ven conspiradores por doquier y, con la zozobra que provoca la oposición de progresistas y demócratas, parecen no hacer distinción alguna entre organizaciones serias y sólidas como La Federación, y grupúsculos extremistas como los Hijos del pueblo, la asamblea denominada Salvadora de la libertad y del trono, y los Templarios sublimes de los que se habla de vez en cuando en esta época. A estos últimos atribuye Javier de Burgos la iniciativa del pronunciamiento del 9 de abril de 1837 en Zaragoza, cuyo objetivo era el de obtener el embargo de los bienes pertenecientes a las personas ausentes y sospechosas de firmes simpatías carlistas, así como el reparto de los bienes nacionales entre los combatientes por la libertad[44].

Pese a la imprecisión de los documentos y a la ausencia frecuente de referencias concretas en los historiadores contemporáneos, puede apreciarse que la política española se caracteriza en esta época por una medianía, y en ocasiones una incoherencia, que son consecuencia de cuatro factores: la falta de madurez de conciencia cívica en la mayor parte de la gente; la constante preocupación por apartar a los progresistas de la dirección de los asuntos de gobierno, o cuando menos por entorpecer al máximo su acción; la elección de ministros a menudo de poca talla, descalificados por sus errores anteriores, que titubean o aplican dócilmente los consejos y las decisiones de la camarilla o de los clanes; y por último, la amenaza carlista que obsesiona todas las mentes. Esta guerra civil sirve de justificación a los moderados para luchar, en plena luz, y sobre todo mediante conciliábulos secretos, contra lo que ellos denominan la «anarquía». El argumento que esgrimen es que una victoria de don Carlos sumiría el país en el caos; supone un argumento de peso para las categorías sociales acomodadas, como la burguesía negociante de Barcelona y Cádiz, cuyo apoyo depende además de la represión de todas las intentonas extremistas y de la prevención contra los proyectos de las sociedades democráticas y republicanas. También esta guerra es la que convierte a los grandes jefes militares en árbitros de la situación, ya que al prestigio que les otorgan sus victorias ante la población, se suma el hecho de que puedan respaldar con sus tropas a los partidos. Así lo demostrarán Espartero, O'Donnell y Narváez en el transcurso de los dos decenios que van de 1836 a 1856. Los moderados y los tradicionalistas han achacado a menudo a los miembros de sociedades secretas avanzadas y a su impaciencia por dotar a España de instituciones democráticas, la política vacilante y poco perspicaz que practicaron María Cristina e Isabel II. Pero estas asociaciones, forzosamente clandestinas, tenían

44. J. de Burgos, *op. cit.*, t. IV, p. 163.

cuando menos el mérito de mirar hacia el futuro, en lugar de esforzarse por mantener un equilibrio precario y un orden caduco desde largo tiempo atrás, como hacía la Sociedad de Jovellanos, mucho más poderosa por su acción y mucho más eficaz debido a los apoyos y medios de presión con que contaban sus miembros. ¿Cómo extrañarse de que hombres como los que reunía La Federación hubiesen podido pensar que sólo un régimen republicano podía sacar al país del atolladero, cuando la monarquía quedaba desacreditada por las intrigas de una reina que —por no hablar de su escandalosa vida privada— estaba dispuesta, a finales de 1836 y comienzos de 1837, a entregar Madrid a los carlistas negociando secretamente con el Vaticano, Prusia, Austria y Rusia a espaldas de sus propios ministros y exponiendo a traición sus tropas a vergonzosas derrotas[45]?

Espronceda y la actividad política de 1836 a 1838

Cabe preguntarse qué papel pudo desempeñar Espronceda en el seno de asociaciones de tendencia republicana o de grupos de progresistas avanzados en el transcurso de estos años. Salvo error, su nombre no aparece mencionado en ninguno de los informes policiales anteriormente citados y referentes a las sociedades secretas madrileñas. No figura más que en uno, con fecha del 11 de febrero de 1838, y de todas formas los hechos que se le imputan son muy imprecisos:

> Anoche hubo movimientos y desórdenes en el teatro del Príncipe y en la calle del Prado en los que figuraban los señores Esponceda [*sic*] y Orratia [?].
>
> Es muy posible que el origen de aquéllos tenga por objeto dar principio a alguna de las maquinaciones que hay en proyecto[46].

Aparte de eso y después del comunicado aclaratorio del poeta publicado en *El Eco del comercio* del 29 de julio de 1836, tan sólo disponemos de escasos testimonios dispersos, y a menudo imprecisos, sobre sus actividades políticas y su vida. En su biografía de Espronceda, Ferrer del Río escribió esta frase, que no figura en las versiones ulteriormente publicadas del mismo texto, y que se refiere a las semanas posteriores al pronunciamiento de La Granja:

45. Se confió este cometido al príncipe de Casini, agente secreto del Vaticano en la corte de María Cristina. Esta misión ha sido referida por varios historiadores, pero el relato más fiel a los hechos se encuentra en las *Memorias* de Benito Hortelano (Madrid, 1936, pp. 58-62), que en 1846 tuvo en sus manos una relación de ella que el general Alaix le había entregado por error junto con otros documentos. Entre los proyectos de la reina figuraba el casamiento de la princesa Isabel con el hijo de don Carlos, el establecimiento en España de una "constitución" análoga a la «carta otorgada» poco antes en Francia por Luis XVIII, y la indemnización y el restablecimiento de las comunidades religiosas expoliadas por la desamortización.

46. RAH, Papeles de la regencia de María Cristina, 9-31-6, leg. 69-45, informe anónimo del 11 de febrero de 1838. La noche de dicho día, se representaba en el teatro del Príncipe *El rey monje* de García Gutiérrez.

> Espronceda tuvo que esconderse; y aun recordamos que en el año de 1836 consiguió salir de la corte disfrazado de zagal de un carruaje, y llegar a Zaragoza a través de indicibles riesgos, porque a la sazón don Basilio rondaba con su gente en las inmediaciones de la carretera de Aragón y Castilla[47].

Una carta de Eugenio de Ochoa —del 7 de septiembre de 1836— a su amigo el conde de Campo Alange que residía a la sazón en Sevilla, confirma en parte este viaje del poeta, a la vez que proporciona ciertos detalles interesantes acerca de algunos otros escritores. Tras pintar con los tintes más sombríos el futuro inmediato de España, el antiguo director de *El Artista* escribe:

> Hablemos ahora de nuestros amigos: Larra ha conservado una posición decorosa en esta crisis, aunque ha contribuído con su fatal talento a producirla; si fuera un hombre vulgar, Larra perecería en ella y no habría motivo para compadecerle; su muerte sería un justo castigo de su desmoralización política. Lejos de estar en favor ahora con los vencedores, se le mira con muy malos ojos. Villalta está en completa desgracia; era amigo y hechura de nuestro buen D[uque] de R[ivas], y esto es en el día un crimen imperdonable. La conducta de Espronceda no la comprendo, pero seguramente será muy mala; yace no obstante en completa ociosidad. Hace cuatro días volvió de Zaragoza donde no sé qué fue a hacer; hay quien dice que llevó alguna comisión del gabinete anterior. El pobre Bretón, tan insignificante como siempre; está amolado porque trataba de casarse y no se atreve a hacerlo temoroso de que por animosidad le quiten el empleo que le dio el D[uque] de R[ivas], de Bibliotecario 2º o 3º con 2000 r. Vega, que nada ha figurado en esas jaranas, continúa en su secretaría de auxiliar. Ya ve V., pues, que esta revolución no es obra de juventud de café; ésta es, como la llama con mucha gracia nuestro amigo Bigüezal, *la revolución del sargento García*[48].

Según vemos, Ochoa no se muestra especialmente amable con sus amigos, ni siquiera con aquéllos que, como Vega y Bretón, compartían sus opiniones. La opinión sobre Larra en particular es poco caritativa, y adquiere valor profético cuando sabemos que "Fígaro" iba a suicidarse a los pocos meses. Espronceda no aparece mejor tratado: aunque no sepa nada en concreto de él, Ochoa no duda en condenar su conducta. Una prueba más de que Larra y nuestro poeta, en razón de su papel o de sus escritos políticos, estaban considerados en cierto modo como réprobos en este círculo literario de opiniones moderadas[49]. Por lo demás, resulta harto improbable que el viaje de Espronceda a Zaragoza tuviese como objeto una misión del gabinete Istúriz; esta versión queda desmentida de antemano por el comunicado publicado un poco antes en *El Eco del comercio*. Tal vez Espronceda actuase más bien como mensajero de alguno de los miembros del ministerio Calatrava o de una sociedad secreta, a menos que se tratara simplemente de un viaje de carácter privado[50].

47. *El Laberinto*, I (2), 16 de noviembre de 1843. Don Basilio era un cabecilla carlista.
48. Carta publicada por el marqués del Saltillo en su art. cit. Ya hemos hablado de ella *supra*, p. 416.
49. Véase *supra*, pp. 450-451.
50. A. C. Ferrer, al hablar de su partida de Madrid hacia Valencia, desde donde pensaba pasar a Francia y luego a Italia en 1835, escribe: «Y no faltó quien, a pesar de mi calidad de

Hacia finales de 1836 es cuando se sitúa con toda probabilidad la ruptura entre Teresa Mancha y el poeta. Según Rodríguez-Solís, en ese momento aquél estaba muy absorto en sus actividades políticas, hasta tal punto que llegaba a desatender a su amante; esta situación suscitó en ella tan intensos celos que —según el mismo biógrafo— ésta propuso a uno de los amigos de Espronceda que se fugaría con él si aceptaba matar al amante infiel, proposición que el amigo rehusó sensatamente; Teresa huyó entonces a Valladolid, a donde fue a buscarla el poeta para llevarla a Madrid, después de lo cual se produjo la separación definitiva. En efecto, esta separación parece situarse a finales de 1836 o a comienzos de 1837, según el relato que hace Zorrilla, en sus *Recuerdos del tiempo viejo*, de su primera visita a Espronceda, que tuvo lugar pocos días después de la muerte de Larra (por lo tanto en febrero de 1837). El autor de *Don Juan Tenorio* recuerda que era reciente entonces la ruptura con Teresa, y confirma que el poeta recibía durante el día numerosas visitas de amistades políticas; le aburrían tanto estos conciliábulos que pronto decidió ir a ver a Espronceda pasada la medianoche para disfrutar a solas de su conversación[51].

Estos pocos testimonios parecen confirmar que, por aquel entonces, Espronceda estaba centrado especialmente en la actividad política. A partir de las *Canciones*, publica sobre todo poesías de composición anterior; en octubre de 1835, para componer *¡Guerra!*, poema de circunstancias, recoge un canto de marcha que se remonta a la época de la emigración[52]. Los únicos versos recientes o nuevos aparecidos en la prensa de 1836 son los fragmentos iniciales de *El estudiante de Salamanca* (*El Español* del 7 de marzo) y el epitafio a Pablo Iglesias (*El Eco del comercio* del 26 de marzo); aunque en este último caso se trata de un simple cuarteto escrito con motivo de una ceremonia que representaba una manifestación política de la oposición liberal. Hay que esperar hasta el 5 de julio de 1838 para que Espronceda dé a conocer, en el curso de una lectura pública en el Liceo artístico y literario de Madrid, una nueva poesía importante, *A una estrella*; el 15 de diciembre del mismo año se publicó por vez primera, en *El Guardia nacional* de Barcelona, *El Canto del cosaco*[53].

Las relaciones del censo de la población de Madrid redactadas por cada familia a fin de elaborar la lista de los jóvenes llamados a sorteo con motivo de los reclutamientos de tropas en 1836 y 1838, así como el archivo —por desgracia muy incompleto— de la Milicia Nacional, nos informan de que Espronceda vivía por entonces en Madrid en compañía de su madre, en el n.º 5 de la calle de San Miguel, por lo menos hasta abril de 1838, y poco después en el n.º 28 de la calle Angosta de Majaderitos (en donde reside en abril de 1839); así sabemos también que, en septiembre de 1837, formaba parte de la primera batería de artillería de la Milicia y que, el 17 de enero de 1837, fue trasladado al quinto batallón de

---

americano, me preguntase, como le sucedió a Fígaro, el escritor, si iba a expensas o en comisión del Gobierno.» (*Paseo por Madrid 1835*, Madrid, 1952, p. 112).

51. Sobre estos episodios de la vida privada de Espronceda, véase Rodríguez-Solís, pp. 154-156, y J. Zorrilla, *Recuerdos del tiempo viejo*, Madrid, 1882-1883, t. I, pp. 46-50. Rodríguez-Solís confunde en su libro los acontecimientos de agosto de 1835 y los de agosto del año siguiente, como ya hemos indicado en otro lugar (véase Espronceda, *Póesies*, ed. Marrast, p. 380).

52. Véase *supra*, p. 503.

53. Véase Espronceda, *Poésies*, ed. Marrast, pp. 402 y 409.

infantería[54]. Este cambio de destino tal vez se debiera a la grave enfermedad que padeció a comienzos de 1837 y que le impidió asistir a los funerales de Larra[55]. Las numerosas y largas conversaciones que Espronceda mantenía con relaciones políticas, incluso durante su convalescencia, son prueba de que el poeta estaba considerado por entonces como un personaje importante, o cuando menos del que solía solicitarse gustosamente la opinión. Tras haber sido, en 1836, candidato a diputado por la provincia de Almería, solicitó de nuevo los votos de los electores de Granada en 1837[56], y luego de Badajoz, en 1838; en esta ocasión obtuvo sesenta y siete votos sobre un total de 2.089 electores, situándose en tercera y última posición de entre los candidatos "exaltados"[57]. Por último, durante los meses de octubre y noviembre del mismo año, recorrió Andalucía en donde mantuvo entrevistas con Pedro y Antonio Méndez Vigo, Isaac Núñez de Arenas, Ros de Olano y José de Zaragoza a fin de preparar —según Rodríguez-Solís— un gran alzamiento revolucionario, al cual debían sumarse los demócratas de las provincias del sur[58], pero que se vio frustrado al producirse el movimiento que encabezaron desafortunadamente Córdoba y Narváez en Sevilla.

No será hasta 1842, unas semanas antes de su muerte, cuando Espronceda tome posesión de un escaño de diputado, y sabemos que por aquella época profesaba opiniones muy avanzadas e ideas republicanas. Era entonces uno de los pocos, de entre sus compañeros de juventud, que se mantenía fiel al espíritu de los Numantinos de 1823. La política española llena de altibajos, así como las maquinaciones tenebrosas que la regían secretamente, sólo podían contribuir a afianzar sus convicciones; pero por desdicha, seguimos ignorando la importancia de sus actividades y del papel que desempeñó en los círculos del progresismo avanzado durante los años 1836-1838.

54. AVM, Quintas, 1-110-2 (padrón de septiembre de 1836), 1-147-2 y 1-147-3 y 1-161-3 (*id.* de abril de 1838); 1-161-2 y 1-161-3 (*id.* de febrero de 1839); AVM, Milicia Nacional, 2-121-1 (Libro de entrada y acuerdos de los Batallones 1.º, 2.º, 3.º y 4.º, Caballería y Artillería de la Milicia Nacional, 1837). El padrón con fecha de 18 de septiembre de 1836 contiene una hoja en la que figuran los nombres del poeta, de su madre y de dos criadas (es un impreso rellenado por Espronceda). En el de abril de 1838 encontramos, además de las personas citadas, a Blanca López, de tres años de edad; este nombre parece esconder a la hija de Teresa y Espronceda, nacida en 1834, y probablemente así designada en este documento oficial por ilegítima (su nombre no aparece en el padrón de febrero de 1839).

55. J. Zorrilla, *loc. cit.*; Rodríguez-Solís, p. 158. Espronceda sufría artritis y desnutrición.

56. Véase *supra*, p. 554.

57. El moderado Manuel Pérez Hernández resultó elegido con 1.615 votos (*El Mundo*, 23 de julio de 1838).

58. Rodríguez-Solís, pp. 164-165; véase también, del mismo autor, *Historia del partido republicano español*, Madrid, 1893, t. II, p. 409.

Capítulo XIX

VIDA SOCIAL Y VIDA LITERARIA EN MADRID. ABURGUESAMIENTO DEL "NACIONAL-ROMANTICISMO"

EL EMBELLECIMIENTO DE LA CAPITAL; LA EVOLUCIÓN DE LAS RELACIONES SOCIALES EN LAS CLASES DIRIGENTES; LAS SOCIEDADES LITERARIAS Y CULTURALES

La época que se extiende desde la insurrección contra el gabinete Toreno en agosto de 1835 hasta las postrimerías de 1838 —momento en el que se pone de manifiesto que las facciones carlistas llevan las de perder— se caracteriza por algunos acontecimientos importantes de los que es escenario de vez en cuando la capital española, tales como: manifestaciones callejeras, alborotos públicos protagonizados por oficiales superiores, reacciones populares ante el anuncio de victorias o derrotas militares de las tropas leales, caídas ministeriales. Pero estas peripecias, a pesar de que alimentaban una difusa incertidumbre respecto al futuro del país, sólo constituyen, en el seno de la sociedad madrileña, momentos espectaculares de una lenta evolución que han impulsado las medidas económicas de Mendizábal y que se manifiesta en distintos ámbitos.

A partir de finales de 1834, y gracias al marqués viudo de Pontejos, corregidor hasta agosto de 1836 y posteriormente jefe político de Madrid en 1838, la capital se transforma y moderniza. Aplicando determinadas sugerencias propuestas por Mesonero en una memoria titulada *Rápida ojeada de la capital, y medios de mejorarla*, publicada el 1.º de enero de 1835, y luego en el *Diario de Madrid* de cuya dirección se encarga el 1.º de mayo siguiente, Pontejos reorganiza los mercados, crea plazoletas, hace pavimentar las calles y construir aceras, mejora el alumbrado público y normaliza la numeración de las casas. A finales de 1836 se funda la Sociedad para propagar y mejorar la educación del pueblo, financiada por setecientos miembros que pagan cada uno una cuota anual, y dirigida por una junta formada principalmente por Pontejos, Mesonero, Quintana y el marqués de Santa Cruz; dicha sociedad se hace cargo de cinco escuelas primarias para los alumnos de las cuales compone Martínez de la Rosa su *Libro de los niños*. Más adelante, Pontejos crea en 1838 una Caja de Ahorros, cuyo personal voluntario se compone de dignatarios eclesiásticos, políticos y escritores célebres que se van turnando para atender al público en las ventanillas[59]. Las reformas de Mendizábal comienzan a dar algún fruto: las clases acomodadas que han sido hasta ahora las beneficiarias de ellas practican una beneficencia paternalista, pero no del todo desinteresada.

También evoluciona la vida social entre las categorías más favorecidas, según atestigua Fernando Fernández de Córdoba en sus memorias[60]. A finales de 1836, el joven oficial observa con pesar que de las fiestas y bailes ofrecidos poco ha en los palacios de los diplomáticos o de las familias distinguidas, tan sólo queda el recuerdo; solamente el embajador de la Gran Bretaña, sir Georges Villiers, mantiene la tradición. A las recepciones fastuosas habían sucedido en la mayoría de salones las tertulias cotidianas, en las que se jugaba a las cartas, se discutía sin orden ni concierto, se cortejaba a las jovencitas y se hablaba de política o de bellas letras. Córdoba, que parece lamentar esta especie de aburguesamiento, frecuentaba los salones de la marquesa de Santa Cruz, del conde de Oñate, del duque de Ahumada a donde acudían sobre todo los militares; así como los del conde de Puñonrostro en donde se codeaba con personalidades del mundo político y literario; o los de la marquesa de Perales a los que acudía a diario Juan Nicasio Gallego a jugar su partida de hombre. Los bailes de máscaras, más frecuentes a partir de 1832, gozaban de las preferencias de todos los públicos; los daban en casa de los Gayangos; los había populares, en las calles de la Parada y de Luzón, pequeñoburgueses en la Fontana de Oro y en el Salón de Oriente, y aristocráticos en Santa Catalina. Este último se vio abandonado por su encopetada clientela que se trasladó al palacio del duque de Villahermosa cuando, a partir del 3 de enero de 1839, se instaló allí el Liceo artístico y literario. Los antiguos cafés se modernizan, y se abren algunos nuevos que acogen numerosas tertulias. Su clientela es variada, según señala un redactor de la efímera revista *El Buen tono*, a comienzos de 1839: «Sobresalen por su adorno y esmero el de Levante, donde acude la prudente ancianidad; el de los Dos Amigos, donde se reúne lo más selecto y escogido de los altos funcionarios públicos; y el Nuevo, que es a donde asiste la fogosa juventud[61].» Hay que mencionar también el establecimiento de Gaspar Amato recién inaugurado en la calle de la Montera; el de García en la calle del Príncipe; el de Juan Gallo, bajo los soportales de la Plaza Mayor; y el Pombo, en la calle de Carretas. Está también el café del Príncipe, que en 1837 sigue siendo todavía el lugar preferido de reunión de escritores y políticos; Zorrilla, que encuentra que éstos son allí demasiado numerosos, prefiere el café de Sólito, donde las discusiones son menos ruidosas, pero también menos comprometedoras para el trovador, amante sólo de la poesía[62]. En el café Nuevo apare-

59. Mesonero Romanos, *Memorias de un setentón*, BAE, t. CCIII, pp. 211b-214.
60. BAE, t. CXCII, pp. 299-311.
61. [Anónimo], "Cafés", *El Buen tono*, 1, 15 de enero de 1839.
62. Zorrilla, *Recuerdos del tiempo viejo*, Madrid, 1882, t. I, p 49.

cen en 1838 unos nuevos contertulios sospechosos: oficinistas que presumen en alta voz de ideas avanzadas, pero que son en realidad delatores o provocadores[63].

Quedan ya lejos los tiempos en que, unos diez años antes, cada categoría social tenía sus lugares de paseo bien delimitados y sus distracciones propias. Los jóvenes escritores de la generación de Espronceda penetran ahora en la alta sociedad. Los fieles compañeros de Fernando Fernández de Córdoba no son ya, en 1836, hijos de familias ilustres, sino Antonio Ros de Olano y Patricio de la Escosura. Se reúnen en el teatro del Príncipe en un palco próximo al de la marquesa de Villagarcía, una de las mujeres más ricas y más hermosas de Madrid. En 1840, ésta agradeció a Espronceda el que le hubiese enviado su libro de poesías, a través de una esquela cuyos términos amistosos prueban que el poeta era un asiduo de su salón[64]. El "todo Madrid" deja de estar formado por la aristocracia del linaje. En 1837, el hijo de un médico de Málaga, José de Salamanca, inicia una brillante carrera como financiero al conseguir negociar en Londres por cuenta del estado un empréstito de cuatrocientos millones de reales. Junto con el banquero brasileño Buschenthal, con quien está asociado, se convertirá muy pronto en uno de los hombres de negocios más importantes de Madrid. Ambos van a situarse en la alta sociedad de la capital, a la que deslumbran con el boato de sus salones, abiertos tanto a las celebridades de la sociedad distinguida, como a las del mundillo literario, o de las artes y de la política, sin distinción de origen social[65]. La ascensión de estos dos personajes, así como la de algunos otros menos ilustres, es consecuencia de la guerra carlista; en efecto, la lucha contra los facciosos exige la circulación de capitales considerables que pasan por las manos de este grupo todavía poco numeroso de grandes burgueses como son los financieros y los proveedores del ejército, al prestigio y a la función política de los cuales deben además algunos oficiales plebeyos, como Espartero, su progresiva integración en la minoría dirigente. Según escribe con acierto Manuel Tuñón de Lara, fue la guerra civil la que

> aglutinó junto al trono y al liberalismo —tímido al principio, más neto a partir de Mendizábal— no sólo a la base popular de las ciudades y a las clases medias "ilustradas", sino también a aristócratas, latifundistas y a la naciente burguesía. Para los primeros, se trataba de asegurar la estabilidad de su situación en un régimen que

63. *El Progreso*, 23 de junio de 1838.

64. Archivos Núñez de Arenas. He aquí el texto de esta breve carta, decorada con el escudo de armas de los Villagarcía y bordeada por una randa de papel:

«Mayo 23 [1840]

Gracias mil por el libro de sus poesías de V.; él tiene dos méritos grandes p[ar]a mi; uno el recuerdo amable del autor, otro el orgullo de Española que ve con placer brillar el peregrino ingenio de un compatriota y un contemporáneo.

Ruego a V. acepte el doble homenaje de su sincera gratitud.

Su afecta amiga
J. La Marquesa de
Villagarcía.»

65. El 19 de noviembre de 1846, Salamanca escribió al conde de Las Navas, albacea testamentario de Espronceda, comunicándole que renunciaba en favor de la hija del poeta a la satisfacción de un crédito de 10.000 reales que había concedido a Espronceda poco antes de la muerte de éste (Archivos Núñez de Arenas).

> seguía garantizando sus posiciones ventajosas en lo político y en lo económico, a la vez que les abría posibilidades de pingües negocios y especulaciones. Para los segundos, la única vía posible era la liberal[66].

De entre las medidas que generan estas consecuencias económicas y sociales, cabe citar en primer lugar la desamortización emprendida por Mendizábal, pero también la ley del 30 de agosto de 1837 que decretaba la abolición de los mayorazgos —con la que se incrementaba el valor de las propiedades de la nobleza al sacarlas al mercado— y la abolición de los gremios que aseguraba la libertad de trabajo y permitía una reactivación del comercio y la industria. Estos fenómenos son mucho más apreciables en Barcelona y Cádiz, donde son numerosos los negociantes y fabricantes que se benefician de estas nuevas disposiciones, según demuestra el aumento del índice de los precios en 1837-1839. En Madrid, donde la producción económica es casi inexistente, se traducen en el nacimiento o la salida a flote de algunas fortunas gracias a lo cual empieza a formarse una aristocracia del dinero de la que Larra y Espronceda habían deplorado, ya no la aparición, pero sí la preeminencia sobre la aristocracia del talento y de la inteligencia. Sin entrar en el complejo análisis de la jerarquía social que se forma a partir de 1836 en Madrid, se advierte que en las tertulias de café o de salón, así como en los bailes de máscaras y en las reuniones mundanas, políticas o literarias en general, se produce una ósmosis entre la nobleza tradicional, que ha sobrevivido a las crisis anteriores, y la clase media, de la que algunos miembros están en el candelero gracias a los derechos adquiridos por el dinero o la fama. Se van instaurando paulatinamente nuevas costumbres. En torno a la mesa de José de Salamanca o de Nazario Carraquiri, hombre de negocios, coleccionista de cuadros y proveedor de víveres del ejército[67], así como también en el Casino (el círculo de la calle del Príncipe), empieza a formarse, según refiere Fernández de Córdoba,

> lo que podríamos llamar sociedad política, es decir, la reunión amigable de los hombres que figuraban por distintas causas al frente de los negocios públicos, aunque pertenecieran a fracciones distintas y abrigaran opiniones diferentes. Puedo asegurar que hasta esta época los adversarios políticos se habían considerado siempre entre sí como enemigos personales, haciendo alarde de no saludarse ni dirigirse la palabra como no fuera en el Congreso, y esto para atacarse mutuamente y siempre con mucho encono[68].

Tanto ricos como nuevos ricos practican a veces el mecenazgo; así, será gracias al banquero y hombre de negocios Gaspar Remisa que el Liceo artístico y literario —de cuya dirección se encarga en marzo de 1838— podrá desarrollar sus actividades e intalarse unos meses más tarde en el palacio del duque de Villahermosa.

A comienzos de 1837, José Fernández de la Vega reunía cada semana a algunos escritores, pintores y músicos en su piso de la calle de la Gorguera. Esta

66. *La España del siglo XIX*, 2.ª ed., París, 1968, p. 78.
67. Según *El Correo nacional* del 16 de agosto de 1838.
68. F. Fernández de Córdoba, *op. cit.*, BAE, t. CXCII, pp. 344-345.

tertulia pasó a ser pronto una sociedad cuyo objetivo era el de fomentar la literatura y las bellas artes. Así nació el Liceo que fue oficialmente fundado el 22 de mayo de 1837 por su creador, a quien acompañaban aquel día Juan Nicasio Gallego, Antonio Gil y Zárate, Patricio de la Escosura, Miguel de los Santos Álvarez, Ventura de la Vega, Espronceda, Zorrilla, y los pintores Esquivel y Villaamil. Otros se unieron a ellos en el transcurso de las reuniones que tenían lugar cada jueves, con tanto éxito que fue preciso hallar locales más espaciosos: primero en una antigua escuela de la calle del León, luego en la calle de las Huertas, y más tarde en la calle de Atocha. Jacinto de Salas y Quiroga, uno de los primeros socios del Liceo, dio regular cuenta de las actividades del mismo en su revista *No me olvides*[69]: los escritores (Martínez de la Rosa, Gregorio Romero Larrañaga, Nicomedes Pastor Díaz, Santos López Pelegrin, Luis González Bravo, Estébanez Calderón) recitan sus obras o las de sus colegas; los artistas muestran sus cuadros, dibujos o grabados; Pedro Luis Gallego toca el piano. Del domingo 3 al jueves 7 de septiembre, el local del Liceo se abrió al público con motivo de la primera exposición de obras de arte organizada por la sociedad. Salas y Quiroga informó con entusiasmo de esta manifestación, y aprovechó la oportunidad para advertir que se trataba de una iniciativa privada que no contaba con apoyo alguno:

> No debemos la creación y existencia de este establecimiento, ni al celo del gobierno, ni a la opulencia de nuestros magnates; aquél se cura poco de las artes y de los que las cultivan; éstos no se curan nada de semejante niñería: a un particular sin gran fortuna, pero con entusiasta amor a las artes y a las letras, debemos el LICEO ... Lo que empezó por un mero pasatiempo, tal vez concluya por ser un monumento de la gloria española[70].

Pronto iba a aceptar el reto el financiero Remisa.

El Liceo se atribuyó unos estatutos, en los cuales la sociedad aparece definida como «dedicada exclusivamente a procurar el fomento y prosperidad de la literatura y de las bellas artes[71]». Se compone de seis secciones —de literatura, pintura, escultura, arquitectura, música, y miembros simpatizantes— dirigida cada una de

69. El primer artículo sobre el Liceo apareció en el n.º 8, pp. 7-8, de *No me olvides*. Las crónicas sobre las actividades de la sociedad aparecen reproducidas en el índice de la revista elaborado por P. Cabañas (Madrid, 1946). También se puede encontrar información sobre los jueves del Liceo en la *Gaceta de Madrid*. Véase también Mesonero Romanos, *op. cit.*, BAE, t. CCIII, pp. 226b-228; Molins, *Bretón de los Herreros...*, Madrid, 1883, cap. XXVI, pp. 245-258; R. M. de Labra, *El Ateneo de Madrid*, Madrid, 1906, p. 61. Según Mesonero, la primera reunión tuvo lugar en los últimos días de marzo de 1837; según Labra, en 1836; Molíns no señala ninguna fecha. En el n.º 1 de la revista del mismo nombre que la sociedad, el fundador da la fecha de 22 de mayo de 1837 (Fernández de la Vega, "Al público y a mis amigos", *Liceo artístico y literario español*, 1, 31 de enero de 1838, p. 4. Este artículo se reproduce en el índice de la revista elaborado por J. Simón Díaz, Madrid, 1947, n.º 27, pp. 17b-19a).

70. *No me olvides*, 19, 10 de septiembre de 1837, pp. 7-8; índice citado, pp. 102b-103. Véanse también los muy favorables artículos de *La España* del 10 de septiembre y de la *Gaceta de Madrid* del 13.

71. Estos estatutos se encuentran en el suplemento al n.º 1 de la revista de la sociedad, p. 49. El texto aparece también en el índice citado, pp. 8b-9. Se publicaron también en la *Gaceta de Madrid* del 25 de septiembre de 1837 y en otros periódicos de la capital.

ellas por una junta, presidida por el fundador y conservador Fernández de la Vega asistido por dos vicepresidentes. Cada socio (con excepción de los simpatizantes) se compromete a dar cada mes al Liceo una composición en verso o en prosa, una litografía o un fragmento de música original; los escultores y arquitectos, el boceto litografiado de una obra o de un proyecto. La cuota está fijada en 20 reales al mes, y los derechos de ingreso en 100 reales. A principios de diciembre de 1837, el director del Liceo, deseando que su sociedad rivalizara con el Ateneo, organizó unos ciclos de conferencias de literatura dramática (a cargo de Patricio de la Escosura), de filosofía de la poesía (por Salas y Quiroga), de oratoria (por Juan Bautista Alonso), de árabe (por Bernardino Núñez de Arenas), etc.[72]. Las reuniones de los jueves proseguían con éxito creciente; durante una de las últimas del año 1837, Espronceda recitó el poema de un joven desconocido, que suscitó la admiración e hizo célebre de inmediato a su autor: el poema era *Una gota de rocío*, y su autor Enrique Gil y Carrasco[73]. El 2 de enero de 1838, la sección de literatura eligió junta, y los dos cargos de vicepresidente recayeron en Escosura y Espronceda. El día 25, se eligieron las composiciones destinadas a figurar en un álbum que el Liceo tenía la intención de ofrecer a la Reina Regente que fue recibida, el 30, con gran ceremonia en la sede de la sociedad de la que pasó a ser la protectora y el primer miembro de honor. Unos días más tarde, una delegación del Liceo acudió al palacio real para entregar el álbum en el que se incluían composiciones poéticas que fueron publicadas en la revista, del mismo nombre que la sociedad, y cuyo primer número salió el 31 de enero[74]. Hacia finales de marzo de 1838, Fernández de la Vega quedó excluido de la presidencia del Liceo (al parecer, algunos miembros encontraban abusivos los poderes que se había atribuido), y ésta fue conferida al financiero Gaspar Remisa[75], que vio renovado su mandato para 1839 por la asamblea del 22 de diciembre de 1838[76]. El 3 de enero de 1839, el Liceo abandonó el local de la calle de Atocha para ir a establecerse suntuosamente en el palacio del duque de Villahermosa, en donde se inaugurará el 31 de julio, en presencia de la reina, un lujoso teatro. En marzo, se dio un nuevo ciclo de conferencias a cargo de Gil y Zárate, Vega, Escosura, Eugenio Moreno López, Basilio Sebastián Castellanos y Espronceda, quien trató

72. *No me olvides*, 32, 10 de diciembre de 1837, p. 8; índice citado, n.º 111, p. 64.

73. Este poema se publicó el 17 de diciembre en *El Español*, y el 24 en *No me olvides*. Véase, sobre este episodio, R. Gullón, *Cisne sin lago*, Madrid, 1951, p. 93, y la introducción de J. Campos a las *Obras completas* de E. Gil, BAE, t. LXXIV, p. XII.

74. Parece ser que la publicación del *Liceo artístico y literario* era mensual, según se desprende del contenido de ciertos artículos. Los cuatro números que corresponden a la primera época presentan una paginación seguida de 1 a 198; el n.º 1 se publicó el 31 de enero de 1838 (*No me olvides*, 40, 4 de febrero de 1838, p. 8; Indice citado, n.º 115, p. 65a). Las poesías del álbum que se ofreció a la reina son las siguientes: *El entusiasmo*, de Vega; una octava improvisada de J. N. Gallego; *Recuerdos de Cristóbal Colón*, de Escosura; *A Cristina*, de Bretón; *El poeta*, de López Pelegrín; *A Cristina*, de Romero Larrañaga, y *El cisne*, de Enrique Gil.

75. La nota publicada en la revista del Liceo (p. 199) que contiene esta informacióún no aporta ningún detalle sobre los motivos del relevo. En el artículo, firmado «G.», del periódico *El Piloto* (18 de marzo de 1839) se hace alusión, aunque en términos imprecisos, al malestar suscitado por el hecho de que los estatutos hubiesen sido impuestos por Fernández de la Vega, y no votados por los miembros.

76. *Gaceta de Madrid*, 23 de diciembre de 1838. Remisa estaba asistido por dos consejeros, Patricio de la Escosura y el conde de Las Navas.

de literatura moderna comparada. En abril se encomendó a García de Villalba un curso de derecho político; esta iniciativa provocó la indignación de Antonio María Segovia, que vio en ella una «extravagante incongruencia que añade una prueba más a las muchas y cotidianas del triste estado en que la revolución ha puesto nuestras cabezas[77]». Gracias al mecenazgo de Remisa y del duque de Villahermosa, las manifestaciones artísticas del Liceo revistieron gran brillantez y despertaron mucho interés. El marqués de Valmar ha dejado testimonio de este éxito en un artículo referente a las *Memorias de un setentón* de Mesonero:

> Era el Liceo campo de cordial alegría y de delicada cultura. El movimiento romántico en artes y letras, cuya exageración no se comprendía bien en aquel tiempo, servía de lazo entre las diversas clases de la sociedad ilustrada. Las más encopetadas y aristocráticas damas y los corifeos del poder y la opulencia pasaban allí horas de solaz y contento, al lado de otros señores de condición modesta y de jóvenes desconocidos, que con sus versos o sus cuadros buscaban gloria en aquel recinto privilegiado[78].

En cuanto a Fernández de Córdoba, todavía nostálgico del Antiguo Régimen, comentó con pesar que, poco después de la ubicación en el palacio de Villahermosa, el Liceo «perdió ... su principal carácter, por la aglomeración de socios de todas las clases sociales[79]».

El Ateneo, del que Martínez de la Rosa —sucediendo a Olózaga— fue presidente en 1838, proseguía sus actividades en terrenos menos frívolos. Los ciclos de conferencias abiertos gratuitamente al público fueron seguidos en 1839 por cerca de dos mil oyentes. La sociedad está dirigida entonces por una mayoría de moderados que tienen fama de ser jovellanistas y procuran que los conferenciantes no propaguen ideas contrarias a las suyas. De ahí que los progresistas empiecen a desertar, o si no a mirar con malos ojos, del Ateneo en beneficio del Liceo, mucho más ecléctico, y en el que la atmósfera era además menos austera y más brillante[80]. Pero en el Ateneo de 1835-1839 reina un espíritu de tolerancia que no existía en el de 1820-1823; se reúnen en él adversarios políticos y mantienen relaciones cordiales, novedad que Córdoba había señalado con motivo de los encuentros en el Casino o en determinados salones. A la biblioteca acude Olózaga a leer *El Piloto*, y se codea allí no sólo con Corradi que comparte sus ideas, sino también con Alcalá Galiano que lee *El Eco del comercio*; ningún incidente viene a perturbar el sosegado ambiente de estudio del local de la calle de Carretas[81]. Otras sociedades artísticas o científicas nacieron o recobraron vida por la misma época; así, en el antiguo convento de la Trinidad se instaló en 1838 el Instituto, círculo literario que patrocinaba dos centros de enseñanza destinados a los hijos de sus miembros; dos años antes, las distintas academias de juristas se habían reagrupado con el nombre de Academia de la Concepción, que en 1840 pasó a

77. Así se expresaba el tal escritorzuelo en su revista *El Estudiante*, 3, 11 de abril de 1839.
78. *Revista contemporánea*, t. 27, p. 129. Reproducido en el apéndice al t. II de las *Memorias de un setentón* en la edición de Madrid, 1881, pp. 233-234.
79. *Op. cit.*, BAE, t. CXCII, p. 343.
80. R. M. de Labra, *op. cit.*, pp. 15 y 20.
81. Artículo de *El Piloto* del 18 de marzo de 1839, ya citado.

ser el de Academia matritense de jurisprudencia y legislación, escenario de fructíferos debates y controversias, y vivero de diputados de todas las tendencias[82].

Así pues, Madrid parece merecer, a lo largo de estos años, el título de capital. La ciudad se moderniza; las clases dirigentes —la naciente burguesía y la aristocracia— establecen relaciones nuevas; se multiplican las actividades culturales; el Ateneo y el Liceo fomentan las letras, las artes y las ciencias. Pero cabe preguntarse si, bajo estas apariencias, evoluciona con igual rapidez el movimiento ideológico, en especial en el ámbito literario.

La crisis del teatro; la literatura como «sacerdocio de moralidad y virtud» y sus paladines: Salas y Quiroga, Zorrilla y Mesonero Romanos

Poco antes de su suicidio, Larra había lamentado la decadencia del teatro español, que relacionaba con la crisis de civilización que atravesaba el país, sacando de ello conclusiones muy pesimistas para el futuro. Sabía que la literatura dramática permite medir, a través de la evolución de sus formas, de su lenguaje y sus temas, la evolución de la mentalidad de una sociedad.

Durante los años 1836-1838, sobresalen pocas obras nuevas. Se reponen de vez en cuando *La conjuración de Venecia* y *Don Álvaro*; pero en 1836, *Aben Humeya* no se representa más que cinco veces en junio, desapareciendo luego de la cartelera. La revelación de este año fue —como sabemos— *El trovador* de García Gutiérrez (con veinticinco representaciones, más unas quince en 1837 y 1838); y la de 1837, *Los amantes de Teruel* de Hartzenbusch, representada veintiuna veces en dos años. Los demás dramas de autores españoles tienen por lo general una carrera corta y reciben una fría acogida, como son: *La corte del Buen Retiro* y *Bárbara de Blomberg* de Patricio de la Escosura (1837); *El paje* y *El rey monje* de García Gutiérrez (1837); y *Los amoríos de 1790* de García de Villalta (1838), autor de una traducción de *Hamlet* que fracasó tras cuatro representaciones en diciembre del mismo año. Estas obras pecan a menudo por la extravagancia o inverosimilitud de la intriga, el empleo abusivo del color local añadido artificialmente, la insignificancia de los caracteres y el exceso de recursos procedentes del melodrama. Así, José Castro y Orozco, en su «melodrama en cuatro actos y en diferentes metros» titulado *Fray Luis de León o El siglo y el claustro*, presenta al célebre escritor enamorado a los dieciséis años, convertido ya en un gran poeta, y víctima de una fatal pasión por la hija del gobernador de la Alhambra, prometida con el duque de Alburquerque; la obra se representó siete veces en 1837, y una octava y última en 1838. Gil y Zárate, que no había dudado en llevar a las tablas un poco antes su muy neoclásica tragedia *Blanca de Borbón*, pone en escena en 1837 *Carlos II el Hechizado* en el que recoge todos los ingredientes del melodrama francés del parisiense *Boulevard du crime*: escenas de exorcismo, un confesor hipócrita y secretamente prendido de la hija del rey, un reconocimiento, y toda clase de motivos aterradores. Este drama, que a pesar de ello no carece de calidad e interés, se representó unos doce días consecutivos en noviembre de 1837, y fue repuesto al año siguiente; su relativo éxito puede explicarse, no sólo por sus aspectos espectaculares, sino por su contenido, en el que hallaban amplia justificación los adversarios del fanatismo clerical y del absolutismo: hecho que

82. R. M. de Labra, *op. cit.*, pp. 18 y 49-51.

dio pie al *Semanario pintoresco*[83] para condenar de nuevo el «desaforado romanticismo», así como la inmoralidad y el espíritu antirreligioso de semejante teatro promovido por los consabidos perversos inspiradores, Hugo y Dumas. En cambio, unos meses antes, la revista de Mesonero, seguida de Donoso Cortés y Hartzenbusch, había colmado de elogios el drama de Mariano Roca de Togores, *Doña María de Molina*, por la fidelidad de la reconstrucción histórica y la moderación con la que el autor había recurrido a los efectos teatrales y a las escenas espectaculares. El éxito del marqués de Molins fue más que honorable (trece representaciones en 1837 y cinco en 1838); en esta ocasión, se explica por la actualidad que recobraban, en el momento en que las tropas de don Carlos amenazaban seriamente Madrid, las rivalidades a las que tuvo que hacer frente la Reina Regente durante la minoría de edad de Fernando IV. Bretón también probó fortuna en el drama con *Don Fernando el Emplazado* (siete representaciones en 1837, y tres en 1838), aunque sigue siendo en la comedia donde más acertado está (*¡Muérete y verás!* en 1837, *Ella es él* y *El qué dirán y el Qué se me da a mí* en 1838, por citar sólo las que más a menudo estuvieron en cartel), al igual que Vega, en obras originales o adaptadas de Scribe. Es una traducción —*El pilluelo de París* de Lombía, versión de *Le Gamin de Paris* de Alfredo Bayard— la que suma el mayor número de representaciones: quince en 1836, veinticuatro en 1837 y diez en 1838; en esta historia de una muchacha pobre seducida por el hijo de un general de Napoleón, con el que acaba por contraer matrimonio después de haber vencido todos los obstáculos sociales, el público volvía a encontrar los temas y la atmósfera del drama sentimental que tanto le agradaba poco ha. En cambio, Hugo y Dumas atraen cada vez a menos espectadores; hecho que no resulta sorprendente si se tiene en cuenta la incoherencia con la que fueron representadas sus obras, sin respetar la menor cronología. Además, en 1838, para remate, surgió la descabellada idea de poner en escena una traducción de *Cromwell* de Víctor Hugo, que, por otra parte, no resistió más de siete representaciones.

La crisis del repertorio dramático proseguía en los años 1837-1838, al igual que durante los años anteriores, aunque iba en aumento. El éxito de *El trovador* no volvió a repetirse, y tanto los demás dramas de García Gutiérrez, como los de sus colegas, se presentan como intentos frustrados de conciliar la herencia de la comedia del Siglo de Oro con la fórmula del drama francés, todavía confundido a menudo con el melodrama. Al teatro español le falta alma porque, según había señalado reiteradas veces "Fígaro", a España es a la que le falta alma. En este ámbito como en otros tantos, se siguen incorporando algunos elementos externos y de imitación a intrigas de mayor o menor consistencia, como en el caso de Rivas con *Don Álvaro*, o en el de Martínez de la Rosa con *La conjuración de Venecia* o *Aben Humeya*. La tradición y la moral pesan tanto en las conciencias que no es posible hacer otra cosa que limitarse a renovar la fachada.

La sociedad que frecuentaba los salones de la aristocracia o de la naciente

83. T. II, 3 de diciembre de 1837, pp. 380-381; Peers cita este artículo anónimo (*HMRE*, t. I, p. 458, nota 475). Para trazar este breve panorama del teatro madrileño en 1837-1838 hemos utilizado los elementos que esta misma obra aporta, t. I, pp. 441-449, y t. II, pp. 248-260. Las fechas y el número de representaciones que Peers indica no corresponden en todos los casos a los de la *Cartelera teatral madrileña, I: 1830-1839*, Madrid, 1961, que por su parte contiene también errores y negligencias.

burguesía, y el Casino o el Liceo, no era entonces muy asidua a las representaciones teatrales. Éstas, según testimonio de Fernández de Córdoba, eran seguidas sobre todo por un público popular, que soportaba con más ánimo el mal estado de las salas, mal iluminadas, frías en invierno, sofocantes en verano, incómodas en suma, y cuyo personal daba muestras de intolerable grosería. Los "mundanos" preferían la ópera. Pero en 1837, debido al peligro que suponía atravesar un país víctima de la guerra civil, pocos cantantes extranjeros se aventuraron a venir a Madrid, en donde por las mismas razones tampoco existía compañía lírica en 1838. Tan sólo se arriesgaron a aceptar un contrato en la capital española dos célebres *prime donne*, la Albini y la d'Alberti, que triunfaron con obras de Rossini y Donizetti. Pero no bastó para equilibrar el presupuesto de las compañías de verso que, pese a los esfuerzos de los directores y de excelentes actores, se saldó aquel año con un déficit de más de 80.000 duros[84]. Ya en mayo de 1837, los dos empresarios de los teatros de la Cruz y del Príncipe habían llamado la atención de los poderes públicos sobre las dificultades económicas que acababan de tener durante la temporada anterior, y en su balance se ponía de manifiesto un beneficio previsto no obtenido de 1.138.282 reales[85]. Se puede relacionar este déficit creciente con el índice de los precios que, en el transcurso de los mismos años, experimenta una ligera subida, de la que se benefician tan sólo las clases poseedoras, mientras que las clases sociales más modestas, entre las cuales se encuentran la mayor parte de los espectadores de teatro, padecen las consecuencias de la misma. Para intentar hallar una solución a la crisis que atravesaban los teatros de Madrid, los empresarios se rodearon en 1837 de una comisión de lectura encargada de dar su opinión sobre los manuscritos que se le presentaban. Dicha comisión, que se reunió por vez primera el 16 de mayo —según anunció *El Español* del mismo día— estaba compuesta por Bretón, Gil y Zárate, Vega, Aribau, Escosura, Roca de Togores y Ochoa, como también por representantes de actores y directores[86]. Jacinto de Salas y Quiroga siguió de cerca las actividades de dicha comisión, y los comentarios que publicó al respecto en su revista *No me olvides* permiten seguir el desarrollo de la misma y descubrir sus puntos flacos. El 28 de mayo, alerta al comité de lectura del peligro de convertirse en una especie de academia si, según dice, éste persiste en calificar los textos que se le someten con un «bueno», «muy bueno» o «sobresaliente», ya que su función es meramente consultiva; pide a los jóvenes autores cuya obra sea rechazada que no formen «un bando de oposición a la comisión de teatros, sino antes bien tomar el

84. F. Fernández de Córdoba, *op. cit.*, BAE, t. CXCII, p. 307.

85. Según un documento del AVM, Secretaría, 2-481-23, citado y comentado por J.-L. Picoche en los *Préliminaires* a su edición crítica de *Los amantes de Teruel*, París, 1970, pp. 43-44. El importe total de ese déficit se ha calculado partiendo de un volumen de negocios de ambas empresas estimado en unos 1.510.000 reales en el que los gastos se elevan a 2.648.282 reales.

86. Esta información (firmada «S») se encuentra en el n.º 3 de *No me olvides* (26 de mayo de 1837), pero no se cita ningún nombre. Aparece reproducida en el índice citado, n.º 248, p. 106b. *El Español* del 9 de mayo de 1837 anunciaba la creación de esta comisión y aseguraba que ya se había designado a tres de sus miembros: Martínez de la Rosa, Gil y Zárate y Bretón. Parece ser que el primero nunca formó parte de ella. F. Fernández de Córdoba (*op. cit.*, *loc. cit.*) cita, mezclándolos, los nombres de los miembros de la comisión en 1837, y los de las personalidades que no entraron hasta más tarde, como Espronceda.

fallo de ésta como el consejo de un amigo inteligente»[87]. Se producían a veces desacuerdos a lo largo de las sesiones; así, Salas dedica una nota (*No me olvides*, n.º 21, del 24 de septiembre de 1837) a la discusión que se había suscitado en relación con las tres obras siguientes: *Magdalena, Vivir loco y morir más* y *Quitar estorbos de en medio*[88]. Algunos miembros amenazaron con dimitir, y entonces Bretón propuso crear una comisión superior ante la cual pudieran recurrir los autores de obras rechazadas; para formar parte de la misma fueron propuestos Martínez de la Rosa, Lista y Agustín Durán, pero al haberse negado el primero, se ofreció su puesto a Quintana, del que no se tenía la certeza de que aceptara debido a su edad. Por otra parte, la primera comisión invitó a que se integraran en ella el actor Pedro López, el apuntador del Príncipe y Joaquín Francisco Pacheco. Este último rehusó el ofrecimiento (la comisión había rechazado un poco antes su drama *Los infantes de Lara*) y fue sustituido por Hartzenbusch[89]. Un suelto publicado en el n.º 26 de *No me olvides* (del 29 de octubre de 1837) nos informa de que Mesonero Romanos y Fernández de la Vega —el fundador del Liceo— han sido elegidos los dos por la comisión, aunque el primero se ha negado a formar parte de la misma[90]. Se trataba de sustituir a Eugenio de Ochoa que acababa de marcharse a Francia, y a Bretón que tenía que ingresar en la junta de apelación junto con Durán y Lista (lo cual confirma en efecto que Quintana no había aceptado)[91]. A comienzos de diciembre de 1837, los empresarios crearon una comisión de expertos en arte lírico encargada de decidir las óperas que iban a inscribirse en el repertorio; estaba compuesta por nueve miembros, entre los cuales se hallaban Luis María Pastor (representante de los directores), Carnicer y Pedro Luis Gallego (pianista y crítico musical de *No me olvides*)[92].

En enero de 1838, el comité de lectura tomó a dos nuevos miembros, Espronceda y Pedro Gorostiza[93], y publicó un reglamento en el que se especificaba su composición y la extensión de sus atribuciones. La comisión definía su función como meramente consultiva: la aprobación o el rechazo de una obra no comprometía en absoluto a los empresarios, que seguían teniendo libertad de elección; la comisión comunicaba su decisión al autor sin comentarios, y ocasionalmente podía proponer modificaciones al texto leído; el autor de una obra no aceptada podía recurrir ante una junta revisora (nueva denominación de la comisión superior), que era la que resolvía en última instancia; y por último, se designaría por

87. *No me olvides*, I (4), 28 de mayo de 1837, pp. 7-8; índice citado, n.º 255, pp. 108-109.

88. Índice citado, n.º 260, pp. 109b-110a. La primera obra es de García Gutiérrez; la segunda, de Zorrilla, que la imprimió al final del primer volumen de sus *Poesías*. No hemos logrado identificar al autor de la tercera.

89. *No me olvides*, 1.º de octubre de 1837; índice citado, n.º 91, p. 61.

90. Índice citado, n.º 79, p. 59a, y n.º 168, p. 81a (es el mismo texto, repetido por error bajo dos números diferentes).

91. *El Patriota*, 1.º de noviembre de 1837. La nota confirma que Mesonero declinó ocupar ese puesto, y pone en duda que Fernández de la Vega aceptara. No hemos encontrado en ningún lugar precisiones sobre la posible aceptación de este último.

92. *No me olvides*, II (32), 10 de diciembre de 1837, pp. 6-7; índice citado, n.º 247, p. 106.

93. *No me olvides*, II (36), 7 de enero de 1838, p. 8; índice citado, n.º 63, p. 55b. El redactor comenta favorablemente esta decisión: «La elección del primero particularmente nos parece muy acertada. El *Señor Espronceda* es uno de los poetas más esclarecidos que tiene España.» En este mismo número (pp. 6-7; índice citado, n.º 34, pp. 42a-43b) se publicó el reglamento de la comisión de lectura; también se encuentra este texto en *La España* del 3 de enero de 1838.

sorteo a uno de los escritores miembros de la comisión para que defendiera a ésta en caso de que fuese atacada en la prensa. Al comentar este reglamento[94], Salas y Quiroga señaló que se imponía una reforma más profunda del teatro, ya que los empresarios rechazan de forma sistemática «todas las obras que no llevan un sello particular, el del género dominante», sin tener en cuenta el valor intrínseco de las mismas. El hecho de que la empresa de las dos salas, el Príncipe y la Cruz, sea única hace imposible cualquier emulación, ya que los autores deben someterse a sus decisiones que son por lo tanto inapelables. Parece ilógico que la comisión no tenga más que un papel consultativo; siendo así, ¿cuál es su utilidad? Además, los empresarios pueden rechazar una obra a través del voto de sus representantes en la junta de lectura, y aceptarla por decisión propia, o viceversa; en tal caso, dice Salas y Quiroga, «a nuestro juicio, la empresa con esta determinación puede apropiarse la gloria de lo bueno que deja pasar, y echar a la junta la falta de lo malo que le aconsejó representase. Esta doble conducta parécenos poco franca».

Por último, la comisión está formada por diez escritores, diez actores y de uno a tres representantes de la empresa; cada categoría juzgará según sus propios criterios. Pero cuando se trate de una obra «capaz de hacer una revolución en el teatro», habrá que remitirse forzosamente a la inspiración, que puede resultar engañosa. Luego, Salas y Quiroga pasa a exponer argumentos de carácter moral que merecen ser citados:

> Prescindiendo de esto, es pobre, mezquino, inmoral el traficar con los vicios, con los hábitos del pueblo. Si un pueblo extraviado aplaude tal obscenidad, tal sacrilegio, será justo regalarle con él diariamente. He aquí para lo que salvo algunas excepciones, pueden servir los conocimientos prácticos en el teatro.

Recuerda que, recientemente, en un escenario madrileño se ha ridiculizado a un fraile (alusión al *Fray Luis de León* de Castro y Orozco), y se ha profanado uno de los actos más sagrados del catolicismo, como es la confesión (alusión a *El rey monje* de García Gutiérrez), y encuentra escandaloso que se haya podido abusar hasta tal punto «de la tolerancia de un público, ávido siempre de novedades». Concluye diciendo:

> La junta de lectura está compuesta de personas sensatas y, éstas, conocen y ven demasiado que el pueblo se va cansando de horrores. La junta no cumplirá con su obligación si no remedia el daño, y la empresa cargará con una terrible responsabilidad moral si continúa traficando con las inmoralidades que ofrece un día y otro al público.

Nada demuestra que el público esté cansado de lo que Salas llama «horrores», como tampoco que la obra genial que la junta podría rechazar por falta de refe-

94. En *No me olvides*, II (37), 14 de enero de 1838, pp. 6-7; índice citado, n.º 263, pp. 110b-111. Tras la desaparición de esta revista (febrero de 1838) no encontramos más informaciones precisas sobre las actividades de la comisión de teatros. *El Panorama* (marzo de 1838 a septiembre de 1841) publicó de vez en cuando los títulos de las piezas recibidas, pero sin ningún comentario. Ignoramos hasta qué fecha funcionó este comité de lectura.

rencias no entrase dentro de lo que él llama obras inmorales. A pesar de ser un escritor que tomó su inspiración en las obras de Lamartine, Byron y Hugo, hallamos en él, una vez más, esa ciega adhesión a valores tradicionales que por definición está prohibido abordar, aunque sea en su aspecto más trivial. También vemos reaparecer aquella idea latente de la depravación del gusto de la multitud, desarrollada por Moratín en sus *Orígenes del teatro español* para justificar las exclusiones decretadas en nombre del neoclasicismo.

En realidad, Jacinto de Salas y Quiroga recoge la antorcha depositada por Ochoa y Madrazo. Su artículo publicado el 12 de febrero de 1837 por la *Revista nacional* y titulado *Observaciones sobre el estado actual de nuestra poesía* contiene la exposición sucinta de las ideas que desarrollará en su revista *No me olvides*, cuyo primer número se publicó tres meses más tarde. Niega que la preocupación por los intereses materiales, el peligro que corre la patria, o las discordias civiles, hayan acarreado la decadencia de la poesía, que define como «la expresión de un sentimiento íntimo». Ahora bien, como la naturaleza humana es siempre la misma, los sentimientos nobles y generosos siguen existiendo siempre, pero en la época actual han hallado refugio en los corazones. Los poetas no son los «copleros de oficio» sometidos a las exigencias de la retórica, sino

> los hombres que cantan por satisfacer una necesidad de su alma, que ceden a sus inspiraciones porque sus inspiraciones les dominan, que cantan sin saber que cantan, que lloran sin saber que lloran, para esos hombres todos los tiempos son tiempos poéticos, todos los días son días de inspiración ... para ser poeta como nosotros lo entendemos, es preciso estar nutrido de pureza, es necesario no haber encenagado en esos goces materiales que desgarran el alma, que despedazan el corazón, que ni envueltos están en esos mágicos recuerdos, sombras seductoras que encubren las dolencias de una vida de miseria y dolor.

En nuestro siglo —prosigue Salas y Quiroga— los hombres frívolos «hablan mucho de cuestiones de inteligencia, de orden, de principios, de libertad, escarneciendo las sublimes ideas representadas por esas palabras que el mundo no entiende». En medio de esa sociedad preocupada únicamente por contingencias materiales, el filósofo, el poeta o el observador de la naturaleza se encuentran aislados «porque en esas mezquinas pasiones de una hora no pueden tomar parte; y por fin porque necesita más alimento su alma que esos vanos juguetes con que se entretiene el resto de los hombres». El artículo concluye con un panegírico entusiástico de *El Artista* y de los «mágicos versos» de Ochoa, Bermúdez de Castro, Pastor Díaz, Escosura, Madrazo, Zorrilla, «y otros que, menos célebres, ocupan un lugar distinguido en aquella célebre colección»[95].

El prospecto de *No me olvides*[96], redactado por su director, define el lugar y el papel de los jóvenes españoles dentro de la sociedad de su tiempo en términos

95. Este artículo apareció en *El Vapor* de Barcelona el 6 de marzo de 1837; va seguido de una nota en la que Pedro Mata se queda sorprendido de que Larra, Espronceda, Vega, Romea y García Gutiérrez no sean mencionados por Salas y Quiroga, pues también ellos son «dignos de la estimación del público inteligente».
96. Índice citado, pp. 25-26.

bastante imprecisos, aunque de forma más positiva. Éstos no se conforman con ser «fríos espectadores de la encarnizada lucha en que se disputan la posesión del mundo el fanatismo y la ilustración»; unos combaten con las armas y otros con la pluma, a fin de construir el edificio de la regeneración social sobre las ruinas del fanatismo «ya político, ya religioso, ya social», y su objetivo común es el bienestar de la humanidad. Para ello deben «destruir rivalidades mezquinas, aumentar los sanos principios de la fraternidad, extinguir odios nacidos tal vez de mala inteligencia, sofocar el mal bajo todas las formas, descubrir el bien que existe en todo lo creado». Por ello, ha surgido la iniciativa de fundar «un periódico meramente literario, artístico, en el que se tratará de contribuir a la grande obra de la reforma social, abogando por las glorias de nuestra brillante y descuidada literatura y descubriendo al mundo el encubierto germen de nuestra gloria venidera».

Este tipo de lenguaje no es nuevo; desde finales del siglo XVIII ha sido utilizado en reiteradas ocasiones, con variedad de matices, en tiempos de la guerra de la Independencia y del trienio constitucional, tanto por los afrancesados como por sus adversarios moderados o exaltados. Para Salas y Quiroga, cuando evoca el enfrentamiento entre el fanatismo y «la ilustración», no se trata ya de la lucha, ahora superada, entre el Antiguo Régimen y el liberalismo, sino de la guerra civil que desgarra España. La fraternidad que anhela no está basada en una igualdad como la que definía Espronceda un año antes; consiste en la reconciliación —sin especificar las modalidades de la misma— entre carlistas y cristianos, sin implicaciones sociales o económicas. Estos son los límites, realmente estrechos, de aquella gran reforma en la que Salas y Quiroga y sus amigos deseaban tomar parte en el campo de las letras y las artes. En el artículo de fondo del n.º 1 de *No me olvides*[97], después de algunas afirmaciones perentorias y grandilocuentes sobre «la santidad de la lucha» que, pese a las calumnias de los «seres vulgares», llevan los jóvenes del siglo, aparece definida la función de la literatura:

> Era mengua de los siglos, escarnio de las generaciones, el ver que la literatura de todas las edades era sólo un juguete, un pasatiempo, el placer de un instante, cuya huella se borraba entre los hombres cual se borra en el cielo la huella de la luna. Hombres insignes llamaron a la poesía recreo de la imaginación, y sólo en nuestros tiempos de filosofía y observación se ha descubierto que la misión del poeta es más noble, más augusta.

Esta exageración en los términos demuestra que Salas argumenta de forma tan poco rigurosa como antes Ochoa en *El Artista* y que, como él, está muy mal informado. Sin necesidad de remontarnos demasiado lejos, hallamos multitud de ejemplos que desmienten las frases que acabamos de citar; efectivamente, en la obra de Meléndez Valdés, Cienfuegos, Jovellanos, Moratín, Quintana o Lista, resulta fácil encontrar escritos que no son de mero divertimento y cuyo contenido posee un valor didáctico o moral. Viéndolo rechazar en bloque la herencia del pasado, se podría pensar que Salas y Quiroga se dispone a desarrollar una teoría

97. T. I, 1, 7 de mayo de 1837, pp. 2-3; índice citado, n.º 218, pp. 97b-98. Firma el artículo Jacinto de Salas y Quiroga.

revolucionaria. Según escribe, los jóvenes del siglo XIX han desterrado las ficciones de la mitología, derrocado los ídolos del paganismo y derruido el templo de la rutina, para levantar sobre sus ruinas un nuevo monumento «al noble deseo de perfección humana, de simpatía y amor hacia los demás seres»; este es el objetivo del romanticismo. Pero este romanticismo nada tiene que ver con el practicado por Espronceda en sus canciones sociales, que ni siquiera aparecen evocadas en el artículo. El escritor debe «consolar al desgraciado, llevar la vida al corazón abatido, hacer menos amargas las amargas horas de esta vida de padecer». Lo cual significa que no es tarea suya procurar saber por qué sufren los hombres, denunciar los crímenes, abusos o taras de la sociedad, demostrar que es posible remediarlos, y proponer los medios para ello. Su misión consiste únicamente en hacer olvidar los infortunios de la existencia, como si de un virtuoso impulso fraterno se tratara. Fuera de esto, no hay sino extravagancia y escarnio:

> Si entendiésemos por *romanticismo* esa ridícula fantasmagoría de espectros y cadalsos, esa violenta exaltación de todos los sentimientos, esa inmoral parodia del crimen y la iniquidad, esa apología de los vicios, fuéramos ciertamente nosotros los primeros que alzáramos nuestra débil voz contra tamaños abusos, contra tan manifiesto escarnio de la literatura. Pero si en nuestra creencia es el romanticismo un manantial de consuelo y pureza, el germen de las virtudes sociales, el paño de las lágrimas que vierte el inocente, el perdón de las culpas, el lazo que debe unir a todos los seres, ¿cómo resistir al deseo de ser los predicadores de tan santa doctrina, de luchar a brazo partido por este dogma de pureza?

Salvo las expresiones tomadas del vocabulario religioso, este es poco más o menos el mismo lenguaje que utilizara Lista en *La Estrella* a comienzos de 1834. Fernando de la Vera e Isla, en sus artículos titulados *Verdadera poesía* y *Moralidad del romanticismo*[98] matizó la definición de Salas y Quiroga, puntualizando que si el romanticismo presenta el crimen en sus tintes más sombríos, no es para hacer apología del mismo, sino muy al contrario, para demostrar que las pasiones que lo suscitan acaban pugnando entre sí y venciéndole. Los «medios terribles» utilizados no constituyen un fin en sí mismos, sino que son un medio necesario, al que ya habían recurrido los autores clásicos en sus tragedias. Además, la función del romanticismo es la de «sanctificar al hombre, no desmoralizarlo», y la misión del poeta, la de «enseñar y conmover». Vera señala seguidamente:

> No es éste [el romanticismo] el que hunde en el lodo una sociedad, cuyos vínculos están, sino rotos, a lo menos bastante relajados: otras son las causas que tan funesta influencia han ejercido sobre ella; otras son las causas, cuyo examen profundo pertenece más bien a la filosofía que a la literatura.

La primera parte de esta frase contiene una observación acertada: la literatura no hace sino dar cuenta del estado de la sociedad y de las costumbres en un momento determinado, como ya había demostrado Larra de forma más convincente. Pero la conclusión a la que llega Vera recuerda la observación de Alcalá Galiano,

98. *No me olvides*, I, 2, 14 de mayo de 1837, pp. 3-4, y 6, 11 de junio de 1837, p. 3 (el segundo artículo, n.º 325, p. 129 del índice citado).

cuando, en el prólogo de *El moro expósito*, juzgaba desdeñable el sustrato filosófico del romanticismo alemán. En estos casos, la literatura está considerada todavía como un fenómeno independiente del movimiento ideológico, siempre que estas ideas sean juzgadas negativas en relación con una ortodoxia moral que condena de antemano por impías, corruptoras, o en el mejor de los casos como fruto de una mera afectación, cualquier manifestación de inquietud o desengaño, cualquier intento de proponer una nueva visión del mundo. Semejante concepción de la literatura sólo puede generar obras absolutamente anodinas y de un idealismo simplista; ésta alcanzará su pleno desarrollo más tarde en Fernán Caballero y Palacio Valdés, quien escribirá en el prólogo de *La hermana San Sulpicio*: «mi aspiración única consiste en conmover a mis lectores ... evitándoles el pensamiento[99].»

Salas y Quiroga aún va más allá que Vera: la literatura es «un verdadero sacerdocio de moralidad y virtud», y el escritor es un «sacerdote de moralidad» que, en su vida privada, debe hacer gala del más recto proceder. E incluso anima a los legisladores a disponer penas más severas contra «esos hombres pervertidos que depravan las costumbres con su ejemplo pernicioso, y que enseñan a burlarse de cuanto el hombre tiene en más»[100]. Campoamor, que a la sazón tiene tan sólo veinte años, comparte estos arrebatos sagrados. En un artículo titulado *Acerca del estado actual de nuestra poesía*[101], denuncia los estragos del «cuento romántico», cuya moda se extendió recientemente con tanta rapidez que se le vio surgir por doquier. Algunos críticos han puesto a veces por las nubes este tipo de obras, que han contribuido a difundir un lamentable mal gusto, el del

> *romanticismo* degradado cuyo fondo consiste en presentar a la especie humana sus más sangrientas escenas, sueños horrorosos, crímenes atroces, execraciones, delirios y cuanto el hombre puede imaginar de bárbaro y antisocial; el *romanticismo* verdadero tiende a conmover las pasiones del hombre para hacerle virtuoso; el *romanticismo* falso que usurpó este nombre ... sólo tiende a pervertir la sociedad, y éste es justamente el que yo trato de impugnar.

Fuera los serviles que menosprecian el patrimonio literario nacional e imitan la pacotilla del extranjero. Por fortuna, existen en España «algunos jóvenes que fuera inútil nombrar porque todos saben quiénes son», capaces de salvar la poesía española del naufragio que amenaza con sepultarla.

Al frente de estos paladines, los redactores de *No me olvides* sitúan naturalmente a José Zorrilla, cuyo primer volumen de poesías salió a la venta en diciembre de 1837, en el mismo momento en que Campoamor escribía estas líneas. En su número del 17 del mismo mes, la revista de Salas y Quiroga anunció el acontecimiento —precedido poco antes por la publicación de la segunda edición de las poesías de Lista— en los siguientes términos: «Consideramos la primera [pu-

99. Citado por D. L. Shaw, "Towards the Understanding of Spanish Romanticism", *The Modern Language Review*, LVIII (1963), pp. 194-195.

100. "Decir y obrar", *No me olvides*, I, 18, 3 de septiembre de 1837; índice citado, n.º 213, pp. 94b-95.

101. *No me olvides*, II, 32, 10 de diciembre de 1837, pp. 3-4; índice citado, n.º 45, pp. 46a-47.

blicación] como el último suspiro en España de la vieja escuela, y la segunda como el primer vagido de la nueva[102].» El prolijo y ditirámbico prólogo que Nicomedes Pastor Díaz escribió para el citado libro presenta a Zorrilla como el regenerador de la poesía, el único que ha sabido mostrar bajo las suntuosas galas de la civilización el cuerpo gangrenado de la sociedad moderna, y que, superando el individualismo de su inspiración, ha derramado en los corazones heridos por el sufrimiento y la incredulidad el bálsamo consolador. Tal es la noble misión que se ha propuesto —y que seguirá asumiendo— este poeta de veinte años. Él mismo señalará los rasgos fundamentales de su inspiración en el breve prólogo —dedicado a Donoso Cortés y a Pastor Díaz— de su segundo libro publicado en julio de 1838:

> He tenido presentes dos cosas: la patria en que nací, y la religión en que vivo. Español, he buscado en nuestro suelo mis inspiraciones. Cristiano, he creído que mi religión encierra más poesía que el paganismo ... Español, hallo cuando menos mezquino y ridículo buscar héroes en tierras remotas en menoscabo de los de nuestra patria; y cristiano, tengo por criminal olvidar nuestras creencias, por las de otra religión contra cuyos errores protestamos a cada paso[103].

¿Cómo se originó la fama de este poeta? Hay que reconocer que al declamar unos versos ante la tumba de Larra, Zorrilla se había hecho un excelente lanzamiento publicitario: le bastó un momento para darse a conocer a todos los escritores y periodistas de Madrid, quienes hasta entonces no habían prestado especial atención al joven colaborador de *El Artista.* Así, Pastor Díaz, Juan Francisco Pacheco y Pérez Hernández, le ofrecieron colaborar por 600 reales al mes en el folletín del periódico que se disponían a fundar, *El Porvenir*[104]. De hecho, los dos últimos crearon *La España*, el 1.º de julio de 1837, tras abandonar la redacción de *El Español*, y *el Porvenir* fue dirigido por Juan Donoso Cortés y Rafael González Llano[105], pero éstos mantuvieron el compromiso adquirido con Zorrilla. Y esto no es todo. García de Villalta, el cual sucedió a los futuros fundadores de *La España*, tomó la dirección de *El Español* a partir del 1.º de junio de 1837 y creó una página literaria semanal que se publicó cada domingo hasta finales de diciembre del mismo año; se aseguró la colaboración de Zorrilla, que divulgó así un buen número de poesías suyas[106]. Éste no tiene rivales realmente peligrosos,

102. "Variedades", *No me olvides*, I, 33, 17 de diciembre de 1837, p. 7; índice citado, p. 127a. La puesta en venta de las *Poesías* de Lista se anunció en la *Gaceta de Madrid* el 12 de diciembre de 1837; la de las de Zorrilla, el 24.

103. J. Zorrilla, *Obras..*, t. I, París, 1893, p. 26.

104. *Id.*, *Recuerdos del tiempo viejo*, Madrid, 1882, t. I, pp. 39-40.

105. Este último dimitió de su cargo el 24 de junio (así lo indica en una carta que publicó en *El Porvenir* del mismo día) y cedió su puesto a Antonio Alcalá Galiano. Nos es imposible conocer la importancia cuantitativa de las colaboraciones de Zorrilla en este periódico; en la única colección que hemos podido consultar, la de la BNM, gran número de sus folletines han sido recortados por algún lector poco escrupuloso.

106. Zorrilla explica (*op, cit.*, t. I, pp. 43-44; véase también N. Alonso Cortés, *Zorrilla...*, 2.ª ed., Valladolid, 1943, p. 191) que Villalta le escribió para proponerle que sucediese a Larra en el folletín de *El Español*, folletín cuya redacción compartiría con Espronceda. Sin embargo, éste no fue nunca un colaborador permanente del periódico. En una nota publicada en *El Eco*

ya que los otros nombres que aparecen al pie de las composiciones en verso son los de Enrique Gil (en aquella época todavía un principiante), de Hartzenbusch, de Manuel Cañete, Eduardo Asquerino y Santos López Pelegrín (simples versificadores que se encuentran más a gusto en otros géneros). Durante los últimos ocho meses de 1837, Espronceda, que acaba de salir de una grave enfermedad, da a *El Español* dos poesías anteriormente compuestas —*Óscar y Malvina* y un fragmento del *Canto del cruzado*— y una única reciente, la segunda parte de *El reo de muerte*, cuyo tema estaba muy alejado de los que trataba —a veces profusamente— Zorrilla. En junio de 1837, publica nuevos fragmentos de *El estudiante de Salamanca*, aunque aparecen en una revista de poca divulgación (*Museo artístico y literario*), y vinculados además al romanticismo tenebroso; en diciembre, recita en el Liceo dos composiciones ya publicadas en *El Siglo* en 1834 —el himno *Al sol* y el soneto "Fresca, lozana, pura y olorosa"— reproducidas en la revista de la sociedad literaria; en mayo de 1838, da a *El Panorama* seis estrofas ya conocidas del segundo fragmento del *Pelayo*; y no será hasta julio del mismo año cuando recite en el Liceo una poesía nueva, *A una estrella*, antes de dar, cinco meses más tarde, el *Canto del cosaco* a *El Guardia nacional* de Barcelona[107]. El lanzamiento de Zorrilla coincide con un período de la vida política durante el cual el partido moderado, aprovechando la expansión provocada por la desamortización y sus consecuencias, recobra la mayoría en las Cortes gracias a las elecciones de agosto de 1837 y a la sustitución de Calatrava por Bardají al frante del gabinete. El malestar general, provocado por la amenaza que gravita sobre Madrid debido a la proximidad de las tropas carlistas —malestar del que sacan partido los políticos moderados en sus manejos y pactos secretos (anteriormente mencionados) con los jefes militares—, se traduce por el miedo generalizado a la "anarquía". Frente a una ideología reaccionaria, se impone la necesidad de combatirla utilizando sus propias armas, y afirmando la fidelidad de la monarquía legítima a la tradición nacional a la que el carlismo apela y de la que se considera el único detentor. Por supuesto, para defender lícitamente esta posición, hay que combatir el progresismo radical en todas sus formas. Éste cuenta tan sólo con un órgano de prensa importante, *El Eco del comercio*, mientras que los moderados pueden difundir sus ideas en varias publicaciones, que sólo presentan leves matices de diferencia: *El Castellano, La España, El Matamoscas, El Mundo* (sobre todo a partir de 1837), *El Porvenir*, la *Revista europea* y *El Correo nacional*.

Los comentarios sobre el suicidio de Larra y los artículos publicados con este motivo[108] reflejan de forma significativa este estado de ánimo, a la par que las palabras pronunciadas ante la tumba de "Fígaro" por Mariano Roca de Togores marcan la tónica general: «Este hombre, señores, que a todos ha hecho reír, muere víctima de su melancolía; este escritor, que parecía tan festivo, y tan indiferen-

---

del comercio el 4 de febrero de 1838, Villalta recuerda que su periódico acaba de ser cerrado por orden oficial, y da los nombres de sus colaboradores habituales: él mismo escribía los artículos políticos; el redactor jefe era Luis González Bravo; el administrador, Juan González Amezúa; la página de política extranjera corría a cargo de José Gener y Solanes; la de literatura y teatro, a cargo de Eugenio Moreno. Todos los artículos de otros autores iban firmados.

107. Véase en Espronceda, *Poésies*, ed. Marrast, la bibliografía y la noticia de estos poemas. Para los fragmentos de *El estudiante de Salamanca*, véase el capítulo siguiente.

108. C. de Burgos (*op. cit.*, pp. 247-262) los reproduce y comenta.

te a todo, muere suicida, y quizá de amor.» La *Gaceta de Madrid* se descolgó con un sermón: ¿qué le faltaba pues a "Fígaro"? ¿Acaso no era esposo y padre de familia? Salas y Quiroga se lamentó largamente en *El Eco* de la suerte del «pobre poeta lanzado a una tierra de maldición»; *El Castellano* y el *Diario de Madrid* se abstuvieron de dar información alguna, optando por un silencio reprobador. El único que se negó a ver en Larra a una víctima del "romanticismo" y a un intrascendente humorista fue el conde de Las Navas, quien escribió en un comunicado remitido a *El Español*:

> Consagremos a su memoria nuestros esfuerzos para coronar la obra que anhelaba, es decir, por ver a a su patria libre y feliz a la sombra de una buena legislación, que a la par que consolidara la libertad, la pusiera a cubierto de los desórdenes y pandillajes que hasta el día la han despedazado. Su noble corazón, su ardiente alma, se desborda por ver el fin deseado, tal vez una de las causas que han podido contribuir a su desastroso término sea la ninguna esperanza que la actual administración da para ello.

Nadie podía poner en duda la sinceridad de Larra y lo acertado de su crítica social y política. Así pues resultaba hábil, en el momento en que salían a la luz los dos últimos volúmenes de sus obras completas, presentar a este escritor lúcido como un simple «genio festivo». Los que no compartían sus convicciones no podían dejar de rendir homenaje a su talento; pero lo hicieron reduciendo de manera insidiosa el alcance de sus escritos, y descalificando de forma más o menos implícita a un autor cuyo suicidio aparecía presentado como la consecuencia de una conducta privada inmoral, y no de una desesperanza más profunda, de la que la crisis sentimental era sólo uno de los elementos. Lo que importaba ante todo era que este testigo molesto fuese considerado un inadaptado cuya misantropía e indiferencia constituían la única explicación para los puntos de vista inconformistas que había adoptado. Eso es lo que rebate claramente la puntualización del conde de Las Navas.

La enfermedad que impidió que Espronceda asistiera a los funerales de Larra no permitió que se oyera su voz en esta ocasión; no es muy aventurado pensar que no hubiera aprobado la imagen que Roca de Togores y algunos otros dieron del amigo con el que tenía mayor afinidad de pensamiento. Además de la enfermedad, y aparte de las secuelas psicológicas de su ruptura con Teresa, las actividades políticas fueron las que mantuvieron apartado por un tiempo a Espronceda de la creación literaria. Si bien seguía asistiendo a las reuniones del Liceo, no respondía ya a las definiciones del poeta y de la poesía presentadas por Salas y Quiroga hacia finales de 1837 en *No me olvides*, y posteriormente en el Ateneo (del que Martínez de la Rosa fue presidente de 1838 a 1841), por varios oradores. La conferencia pronunciada por José de la Revilla el 18 de febrero de 1838 con el título *¿Cuál es el carácter que debe tomar la literatura para satisfacer nuestras necesidades morales e intelectuales?* contiene a modo de conclusión las siguientes observaciones, que ponen de manifiesto las implicaciones políticas y sociales de la literatura, según la conciben los escritores moderados:

> Cuando lleguemos a ver con toda claridad los sueños con que nos recreamos en un siglo neciamente llamado positivo, hallaremos que así en materias políticas como

> en morales hemos perdido mucho en comparación de lo que [h]emos ganado; que jamás las necesidades de los pueblos deben ser otra cosa que el eco de sus necesidades morales; y por último que la existencia de las sociedades solamente puede afianzarse como ya he dicho en la bondad de sus costumbres, en la moralidad pública y privada, en una religión divina y en un orden libre pero justo[109].

Estas frases siguen a una condena, sin matices ni circunstancias atenuantes, de Dumas y Hugo, considerados como los propagadores de la inmoralidad y del vicio. Cabe fijarse en la expresión «libre pero justo» que define el orden político ideal según Revilla, en el que se ponen en primer término las necesidades morales de los pueblos, lo cual excluye de entrada cualquier reivindicación de carácter material susceptible de poner en peligro el equilibrio social. Semejante concepción se ve singularmente retrógrada en comparación con la que Larra y Espronceda habían defendido e ilustrado reiteradas veces en sus obras; asigna implícitamente al escritor el papel de propagandista de los "valores eternos", negándole de antemano el derecho a criticarlos o simplemente a ponerlos en tela de juicio. Una vez más, frente al romanticismo social, se impone el "nacional-romanticismo", como en 1828 en la época de los discursos de Lista y de Durán; y esta adaptación española de la *Romantik* alemana aparece cada vez más claramente vinculada al sistema político de los monárquicos constitucionales moderados. Para éstos, la literatura debe ser totalmente aséptica. Ningún otro poeta respondía mejor que Zorrilla a esta exigencia. Poco importaba la exaltación, demasiado artificial para ser auténtica, de los sentimientos expresados; en efecto, se trataba de una concesión al "romanticismo" que, por ser meramente formal, resultaba poco comprometedora. Lo esencial era que la ampulosidad de la expresión, la sonoridad de los versos y la grandilocuencia de las palabras sirvieran para ensalzar las virtudes de «lo español» y de «lo cristiano»; para devolver una brillantez, aunque fuese facticia, a las tradiciones, a los nombres ilustres, a los lugares destacados de la cultura nacional —Calderón, Cervantes, Toledo—, y a los héroes de aventuras edificantes; como también para meditar, no sobre las desdichas contingentes, sino sobre la fugacidad del tiempo que pasa y la necesidad, en este valle de lágrimas, de hacerse merecedor de la Eternidad. Sentimiento, sentimiento ante todo, a la vez que respeto por los elevados principios, es lo que aportaba a la poesía española aquel al que en 1841 denominaba Espronceda «el viejo de veinticuatro años[110]».

En septiembre de 1837, Mesonero Romanos publicó en el *Semanario pintoresco español* su famoso artículo *El romanticismo y los románticos*, con el cual «il s'est fait gloire d'avoir assené un coup mortel au romantisme ... Il se vante même d'avoir été le premier à monter à l'assaut de cette citadelle», según dice A. Rumeau[111], quien añade con razón «que dans ce cas précis il n'a fait que voler

109. El texto de esta conferencia figura en el volumen manuscrito titulado *Poesías y memorias leídas en la sección de literatura y bellas artes del Ateneo de Madrid 1837*[-1841], que se conserva en los archivos del Ateneo.

110. Zorrilla, *Recuerdos del tiempo viejo*, Madrid, 1882, t. I, p. 56.

111. («... se vanagloriaba de haber asestado un golpe mortal al romanticismo ... Se jactaba incluso de haber sido el primero en lanzarse al asalto de dicha ciudadela».) En la introducción a su edición crítica de *El duende satírico del día* de Larra, París, 1948, p. 143 (nota 9 del cap. II).

au secours de la victoire, une fausse victoire»*. Habiendo leído las *Lettres de Dupuis et Cotonet* publicadas por Musset en la *Revue des deux Mondes* entre septiembre de 1836 y mayo de 1837[112], "El Curioso parlante" saca de ellas algunas ideas y algunas chanzas. Pero el retrato satírico de su supuesto sobrino es de un humor forzado, ya que Mesonero dista mucho de tener la soltura de su modelo. Peers ve en ese texto[113] la sátira más destructora contra el romanticismo en España. Ahora bien, en cuanto a ideas, no aparece nada que ya no hubiesen repetido hasta la saciedad Mesonero o sus colaboradores en las páginas del *Semanario pintoresco*, en especial en la sección teatral. Las definiciones que el autor propone del romanticismo, sin quedarse finalmente con ninguna, son imprecisas y sólo se refieren a aspectos literarios meramente externos; se hace hincapié en el hecho de que el romanticismo justifica todos los excesos, siendo precisamente por ello merecedor de condena. Pero Mesonero no desconoce el carácter profundo de la mentalidad romántica:

> El escritor osado, que acusa a la sociedad de corrompida, al mismo tiempo que contribuye a corromperla más con la inmoralidad de sus escritos; el político, que exagera todos los sistemas, todos los desfigura y contradice, y pretende reunir en su doctrina el feudalismo y la república; el historiador, que poetiza la historia; el poeta, que finge una sociedad fantástica y se queja de ella porque no reconoce su retrato; el artista, que pretende pintar a la naturaleza aún más hermosa que en su original; todas estas manías que en cualesquiera épocas han debido existir, y sin duda en siglos anteriores habrán podido pasar por extravíos de la razón, o debilidades de la humana especie; el siglo actual, más adelantado y perspicuo, las ha calificado de romanticismo puro.

Equipara esta nueva mentalidad —calificada de inmediato de «romanticomanía»— a una extravagancia pasajera, a una simple moda moralmente peligrosa. Se eluden de nuevo las verdaderas cuestiones, puesto que el romanticismo aparece considerado sólo como medio de expresión, es decir, se confunden los efectos con las causas. Con su cautela habitual, Mesonero evita toda acusación personal y, solapadamente, siembra la confusión. No obstante, en la enumeración que acabamos de citar, resulta fácil ver que denuncia en batiborrillo a Hugo, Dumas, Lamennais, los sansimonianos, Larra, Espronceda, tal vez Quintana («el historiador que poetiza la historia»), y a los liberales progresistas en general. Aparece cogido en falta el que se vanagloriaba de ser «el único escritor en España de quien no puede citarse una sola línea de política en todas sus obras»[114], aun cuando en todos sus escritos se traslucen convicciones moderadas, e incluso abierta-

* («... que en este caso concreto no hizo sino volar en socorro de la victoria, de una falsa victoria».)

112. *Id.*, *ibid.*, p. 49.

113. Publicado en el *Semanario pintoresco español*, II (76), 17 de septiembre de 1837, pp. 281b-285a, y más adelante en los *Apuntes...* de E. de Ochoa, París, 1840, t. II, pp. 416-426 (de donde hemos tomado las citas que siguen), así como en las distintas ediciones de las *Escenas matritenses*; aparece reproducido en *El romanticismo y los románticos y otras Escenas matritenses*, ed. E. A. Peers, Liverpool, 1933, pp. 11-31. Véase el comentario de este texto en Peers, *HMRE*, t. II, pp. 23-27.

114. Como se dice en la semblanza biográfica de Mesonero —que probablemente él mismo escribió— publicada en Ochoa, *op. cit.*, t. II, p. 406.

mente reaccionarias. Mesonero es uno de aquellos hombres para quienes ideas políticas son sinónimo de ideas avanzadas y, por ende, inconformistas; punto de vista compartido por Zorrilla, al cual por supuesto no puede atribuirse ninguno de los rasgos críticos o satíricos de *El romanticismo y los románticos*. En una síntesis un tanto forzada —aunque tal vez con pretensiones laboriosamente humorísticas por parte de su autor— Mesonero bosqueja una historia del «verdadero romanticismo», según la cual Hugo tuvo revelación del mismo gracias a Calderón, en 1811 (¡con sólo nueve años de edad!), cuando era alumno del Seminario de nobles de Madrid; se atribuyó luego la invención; sus imitadores lo desfiguraron exagerándolo, y así

> los poetas transmitieron el nuevo humor a los novelistas, éstos a los historiadores, éstos a los políticos, éstos a todos los demás hombres, éstos a todas las mujeres, y luego salió de Francia aquel virus ya bastardeado, y corrió toda la Europa, y vino en fin a España y llegó a Madrid (de donde había salido puro).

Este romanticismo envilecido y pervertido caló en la mente del supuesto sobrino de Mesonero, aunque «tal llegó a sus manos, que ni el mismo Víctor Hugo le conocería, ni el Seminario de nobles tampoco».

¿Qué crédito puede concederse a tan pobres argumentos? ¿Cómo puede ser tomada en serio una "historia del romanticismo" falseada de modo tan evidente? Aunque Mesonero expresa su deseo de que así sea en una nota añadida posteriormente a este artículo para la edición de *Escenas matritenses*, no obstante sigue deformando una vez más la verdad y mezclando adrede y confusamente la cronología[115]. Añade que a nadie se le ocurrió sentirse ofendido por su diatriba cuando la leyó en una de las sesiones del Liceo, lo cual vendría a demostrar que, más que levantar ésta una auténtica polvareda, había quedado en un escándalo desinflado. La suma habilidad del "Curioso parlante" consiste en ilustrar su teoría mediante la caricatura de una caricatura, la del supuesto sobrino que «romantiza» su persona antes de «romantizar» sus ideas; era un retrato demasiado grotesco como para que alguno de sus oyentes o lectores pudiera reconocerse en él sin quedar en ridículo. Otra ventaja de la posición adoptada por Mesonero era que autorizaba y justificaba de antemano la condena del romanticismo en nombre del sentido común. Éste, por definición, es patrimonio de quienes están en el bando del autor, el cual recomienda a su presunto sobrino «los Cervantes, los Solís, los Saavedras, los Quevedos, los Moretos, Meléndez y Moratines». Pero el joven atolondrado prefiere «los Hugos y Dumas, los Balzacs, los Sands y Souliés; ... las encantadoras fantasías de Lord Byron, y ... los tétricos cuadros de d'Arlincourt; ... los abortos teatrales de Ducange, ... los fantásticos sueños de Hoffmann, ... la Craneoscopia del doctor Gall, o las meditaciones de Volney»; en cuanto a la dueña de su corazón, se deleita con *Han d'Islande* o *Bug-Jargal*. Para

115. «Era un momento de vértigo y de exageración ... A las modestas y filosóficas comedias de Moratín, Gorostiza y Bretón, habían sustituido en nuestra escena los apasionados dramas de *El trovador, Los amantes de Teruel* y *La fuerza del sino*. Espronceda y Zorrilla ... habían arrinconado la lira antigua de Garcilaso y de Meléndez ... Con ellos habían enterrado los preceptos de Aristóteles y de Horacio, de Boileau y de Luzán; Shakespeare, el Dante y Calderón eran las nuevas divinidades poéticas; y Victor Hugo su gran sacerdote y profeta.» (BAE, t. CCIII, p. 62).

curar a su sobrino de lo que él considera que son locuras, su tío hace de él un oficial; éste vuelve de campaña al cabo de un año, luciendo su segunda charretera y algunas cruces al mérito, y habiendo recobrado la salud mental gracias a las duras ocupaciones del oficio militar. El regreso del joven se sitúa «hace pocos días», con lo que las lecturas de su «época romántica» se remontan a 1836. Ahora bien, por aquella fecha, en español sólo se podía leer, de Balzac, *Les Marana*, y de George Sand, *Leone Leoni* (en traducciones publicadas en París); de Soulié, tan sólo *Carlos y Cromwell* (cuyo título original era *Les Deux cadavres*) y una novela corta incluida en el tomo I de las *Horas de invierno* publicadas por Ochoa. Hugo se hallaba mejor representado, y además de algunos de sus dramas, podían encontrarse traducciones del *Dernier jour d'un condamné*, de *Bug-Jargal*, de *Han d'Islande* y de *Notre-Dame de Paris*; pero ninguna de las novelas de Dumas, ya que la primera traducida (*Murat*) fue publicada en versión española en 1837.

A lo largo de este año y del siguiente es cuando entran en el mercado numerosas traducciones de Balzac, de George Sand, de Soulié, e incluso del vizconde de Arlincourt. En 1836 y 1837, *La Nouvelle Héloïse* se publica sucesivamente en versión de Mor de Fuentes y en la de Marchena; en 1837, se traducen dos novelas de Paul de Kock; se edita en castellano *Les Amours du chevalier de Faublas* en 1837 en París, y en 1838 en Sevilla y en Barcelona, en donde aparece publicada en 1837, por vez primera en España, una tradución de las *Liaisons dangereuses*; por último, son reeditados en 1836, en versión de Marchena, las novelas y cuentos de Voltaire, y a lo largo de los dos años siguientes salen a la luz siete títulos de Walter Scott[116]. Así pues, en el momento en que Mesonero escribe *El romanticismo y los románticos*, las novelas extranjeras gozan del favor creciente del público. En nuestra opinión, ello puede deberse cuando menos a dos razones: por una parte, al fracaso de las novelas históricas de autores españoles y, por otra, al deseo de los lectores de descubrir, en las ficciones novelescas importadas de Francia, las mismas emociones que en los melodramas y dramas parisienses, ya que la producción teatral nacional resulta insuficiente en este campo (transcurre casi un año entre *El trovador* y *Los amantes de Teruel*). "El Curioso parlante" advierte en 1837 la llegada de lo que considera un peligro, tanto para la literatura como para las costumbres; las razones que indujeron unos años antes a Bretón y Lista a condenar las obras representadas en París, incluso antes de que fuesen traducidas, son las mismas que impulsan a Mesonero a lanzar el anatema contra unos autores que, en su mayor parte, acaban tan sólo de darse a conocer a los españoles. Aunque se refiere al pasado reciente y al presente, el prudente escritor de costumbres no deja de pensar en el futuro.

Si bien advertimos que habla poco de poesía, en la lista de personajes del drama de su sobrino, figuran «el doncel», «un verdugo», «un hombre del pueblo» y «un demandadero de la paz y caridad». ¿Simple coincidencia el que los encontremos también en obras de Larra y de Espronceda? Al margen de una insignificante alusión a Byron, Mesonero se burla únicamente de un género poético, el de los «cuentos en verso prosaico», que están en vías de franca desaparición. Con esta hábil amalgama que constituye *El romanticismo y los románticos* (pasamos

116. J. F. Montesinos, *Esbozo de una bibliografía..., en: Introducción a una historia de la novela...* Madrid, 1955, *passim*.

por alto el episodio de un humor farragoso entre el sobrino y la criada gallega), Mesonero consigue en efecto un triunfo tardío, pues los enemigos a los que ataca con más saña se encuentran en el campo de la poesía ahora en decadencia. Pero Larra no está presente ya para responder que el romanticismo es algo muy distinto a lo que "El Curioso parlante" cree o finge creer que es. Espronceda acaba de dar a *El Español* algunos fragmentos del *Canto del cruzado* y de *El estudiante de Salamanca*, así como *Óscar y Malvina*, fragmentos que corresponden al género trovadoresco, tenebroso u osiánico; circunstancias ambas de las que se valdrá Mesonero en su diatriba. Pero —y he ahí lo importante— en ella incluye una advertencia destinada a los traductores de novelas y dramas franceses, como también a su público fiel, el del *Semanario pintoresco*.

Con este semanario económico, Mesonero disponía de un medio excepcionalmente eficaz para la propagación de ideas entre las categorías modestas de la sociedad española. No consiguió impedir que se extendiera la afición por las novelas extranjeras, pero contribuyó a suscitar y satisfacer la curiosidad por la divulgación histórica, artística, científica y geográfica. Es este uno de los aspectos indudablemente positivos de la empresa. La descripción de monumentos lejanos, las reproducciones de cuadros inaccesibles al público en general, la información sobre los aspectos y progresos del comercio, de la industria, de la agricultura, así como las biografías de personajes célebres y los artículos referentes a tradiciones locales, todo ello contribuyó a divulgar conocimientos en un país en el que la cultura, aun la elemental, seguía estando reservada a una minoría. Pero Mesonero se negó siempre a dar paso en su revista a la actualidad política y a la historia contemporánea. Según escribe Georges le Gentil, «il monte la garde autour des institutions, des traditions, des croyances, élevant une barrière entre les folies du romantisme français et la sagesse héréditaire du bourgeois madrilène»[117], lo cual equivale a convertirse de forma indirecta en el paladín del inmovilismo social, grato a los moderados. Basta con hojear los tomos del *Semanario pintoresco* para hallar en ellos multitud de pruebas de dicha actitud. Mesonero y sus colaboradores echan la culpa constantemente a «la exagerada escuela», a las «exageradas» o «inmorales obras» de Hugo, de Dumas y de George Sand. Le Gentil y Peers denominan eclecticismo este esfuerzo por conciliar los aspectos menos violentos del romanticismo con el respeto por el sentido común y la tradición. Sin embargo nunca se insistirá lo bastante a la hora de decir que se trata de un término medio imposible, ya que supone la recusación del conjunto de ideas que constituyen la propia esencia de la mentalidad romántica. Enrique Gil parece haberse dado cuenta de esta incompatibilidad; en efecto, en su recensión de los cuatro primeros tomos de las obras de Zorrilla, tras señalar que la «tendencia filosófica» de estas poesías consistía en restaurar las tradiciones y el espíritu caballeresco de los españoles, escribía:

> En este sentido parécenos muy laudable y muy digna la tarea de nuestro trovador; pero tampoco quisiéramos que perdiese de vista el porvenir. El águila del genio

117. («... hace guardia en torno a las instituciones, tradiciones y creencias, levantando una barrera entre las locuras del romanticismo francés y la sensatez hereditaria del burgués madrileño».) *Les revues littéraires*..., París, 1909, p. 56.

> debe remontarse al cielo, antes que despunte el día, para ver primero que el mundo asomarse el sol por entre las tinieblas de la noche; y uno de los más bellos privilegios de los grandes poetas ha sido en todas ocasiones el de abrir y allanar el camino a épocas más cultas y más gloriosas[118].

Estamos ante una concepción de la función del escritor —expresada a través de metáforas— muy similar a la que poco antes proponía en términos más claros Larra. Si es cierto que, según Georges le Gentil, «de 1836 à 1842 le *Semanario* nous apparaît comme une sorte de livre d'or de la poésie espagnole»[119], los nombres y las obras que figuran en la revista dan una triste opinión de dicha poesía; en efecto, Romero Larrañaga, Bermúdez de Castro, García y Tassara, González Elipe, Juan Francisco Díaz, Clemente Díaz y Rodríguez Rubí, por no citar más que los principales y los más jóvenes, sólo son versificadores de escasa inspiración que se limitan a insistir machaconamente en temas trillados, con menos originalidad y sinceridad aún que Zorrilla. El único que merece el nombre de poeta es Enrique Gil, cuya velada melancolía, unida a una fina y púdica sensibilidad, se expresan en versos de tono comedido, exentos de grandilocuencia o sensiblería. En lo referente a prosa literaria, la revista publica casi exclusivamente cuadros de costumbres escritos por Antonio María Segovia "El Estudiante", Clemente Díaz y José María de Andueza, discípulos poco aventajados de Estébanez Calderón o de "El Curioso parlante", quien reserva un lugar preferente a sus *Escenas matritenses*. Con excepción de José Somoza, criticón por naturaleza y a veces caústico, todos estos costumbristas utilizan con ternura o indulgencia un pintoresquismo superficial que halaga la patriotería del lector.

La defensa de la "hispanidad", a través de esta literatura de segundo orden, de bajo vuelo y sin grandeza, se traduce en un nacionalismo agresivo e intolerante continuamente presente en las páginas del *Semanario pintoresco*; el ejemplo más caracterísco lo constituye el artículo que Mesonero dedicó a la novela[120], y en el cual puede leerse lo siguiente:

> En ese encarecer los funestos resultados que del abuso de tan formidables armas pueden seguirse a la instrucción y la moralidad del pueblo ¡Demasiado lo vemos! hartos lo lamentamos; y en especial si volviendo la vista a una nación vecina, hallamos desgraciadamente a un crecido número de ingenios, (por cierto nada vulgares), sirviéndose de esta terrible palanca para derribar las opiniones recibidas hasta aquí como dogmas de moral, indispensables a toda sociedad bien ordenada; pugnando por inspirar a la especie humana menosprecio de sí misma, incredulidad de lo pasado y desprecio e incredulidad hacia el porvenir; complaciéndose en exagerar el poderío del crimen y hacer resaltar en contraste la flaqueza de la virtud; aspirando en fin a sublevar al hombre contra el hombre, a la sociedad contra las leyes, a las leyes contra la creencia religiosa.

118. *Semanario pintoresco español*, 2.ª serie, I (9), 5 de marzo de 1839, p. 71a; BAE, t. LXXIV, p. 485.
119. («... de 1836 a 1842 el *Semanario* se nos presenta como una especie de libro de oro de la poesía española».) *Op. cit.*, pp. 60-61.
120. R[amón] de M[esonero] R[omanos], "Novela", *Semanario pintoresco español*, 2.ª serie, I (32), 11 de agosto de 1839, pp. 253b-255a.

Hay que remontarse a los años negros de la ominosa década para hallar, en los informes de los censores oficiales, juicios tan perentorios y similares argumentos. Sólo que ahora aparecen impresos en una revista de gran tirada publicada bajo un régimen de monarquía constitucional, en el que la libertad es mayor; está claro que estas palabras vienen inspiradas por el temor de ver esta libertad propagándose en las costumbres en detrimento del orden establecido. Pero para que Mesonero se expresara en términos tan vehementes, el peligro tenía que ser acuciante. El peligro, lo constituyen esas novelas "inmorales", tan en boga por aquellas fechas, como demuestra el alud de traducciones que salen al mercado en los años 1836-1839, y de las que hemos ofrecido un breve compendio. Además, según afirma con razón Montesinos, para un conservador como "El Curioso parlante", novela de costumbres sólo puede ser sinónimo de novela moralizadora[121]. Tal postura no puede ser calificada en modo alguno de ecléctica, ya que el eclecticismo implica objetividad y tolerancia; nos hallamos aquí ante el conservadurismo más obtuso y reaccionario.

El engañoso florecimiento de las revistas literarias

La evolución de las costumbres en las clases dirigentes, las recepciones y las sesiones de las sociedades artísticas son fenómenos superficiales que no van unidos a una transformación profunda de la sociedad y que sólo atañen a las capas superiores de la misma. La clase media y el pueblo no estaban invitados a participar de esta evolución de las relaciones sociales; antes al contrario, los mantenían cuidadosamente apartados, por razones evidentes, quienes tenían interés en conservar al máximo el *statu quo*. El periodismo y la literatura se presentan entonces como medios relativamente fáciles para introducirse en la "alta sociedad" madrileña, variopinta, que admite otras posibilidades de acceso distintas a la de llevar un apellido célebre. Así vemos cómo el período 1836-1838 está marcado por un profuso florecimiento de revistas literarias más o menos efímeras, que tienen una característica común: la mayoría de sus colaboradores y fundadores son desconocidos o principiantes que se aseguran de vez en cuando la colaboración de un autor consagrado, o cuando menos ya introducido en la carrera, a fin de captar la atención de los lectores.

El semanario *Siglo XIX* contó sólo con quince meses de vida, del 1.º de enero de 1837 al 22 de marzo de 1838[122]. En el sumario de sus números figuran los nombres de algunos escritorzuelos, tales como: Clemente Díaz, Agustín de Alfaro, Juan Bautista Delgado y Gerónimo Morán; Campoamor publicó una única poesía en el último número. El prospecto indica que los redactores tienen la intención de describir los monumentos de todos los países y las costumbres pintorescas de la Península, y pretenden hacer revivir «las hazañas ocultas de nuestros mayores, reproduciendo escenas caballerosas de la edad media y rasgos heroicos de que abunda tanto nuestra historia». Este pálido vástago de *El Artista* cultivó

121. Véase *supra*, p. 243.
122. G. Le Gentil no ha estudiado este semanario en su *op. cit.* Aparece en los *Apuntes para un catálogo de periódicos madrileños*... (Madrid, 1894, n.º 309, p. 53) de Hartzenbusch.

el exotismo de pacotilla y abusó de los tópicos del "romanticismo" tal como lo definía su antecesor: tinieblas, hechiceras, escenas de tormenta, etc. El *Observatorio pintoresco* sólo llegó a publicar doce números, del 30 de abril al 30 de octubre de 1837[123]. Fue fundado por Ángel Gálvez y Basilio Sebastián Castellanos, quien se encargaba de trabajos de historia y arqueología. Tanto el título como el contenido de dicho semanario demuestran que algunos colaboradores se inspiraban en la fórmula del *Semanario pintoresco*, del que imitaban algunas secciones (historia, ciencias, bellas artes, artículos de costumbres). Aparecen en él algunos romances de "El Solitario", unas letrillas satíricas de Bretón, versos de Miguel Agustín Príncipe, así como algunos textos de Bernardino Núñez de Arenas y de otros más oscuros, que practican un romanticismo artificial y ampuloso; Agustín Durán elogia el drama de su amigo Roca de Togores, *Doña María de Molina*, y aprovecha la oportunidad para lanzar un nuevo anatema contra Hugo y Dumas. Basilio Sebastián Castellanos, al tratar *De la revolución de la poesía de esta edad*, atribuye a Bretón, Durán y Martínez de la Rosa el despertar de la poesía, ruega a los «jóvenes trovadores» que destierren de sus obras los horrores y los «cuadros cárdenos, lúbricos, asquerosos y sangrientos» de «el exagerado bardo francés», y aconseja a los jóvenes autores dramáticos que no olviden «que la exaltación exagerada, arrastra en pos de sí comúnmente una reacción peligrosa»[124]. Según vemos, nada hay realmente innovador en este infortunado competidor del *Semanario pintoresco*, en el que Mesonero acogerá a Castellanos en 1839. Más breve aún fue la existencia del *Museo artístico literario*, en el número 4 del cual publicó Espronceda, el 22 de junio de 1837, la primera parte de *El estudiante de Salamanca*, y al cual Pastor Díaz, Bretón, Eugenio Moreno, Julián Romea y Zorrilla dieron versos de desigual valor. La revista contiene artículos de Patricio y Narciso de la Escosura, Luis González Bravo y Fernández de la Vega, fundador del Liceo[125]. Los nombres de los colaboradores del bisemanal *Las Musas* (27 números, del 15 de julio al 28 de octubre de 1837)[126] han caído en un merecido olvido, con excepción del de Campoamor cuyas cuidadas poesías están todavía impregnadas de neoclasicismo. Junto a ello, encontramos en *Las Musas* textos de un romanticismo artificial y desmedido, tales como *El enano, disparate romántico* por un tal José de la Villa (en el n.º 15, del 3 de septiembre), o *Elisa, cuento romántico dividido en seis cuadros* por Alejandro Mayoli, tan ingenuamente exagerado que la obra (que ocupa por entero el n.º 20 del 21 de septiembre) podría pasar a primera vista por una parodia, pero —por desdicha— ¡nada está más alejado de su intención!

123. E. Hartzenbusch, *op, cit.*, p. 54a; G. Le Gentil, *op. cit.*, pp. 74-75. El n.º 1 no tiene fecha, pero probablemente apareció el 30 de abril de 1837, ya que la revista salía los 7, 15, 23 y 30 de cada mes. Véase el artículo de S. García "Una revista romántica: el *Observatorio pintoresco* de 1837", *Boletín de la Biblioteca Menéndez y Pelayo*, XL (1, 2, 3, 4), enero-diciembre de 1964 pp. 337-359, con quien no compartimos siempre los mismos puntos de vista acerca de esta publicación.

124. Los artículos de Durán y de B. S. Castellanos se hallan en el t. I de la revista: 13, 30 de julio de 1837, pp. 99-101, y 12, 23 de julio de 1837, pp. 90-92, respectivamente.

125. Le Gentil (*op. cit.*, p. 65) tan sólo menciona el título de esta revista. Hartzenbusch (*op, cit.*, n.º 321, p. 55a) precisa que los cinco primeros números tenían ocho páginas, y los cuatro últimos doce.

126. E. Hartzenbusch, *op. cit.*, n.º 325, p. 56a. Le Gentil (*op. cit.*) ni estudia ni menciona esta publicación.

El Panorama, fundado por Manuel Antonio de las Heras, conde de Sanafé, que había comprado el *Siglo XIX*, consiguió mantenerse desde el 29 de marzo de 1838 hasta el 13 de septiembre de 1841. Su contenido es muy similar al del *Semanario pintoresco*; pero si bien comparte gustosamente la misma galofobia, concede bastante espacio a los artículos traducidos y a las novelas y relatos al estilo de Scott o de Dumas, debidos a la pluma de Muñoz Maldonado, González Elipe o Patricio de la Escosura. La poesía aparece cultivada por numerosos poetastros, pero también por Rivas, Hartzenbusch y el inevitable Zorrilla. La obra de Espronceda está representada sólo por las seis primeras estrofas de los fragmentos del *Pelayo* (el sueño de Rodrigo), anteriormente publicadas por *El Artista*. En el mismo número —el primero—, Juan Nicasio Gallego publicó *Su nombre, jácara romántica, traducción libre* de *Son nom* de Víctor Hugo (que figura al lado), cuyos hermosos versos aparecen tan desfigurados por la versión paródica que el lector que no sabía francés no podía ver en el autor de *Hernani* sino un «poeta chabacano y grotesco[127]». Abundan más los artículos de costumbres y de divulgación que los de crítica literaria, pero *El Panorama*, revista heteróclita, no se distingue ni por su originalidad ni por tener opiniones perfectamente definidas. Si logró resistir la competencia del *Semanario pintoresco*, fue probablemente porque pronto ofreció novelas por entregas como premio a sus lectores. Citaremos, por último, un semanario literario de muy corta existencia: *El Alba*, dirigido por Agustín Alfaro y Eusebio Asquerino, que no publicó más que nueve números entre el 2 de diciembre de 1838 y el 27 de enero de 1839[128]. En él aparecen textos de desigual calidad del segundo director citado, de Luis González Bravo, de Campoamor, de Rodríguez Rubí, pero cosa excepcional, ni uno de Zorrilla. Juan Bautista Alonso publicó en el mismo un interesante artículo titulado *Cuál debe ser el carácter de la literatura en el siglo* XIX, desgraciadamente inconcluso[129]. El autor bosqueja un rapidísimo panorama de las relaciones entre la expresión literaria y la sociedad entre los griegos, los romanos y en la época feudal, desde una perspectiva que recuerda el cuadro de la evolución de la humanidad presentado por Espronceda en *Libertad, igualdad, fraternidad*. Al pasar a hablar de su tiempo, Alonso señala que el desarrollo de los conocimientos, y en especial de las ciencias, permite conocer mucho mejor la divinidad que el fárrago de los teólogos, y afirma que «la libertad es el símbolo de la justicia que el ente divino ha impreso con cincel de fuego en el alma del privilegiado ser inteligente». Alonso, que parece influido aquí por el mesianismo de Saint-Simon o de Lamennais, concluye diciendo que «de estos dos grandes elementos debe nacer pura, majestuosa, sublime, la *literatura nacional*, la literatura del pueblo, la literatura de la *libertad*». Desde la muerte de Larra, es la primera vez que reaparecen ideas como éstas en una revista literaria, y es una pena que Alonso no pudiera desarrollarlas con mayor amplitud.

127. M. Núñez de Arenas, *L'Espagne des Lumières au Romantisme...*, París, 1964, p. 400. Sobre *El Panorama*, véase G. Le Gentil, *op., cit.*, pp. 84-90.

128. E. Hartzenbusch, *op, cit.*, n.º 347, p. 59a. J. Simón Díaz publicó un índice de esta revista (Madrid, 1946) en el que se reproduce la casi totalidad de textos que contenía. G. Le Gentil no la ha estudiado en su *op. cit.*

129. En el n.º VI, 6 de enero de 1839, pp. 1-2. Índice citado, n.º 11, pp. 6b-7. El artículo va seguido de las palabras «(*Se continuará*)», pero la segunda parte nunca se publicó.

La revista publicada por el Liceo artístico y literario, que lleva el mismo nombre que la sociedad[130], sólo tiene valor documental, ya que contiene composiciones en verso y en prosa entregadas por sus socios. Así se explica el amplio eclecticismo de esta publicación mensual, cuyas páginas están abiertas tanto a Lista o a Juan Nicasio Gallego, como a Mesonero, Santos López Pelegrín, Enrique Gil o Espronceda (de todas formas, recordemos que éste sólo dio al *Liceo* dos poesías de composición muy anterior, el soneto a la rosa y el himno *Al sol*, ya sea por no tener otra obra que proponer, ya porque quiso evitar que apareciera una canción demasiado "comprometida"). A pesar de que el Liceo contara con numerosos miembros, la publicación de su revista, iniciada el 31 de enero de 1838, se suspendió en mayo del mismo año con el quinto número. Sin duda, el acceso del financiero Gaspar Remisa a la presidencia de la sociedad no es ajeno a esta decisión: como hombre de negocios y mecenas debió de considerar que constituía un gasto inútil.

La *Revista europea*, fundada en enero de 1837 por Andrés Borrego, reproducía artículos sacados de las principales revistas extranjeras. Rebautizada como *Revista peninsular* el 1.º de enero de 1838, cesó su publicación en mayo, sin duda por no resultarle posible a su director compaginar esta empresa con la de redactor jefe del diario *El Correo nacional*, cuyo primer número salió el 16 de febrero de 1838. Le tomó el relevo la *Revista de Madrid* que, bajo la dirección de Pedro José Pidal y Gervasio Gironella, se convirtió en el órgano del partido moderado hasta 1845. El hecho de que se mantuviera durante tanto tiempo se debe a que se trataba de una publicación fundamentalmente política y económica. Los temas están tratados por autores —Gil y Zárate, Donoso Cortés, Martínez de la Rosa, Lista, Alcalá Galiano— que adoptan cierto distanciamiento al hablar de cuestiones de actualidad; en el diario, en cambio, son menos frecuentes las síntesis generales. Así pues, no es sorprendente que una revista como ésta, la primera de este tipo en España[131], obtuviese amplia difusión, incluso entre los que no compartían las ideas de sus redactores.

El triunfo de la mediocridad

En todas estas publicaciones, incluida la *Revista de Madrid*, y con la única excepción del artículo de Alonso en *El Alba*, se manifiestan unas constantes muy claras: condena del romanticismo francés, alabanza del justo medio, vulgarización de los conocimientos, propaganda más o menos explícita a favor de las ideas moderadas, y deseo de halagar al lector con el elogio de los "valores" de España, y en especial de las virtudes burguesas. Unos cuantos rezagados siguen recurriendo todavía en sus pedestres versos a los excesos de vocabulario y tintes sombríos del cuento romántico puesto en boga en torno a 1834-1835, si bien este aspecto del "nacional-romanticismo" aparece reprobado casi unánimemente por artificial, con toda la razón —hay que reconocerlo—. El estilo de Zorrilla, quien tan ruido-

130. J. Simón Díaz publicó un índice de esta revista (Madrid, 1947).

131. Véase el detallado capítulo dedicado a la *Revista de Madrid* por G. Le Gentil, *op. cit.*, pp. 90-102.

samente se dio a conocer en 1837, es ahora el que suelen preferir imitar los poetastros en composiciones anodinas y amaneradas, en las que la efusión lírica está a menudo exenta de sinceridad y en las que se repiten machaconamente los motivos inspirados por un mezquino nacionalismo basado en «lo español» y «lo cristiano» de su modelo. Tan sólo Enrique Gil y en cierta medida Rivas, quien está componiendo entonces varios de los romances históricos que publicará en 1840, se salen de este estrecho círculo porque son verdaderos poetas. Ya no son condenados sin remisión el clasicismo y el neoclasicismo; de ahí que en 1837, la segunda edición de las poesías de Lista reciba una favorable acogida, o cuando menos, no sea ya objeto de ningún comentario irónico o sarcástico; y de ahí también que en el Ateneo pronto vaya a discutirse con gravedad la cuestión de las unidades en el teatro. Después de la muerte de Larra, y durante la época en que Espronceda sólo publica como nuevos versos las primicias de *El estudiante de Salamanca*, los grandes proveedores de la literatura son Bretón y Mesonero, pequeños burgueses amantes del orden que escriben para otros pequeños burgueses, encantados de ver dignificadas las virtudes domésticas y el sentido común que se les atribuye con tanta generosidad[132]. A partir del 1.º de febrero de 1838, "Abenámar" y "El Estudiante" (Santos López Pelegrín y Antonio María Segovia) contribuyen a esta misión con su diario *Nosotros*, cuyo «nihilisme affecté masque une doctrine bien positive», («afectado nihilismo encubre una doctrina realmente positiva»), según afirma G. Le Gentil[133]. En efecto, en él se ataca indistintamente a facciosos, patriotas, moderados, exaltados, y se hace burla del parlamentarismo. Esta forma taimada de alabar la falta de espíritu cívico va acompañada, claro está, de una reprobación del romanticismo, de cuyo nivel pueden darnos una idea las líneas siguientes:

> Los hermoseados vicios, los heroicos crímenes, la *grandiosidad* de los suicidios, de los asesinatos, de los incendios, de las mazmorras, de los naufragios; el rabioso placer de la *antropofagia* y la hidrópica sed de sangre; éste es el nuevo arte, éstas nuestras reglas, éstos nuestros materiales ... No creáis, lectores, que estas cosas las soñamos o inventamos ... es el Romanticismo que se burla de sí propio: son sus ideas, sus expresiones, su lenguaje, sus frases sacadas escrupulosamente de sus obras[134].

Este ensañamiento tiene su explicación: en efecto, la clase media lee novelas, y son novelas "perniciosas", procedentes de Francia, que pueden suscitar peligrosos ensueños, sobre todo en las lectoras y los jóvenes lectores. Ahora bien, según

132. Hemos buscado en vano alguna colección de la *España literaria* (Hartzenbusch, *op. cit.*, n.º 317, pp. 54b-55a), de la que se publicaron al menos dos números en mayo de 1837 (según una nota del *Museo artístico y literario*, 5, 29 de junio de 1837); la *Gaceta de Madrid* del 2 de mayo de 1837 anunció la publicación del n.º 1 para el día 7; sus colaboradores eran Bretón, Gil y Zárate, Espronceda, Escosura, Vega, García Gutiérrez, González Bravo, Romero Larrañaga, Zorrilla y Juan Tirado.

133. *Op. cit.* pp. 80-81.

134. Citado por G. Le Gentil, *op, cit.*, p. 83. *Nosotros* había publicado en su número del 14 de febrero de 1838 un artículo, firmado «*X*», en el que ya se rechazaba al romanticismo porque procedía del Norte, y se lo definía como una acumulación de motivos macabros o siniestros.

hemos recordado anteriormente, estas ficciones pervertidoras invaden el mercado del libro español, mientras que la producción nacional está a un nivel muy bajo. En 1837, la *Gaceta* no anuncia la publicación de ninguna novela escrita por un autor castellano, y las únicas obras consideradas como no "peligrosas" siguen siendo algunas traducciones: una edición económica (20 reales por 600 páginas) de *Gil Blas* de Lesage (7 de enero) y los tres volúmenes de las *Soirées de Saint-Pétersbourg* de Joseph de Maistre por 40 reales (27 de febrero); en 1838, se publica una colección anónima de tres *Leyendas y novelas jerezanas*, la «novela lastimosa» de Estébanez Calderón *Cristianos y moriscos*, y el primer volumen (el segundo saldrá a la luz el año siguiente) de *Doña Isabel de Solís*, obra aburrida y sin colorido, vástago tardío de la novela histórica al estilo de Walter Scott, escrita por Martínez de la Rosa, quien desde 1835 sigue publicando regularmente los tomos de su austero *Espíritu del siglo*. Los escritos de Larra se venden bien; el tomo quinto de la primera edición en volumen sale a la venta el 7 de mayo de 1837, y el 19 se publica el anuncio de la suscripción para una reimpresión en trece volúmenes. Si sumamos a estos títulos las conferencias dadas en el Ateneo por Lista y Fernando Corradi, los tres primeros tomos de poesías de Zorrilla, *La Sílfida del acueducto* de Juan Arolas, la segunda edición de poesías de Lista y la traducción del *Congrès de Vérone* de Chateaubriand, tendremos una idea bastante aproximada de las novedades literarias propuestas a los españoles en los años 1837-1838. De éstas hay muy pocas destinadas al gran público, al cual deben el éxito las "perniciosas" novelas traducidas de George Sand, Hugo, Dumas, Frédéric Soulié, Paul de Kock, Rousseau, Voltaire y Louvet de Couvray. Se comprende la razón por la que Bretón, Mesonero, López Pelegrín y Segovia hacen campaña a favor de las virtudes burguesas y lanzan frecuentes anatemas contra todo lo que puede mermarlas. La monarquía y la sociedad de la Francia de Luis Felipe se erigen en modelos para los monárquico-constitucionales; su doctrina aparece definida en 1838 en *El Correo nacional* de Andrés Borrego, que se hace portavoz de la misma. En la medida en que lo permitan los recursos económicos de España, los moderados desean adaptar a su país los ejemplos que les ofrece el país vecino, aunque no importar los gérmenes destructores que lleva en sí la monarquía de Julio, ya sean las doctrinas de la oposición socializante o republicana, o las obras literarias que de ellas emanan o que las refuerzan a través de una crítica implícita o explícita.

Antes de que Ponsard y Émile Augier la implanten en Francia, se intenta impulsar en España una fórmula ecléctica, un término medio imposible por ser meramente formal, una «escuela del sentido común». De ahí que se desarrollen estos productos híbridos, esos dramas en los que prevalece en la mayoría de los casos un idealismo amanerado, confundido con la grandeza, y un estrecho nacionalismo, confundido con el patriotismo, así como esos cuadros de costumbres superficiales y de un mezquino conformismo, o esas poesías con las que unos versificadores se afanan en vano en presentar como sublime el énfasis de un estilo ampuloso y grandilocuente. Son desterrados cualquier destello de pasión, de rebeldía, cualquier inquietud por el futuro, cualquier discusión acerca del presente, todo lo que constituye la esencia misma del espíritu romántico en su fase final: al igual que el neoclasicismo moratiniano respondía a las necesidades políticas y sociales del absolutismo borbónico, el "nacional-romanticismo" aburguesado por

Mesonero, Bretón y Zorrilla, está al servicio del liberalismo moderado, mercantilista y bienpensante.

Las cosas no han evolucionado, en profundidad, a todos los niveles tan rápidamente como podrían hacer pensar algunos cambios superficiales y algunas manifestaciones culturales, brilllantes pero aisladas. Si bien la clase dirigente es cada vez más heterogénea en su composición, todos sus miembros están de acuerdo en mantener intactos la jerarquía social y el orden moral, garantía de su prosperidad. La literatura de los años 1837-1838 en Madrid refleja a la perfección este utilitarismo sin grandeza, que impulsa a condenar a Hugo y George Sand mientras sitúa en la cumbre de la celebridad a un Bretón de los Herreros o a un Mesonero Romanos. Larra tenía razón: un escritor digno de este nombre escribe sólo para sí mismo en un país que, asentando su porvenir en las ruinas de una tradición inmovilista, e incompatible por lo tanto con el progreso, avanza en sentido contrario a la historia y hace frente a las poderosas corrientes ideológicas mediante la afirmación de su mediocridad.

Capítulo XX

EL ESTUDIANTE DE SALAMANCA, PRIMERA EXPRESIÓN ESPAÑOLA DEL TITANISMO ROMÁNTICO

LA POESÍA DE LOS "VALORES ESENCIALES", ÚLTIMA FASE DEL ROMANTICISMO TRADICIONAL

Según la concibe y propaga Zorrilla, la poesía sólo es y sólo puede ser verbalista, ya que tiene como cualidad fundamental el virtuosismo mayor o menor con el que el artista desarrolla y dispone motivos y temas convenidos. Los sentimientos expresados, a veces con énfasis, son siempre sentimientos positivos o superficiales que en ningún momento denotan una verdadera y permanente inquietud; la felicidad o la desdicha aparecen evocadas o descritas en forma de manifestaciones provisionales de la condición humana aceptada *a priori* como es, por ser esta la voluntad de Dios. Cuando la pasión se adueña de una criatura, ésta tiene la obligación de dominarla y hacer triunfar el deber, tal y como lo dicta la moral católica que es por definición la de todos los españoles. En una palabra, es una poesía edificante, ejemplarizante y ortodoxa. Naturalmente ésta encuentra amplio tema en la tradición nacional: tanto las glorias pretéritas de Toledo, como los héroes de historia o de leyenda, o bien los pecadores arrepentidos —desde el capitán Montoya hasta don Juan Tenorio—, todo le servirá a Zorrilla para predicar la palabra de Dios, los méritos de la devoción, las compensaciones en la vida eterna por los sufrimientos sobrellevados en la tierra, y las excelencias de las virtudes que sus compatriotas tienen el privilegio de mantener intactas en medio de las conmociones políticas y de las crisis morales que sacuden al resto de la humanidad. Una vez establecidos estos caracteres abstractos e intemporales —simples circunstancias carentes de actualidad en pleno siglo XIX pero elevadas a la categoría de valores esenciales— todo español es por definición un "caballero cristiano" real o en potencia que disfruta de una gracia especial. Lo cual equivale a afirmar que cualquier conflicto entre el hombre y la sociedad tiene su origen en el propio hombre; las malas inclinaciones son las que inducen a éste a quejarse de su suerte, puesto que se da por sentado que la monarquía católica es el más perfecto de los sistemas políticos; por consiguiente, resulta impío, y de ahí sumamente reprobable, poner en duda su propio principio. También equivale a decir que cualquier conflicto entre el hombre y Dios sólo puede resolverse mediante el arrepentimiento del primero, ya que el segundo posee el poder absoluto de conceder el perdón en caso de sincero arrepentimiento.

Dicha concepción es muy similar a la de los escritores clásicos, para quienes la razón, «étant ce qu'il y a de plus essentiel dans l'homme, gardait de ce fait sa supériorité ... Leur état d'âme se caractérisait aussi par l'acceptation de la vie, de la société, malgré leurs imperfections; et, dans ce cadre admis sans révolte, par la recherche du perfectionnement moral qui conduit à la sagesse antique ou à la vertu chrétienne»[135]. El "nacional-romanticismo" según Zorrilla, y con un carácter todavía más prosaico según Mesonero y Estébanez Calderón, presenta idénticas características: en ningún momento se considera que la realidad pueda ser puesta en tela de juicio; la doctrina cristiana justifica la resignación ante las imperfecciones en el orden económico, social o político. Puesto que el mundo —y el de los españoles en particular— es como Dios ha querido que fuese, quien rechaza este orden, tanto en el plano cósmico como en el de lo cotidiano, no es sino un impío. Pero las cosas son distintas para el hombre romántico; éste ve en el mundo, no un orden perfecto, sino un misterio cuya clave está en manos de un ser superior al cual se dirige, no para adorarlo y darle gracias, sino para interrogarle acerca de sus designios. Así pues, la poesía de Zorrilla, Rivas y sus epígonos no es esencialmente romántica, ya que, para ellos, el mundo real no constituye un enigma y en ningún momento cuestionan su perfecto ordenamiento.

En cambio, la rebelión contra la realidad es lo que distingue a Espronceda dentro del movimiento romántico español[136]. Las *Canciones* de 1835 representaban formas fragmentarias de dicha rebeldía, de la que ciertas obras anteriores contenían planteamientos todavía imprecisos, y algunos aspectos de la cual aparecían tratados en los artículos y el libelo político de 1836 contra Mendizábal. A estas primeras manifestaciones de duda y repulsa sucede la obra que Casalduero define con acierto como «el poema de la rebeldía trascendente, *El estudiante de Salamanca*, donde capta la experiencia de la propia muerte ... Con *El estudiante de Salamanca* penetramos en el íntimo conflicto de Espronceda proyectado líricamente en una figura legendaria[137]».

135. («... al ser lo más esencial que hay en el hombre, mantenía por ello su superioridad ... Su estado de ánimo se caracterizaba también por la aceptación de la vida y de la sociedad, pese a sus imperfecciones; y, asumidos estos límites sin rebeldía, por la búsqueda del perfeccionamiento moral que conduce a la sabiduría de los antiguos o a la virtud cristiana.») P. Van Tieghem, *Le romantisme dans la littérature européenne*, París, 1969, p. 223.

136. Tal como ha señalado P. Salinas en su estudio *Espronceda, la rebelión contra la realidad*, en: *Ensayos de literatura hispánica...*, Madrid, 1958, pp. 272-281.

137. Casalduero, pp. 18 y 206.

FUENTES LEGENDARIAS Y LITERARIAS DE *EL ESTUDIANTE DE SALAMANCA*

Resulta fácil hallar los orígenes de la inspiración de Espronceda. Figuran en primer lugar dos leyendas que presentan algunos puntos en común, y que en varios escritores del siglo XIX aparecen mezclados una con otra: la del Burlador y la del estudiante Lisardo. Volvemos a encontrar esta última en el poema de Zorrilla, *El capitán Montoya*. Su origen literario[138] se remonta al *Jardín de flores curiosas* publicado en Salamanca en 1570 por Antonio de Torquemada. Éste narra la historia de un joven que se dispone a penetrar en un convento en el que se encuentra una monja de la que está enamorado; son las doce de la noche; pasa ante una iglesia cuya puerta está abierta; entra dentro y ve que se está celebrando un oficio fúnebre; cuando pregunta a varios asistentes quién es el difunto, todos le dan por respuesta su propio nombre. De vuelta a casa, cuenta la aventura a sus criados, y posteriormente es despedazado por dos perros negros que le han seguido desde la iglesia. En 1572, un poeta ciego de Córdoba, Cristóbal Bravo, publicó en Toledo una relación en verso de la leyenda, que sin duda era divulgada en España ya mucho antes de 1570. Reaparece modificada y ampliada en las *Soledades de la vida y desengaños del mundo* del doctor Cristóbal Lozano (Madrid, 1658), y también en dos romances titulados *Lisardo, el estudiante de Córdoba*[139].

Lisardo, llegado a los diecisiete años a Salamanca, ha encontrado en la universidad a don Claudio y, habiéndose enamorado de la hermana de éste, la pide en matrimonio; se le contesta que está destinada a la vida religiosa. Consigue que ésta acceda a una entrevista, pero rehúsa sus proposiciones. Al salir de la casa, oye el entrechocar de unas espadas y una voz que grita: «¡Matadlo!»; en el portal vislumbra a un hombre embozado en su capa, y decide seguirle:

> Y acelerados, con prisa
> fuimos travesando calles,
> y al cabo de ellas había,
> ya fuera de la ciudad
> unas paredes hundidas,
> un sitio tan tenebroso,
> que horrorizaba aun de día.

Entonces, el hombre se detiene y, antes de desaparecer, dice a Lisardo:

> —Aquí han de matar un hombre:
> Lisardo, enmienda tu vida,
> repara bien lo que haces,
> y no vivas tan aprisa.

138. Para más detalles sobre estos temas legendarios, véase V. Saíd-Armesto, *La leyenda de don Juan*, Buenos Aires, 1946, pp. 166-167, 147-153 y 173-192, y N. A. Cortés, *Zorrilla...*, 2.ª ed., 1943, pp. 232-240.

139. Estos dos romances, el primero de los cuales aparece en la obra de Lozano, se recogen en el *Romancero* de Durán (BAE, t. XVI, n.os 1271 y 1272, pp. 264b-268a), que precisa en una nota que aún eran muy divulgados en el siglo XIX.

Lisardo se desmaya y, cuando recobra el sentido, vuelve a su casa. El día siguiente, Teodora ingresa en la orden. Cuatro meses más tarde (aquí comienza el segundo romance), durante una de las visitas amistosas que le hace Lisardo, la joven monja Teodora le propone que la rapte. El día acordado, a las doce de la noche, Lisardo acude al convento y advierte que le siguen unos hombres. Uno de ellos exclama: «Si es don Lisardo, matadle»; entrechocan unas espadas, y se oye luego una voz quejumbrosa diciendo: «¡Ay que me han muerto!»; los desconocidos se dan a la fuga y todo vuelve a quedar en silencio. Lisardo tiene miedo; ve rodar un cadáver a sus pies. Lleno de espanto, va a contárselo a Teodora, pero de pronto oye el tañido de las campanas y ve una comitiva que se dirige hacia la iglesia:

> Y vi pasar en dos líneas
> un grande acompañamiento
> de eclesiásticos, que iban
> puestos de sobrepelices,
> con sus hachas encendidas,
> con su cruz y manga negra
> delante, y no conocía
> yo a ninguno, con ir tantos
> de facciones tan distintas.

Unos hombres llevan un ataúd tapado con una bayeta negra; los sigue y, una vez en el templo, los oye cantar la vigilia de difuntos; al preguntar por quién cantan, le responden:

> —Es Lisardo el estudiante,
> de quien podréis dar noticias
> vos, como que sois él mismo.

Le dicen luego que las personas que llenan la iglesia son ánimas del purgatorio que, en agradecimiento a las limosnas y oraciones con que las ha ayudado, hacen celebrar este oficio. Pero como acaba de perturbarlo, perderá su beneficio. Las luces se apagan y desaparecen las ánimas. Entonces Lisardo implora el perdón de Dios, se arrepiente, reparte sus bienes entre unos pobres y manda decir a Teodora que ruegue por su salvación. Muere poco después.

El tema de la aparición de las ánimas se entronca a veces con el de la aparición de un muerto que resucita para advertir o dar una advertencia a algún libertino. En *La constante cordobesa*, una de las *Historias peregrinas y ejemplares* (Zaragoza, 1623), Gonzalo de Céspedes y Meneses cuenta que don Diego, esperando el momento de ir a casa de doña Elvira (una mujer casada a la que corteja), entra en una iglesia en la que se halla la tumba del padre de su futura víctima; se levanta la losa y aparece el difunto, que le reprocha a don Diego su indigna conducta y le invita al arrepentimiento; de no ser así, ejecutará el castigo que Dios reserva al libertino. Aparece una variante de este tema en otra obra del mismo autor, *Varia fortuna del soldado Píndaro* (Lisboa, 1626). El capitán Alonso de Céspedes, que poco antes ha matado en duelo en París al barón de Ampurde, acude una noche a una cita que le han dado dos damas granadinas; una mujer tapada le conduce a través de un dédalo de callejuelas a la casa en donde se le espera, cerca del cementerio de San Cristóbal, en el Albaicín. Tras una caminata que le parece larguísima y durante la cual tiene la impresión de «que siempre caminaba a la redonda del mismo cementerio», llega al lugar convenido; le lanzan una escala de cuerda y penetra en la casa; entonces, en medio de un espantoso estruendo, todo desaparece, y se encuentra en una habitación sombría ante un féretro cubierto de negro; lo abre, y ve salir de él al barón de Ampurde, con el rostro lívido y todas las heridas abiertas. Su antiguo adversario le echa en cara el no haberse apiadado de él y haberle dejado morir sin confesión. El capitán y el barón resucitado se baten durante tres horas. Poco después, encuentran a Céspedes, desvanecido en las gradas de la iglesia de San Cristóbal; recobra el conocimiento el día siguiente, pero muere a los siete días. El tema del enfrentamiento de un vivo con un muerto resucitado ha sido utilizado repetidas veces en la comedia: en *El rey don Pedro en Madrid o el infanzón de Illescas* de Lope; en *El niño diablo*, atribuido tan pronto a Lope, como a Pedro Rosete y Niño, o a Vélez de Guevara; y en *El diablo está en Cantillana* del mismo Vélez. Una de las formas más extendidas de este tema, surgida del cruce de motivos de origen distinto, está presente en las leyendas del Burlador y sus diversas interpretaciones dramáticas en la invitación hecha como desafío a un difunto. También por desafío, Félix de Montemar sigue a la mujer tapada, y se pica más aún con el juego al advertirle ésta en varias ocasiones del peligro que corre.

Vemos pues cómo, en el poema de Espronceda, se entrecruzan varios motivos ya presentes en forma más o menos similar en obras anteriores cuyos autores, a su vez, habían interpretado elementos de diversa procedencia. Llama la atención una variante del primer verso del primer retrato de Montemar (BAE, t. LXXII, p. 60 a). Habiendo presentado en un principio a su protagonista como «Nuevo don Juan de Marana [*sic*]» cuando publicó la *Parte primera* de *El estudiante de Salamanca* en el *Museo artístico literario* en junio de 1837, rectificó luego este verso para la edición del volumen de 1840, dejándolo así: «Segundo don Juan Tenorio». Desde el punto de vista de las posibles fuentes que el poeta utilizó, dicho retoque prueba claramente que en un primer momento el poeta tuvo en mente dos grandes corrientes tradicionales: la de la leyenda (o de las leyendas) del Burlador, y la de la leyenda del estudiante Lisardo, la cual, en los años 1830, se contamina con elementos tomados de la vida de un personaje que vivió de 1627 a 1679 en Sevilla, Miguel de Mañara. Un año después de la muerte de este último, el padre jesuita Juan de Cárdenas publicó una *Breve relación de la muerte, vida y virtudes*[140] del personaje, en donde puede leerse que Mañara «yendo una noche por la calle que llaman del Ataúd, en esta ciudad de Sevilla, sintió que le dieron un golpe en el cerebro, tan recio, que lo derribó en tierra, y al mismo tiempo oyó una voz que dijo: —Traigan el ataúd, que ya está muerto[141].» Al enterarse luego de que en la casa a la que acudía se había planeado su muerte, Mañara vio en ello un aviso del Cielo; se casó poco después y llevó una vida

140. Esta obra se reeditó en 1874 y en 1903, aumentada en esta ocasión con los documentos encontrados por M. Gómez Imaz y José María de Valdenebro, que recuerda J. Tassara y de Sangrán en su artículo "Mañara y el 'donjuanismo'", *Boletín de la Biblioteca Menéndez y Pelayo*, XXXIX, 1963, pp. 381-390.

141. Citado por N. Alonso Cortés, *op. cit.*, p. 236.

ejemplar; al quedarse viudo, fundó el hospital de la Santa Caridad dirigido por una cofradía de la que llegó a ser el superior, y se dedicó a las obras de caridad y a la devoción; en su tumba hizo inscribir: «Aquí yace el peor hombre que ha habido en el mundo. ¡Rueguen a Dios por él!».

Cuando Mérimée fue a Sevilla en 1830, recogió la leyenda de Mañara y las distintas versiones, tal vez parciales, de la de Juan Tenorio; a partir de ellas escribió un extenso relato publicado en la *Revue des Deux mondes* del 15 de agosto de 1834, *Les Âmes du purgatoire*, que como sabemos presenta algunos puntos en común con el *Don Álvaro* de Rivas, sin que haya llegado a aclararse todavía cuál de los dos autores pudo inspirarse en el otro[142]. Narciso Alonso Cortés[143] señala que Espronceda debía de conocer la vida de Miguel de Mañara, ya que en su cuento reaparece un detalle —el nombre de la calle del Ataúd— dado por el P. Cárdenas. Según el relato del jesuita, al parecer, la denominación de la calle se debía a las palabras proféticas que según la leyenda Miguel de Mañara oyó pronunciar, refiriéndose a él. Otra versión de las aventuras del mismo personaje apareció relatada por José Gutiérrez de la Vega en el *Semanario pintoresco español* del 28 de diciembre de 1851 (tomo 16, n.º 52, pp. 410-412), con el título de *Don Miguel de Mañara*; el subtítulo (*Cuento tradicional*) indica que el autor se ha limitado a dar forma "literaria" a temas pertenecientes al ciclo de las leyendas de Mañara. Gutiérrez de la Vega recuerda primero que la calle del Ataúd, situada en el antiguo barrio judío de Sevilla, es el escenario de numerosas tradiciones populares de las que destaca la siguiente: según un antiguo manuscrito, la bella judía Susona había denunciado a su padre como jefe de una conspiración urdida por los israelitas andaluces, que a la sazón sufrían persecución; una vez castigados los culpables, ésta se arrepintió y se retiró a un convento del que pronto se salió para volver a la vida disoluta. A su muerte, su cabeza fue enterrada, según era su deseo, en la calle del Ataúd. Allí precisamente es donde se encuentra la taberna a la que una noche de invierno, durante una fuerte tormenta, acude Mañara para reunirse con su amante "la Gitanilla"; mientras se divierten, tres hombres de rostro patibulario, entre los cuales está el amante oficial de su querida, vienen a provocarle, y durante el duelo de espadas que se produce, retroceden para hacer salir a don Miguel a la calle. Éste recibe una estocada en la cabeza y, antes de perder el conocimiento, oye una voz «gruesa e imponente» que pronuncia estas palabras: «¡No hayas miedo, Mañara, que estás dentro del Ataúd!». Exceptuando este juego de palabras, la narración coincide aquí en su conclusión con la versión mucho menos precisa del P. Cárdenas. Seguidamente, Gutiérrez de la Vega relata (sin duda ateniéndose de nuevo a la tradición) el episodio del encuentro del protagonista con su propio funeral; éste se desarrolla exactamente como en el segundo romance de Lisardo, salvando estas dos diferencias: no se especifica la identidad de la gente que compone la comitiva; y cuando Mañara ve su propio cadáver en el féretro, invoca a Dios en su ayuda, implora su perdón y cae

142. Este problema, que queda fuera de nuestro campo de estudio, ha suscitado numerosas controversias; F. Caravaca ha presentado el estado de la cuestión en su artículo "Mérimée, dans *Les âmes du purgatoire*, plagia-t-il le *Don Álvaro* du duc de Rivas?" (*Les Langues modernes*, mayo-junio de 1961, pp. 26-43), pero no ha propuesto una conclusión definitiva.

143. *Loc. cit.* N. Alonso Cortés menciona (p. 235, nota 230), sin detenerse en ello, el relato de Gutiérrez de la Vega de que hablaremos a continuación.

desvanecido. La última parte del cuento recuerda muy brevemente que, después de este infortunio, don Miguel dedicó su vida y su fortuna a la fundación y mantenimiento del hospital de la Caridad, en donde murió asistido por "la Gitanilla" la cual, también arrepentida, trabajaba como enfermera en el establecimiento.

Puede que, mucho antes de que Gutiérrez de la Vega publicase su cuento, Espronceda conociese, oralmente o a través de los romances de cordel, los temas tradicionales que éste contiene. Sin embargo, hay dos detalles que llaman la atención: en su cuento en verso, el poeta escribe el apellido de don Miguel como lo hace Mérimée (Marana) y, también al igual que Mérimée, le da el nombre de Juan. Tal vez Espronceda se inspirara en las *Âmes du purgatoire*; cronológicamente era posible. Por otra parte, los fragmentos iniciales del poema (en *El Español* del 7 de marzo de 1836) llevan el título de *El estudiante de Salamanca*, y en ellos aparece mencionada la calle del Ataúd, que está en Sevilla y no en Salamanca, y que está vinculada a las tradiciones referentes a Miguel de Mañara. Ahora bien, Mérimée cuenta que su protagonista se fue a la edad de dieciocho años a la Universidad de Salamanca, en donde conoció a un condiscípulo pendenciero, matón y mujeriego, llamado García Navarro, del que se decía que era hijo del diablo (porque su padre, viéndole enfermo un día, se volvió hacia una estatua de San Miguel y solicitó al dragón que le curara, como así sucedió). Estos rasgos que caracterizan a dos personajes de Mérimée reaparecen en Montemar. Entre las numerosas aventuras que Mérimée atribuye a Marana y a García, figura la siguiente: hastiados de sus respectivas amantes (dos hermanas, Fausta y Teresa), se les ocurre jugárselas a las cartas; gana Juan y su amigo le da una esquela en la cual pide a Fausta que se ponga a la disposición del portador de la misma. Por último, *Les Âmes du purgatoire* y la leyenda de Lisardo contienen un tema común: cuando Marana va de noche a raptar de su convento a sor Agata (que en realidad no es otra que su antigua amante Teresa), tropieza en su camino con el cortejo de las ánimas que acompañan un ataúd en el cual, según le dicen, se encuentra su propio cadáver; a raíz de este hecho premonitorio, se arrepiente e ingresa en un monasterio. Poco después, mata en duelo a Pedro de Ojeda, hermano de Fausta y de Teresa, que había venido a provocarle casi en el mismísimo convento (pero se echa tierra al asunto y Marana prosigue su vida de penitencia). Este es otro de los motivos —el enfrentamiento del libertino y del hermano de su víctima— presente en Mérimée y en Rivas, pero tratado por Espronceda de manera muy distinta. No puede afirmarse que el relato de Mérimée constituya una fuente propiamente dicha de *El estudiante de Salamanca*; tan sólo podemos decir que sin duda el poeta lo había leído. En cuanto al tema tan divulgado del hombre que contempla su propio funeral, le era fácil encontrarlo en muchas otras obras. En el libro III (capítulo 2) de su novela *El golpe en vago* (1835), García de Villalta lo había utilizado como un incidente sin importancia decisiva: el protagonista Carlos García Fernández, que entra casualmente en la catedral de Córdoba, presencia en la misma la celebración de un oficio de difuntos; cuando pregunta el nombre del fallecido, es el suyo el que le dan. Terminada la ceremonia, sigue a uno de los asistentes embozado en una capa negra, que lo conduce hasta las afueras de la ciudad. Pero una vez allí, todo queda explicado, ya que el desconocido no es otro que Alberto, un amigo de Carlos, y el funeral era el del padre de este último, que lleva los mismos nombre y apellidos[144].

El tema más ampliamente desarrollado en *El estudiante de Salamanca* es el que constituye el argumento de la parte cuarta del poema: el encuentro con la mujer tapada a la que Montemar consigue por fin abrazar, descubriendo entonces que no es más que un esqueleto. Una aventura similar se atribuye a un canónigo de la catedral de Sevilla que, a comienzos del siglo XVII, prefería los placeres del mundo a los deberes eclesiásticos; un día del Corpus, al anochecer, tuvo un encuentro fortuito con una tapada, que le acompañó un momento durante su paseo. Éste le pidió al fin que le dejara ver su rostro; el manto se abrió dejando al descubierto un esqueleto. Dicho canónigo, sobrino del secretario de Felipe II, se llamaba Mateo Vázquez de Lecca, y esta visión le condujo al arrepentimiento[145]. La atribución de esta anécdota a Miguel Mañara puede explicarse por el hecho de que éste llevaba los patronímicos de Vicentelo de Leca. Debido al desarrollo espectacular que podía suscitar, es este un tema ampliamente tratado por varios dramaturgos del Siglo de Oro con una finalidad edificante (por no hablar de Molière en *Dom Juan*). En la tercera jornada de la comedia de Mira de Amescua, *El esclavo del demonio* (1612), el demonio Angelio ofrece a don Gil, que con este fin le ha vendido su alma, la oportunidad de reunirse con Leonor a la que desea; pero cuando se abre el manto, lo que aparece es un esqueleto. Don Gil saca de inmediato la lección moral de la aventura, y expresa en estos términos su desengaño:

> ¡Qué bien un sabio ha llamado
> la hermosura cosa incierta,
> flor del campo, bien prestado,
> tumba de huesos cubierta
> con un paño de brocado!
> ¿Yo no gocé de Leonor?
> ¿Qué es de su hermoso valor?
> Pero marchitóse luego,
> porque es el pecado fuego
> y la hermosura una flor[146].

144. E. Torre Pintueles ha señalado este parecido en su artículo "García de Villalta y Espronceda. Un inmediato antecedente de *El estudiante de Salamanca*" *Ínsula*, 132, noviembre de 1957, que incluyó, modificado y con un título menos rotundo ("¿Un antecedente de *El estudiante de Salamanca*?") en su libro *Tres estudios en torno a García de Villalta*, Madrid, 1965, pp. 117-130. No podemos coincidir con E. Torre desde el momento en que afirma que el aspecto más importante del poema de Espronceda es «el elemento fantástico central del hombre que presencia su propio entierro».

145. La historia de la conversión de Mateo Vázquez de Lecca es referida por Fray Pedro de Jesús María en *Vida, virtudes y dones soberanos del venerable y apostólico padre Hernando de Mata* (Málaga, 1663) y por el Padre Gabriel de Aranda en *Vida del siervo de Dios Fernando de Contreras* (Sevilla, 1692); F. Rodríguez Marín resume la historia, basándose en estos autores, en su libro *Pedro Espinosa, estudio biográfico, bibliográfico y crítico* (Madrid, 1907, pp. 148-149) y escribe (p. 143, nota 3) que esta conversión «no es más ni menos que la de un D. Juan Tenorio, con sus diabluras de trasnochos y liviandades por principio, y sus esqueletos aparecidos por remate».

146. Mira de Amescua, *El esclavo del demonio*, ed. A. Valbuena Prat, Zaragoza, 1949, p. 116.

Otra obra, menor y menos conocida, de Moreto, Cáncer y Matos Fragoso, *Caer para levantar*, que narra la historia del mismo personaje (San Gil de Portugal), recoge también la escena, que evidentemente producía un gran efecto en los espectadores. Por último, Calderón utiliza el mismo tema en la tercera jornada de *El mágico prodigioso*, aunque de una forma algo distinta. Cipriano sigue a Justina que se aleja, y pronuncia las siguientes palabras:

que por conseguirte, nada
temo, nada dificulto.
El alma, Justina bella,
me cuestas; pero ya juzgo
siendo tan grave el empleo
que no ha sido el precio mucho.

Cuando la alcanza, sólo descubre bajo su manto un esqueleto que le dice:

Así, Cipriiano, son
todas las glorias del mundo[147].

En las dos primeras obras, el esqueleto tiene un papel meramente pasivo; en la tercera, se limita a emitir una sentencia moral destinada a provocar el arrepentimiento. Algo muy distinto sucede en *El duque de Viseo* (1801) de Quintana. Durante la escena V del acto II, Enrique relata una pesadilla que acaba de tener. Se veía a sí mismo en el panteón de sus antepasados, cuando divisó a una mujer que le pareció ser Matilde, y que le sonreía; se acercó a ella, y entonces

Su florida beldad se descolora,
y de una herida que su pecho afea
en copioso raudal la sangre brota.

Se da cuenta entonces de que es Teodora, quien le dice:

—Al fin volvemos para siempre a unirnos
(con eco sepulcral dijo su boca)
para siempre... Mis brazos cariñosos
van a galardonar tu amor ahora;
mas contempla primero lo que hiciste,
y cuál me puso tu fiereza loca.

Luego el sueño prosigue así:

Sus ojos de sus órbitas saltaron,
todos sus miembros, sus facciones todas
se deshacen de pronto, y en la imagen
de un esqueleto fétido se torna.
... Entre sus brazos secos
ella me aprieta y con furor me ahoga,
me infesta con su aliento, y me atormenta
con su halago y caricias espantosas.

147. Calderón, *El mágico prodigioso*, ed. B. Sésé, París, 1969, p. 202.

Ante las súplicas de Enrique para que le perdone la vida, el esqueleto desaparece, en tanto que los fantasmas de los muertos salen de su tumba para reprocharle su fratricidio. La pesadilla concluye en este punto[148]. Esta escena es una imitación que hace Quintana de la tragedia de Lewis, *The Castle Spectre*, que sirvió de modelo a *El duque de Viseo*, según ha demostrado Albert Dérozier[149]. A pesar de que la escena adquiera un sentido distinto en ambos autores y de que el enfoque del tema sea totalmente diferente que en Mira de Amescua o Calderón, no obstante está vinculada en líneas generales a una anécdota que formaba parte ya del florilegio español de leyendas edificantes. El motivo del espectro que simboliza la voz de la conciencia y materializa el remordimiento pertenece, en forma del tema de la estatua del comendador, al ciclo de don Juan. Ya en el *Pelayo*, Espronceda había presentado a Rodrigo en lucha con el fantasma de don Julián durante una pesadilla premonitoria, para la que pudo encontrar modelo, o cuando menos inspiración general, en varios autores: Quintana, Tasso, Rivas, Martínez de la Rosa, etc.[150].

Don Félix de Montemar no es tan sólo un calavera, pendenciero y mujeriego, como el don Juan español tradicional, es también un jugador; Casalduero ve en ello un nuevo rasgo característico que le atribuye Espronceda[151]. Pero esta característica estaba ya presente en el Marana de Mérimée, que apostaba su amante a las cartas con su amigo. De modo más general, el juego es uno de los vicios atribuidos a los grandes pecadores en la comedia doctrinal, e incluso a veces, simbólicamente, una partida de naipes o de dados constituye el momento decisivo en el cual el calavera abandona la «vida libre». Así sucede en *El rufián dichoso* de Cervantes, y así también en la obra de Moreto, *San Franco de Sena* (1654). Si bien Espronceda —al tomar de esta obra de Moreto los versos que sirven de epígrafe a la parte tercera de *El estudiante de Salamanca* (que está presentada además como un «cuadro dramático» y construida, efectivamente, como un diálogo de teatro)— inducía en cierto modo a cotejar las dos obras, tan sólo un crítico[152] ha confrontado, y aun de forma breve, la comedia con el cuento en verso

148. M. J. Quintana, *El Duque de Viseo*, BAE, t. XIX, pp. 50b-51a.

149. *Manuel Josef Quintana...*, París, 1968, pp. 76-79.

150. Véanse las notas 19 a 25 del *Pelayo* de Espronceda, *Poésies*, ed. Marrast, pp. 172-173.

151. Casalduero, p. 183.

152. G. Tyler Northup, en una nota de su edición de *El estudiante de Salamanca, and Other Selections from Espronceda*, Boston, 1919, p. 101. El hispanista americano señala que el breve pasaje utilizado por Espronceda como epígrafe:

SARGENTO
¿Tenéis más que parar?
FRANCO
Paro los ojos
...
Los ojos, sí, los ojos; que descreo
del que los hizo para tal empleo.

aparece en forma distinta en la p. 134b del t. XXXIX de la BAE (véase más adelante). A continuación ofrece un breve resumen de la obra y añade que la leyenda del santo presenta algunos puntos en común con las de don Juan Tenorio, Miguel Mañara y el estudiante Lisardo, sin más precisiones. Northup no ha llevado más allá la confrontación. Todos los editores modernos de *El estudiante de Salamanca* transcriben tras el epígrafe el título de la comedia bajo la forma errónea de *San Francisco de Sena*.

del poeta. Franco, el protagonista de Moreto, es un joven plagado de vicios como Félix de Montemar (con la única diferencia de que es devoto de la Virgen, al igual que el estudiante Lisardo y el rufián de Cervantes lo eran de las almas del purgatorio); su padre Mansto, que se ha desprendido de la mayoría de sus bienes para que él pudiese proseguir sus estudios, ha visto la fortuna que le quedaba dilapidada en el juego por ese hijo ingrato que, además de ser un perdido, es también un impío:

> Aprendiste a ser cruel,
> vengativo y jugador,
> sin ley y sin Dios, infiel;
> mas si lo eres con él,
> ¿de qué se ofende mi amor? (BAE, t. XXXIX, p. 122b.)

Una noche, Franco mata a Aurelio —que ha venido bajo las ventanas de Lucrecia para raptarla— y se lleva a la muchacha fuera de la ciudad para violarla. Al comienzo de la segunda jornada, Franco se ha metido a soldado (al igual que Dato, su sirviente, que tenía amoríos con Lesbia, doncella de Lucrecia) a fin de huir de la justicia; pero a pesar del peligro que corre si es descubierto, regresa de noche a Sena para ir a ver a su padre. Dato, asustado por esta audacia, le llama «hijo del diablo». De camino, Franco pasa por delante de una casa en cuyas paredes está pintada una cruz iluminada por una lamparilla, y hace la siguiente observación:

> Sin duda la han puesto allí
> por el hombre que maté. (*Ed. cit*, p. 128b.)

Quiere apagar la lamparilla para no ser visto; pero entonces, en medio de un rumor de cadenas, oye una voz que grita: «¡Ay!». Dato se dispone a ir a casa de Mansto, mientras que su amo se queda allí a esperarle; éste intenta de nuevo apagar la lámpara, pero del muro «sale un brazo que le detiene, sujetándole las manos» y se oye una voz:

> Pues me quitaste la vida
> no me quites el consuelo. (*Ibid.*)

Sigue un breve intercambio de réplicas, que se termina con esas palabras sibilinas de la voz:

> Ve, que antes de tu partida,
> con Dios privarás de suerte
> que aunque me diste la muerte,
> tu ruego me ha de dar la vida. (*Ibid.*)

El brazo suelta a Franco y desaparece. Más adelante (pasamos por alto las peripecias de la intriga de las que no hallamos eco en el poema de Espronceda), vemos a Franco, que sigue siendo soldado y a quien el gobernador de Sena ha encomendado la administración de los juegos, instalado en un castillo próximo; hasta allí conduce a Mansto, llevándole a cuestas; y cuenta que, al volver a pasar por el lugar en el que había matado a Aurelio,

> la misma voz que en mi afrenta
> me dio antes horror, me dijo:
> —Franco, en el juego te emplea;
> que hoy perdiendo has de ganar. (*Ed. cit.*, p. 132b.)

Esta voz le persigue a lo largo del camino; no entiende el sentido de estas palabras y se pregunta:

> ... ¿qué es lo que intenta
> conmigo el cielo? (*Ibid.*)

En efecto, ha perdido todo lo que poseía, pero como Lesbia trae cartas, de nuevo prueba fortuna. Anuncian entonces la llegada de un hombre, que pide ayuda a Franco para encontrar al soldado que ha deshonrado a la dueña de su corazón, y le ofrece una cadena de oro. Se trata de Federico, hermano de Lucrecia, que ha empleado esta estratagema para llegar hasta ella; Lucrecia reconoce a Federico, pero antes de que éste pueda llevársela o vengarse de Franco, el sargento le expulsa del castillo pues ha sonado el toque de queda.

En este punto es donde se sitúa la escena de la que Espronceda tomó los versos de su epígrafe. Franco juega con el sargento y dos soldados, en presencia de Dato y de Lesbia. Pierde cincuenta escudos, la cadena de oro, su espada y su jubón; al no quedarle nada para jugarse, ofrece sus ojos como apuesta:

> SARGENTO: ¿Tienes más que parar?
> Tengo los ojos,
> FRANCO: y los juego en lo mismo, que descreo
> de quien los hizo para tal empleo[153].
> (*Ed. cit.*, p. 134b).

Pierde de nuevo, y se siente entonces poseído por un fuego interior que le devora; luego se da cuenta de que está ciego; se arrepiente:

> Tirano fui y homicida,
> falso, blasfemo, lascivo. (*Ed. cit.*, p. 135a.)

pero la Virgen le ha ayudado, y una voz celestial saca la moraleja de la aventura:

> Vea el mundo, admire el siglo,
> que estuvo ciego con ojos
> el que sin ojos ha visto. (*Ibid.*)

La tercera jornada no guarda relación con *El estudiante de Salamanca*, ya que

153. La cita de Espronceda presenta algunas diferencias con este texto (véase la nota anterior) debidas quizás a que el poeta reprodujo estos versos de memoria.

describe las etapas del «camino de perfección» de Franco, convertido en ermitaño, que encuentra a su padre, convertido en mendigo y llevado en un carro por Dato. Nos fijaremos tan sólo en este breve pasaje. En el momento de su encuentro, Mansto, antes de reconocer a su hijo en el ciego, dice:

> No seréis tal, porque aquél [mi hijo]
> fue blasfemo, jugador,
> engañoso, matador,
> lascivo, ingrato, cruel.
> Al cielo tanto ofendió,
> que de su culpa indignado,
> por castigar su pecado,
> de la vista le privó. (*Ed. cit.*, p. 137b.)

Este retrato se asemeja mucho al de Montemar, aun cuando el castigo final impuesto a éste sea mucho más terrible y aparezca presentado en un contexto muy distinto.

La cita, si bien truncada, del *Don Juan* de Byron que sirve de epígrafe a la segunda parte de *El estudiante de Salamanca*, ha llevado a pensar que Espronceda pudo haberse inspirado en el gran poeta inglés[154]. Concretamente, varios críticos han comparado la carta de despedida que, poco antes de morir, Elvira escribe a Montemar, con la que doña Julia envía al protagonista de Byron[155]. Churchman, siempre presto a descubrir los más insignificantes puntos comunes entre las obras de ambos escritores, incluso cuando no se trata más que de meras coincidencias verbales, reconoce que la situación de las dos mujeres ante el hombre que las ha seducido es totalmente distinta. Doña Julia es una esposa adúltera a la que su marido castiga por su infidelidad haciéndola encerrar en un convento; en su carta, ésta adopta un tono a la vez irónico y ligeramente despreciativo, y se resigna con su futura reclusión: vivirá para rogar por aquel que la arrastró al pecado. En cambio, Elvira es una joven que muere de amor y ve la muerte como el castigo ineluctable por su pasión. Tanto una como otra desarrollan ideas que pueden encontrarse en cualquier carta escrita en tales circunstancias: te he amado, pero no te pido ya amor ni compasión, bendigo los momentos de felicidad que me has dado, pero ahora he perdido todas las ilusiones; al perderte, lo he perdido todo, y otras mujeres sabrán hacerte feliz. Tanto en la novela sentimental del siglo XVIII, como en la literatura romántica en prosa o en verso, existen miles de ejemplos de situaciones similares, en las que numerosas heroínas abandonadas expresan de distinta forma los mismos sentimientos. En cuanto al personaje de don Juan según lo des-

154. Esa cita (a la que le faltan las dos primeras palabras, lo que la convierte en ininteligible) es la siguiente:

> «[No dirge] except the hollow sea's
> mourns o'er the beauty of the Cyclades.»

(*Don Juan*, canto 4, LXXII; fin de la descripción de la tumba de Haydée).

155. E. Piñeyro (*El romanticismo en España*, París, s.f. [1904], p. 161) ve en la carta de Elvira una tosca imitación de la de doña Julia; Churchman ("Byron and Espronceda", *RH*, XX, 1909, pp. 161-163) y Northup (en su *ed. cit.*, p. 100) consideran que ambos textos sólo presentan analogías muy generales.

cribe Byron en su poema inconcluso, nada tiene que ver con don Félix de Montemar. Éste es un pervertido para quien la corrupción y la seducción de una doncella son sólo algunas de las facetas de su comportamiento; aquél, en cambio, es más bien víctima del amor que tiene el don fatal de inspirar, y las mujeres se arrojan a sus brazos sin que él tenga necesidad de conquistarlas. El don Juan inglés ama siempre sinceramente a sus víctimas, y su inconstancia se debe a un impulso irresistible que le lleva a buscar la Belleza pasando de una mujer a otra. Montemar tampoco es un joven idealista que ha creído encontrar la felicidad en el libertinaje, como el que describe Musset en *Namouna* y en *Rolla*, en pos de la criatura ideal que encarne un posible amor perfecto.

Queda el don Juan del que Alejandro Dumas narra la historia en su drama *Don Juan de Marana ou la Chute d'un ange*, estrenado en el teatro de la Porte-Saint-Martin de París el 30 de abril de 1836. Una primera traducción de dicha obra fue publicada en Tarragona en 1838 por la imprenta Chuliá, con el título de *Don Juan de Marana y Sor Marta*; el año siguiente, salió en Madrid la versión española de García Gutiérrez, titulada *Don Juan de Marana o la caída de un ángel*. Dumas se inspiró ampliamente en el relato de Mérimée, *Les Âmes du purgatoire*, que, según sabemos, presenta puntos en común con el *Don Álvaro* de Rivas. En la obra teatral reaparece el tema de la mujer jugada a las cartas (aquí, doña Inés de Almeida, amante de don Sandoval de Ojedo, ganada por Marana); como también el de la estatua que cobra vida para inducir a don Juan al arrepentimiento (en este caso, la de doña Inés que le hace presenciar el cortejo de las mujeres engañadas y de los hombres muertos por él, mientras se oye el *De profundis* y unos cirios se encienden y apagan misteriosamente). Según señala Carlos Beceiro[156], el drama de Dumas y el cuento de Espronceda presentan algunos puntos en común, como son: la misión confiada a una de las víctimas del seductor que hace entrar a éste en vereda (el ángel bueno encarnado en sor Marta en el primero, y Elvira convertida en alma en pena en el segundo); el matrimonio en la muerte, último acto de la existencia del libertino; la locura de la protagonista (sor Marta y Elvira), que deshojan flores o hacen con ellas una guirnalda; y por último, la decisión que toma el personaje principal (don Juan y don Félix) de seguir hasta el fondo de los infiernos si es preciso a la misteriosa dama tapada. Pero comprobamos fácilmente que estos temas se encuentran ya en otras obras tradicionales o literarias; ninguno de ellos pertenece propiamente a Dumas, el cual se inspiró en la Ofelia de Shakespeare para describir la locura de sor Marta, y tal vez también en la Margarita de *Fausto*, que deshoja una margarita diciendo alternativamente por cada pétalo que arranca: «*Er liebt mich... liebt mich nich?*» Nos consta que Espronceda conocía la obra de Goethe en el momento en que componía *El estudiante de Salamanca*; en efecto, en una de las conferencias de literatura moderna comparada que pronunció en el Liceo a comienzos de abril de 1839, habló del escritor alemán, y lo presentó «como el completador de la lengua y poesía moderna alemana, y como el primero que ascendió el yugo de la literatura francesa[157]». Salvo el detalle destinado a completar el retrato de Elvira —que Espronceda pudo hallar

156. En el prólogo a su edición de *El estudiante de Salamanca*, Madrid, 1965, pp. 91-94.
157. E. Gil, en *El Correo nacional* del 12 de abril de 1839.

también en Goethe[158]— no pensamos que el poeta pueda deber mucho más al drama *Don Juan de Marana*. Es posible incluso que sea precisamente por evitar una identificación entre el héroe de Dumas y su Montemar, que Espronceda modificó en «Segundo don Juan Tenorio» (en el volumen de *Poesías* de 1840) el verso «Nuevo don Juan de Marana» que figuraba en 1837 en el fragmento publicado por el *Museo artístico literario*. De este modo, el poeta vinculaba más estrechamente a su personaje con la tradición española, que Mérimée y Dumas habían interpretado de forma muy libre, mezclando las aventuras del Burlador y de Lisardo con las anécdotas atribuidas a Miguel Mañara. La propia elección de la ciudad en la que tiene lugar la historia de Montemar y Elvira revela una intención concreta. De *Les Âmes du purgatoire* pudo sacar Espronceda la idea de hacer de su protagonista un estudiante de Salamanca; pero también en este punto existía una tradición sólidamente instituida, utilizada con anterioridad por muchos escritores y basada además en la realidad, que presentaba a los alumnos de esta universidad como jóvenes pendencieros, amantes del juego y de las mujeres, siempre dispuestos a cometer burlas o calaveradas y mucho más asiduos de los garitos y lugares de mala nota que de las aulas. Salamanca era, pues, un escenario apropiado para las hazañas de Montemar[159].

Reminiscencias de obras anteriores de Espronceda

El estudiante de Salamanca incluye en sus versos, y sobre todo en las dos primeras partes, un buen número de reminiscencias verbales o formales, algunas de las cuales aparecían en obras anteriores de Espronceda. El cuadro nocturno con el que se inicia el poema recuerda la atmósfera evocada en el siguiente pasaje del ciclo de Álvaro de Luna, cuyo primer verso citado aparece recogido textualmente:

> Era más de media noche,
> cuando en profundo silencio
> dan descanso los mortales
> a los fatigados cuerpos,
> cuando el cansancio diurno
> se restaura con el sueño
> y todo duerme y reposa[160].

También podemos ver en él un eco de la elegía de Meléndez Valdés, *El melancólico*:

158. Es probable que Espronceda, que por lo que parece no sabía alemán, conociera el *Faust* de Goethe a través de una o de varias traducciones francesas. Véase al respecto, A. Martinengo, "Espronceda ante la leyenda fáustica", *Revista de literatura*, XXIX, 1966, pp. 35-55.

159. La vida estudiantil de Salamanca fue evocada por Ruiz de Alarcón con frecuencia. Véase al respecto A. V. Ebersole, *El ambiente español visto por Juan Ruíz de Alarcón*, Madrid, 1959, pp. 15-26.

160. N.º 1006 del *Romancero* de Durán, BAE, t. XVI, p. 57b. Mazzei (p. 124) puso de relieve esta analogía.

Cuando la sombra fúnebre y el luto
de la lóbrega noche el mundo envuelven
en silencio y horror; cuando en tranquilo
reposo los mortales las delicias
gustan de un blando saludable sueño ... (BAE, t. LXIII, p. 250.)

El propio Espronceda había empezado uno de sus primeros sonetos, *La noche*, con estos dos versos que debían mucho a Lista:

En lúgubre silencio sepultados,
yacen los mares, cielo, tierra y viento[161].

Al comienzo de la parte segunda, la descripción del paisaje bañado por la luna en el cual aparece presentada Elvira contiene elementos que figuraban ya en "Salve, tranquila plateada luna" y en *A la noche*; el final de la cuarta parte presenta un paralelismo con el segundo fragmento del *Pelayo* (en especial en el abrazo de Montemar y el esqueleto). Similitudes señaladas por Brereton, y que permiten comprobar la persistencia de ciertos motivos o tópicos heredados del neoclasicismo[162]. A veces incluso, lo que en versos anteriores no era más que la transcripción de un juego de luces y de colores, adquiere un sentido nuevo en *El estudiante de Salamanca*. La visión plástica de Óscar desapareciendo en el bosque, estaba expresada, en *Óscar y Malvina*, por medio de esta comparación:

Cual por nubes la luna silenciosa
su luz quebrada envía
trémula sobre el mar que la retrata,
que ora se ve brillar, ora perdida,
pardo vellón de nube la arrebata,
cielo y tierra en tinieblas sepultando;
así a veces Óscar brilla y se pierde,
la selva atravesando. (BAE, t. LXXII, p. 19.)

Cuando Montemar pasa por la calle del Ataúd y divisa la figura femenina que se aleja, reaparece la comparación en la forma siguiente:

Cual suele la luna tras lóbrega noche
con franjas de plata bordarla en redor,
y luego si el viento la agita, la sube
disuelta a los aires en blanco vapor,

así vaga sombra de luz y de nieblas,
mística y aérea dudosa visión,
ya brilla, o la esconden las densas tinieblas,
cual dulce esperanza, cual vana ilusión. (*Ed. cit.*, pp. 59b-60a.)

161. Espronceda, *Poésies*, ed. Marrast, pp. 93-94.
162. Brereton, pp. 21-23 y 42-44. «De luceros coronada», segundo verso de la *parte segunda* de *El estudiante de Salamanca*, ha sido tomado textualmente de *Rosana de los fuegos*, de Meléndez Valdés (BAE, t. LXIII, p. 132c), tal como ha señalado Foulché-Delbosc ("Quelques réminiscences dans Espronceda", *RH*, XXI, 1909, pp. 667-669).

Adquiere aquí una nueva dimensión; el último verso citado le da un significado moral, al convertirse el juego de luces y sombras en el juego de la conciencia que se debate entre el sueño y la realidad, entre la esperanza y la desilusión. Este sentido se concreta en la última parte del cuento, en el momento capital del encuentro entre don Félix y la dama tapada, que parece moverse sin pisar la tierra:

> Tal vimos al rayo de la luna llena
> fugitiva vela de lejos cruzar,
> que ya la hinche en popa la brisa serena,
> que ya la confunde la espuma del mar.
>
> También la esperanza blanca y vaporosa
> así ante nosotros pasa en ilusión,
> y el alma conmueve con ansia medrosa
> mientras la rechaza la adusta razón. (*Ed. cit.*, p. 69b.)

Al tema de la luna se suma aquí el motivo del bajel vislumbrado a lo lejos (el mismo que el joven emigrado veía alejarse con nostalgia en *La entrada del invierno en Londres*) para expresar no sólo el carácter ilusorio de la aparición, sino lo que Casalduero denomina con gran acierto «el deshacer de la esperanza[163]». Sería inútil hacer un inventario completo de todas las reminiscencias procedentes de las primeras influencias recibidas por el poeta. Señalaremos simplemente que, en el momento en que compone *El estudiante de Salamanca*, y pese a la nueva orientación que ha tomado su inspiración en las *Canciones*, todavía no ha olvidado del todo las enseñanzas de Lista.

Determinados temas tomados de composiciones anteriores adquieren una nueva dimensión y un sentido distinto. Tal es el caso del de la separación de los amantes, que aparece en *Despedida del patriota griego...*, y más tarde en *El diablo mundo* (Espronceda y Teresa, Adán y la Salada)[164]. Dicho tema se transforma y enriquece en *El estudiante de Salamanca*, en donde la causa de la separación no reside en una circunstancia externa (como la traición del padre de la joven griega en la *Despedida...*), sino en la decisión unilateral de uno de los dos; en efecto, es don Félix quien provoca la ruptura al abandonar a Elvira. Enlaza con otro tema, el de las ilusiones perdidas y la esperanza desvanecida que afloraba al final de la *Despedida...* y que en Espronceda aparece unido repetidas veces al motivo de la rosa que sólo vive «l'espace d'un matin». Lo hemos visto tratado en diversa forma: tanto en el soneto "Fresca, lozana, pura y olorosa", como en una réplica de Blanca en el acto IV de *Blanca de Borbón:*

> ... ¡Ah¡ La esperanza
> era el único bien que en tanto duelo
> yo conservaba aún; era la rosa
> que derramaba aroma en el desierto.
> ¡Voló cual humo la esperanza mía! (*Ed. cit.*, p. 284b.)

163. Casalduero, pp. 182 y 197.
164. Brereton, pp. 52-53. Véase *supra*, pp. 200-201, y Espronceda, *Poésies*, ed. Marrast, p. 305.

En *El estudiante de Salamanca*, las flores que Elvira deshoja en el viento simbolizan las esperanzas perdidas:

> ¿Sabes adónde, infeliz,
> el viento las arrebata?
> Donde fueron tus amores,
> tu ilusión y tu esperanza.
>
> Deshojadas y marchitas,
> ¡pobres flores de tu alma! (*Ed. cit.*, p. 61b.)

Más adelante, se establece una total identificación entre la rosa y la muchacha:

> Murió de amor la desdichada Elvira,
> cándida rosa que agostó el dolor,
> süave aroma que el viajero aspira
> y en sus alas el aura arrebató. (*Ed. cit.*, p. 62b.)

En el *Pelayo*, cuando el castigo divino se abate sobre la corte del malvado rey, aparece esta imagen:

> ¡Maldición, maldición! Yertas las flores
> del huracán violento arrebatadas,
> el alegre pensil de los amores
> verá sus hojas por doquier sembradas. (*Ed. cit.*, p. 4b.)

Casalduero la compara con los versos del himno *Al Sol*, en el que los siglos, para el astro diurno, son tan sólo «del bosque umbrío / secas y leves hojas desprendidas»; pétalos resecos y hojas muertas se convierten en el símbolo de las ilusiones desvanecidas: «Esa fuerza, es el tiempo o es la realidad social que arrebata y después juega despiadadamente con las ilusiones, las esperanzas, los anhelos de belleza y justicia.» La metáfora se ha transformado y, de una trivial comparación concreta, ha pasado a ser una constatación moral y abstracta, que confiere a aquélla todo su valor[165], el de la antítesis fundamental —inherente a la naturaleza humana— entre las aspiraciones del ser y lo que le ofrece el mundo en el cual vive, antítesis que Lamartine ha resumido en estos célebres versos:

> Borné dans sa nature, infini dans ses vœux,
> l'homme est un Dieu tombé qui se souvient des cieux*.

Tradicionalmente, en la literatura española este conflicto íntimo se resuelve por sublimación (la aspiración al infinito se satisface en el amor a Dios) o por trasposición (la rebeldía de la criatura cede ante las manifestaciones de la omnipotencia divina). En ambos casos, y para evitar el condenarse, la única solución

165. Casalduero, pp. 190-191.

* «Limitado en su naturaleza, infinito en sus anhelos, / el hombre es un Dios caído que recuerda los cielos.»

está en la fe cristiana, según lo demuestran el auto sacramental y la comedia doctrinal. El «vago, indefinible sentimiento» característico del alma romántica no conduce a Espronceda hacia la tendencia religiosa, que inspira a Zorrilla el confuso espiritualismo místico-nacionalista presente en todas sus composiciones. Como muchos de sus contemporáneos extranjeros, lo que en Espronceda ha quedado del cristianismo es

> la croyance en l'Esprit du mal, l'Ange déchu: Satan, cause première du péché originel, tentateur éternel de la faiblesse humaine, symbole des mauvais instincts et des passions coupables ... Terrible ou séduisant, conseiller d'indépendance intellectuelle ou de faiblesse charnelle, le Maudit symbolise diverses inquiétudes, diverses protestations romantiques, ou simplement incarne le Mal ou le Malheur[166].

Este aspecto del pensamiento de Espronceda aparece con claridad en *El diablo mundo* (ya en el mismo título de este gran poema inconcluso), pero también en *El estudiante de Salamanca*. Se ha subrayado a menudo que los rasgos específicos de Montemar son el espíritu de rebelión y el satanismo, y que éste cristaliza conjuntamente la rebeldía encarnada por el verdugo y el reo de muerte contra la sociedad y sus leyes, el cinismo del mendigo, y el amor por la libertad e individualismo del pirata, es decir las características de los protagonistas de las *Canciones* de 1835[167].

Pero con anterioridad a esta fecha, se manifiesta en la obra de Espronceda una especial atracción por personajes que, sin ser propiamente encarnaciones titánicas, son en cierta medida inadaptados o mal adaptados al mundo, o bien se niegan, con distinta fortuna, a doblegarse a las convenciones de la sociedad. Observamos ya, en los fragmentos del *Pelayo*, que el poeta se siente mucho más atraído por la figura de Rodrigo que por la del héroe de la Reconquista, y el último rey godo es precisamente un personaje que se rebela contra los deberes que le impone un cargo de índole a la vez temporal y espiritual, y que, como Montemar, cede a sus instintos mofándose de la ley divina y dejando una víctima, Florinda, remota prefiguración de Elvira. En el *Pelayo*, Espronceda se atiene a un maniqueísmo simplista que ya no es tan absoluto en *Blanca de Borbón*. Aun cuando aparecen en esta última obra las dos figuras antitéticas del Bien y del Mal encarnadas por Enrique y Pedro, que corresponden a las de Pelayo y Rodrigo, no obstante el agente del Destino no es, como en los fragmentos de la epopeya, el ángel enviado por un Dios vengador; en la tragedia, quien ejerce esta función es la maga, que la asume por fanatismo, esforzándose, por si sola y sin recurrir a la divinidad, en devolver a los cristianos crueldad por crueldad. Estamos de nuevo ante un personaje que se rebela contra el orden, político y religioso, al igual que lo hacen también, en otro plano y por motivaciones distintas, tanto En-

166. («... la creencia en el Espíritu del mal, el Ángel caído: Satanás, causa primera del pecado original, tentador eterno de la flaqueza humana, símbolo de los malos instintos y de las pasiones culpables ... Terrible o seductor, consejero de independencia intelectual o de debilidad carnal, el Demonio simboliza diversas inquietudes, diversas protestas románticas, o encarna simplemente el Mal o la Desgracia».) P. Van Tieghem, *op. cit.*, p. 237.

167. Brereton, p. 102; Casalduero, p. 179.

rique como Pedro. Blanca de Borbón es víctima de estos conflictos complejos, de esta red de voluntades opuestas, y finalmente su único crimen es el de seguir amando al hombre causante de su desdicha, al igual que Elvira muere por seguir amando a Montemar que la ha abandonado. Tanto en la tragedia como en el cuento en verso, el paladín de la libertad (política, Enrique; y de conciencia, don Félix) muere por haber desafiado la autoridad y pedido cuentas a aquél —o a Aquél— que la detenta y la impone.

En el capítulo III de *Sancho Saldaña* aparece evocado de manera episódica un personaje que puede verse como un primer esbozo de Montemar. No interviene en la acción; y es el Señor Tinieblas, uno de los miembros de la cuadrilla de "El Velludo", quien empieza a contar su historia. Se trata de un noble, del que había sido escudero su padre, y que «se burlaba de todo ... Tenía este hombre muy mala vida, y no creía en Dios ni en el diablo, y juraba que desearía verse a solas con Lucifer»; como cortejaba a una dama sin conseguir sus favores, compró un día una cuerda, salió fuera de la ciudad e invocó al demonio; se desencadenó entonces una violenta tormenta, y tuvo que arrojarse en tierra para no ser arrastrado por el huracán... En este punto el narrador interrumpe su relato, pues se levanta de improviso una tempestad real que atemoriza a los bandoleros en el fondo de su cueva. Ven llegar entonces

> un espantoso fantasma vestido todo de negro, con una antorcha en la mano ... Sus ojos lanzaban llamas, su semblante era lívido, y sus brazos largos, secos y descarnados, semejaban a los de un desollado cadáver, mostrando todos sus músculos y ligaduras. Brillaba en medio de los relámpagos como un espectro rodeado de luz, y vestido del nebuloso ropaje de las tinieblas. (*Ed. cit.*, pp. 321-322a.)

Este ser espantoso es la maga (de la que más adelante sabemos que no es otra que Elvira, hermana de Saldaña) que viene a buscar a Leonor para arrebatársela a los hombres de "El Velludo". Aunque en un contexto distinto, Espronceda une aquí dos temas que desarrollará con mayor amplitud en *El estudiante de Salamanca*. El segundo (el de la aparición) vuelve a salir dos veces más en *Sancho Saldaña*. En el capítulo XLIII (*ed. cit.*, p. 546b), Sancho, al pasar una noche por uno de los corredores de su castillo, cree ver a «una figura cadavérica, una mujer, en su imaginación colosal, la imagen, en fin, de Zoraida, sólo que desfigurada ya con la muerte» que avanza hacia él; en el último capítulo (*ed. cit.*, p. 568), el espectro de Zoraida sale de una tumba para apuñalar a Leonor. En el capítulo IX, Espronceda describía detenidamente el deambular, por el castillo de Saldaña, de Zoraida en busca de Leonor; la escena transcurre a la luz de la luna, y el vestido de la mujer (un largo manto morisco), así como la atmósfera de misterio nocturno en la que transcurre el episodio, anticipan ya en cierta forma la parte cuarta de *El estudiante de Salamanca*. La Elvira de este poema se asemeja en varios de sus rasgos a las dos protagonistas rivales de la novela. Al igual que la víctima de Montemar, Zoraida evoca en varias ocasiones con dolorosa nostalgia (y en especial a lo largo del episodio del capítulo IX que acabamos de mencionar) los momentos de felicidad vividos junto a Saldaña cuando éste la amaba. En el capítulo XV, la hermana de Saldaña —que también se llama Elvira— reprocha a su hermano su falta de afecto en unos términos que recuerdan más bien los que utilizaría una amante abandonada; en su furia, llega incluso a decir a Sancho: «Yo estoy condenada a velar sobre ti para afligirte, ahora en la vida, y luego en la eternidad» (*ed. cit.*, p. 414a). Por último, el propio Saldaña es víctima de una profunda melancolía y de un sentimiento de insatisfacción permanente, fruto de una especie de "mal del siglo", agravado por los remordimientos que le producen sus amores cambiantes. En el retrato que Espronceda hace del protagonista en el capítulo IV de la novela (*ed. cit.*, pp. 325b-326a), lo presenta como un personaje enigmático y reservado, temido por quienes lo trataban; según especifica, algunos creían incluso «que era algún demonio revestido de figura humana por algún tiempo», y la *vox populi* le achacaba un sinfín de fechorías y crímenes. Hastiado de los placeres, Saldaña se entrega al juego y a la bebida sin conseguir olvidar sus penas y hallar remedio a su insatisfacción; tiene la sensación de que pesa sobre él alguna maldición, de la que intenta en vano liberarse a través del amor. Jamás lo consigue, y sólo hallará la paz, al final de la novela, en la Trapa en donde irá a acabar sus días. Su vida en el mundo no ha sido más que una sucesión de fracasos, y sólo la penitencia, ya que no el arrepentimiento, le proporciona el remedio para las aspiraciones contradictorias de su corazón. Esta renunciación se parece mucho todavía a la que proponen como ejemplo los romances de Lisardo, las comedias edificantes –*El burlador de Sevilla, El condenado por desconfiado, El rufián dichoso, San Franco de Sena, El esclavo del demonio* o *El mágico prodigioso*–, así como las distintas leyendas españolas de don Juan Tenorio y de Miguel Mañara. El rasgo distintivo y nuevo de Montemar reside en que su renunciación sólo se obtiene con la muerte.

Los primeros fragmentos del "Cuento"

El estudiante de Salamanca se presenta como una serie de episodios escogidos de los últimos momentos de la vida de un libertino, jugador y pendenciero, que muere por haber osado desafiar el mundo y a Dios. En esta obra, se entrecruzan múltiples temas y motivos procedentes la mayor parte de la tradición española, hábilmente dispuestos o incorporados para componer un prototipo original, símbolo de la inquietud romántica, según lo define Espronceda en esta estrofa de la parte cuarta:

> Segundo Lucifer que se levanta,
> del rayo vengador la frente herida,
> alma rebelde que el terror no espanta,
> hollada sí, pero jamás vencida:
> El hombre, en fin, que en su ansiedad quebranta
> su límite a la carcel de la vida,
> y a Dios llama ante él a darle cuenta
> y descubrir su inmensidad intenta. (*Ed. cit.*, p. 74b.)

Así pues, al final del poema, Montemar es mucho más que el simple bravucón que aparece presentado en estos términos en la primera parte:

Segundo don Juan Tenorio,
alma fiera e insolente,
irreligioso y valiente,
altanero y reñidor.
Siempre el insulto en los ojos,
en los labios la ironía,
nada teme y todo fía
de su espada y su valor
...
Siempre en lances y en amores,
siempre en báquicas orgías,
mezcla en palabras impías
un chiste a una maldición. (*Ed. cit.*, p. 60a.[168])

Del personaje, los exegetas de Espronceda se han quedado con el último retrato, en el cual aparece en efecto como animado por un espíritu de rebeldía titánica, mientras que en el primero no es más que un calavera sin talla alguna. Por otro lado, como la parte cuarta presenta a Montemar pasando por la calle del Ataúd después de haber matado en duelo a don Diego de Pastrana, hermano de Elvira, algunos han relacionado dicho episodio con el primer movimiento del poema, durante el cual el protagonista pasa por la misma calle, llevando todavía en la mano la espada con la que, al parecer, acaba de atravesar de una estocada a un enemigo del que sólo se ha oído el postrer lamento. La similitud entre ambas situaciones llevó a la conclusión de que en realidad constituían una unidad, y que Espronceda había alterado la cronología de los acontecimientos relatados en las cuatro partes sucesivas con objeto de reforzar la impresión de misterio e irrealidad[169]. Si bien es cierto que el procedimiento consistente en empezar un relato *in medias res* y proseguirlo con miradas retrospectivas es frecuente en la literatura de todos los tiempos y todos los países, nada permite demostrar que Espronceda lo utilizara en *El estudiante de Salamanca* de forma tan sutil como algunos novelistas contemporáneos. Por otra parte, aunque el personaje de Montemar se enriquece hasta el punto de convertirse de un «segundo don Juan Tenorio» en un

168. Este es el texto de la edición de las *Poesías* de 1840. Las variantes de las prepublicaciones de 1836 y 1837 no aportan ningún retoque a este retrato.

169. Véanse los análisis de *El estudiante de Salamanca* en el prólogo de la edición de B. Varela Jácome (Salamanca 1966, pp. 20-22) y en la introducción a la ed. cit. de C. Beceiro, *passim*. Esta interpretación ha dado lugar a las confusas divagaciones de N. L. Hutman ("Dos círculos en la niebla: *El estudiante de Salamanca* y *El diablo mundo*", *Papeles de Son Armadans*, LIX [CLXXV], octubre de 1970, pp. 5-29). La hispanista estadounidense escribe, contra toda verosimilitud (p. 13): «Cabe preguntar cuánto y cuál tiempo pasa en el poema, si bien es que pasa. Se sabe que don Félix muere como resultado del desafío con el hermano de Elvira. Luego tiene que pasar —para él— toda la última parte del poema después que ha muerto». Uno se pregunta si miss Hutman ha leído al menos el poema de que habla... El artículo de R. C. Allen Jr., "El elemento coherente de *El estudiante de Salamanca*: la ironía" (*Hispanófila*, 17, enero de 1963, pp. 105-115) es bastante ingenioso. Por *ironía* entiende «una verdad que resulta contraria a las apariencias», y la aplica al doble sentido de *ilusión* (= esperanza o engaño) según se trate de Elvira o de Montemar. Pero su argumentación se viene abajo cuando escribe: «Como hecho real, don Félix muere en el duelo. Él ve su propio entierro e irónicamente no cree que sea verdad. Es la verdad y él cree que es una *ilusión*» (p. 112). El principio de la *parte cuarta* desmiente una interpretación tal.

«segundo Lucifer», esta evolución no estaba, según parece, claramente prevista en el momento del inicio del poema. El estudio de los fragmentos publicados sucesivamente de 1836 a 1839, que editores y comentadores sólo han tenido en cuenta para señalar en ellos algunas variantes, nos parece lo indicado para establecer, no sólo las etapas de la composición de *El estudiante de Salamanca*, sino también las razones de la nueva dimensión conferida al protagonista.

En un principio, Espronceda publicó en *El Español* del 7 de marzo de 1836 el comienzo del cuento, sin ir precedido del epígrafe sacado de *Don Quijote*, y dividido en cuatro partes[170]:

I, vv. 1-40, desde «Era más de media noche» hasta «Noble archivo de las ciencias» (decorado: Salamanca en una noche sombría);
II, vv. 41-63, desde «Súbito rumor de espadas» hasta «Se perdió» (entrechocan unas espadas; un hombre lanza el postrer lamento; otro hombre, embozado en su capa y con el sombrero calado hasta los ojos, pasa y desaparece en la sombra);
III, vv. 64-75, desde «Una calle estrecha y alta» hasta «al pasar frente a la cruz» (el hombre, que todavía lleva la espada en la mano, pasa por la calle del Ataúd ante la imagen de un Cristo iluminada por una lamparilla);
IV, los 4 versos siguientes —que no figuran en la edición de las *Poesías* de 1840, y que designaremos como: de 75a hasta 75d— seguidos por tres líneas de puntos:

> Tan tarde, de noche, sola y a tal hora
> al pie de la imagen prosternada allí
> envuelta en su manto, se siente que llora
> mujer misteriosa rezando entre sí.

Mas de un año después, la revista *Museo artístico literario* (en el n.º 4, del 22 de junio de 1837, pp. 26-28) publicó la primera parte, completa, de *El estudiante de Salamanca* (cuyo título no iba seguido de la palabra «Cuento»), todavía sin epígrafe; una nota anónima de los redactores señalaba que «los cuatro primeros párrafos de la composición» habían aparecido en *El Español* y que «la aprobación que merecieron al público nos ha movido a rogar al autor ... que nos facilitara el resto de la composición que hoy ofrecemos a nuestros lectores». A continuación de las cuatro partes anteriormente descritas (ya no numeradas, sino separadas por un filete), aparecen impresos los 104 versos con los que concluye la parte primera en la edición definitiva (separados por un blanco entre los vv. 75d-76, 91-92, 99-100, 123-124 y 139-140); el v. 179 y último va seguido, antes de la firma, de dos líneas de puntos. Por último, *La Alhambra*, semanario de la Asociación literaria de Granada (de la que Espronceda fue nombrado miembro durante su estancia en dicha ciudad), publicó el 30 de junio de 1839 (t. II, n.º 3, p. 33) un nuevo *Fragmento del cuento del estudiante de Salamanca*. Se trata del comienzo de la parte segunda (vv. 1-78, desde «Está la noche serena» hasta «¡Pobres flores

170. Estos primeros fragmentos aparecieron también en los periódicos de Barcelona *El Guardia nacional* (2 de mayo de 1836) y *El Vapor* (11 de junio de 1836).

de tu alma!»), aunque sin el epígrafe tomado de Byron[171]. Pero este fragmento había sido compuesto mucho antes; en efecto, figura con el título de *Elvira* y la fecha «Carratraca, 7 de septiembre de 1838» en el álbum de María de los Dolores Massa y Grano de Heréns, en donde lo descubrió Natalio Rivas[172].

En el momento en que Espronceda se encontraba en Granada, en junio de 1839, salió en la *Gaceta de Madrid* el anuncio de la próxima publicación de su volumen de poesías, cuyo prólogo escribió a la sazón García de Villalta. Contrariamente a la costumbre más generalizada, el primero de estos textos no menciona el título de ninguna de las composiciones que iba a incluir el libro; en el segundo, el amigo del poeta sólo cita el *Pelayo* y algunas poesías, pero no *El estudiante de Salamanca*. Sabemos que esta edición no se publicó hasta mayo de 1840; a nuestro entender esta demora se debió a diversas razones de carácter público y privado, que motivaron que Espronceda tardara en dar el último toque a su cuento en verso[173]. El título de éste sólo aparece mencionado, poco después del primer anuncio, en un suelto publicado en *El Correo nacional* del 21 de julio de 1839; en él se dice que el volumen que va a salir «tiene por remate el bello cuento del *Estudiante de Salamanca* que tan buena acogida encontró en el Liceo Literario y Artístico de esta capital». Sin duda estas pocas líneas tienen por autor —o inspirador— a Enrique Gil, quien colaboraba entonces en el mencionado periódico y conocía bien el contenido del futuro volumen, puesto que había recopilado los textos del mismo con ayuda de Villalta, según indica el aviso de la edición de 1846 de las *Poesías* de Espronceda. Pero ignoramos si, antes de julio de 1839, éste había dado en el Liceo lectura de la totalidad de *El estudiante de Salamanca*, o tan sólo de algunos fragmentos, ya que las reseñas de las sesiones de la sociedad literaria aparecidas en los periódicos y revistas no son lo bastante explícitas para permitirnos precisarlo. No obstante, sabemos que Espronceda leyó en el Liceo, el 5 de julio de 1838, su poema *A una estrella*, y a comienzos de 1839, los primeros versos de *El diablo mundo*, poco antes de que diera allí sus conferencias de literatura comparada[174]; en 1838, colaboró con Eugenio Moreno López en la composición de la comedia *Amor venga sus agravios*. Estas ocupaciones literarias (en especial el inicio de su gran poema inacabado), sumadas a las actividades políticas y cívicas del poeta, pudieron contribuir a retrasar la terminación de *El estudiante de Salamanca*. Por ello, pensamos que este cuento en verso fue escrito en varias etapas, que van desde finales de 1835 o comienzos de 1836 —no antes—, hasta finales de 1839 aproximadamente. La confrontación entre determinadas

171. En la revista de Granada faltan los versos 53-54 («Tal vez se sienta; tal vez / azorada se levanta»); posiblemente se trata de un descuido del tipógrafo. La página que contiene este fragmento aparece en facsímil en el artículo de M. A. Buchanan, "Bibliographical Notes...", *Hispanic Review*, IV, 1936, pp. 283-287.

172. *Anecdotario histórico contemporáneo...*, Madrid, 1944, pp. 105-114. N. Rivas tuvo entre sus manos este álbum (que pertenecía al conde de Hérens, biznieto de D.ª María de los Dolores), de donde copió los versos de Espronceda.

173. Véase nuestro comentario de la edición príncipe en Espronceda, *Poésies*, ed. Marrast, pp. 51-52, y, en el apéndice II del mismo libro, pp. 478-481, el texto del anuncio de 1839, el del prólogo de Villalta y el de la advertencia a la edición de 1846.

174. *El Panorama*, I (16), 12 de julio de 1838, p. 258; *El Correo nacional*, 12 de abril de 1839 (artículo de E. Gil sobre el curso de literatura comparada dictado por Espronceda en el Liceo; BAE, t. LXXIV, p. 569a).

partes de *El estudiante de Salamanca* y otras obras que el poeta escribió durante este espacio de tiempo permite, si no confirmar, cuando menos mantener esta hipótesis, a la par que observar cómo se va llenando de significado el poema a medida que avanza su composición y en tanto prosigue la evolución poética y psicológica de Espronceda.

El fragmento publicado el 7 de marzo de 1836 se inserta en la misma corriente pseudo-histórica y medieval que la de numerosas composiciones de *El Artista* y que el *Canto del cruzado*. En los cuarenta primeros versos, Espronceda utiliza los mismos temas y motivos que en este poema inconcluso: noche oscura, tempestad, siluetas, ruidos y sonidos misteriosos que crean un clima de terror; torres de iglesia que la oscuridad vuelve imponentes y temibles. Coloca incluso en el paisaje un «gótico castillo» detrás de cuyas almenas canta o reza un centinela, y cuya presencia resulta extraña en Salamanca, ciudad desprovista de similares edificios. Pero era este un elemento indispensable en la ambientación tenebrosa en la cual discurrían tradicionalmente los relatos de este tipo. Luego, para presentar al personaje, se recurre al mismo procedimiento que para el cruzado que viene a pedir hospitalidad al señor del castillo: en la oscuridad, su indumentaria no permite identificarle inmediatamente, y tampoco parece desear que le reconozcan; la armadura del caballero reluce al resplandor intermitente de los relámpagos, al igual que la espada de Montemar a la luz de la lámpara que alumbra el crucifijo. La localización se concreta: el hombre embozado en su capa —del que el autor sigue manteniendo el anonimato, como había hecho en el *Canto del cruzado*— pasa por la calle del Ataúd, que no se encuentra en Salamanca, sino en Sevilla. Aparece otro personaje no menos enigmático, esa «mujer misteriosa rezando entre sí» al pie de la cruz. Se conseguía un contraste similar en el *Canto del cruzado* mediante la oposición violenta entre el bravo guerrero desconocido y la bella Zoraida, cuya canción oye éste antes de penetrar en el castillo.

Los lectores de los primeros versos de *El estudiante de Salamanca* no podían saber nada más acerca de estos dos personajes que un encuentro aparentemente fortuito reunía en una calle siniestra. Esta "escena de género" no encaja bien con la continuación y el final de la primera parte del cuento publicada en junio de 1837. ¿Quién es esa «mística y aérea dudosa visión», ese «vago fantasma» que aparece con intermitencias «cual ánima en pena del hombre que fue»? ¿Qué relación existe entre esta visión y la mujer del velo que reza, y qué se hace del hombre que sale espada en mano al encuentro del fantasma? De ello nada nos dice Espronceda, y pasa sin transición al retrato de Montemar del que por fin da el nombre, para enlazar luego, no menos bruscamente, a través de un nuevo contraste, con la presentación de Elvira y el recuerdo de su desdichada pasión por don Félix. La joven «bella y más pura que el azul del cielo» aparece caracterizada al principio del mismo modo que la doncella de *A Matilde* («Tal, Matilde, brilla pura / tu hermosura celestial»); si bien aquí ha sucumbido a la engañosa ilusión del amor y a la embriaguez sensual brevemente descrita en términos casi idénticos a los de dos composiciones muy anteriores, "Y a la luz del crepúsculo serena" y "Suave es tu sonrisa, amada mía"[175]. El comienzo de la parte segunda transcrito en 1838 en un álbum y publicado en 1839 en *La Alhambra* enlaza directamente

175. Véase Espronceda, *Poésies*, ed. Marrast, pp. 318-321 y 326-328.

con el final de la parte primera. Según hemos visto, estos setenta y ocho versos están repletos de reminiscencias neoclásicas, como lo están las distintas poesías sobre el doble tema noche-luna escritas unos años antes por Espronceda. También volvemos a encontrar en ellos los motivos de las cuatro primeras estrofas de la canción de Zoraida en el *Canto del cruzado*: en su soledad una mujer medita sobre su suerte en un jardín perfumado de flores, mecidas por un suave viento. Este jardín ¿está realmente en Granada, como el de Zoraida, o es más bien el recuerdo inconsciente de la poesía anterior lo que guía a Espronceda cuando escribe que las auras «mecen el blanco azahar»? Tan sólo a partir del verso 33 («¡Una mujer! ¿Es acaso») introduce el poeta temas nuevos: inquietud, que se manifiesta en las idas y venidas de Elvira, en sus suspiros y lágrimas, y en la evocación de la pasada felicidad; impasibilidad de la naturaleza ante las desdichas humanas; y por último, interpretación —simbólica, esta vez— del motivo de los pétalos deshojados (símbolos de las ilusiones perdidas) derivado del de la vida fugaz de la rosa, tema cuya evolución en la obra de Espronceda hemos señalado anteriormente.

La dimensión simbólica de Elvira y de don Félix de Montemar

Con este primer movimiento de la parte segunda concluyen las partes de *El estudiante de Salamanca* que con certeza podemos fechar como anteriores a septiembre de 1838, y que, además, son las únicas que contienen numerosas analogías concretas con composiciones anteriores. También a partir de este mismo movimiento es cuando Espronceda desvía el poema de la dirección en la que en un principio lo había orientado, la de un cuento terrorífico cuyo principal atractivo residía en los elementos pintorescos y anecdóticos, así como en los contrastes sin matices heredados del romanticismo tradicional. Puede afirmarse incluso que en la primera parte, y sobre todo en el primer fragmento publicado, las peripecias se suceden a tal ritmo que, una vez superado el factor sorpresa, una lectura más atenta revela cierta incoherencia en la composición. Espronceda palía este defecto suprimiendo los cuatro versos (75a-75b) de la versión primitiva que introducían la figura femenina opuesta a la de Montemar. Al conceder mayor importancia al personaje de Elvira, da más amplitud al plan original, que de todos modos no aparecía con claridad en las dos anteriores publicaciones de 1836 y 1837. De simple víctima de un seductor sin escrúpulos, pasa a ser el símbolo de la mujer que ha creído hallar en el amor la realización de sus sueños de absoluto, pero a la que su condición condena, una vez perdida su pureza, a la desesperación y a la muerte, como la Margarita de *Fausto*. En un penetrante artículo[176], Francisco García Lorca ha demostrado que, a partir de las *Canciones* de 1835, lo que confiere coherencia a los temas tratados por Espronceda, incluyendo el tema capital

176. "Espronceda y el Paraíso", *The Romanic Review*, XLIII, 1952, pp. 198-204. Remitamos a este artículo para profundizar detalladamente las confrontaciones que siguen. Véanse también las notas de *A una estrella, A Jarifa* y *A* ^{xxx} *dedicándole estas poesías* en Espronceda, *Poésies*, ed. Marrast, pp. 407-408, 421 y 423-424.

de las relaciones entre el hombre y Dios, es precisamente su concepción del amor como un absoluto imposible de alcanzar:

> La pureza, la ilusión, son la fuente y el soporte del amor, pero éste tiende a realizarse, a satisfacerse. El amor que nace de ilusiones no puede alimentarse de ellas, la realización del amor engendra la impureza y con ella su muerte. Hay en Espronceda una terrible idea angustiosa de que el amor degrada. Lo que más alto hace subir el espíritu del hombre, lo único que puede encender en él la chispa divina, lleva en sí, inevitable, el germen de la corrupción. De la infeliz Elvira a la caída Jarifa hay un proceso fatal.

De ahí que, a partir de 1837 aproximadamente, reaparezca constantemente de forma obsesiva lo que Francisco García Lorca denomina el «mito del Paraíso», que se manifiesta en las sucesivas descripciones del paso de la pureza a la degradación: en el *Canto a Teresa*, por supuesto, pero ya en *A una estrella* en donde el destino del astro se identifica al de Lucifer, al del hombre y del propio poeta; en *A Jarifa*, intento imposible de romper el estrecho cerco en el cual se encuentra encerrado todo ser humano desde la expulsión del Paraíso; como también en el soneto-dedicatorio de la edición de 1840, en el que se expresa la soledad del hombre frente a la indiferencia del mundo y del Cielo. La condena a vivir en este valle de lágrimas se atribuye tanto a Dios como al diablo, quienes en el pensamiento de la criatura comparten el poderío supremo, según observa Montemar dirigiéndose a la dama tapada:

> Si quier de parte de Dios,
> si quier de parte del diablo,
> ¿quién nos trajo aquí a los dos?
> ...
> Que un poder aquí supremo
> invisible se ha mezclado. (BAE, t. LXXII, p. 75b.)

La búsqueda del amor, que el hombre considera vana por anticipado, le domina y provoca el sentimiento de desesperación, al oponerse la razón a este irreprimible deseo. Según escribe el mismo crítico:

> Dentro de este esquema, la mujer es una víctima fatal del hombre, ya que fuera de él la mujer, como mujer, no tiene existencia posible. Y el poeta se vuelve contra ella al ver eternamente proyectada la sombra de la mujer primera, o la irritación la resuelve en un sentimiento de piedad que abarca lo mismo a la doncella alimentada por la pura ilusión de amor, que a la mujer caída que va consumando su propio drama espoleada por el deseo.

Estos sentimientos contradictorios están perfectamente expresados en el *Canto a Teresa*; en *A Jarifa*, el sufrimiento que provocan reconcilia al hombre y la mujer unidos por un mismo desencanto. Pero este conflicto está ya presente en *El estudiante de Salamanca*, en donde el rebelde que se alza contra el poder de Dios se ve condenado por ese mismo Dios a reunirse en la muerte con la que ha seducido y abandonado luego. También en este caso el amor es un frenesí, una demencia, una pasión, un desvarío que conduce a la blasfemia, a la negación absoluta y, por último, al aniquilamiento; así, en *A Jarifa* exclamará Espronceda: «Sólo en la paz de los sepulcros creo». Pero para comprender la vanidad de las ilusiones —y el amor es la más obsesiva de ellas— hay que haber tocado antes el fondo del sufrimiento, haber llegado al límite del desgarramiento provocado por la incompatibilidad entre «la naturaleza» limitada y los «anhelos» infinitos de los que habla Lamartine; hay que haber oído en fin esa voz, ese «acento pavoroso» que condena a la desesperación y a la muerte al compañero de Jarifa. Montemar no descubre esta verdad suprema hasta el momento en que Dios le impone el castigo del casamiento en la muerte, ya que, al no mirar nunca hacia atrás, mantiene siempre intacta su lucidez. No es este el caso de Elvira; así, el objetivo de las dos últimas terceras partes de la parte segunda es el de demostrar que su condición de mujer la condena irremediablemente al destino de víctima. El desorden de los sentidos que la arrojó a los brazos de don Félix hizo de ella un ser impuro:

> Tú eres, mujer, un fanal
> transparente de hermosura:
> ¡Ay de ti! si por tu mal
> rompe el hombre en su locura
> tu misterioso cristal. (*Ed. cit.*, p. 62a.)

En adelante, sólo el desvarío de la razón puede compensar el desaparecido frenesí de la pasión:

> Que es la razón un tormento
> y vale más delirar
> sin juicio, que el sentimiento
> cuerdamente analizar,
> fijo en él el pensamiento. (*Loc. cit.*)

Después de estas dos facetas de la ilusión, la única salida que queda es la resignación ante la muerte. Sin duda Espronceda tiene en mente a Ofelia y Margarita en la segunda parte de su poema, pero ¿qué importancia pueden tener estas reminiscencias menores cuando el resultado final es un retrato que no se parece en nada al de estas dos heroínas? La de Shakespeare se suicida y la de Goethe se salva por su arrepentimiento. Elvira paga con la muerte su pasión culpable; se la condena por haber pecado, por haber sucumbido a una falsa ilusión que la ha apartado del amor al Señor, del "buen amor":

> Amada del Señor, flor venturosa,
> llena de amor murió y de juventud:
> Despertó alegre una alborada hermosa
> y a la tarde durmió en el ataúd. (*Ed. cit.*, p. 63a.)

Distinto es el destino que espera a Montemar, y Elvira, que lo sabe, le escribe:

Goces te dé el vivir, triunfos la gloria,
dichas el mundo, amor otras mujeres.
Y si tal vez mi lamentable historia
a tu memoria con dolor trajeres,
llórame sí; pero palpite exento
tu pecho de roedor remordimiento. (*Ed. cit.* p. 63b.)

Habiendo atribuido a Elvira una dimensión de personaje simbólico a partir del brevísimo esbozo de los cuatro versos de la primera parte (75a-75d) suprimidos en la versión definitiva, había que completar el retrato de Montemar antes de presentarlo enfrentado a Dios. Con este objeto compone Espronceda el cuadro dramático que constituye la parte tercera del poema. Cabe señalar en primer lugar que ésta enlaza cronológicamente con la primera y con la segunda; sencillamente ha transcurrido cierto tiempo entre la muerte de Elvira y el momento en que don Félix se encuentra, cara a cara, con don Diego de Pastrana que, según dice el primer jugador en la escena IV y última, ha venido desde Flandes con el único objetivo de vengar a su hermana. Aquí Espronceda se inspira —sin ánimo de ocultarlo, ya que de ella saca un epígrafe— en la escena que constituye el clímax de *San Franco de Sena*[177], obra a la que nos hemos referido anteriormente, aunque también tiene en mente sin duda *El rufián dichoso* de Cervantes. También toma de las leyendas tradicionales, o bien de Mérimée o de Dumas, el tema de la mujer ofrecida como puesta en una partida de naipes o de dados, aunque lo enriquece con una variante: don Félix, que ha apostado el retrato de la dama, se declara dispuesto a vender el original a uno de sus compañeros de timba después de hacerle éste el siguiente comentario:

Don Félix, habéis perdido
sólo el marco, no el retrato,
que entrar la dama en el trato
vuestra intención no habrá sido. (*Ed. cit.*, p. 66a.)

Este cuadro drámatico no está trazado de una manera tan infantil como le parece a Casalduero[178]; pensamos más bien que presenta una estructura tan sencilla como la de una escena de comedia del Siglo de Oro, y en concreto como la que lo ha inspirado. Espronceda adopta la forma de diálogo (completándolo con una descripción del decorado y con los dos retratos antagónicos de don Félix y don Diego) para conferir mayor fuerza probatoria a las ideas expresadas en el curso de la acción. Ha desaparecido casi totalmente lo pintoresco de la primera parte, y sólo reaparece muy al comienzo en el rápido esbozo de la sala del garito cuyas ventanas son azotadas por el viento que sopla fuera. Las sucesivas peripecias se ofrecen directamente al lector a fin de que éste pueda seguir, como un espectador en el teatro, las etapas de la acción, al tiempo que la evolución psico-

177. Un detalle nos revela que Espronceda recordaba con precisión la obra de Moreto. Efectivamente, pone en boca de don Diego, cuando éste se dirige a Félix para desafiarlo: «Y no alcanzara a libraros / la misma Virgen María» (BAE, t. LXXII, p. 67b). Ahora bien, en la primera jornada de la comedia Franco de Sena es presentado como un devoto de la Virgen, mientras que Montemar es un impío.

178. Casalduero, p. 194.

lógica del personaje principal. A nuestro entender, dicha elección responde a una intención distinta por parte del poeta; en efecto, si bien imita de la comedia doctrinal la forma, el lenguaje y los recursos (alternancia de pérdidas y ganancias para mantener el interés, enfrentamiento de dos personajes que simbolizan el Bien y el Mal tradicionales, intervención de comparsas para reavivar o comentar la acción, intercambio de réplicas de sentido elemental y directamente comprensible), lo hace con una finalidad totalmente opuesta. En efecto, la habitual iluminación repentina que provoca el arrepentimiento del pecador se ve sustituida aquí por el cinismo y la fría determinación de que da muestras don Félix, quien asume sin desfallecer su destino de rebelde. En este cuadro, Montemar aparece como el prototipo del héroe romántico, o sea como el antihéroe clásico de la comedia edificante. Franco de Sena apuesta sus ojos, los pierde y se convierte; aquí la parábola alegórica se atiene a la moral. Don Félix apuesta el retrato que una dama (tal vez Elvira) le ha dado como prueba de amor, está dispuesto incluso a vender a esta mujer (transposición de la metáfora ojos = objeto amado), y además se burla de la ley del honor; el carácter irrisorio de la misma queda patente con la muerte de don Diego, contrariamente a la tradición secular que hacía de dicha ley uno de los soportes del orden familiar y social cuyas virtudes había vuelto a descubrir recientemente el "nacional-romanticismo". Tras haber manifestado su desprecio por todos los valores humanos, no le quedaba a Montemar más que una partida a jugar: entre él y Dios.

Negación y escarnio de la moral tradicional en *El estudiante de Salamanca*

En la última parte de *El estudiante de Salamanca*, Espronceda recoge y mezcla, ampliándolos, dos temas brevemente planteados al inicio de la primera: el de la misteriosa mujer que ruega al pie de la cruz (versos suprimidos en la versión definitiva) y el del «vago fantasma» al encuentro del cual avanzaba Montemar, espada en mano. Estas dos apariciones se aúnan ahora en una sola, la «fatídica figura envuelta en blancas ropas», que no es otra que Elvira resucitada por un tiempo. La escena transcurre en la calle del Ataúd, y se sitúa inmediatamente después de la muerte de don Diego, quien poco antes había venido a provocar a don Félix. Aun cuando esta última parte desarrolla temas expuestos de forma breve al comienzo del poema, se sitúa lógica y cronológicamente a continuación del cuadro dramático[179]. El primer epígrafe de la parte cuarta, tomado por amistad de Miguel de los Santos Álvarez, guarda escasa relación con el contenido del episodio al que precede. El segundo, en cambio, nos parece de una importancia

179. Queremos insistir en este punto en razón de los comentarios en ocasiones aberrantes a que ha dado lugar la teoría de una pretendida estructura no cronológica del poema, especialmente en el artículo de N. L. Hutman citado *supra*, nota 169. Estos comentarios parece que tienen su origen en las siguientes palabras de Casalduero (p. 179): «Estas dos partes [la segunda y la tercera] son el antecedente de la primera con la cual se enlaza la parte cuarta...»; pero en la continuación del capítulo nada nos hace pensar que el crítico tome esta afirmación al pie de la letra. Su análisis de *El estudiante de Salamanca* culmina con la demostración de que «la construcción del poema obedece a una lógica sinfónica» (p. 205) que da cuenta de la recurrencia de

capital. Se trata de una cita del Evangelio según San Marcos (XIV, 38): «Spiritus quidem promptus est, caro vero infirma[180].» Jesús dirige intencionadamente estas palabras a los apóstoles a quienes había pedido que permanecieran en vela mientras él rezaba en el Huerto de los Olivos, y que se quedaron dormidos. Por dos veces se dejan vencer por el sueño; a la tercera vez, Cristo los despierta y les dice: «¡Ea!, dormid y reposad... Pero basta ya: la hora es llegada; y ved aquí que el Hijo del hombre va a ser entregado en manos de los pecadores. Levantaos de aquí y vamos, que ya el traidor está cerca (XIV, 41-42).» Montemar interroga por tres veces a la dama tapada; al principio recibe como respuesta un «profundo gemido» cuyo sentido no comprende, pero luego se deja oír una voz melodiosa que canta:

> Para mí los amores acabaron,
> todo en el mundo para mí acabó.
> Los lazos que a la tierra me ligaron,
> el Cielo para siempre desató. (*Ed. cit.*, p. 71a.)

Por último, la dama advierte a don Félix: «Hay riesgo en seguirme» y ante la insistencia de éste, responde: «—¡Cúmplase en fin tu voluntad, Dios mío!». Los apóstoles no entendieron las tres amonestaciones de Jesús y le abandonaron en el momento en que su vigilancia era más necesaria, con lo cual su destino terrenal finalizará con el suplicio que le inflijan los pecadores. Montemar hace caso omiso de las tres advertencias de Elvira, respondiendo a ellas con la ironía y la blasfemia; será conducido al reino de los muertos, en donde el supremo poder quebrantará al rebelde. Si bien las dos parábolas presentan idéntico proceso, tienen un sentido opuesto: el Hijo del hombre resucitará porque ha divulgado la palabra de Dios, mientras que don Félix se perderá en las tinieblas eternas por haber encarnado el Mal, por haber intentado descubrir los secretos impenetrables de Dios.

Ninguna advertencia puede apartar a Montemar de la senda que ha elegido; la muerte física le es indiferente; sólo cree en lo que puede ofrecerle este mundo, pero no en las recompensas o castigos del más allá. Como el mendigo de la canción, vive al día:

> La vida es la vida: cuando ella se acaba,
> acaba con ella también el placer.
> ¿De inciertos pesares por qué hacerla esclava?
> Para mí no hay nunca mañana ni ayer. (*Ed. cit.*, p. 71a.)

La visión de su propio cadáver en un féretro no es para él más que

---

los temas que indicamos, lo que excluye sin lugar a dudas la idea de una dispersión en el tiempo de las diferentes partes. Aquí tan sólo consideramos algunos aspectos del *Cuento*, y de su *parte cuarta* en especial; para un análisis más detallado remitimos al penetrante estudio de Casalduero (pp. 172-205).

180. En San Mateo hallamos las mismas palabras de Jesús bajo una forma un poco diferente: «Spiritus promptus est, caro autem infirma» (XXVI, 41).

ilusión de los sentidos,
el mundo que anda al revés,
los diablos entretenidos
en hacer[l]e dar traspiés. (*Ed. cit.*, p. 73b.)

Nada arredra a Montemar, «al Dios por quien jura capaz de arrostrar»: ni el paisaje pavoroso que contempla, ni las horrendas visiones que se ofrecen ante él mientras sigue a la dama tapada, ni los ojos que le miran fijamente en la oscuridad, o la vertiginosa escalera de caracol interminable, ni tampoco los gritos, los alaridos, las carcajadas salidas de no se sabe dónde, o la aparición del sepulcro que es al mismo tiempo un tálamo, ni los espectros que levantan con estrépito la lápida de su sepultura y entonan su lúgubre epitalamio. En esta admirable sinfonía fantástica, el poeta despliega toda la capacidad de su talento y de su dominio de las formas métricas que combina con una maestría excepcional, detenidamente estudiada por los comentadores. Hay otro aspecto de esta cuarta parte de *El estudiante de Salamanca* que nos parece digno de atención. Los temas que Espronceda combina aquí proceden casi todos de tradiciones ampliamente tratadas con anterioridad. Pero las leyendas, los romances, las comedias o las obras hagiográficas en las que pudo encontrarlos los utilizan con una finalidad edificante. En cambio, si estos motivos adquieren, en el cuento que nos ocupa, valor ejemplar, es precisamente en sentido opuesto. Don Félix no cree ni por un momento en estas manifestaciones de la cólera divina, a las que no presta la menor atención y que encuentra ridículas. Su espíritu se mantiene libre incluso cuando su cuerpo es aplastado por el esqueleto que le estrecha entre sus brazos:

Jamás, vencido el ánimo,
su cuerpo ya rendido
sintió desfallecido
faltarle Montemar;
y a par que más su espíritu
desmiente su miseria,
la flaca, vil materia
comienza a desmayar. (*Ed. cit.*, p. 78a.)

Hasta entonces, ningún escritor español, anterior a Espronceda, había contado la historia de un hombre que se niega hasta el final a abdicar de su espíritu de rebeldía. De todas las encarnaciones del burlador (y Montemar lo es, en todos los sentidos de la palabra), a quien más se asemeja don Félix es al dom Juan de Molière. El «moine bourru» («coco») al que tanto teme Sganarelle es el equivalente de las visiones horrendas a las que el héroe de Espronceda se niega a conceder el menor valor premonitorio. Se mofa de las advertencias de Elvira, al igual que dom Juan, cuando desdeña con ironía a Elvire que le conmina a que cambie de vida. Cuando una dama cubierta con un velo se presenta ante dom Juan anunciándole que «n'a plus qu'un moment à pouvoir profiter de la miséricorde du ciel», el libertino exclama: «Spectre, fantôme, ou diable, je veux voir ce que c'est*.» Idéntica curiosidad es la que impulsa a don Félix a seguir el fantasma de

* «... sólo tiene un momento para poder aprovechar la misericordia del cielo», «espectro, fantasma o diablo, deseo ver lo que es.»

Elvira, y al final los dos ven aparecer un esqueleto, alegoría del Tiempo y de la Muerte. Tanto uno como otro sólo se somenten cuando su cuerpo se ve reducido a la nada. Sin duda no se trata de una coincidencia fortuita, ya que Espronceda utiliza en el mismo sentido que Molière un repertorio de temas tradicionales. Antonio Machado ha definido admirablemente al protagonista de *El estudiante de Salamanca* como «la síntesis, o mejor, la almendra españolísima de todos los Don Juanes»; también ha sabido descubrir en qué consiste la profunda originalidad de Espronceda:

> Es Espronceda ... un cínico en toda la extensión de la palabra, un socrático imperfecto, en quien el culto a la virtud y a la verdad del hombre se complica con el deseo irreprimible de ciscarse en lo más barrido, como vulgarmente se dice. El cínico, en clima cristiano, llega siempre a la blasfemia, de la cual se abstiene, por principio o por humor, su compadre el estoico[181].

Las tres octavas que ponen fin al poema no tienen como único objetivo el de proporcionar un último efecto de contraste entre la noche horrenda y el tranquilizador cuadro de la vida que sigue al despuntar el día. Contienen una enseñanza moral de la historia; todos vuelven a sus ocupaciones, pero algunos son presa de la inquietud y del miedo:

> ¡Que era pública voz, que llanto arranca
> del pecho pecador y empedernido,
> que en forma de mujer y en una blanca
> túnica misteriosa revestido,
> aquella noche el diablo a Salamanca
> había, en fin, por Montemar venido !!...
> *Y si, lector, dijerdes ser comento,*
> *como me lo contaron, te lo cuento.* (*Ed. cit.*, p. 79b.)

Ahora bien, no es el diablo quien ha venido a buscar a Montemar, sino el alma en pena de Elvira; además, ésta le ha conducido a un lugar que no era el infierno, puesto que en él encontró también a don Diego, el cual indudablemente no podía haber sido condenado. Por consiguiente, la última estrofa de *El estudiante de Salamanca* contradice no sólo la letra sino el espíritu de todo el cuento, aunque sólo en apariencia; en efecto, la moral que encierra es la misma que saca de la historia la "sabiduría popular" siguiendo las leyendas tradicionales. Éstas recurren a un maniqueísmo simplista que responde a las necesidades de la edificación cristiana. En realidad, la parábola de Espronceda tiene un significado diametralmente opuesto: Montemar, no sólo se niega constantemente a seguir el camino dictado por el "Bien" burlándose de los sucesivos avisos del Cielo, sino que además, y sobre todo, su espíritu de rebeldía sobrevive a su desaparición física e, igual que el libertino de Molière, jamás admite el arrepentimiento. La buena gente de Salamanca explican la aventura de don Félix según la concepción tradicional del Bien y del Mal. Para ellos, sólo puede ser el diablo el que ha venido a llevarse al hombre que le había vendido su alma, ya que ésta es la única explicación conforme al orden lógico de las relaciones entre la criatura y el poder divino según

181. A. Machado, *Juan de Mairena*, Buenos Aires, 1942, t. I, pp. 129-130.

la moral cristiana de la que ellos están embebidos, pero de la que *El estudiante de Salamanca* defiende en realidad lo contrario; este poema —según escribe con razón Casalduero— es «la expresión de la ansiedad del hombre por quebrantar sus límites temporales y enfrentarse con Dios»[182]. La verdadera moral del cuento, Espronceda la expresará sin ambigüedades en *A Jarifa*:

> Que así castiga Dios el alma osada
> que aspira loca, en su delirio insano,
> de la verdad para el mortal vedada
> a descubrir el insondable arcano. (*Ed. cit.*, p. 34b.)

El desafío al mundo, la protesta contra la sociedad y sus valores morales, así como el desprecio por la vida que manifiestan los personajes de las *Canciones* se espresarán de forma más concreta y más compleja en *El diablo mundo*. Antes de asumirlo todo en *A una estrella, A Jarifa*, en el soneto dedicatorio del volumen de 1840 y en sus composiciones políticas (*El canto del cosaco, El dos de mayo, A la degradación de Europa*), el poeta lo proyecta en la figura simbólica de Montemar. La filiación byroniana de este héroe, cuya actitud se asemeja más a la del *Caín* que a la del *Don Juan* creados por el poeta inglés, ha dado lugar a innumerables controversias sobre la originalidad de Espronceda, contribuyendo a acreditar la leyenda de su esnobismo, de su deliberada voluntad de adoptar una *pose*. Al igual que había sucedido con las *Canciones*, también en el caso de *El estudiante de Salamanca* se ha puesto en duda repetidas veces la sinceridad del poeta. A aquella sociedad bienpensante —que tenía como guías a Zorrilla, Mesonero, Bretón y Vega—, el inconformismo de este poema, por no hablar del de *El diablo mundo*, le pareció tan insólito y tan incongruente, que se prefirió achacar a un lamentable mimetismo formal esta primera manifestación, única entonces en España, del «romántico anhelo del alma ante el mundo y ante su misterio, el anhelo por descifrar el secreto de la realidad»; y se negaron a admitir que el don Juan tradicional hubiese podido convertirse en «el nuevo hombre, el hombre romántico, que se alza frente al misterio de la vida y de la realidad, y se encara con Dios en actitud de rebeldía satánica»[183]. En cuanto a los críticos, en sus reseñas acerca del libro de *Poesías* de 1840, si bien hablaron extensamente de las poesías líricas de Espronceda o de los fragmentos del *Pelayo*, se mostraron en cambio manifiestamente confusos ante *El estudiante de Salamanca*. Del poema, Lista se limita a destacar «dos retratos inimitables: el de Elvira, y el de Montemar», es decir el comienzo del primer retrato de «el hombre desalmado» y el comienzo del «de su antagonista y víctima» en la parte primera; su único comentario se resume en esta frase: «No hemos visto, después de la Eva de Milton, una descripción más bien hecha del primer amor en un corazón inocente[184].» Diego Coello y Quesada (en *El Corresponsal* del 27 de mayo de 1840), tras reproducir la carta de despe-

182. Casalduero, pp. 202-203.
183. P. Salinas, *op. cit.*, pp. 277 y 278. Por el contrario, en la introducción a su ed. cit. del poema, Northup escribe (p. XIV): «It is neither philosophic nor introspective. It teaches no lesson. Its merit is its perfection of form.» («No es ni filosófico ni introspectivo. No enseña ninguna lección. Su mérito es la perfección de la forma.»)
184. *Ensayos literarios y críticos*..., Sevilla, 1844, t. II, pp. 84-85.

dida de Elvira y dedicar cuatro líneas insignificantes al cuadro dramático, invoca la falta de tiempo y de espacio para hablar de la cuarta parte; del resto de su folletín sobresale, en medio de una palabrería inconsistente, su deseo de que los poetas españoles dejen de «continuar por ese camino triste, desconsolador, que no conduce a ninguna parte», así como también este anhelo: «los poetas para llevar su misión noble y sublime deben ponerse a la cabeza de ese espíritu de fe, de creencias, de esperanza que para ventura del mundo aparece hoy en la Europa.» Enrique Gil, cuyo artículo está imbuido de una ferviente admiración por Espronceda que en ningún momento empaña la agudeza y objetividad de su pensamiento, sólo dedica un breve párrafo al Cuento, dejando interrumpido su análisis tras subrayar las cualidades de la tercera parte «que tan bella contraposición ofrece con la vaguedad fantástica y medrosa, y con el trágico remate de la parte última[185]». Unos años más tarde, Ferrer del Río mezclará con desfachatez realidad y ficción. Explicando primero por «lo azaroso y desordenado de su vida» la enfermedad que costó la vida a Espronceda, lo presenta luego en estos términos: «Impetuoso el cantor de Pelayo y sin cauce natural a su inmenso raudal de vida, se desbordó con furia gastando su ardor bizarro en desenfrenados placeres y crapulosos festines: a haber poseído inmensos caudales fuera el *Don Juan Tenorio* del siglo diez y nueve.» Luego identifica resueltamente al poeta con su héroe Montemar, del retrato del cual toma algunas palabras para acabar el de Espronceda: «se hacía querer de cuantos le trataban y a todos sus vicios sabía poner cierto sello de grandeza[186].» A la muerte de Larra, se había achacado a la extravagancia del «genio festivo» sus escritos más corrosivos; poco después de la muerte de Espronceda, Ferrer del Río se complace en enumerar con detalle los supuestos vicios del poeta, a fin de dar una explicación aceptable de su inconformismo. Su inquietud moral, su amargura, el titanismo de Montemar, ¿qué son sino caprichos de niño mimado, calaveradas inconsecuentes?

Los orígenes de semejante actitud se hallan en las arcaicas estructuras mentales en las que se basa la tradición moral española que el "nacional-romanticismo" adopta de la Edad Media y del Siglo de Oro, y que se funda en la represión del sexo y de la inquietud intelectual. Esta forma de estoicismo basado en valores éticos (honor, sumisión al orden divino, superación del individuo en la contemplación, dominio de sí mismo y proselitismo combativo) crea un mito histórico-cultural en el cual queda excluido el dilema entre estética y moral. La muerte es, como para Jorge Manrique, una puerta abierta a la eternidad, o, como para santa Teresa, una liberación esperada con impaciencia («Muero porque no muero»); la vida, una lucha permanente contra las tentaciones, contra los demonios interiores. Así pues, el impulso vital que incita al hombre a satisfacer sus instintos más profundos (deseo sexual y ansia de conocimiento) se sublima en la mortificación y la renunciación. Otra forma de exorcizar estos demonios consiste en dar rienda suelta a la imaginación, dejando —como Goya— que «el sueño de la razón» engendre «monstruos». Ésta responde a una necesidad que, generalmente considerada como inconfesable por "inmoral", encuentra no obstante el medio de expre-

185. *Semanario pintoresco español*, 2.ª serie, II, 19 de julio de 1840, p. 232; BAE, t. LXXIV, p. 496.
186. *Galería de la literatura española*, Madrid, 1846, pp. 242, 243 y 251.

sarse a través de la literatura de cordel, en la que el erotismo ocupa un papel preponderante, en especial a partir de mediados del siglo XIX[187]. El personaje de Montemar, creado por Espronceda a partir del tradicional burlador castigado o arrepentido, encarna en todos sus actos este impulso vital al cual la mentalidad romántica vuelve a dar preeminencia. Desde esta perspectiva, *El estudiante de Salamanca* nos remite a *El día de difuntos* de "Fígaro". El mundo tenebroso al cual se ve arrojado Montemar en su búsqueda del absoluto, es esa misma capital sin alma, ese universo cerrado, poblado de cadáveres vivientes ligados a la tradición muerta de una grandeza pretérita, cuyo virtuoso ejemplo proponen incansablemente, cada cual a su modo, hombres como Mesonero y Zorrilla. Edgar Quinet estaba confundido respecto al sentido de *El estudiante de Salamanca*, en el que sólo veía otra de las consabidas historias de aparecidos. En realidad, Espronceda y Larra habían respondido ya al llamamiento que aquél hacía en 1857 a los poetas españoles:

> Laisserez-vous votre Espagne *descendre la spirale infinie*? ne l'avertirez-vous pas de ce qui l'attend à ce dernier degré de l'aveuglement et du vertige? Pourquoi n'arracheriez-vous pas vous-mêmes le voile du cadavre, avant que l'alliance soit scellée pour jamais? Si la morte était par hasard l'Église, telle qu'on l'a faite, ne devriez-vous pas avoir le courage de le dire franchement et de chercher une autre fiancée à ce peuple chevalier[188]?

Más allá de la anécdota, la parábola de Montemar tiene el mismo significado y llega a la misma conclusión que *El día de difuntos*: España —o Madrid— no es más que un cementerio poblado de fantasmas, en medio del cual un ser libre y que mire al futuro se siente desgarrado por un trágico conflicto entre sí mismo y una sociedad, a la que mediocres guías han incapacitado para integrarse al mundo moderno y al progreso.

187. J. Caro Baroja, *Ensayo sobre la literatura de cordel*, Madrid, 1969, pp. 233-240 y *passim*.

188. («¿Acaso dejaréis que vuestra España *descienda la espiral infinita*? ¿Y no la avisaréis de lo que la espera en este último grado de ceguera y vértigo? ¿Por qué no arrancarle vosotros mismos el velo al cadáver, antes de que la alianza quede sellada para siempre? Si por ventura la muerte fuese la Iglesia, en lo que hoy se ha convertido, ¿acaso no deberíais tener el valor de decirlo claramente y de buscarle otra novia a este pueblo caballeroso?»). E. Quinet, *Mes vacances en Espagne*, 5.ª ed., París, s.f. [1895], pp. 188-189.

CONCLUSIÓN

Llegados al término —provisional— de la trayectoria de Espronceda, somos conscientes de que se nos puede reprochar el haber ensalzado en exceso al poeta. No vamos a ocultar, antes al contrario, que conforme le íbamos siguiendo, más le amábamos. A nuestro entender, su mérito principal es el de haber puesto siempre sus actos y sus escritos al servicio de las convicciones de su espíritu recto y generoso, de haber proclamado sin desfallecer su desprecio por los compromisos, su amor por la libertad y la justicia, así como su simpatía por las víctimas del orden político y social. Lo hemos comparado en varias ocasiones a Larra; más impetuoso que "Fígaro", no siempre se tomó tiempo para exponer sus ideas con tanta precisión como hubiese sido deseable; solía expresarse a menudo a través de la acción, y a veces los testimonios de dicha acción son poco numerosos. Pese a estas diferencias de temperamento, tenemos el convencimiento de que Larra y Espronceda fueron, no sólo los más capacitados, sino también los más perspicaces y los más sinceros escritores de su generación. Resulta significativo que el primer libro dedicado a Espronceda fuese escrito por el republicano Rodríguez-Solís en 1883, y que hace pocos años Juan Goytisolo, el más inconformista de los novelistas y ensayistas españoles contemporáneos, reconociera en "Fígaro" a uno de sus guías intelectuales.

A la pregunta que nos formulábamos al comienzo de este libro —¿qué es el romanticismo español?—, hemos intentado responder presentando los sucesivos contenidos otorgados a dicho término y las definiciones que le han atribuido los teóricos, los críticos, los artistas y el público. Estas definiciones a menudo son contradictorias. Nos hemos esforzado en explicar las razones de ello desvelando las implicaciones morales, políticas o sociales de cada grupo. El romanticismo tradicional tiene como substrato una ideología concreta: la de los conservadores que ven en la defensa e ilustración de "valores tradicionales" una garantía del orden, un baluarte contra lo que ellos denominan "anarquía" y que en realidad no es sino el rechazo de las trabas al libre desarrollo del hombre en la sociedad del siglo XIX. Lista se adhiere paulatinamente a la concepción presentada por Durán —que coincide en lo esencial con la que, de vuelta de su exilio, traen a Madrid en 1833-1834 Rivas, Alcalá Galiano y Martínez de la Rosa—, y con los puntos de vista defendidos unos años antes en los artículos de Böhl de Faber y de *El Europeo*, que hasta entonces no habían tenido eco en la capital. El romanticismo tradicional, al cual *El Artista* añade en 1835-1836 la nota trovadoresca y algunos ingredientes tenebrosos o frenéticos, no es más que un epifenómeno; en efecto, nos remite a Schlegel, a Madame de Staël y a Chateaubriand en el momento en que las distintas teorías de emancipación social y política impregnan las obras de los románticos franceses, de quienes en España unos imitan ciertos recursos formales, mientras que otros condenan su contenido en nombre de un tradicionalismo obsoleto. El "nacional-romanticismo" español es un arcaísmo porque quiere detener el movimiento de la historia. A partir de 1835, Espronceda abandona este camino sin salida para adentrarse en el del romanticismo social por el que Larra ha guiado ya el costumbrismo. Más adelante, el "nacional-romanticismo" se identifica cada vez más con la moralidad bienpensante; abraza la causa de los moderados, propagando por boca de Bretón, Mesonero y Zorrilla el elogio de las virtudes del pequeño burgués y cantando las excelencias de «lo español» y de «lo cristiano». Es esta una época gris, en la que vemos a ministros sin talla en lo alto del escenario, mientras algunos políticos y algunos generales intrigan entre bastidores y las ideas democráticas se abren paso en los clubs de la oposición.

Dentro de esta mediocridad general, y sin la presencia de Larra para fustigarla, sólo queda un escritor para rechazar el fruto envilecido, adormecedor y moralizador del romanticismo tradicional que ofrecen incansablemente el *Semanario pintoresco* y las cantinelas de Zorrilla; sólo queda un verdadero poeta, tal vez el único de su generación, Espronceda. Desdeñando los tabúes impuestos con el engañoso nombre de "valores eternos", hace escarnio de ellos y, en *El estudiante de Salamanca*, revela por vez primera en España los dos aspectos esenciales de la mentalidad romántica: el ansia de conocimiento y la libertad de espíritu.

Los últimos años de la vida de Espronceda (1839-1842) se caracterizan por el triunfo provisional de un relativo progresismo encarnado por Espartero y sus seguidores, y combatido no sólo por los moderados, sino también por una oposición republicana de la que el poeta será, a partir de 1840, uno de los líderes. En el ámbito literario, coexistirán durante un tiempo el romanticismo histórico-nacional, representado por Zorrilla y Rivas, y el romanticismo social, que tiene en *El diablo mundo* una de sus obras maestras, por desgracia inconclusa. La muerte de Espronceda dejará, en las letras y el movimiento ideológico en España, un gran vacío que nadie posteriormente vendrá a llenar; habrá de transcurrir mucho tiempo antes de que algún escritor sea capaz de responder a las preguntas que él planteaba, o de formularlas de otro modo.

Para comprender mejor las razones de esta evidencia, sería conveniente profundizar en el examen de las relaciones entre los escritos de Larra y de Espronceda por una parte, y los de Heine, Saint-Simon y los primeros teóricos socialistas, por otra, estudiando las publicaciones periódicas que dieron a conocer el pensamiento de estos últimos en distintos puntos de España. La determinación del impacto que pudieron tener, según datos sociales, las distintas concepciones del romanticismo en los círculos de Barcelona, Cádiz, Sevilla y Valencia, permitiría interesantes comparaciones con el que tuvieron en Madrid en el transcurso de la época examinada en las páginas anteriores. Las monografías sobre escritores o periodistas contemporáneos de Espronceda y sobre periódicos y revistas ignorados hasta la fecha supondrían una útil contribución para el conocimiento del movimiento de las ideas en España durante la época que acabamos de estudiar.

Este viaje en compañía de Espronceda nos ha introducido en campos a menudo poco o nada explorados; nos aventuramos en ellos sin temor ya que había que desbrozar el terreno, pero con prudencia, al no tener una formación de historiador ni estar versado en el estudio de los temas de economía política. Esperamos que los documentos que hemos utilizado y dado a conocer sean usados de una forma más sistemática y fructífera por especialistas en estas cuestiones que, sin lugar a dudas, sabrán sacar de ellos conclusiones más precisas que las nuestras, ya sea en lo referente a los intentos de restablecimiento del régimen constitucional en 1830 y a sus repercusiones en la política europea, como al ministerio Mendizábal y sus consecuencias sobre el régimen español, o bien al estudiar el papel ejercido por los grupos de presión y algunos oficiales superiores en los asuntos públicos de este país de 1833 a 1838.

En un ámbito que nos resulta más familiar, hemos deseado ante todo poner de relieve la importancia de las complejas relaciones entre literatura y sociedad durante la época estudiada. El punto de vista adoptado nos ha llevado a revisar en muchos casos los juicios de la historia literaria tradicional, basada en análisis inmanentes o comprobaciones someras que dieron lugar a la instauración de una jerarquía de valores artificial y a la sobrestimación excesiva de determinados fenómenos. Esta aproximación sociológica a los hechos literarios nos ha convencido de la necesidad de ampliarla y prolongarla partiendo de datos proporcionados por fuentes documentales apenas utilizadas hasta la fecha, o bien empleadas de manera fragmentaria; este es el objetivo de nuestras investigaciones sobre el siglo XIX español, de las que este libro es sólo un primer resultado.

BIBLIOGRAFÍA

No pretendemos presentar aquí una bibliografía completa sobre Espronceda, sino tan sólo el inventario de las obras impresas y los documentos utilizados en este libro y para el período que cubre. Algunos libros y artículos no aparecen en esta lista, ya sea por los motivos indicados en el prólogo, ya porque únicamente han sido objeto de una breve mención: se pueden encontrar las citas de estas obras recurriendo al índice onomástico. La descripción de los manuscritos de poesías de Espronceda, de las publicaciones de poemas sueltos y de las principales ediciones puede consultarse en nuestra edición de París, 1969, pp. 19-79; la lista de los escasos manuscritos conocidos con fragmentos de *El estudiante de Salamanca* y *El diablo mundo* aparecerá en nuestra edición, actualmente [1972] en prensa, de ambos poemas. En la primera parte de esta bibliografía sólo figuran las referencias de los legajos, carpetas o registros que contienen documentos citados o utilizados en nuestro estudio, dejando a un lado las de los innumerables papeles que hemos tenido que manejar para localizar los que nos interesaban en los diversos archivos públicos o privados que los conservan.

I. MANUSCRITOS Y DOCUMENTOS

1. ARCHIVOS ESPAÑOLES

Archivo municipal de Cuéllar (Segovia)

Libro de acuerdos del ayuntamiento, 1833.

Archivo municipal de Granada

Leg. 57, letra M, moderno n.º 687 (expediente sobre las elecciones de septiembre de 1837).

Archivo del Ateneo de Madrid

Libro 1.º de actas del Ateneo, 1835 [y ss.].

Poesías y memorias leídas en la sección de literatura y bellas artes del Ateneo de Madrid, 1837[-1841].

Archivo de Clases pasivas, Madrid

Pensiones: leg. E 1178 (expediente de Blanca de Espronceda y Escosura); leg. M 259 (expediente de Carlota Madrazo de Ochoa); leg. M 349 (expediente de Amparo Arroyal de Mancha).

Archivo General de Palacio, Madrid

Papeles reservados de Fernando VII: t. 10 (lista de funcionarios y empleados de José I); t. 67 (listas de francmasones y de miembros de sociedades secretas durante el trienio liberal).

Sección histórica: cajas 294 a 297 (informes y documentos de policía; cartas interceptadas; documentos sobre las sociedades secretas, 1833-1839); cajas 301 a 303 (informes secretos de Regato y de los superintendentes de policía; documentos sobre los emigrados en 1830 y sobre las sociedades de Jovellanos y de La Federación, 1830-1839).

Archivo Histórico Nacional, Madrid

Sección de Consejos

Libro 1175 (Sala de alcaldes de Madrid, 1825-1830).

Leg. 3856 (Sala de gobierno, 1830; prohibición del periódico *El Precursor*).

Leg. 5572 (Impresiones, 1833; expedientes relativos a la colección de novelas históricas publicada por el editor Delgado en 1833-1835; permiso de impresión para una nueva edición de las *Guerras civiles de Granada*, 1833).

Leg. 9368 (Causas modernas; relaciones de causas; proceso de la Sociedad Numantina, 1825).

Leg. 10288 (Imprenta y agregados; autorización para importar 150 ejemplares de *El moro expósito* concedida a Rivas, 1834).

Leg. 11343 (Imprenta y agregados; prohibición del periódico *El Precursor*, 1830).

Leg. 11344 (Imprenta y agregados; expedientes relativos a los periódicos *La Estrella* [1833]; *El Siglo* [1833-1834]; *Gaceta de los tribunales* [1834]; los proyectos de las revistas *Vergel romántico* [V. Vega, 1833] y *Almacén madrileño* [T. Jordán, 1833-1834]; la colección de novelas históricas del editor Delgado [1833]).

Leg. 11347 (Imprenta y agregados; supresión del periódico *El Siglo*, 1834).

Leg. 11391 (Diversiones públicas; expediente relativo a la petición de J. B. Alonso para ejercer las funciones de censor de los teatros, enero de 1831).

Leg. 12202 (Causas de emigrados; conspiraciones, 1831-1832).

Leg. 12209 (Causas modernas; proceso de la Sociedad Numantina, 1825).

Leg. 12223 (Causas de emigrados; conspiraciones, 1827-1831).

Leg. 12287 (Índice de correspondencia oficial Extremadura-Madrid, 1827).

Legs. 12347 y 12348 (Policía; varios, 1824-1831).

Leg. 13180 (Enseñanza, 1823-1824; documento sobre Miguel Ortiz).

Legs. 13336 (Relaciones de méritos; n.º 171: J. A. Delgado); 13356 (*id.*, n.º 167: F. Pérez de Anaya); 13370 (*id.*, n.º 83: L. M. Pastor); 13373 (*id.*, n.º 67: M. Ortiz); 13374 (*id.*, n.ºs 7 y 36: N. Bonel y Orbe); 13378 (*id.*, n.º 62: S. López-Pelegrín).

Leg. 23160 (Varios; n.º 5: proceso Juan de Espronceda - viuda Barrans, 1815-1820).
Leg. 52479 (Tribunales de Madrid y Valladolid, 1823-1833).

Sección de Diversos. Autógrafos.
Leg. 6 [*sic* por 4], n.º 280 (Colección Sanjurjo): estrofas de Lista para el *Pelayo*.

Sección de Estado.
Leg. 880, n.º 26 (J. A. Delgado).
Leg. 2491 (H. de Orbe).
Legs. 4525-4530 (Legación en Portugal, 1825-1827).
Leg. 5234 (Legación en París, 1829).
Legs. 5389-5390 (Legación en Lisboa, 1826-1827).
Legs. 5480-5485 (Legación en Londres, 1829-1832).
Leg. 6156 (Consulado en Bayona, 1830).
Leg. 6161[2] (Consulado en Burdeos, 1829).
Leg. 6197[1] (Legación en Lisboa, 1829).

Sección de Hacienda
(Hemos consultado los documentos que siguen en los archivos del Ministerio de Hacienda, en la calle de Alcalá; más tarde fueron transferidos al Archivo Histórico Nacional, en la sección que se indica más arriba).
Leg. 1556, n.º 94 (expediente de J. A. Delgado).
Leg. 2053, n.º 162 (expediente relativo a E. Mancha).
Leg. 3313, n.º 201 (expediente de B. Núñez de Arenas).

Sección de Órdenes militares: orden de Carlos III
Expedientillos, leg. 53, n.º 5372 (J. de Orbe).
Libro 114 (I. de Orbe).
Libro 2059 (L. de Orellana).
Libro 2331 (N. Bonel y Orbe).
Libro 2402 (N. Bonel y Guzmán).
Libro 2466 (M. Ortiz).
Libro 2503 (J. M. Bonel y Orbe).
Libro 2371 (V. de la Vega).
Libro 2491 (H. de Orbe).

Archivo del Ministerio de Asuntos exteriores, Madrid
Leg. 28, n.º 1140 (expediente de A. Bernabeu).

Archivo de la Presidencia del Gobierno, Madrid
Libros 8/3075 y 8/3076 (Actas del Consejo de Ministros, 1834 y 1835).

Archivo Histórico de Protocolos, Madrid
Libro 9657 (G. A. Rubio, 1818-1822).
Libro 23305 (J. Gaona y Loeches, 1833).

Libro 23337 (A. de Pineda, 1816-1818).
Libro 23699 (F. del Corral; Bienes Nacionales, 1821-1823 y 1838-1839).
Libro 23805 (A. Villa, 1816).
Libros 23822 y 23823 (A. Villa, 1833 y 1834).
Libro 24644 (I. Ortega Salomón, 1831-1838).
Libros 24921 y 24922 (Escribanía de Guerra, 1829-1833 y 1834-1836).

Archivo del Provicariato General Castrense, Madrid
Libro de bautismos n.º 1242 (nacimiento de José de Espronceda).
Libro de defunciones n.º 1114 (fallecimiento de Juan de Espronceda).

Archivo de la Real Academia de la Historia, Madrid

Colección Cavanilles, 11-1-2, 7982/22 (manuscrito de *Roger de Flor*, regalado por Lista a J. A. Cavanilles).

Colección Istúriz-Bauer, 9-30-3, 6279 (documentos políticos, 1835-1836).

Papeles de la Regencia de María Cristina, 9-31-6, 6939 a 6941 y 6945 (informes de policía, documentos políticos diversos, 1835-1839).

Papeles de Pirala, 9-31-3, 6798 y 6801 (estatutos de La Isabelina y actividades de esta sociedad secreta; documentos sobre la Sociedad de Jovellanos, 1834-1839).

Archivo de la Real Sociedad de Amigos del País, Madrid
Leg. 304, n.º 4 (lista de los miembros admitidos desde 1833).

Archivo de la Villa, Madrid

Corregimiento
Leg. 1-26-64 (incidente del 17 de julio de 1834: Balbino Cortés; primer prospecto de *El Artista*, 1834).
Leg. 1-78-11 (Apuntes de las comedias y piezas dramáticas que pasan a las Censuras desde que tomó los teatros el E^xmo^ Ayuntamiento de esta M.H. Villa. Años de 1831 = 1832 = 1833 [cuaderno]).
Leg. 1-78-25 (expediente de la comedia *Ni el tío ni el sobrino*, 1833).
Leg. 1-87-47 (documentos relativos al drama de Larra *Macías*, 1833-1834).
Leg. 1-91-50 (Cárcel de corte, agosto de 1834; listas diarias).
Leg. 1-188-7 (Cárcel de corte, octubre de 1834; listas diarias).

Secretaría
Leg. 4-310-3 (venta de la casa de la calle Espoz y Mina por la hija de Espronceda a la Villa de Madrid, 1860; contiene documentos del registro civil sobre la familia Espronceda, así como copia de los testamentos de Juan de Espronceda, de María del Carmen Delgado y del poeta).

Milicia Nacional

Leg. 1-5-2 (Estado de fuerzas y armamento del 1.er Batallón de Línea, 30 de agosto de 1834).

Leg. 2-2-18 (Números, nombres, apellidos, talla de los Milicianos urbanos aprobados, 1834 [registro]).

Leg. 2-84-4 (Comisión de disciplina del 1.er Batallón, 1834).

Leg. 2-84-5 (Libro de alistamiento 8 de marzo - 29 de abril de 1834, n.º 1).

Leg. 2-121-1 (Libro de entrada y acuerdos de los Batallones 1.º, 2.º, 3.º y 4.º Caballería y Artillería de la Milicia Nacional, 1837).

Leg. 2-121-4 (Registro general de los que se [h]allan aprobados para Urbanos, 1, 1834).

Leg. 3-455-3 (Actas de la comisión municipal de alistamiento de Madrid, 1834).

Quintas

Leg. 1-36-3 (padrón de la población de Madrid, finales de 1835).

Leg. 1-89-2 (*id.*, 1836).

Leg. 1-110-2 (*id.*, septiembre de 1836).

Legs. 1-147-2 y 1-147-3 (*id.*, 1838).

Legs. 1-161-2 y 1-161-3 (*id.*, febrero de 1839).

Biblioteca Municipal, Madrid

Leg. 3.º de la N = al n.º 46, 1-134-1 (dos manuscritos no autógrafos de la comedia *Ni el tío ni el sobrino*; 3 cuadernos de 31, 37 y 39 pp., y otros 3 de 30, 35 y 39 pp, con indicaciones de supresiones y de dirección).

Biblioteca Nacional, Madrid

Sección de Manuscritos

12938[92] (recibo autógrafo de J. de Espronceda a José Amorós, 15 de febrero de 1830).

12971[15] (contrato entre J. de Espronceda y el editor M. Delgado para publicar la novela *Sancho Saldaña o el Castellano de Cuéllar*, 5 de febrero de 1834; recibo de 600 reales entregado por Espronceda a Delgado por los derechos de *El ministerio Mendizábal*, 8 de junio de 1836).

12971[96] (copia de la partida de bautismo de Espronceda).

18633[29] (manuscritos de Espronceda legados por Balbino Cortés, entre los cuales se encuentran *Parecer sobre el poema de Torcuato Tasso* [autógrafo] y poesías copiadas en la *Poética* de Martínez de la Rosa [en parte autógrafas]; carta de Espronceda a Balbino Cortés, septiembre de 1834. Véase la descripción de los demás manuscritos incluidos en la misma signatura en nuestra edición de París, 1969).

18633[31] (o Autógrafos, n.º 150; certificado entregado a Espronceda por A. Lista el 24 de febrero de 1826, relativo a sus estudios en el Colegio de San Mateo).

Archivo parroquial de Mirandilla (Mérida)

Registros de bautismos, matrimonios y defunciones, 1747-1843

Archivo Provincial, Pamplona
Legs. 2988 y 2997 (proceso Francisco Martínez de Espronceda, 1715 y 1728).

Biblioteca Menéndez y Pelayo, Santander
Leg. M 542 (Papeles de afrancesados; oda colectiva de la Academia del Mirto a Lista, 1824).

Archivo General Militar, Segovia

Pensiones
Leg. n.º 265, 108 (Pensiones de 1833; expediente de María del Carmen Delgado, viuda del brigadier Juan de Espronceda).

Personal
Expedientes personales de: Ignacio Álvarez (primer esposo de María del Carmen Delgado); Diego de Alvear y Ward; Patricio de la Escosura (expediente que contiene también los documentos relativos a otros miembros de su familia del mismo apellido); Espronceda (expediente que contiene documentos relativos al poeta, a su padre y a su abuelo); Antonio Hernáiz; Epifanio Mancha; Miguel Ortiz Amor; Antonio Ros de Olano.

Archivo General de Simancas (Valladolid)

Embajada de Inglaterra
Legs. E 8197 (1829); E 8203 (1831); E 8231 (1829); E 8234 (1829-1830); E 8235 (1830); E 8237 (1831); E 8241 y E 8242 (1832); E 8324 (1829).

Guerra Moderna
Leg. 2466 (documentos relativos a Diego y Juan de Espronceda y a Juan de Lara); leg. 2472 (documentos relativos a Diego de Espronceda); leg. 2478 (documentos relativos a Diego de Espronceda); leg. 2682 (documentos relativos a Ignacio de Orbe).

Archivo notarial del Distrito de Tafalla (Navarra)
Libro n.º 238 (Escrituras de Mateo Burgos; información de limpieza de sangre de Juan de Espronceda, 1769).

Servicio Histórico Militar, Madrid
Leg. n.º 4, letra E (expediente relativo a J. de Espronceda y al registro efectuado en casa de su padre, abril-junio de 1829).

2. Archivos extranjeros

Bélgica

Archives de la Ville de Bruxelles

Registre d'inscription des étrangers logeant dans les hôtels, auberges, du 28 décembre 1828 au 2 juin 1829.

Francia

Archives Départementales du Gers (Auch)

M 1 607 (Réfugiés espagnols, 1823; Andrés Borrego).

Archives Départementales de la Gironde (Burdeos)

M, registre 587 bis (Registre des secours accordés aux étrangers dans ce département [1831]).

Archives Départementales des Pyrénées-Orientales (Perpiñán)

M 1856 (documentos sobre A. Baiges).

M 1866 (documentos sobre A. Hernáiz).

T 157, n.º 93 (prospecto de las obras de W. Scott en traducción española publicada por J. Alzine); n.os 90 y 98 (inventarios de los libros enviados a Barcelona por la librería Lasserre de Perpiñán e incautados por la aduana española, 12 de diciembre de 1823).

Archives de Foulché-Delbosc, Institut d'Études Hispaniques, París

Copia de la partida de defunción de Teresa Mancha (Madrid, 18 de septiembre de 1839).

Archives du Ministère des Affaires Étrangères, París

Correspondance politique, Angleterre, vol. 631 bis (1830).

Correspondance politique, Espagne, vol. 753 (mayo-diciembre de 1830).

Correspondance politique des consuls, Espagne, vol. 1 (1830).

Mémoires et Documents, Espagne, vols. 310 (1830-1836), 312 (1834-1835) y 315 (1830).

Archives du Ministère des Armées, Vincennes

E^4 51 (documentos sobre A. Borrego; mémoires sur l'Espagne, 1830-1841).

E^5 cartons 1 a 6 (Correspondance générale des États-Majors des régions de la frontière, agosto de 1830-enero de 1831).

X^1 41 (Prisonniers espagnols, Premier Empire; documentos sobre A. Aguado).

Expediente personal de A. Aguado.

Réfugiés espagnols 1823, expedientes 63 (A. Borrego), 65 (B. Galdós) y 67 (Rotalde).

Archives Nationales, París

Serie F[7] (Police Générale)
3883, Bulletins de Paris 1829.
3886, *Id.*, 1832 a junio de 1833.
11985, 40 e (Liste d'Espagnols réfugiés répartis dans les divers dépôts, 1830-1831).
12001, 33 e (Torrijos, Francisco Valdés).
12015, 1546 e (A. Bernabeu).
12019 (F. Leguía).
12040, 1193 e (L. Usoz), 1207 e (E. de Ochoa, S. Miñano).
12041, 1220 e (J. García de Villalta).
12046, 1412 e (P. de la Escosura).
12051, 1669 e (N. S. de Rotalde).
12054, 1817 e (G. de Bayo).
12059, 2082 e (J. García de Villalta).
12060 (J. Amorós).
12070, 2657 er (J. de Espronceda, A. Hernáiz).
12076, 26 er (B. Cortés).
12077, 60 er (J. Gil Orduña, J. García de Villalta, J. de Espronceda); 70 er (N. S. de Rotalde).
12078, 118 er (A. Hernáiz).
12087, 580 er (J. García de Villalta); 589 er (J. de Espronceda, B. Cortés, A. Bernabeu).
12097, 1279 er (E. Mancha; A. Oro).
12101 (el banquero Calvo).
12102 (Renvoi des réfugiés de Paris, octubre de 1831; gens de Juillet mécontents).
12103 (Renvoi des réfugiés de Paris; officiers capitulés de 1823: 1750 er, A. Bernabeu).
12104, 1885 er (J. de Espronceda, A. Bernabeu).
12105, 1949 er (J. de Espronceda).
12106, 566 e (A. Aguado).
12107, 2202 er (États des réfugiés se trouvant dans les divers dépôts, 1831: A. Hernáiz).
12109 (*Id.*).
12111 (*Id.*).
12126[A] (États des voyageurs arrivés à Paris, 1830-1832).
12180[A] (Bulletins de Paris, julio-diciembre de 1832: E. Mancha).
12204 (B. Cortés).

Serie Fd[III] *50 (Décorés de Juillet).*
Expediente personal de B. Cortés

Archivos de Manuel Núñez de Arenas, Burdeos

Diversos documentos de estado civil relativos a los ascendientes de J. de Espronceda; documentos militares de Juan de Espronceda; información de limpieza de sangre de María del Carmen Delgado (1801); copia de la partida de nacimiento del poeta (1826), en la que la fecha de 1808 se ha enmendado en 1812; partes trimestrales y recibos del alumno José de Espronceda en el Colegio de San Mateo (1.º de septiembre de 1821-diciembre de 1823); solicitud de ingreso en los Guardias marinas de J. de Espronceda (31 de enero de 1826) y respuesta negativa de la Dirección General de la Armada (27 de octubre de 1826); recibos de cantidades entregadas a J. de Espronceda por sus padres en 1828 y 1832; relación de las cantidades entregadas al poeta durante su estancia en Londres, de julio de 1828 a septiembre de 1829; carta del subdelegado de policía de Ainsá al subdelegado general de policía de Aragón relativa a Hernáiz y a J. de Espronceda (14 de abril de 1829); carta de J. de Espronceda a su madre, Londres, 19 de junio de 1832; borrador de la solicitud de pensión militar para la viuda de Juan de Espronceda, autógrafo del poeta [principios de 1833]; factura de sastre a nombre del poeta, abril de 1835; carta s.f. [agosto de 1835] de Espronceda a B. Núñez de Arenas; carta de la marquesa de Villagarcía al poeta, mayo [de 1840]; carta de J. de Salamanca al conde de Las Navas, albacea testamentario del poeta (19 de noviembre de 1846).

Inglaterra

Public Record Office, Londres.

Home Office, 5.
Indexes to Certificates 8916 (1826-1829); 8917 (1829-1832); 8918 (1832-1835) (registros de los viajeros desembarcados en los puertos ingleses).

Treasury.
T 50/76 (Spanish Refugees Pay-lists, julio de 1826-septiembre de 1829).

Países Bajos

Algemeen Rijksarchief, La Haya.
Registro de pasaportes n.º 79 (1829).
Buitenlandse Zaken, n.ºs 6 y 18, inv. 510 (correspondencia del embajador de los Países Bajos en Londres, 1827 y 1828, sobre A. Hernáiz y J. de Espronceda); n.º 3, inv. 555 (*Id.*, 1829).

Portugal

Arquivo Nacional da Torre do Tombo, Lisboa.
Avisos e portarias, maços 53 (1826), 56 y 57 (1827)
Relação dos maços da correspondencia dos ministros dos bairros da capital dirigidos ao Intendente geral de Policia da Corte e Reino, Bairro de Belem, maço 34 (1826-1827).

Uruguay

Biblioteca Nacional, Montevideo.

Colección Lerena, Escritos de varios, t. XXI (dos cartas de E. de Ochoa a C. Juanicó, una sin fecha, la otra del 1.º de octubre de 1833).

Carta sin fecha [enero de 1833] de Espronceda a C. Juanicó (conservada en el Museo de la Biblioteca Nacional).

II. FUENTES IMPRESAS

1. Publicaciones periódicas

Salvo si se indica lo contrario, los periódicos de título castellano son de Madrid, y los de título francés de París.

L'Artiste, 1.º de febrero de 1831 a diciembre de 1836.
La Abeja, 10 de junio de 1834 a 31 de mayo de 1836 (pasa a llamarse *La Ley*).
El Alba, 2 de diciembre de 1838 a 27 de enero de 1839.
El Artista, 4 de enero de 1835 a 4 de abril de 1836.
El Ateneo, 5 de enero de 1834 a 15 de mayo de 1834.
La Aurora de España, 21 de noviembre de 1833 a 28 de diciembre de 1833.
Boletín de Comercio, 16 de noviembre de 1832 a 30 de marzo de 1834.
Cartas Españolas, 26 de marzo de 1831 a 1.º de noviembre de 1832 (pasa a llamarse *Revista Española)*.
El Castellano, 1.º de agosto de 1836 a 30 de junio de 1842.
El Censor, periódico político y literario, 5 de agosto de 1820 a 13 de julio de 1822.
El Cínife, periódico universal, 6 de febrero de 1834 a 1.º de marzo de 1834.
Le Constitutionnel, años 1830 y 1831.
Correo de las Damas, periódico de modas, bellas artes, amena literatura, música, teatros, etc., 3 de junio de 1833 a 30 de mayo de 1834 y 7 de enero de 1835 a 31 de diciembre de 1835.
Correo literario y mercantil, 14 de julio de 1828 a 31 de diciembre de 1833.
El Correo nacional, 16 de febrero de 1838 a 15 de junio de 1842.
Le Courrier français, año 1831.
El Dardo (París), abril a julio de 1831.
Diario de Avisos, años 1833 a 1842 (pasa a llamarse *Diario de Madrid* a partir del 20 de febrero de 1836).
Diario de la Administración, 1.º de enero de 1834 a 17 de agosto de 1834.
Diario del Comercio, 15 de mayo de 1834 a 30 de junio de 1834 (pasa a llamarse *Mensajero de las Cortes*).
Eco de la justicia, 8 de junio de 1834 a 27 de junio de 1834.
Eco de la Opinión, 2 de mayo de 1834 a 18 de mayo de 1834.
Eco de la Razón y de la Justicia, 1 de junio de 1837 a 30 de julio de 1837.
El Eco del Comercio, 1.º de marzo de 1834 a 31 de diciembre de 1838.
El Emigrado observador, periódico mensual, por una sociedad de españoles refu-

giados en Inglaterra y Francia (Londres), julio de 1828 a junio de 1829 (pasa a llamarse *Semanario de Agricultura y Artes*).
La España, 1.º de julio de 1837 a 28 de febrero de 1839.
El Español, 1.º de noviembre de 1835 a 31 de diciembre de 1837.
La Estrella, periódico de política, literatura e industria, 22 de octubre de 1833 a 26 de febrero de 1834.
El Estudiante, satírico y festivo, político y literario, 4 de abril de 1839 a 30 de septiembre de 1839.
El Europeo (Barcelona), 1823-1824.
Gaceta de Bayona (Bayona), 1828-1830.
Gaceta de los Tribunales y Redactor universal, 1.º de mayo de 1834 a 18 de junio de 1834.
Gaceta de Madrid, años 1830 a 1842.
Le Globe, julio-diciembre de 1830.
El Guardia nacional (Barcelona), 15 de octubre de 1835 a 27 de febrero de 1838.
El Guirigay, 1.º de enero de 1839 a 7 de julio de 1839.
El Imparcial, 1821-1822 (continuación de la *Miscelánea de comercio, política y literatura*).
El Jorobado, 1.º de marzo de 1836 a 16 de agosto de 1836 (pasa a llamarse *El Duende*).
Le Journal des Débats, julio a diciembre de 1830.
La Ley, 1.º de junio de 1836 a 18 de agosto de 1836 (continuación de *La Abeja*).
El liberal (sólo hemos visto los n.os 87 [17 de septiembre de 1836] a 131 [31 de octubre de 1836], únicos que se conservan en la BNM).
Liceo artístico y literario español, enero-abril de 1838.
El Matamoscas, «Saldrá cuando le dé la purísima gana», 21 de agosto de 1836 a 10 de octubre de 1837.
La Miscelánea de Comercio, Política y Literatura, 1.º de noviembre de 1819 a 24 de septiembre de 1821.
Le Moniteur universel, años 1830 a 1831.
El Mundo, 1.º de junio de 1836 a 2 de octubre de 1839 (continuación de *El Barómetro*, que a su vez era la continuación de *El Duende liberal*).
Las Musas, 15 de julio de 1837 a 28 de octubre de 1837.
Museo artístico literario, 1.º de junio de 1837 a 27 de julio de 1837.
El Nacional, 4 de mayo de 1834 a 18 de mayo de 1834 (el n.º 1 no aparece en la colección de la BNM).
El Nacional, diciembre de 1835 [?] a 26 de agosto de 1836.
Le National, años 1830 y 1831.
No me olvides, 7 de mayo de 1837 a 5 de febrero de 1838.
Nosotros, 1.º de febrero de 1838 a 29 de diciembre de 1838.
El Observador, 15 de julio de 1834 a 30 de abril de 1835.
El Observatorio pintoresco, 30 de febrero de 1837 a 30 de octubre de 1837.
El Panorama, 29 de marzo de 1838 a 13 de septiembre de 1841.
El Patriota, 1.º de noviembre de 1836 a 24 de marzo de 1838.
El Piloto, 1.º de marzo de 1839 a 13 de marzo de 1840.
El Porvenir, 1.º de mayo de 1837 a 6 de septiembre de 1837 (se funde con *La España*).

El Precursor (París), 17 de octubre de 1830 a 5 de diciembre de 1830 (n.os 6 a 20, únicos que se conservan en la BNP).
El Progreso, 16 de marzo de 1838 a 12 de enero de 1839 (los únicos números conservados en la BNM).
La Revista española, después *La Revista mensajero*, 7 de noviembre de 1832 a 26 de agosto de 1836 (continuación de *Cartas españolas*, se llamará *Revista nacional* del 27 de agosto de 1836 al 17 de abril de 1837).
Revista europea, enero de 1837 a diciembre de 1837 (pasa a llamarse *La Revista peninsular*).
Revista de Madrid, años 1838 a 1845.
La Revista peninsular, 15 de enero de 1838 a mayo de 1838 (continuación de la *Revista europea*).
Revue des Deux Mondes, años 1829 a 1838.
Revue de Paris, años 1834 a 1838.
Semanario pintoresco español, 3 de abril de 1836 a diciembre de 1839.
El Sepulturero de los periódicos, enero-marzo de 1834.
El Siglo, 21 de enero de 1834 a 7 de marzo de 1834.
Siglo XIX, 1.º de enero de 1837 a 22 de marzo de 1838.
El Tiempo, 2 de diciembre de 1833 a 19 de mayo de 1834.
El Universal, 1.º de abril de 1834 a 9 de junio de 1834 (pasa a llamarse *La Abeja*).
El Universal, Observador español, años 1820 a 1823.
El Vapor (Barcelona), 22 de marzo de 1833 a diciembre de 1838.

2. Libros y artículos

Adams, Nicholson B. "Notes on Espronceda's *Sancho Saldaña*". *Hispanic Review*, V (4), octubre de 1937, pp. 304-308.
Alcalá Galiano, Antonio. *Literatura española siglo XIX*, trad., introd. y notas de V. Llorens. Madrid: Alianza Editorial, 1969.
— *Obras escogidas* de D... Pról. y ed. de D. Jorge Campos. Madrid: Atlas, 1955, 2 vols. (BAE, t. LXXXIII-LXXXIV).
Alonso, Juan Bautista. *Poesías*. Madrid: Imp. de Tomás Jordán, 1834.
Alonso Cortés, Narciso. *Espronceda. Ilustraciones biográficas y críticas (en su centenario)*, 2.ª ed. Valladolid: Librería Santarén, 1945.
— *Zorrilla, su vida y sus obras*, 2.ª ed. Valladolid: Librería Santarén, 1945.
Andioc, René. *Sur la querelle du théâtre au temps de Leandro Fernández de Moratín*. Tarbes: Imprimerie Saint-Joseph, 1970.
Aubrun, Charles-V. Reseña de N. B. Adams, *Notes on Dramatic Criticism in Madrid 1828-1833*. *BH*, XLIX, 1947, pp. 473-476.
Aynard, J. "Comment définir le romantisme?". *Revue de littérature comparée*, V, 1925, pp. 641-658.
Boussagol, Gabriel. *Ángel de Saavedra, duc de Rivas. Sa vie, son œuvre poétique*. Toulouse: E Privat, 1926.
—"Ángel de Saavedra, duc de Rivas. Essai de bibliografhie critique". *BH*, XXIX, 1927, pp. 5-98.

Brereton, Geoffrey. *Quelques précisions sur les sources d'Espronceda*. París: Jouve et Cie, 1933.
Brown, Reginald F. "Three Madrid Periodicals: *La Abeja, Eco del comercio, El Español*", in: *Liverpool Studies in Spanish Literature. First Series: From Cadalso to Rubén Darío*. Edited by E. Allison Peers. Liverpool: Institute of Hispanic Studies, 1940, pp. 44-79.
Buchanan, Milton A. "Bibliographical Notes". *Hispanic Review*, IV, 1936, pp. 283-287.
Burgos, Carmen de, "Colombine". *"Fígaro" (Revelaciones, "ella" descubierta, epistolario inédito)*. Epílogo por Ramón Gómez de la Serna. Madrid: Imprenta de "Alrededor del Mundo", 1919.
Burgos, Javier de. *Anales del reinado de D.ª Isabel II. Obra póstuma de...* Madrid: Establecimiento tipográfico de Mellado, 1850-1851, 6 vols.
[Caballero, Fermín]. *El Gobierno y las cortes del Estatuto. Materiales para su historia*. Madrid: Imprenta de Yenes, 1837.
Cabañas, Pablo. *No me olvides (Madrid, 1837-1838) [Índice] por...* Madrid: C.S.I.C., 1946.
Caldera, Ermanno. *Primi manifesti del romanticismo spagnolo*. Pisa: Istituto di letteratura spagnola e ispano-americana dell'universitá di Pisa, 1962.
Calderón de la Barca, Pedro. *El mágico prodigioso*. Ed., introd., trad. y notas de Bernard Sesé. París: Aubier, Éditions Montaigne (1969).
Campo Alange, Condesa de. "Carta de Don Eugenio Ochoa con noticias literarias y políticas". *Correo erudito* (Madrid), IV (29), [1946], pp. 18-21.
Casalduero, Joaquín. *Espronceda*. Madrid: Gredos (1961)
Cascales Muñoz, José. *D. José de Espronceda, su época, su vida y sus obras*. Madrid: Biblioteca Hispania, 1914. Este libro reproduce, con algunos añadidos y modificaciones, los artículos anteriores del mismo autor "José de Espronceda y Delgado. Su época, su vida y sus obras", *La España Moderna*, año XX, 1908, CCXXXIII (233), pp. 23-55, y CCXXXIII (234), pp. 27-48, y "Apuntes y materiales para la biografía de Espronceda", *RH*, XXIII, 1910, pp. 5-108.
Cattaneo, Maria Teresa. "Gli esordi del romanticismo in Ispagna e *El Europeo*", in: *Tre studi sulla cultura spagnola*. Milán: Istituto Editoriale Cisalpino, 1967, pp. 73-137.
Cavanilles, Antonio José. *Poesías inéditas*, ed. de Santiago Montoto, Sevilla, 1934.
Černý Václav. *Essai sur le titanisme dans la poésie romantique occidentale entre 1815 et 1850*. Praga: Éditions Orbis (1935).
Charléty, Sébastien. *Histoire du saint-simonisme (1825-1864)*. Ginebra: Éd. Gonthier (1964).
Cheste, Juan de la Pezuela, conde de. "Elogio fúnebre del Excmo. Sr. D. Ventura de la Vega". *Memorias de la Academia Española*, I (II), 1870, pp. 434-467.
Churchman, Philip H. "An Espronceda Bibliography". *RH*, XVII, 1907, pp. 741-773.
— "Byron and Espronceda". *RH*, XX (57), 1909, pp. 5-210.
— y Peers, E. Allison. "A Survey of the Influence of Sir Walter Scott in Spain". *RH*, LV, 1922, pp. 268-310.
Coello y Quesada, Diego. "Poesías de don José de Espronceda". *El Corresponsal* (Madrid), 25, 26 y 27 de mayo de 1840.

Corona fúnebre en honor de la Excma. Sra. Doña María de la Piedad Roca de Togores, Duquesa de Frías y de Uceda, Marquesa de Villena, etc. etc. Madrid: Imprenta de Don Eusebio Aguado, 1830.

Cortón, Antonio. *Espronceda*, por... Madrid: Casa editorial Velázquez, 42 (1906).

Dérozier, Albert. *L'histoire de la Sociedad del Anillo de Oro pendant le triennat constitutionnel 1820-1823: la faillite du système libéral*, par... Paris: Sté d'éd. "Les Belles Lettres", 1965.

— "Les discussions sur la loi électorale en 1835 et 1836: le gouvernement en échec". *Caravelle* (Toulouse), 4, 1965, pp. 179-223.

— *Manuel Josef Quintana et la naissance du libéralisme en Espagne*. París: "Les Belles Lettres", 1968.

Díaz-Plaja, Fernando. "Sancho Saldaña y Don Juan". *Nueva Revista de filología española*, V, 1951, pp. 228-231.

Díaz-Plaja, Guillermo. *Introducción al estudio del Romanticismo español*, 2.ª ed. Madrid: Espasa-Calpe, 1942.

Durán, Agustín. "Discurso sobre el influjo que ha tenido la crítica moderna en la decadencia del teatro antiguo español, y sobre el modo con que debe ser considerado para juzgar convenientemente su mérito peculiar". *Memorias de la Academia Española*, I (II), 1870, pp. 280-336.

Eiras Roel, Antonio. *El partido demócrata español (1849-1868)*. Madrid: Rialp, 1961.

— "Sociedades secretas republicanas en el reinado de Isabel II". *Hispania* (Madrid), XXII, 1962, pp. 251-310.

Escosura, Patricio de la. *Discurso del Excmo. Sr. D. ... individuo de número de la Academia Española, leído ante esta corporación en la sesión pública inaugural de 1870 (Tres poetas contemporáneos* [V. de la Vega, F. Pardo, J. de Espronceda]). Madrid: Imp. y Estereotipia de M. Rivadeneyra, 1870.

— "Recuerdos literarios. Reminiscencias biográficas del presente siglo", *La Ilustración Española y Americana*, febrero a septiembre de 1876 (diez artículos).

Espoz y Mina, Francisco. *Memorias del general Don...* Ed. y est. prel. de Miguel Artola Gallego. Madrid: Atlas, 1962, 2 vols. (BAE, t. CXLVI-CXLVII).

Espronceda, José de. *Blanca de Borbón, drama trájico* [sic] *en cinco actos y en verso. Obra inédita de Espronceda. Publícala su hija Blanca*. Madrid: Impresa por las nietas del autor Luz y Laura, 1870

— *El Estudiante de Salamanca, and other Selections from...* Edited by George Tyler Northup. Boston: Ginn & Co. (1919).

— *El Estudiante de Salamanca*. Ed., pról. y notas por Carlos Beceiro. Madrid: Aguilar, 1965.

— *El Estudiante de Salamanca*. Ed. de Benito Varela Jácome. Salamanca: Anaya, 1966.

— "*Espronceda's Blanca de Borbón*, edited by Philip H. Churchman". *RH*, XVII, 1907, pp. 549-703.

— "More inedita" [presentación y publicación de Philip H. Churchman]. *RH*, XVII, 1907, pp. 704-740.

— *Obras completas de D. ...* Ed., pról. y notas de D. Jorge Campos. Madrid: Ed. Atlas, 1954 (BAE, t. LXXII).

— *Poésies lyriques et fragments épiques*. Édition chronologique et critique par Robert Marrast. París: Ed. Hispano-americanas, 1969.

— *Sancho Saldaña o el Castellano de Cuéllar: novela histórica original del siglo XIII por D. ...* Madrid: Imprenta de Repullés, 1834, 6 vols.

— y Ros [de Olano], Antonio. *Ni el tío ni el sobrino, comedia original en tres actos y en verso de Don..., y Don ..., alférez de la Guardia Real de Infantería*. Madrid: Imp. de J. Delgado, 1834.

Fernández de Córdoba, Fernando. *Mis memorias íntimas, por el teniente general Don ..., marqués de Mendigorría*. Ed. y est. preliminar por Miguel Artola Gallego. Madrid: Ed. Atlas, 1966 (BAE, t. CXCII-CXCIII).

Ferrer, Antonio C. *Paseo por Madrid 1835*. Pról. y notas de J. M. Pita Andrade. Madrid: Aldus, 1952. (Col. Almenara, 3).

Ferrer del Río, Antonio. "Biografía de Espronceda". *El Laberinto*, 2, 16 de noviembre de 1843, pp. 15-16 (refundido en su libro *Galería de la literatura española*, Madrid: 1846, pp. 235-251).

Foulché-Delbosc, Raymond. "Quelques réminiscences dans Espronceda", *RH*, XXI, 1909, pp. 667-669.

Gallina, Anna Maria. "La traiettoria drammatica di Espronceda: del neoclassicismo al romanticismo". *Annali dell'Istituto universitario orientale* (Nápoles), VII (1), enero de 1965, pp. 79-99.

García de León y Pizarro, José. *Memorias*. Ed., pról., apéndice y notas por Álvaro Alonso-Castrillo. Madrid: Revista de Occidente, 1953, 2 vols.

García Lorca, Francisco. "Espronceda y el Paraíso". *The Romanic Review*, XLIII, 1952, pp. 198-204.

[García de Villalta, José]. "Biografía de Espronceda", *El Labriego*, 14, 23 de mayo de 1840, pp. 221-227a (este artículo no está firmado, pero a tenor de los datos que contiene creemos que es de Villalta, único redactor y fundador del periódico; Espronceda rectificó algunos aspectos de esta biografía en una carta al periódico, que se publicó, acompañada del artículo de Villalta "Observaciones", en el n.º 16, t. II, 3 de junio de 1840, pp. 252-253).

Garrido, Fernando. *La España contemporánea. Sus problemas morales y materiales en el siglo XIX*. Barcelona, 1865-1867, 2 vols.

Gestoso y Pérez, J. "Recuerdos de Espronceda". *La Ilustración artística* (Barcelona), XXI (1067), 9 de junio de 1902, pp. 382-383.

Gil y Carrasco, Enrique. *Obras completas*, Ed., pról. y notas de D. Jorge Campos. Madrid: Ed. Atlas, 1954 (BAE, t. LXXIV).

González Palencia, Ángel. *Estudio histórico sobre la censura gubernativa en España 1800-1833*. Madrid: Tipografía de Archivos/Escelicer, 1934-1941. 3 vols.

Guarner, Luis. *El Europeo (Barcelona, 1823-1824) [Índice por]...* Madrid: C.S.I.C., 1953.

Gutiérrez de la Vega, José. "Don Miguel de Mañara, cuento tradicional". *Semanario pintoresco español*, 16 (52), 28 de diciembre de 1851, pp. 410-412.

Hartzenbusch e Hiriart, Eugenio. *Apuntes para un catálogo de periódicos madrileños desde el año 1661 al 1870*. Madrid: Suc. de Rivadeneyra, 1894.

Heine, Henri. *De l'Allemagne*, 2.ª ed. París: Michel Lévy frères, 1863.

— *De la France*. Edition et traduction de R. Schiltz. París: Aubier, 1930.

Hugo, Victor. *La Préface de "Cromwell"*. Introduction, texte et notes de Maurice Souriau, 5.ª ed. París: S[té] française d'imprimerie et de librairie, s.f.

Jerez de los Caballeros, Manuel Pérez de Guzmán y Boza, marqués de. *Discursos leídos ante la Real Academia Sevillana de Buenas Letras el 3 de enero de 1897* por el Excmo. Sr. D. ..., y el Sr. D. Francisco Rodríguez Marín en la recepción del primero, Sevilla, 1897 (título del discurso del primero: *La Academia del Mirto*).

Jovellanos, Gaspar Melchor de. *Obras publicadas e inéditas de D. ..., colección hecha e ilustrada por D. Cándido Nocedal, tomo primero*. Madrid: Rivadeneyra, 1858 (BAE, t. XLVI).

Juretschke, Hans. *Origen doctrinal y génesis del romanticismo español*. Madrid: Editora Nacional, 1954 (Col. O Crece o muere, 72).

— *Vida, obra y pensamiento de Alberto Lista*. Madrid: C.S.I.C., 1951.

King, Edmund L. "What is Spanish Romanticism?". *Studies in Romanticism*, II (I), otoño de 1962, pp. 1-11.

Labra, Rafael María de. *El Ateneo de Madrid, 1835-1905. Notas históricas por* ... Madrid: Tipografía de A. Alonso, 1906.

Lafuente, Modesto. *Historia general de España [...]* continuada [...] por Don Juan Valera con la colaboración de D. Andrés Borrego y D. Antonio Pirala, t. V y VI. Barcelona: Montaner y Simón, 1885.

Lamennais [Félicité de]. *Les paroles d'un croyant de* ... Texte publié sur le manuscrit autographe avec des variantes, une introduction et un commentaire [...] par Yves le Hir. París: A. Colin, 1949.

Larra, Mariano José de ("Fígaro"). *Obras*. Ed. y est. preliminar de Carlos Seco Serrano. Madrid: Ed. Atlas, 1960 (BAE, t. CXXVII-CXXX).

— *El Duende satírico del día,* de Mariano José de Larra. Première réédition complète avec une introduction et des notes (tesis complementaria mecanografiada), por A. Rumeau. París, 1948 (ejemplar del autor).

Le Gentil, Georges. *Le poète Manuel Bretón de los Herreros et la société espagnole de 1830 à 1860*. París: Hachette, 1909.

— *Les revues littéraires de l'Espagne pendant la première moitié du XIXe siècle. Aperçu bibliographique*. París: Hachette, 1909.

Lista, Alberto. *Colección de trozos escogidos de los mejores hablistas castellanos en verso y prosa, hecha para el uso de la casa de educación, sita en la calle de San Mateo de la Corte,* por D. Alberto Lista y Aragón, 6.ª ed. Sevilla, 1885 (la primera edición es de Madrid, 1821, en 2 vols.).

— *Ensayos literarios y críticos por D. ..., con un prólogo por D. José Joaquín de Mora*. Sevilla: Calvo Rubio y Cía, 1844, 2 vols.

— *Poesías inéditas de Don*... Ed. y est. preliminar de José María de Cossío. Madrid: Ed. Voluntad, 1927.

Llorens Castillo, Vicente. "El original inglés de una poesía de Espronceda", *Nueva Revista de filología hispánica*, V (1951), pp. 418-422.

— *Liberales y románticos. Una emigración española en Inglaterra (1823-1834)*, 2.ª ed. Madrid: Ed. Castalia, 1968.

Maldonado, Horacio. "Del Uruguay. Espronceda y el uruguayo D. Cándido Juanicó". *El Sol* (Madrid), 22 de septiembre de 1926.

Mariana, Padre Juan de. *Obras del*... Colección dispuesta y revisada, con un discurso preliminar por D. F[rancisco] P[i] y M[argall]. Madrid: Rivadeneyra, 1854 (BAE, t. XXX-XXXI).

Marliani, M[anuel] de. *Histoire politique de l'Espagne moderne* par...[...], augmentée d'un chapitre sur les événements de 1840. Bruselas: Wouters, Raspoet et Cie, 1842, 2 vols.

Marrast, Robert. "Contribution à la bibliographie d'Espronceda. Les manuscrits et la date de *Blanca de Borbón*". *BH*, LXXIII, 1971, pp. 125-132.

— *Espronceda, articles et discours oubliés. La bibliothèque d'Espronceda (d'après un document inédit)*. París: Presses Universitaires de France, 1966.

— "'Fígaro' y *El Siglo*". *Ínsula*, 188-189, julio-agosto de 1962.

— "Lista et Espronceda. Fragments inédits du *Pelayo", Mélanges offerts à Marcel Bataillon*. Burdeos: Féret et fils, 1962, pp. 526-537 (*BH*, LXIV *bis*).

Martinengo, Alessandro. "Espronceda e la pena di morte". *Studi mediolatini e volgari* (Bolonia), XII, 1964, pp. 65-103.

Martínez de la Rosa, Francisco. *Obras*. Ed. y est. preliminar de Carlos Seco Serrano. Madrid: Ed. Atlas, 1962-1963, 8 vols. (BAE, t. CXLVIII-CLIII).

— *Obras dramáticas. La viuda de Padilla, Aben Humeya y La conjuración de Venecia*. Ed. y notas de Jean Sarrailh. Madrid: Espasa-Calpe, 1954. (Clás. castellanos, t. 107).

— *Obras literarias*. París: F. Didot, 1827-1830, 5 vols.

Mazzei, Pilade. *La poesia di Espronceda*. Florencia: La Nuova Italia, s.f. [1935].

Menéndez Pidal, Ramón. *Floresta de leyendas heroicas españolas, compilada por ... Rodrigo, el último godo*. Madrid: Ed. de La Lectura, 1925-1928, 3 vols. (Clás. castellanos, t. 62, 71 y 84).

Mesonero Romanos, Ramón de. *Obras completas*. Ed. y est. preliminar de Carlos Seco Serrano. Madrid: Ed. Atlas, 1967, 4 vols. (BAE, t. CXIX-CCIII).

Mira de Amescua, [Antonio]. *El Esclavo del demonio*. Ed., est. y notas por Ángel Valbuena Prat, 2.ª ed. Zaragoza: Editorial Ebro, 1949 (Biblioteca clásica Ebro, 42).

Molins, marqués de. *Bretón de los Herreros. Recuerdos de su vida y de sus obras* escritos por el...[...]. Madrid: Imp. y fundición de M. Tello, 1883.

Monte, Domingo del. *Centón epistolario de Don...* Con un prefacio, anotaciones y una tabla alfabética por Domingo Figarola-Caneda, académico de número. La Habana: Imp. "El Siglo XX", 1923-1926, 4 vols.

Montesinos, José F[ernández]. *Costumbrismo y novela. Ensayo sobre el redescubrimiento de la realidad española*, 2.ª ed. Madrid: Ed. Castalia, 1965 (Col. La lupa y el escalpelo, 1).

— *Introducción a una historia de la novela en España en el siglo* XIX. *Seguida del esbozo de una bibliografía española de traducciones de novelas (1800-1850)*. Madrid: Ed. Castalia, 1955.

Montoto, Santiago. "Lista y la Academia del Mirto". *España* (Tánger), XI, 17 de julio de 1948.

Núñez de Arenas, Manuel. *L'Espagne des Lumières au Romantisme*. Études réunies par Robert Marrast. París: Centre de ıecherches de l'Institut d'études hispaniques, 1964 (contiene todos los artículos citados en la presente obra, que se habían publicado por separado en diversos periódicos).

Ochoa, Eugenio de. *Apuntes para una biblioteca de escritores españoles contemporáneos en prosa y verso,* por don [...]. París: Baudry, 1840, 2 vols.

Pacheco, Joaquín Francisco. *Literatura, historia y política.* Madrid, 1864, 2 vols.

Pattison, Walter T. "On Espronceda's Personality". *PMLA*, LXI (1), 1946, pp. 1126-1145.

Peers, E[dgar] Allison. "Ángel de Saavedra, duque de Rivas. A Critical Study". *RH*, LVIII, 1923, pp. 1-600.

– *Historia del movimiento romántico español* (trad. del inglés por José M[aría] Gimeno). Madrid: Ed. Gredos, 1954, 2 vols.

– "Studies in the Influence of Sir Walter Scott in Spain". *RH*, LXVIII, 1926, pp. 1-160.

– "The *Moro expósito* and Spanish Romanticism". *Studies in Philology*, XIX, 1922, pp. 308-316.

– "The Term 'romanticism' in Spain". *RH*, LXXXI (II), 1933, pp. 411-418.

Phillips, Allen W. "Una imagen de José de Espronceda". *Nueva Democracia* (Nueva York), 36 (3), 1956, pp. 20-23.

[Pi y Margall, (Francisco)]. "Espronceda y Larra". *El Museo Universal*, 1 (12), 30 de junio de 1857, pp. 93b-94b (Rodríguez-Solís, p. 143, atribuye este artículo a Pi y Margall).

Pirala, Antonio. *Historia de la Guerra Civil y de los partidos liberal y carlista,* por D. ... Escrita con presencia de memorias y documentos inéditos. Madrid, s.f. [1854-1856], 5 vols.

Pitollet, Camille. *La querelle caldéronienne de Johan Nikolas Böhl von Faber et José Joaquín de Mora, reconstituée d'après les documents originaux*, París: Félix Alcan, 1909.

Poesías selectas castellanas desde el tiempo de Juan de Mena hasta nuestros días. Ed. de Manuel Josef Quintana. Madrid, 1817 y 1830, 4 vols.

Id. Segunda parte: Musa épica o colección de trozos mejores de nuestros poemas heroicos. Ed. Manuel Josef Quintana. Madrid: M. de Burgos, 1833, 2 vols.

Poetas líricos del siglo XVIII. Colección formada e ilustrada por el Excmo. Sr. D. Leopoldo Augusto de Cueto. Madrid: Ed. Atlas, 1952, 3 vols. (BAE, t. LXI, LXIII y LXVII).

Quintana, Manuel José. *Obras completas del Excmo. Sr. D. ...* [Pról. de D. A. Ferrer del Río]. Madrid: Rivadeneyra, 1852 (BAE, t. XIX).

Randolph, Donald Allen. *Eugenio de Ochoa y el romanticismo español*, Berkeley/Los Ángeles: University of California Press, 1966.

Río, Ángel del. "Present Trends in the Conception and Criticism of Spanish Romanticism". *The Romanic Review*, XXXIX, 1948, pp. 229-248.

Rivas, Ángel de Saavedra, duque de. *Obras completas*. Ed. y pról. de Jorge Campos, Madrid: Ed. Atlas, 1957, 3 vols. (BAE, t. C-CII).

– *Romances [históricos]*. [Ed. e introd. de Cipriano Rivas Cherif], Madrid: Ed. de La Lectura, 1911-1912, 2 vols. (Clás. castellanos, t. 9 y 10).

Rivas Santiago, Natalio. *Anecdotario histórico contemporáneo. Páginas de mi archivo y apuntes para mis memorias. Primera parte*. Madrid: Editora Nacional, 1944.

Rodríguez-Solís, E[nrique]. *Espronceda. Su tiempo, su vida y sus obras. Ensayo histórico-biográfico acompañado de sus discursos parlamentarios y de otros* trabajos inéditos en prosa y verso del malogrado autor de *"El diablo mundo"*. Madrid: Imp. de F. Cao y D. de Val, 1883 (2.ª ed., 1884; 3.ª ed., 1889).

— *Historia del partido republicano español*, Madrid, 1893, 2 vols.

— "Una aventura de Espronceda. (Episodio histórico)". *La Ilustración artística* (Barcelona), 30 de junio de 1883, p. 247.

Romancero general o colección de romances castellanos anteriores al siglo XVIII. Recogidos, ordenados, clasificados y anotados por Don Agustín Durán. Madrid: Rivadeneyra, 1849-1851, 2 vols. (BAE, t. X y XVI).

Romero Tobar, Leonardo. "*El Siglo*, revista de los años románticos (1834)". *Revista de literatura*, XXXIV (67-68), julio-diciembre de 1968, pp. 15-29 (número impreso en 1970, llegó a París hacia finales de noviembre de 1970).

— "Textos desconocidos de Espronceda". *Revista de literatura*, XXXII (63-64), julio-diciembre de 1967, pp. 137-146 (número impreso en 1969, llegó a París en octubre de 1969).

Ros de Olano, Antonio. "José de Espronceda. Teresa". *Revista de España y del extranjero*, I, 1845, pp. 514-515.

Rumeau, A. *Mariano José de Larra et l'Espagne à la veille du romantisme*, tesis mecanografiada. París, 1949 (ejemplar del autor).

— "Le théâtre à Madrid à la veille du Romantisme 1831-1834". *In: Hommage à Ernest Martinenche. Études hispaniques et américaines*, París: Ed. D'Artrey, s.f. [1939], pp. 330-346.

Saíd-Armesto, Victor. *La Leyenda de Don Juan. Orígenes poéticos de "El Burlador de Sevilla" y "Convidado de Piedra"*. Buenos Aires/México: Espasa Calpe Argentina, (1946). (Col. Austral, t. 562).

Salinas, Pedro. *Ensayos de literatura hispánica. Del "Cantar de mío Cid" a García Lorca*. Ed. y pról. de Juan Marichal. Madrid: Aguilar, 1958.

Sánchez Estevan, Ismael. *Mariano José de Larra "Fígaro". Ensayo biográfico, redactado en presencia de numerosos antecedentes desconocidos y acompañado de un catálogo completo de sus obras*. Madrid: Casa Editorial Hernando, 1934.

Santillán, Ramón de. *Memorias (1815-1856)*. Ed. y notas [de] Ana María Berazaluce, introd. [de] Federico Suárez. Pamplona: Studium Generale, 1960, 2 vols.

Sardá, Juan. *La política monetaria y las fluctuaciones de la economía española en el siglo XIX*. Madrid: C.S.I.C., 1948.

Sarrailh, Jean. *La Contre-révolution sous la Régence de Madrid (mai-octobre 1823)*, Burdeos: Féret et fils, 1930.

— *Un homme d'État espagnol, Martínez de la Rosa (1787-1862)*. Burdeos: Féret et fils, 1930.

Shaw, D. L. "Towards the Understanding of Spanish Romanticism". *The Modern Language Review*, LVIII (2), abril de 1963, pp. 190-195.

Simón Díaz, José. *El Alba (Madrid, 1838-1839). [Índice] por* .... Madrid: C.S.I.C., 1946.

— *El Artista (Madrid, 1835-1836). [Índice por]* .... Madrid: C.S.I.C., 1946.

— *Liceo artístico y literario (Madrid, 1838). [Índice] por* ... Madrid: C.S.I.C., 1947.

— "*L'Artiste* de París y *El Artista* de Madrid". *Revista bibliográfica y documental*, I, 1947, pp. 261-267.

Simón Palmer, María del Carmen. "El Colegio de San Mateo (1821-1825)". *Anales del Instituto de Estudios Madrileños*, IV, 1968, pp. 1-53.

Stendhal. *Racine et Shakespeare*, Préface et notes de Pierre Martino. París, 1927.

Tchernoff, I. *Le parti républicain sous la monarchie de Juillet. Formation et évolution de la doctrine républicaine*. Avec une préface de A. Esmein. París: A. Pedone, 1901.

Tomás Villaroya, Joaquín. *El sistema político del Estatuto Real (1834-1836)*. Madrid: Instituto de Estudios Políticos, 1968.

Torre Pintueles, Elías. *La vida y la obra de José García de Villalta*. Madrid, 1959.

— *Tres estudios en torno a García de Villalta*. Madrid: Ínsula, 1965.

Torrijos, Luisa Sáenz de Viniegra, condesa de. *Vida del General D. José María de Torrijos y Uriarte, escrita y publicada por su viuda*. Madrid: Imprenta de M. Mimera, 1860, 2 vols.

Tuñón de Lara, Manuel. *La España del siglo* XIX (2.ª ed.). París: Librería Española, 1968.

Van Tieghem, Paul. *Le romantisme dans la littérature européenne*. París: Albin Michel, 1968 (Coll. L'évolution de l'humanité, 19).

Vega, Ventura de la. *Obras poéticas de D... de la Real Academia Española*. París: Imprenta de J. Claye, 1866.

Vélez, Francisco. "La verdadera patria de Espronceda". *Unión iberoamericana*, IX (101), 6 de febrero de 1894.

Vicens Vives, Jaime. "El Romanticismo en la historia". *Hispania* (Madrid), X (XLI), 1950, pp. 745-765.

— *Historia económica de España y América*. Dirigida por..., t. V. Barcelona: Editorial Vicens-Vives, 1959.

— *Manual de historia económica de España*. Con la colaboración de Jorge Nadal Oller. 3.ª ed. Barcelona: Editorial Vicens-Vives, 1959.

Villa-Urrutia, marqués de. *La Reina gobernadora, Doña María Cristina de Borbón. Prólogo del Excmo. Sr. Conde de Romanones*. Madrid: Francisco Beltrán, 1925.

Zorrilla, José. *Obras de D...* Nueva ed. corregida y la sola reconocida por el autor. Con su biografía por Ildefonso de Ovejas. Tomo primero: *Obras poéticas*. París: Baudry, 1893 (Col. de los mejores autores españoles antiguos y modernos, vol. XXXIX).

— *Recuerdos del tiempo viejo*, 2.ª ed. aum. Madrid: Tipografía Gutenberg, 1882, 3 vols.

POSDATA A LA EDICIÓN ESPAÑOLA

Cuando Editorial Crítica me anunció —gran honor para mí— que iba a publicar una versión castellana del presente libro, me planteé el problema de su puesta al día. Una primera solución consistía en tener en cuenta las aportaciones a los temas tratados, realizadas por otros investigadores posteriormente a la edición francesa, y en introducirlas, con sus correspondientes referencias bibliográficas, en mi texto primitivo, a título de rectificaciones o adiciones. Pronto renuncié a tal solución, al darme cuenta de que el adoptarla me obligaba en realidad a realizar una nueva redacción en varios capítulos o partes de capítulos, tarea que hubiera exigido mucho tiempo, amén de una reorganización de las notas.

Por ello me limité a escasas modificaciones de detalle en el texto, teniendo en cuenta algunas de las observaciones contenidas en las reseñas de la edición francesa, y, por otra parte, a completar la bibliografía, mencionando a continuación las ediciones de las *Poesías, El estudiante de Salamanca* u otras obras realizadas desde la fecha de publicación de mi libro, así como los libros o artículos sobre Espronceda u otros temas estudiados por mí (prensa, novela histórica, acontecimientos políticos, teatro, teorías y definiciones del romanticismo, etc.).

Las entradas de esta bibliografía complementaria no van acompañadas de ningún comentario. El lector comprenderá que no me corresponde emitir públicamente un juicio crítico sobre ediciones o estudios publicados posteriormente a mi propio trabajo. Sólo diré que unas y otros constituyen valiosas aportaciones al conocimiento del poeta, de su obra y de su época.

R. M.

BIBLIOGRAFÍA COMPLEMENTARIA

1. Bibliografías

Billick, David J. *José de Espronceda. An Annotated Bibliography. 1834-1980.* Nueva York/Londres: Garland, 1981.

Jacobson, Margaret D. *The Origins of Spanish Romanticism: A Selective Annotated Bibliography*. Lincoln: Society of Spanish and Spanish American Studies, 1985.

2. Ediciones

Espronceda, José de. *Sancho Saldaña o el Castellano de Cuéllar*. Ed. de A. Antón Andrés. Barcelona: Barral, 1979, 2. vols.

— *El Estudiante de Salamanca and other Poems*. Edited and selected, with an introduction and notes by Richard A. Cardwelle. Londres: Tamesis Textes, 1980.

— *Poesías*. Ed. de Domingo Ynduráin. Barcelona: Bruguera, 1981.

— *El Estudiante de Salamanca*. Ed., pról. y notas por el Dr. Tomás Ruiz-Fábregas. Zaragoza: Ebro ("Biblioteca Clásica Ebro", 140), 1982.

— *Teatro completo*. Ed. preparada por A. Labandeira Fernández. Madrid: Editora Nacional, 1982.

— *Poesías. El Estudiante de Salamanca*. Ed. de Juan María Díez Taboada. Barcelona: Plaza y Janés ("Clásicos Plaza y Janés. Biblioteca Crítica de Autores Españoles", 29), 1984.

— *El Estudiante de Salamanca. El diablo mundo*, ed. de Robert Marrast. Madrid: Castalia, 1985².

— *Obras Poéticas*. Ed., intr. y notas de Leonardo Romero Tobar. Barcelona: Planeta ("Clásicos Universales Planeta", 129), 1986.

3. Estudios

Abellán, José Luis. *Historia crítica del pensamiento español. T. IV: Liberalismo y Romanticismo (1808-1874)*. Madrid: Espasa-Calpe, 1984.

Badessi, Alessandra. "Uomo vs donna nelle visione letteraria ed esistenziale da José de Espronceda". *Cuadernos de Filología* (Valencia), III (3), 1983, pp. 33-60.

Balcells, José María. "Explicación de *El Pastor Clasiquino* de Espronceda". *Monteagudo*, 67, 1979, pp. 5-11.

Billick, David. J. "Espronceda ensayista". *Ábside* (San Luis Potosí), 42 (4), 1978, pp. 337-351.

Caldera, Ermanno. *Il drama romantico in Spagna*. Pisa: Università di Pisa, 1974.

Carnero, Guillermo. "El republicanismo de Espronceda". *Ínsula* (Madrid), 326, enero 1974, pp. 1 y 16.

— *Espronceda*. Madrid: Ed. Júcar (Col. "Los Poetas", 11), 1974.

— *Los orígenes del romanticismo reaccionario español: el matrimonio Böhl de Faber*. Valencia: Universidad de Valencia, 1978.

Castro, Concepción de. *Romanticismo, periodismo y política. Andrés Borrego*. Madrid: Tecnos, 1975.

Dérozier, Albert. "Martínez de la Rosa et la naissance du drame historique en Espagne", *en Hommage à Georges Fourier*. París: Les Belles Lettres, 1973, pp. 109-139. ("Annales littéraires de l'Université de Besançon", 142).

— "À propos des origines du roman historique en Espagne à la mort de Ferdinand VII", en: *Melanges de la Bibliothèque espagnole. Paris 1976-1977*, (1978), pp. 53-81.

Díez Borque, José María [Ed.]. *Historia del teatro en España. Tomo II: Siglo XVIII. Siglo XIX*. Madrid: Taurus, 1988.

Durán, Agustín. *Discurso sobre el influjo* ... Introduction Donald L. Shaw. Exeter: University of Exeter ("Exeter Hispanic Texts", 4), 1973.

Fontana, Josep. *La Revolución liberal (Política y Hacienda 1833-1845)*. Madrid: Instituto de Estudios Fiscales, 1977.

Gallina, Anna Maria. "Su alcuni fonti dell' *Estudiante de Salamanca*". *Quaderni Iberoamericani* (Turín), 45-46, 1975, pp. 231-240.

Gies, David T. "Visión, ilusión y el sueño romántico en la poesía de Espronceda". *Cuadernos de Filología* (Valencia), III (3), 1983, pp. 61-84.

— *Theatre and Politics in Nineteenth-Century Spain. Juan de Grimaldi as Impresario and Governement Agent*. Cambridge: Cambridge University Press, 1988.

Gil Novales, Alberto. "El movimiento juntero de 1835 en Andalucía". *Cuadernos de Filología* (Valencia), III (3), 1983, pp. 85-118.

— Alberto. "Repercusiones españolas de la Revolución de 1830". *Anales de Literatura Española, Universidad de Alicante*, 2, 1983, pp. 281-328.

Ilie, Paul. "Espronceda and the Romantic Grotesque". *Studies in Romanticism* (Boston), 11, 1972.

Janke, Peter. *Mendizábal y la instauración de la monarquía constitucional en España (1790-1853)*. Traducción de Manuel de Juan. Madrid: Siglo XXI, 1974.

López-Landeira, Ricardo. "La desilusión poética de Espronceda: realidad y poesía irreconciliables". *Boletín de la Real Academia Española* (Madrid), 55, 1975, pp. 307-329.

— "The Whore-Madonna in the Poetry of José de Espronceda". *Romance Notes* (Chapel Hill), XVIII (2), 1977-1978, pp. 192-199.

Llorens, Vicente. *El romanticismo español*. Madrid: Fundación Juan March/Castalia, 1979.

Marrast, Robert. "Le drame romantique en Espagne à l'époque romantique de 1834 à 1844: contribución à son approche sociologique", *en: Romantisme, réalisme, naturalisme en Espagne et en Amérique espagnole*. Lille: Publications de l'Université de Lille II (1978), pp. 35-45.

Picoche, Jean-Louis. "Existe-t-il un drame romantique espagnol?", *en: Romantisme, réalisme, naturalisme en Espagne et en Amérique espagnole*. Lille: Publications de l'Université de Lille II (1978), pp. 47-55.

— "El grupo sustantivo-calificativo en las primeras obras poéticas de Espronceda (1822-1835)", *en: Romanticismo 2. Atti del 3 Congreso sul romanticismo spagnolo e ispanoamericano*, Génova, 1984, pp. 66-73.

Rees, Margaret A. *Espronceda. "El Estudiante de Salamanca"*. Londres: Grant and Cutler ("Critical Guides to Spanish Texts", 25), 1979.

Rodríguez, Alfred. "Unas resonancias interesantes en la poesía de Espronceda", *en: Homenaje a Sherman J. Eoff*. Ed. de José Schraibman. Madrid: Castalia, 1970, pp. 237-265.

— y Delgado Marrero. "Notas sobre el verdugo en la literatura española del siglo XIX". *Boletín de la Biblioteca Menéndez y Pelayo* (Santander) 50, 1974, pp. 355-364.

Romero Tobar, Leonardo. "Bibliografía de ediciones de Espronceda". *Cuadernos Bibliográficos* (Madrid), 28, 1972.

— "Sobre censura de periódicos en el siglo XIX. Algunos expedientes gubernativos de 1832 a 1849", *en: Homenaje a D. Agustín Millares Carlo*, vol I. Las Palmas, 1975, pp. 465-500.

— "Textos inéditos de escritores españoles del XIX relacionados con la censura gubernativa". *Cuadernos Bibliográficos* (Madrid), 32, 1975.

— *La novela popular española del siglo XIX*. Madrid: Fundación Juan March/Ariel, 1976.

Sebold, Russell P. "El infernal arcano de Félix de Montemar". *Hispanic Review* (Filadelfia), 46 (4), otoño 1978, pp. 447-[464].

Senabre, Ricardo. "Estructuras mnemónicas en la poesía de Espronceda". *Revista de Estudios Extremeños* (Badajoz), 34, 1978, pp. 289-304.

Seoane, María Cruz. *Oratoria y periodismo en la España del siglo XIX*. Madrid: Fundación Juan March/Castalia, 1977.

— *Historia del periodismo en España. 2. El siglo XIX*. Madrid: Alianza, 1983.

Shaw, Donald L. "Spain/Romántico - Romanticismo - Romancesco - Romanesco - Romancista - Románico", *en: Romantic and its Cognates*. Ed. H. Eichner. Toronto: University of Toronto Press, 1972, pp. 341-371.

— [Véase *supra*: Durán, Agustín].

— "La crítica del romanticismo spagnolo e la sua evoluzione", *en: Romanticismo 1. Atti del I Congreso sul romanticismo spagnolo e ispanoamericano*, Génova, 1982, pp. 127-135.

Talens, Jenaro. *El texto plural. Sobre el fragmentismo romántico: una lectura simbólica de Espronceda*. Valencia: Universidad de Valencia, 1975.

Vasari, Stephen. "*La pata de palo*: Fuente y sentido de un cuento de Espronceda". *Papeles de Son Armadans* (Madrid/Palma de Mallorca), año 17, 65 (193), 1972, pp. 49-56.

– "El sentido oculto de la comedia *Ni el tío ni el sobrino* de Espronceda". *Romanische Forschungen* (Erlangen), 58, 1976, pp. 395-402.

– "Aspectos religioso-políticos de la ideología de Espronceda: *El Estudiante de Salamanca*". *Bulletin Hispanique* (Burdeos), 82, 1980, pp. 96-149.

Ynduráin, Domingo. *Análisis formal de la poesía de Espronceda*. Prólogo de Rafael Lapesa. Madrid: Taurus, 1971.

ÍNDICE ONOMÁSTICO

Este índice contiene: 1. los nombres más importantes y más frecuentemente citados en el texto y en las notas, sin tener en cuenta los de personajes literarios; 2. los nombres de aquellos autores cuyos trabajos, que simplemente se citan en el texto o en las notas, no aparecen en la Bibliografía por los motivos ya indicados *supra*, p. 638.

ÍNDICE

SEGUNDA PARTE

LOS TRABAJOS Y LOS DÍAS DEL EMIGRADO JOSÉ DE ESPRONCEDA (1827-1833)

TERCERA PARTE

LA INTEGRACIÓN DE JOSÉ DE ESPRONCEDA EN LA VIDA LITERARIA Y POLÍTICA (marzo de 1833-septiembre de 1835)

Sexta Parte

LA RESISTIBLE ASCENSIÓN DEL MODERANTISMO EN ESPAÑA (1836-1838)